Werner Bests korrespondance med Auswärtiges Amt
og andre tyske akter vedrørende besættelsen
af Danmark 1942-1945

Die Korrespondenz von Werner Best mit dem
Auswärtigen Amt und andere Akten zur
Besetzung von Dänemark 1942-1945

Danish Humanist Texts and Studies

Volume 43

Edited by Erland Kolding Nielsen

The Royal Library · Copenhagen

Werner Bests korrespondance med Auswärtiges Amt og andre tyske akter vedrørende besættelsen af Danmark 1942-1945

Udgivet af
John T. Lauridsen

Under medvirken af
Jakob K. Meile

BIND 2:

December 1942 – april 1943

DET KONGELIGE BIBLIOTEK
&
SELSKABET FOR UDGIVELSE AF KILDER TIL DANSK HISTORIE

I kommission hos Museum Tusculanum Press

KØBENHAVN 2012

Werner Bests korrespondance med Auswärtiges Amt
og andre tyske akter vedrørende besættelsen af Danmark 1942-1945
Udgivet af John T. Lauridsen under medvirken af Jakob K. Meile

© 2012 Det Kongelige Bibliotek & Selskabet for Udgivelse af Kilder til dansk Historie

Tilsynsførende:	Knud J.V. Jespersen & Aage Trommer
Oversættelse:	Johannes Wendland, LanguageWire A/s
Layout & sats:	Forlagsbureauet/Ole Klitgaard (†)
Reproduktioner:	Fotografisk Atelier, Det Kongelige Bibliotek

Bogen er sat med Adobe Garamond Pro
og trykt på 115g Scandia 2000 Smooth Ivory
Dette papir overholder de i ISO 9706:1994
fastsatte krav til langtidsholdbart papir.

Printed in Denmark by Special-Trykkeriet Viborg A/s

ISBN (værket)	978-87-7023-296-8
ISBN (dette bind)	978-87-7023-298-2
ISSN (DHTS)	0105 8746

Udgivet med støtte fra
Carlsbergfondet
Oticon Fonden
Kulturministeriets Forskningspulje
Det Kongelige Bibliotek

I kommission hos
Museum Tusculanum Press
University of Copenhagen
Njalsgade 126
DK-2300 Copenhagen S
www.mtp.dk

Die Korrespondenz von Werner Best mit dem Auswärtigen Amt und andere Akten zur Besetzung von Dänemark 1942-1945

Herausgegeben von
John T. Lauridsen

Unter der Mitarbeit von
Jakob K. Meile

BAND 2:

Dezember 1942 – April 1943

KÖNIGLICHE BIBLIOTHEK
&
GESELLSCHAFT FÜR DIE HERAUSGABE VON QUELLEN
ZUR DÄNISCHEN GESCHICHTE

In Kommission bei Museum Tusculanum Press

KOPENHAGEN 2012

*Die Korrespondenz von Werner Best mit dem Auswärtigen Amt
und andere Akten zur Besetzung von Dänemark 1942-1945
Herausgegeben von Dr. phil. John T. Lauridsen
unter der Mitarbeit von M.A. Jakob K. Meile*

© 2012 Königliche Bibliothek & Gesellschaft für die
Herausgabe von Quellen zur dänischen Geschichte

Herausgeberbeirat:	Prof., Dr. phil. Knud J.V. Jespersen &
	Rektor i. R., Dr. phil. Aage Trommer
Übersetzung:	M.A. Johannes Wendland, LanguageWire A/s
Layout & Satz:	Forlagsbureauet/M.A. Ole Klitgaard (†)
Repro:	Fotografisk Atelier, Det Kongelige Bibliotek

Das Werk wurde in der Adobe Garamond Pro gesetzt
und auf 115g Scandia 2000 Smooth Ivory gedruckt.
Dieses Papier erfüllt die Anforderungen an
Nachhaltigkeit nach ISO 9706:1994.

Printed in Denmark by Special-Trykkeriet Viborg A/s

ISBN (ges. Werk)	978-87-7023-296-8
ISBN (dieser Band)	978-87-7023-298-2
ISSN (DHTS)	0105 8746

Herausgegeben mit Unterstützung von
Carlsbergfondet
Oticon Fonden
Forschungspool des Dänischen Kulturministeriums
Königliche Bibliothek

In Kommission bei
Museum Tusculanum Press
University of Copenhagen
Njalsgade 126
DK-2300 Copenhagen S
www.mtp.dk

Indhold

December 1942 9

Januar 1943 87

Februar 1943 189

Marts 1943. 273

April 1943 425

Inhalt

Dezember 1942 9

Januar 1943 87

Februar 1943 189

März 1943 273

April 1943 425

DECEMBER 1942

1. Werner Best an das Auswärtige Amt 1. Dezember 1942
Se telegrammerne 28. november og 11. december 1942.
Kilde: PA/AA R 29.566. RA, pk. 202.

Telegramm

Kopenhagen, den	1. Dezember 1942	20.00 Uhr
Ankunft, den	1. Dezember 1942	21.50 Uhr

Nr. 1813 vom 1.12.[42.]

Auf Drahterlaß Nr. 2134[1] vom 28. November.
Dortiger dänischer Geschäftsträger erhält Weisung, im Auswärtigen Amt anzufragen, ob
Gesandter Mohr auf seinen Posten zurückkehren kann.
Dr. Best

2. Wehrwirtschaftstab Dänemark: Lagebericht 1. Dezember 1942
Det var besluttet, at alt det nødvendige cement til fæstningsbyggeriet i Danmark skulle produceres i landet,
og at Tyskland skulle levere det nødvendige kul dertil. Mht. jern og stål var situationen forbedret i november, mens forsyningen med kul og koks ikke havde forbedret sig. Ved en kold vinter ville situationen blive
katastrofal. På tysk foranledning havde det danske justitsministerium fremlagt et lovforslag om oprettelse
af bedriftsværn.
Kilde: BArch, Freiburg, RW 27/4. RA, Danica 1000, T-77, sp. 696, KTB/Rü Stab Dänemark 4. Vierteljahr 1942, Anlage D.

Anlage D
Kopenhagen, den 1.12.1942
Wehrwirtschaftstab Dänemark
ZA/Ia Az. 66dl/Wi-Ber. Nr. 1552/42g
Geheim

Bezug: OKW Wi Rü Amt/Rü IIIb Nr. 21755/42 v. 9.5.42
Betr.: Lagebericht.

Wehrwirtschaftstab Dänemark übersendet in der Anlage Lagebericht gemäß o.a. Bezugsverfügung.
Forstmann

---

1 Pol. IV g.Rs. Se Ribbentrops telegram nr. 1497, 28. november, trykt ovenfor.

DECEMBER 1942

Wehrwirtschaftstab Dänemark
ZA/Ia Az. 66dl/Wi-Ber. Nr. 1552/42g

Kopenhagen, den 1.12.1942
Geheim

Vordringliches

Als Ergebnis der Verhandlungen zwischen G.B. Bau und OKW/Wi Amt wurde festgelegt, daß der für alle Festungsbauten in Dänemark erforderliche Zement in Dänemark hergestellt und die dafür erforderliche Kohle aus Deutschland geliefert werden soll. Der Gesamtbedarf an Zement bis Ende Mai 1943 beträgt 312.000 to.[2] Hierzu werden 105.000 to Kohle benötigt, die gem. Entscheid des Reichsministers Speer von den dem G.B. Bau zur Verfügung gestellten Mengen abgezweigt werden. 14.000 to Kohle sind bisher geliefert. 15.000 to müssen im November und 25.000 to im Dezember angeliefert werden.

Die Nachkontingentierung an Eisen und Stahl hat sich im November wesentlich vereinfacht, weil die Lieferfreigaben des R. Wi. Min von rd. 16.000 Eisen und Stahl vom Stahlwerksverband auf etwa 25.000 to erhöht worden sind. Für die restlichen 17.000 to Eisen und Stahl ist allerdings Nachkontingentierung erforderlich, die bereits zum Teil durchgeführt ist. Die Eisen- und Metalldeckung für die neuen Bestellungen erfolgt nach Prüfung durch W Stb Dän. als Kontingentsträger und Abstempelung durch den "Bevollmächtigten der Rüstungskontor GmbH für Dänemark" reibungslos. Anträge auf Ausstellung von Bezugsrechten für Aufträge zu Gunsten der innerdänischen Versorgung sind durch Aufklärung der deutschen Firmen über die Zuständigkeit der dän. Prüfungsstellen zurückgegangen.

Die Kohlen- und Koksversorgung Dänemarks hat sich im Berichtsmonat kaum gebessert. Eine auch nur geringe Vorratsbildung war bisher immer noch nicht möglich. Die Staatsbahn-Vorräte betragen z. Zt. 35.000 to gegenüber 51.000 to im Vormonat und 112.000 to am 1.9.41 und reichen noch für 3 Wochen. Die Gasanstalten in Kopenhagen und in der Provinz haben nur einen Kohlenvorrat für 3-4 Wochen. – Es muß nochmals unter Bezugnahme auf die Schreiben des W Stb Dän. vom 9.10 und 16.11.42 an RM f. B. u. M. /Rü Amt darauf hingewiesen werden, in welche katastrophale Lage Dänemark im Fall eines harten Winters mit zugefrorenen Häfen kommen muß.

Das Dän. Justizministerium hat im Folketing ein Rahmen-Ermächtigungsgesetz zur Aufrechterhaltung der Ruhe, Ordnung und Sicherheit durchgebracht. Danach können besondere Ausführungsbestimmungen über die Behandlung und Aburteilung von Strafsachen wegen Übertretung dieses Gesetzes erlassen werden.[3]

Auf Veranlassung des W Stb Dän. und der Ast Dänemark und im Einvernehmen mit dem Bevollmächtigten des Reiches, Beauftragter für Fragen der inneren Verwaltung,[4] hat das Dän Justizministerium am 28.11.42 dem Dän. Staatsrat einen Gesetzesvorschlag für Sicherungsmaßnahmen in den dän. Betrieben vorgelegt. Danach soll den größeren dän. Betrieben ein Werkschutz nach deutschem Muster auferlegt werden. Mit der Annahme

---

2 Det var til det tidspunkt, at Hitler 29. september 1942 havde beordret byggeriet afsluttet (Jfr. Bonvig Christensen 1976, s. 75).
3 Se Best til AA 11. november 1942.
4 Paul Kanstein.

des Gesetzesvorschlags ist zu rechnen.[5]

1a. Stand der Fertigung
Wert der seit der Besetzung Dänemarks über W Stb Dän. erteilten unmittelbaren und mittelbaren Wehrmachtaufträge:

Am 30.9.42	RM	279.964.425,-
Zugang im Oktober	RM	8.867.473,-
Am 31.10.42	RM	288.831.898,-
Auslieferungen im Oktober	RM	7.608.846,-

Aufträge der Besatzungstruppen (im gleichen Zeitraum), zu deren Durchführung Eisen und Stahl, NE-Metalle über 50 kg, sowie Kautschuk erforderlich sind:

Am 30.9.42	RM	67.307.000,-
Zugang im Oktober	RM	1.749.000,-
Am 31.10.42	RM	69.056.000,-

Aufträge des kriegswichtigen zivilen Bedarfs (Seit Februar 1941), in der Hauptsache solche, zu deren Durchführung Eisen und Stahl, NE-Metalle über 50 kg, sowie Kautschuk erforderlich sind:

Am 30.9.42	RM	52.489.913,-
Zugang im Oktober	RM	1.383.326,-
Am 31.10.42	RM	53.873.239,-

Die in den letzten Lageberichten genannten freien Leistungskapazitäten stehen fast durchweg noch zur Verfügung. Es liegen Angebote der holzverarbeitenden Industrie auf Fertigung von Möbeln, Unterkunftsgeräten, Baracken der mittleren und kleineren eisenverarbeitenden Industrie auf Eisenkonstruktionen und Blecharbeiten, der Maschinenbaufirmen auf einfache Werkzeug- und Arbeitsmaschinen vor. Auch können größere Aufträge auf Gussteile, hauptsächlich Graugußteile, übernommen werden.

1c. Versorgung der Betriebe mit Roh- und Betriebsstoffen
Der für den 30.9.42 angegebene Lieferungsrückstand von 42.800 to Eisen und Stahl ist geblieben. Im November wurden für deutsche Aufträge 4.717 to Eisen und Stahl unleg[iert] und 16 to Eisen und Stahl leg[iert] an Dänemark abgetreten. Mit 64 Eisenscheinen wurden von Dänemark 2.040 to Eisen und Stahl im Reich bestellt.

Der Lieferungsrückstand an NE-Metallen betrug am 31.10.42 499 to und erhöhte sich dadurch gegenüber dem Vormonat am 25 %. Im Berichtsmonat wurden für deutsche Aufträge 51 to NE-Metalle an Dänemark abgetreten und mit 77 Beschaffungsbestätigungen 146 to und mit 12 Metallscheinen 3,5 to NE-Metalle über Fälleskontor im Reich bestellt.

OKM, M Rü V bemüht sich, beim R. Wi. Min. zu erreichen, daß ca. 8.500 to rückständiges Schiffbaumaterial ohne Beibringung neuer Eisenbezugsrechte nach Dänemark geliefert worden.

Für Wehrmachtaufträge der Besatzungstruppen sind im November von W Stb Dän. Bedarfsbescheinigungen über 7.629 m³ Madelholz für die vorschußweise Freigabe aus

---

5 Loven forelå som nr. 489, 4. december 1942 (Alkil, 1, 1945-46, s. 801-806).

Beständen der dän. Wirtschaft ausgestellt worden. Hiervon für Heer 2.773 m³, OT und Festungs-Pi. Stb, 939 m³, Kriegsmarine 1.986 m³, Luftwaffe 1.931 m³.

2b. Lage der Energieversorgung

Die Anforderungen an Öl und Benzin der mit Verlagerungsaufträgen belegten dän. Betriebe konnten im Berichtsmonat erfüllt werden. Die Zuweisung von Petroleum mußte auf die allerdringendsten Fälle beschränkt bleiben, da die Bestände so gut wie erschöpft sind. Von den angeforderten Brennstoffmengen (92.420 kg Dieselöl und 2.830 lt. Benzin) wurden nach Überprüfung durch W Stb Dän. 70.800 kg Dieselöl und 2.110 lt. Benzin zugewiesen.

2c. Lage der Kohlenversorgung. (s. unter "Vordringliches")

Es sind im November 197.500 to Kohle und 53.700 to Koks nach Dänemark verschifft worden. Die ungenügende Versorgung Dänemarks mit Kohle und Koks hat zu einer erheblichen Steigerung der Braunkohlenproduktion geführt. Von Januar bis Oktober 1941 wurden 807.000 to, in dem gleichen Zeitraum des Jahres 1942 1.390.700 to gefördert. Diese große Steigerung der Braunkohlenproduktion in den letzten Monaten ist teilweise darauf zurückzuführen, daß eine große Menge auch aus den Reservelägern der staatlichen Braunkohlengruben entnommen worden ist.

5. Arbeitseinsatz

Zahl der Arbeitslosen in Dänemark am 13.11.42: 33.221. Zugang gegenüber dem Vormonat: 5.571. Grenzgänger Zugang im Oktober: 165.

Zahl der z.Zt. in Deutschland beschäftigten Dänen rd. 63.000. Neuanwerbungen im Oktober 2.931.

Gesamtzahl der in Norwegen eingesetzten dän. Arbeiter: 7.915. Zugang im Oktober: 322.

Nach Finnland wurden 16 dän. Arbeiter verpflichtet.

Für Aufträge des Neubauamts der Luftwaffe sind z.Zt. in Dänemark 6.938, für die des Festungspionierstabes und der OT 3.400 dän. Arbeiter und Angestellte beschäftigt, einschl. derjenigen, die durch dänische Unternehmerfirmen für diese Bauaufträge eingestellt sind.

6. Verkehrslage

Der Fährbetrieb Warnemünde-Gedser, Nyborg-Korsör und Helsingör-Helsingborg verlief im November normal. Infolge Einstellung der Fährverbindung Sassnitz-Trälleborg sind alle 3 dänischen Fährstrecken stark belastet; ein gewisser Rückstau ist vorhanden.

Auf der Eisenbahnstrecke Kopenhagen-Helsingör wurde am 6.11.42 ein Sabotageakt (Zugentgleisung durch Schienenlockerung) verübt. Die Strecke war 2 Tage unterbrochen.[6] Wehrmacht- und Rüstungsgut wurden umgeleitet und [hat]ten keine Verzögerung. Die Waggongestellung wurde im Wehrmachtsektor zu 100%, im zivilen Sektor zu 50% erfüllt.

---

6 Natten til 7. november afsporede en kommunistisk gruppe et tysk ammunitionstog ved Snekkersten, hvorved lokomotivet og tre vogne væltede (Abwehr-rapport på fem sider af Howoldt 7. november 1942 (BArch, Freiburg, RW 38/53), Trommer 1971, s. 22, Kirchhoff, 1, 1979, s. 182).

DECEMBER 1942

Die dän. Schiffahrt war im November in erster Linie für den Kohlentransport von Deutschland nach Dänemark eingesetzt. Die Erzfahrt von Schweden nach Deutschland und die Küstenkohlenfahrt waren hierdurch beeinträchtig. Die Holzfahrt von Schweden nach Dänemark verlief normal wie im Vormonat.

7a. Ernährungslage
Die Zählung am 14.11.42 ergab gegenüber der Zählung am 3.10.42 einen Zugang der aufgelegten Mastschweine von 72.000 Stück. Der Gesamtbestand an Schweinen beträgt 1.665.000 Stück und liegt damit 50% unter dem Vorkriegsbestand.

Die Ernte in Kohl- und Steckrüben zeigte einen guten Ertrag; in Zucker- und Runkelrüben liegt sie dagegen unter mittel.

Die Kartoffelernte ist sehr unterschiedlich, im ganzen aber ist eine gute Mittelernte zu verzeichnen.

Der Stand der Wintersaaten ist trotz später Herbstbestellung zufriedenstellend. Wertmäßig wurden im Oktober aus den Lebensmittelbeständen des Landes entnommen:
a.) für die deutschen Truppen in Dänemark d.Kr. 1.890.276,76
b.) für die deutschen Truppen in Norwegen d.Kr. 2.769.733,53

3. Gottlob Berger an Heinrich Himmler 3. Dezember 1942

Det tyske mindretals leder, Jens Møller havde henvendt sig til Best angående militær uddannelse af de medlemmer af mindretallet, der ikke var egnede til frontindsats. Best påtog sig straks at kanalisere sagen videre til Berger, som påfølgende henvendte sig til Himmler. Best optrådte reelt på mindretallets vegne, som han havde foreslået Berger at gøre det allerede i begyndelsen af november. Blot havde han endnu ikke AAs sanktion dertil, som det senere vil fremgå.

Berger fik svar af Rudolf Brandt 14. december 1942 (Noack 1975, s. 115f.).
Kilde: RA, pk. 443. PKB, 14, nr. 357.

Der Reichsführer-SS   *Berlin W 35, den 3. Dezember 1942*
Chef des SS-Hauptamtes   Geheim!
Amt VI
VI/1 Az.: 27 – Dr. R/Ni.   Vs-Tgb. Nr. 4670/42 geh.
                                                               VI-Tgb. Nr. 2223/42 geh.

A-Chef: Berger SS-Gruf.
Stand. Vertr.:   Dr. Riedweg SS-Ostubaf.
Betr.:   Militärische Ausbildung von Volksdeutschen.

An den Reichsführer-SS
   Berlin SW 11.

Reichsführer!
Ich darf Reichsführer folgendes melden:

Volksgruppenführer Dr. Möller ist an den Bevollmächtigten des Reiches in Dänemark, SS-Gruppenführer Dr. Best, mit dem Antrag herangetreten, die übrigen Angehörigen der Volksgruppe, die zu alt oder unabkömmlich für den Fronteinsatz sind, militärisch ausbilden zu lassen. Gleichzeitig sollen diese Männer dem Befehlshaber der Deutschen Truppen in Dänemark zur Verfügung stehen für eventuell erforderlichen Einsatz. Diese Aktion wird von SS-Gruppenführer Dr. Best sehr begrüßt und soll möglichst bald in Angriff genommen werden. SS-Gruppenführer Dr. Best hält die Durchführung aus politischen Gründen als eine Hilfestellung für die Deutsche Volksgruppe für sehr erwünscht.

Für die Reichsdeutschen in Dänemark ist bereits in Form einer zeitfreiwilligen Ausbildung durch die Wehrmacht eine Lösung gefunden worden. Aus politischen Gründen ist jedoch ein Zusammenlegen, dieser reichsdeutschen zeitfreiwilligen mit den Volksdeutschen nicht möglich, da sonst sofort das Nordschleswigproblem akut würde.

Da der weitaus größte Teil der volksdeutschen Freiwilligen in der Waffen-SS dient, darf ich vorschlagen, diese Volksdeutschen in die Waffen-SS aufzunehmen, ohne daß sie jedoch zu irgendeinem Truppenteil der Waffen-SS einberufen werden. Sie sollen in einem Reservedienst an einzelnen Wochentagen in den Abendstunden und an Sonntagen ausgebildet werden. Da von der Waffen-SS kein Truppenteil für diese Ausbildung zur Verfügung steht, hat der Befehlshaber der deutschen Truppen in Dänemark zugestimmt, daß diese Ausbildung durch die jeweiligen Standortkommandanturen übernommen wird.

Eine Uniformierung und Ausrüstung würde durch die Heerestruppenteile in Dänemark durchgeführt werden können.

Von der Waffen-SS müßten lediglich die notwendigen Uniformabzeichen zur Verfügung gestellt werden.

Ich darf Reichsführer um Entscheid bitten.

G. Berger
SS-Gruppenführer

4. Albert van Scherpenberg an Abteilung Deutschland 3. Dezember 1942

Ved de tysk-danske regeringsudvalgsforhandlinger i november var der opnået enighed om størrelsen af det månedlige beløb, der skulle tilgå SS i Danmark. Beløbet var rigeligt stort til også at dække merudgifter i det kommende år, såfremt der ikke blev foretaget endnu en forhøjelse af udbetalingernes grundbeløb. En sådan forhøjelse ville også af valutamæssige grunde være yderst betænkelig for tyske interesser. Scherpenberg foreslog derfor Abteilung Deutschland, at RFSS blev underrettet om aftalen og dette forhold.

Det er uvist, om Martin Luther fulgte forslaget og i den anledning henvendte sig til RFSS, men til gengæld rejste forhøjelsen af grundbeløbene til SS i hele 1944 problemer i forholdet mellem AA/Best og SS, som det vil fremgå nedenfor.

Kilde: PA/AA R 100.354. RA, pk. 235.

Ref.: LR van Scherpenberg   zu Ha Pol VI 4234 Ang. II

Vermerk

In den deutsch-dänischen Regierungsausschuß-Verhandlungen vom November 1942 ist folgende Vereinbarung über die Deckung des Devisenbedarfs für die Unterstützungszahlungen der SS nach Dänemark getroffen worden:

"5. Unterstützungszahlungen:
Im Anschluß an VIII der Ergebnisse vom April 1942 wird der monatliche Höchstbetrag ab 1. Oktober 1942 auf 525.000 RM festgesetzt. Deutscherseits wird dazu erklärt, daß man für absehbare Zeit mit einer weiteren Erhöhung nicht rechnet."

Die vereinbarte Summe von RM 525.000,- monatlich beruht auf einer eingehenden Besprechung der Angelegenheit mit dem Beauftragten für innere Verwaltung, Vizepräsident Kantstein, und den zuständigen SS-Stellen in Kopenhagen. Es bestand in dieser Beziehung volles Einverständnis darüber, daß der Betrag in seiner jetzigen Höhe reichlich bemessen ist und auch Margen für die evtl. im Laufe dieses und des nächsten Jahres noch zu erwartenden Personalveränderungen enthält. Unzureichend würde der Betrag nur bei einer nochmaligen Erhöhung der Gebührnisse und Unterstützungszahlungen werden. Eine solche Maßnahme wäre jedoch aus Währungspolitischen Gründen auch im deutschen Interesse außerordentlich bedenklich. Es darf daher anheim gestellt werden, bei Unterrichtung des Reichsführers SS von der getroffenen Regelung, bei der die Dänen übrigens sich sehr entgegenkommend verhalten haben, auf den erwähnten Gesichtspunkt noch besonders hinzuweisen.

Hiermit D + D[7] zur gefälligen Kenntnis und weiteren Veranlassung
Berlin, den 3. Dezember 1942

Doppel steht zur Verf.

5. Werner Best an das Auswärtige Amt 4. Dezember 1942

Over for AA understregede Best sin alliance med statsminister Erik Scavenius ved at meddele, at der var indgået en aftale, der gav Best forbedret "Aufsicht" med regeringen og statsforvaltningen.

"Aufsicht" var et kernebegreb i Bests model for "Aufsichtsverwaltung," som han havde formuleret den og gjort sig til talsmand for før ankomsten til Danmark. Begrebet kom også hyppigt i brug derefter.

Kilde: PA/AA R 29.566. PKB, 13, nr. 363. ADAP/E, 4, nr. 253.

Telegramm

Kopenhagen, den	4. Dezember 1942	21.30 Uhr
Ankunft, den	4. Dezember 1942	22.10 Uhr

Nr. 1824 vom 3.12.[42.]

---

7 Der har stået D II + D III, men begge romertal er overstreget.

Um die von mir ausgeübte Aufsicht über die dänische Regierung und Verwaltung zu verbessern, habe ich mit dem dänischen Staatsminister folgendes vereinbart:

1.) Alle Gesetzentwürfe sowie die Entwürfe aller "Königlichen Anordnungen" (das heißt Rechtsverordnungen) und bedeutsamere Bekanntmachungen (das heißt Verwaltungserlasse) werden mir von dem Staatsminister zur Kenntnisnahme zugeleitet, so daß ich rechtzeitig Einsprüche, die im Reichsinteresse etwa erforderlich werden, erheben kann.

2.) Die beabsichtigte Ernennung deputierter Beamten des gesamten Auswärtigen Dienstes, der Ministerialbeamten in leitenden politischen Stellen (Direktoren, Abteilungschefs, Departementschefs) und höheren Beamten der politischen Behörden, insbesondere der Beamten der Polizeizentralen, der Polizeimeister und entsprechenden Beamten, die mit deutschen Stellen zu verhandeln haben, wird mir so rechtzeitig mitgeteilt, daß ich Einsprüche, die im Reichsinteresse etwa erforderlich werden, erheben kann.

Dr. Best

6. Werner Best an das Auswärtige Amt 4. Dezember 1942

Ved afslutningen af "våbenkrisen" søgte Best over for AA at slå politisk mønt af resultatet ved at understrege sin egen positive rolle i forløbet og i det hele taget ved at retfærdiggøre sin deltagelse med, at der hele tiden havde været overordnede politiske hensyn involveret (Sjøqvist, 2, 1973, s. 235).

Kilde: PA/AA R 29.566. PKB, 13, nr. 665.

Telegramm

Kopenhagen, den	4. Dezember 1942	12.55 Uhr
Ankunft, den	5. Dezember 1942	03.30 Uhr

Nr. 1825 vom 4.12.[42.]

Unter Bezugnahme auf die Telegramme Nr. 2101[8]/24 vom 24. November und Nr. 2136[9]/28 vom 29. November berichte ich über die Abgabe dänischer Waffen an die deutsche Wehrmacht folgendes:

Der Chef des Stabes des Befehlshabers der deutschen Truppen in Dänemark Oberst Graf von Brandenstein-Zeppelin hat mir soeben berichtet, daß er heute mit dem Chef des dänischen Generalstabes Generalmajor Rolsted eine Vereinbarung unterzeichnet hat, nach der die folgenden Waffen des dänischen Heeres an die deutsche Wehrmacht abgegeben werden: 60.000 Gewehre 1889 mit Seitengewehren, 943 leichte Maschinengewehre, 20 Minenwerfer 81 mm, 30 Millionen Patronen 8 mm, 12.000 Schuß Minenwerfermunition 81 mm, 15.000 Paar Marschstiefel, 10.000 Mäntel, 15.000 Koppel mit Seitengewehrtaschen und Patronentaschen, 6.000 Wolldecken, 300 Pferdegeschir-

8 Pol I M 5435 g. Trykt ovenfor.
9 Pol I M 5547 g. Telegrammet er ikke lokaliseret.

re. Von der deutschen Wehrmacht ist die Verpflichtung eingegangen worden, für die abgegebenen Waffen usw. nach dem Kriege neuere Waffen usw. an das dänische Heer zurückzuerstatten. Die nicht abgegebenen Waffen werden, soweit sie sich bisher in deutschem Gewahrsam befanden, vollständig in dänisches Gewahrsam übergeben.

Dieser Vereinbarung gingen zwei offizielle Verhandlungen mit den genannten militärischen Vertretern am 2. Dezember und 4. Dezember 1942 voraus. In der Verhandlung am 2. Dezember wurde von der dänischen Seite ein Angebot gemacht, das in einzelnen Positionen unter und in anderen über den jetzt vereinbarten Mengen lag und weitere Angebote umfaßte, auf die nunmehr verzichtet wurde.

Daß am 4. Dezember ein dänisches Angebot gemacht wurde, ist auf die persönliche Beeinflussung zurückzuführen, die ich seit Beginn der Waffenkrise (seit dem 20. November 1942) inoffiziell gegenüber der dänischen Regierung ausgeübt habe. Der von dem Befehlshaber der deutschen Truppen in Dänemark zunächst ausgesprochene Vorschlag, die dänische Regierung möge alle überzähligen Waffen und Geräte an die deutsche Wehrmacht verkaufen (vergl. meinen Drahtbericht Nr. 1771[10] vom 20. November 1942) hatte bereits eine politische Krise ausgelöst, die in einer Kabinettssitzung zum Ausdruck kam, in der von den ablehnenden Ministern beinahe die Regierung gesprengt worden wäre. Durch stetige beruhigende Einflußnahme auf den Staatssekretär und auf Minister gelang es mir, die Regierung zu bewegen, ein Angebot zu machen, das größere Mengen Waffen usw. zum Gegenstand hatte, als von den dänischen Truppen in Jütland und Alsen zurückgelassen worden waren. Das Angebot wurde durch eine mir am 30. November übergebene und gleichzeitig dem Befehlshaber der deutschen Truppen zur Kenntnis gebrachte Aufzeichnung angekündigt, worauf gemäß den von Berlin ergangenen Weisungen die Verhandlungen zwischen den militärischen Vertretern stattfanden.

Aus dieser Darstellung ergibt sich, daß die opportune Waffenangelegenheit von Anfang an politischen Charakter hatte und ohne mein Eingreifen schwerwiegende politische Folgen gezeitigt hätte. Im übrigen war die in dem dortigen Fernschreiben Nr. 2101[11]/24 vom 24. November erwähnte Vereinbarung zwischen Wehrmachtsführungsstab und dem Auswärtigen Amt über eine "rein militärische" Durchführung weder mir noch meinem Vertreter, Gesandten Dr. Barandon, der vor meinem Eintreffen die hiesigen Geschäfte geführt hatte, bekannt.

Die nunmehr zwischen den militärischen Vertretern getroffene Vereinbarung dürfte insofern politische Auswirkungen für die Zukunft haben, als von dänischer Seite aus dem Versprechen der Erstattung neuerer Waffen usw. nach dem Kriege eine Zusage des Fortbestehens einer dänischen Wehrmacht gefolgert werden wird. Diese Bedeutung eines solchen Erstattungsversprechens hat der Staatsminister von Scavenius bereits in der Besprechung mit General von Hanneken und mir am 20. November hervorgehoben.

Dr. Best

10 bei Pol I M VS. Trykt ovenfor.
11 Pol I M 5435 g. Trykt ovenfor.

7. Werner Best an das Auswärtige Amt 4. Dezember 1942

Best redegjorde for omfanget af de danske kullagre og viste, at der var en mangel på ca. 100.000 tons, som han med henvisning til værnemagts- og godstransporten bad om at få leveret i løbet af december.

Wehrwirtschaftstab var i en situationsberetning 31. oktober 1942 nået til samme konklusion. I de sidste tre kvartaler af 1942 var forsyningen af kul til Danmark faldet markant (Brandenborg Jensen 2005, s. 290). Best havde endnu ikke fået svar 26. december, da han på ny skrev i sagen. Barandon skrev til AA i den samme sag, da den alvorlige forsyningssituation spidsede til, og efter 19. januar modtog Best af Karl Schnurre omsider et tilsagn om forøgede brændstofmængder for januar og februar.

Kilde: BArch, R 901 68.712.

Telegramm

| Kopenhagen, den | 4. Dezember 1942 | 20.15 Uhr |
| Ankunft, den | 4. Dezember 1942 | 21.30 Uhr |

Nr. 1828 vom 4.12.42.

Dänische Kohlenbevorratung ab 1. Januar 1943 ist mit dänischen Stellen geprüft worden. Danach werden bei befriedigender Lieferung im Dezember ab 1. Januar 1943 die Bereitschaftslager rund 240.000 Tonnen betragen. Außerdem verfügen Gas- und Elektrizitätswerke über eigene Lagerbestände durchschnittlich für einen halben Monat. Monatsverbrauch allein der öffentlichen Versorgungsbetriebe von rund 140.000 to würde deshalb im Falle Wiederholung vergangenen Eiswinters nicht einmal zur Aufrechterhaltung dieser Betriebe bei längerer Eisperiode ausreichen, da aus den Bereitschaftslagern noch für andere kriegswichtige deutsche Zwecke erhebliche Mengen Kohle abgegeben werden müßten. Dänische Staatsbahnlager werden am angegebenen Stichtag über einen Bestand von rund 17.000 to, günstigstenfalls (bei Rückerstattung von 23.000 to Ruhrkohle seitens der Gaswerke) 40.000 to betragen. Bei einem Monatsverbrauch der dänischen Eisenbahnen von 40.000 to würden diese Bestände also nur den Bedarf für einen halben bis ganzen Monat decken. Für die Winterversorgung bei längerer Stillegung der Schiffahrt fehlen deshalb rund 80-100.000 to. Auffüllung ist in diesem Umfang für Wehrmachtstransporte und ebenfalls zur Aufrechterhaltung der wichtigsten Gütertransporte unbedingt notwendig. Erbitte dringende Veranlassung, daß

1.) Die allgemeinen Lager um rund 100.000 to Kohle aufgefüllt werden und daß
2.) Lieferung möglichst noch im Laufe des Dezember erfolgt, wofür dänischer Schiffsraum ausreichend zur Verfügung steht.

Dr. Best

8. Werner Best an das Auswärtige Amt 5. Dezember 1942

Endnu inden "våbenkrisen" var afsluttet, var en anden sag dukket op, hvis forløb og afslutning Best meget belejligt på én gang kunne berette om lige efter våbenkrisens afslutning; en krise han selv mente at være gået triumferende ud af, og nu yderligere kunne sætte i relief: Det drejede sig om et tilfælde af påstået voldtægtsforsøg i Thisted på en tysk kvindelig værnemagtsansat, Emma Schmidt. Von Hanneken var skredet meget voldsomt ind, Best havde søgt at dæmpe ham, men sagen nåede at få en omfattende offentlig opmærksomhed, før det blev afsløret, at der var tale om en falsk anklage. Best konstaterede: "... die Blamage für die Wehrmacht war groß."

Dog undlod han at fortælle, at sagens rette sammenhæng blev opklaret af kriminalkommissær Otto Himmelstrup fra det danske politi (Thomsen 1971, s. 147f., KB, Bergstrøms dagbog 28. november 1942, Kirchhoff, 1, 1979, s. 127f., Drostrup 1997, s. 98f.).

Kilde: PA/AA R 29.566. LAK, Best-sagen (afskrift). PKB, 13, nr. 364.

Telegramm

| Kopenhagen, den | 5. Dezember 1942 | 14.00 Uhr |
| Ankunft, den | 5. Dezember 1942 | 15.55 Uhr |

Nr. 1829 vom 4.12.[42.]

Am 25. November 1942 wurde mir während meiner Dienstfahrt durch Jütland in Aarhus gemeldet, daß der Befehlshaber der deutschen Truppen in Dänemark General Hanneken wegen eines Zwischenfalles in Thisted (Nordjütland) die folgenden Maßnahmen angeordnet habe:

1.) Verbot für die Bevölkerung von 16.30 Uhr bis 5 Uhr die Straße zu betreten,
2.) Auslobung einer Belohnung von 10.000 Kronen auf Kosten der Stadt Thisted,
3.) Anordnung einer Strafkontribution von 50.000 Kronen gegen die Stadt Thisted.
Grund der Anordnung war die Anzeige einer Nachrichtenhelferin der Luftwaffe, sie sei am 24. November 1942 von drei angetrunkenen Dänen überfallen und nach einem Vergewaltigungsversuch in den Limfjorden geworfen worden.

Ich ersuchte noch am späten Abend des 25. November fernmündlich den General Hanneken von der Strafkontribution sowie von einer Belastung der Stadt Thisted mit der ausgelobten Belohnung (die nach dänischem Recht vom Staat und nicht von einer Gemeinde zu zahlen ist) abzusehen. Der General gab dem Ersuchen nach.

Als ich am 27. November 1942 mit dem General Hanneken nach Thisted kam, berichtete uns der die Untersuchung führende Kriegsgerichtsrat, daß die Aussagen der Nachrichtenhelferin sehr zweifelhaft geworden seien und daß mit der Möglichkeit einer falschen Anzeige zu rechnen sei. Der General, der dort der Nachrichtenhelferin feierlich seine Anerkennung hatte aussprechen wollen, hob nunmehr auch die Verkehrssperre für die Stadt Thisted auf.

Nach zwei Tagen legte die Nachrichtenhelferin das Geständnis ab, daß sie aus persönlichen Gründen, die mit ihrer vor kurzem erfolgten Heirat mit einem Soldaten zusammenhängen, einen Selbstmordversuch gemacht habe, den sie jedoch im kalten Wasser aufgab; zur Rechtfertigung ihres Zustandes habe sie den Überfall erfunden. Sie wurde nunmehr vom Kriegsgericht wegen falscher Anzeige zu einem Jahr Gefängnis verurteilt.

Die Zeitungen in Thisted haben heute die folgende Mitteilung, die von dem Wehrmachtspresseoffizier und meinem Pressereferenten formuliert, veröffentlicht:[12]

"Schwere Strafe für eine Wehrmachtsangehörige. Wegen Abgabe einer falschen Meldung.

---

12 Jfr. *Udenrigsministeriets Pressebureaus ugentlige Meddelelser til Pressen*, Nr. 97, 5. december 1942.

Die deutsche Wehrmachtsangehörige Emma Schmidt, die bei einer Wehrmachtsdienststelle in Thisted beschäftigt war, wurde am 1. Dezember von dem Feldkriegsgericht wegen Abgabe einer falschen Meldung zu 1 Jahr Gefängnis verurteilt.

In der Urteilsbegründung wurde festgestellt, daß die Angehörige aus Minderwertigkeitskomplexen ihrem Ehemann gegenüber einen Selbstmordversuch unternommen hatte und in den Limfjorden gesprungen war.

Im Wasser hat sie ihren Selbstmordversuch aufgegeben, sie schwamm ans Ufer zurück, kehrte völlig durchnäßt in das Heim der weiblichen Wehrmachtsangehörigen zurück, wagte aber nicht die Wahrheit einzugestehen. Sie behauptete vielmehr, daß drei Dänen an ihr einen Notzuchtversuch verübt und sie dann ins Wasser geworfen hätten. Da sie diese Behauptung in der Form einer dienstlichen Meldung ihrer vorgesetzten Dienststelle gegenüber aufrechterhielt, wurde ihr Glauben geschenkt und sowohl von den deutschen wie den dänischen Behörden umfangreiche Ermittlungsaktionen eingeleitet. Weiter wurden schwerwiegende Maßnahmen gegen die Bevölkerung der Stadt Thisted getroffen. Die Angeklagte hat damit vorsätzlich eine dienstliche Meldung unrichtig erstattet und fahrlässig einen erheblichen Nachteil herbeigeführt. Das Ansehen der deutschen Wehrmacht ist dadurch schwer geschädigt worden. Deshalb hat das Feldkriegsgericht auch auf eine harte Freiheitsstrafe gegen die bisher unbestrafte und im Dienst gut beurteilte Angeklagte erkannt und die sofortige Verhaftung und Überführung in das Frauengefängnis Hamburg angeordnet."

Nachdem ich den General Hanneken veranlaßt hatte, von der Strafkontribution gegen die Stadt Thisted abzusehen, hat mir am 26. November 1942 der dänische Staatsminister von Scavenius, dem die Anordnung bereits übermittelt worden war, das folgende Telegramm nach Jütland gesandt: "Habe mit größter Befriedigung von der gestern Abend in der Thisted-Sache getroffenen verständnisvollen Entscheidung Kenntnis erhalten und möchte Ihnen für Ihre wirkungsvolle Eingreifen aufrichtig danken. Erik Scavenius."

Hieraus ergibt sich, welche Bedeutung für die dänische Regierung die angedeutete Maßnahme gehabt hätte. Um so größer ist nunmehr die Blamage und der Prestigeverlust der deutschen Wehrmacht.

Ich bitte auf diesen Bericht hin nichts zu veranlassen, da ich hoffe, den General Hanneken bei längerer Zusammenarbeit in steigendem Maße von unbesonnenen Maßnahmen zurückhalten zu können. Der Vorfall zeigt aber, daß keine Maßnahme der Besatzung, die sich gegen die Bevölkerung oder gegen die Behörden des Landes richtet, als "rein militärische" bezeichnet werden kann, sondern, daß solche Maßnahmen stets politische Bedeutung haben.

Dr. Best

9. Werner Best an das Auswärtige Amt 5. Dezember 1942

Den 29. november 1942 blev der indviet en ny skolebygning i Gråsten beregnet for det tyske mindretal. Best deltog i indvielsen sammen med en række ledende personer i det tyske mindretalsarbejde i Danmark og orienterede AA om forløbet. Begrundelsen for at bygge en repræsentativ skole i netop Gråsten var, at

DECEMBER 1942

det var mindretalsleder Jens Møllers hjemby, og at det danske kronprinsepar havde sommerresidens i byen. Hovedtalen blev holdt af Jens Møller, der med velvalgte ord beskrev forholdet til Tyskland og til danskheden og udtrykte, at det danske folk i stigende omfang ville finde sin plads iblandt de europæiske folkeslag, der bekæmpede bolsjevismen. Derpå var der parade af SK og Deutsche Jungenschaft. Best var senere blandt talerne og hans ord blev mødt med stort bifald.

Indvielsen af den tyske skole var i lighed med sportslandsstævnet i Haderslev i slutningen af september 1942 en kraftig mindretalsmanifestation og et slag for tyskhedens fremme. Det var den store tid, som vi skal vise os værdige til, som Jens Møller formulerede det. I lighed med Peter Larsens tale i Haderslev fremhævede Jens Møller også de 1.800 tyskere fra mindretallet, der befandt sig ved fronterne til kamp for den fælles sag, og yderligere de mange hundrede, der gjorde tjeneste ved antiluftskytsstillinger nord og syd for grænsen. "Vi er tyskere og vil være tyskere" udtalte han under det største bifald, hvor det var underforstået, at mindretallet havde et større mål, indlemmelsen i Tyskland. Der var også ros til de danske SS-frivillige, der kæmpede for de europæiske folks fælles sag.

Kilde: RA, pk. 240.

Der Bevollmächtigte des Reiches in Dänemark   *Kopenhagen, den 5.12.1942.*
I C/Nr. 588/42.

Betr.: Einweihungsfeier der volksdeutschen Schule in Gravenstein, Nordschleswig.

An das Auswärtige Amt,
    Berlin.
– 2 Durchschläge –
1 Anlage.[13]

Am 29. November d.Js. fand in Gravenstein, Nordschleswig, die feierliche Einweihung der dort neu errichteten volksdeutschen Schule statt. Bei der neuen Schule handelt es sich um den größten und modernsten Neubau, den die Deutsch Volksgruppe Nordschleswig im Rahmen des vor zwei Jahren in Angriff genommenen Schulbauprogramms erreichtet hat. Der Ort Gravenstein wurde dafür gewählt, weil er als Wohnsitz des Volksgruppenführers im Mittelpunkt der Volksgruppenarbeit steht. Außerdem legte die Volksgruppe besonderen Wert auf eine repräsentative Schule in Gravenstein, weil sich die dänische Kronprinzessin von Gravenstein, der Sommerresidenz des Kronprinzenpaares, aus besonders rührig für die Förderung kultureller Belange im Sinne des Heimdänentums in Nordschleswig betätigt.

Die Einweihungsfeier erhielt durch die Teilnahme einer größeren Anzahl von Persönlichkeiten aus dem Reich, die mit der Volksgruppenarbeit verbunden sind, ein besonderes Gepräge und gestaltete sich zu einer eindrucksvollen Kundgebung der Deutschen Volksgruppe Nordschleswig. Ich habe der persönlichen Einladung des Volksgruppenführers, an der Feier teilzunehmen, gern entsprochen, zumal sich mir damit die Gelegenheit bot, die Verhältnisse in Nordschleswig an Ort und Stelle kennen zu lernen und mit der Volksgruppe eine engere Fühlung aufzunehmen.[14] Anwesend waren u.a. SS-

13 Bilaget består af to sider fra *Nordschleswigsche Zeitung* 30. november 1942 med omtale af skolens indvielse.
14 Jens Møller ville benytte Bests besøg til at orientere ham om mindretallets seneste planer i vigtige "Volkstumsfragen" (Lanwer til den rigsbefuldmægtigede 17. november 1942 (RA, pk. 392, PKB, 14, nr. 96)).

Obergruppenführer Lorenz, SS-Brigadeführer Behrends (Volksdeutsche Mittelstelle), Gruppenführer Querner (Hamburg), Landesgruppenleiter Dalldorf, Landeshauptmann Schow (Kiel), Oberbürgermeister Dr. Kracht (Flensburg).

Im Mittelpunkt der Feier, der ein Aufmarsch der SK und der deutschen Jungenschaft vorausging, stand eine wirkungsvolle Rede des Volksgruppenführers Dr. Möller, der mit politischen geschickt gewählten Formulierungen und innerlich überzeugenden Worten die heutige Stellung der Volksgruppe zum Reich und zum Dänentum umriß und darüberhinaus der Zuversicht Ausdruck gab, daß das dänische Volk sehr und mehr seine Schicksalsmäßige Verbundenheit mit den Völkern Europas im Existenzkampf gegen den Bolschewismus und dessen Verbündete erkennen und danach handeln werde.

Nach dem im Anschluß an die Feier stattfindenden Eintopfessen sprach SS-Obergruppenführer Lorenz dem Volksgruppenführer seine Anerkennung für die Einsatzbereitschaft und die innere Haltung der Volksgruppe aus. Ich richtete an die Volksgruppe einige Begrüßungsworte.

Einzelheiten über den Verlauf der Feier sowie der wesentliche Inhalt der Rede Dr. Möller gehen aus der beigefügten Veröffentlichung in der "Nordschleswigschen Zeitung" hervor.

Best

10. Werner Picot an Abteilung Deutschland II 5. Dezember 1942

På Luthers ordre bekræftede Picot forløbet omkring 8. oktober vedrørende det rejsepas, som RSHA ønskede af AA i forbindelse med professor Otto Höflers besøg i Danmark.

Höfler kom ikke til Danmark i efteråret 1942 med AAs tilladelse, men blev i stedet "kommanderet til Danmark på en SS-billet" (Jakubowski-Tiessen 1998, s. 283), og han havde for længst været i København, da Picot skrev denne notits. Höfler besøgte Best 16. november 1942 (RA, Bests personarkiv, Bests kalenderoptegnelser anf. dato).

RSHA fremsendte 8. marts 1943 en ny rejseansøgning til AA for ham, der skulle gælde for dagene 10.-15. marts, hvor han skulle til en vigtig drøftelse med Werner Best, ønsket af Best (RA, pk. 234). Om denne rejses formål, se Best til AA 24. marts 1943. Höfler var hos Best 12. marts (Bests kalenderoptegnelser anf. dato).

Kilde: RA, pk. 234 (påtegning af Luther 12. december er ulæselig i den foreliggende kopi).

Geheim! zu D II 1878/42 g

Wie in der Aufzeichnung zu D II 1493 g vom 8. Oktober d.J. niedergelegt wurde, hat das Referat D II von der Reiseangelegenheit des Professors Höfler durch Anruf des SS-Sturmbannführers von Löw vom Reichssicherheitshauptamt erfahren. SS-Sturmbannführer von Löw nahm damals Bezug auf einen seitens des Reichserziehungsministeriums beim Auswärtigen Amt eingegangenen Reiseantrag. Die Feststellungen im Referat D II

Hvorvidt Best under mødet 29. november orienterede mindretalsledelsen om, at den bl.a. godt kunne skrue ned på de økonomiske fordringer og politiske forventninger, er uvist (jfr. Noack 1975, s. 145). I hvert fald var Best bekendt med problemet på det økonomiske område forud (se AA til gesandtskabet 19. november 1942), og der er ikke tvivl om, at han som ny rigsbefuldmægtiget ikke straks ville belaste forholdet til den danske regering ved at forlange, at den skulle finansiere mindretallets kulturelle aktiviteter.

DECEMBER 1942

ergaben, daß dieser Antrag, wie aus den Akten hervorgeht, bereits sei längerer Zeit bei D V bezw. Kult W. lief. Die Anrufe des SS-Sturmbannführers von Löw sowie zwei persönliche Vorsprachen des Professors Höfler führten zu der vorgenannten Aufzeichnung vom 8. Oktober d.J. Die Anrufe des SS-Sturmbannführers von Löw sowie die ersten Vorsprachen des Professors Höfler fanden in dem dem 8. Oktober vorangehenden Tagen statt.

Hiermit D II wiedervorgelegt.[15]
Berlin, den 5. Dezember 1942

gez. **Picot**

11. Werner Best an das Auswärtige Amt 6. Dezember 1942

Et nyt modsætningsforhold mellem von Hanneken og Best opstod om jurisdiktionsspørgsmålet: Skulle danske statsborgere, der havde rettet anslag mod værnemagten dømmes ved dansk ret eller underkastes værnemagtens jurisdiktion? Best stod for førstnævnte holdning, von Hanneken for sidstnævnte.

Best tog ikke fra starten AA i ed i spørgsmålet, men ville alene orientere om det fortsatte forløb. Det gjorde han med et brev 10. december og igen med et telegram 21. januar 1943 (Thomsen 1971, s. 148, Kirchhoff, 1, 1979, s. 160f.).

Kilde: PA/AA R 46.371. RA, pk. 285. PKB, 13, nr. 365.

Der Bevollmächtigte des Reiches in Dänemark   *Kopenhagen, den 6.12.1942.*
II/42

Betrifft: Die Tätigkeit der deutschen Kriegsgerichte in Dänemark.

An das Auswärtige Amt,
    Berlin.

Den folgenden Bericht über eine Auseinandersetzung mit dem Befehlshaber der deutschen Truppen in Dänemark erstatte ich zur vorsorglichen Unterrichtung für den Fall, daß von Seiten des OKW diese Frage an das Auswärtige Amt herangetragen werden sollte.

Am 3.12.1942 fand beim Befehlshaber der deutschen Truppen in Dänemark unter der persönlichen Leitung des Generals von Hanneken eine Besprechung statt, in der entschieden werden sollte, ob bestimmte Strafsachen gegen dänische Staatsangehörige von den deutschen Kriegsgerichten abgeurteilt oder an die dänischen Gerichte abgegeben werden sollten.

An dieser Besprechung nahm in meinem Auftrage der Regierungsdirektor Dr. Stalmann von meiner Hauptabteilung II (Verwaltung und Innenpolitik) teil, der mir über den Verlauf der Besprechung den folgenden Bericht erstattete:

"Ich habe dem Befehlshaber entsprechend dem Auftrag, den ich vom Herrn Reichs-

---

15 Abteilung Deutschland II tog sig bl.a. af forbindelsen mellem AA og RFSS' tjenestesteder. Picot var stedfortræder i afdelingen.

bevollmächtigten erhalten hatte, ausführlich auseinandergesetzt, aus welchen Gründen politischer Art der Reichsbevollmächtigte Wert darauf legen müsse, in möglichst weitem Umfange das System der Aburteilung von Dänen, die sich gegen die Interessen der Deutschen Wehrmacht oder deutsche politische Interessen vergangen haben, durch dänische Gerichte aufrecht erhalten zu sehen. Ich legte den besonderen Ton meiner Ausführungen darauf, daß diese Auffassung des Reichsbevollmächtigten nichts mit irgendwelcher "weichen" Einstellung zu tun habe, sondern lediglich auf der Erkenntnis beruhe, daß auf diese Weise den deutschen Belangen am besten Rechnung getragen werde.

Die Erörterung dieses Punktes zwischen dem Befehlshaber und mir nahm etwa 1½ Stunden in Anspruch. Während eines Teiles dieser Erörterung geriet der Befehlshaber dabei in eine gewisse Erregung, die sich offensichtlich nicht gegen mich persönlich, sondern gegen die Haltung des Reichsbevollmächtigten und der "Inneren Verwaltung" richtete. Er führte etwa aus, daß er die Einmischung des Reichsbevollmächtigten und der "Inneren Verwaltung" in militärische Angelegenheiten nunmehr eine Zeitlang angesehen habe, daß sie aber für ihn unerträglich werde. Er sähe eine Lösung nur darin, daß in Zukunft militärische Angelegenheiten allein von ihm behandelt würden, ohne irgendeine Mitwirkung des Reichsbevollmächtigten, während der Reichsbevollmächtigte die politischen Angelegenheiten zu behandeln habe. Ich wandte ein, daß nun einmal eine ganze Reihe militärischer Entscheidungen über die Durchführung von Kriegsgerichtsverfahren gegen Dänen, um die es sich hier handele, weittragende politische Folgen hätten, für die der Reichsbevollmächtigte verantwortlich sei, und daß er deshalb auch an diesen Entscheidungen beteiligt werden müsse.

Der Befehlshaber war diesem Einwand gegenüber uneinsichtig. Er ging soweit, daß er sich im Laufe der Erörterungen dahin äußerte: Wenn er Entscheidungen militärischer Art zu treffen habe, dann würden der Reichsbevollmächtigte oder die Innere Verwaltung mit ihrer "Milde gegenüber den guten Dänen" und ihren "Beziehungen" vorstellig, um ihn zur Änderung seiner Entscheidung zu bewegen. Dieser Äußerung bin ich, sofort nachdem sie gefallen war, scharf entgegengetreten, indem ich erwiderte, daß der Befehlshaber sich irre, wenn er glaube, daß Vorstellungen von unserer Seite auf Grund einer "milden" Einstellung gegenüber den Dänen, geschweige denn auf Grund von "Beziehungen" erfolgten.

In einem späteren Stadium der Besprechung äußerte der Befehlshaber sich dann in ähnlichem Zusammenhang wie folgt: "Immer, wenn er scharfe Maßnahmen gegenüber den Dänen treffen wolle, käme die Innere Verwaltung und scheiße sich in die Hosen."

Ich habe mich nach kurzer Überlegung entschlossen, trotz dieser persönlichen Kränkung die Besprechung fortzuführen. Es kam mir darauf an, uns in der erörterten Sache durchzusetzen; wegen der Entscheidung über etwaige Schritte gegenüber den beleidigenden Worten des Befehlshabers wollte ich dem Herrn Reichsbevollmächtigten nicht vorgreifen.

Es gelang im weiteren Verlauf der Besprechung schließlich, den Befehlshaber sachlich soweit zu überzeugen, daß er doch anordnete, daß das Verfahren in Sachen "De frie Danske" an die dänischen Gerichte abgegeben wird; darüberhinaus hat er sein Kriegsgericht mit der Ausarbeitung eines Vorschlages über die grundsätzliche Behandlung von Vergehen dänischer Staatsangehöriger gegen die Deutsche Wehrmacht beauftragt, der dann mit uns erörtert werden soll."

Dieser Bericht hat mich veranlaßt, noch am selben Tage an den General von Hanneken das folgende persönliche Schreiben zu richten:

"Der Bericht, den mir der Regierungsdirektor Dr. Stalmann über den Verlauf der heute unter Ihrem Vorsitz durchgeführten Besprechung über Gerichtsangelegenheiten erstattet hat, zwingt mich leider, Ihnen auf diesem Wege folgendes mitzuteilen:

Zum sachlichen Thema muß ich mich gegen die von Ihnen geäußerte Unterstellung verwahren, daß ich und meine Behörde bestrebt seien, einerseits eine milde Behandlung dänischer Rechtsbrecher zu erwirken und andererseits der dänischen Regierung und Justiz Gefälligkeiten zu erweisen. Das Gegenteil ist richtig. Soweit dänische Gerichte über Angriffe gegen die deutsche Position in Dänemark zu urteilen haben, beeinflusse ich sie – was ich gegenüber deutschen Gerichten nicht tun kann noch will – zur Anwendung weit höherer Strafen, als sie in der normalen Rechtsprechung dänischer und selbst deutscher Gerichte ausgesprochen würden. Der einzelne dänische Rechtsbrecher soll also auch auf dem von mir für richtig gehaltenen Wege hart bestraft werden. Wenn ich aber wünsche, daß in möglichst weitem Umfange die dänischen Gerichte und nicht die deutschen Gerichte dänische Rechtsbrecher aburteilen, so will ich damit nicht der dänischen Regierung und Justiz einen Gefallen erweisen, sondern im Gegenteil – entsprechend der von mir eingeschlagenen politischen Gesamtlinie – dem dänischen Staat ein Maximum an Verantwortung und an eigener Tätigkeit für die deutschen Interessen in Dänemark aufbürden. Werden meine Forderungen erfüllt, so hat sich die dänische Regierung und Verwaltung eindeutig auf unsere Linie festgelegt. Versagt der dänische Staatsapparat, so werden hierdurch die künftig von uns zu treffenden Maßnahmen eindeutig gerechtfertigt. Werden aber vor einem Versagen des dänischen Staatsapparates zu weit gehende deutsche Maßnahmen angewendet, so erhält hierdurch die Gegenseite die Möglichkeit, eine von ihr nicht verschuldete deutsche Tendenz mit nur allzudeutlicher politischer Zielsetzung zu unterstellen.

Nur der Vollständigkeit halber stelle ich fest, daß mir selbstverständlich das militärische Prinzip, daß ein Heer sich selbst schützt und nicht fremden Schutz in Anspruch nimmt, wohl bekannt ist und daß ich seine Anwendung gegen unmittelbare und schwere Angriffe auf die deutsche Wehrmacht in Dänemark durchaus anerkenne. Dagegen halte ich die Anwendung meines vorstehend umrissenen Prinzips auf das weite Gebiet der mittelbaren Angriffe und der kleinen Zwischenfälle auch für die deutsche Wehrmacht in Dänemark für durchaus tragbar.

Leider muß ich auch gegen persönliche Kränkungen Verwahrung einlegen, die Sie in der heutigen Besprechung gegen meine Behörde bezw. gegen einzelne meiner Mitarbeiter ausgesprochen haben. Sie haben von "Beziehungen" gesprochen, die mich und meine Behörde zur Milde gegenüber den Dänen veranlassen. Sie haben weiter geäußert, daß, wenn Sie scharfe Maßnahmen treffen wollten, "die innere Verwaltung komme und sich in die Hosen scheiße."

Sie werden bei ruhiger Überlegung die Schwere der hiermit ausgesprochenen persönlichen Kränkungen nicht verkennen. Ich hoffe deshalb, daß Sie eine Formel finden werden, die im Interesse der notwendigen sachlichen Zusammenarbeit diese persönlichen Kränkungen aus der Welt schafft."

Am 4.12.1942 ist der Chef des Stabes des Befehlshabers der deutschen Truppen in Dänemark Oberst Graf von Brandenstein-Zeppelin bei mir erschienen und hat mir erklärt, daß der General von Hanneken nicht die Auffassung von meiner und meiner Mitarbeiter Haltung habe, die offenbar aus seinen Worten herausgelesen worden sei. Er habe auch meine Mitarbeiter nicht persönlich beleidigen wollen. Zur Sache habe er den Wunsch, sich nach seiner Rückkehr aus Berlin am 8.12.1942 mit mir über die Frage der Gerichtsbarkeit eingehend auszusprechen, wobei sich herausstellen werde, daß er im wesentlichen meine Auffassung teile. Ich habe mich mit der vorgeschlagenen Besprechung einverstanden erklärt; über ihr Ergebnis werde ich berichten.

Dr. Best

12. Werner Best an das Auswärtige Amt 7. Dezember 1942

Best meddelte AA, at RFSS ønskede at oprette et "Schalburgkorps", hvilket han havde fået besked om af Bruno Boysen 17. november. Korpset skulle bestå af unge danske mænd, der skulle gøre tjeneste under SS i Danmark. DNSAPs fører Frits Clausen var blevet orienteret derom, og der var 4. december indgået en overenskomst mellem Boysen og Clausen om en interessedeling mellem parti og korps. Hermed mente Best at have fjernet ethvert grundlag for en rivalisering mellem SS og DNSAP.

Enigheden med Frits Clausen skulle ifølge Best være opnået i en åben og kammeratlig atmosfære. Det dækker rimeligvis over, at Frits Clausen var blevet stillet over for et ultimatum. Korpset ville blive oprettet, hvad han end mente derom. Det havde trukket op dertil i nogen tid. Så sent som dagen før havde Helle von Schalburg meddelt, at C.F. von Schalburgs Mindefond for fremtiden skulle være upolitisk og ikke længere ville sende DNSAPs propagandamateriale til de frivillige.[16] Frits Clausen svarede 8. december ved at trække DNSAPs medlemmer ud af præsidiet, ligesom han uanset den indgåede "overenskomst" af 4. december forholdt sig fjendtligt til korpsdannelsen. Det kom imidlertid ikke åbent frem lige med det samme; han holdt i nogle uger sin viden om 4. decemberaftalen i en meget snæver kreds, da den var en yderligere rystelse af DNSAPs forhold til besættelsesmagten. Sidst på måneden henvendte han sig til AA, og Luther tog affære, som det fremgår af Luthers notits til Ribbentrop 30. december nedenfor.

Hidtil har det været opfattelsen, at Best ikke forud underrettede AA om SS' planer for Schalburgkorpsets oprettelse eller sin andel deri, endvidere at planerne om et sådant først konkretiseredes i 1943, og

---

16 Helle von Schalburg indgik i oktober en aftale med Waffen-SS' forsorgsofficer i Danmark om, at Schalburgs Mindefond kun ville yde støtte til de frivillige efter forudgående aftale med SS. Dermed var DNSAP udelukket fra enhver uafhængig indflydelse. I sin månedsberetning for november 1942 lagde Waffen-SS' forsorgsofficer Berger åbent afstand til DNSAP: "Mit der DNSAP besteht insofern nur enge Fühlung, als schriftlich und bei Dienstreisen zum Teil persönlich mit den Sysselleitern zusammengearbeitet wird. Das kameradschaftliche Verhältnis zu den führenden Parteileuten in Kopenhagen ist in geschickter Weise sehr gelockert worden. Dieses war aus politischen Gründen notwendig. Wenn zum Anfang ohne die Partei kaum hätte etwas angefangen werden können, so steht heute die Dienststelle so fest mit den Angehörigen und Hinterbliebenen der freiwilligen in Verbindung, daß eine Inanspruche der Parteiführung nicht mehr notwendig ist." (Fürsorgeoffizier der Waffen-SS in Dänemark: Tätigkeitsbericht für Monat Oktober 1942, 1. november 1942, s. 7f. og samme for november, 1. december 1942, s. 8 (RA, Danica 465, Moskva, Osobyj Archiv, 1372/3/133/13 og 1372/3/134/12). Fürsorgeoffizier der Waffen-SS og Leiter des Ersatzkommandos i Danmark blev begge i august 1942 underlagt Bruno Boysen og Germanische Leitstelle, hvilket styrkede Boysens stilling og sikrede fodslag med de to underorganisationer. Det kan påfølgende aflæses i forsorgsofficer Bergers månedsberetninger efter fremkomsten af *Politische Informationen*. Berger holdt sig i sit politiske afsnit tæt til det, som Best lod fremkomme i *Politische Informationen* frem til og med maj 1943. Herefter kendes Bergers månedsindberetninger ikke længere (Fürsorgeoffizier der Waffen-SS in Dänemark: Tätigkeitsbericht für Monat August 1942, 7. september 1942, s. 4 (RA, Danica 465, Moskva, Osobyj Archiv, 1372/3/138/20).

DECEMBER 1942

endelig at Frits Clausen blev orienteret derom ad omveje (Poulsen 1970, s. 372-376, siden fulgt af Kirchhoff, 1, 1979, s. 107, Herbert 1996, s. 337f. og Monrad Pedersen 2000, s. 27). Ingen af delene er tilfældet. Forklaringen er, at AAs materiale kun har været delvis benyttet, og at Martin Luther i januar tilsyneladende optrådte, som om han ikke tidligere var blevet orienteret. Det er muligvis også rigtigt, idet telegrammet fra Best 7. december blev behandlet af Grundherr, men Luthers forårsoffensiv mod Schalburgkorpset havde en baggrund, som kommer frem i Luthers notits til Ribbentrop 30. december.

På baggrund af Gottlob Bergers offensiv i de germanske lande og Bests villighed til at være redskab derfor i Danmark, er det samtidig klart, at den påfølgende eliminering af DNSAP som politisk magtfaktor ikke var et isoleret dansk anliggende. Nazistpartierne i de øvrige germanske lande blev udsat for et lignende pres, men modsat Frits Clausen underkastede de øvrige nazipartier og -organisationer sig (se eksempelvis for Belgien, Conway 1993, s. 170-175, 181-183).

Kilde: PA/AA R 100.986.

Der Bevollmächtigte des Reiches in Dänemark   *Kopenhagen, den 7.12.1942.*
II 45/42

Betrifft: Die Bildung eines "Schalburg-Korps"
2 Durchschläge.

An das Auswärtige Amt,
    Berlin.

Der SS-Sturmbannführer Boysen hat mir am 17.11.1942 gemeldet, daß der Reichsführer-SS die Bildung eines "Schalburg-Korps" wünsche. Er übergab mir hierbei eine Aufzeichnung des folgenden Inhalts:

"Als Führer des "Schalburg-Korps" ist der SS-Stubaf. K.B. Martinsen vorgesehen. Martinsen wurde bereits vom Reichsführer für diese Aufgabe freigestellt. Die Aufgaben des "Schalburg-Korps" sind:

a.) Die aus der Waffen-SS entlassenen oder auf Grund ihrer Verwendung nicht mehr kriegsverwendungsfähigen Männer zu erfassen und zusammenzustellen.

b.) Junge dänische Männer heranzuziehen, auszubilden, mit den germanischen Gedanken vertraut zu machen und zum Fronteinsatz zu bringen. Dabei ist SS-Tauglichkeit Vorbedingung.

Unter den Freikorpsangehörigen befindet sich eine Anzahl von Männern, die nicht SS-tauglich, sondern tauglich für Wehrmannschaften eingestellt wurden. Es erscheint notwendig, auch diese Männer in das Schalburg-Korps aufzunehmen. Die vormilitärische und weltanschauliche Ausbildung findet für Führer, Unterführer und Männer in der Schalburg-Schule statt.

Das "Schalburg-Korps soll nicht an die DNSAP angelehnt oder angegliedert, sondern als eine rein soldatische Organisation der SS aufgezogen werden."

Zugleich sprach der SS-Sturmbannführer Boysen den Wunsch aus, daß mit dem Parteiführer der DNSAP Dr. Clausen eine freundschaftlichen Einigung über die Bildung des "Schalburg-Korps" herbeigeführt werde.

Ich veranlaßte hierauf eine Aussprache zwischen Dr. Clausen und Boysen, die am 4.12.42 in meiner Gegenwart stattfand.[17] Hierbei wurde nach offener und kameradschaftlicher Erörterung zwischen Dr. Clausen und Boysen die folgende Vereinbarung getroffen:

1.) Das Schalburg-Korps wird als eine von der DNSAP vollkommen unabhängige Organisation der SS aufgebaut.

2.) Zur klaren Trennung der DNSAP als politischer Partei und dem Schalburg-Korps als soldatischer Organisation sollen die SS-Freiwilligen nach ihrem Einsatz vor die Entscheidung gestellt werden, ob sie der DNSAP, oder dem Schalburg-Korps angehören wollen. Soweit dänische Männer, die noch nicht an der Front waren, bezw. unabkömmlich sind, zu einer Mitarbeit erfaßt werden, sollen diese ebenfalls vor diese Entscheidung gestellt werden.

3.) Der offizielle Name dieser neuen Organisation ist: Schalburg-Korps. In der mündlichen Propaganda und Werbetätigkeit kann jedoch schon jetzt darauf hingewiesen werden, daß das Schalburg-Korps die Germanische-SS in Dänemark ist.
Vereidigung erfolgt auf den Führer.

4.) Die aktiven Angehörigen des Schalburg-Korps müssen SS-tauglich sein. Kommandosprache ist deutsch. Schulung, Unterricht usw. werden in dänisch durchgeführt.

5.) Ausbildungsstätte des Schalburg-Korps ist die Schalburg-Schule, deren Lehrpersonal sich ebenfalls über die obige grundsätzliche Frage entschieden haben muß.

Ich begrüße die hiermit herbeigeführte Einigung aus politischen Gründen und beabsichtige, ihre Durchführung zu fördern.

Im Innenverhältnis ist erreicht, daß den seit langer Zeit währenden Reibungen zwischen der SS und der DNSAP endgültig jede Grundlage entzogen wird.

Nach außen wird erreicht werden, daß einerseits junge Dänen, die sich aus irgendwelchen Gründen nicht der DNSAP anschließen wollen, künftig in das "Schalburg-Korps" eintreten können und daß andererseits die DNSAP nicht mehr das alleinige Ziel der Angriffe aus dem dänischen Lager bleibt, sondern daß diese Angriffe sich nunmehr bereits gegen zwei auf den Reichsgedanken ausgerichtete Gruppen wenden müssen.

Best

13. Werner Best an das Auswärtige Amt 7. Dezember 1942

Best lod meddele, at den københavnske presse havde fået besked om at kommentere årsdagen for USAs indtræden i krigen, og at samtlige blade på dagen havde offentliggjort lederartikler. Desuden havde Statsradiofonien ladet udsende et politisk foredrag med titlen "Et års krig i Østasien".
Kilde: PA/AA R 97.656.

Telegramm

| Kopenhagen, den | 7. Dezember 1942 | 20.33 Uhr |
| Ankunft, den | 7. Dezember 1942 | 21.25 Uhr |

17 Mødet fandt sted over en middag på "Palads Hotel" i København, hvor kun de tre var til stede (RA, Bests arkiv, Bests kalenderoptegnelser).

Nr. 1837 vom 7.12.[42.]

Auf Multex 845[18] vom 30.11.1942.

Weisungsgemäß ist Kopenhagener Presse dazu angehalten worden, aus Anlaß Jahrestages Kriegseintritt USA eigene Kommentare zu geben, sämtliche Kopenhagener Blätter veröffentlichen heute Leitartikel. Außerdem brachte dänischer Staatsrundfunk politischen Vortrag unter Titel "Ein Jahr Krieg in Ostasien". "Nationaltidende" hervorhebt Kommentar, daß USA durch Waffenlieferungen an England bereits vom ersten Kriegstage auf Seiten Westmächte gestanden hätte, für die führende USA-Politiker ständig moralisch Partei ergriffen hätten. Zweifellos habe Präsident Roosevelt von Anfang an Absicht gehabt, Amerika auf Seiten Englands in den Krieg zu treiben. Nach japanischer Auffassung habe Roosevelt sorgsam auf den richtigen Augenblick gelauert, um gegen Japan vorzugehen. Deshalb habe sich Japan entschlossen, selbst Initiative zu unumgänglicher Auseinandersetzung zu ergreifen und damit seinen Platz an Seite Deutschlands und Italiens eingenommen. Diese 3 Großmächte hätten dadurch ihre Schicksale eng aneinander geknüpft und einen Schritt vollzogen, der durch die Entwicklung notwendig geworden war. 7. Dezember 1941 habe tiefe Spuren in der Weltgeschichte hinterlassen. "Berlingske Tidende" erklärt, daß die Amerikaner zwar zahlenmäßig und in industrieller Hinsicht überlegen seien obwohl man die häufigen amerikanischen Meldungen über die angebliche gigantische USA-Produktion anzweifeln müßte, daß aber Japan über eine weit vorteilhaftere strategische Position als die USA verfüge. Es hätte sich ferner in den Besitz der rohstoffreichsten Gebiete der Welt gesetzt; während Amerika Transportschiffe baue, forcierten die deutschen Werften den Bau von U-Booten. Dieser Wettlauf würde für das Kriegsergebnis entscheidend sein. Alles deute heute auf einen langwierigen Krieg hin, in welchem beide Parteien entschlossen seien, bis zum bitteren Ende zu kämpfen. "Politiken" und "Social-Demokraten" betonen ebenfalls, daß die Ereignisse von Pearl Harbour den Krieg zu einem wahren Weltkrieg gemacht hätten. "Fädrelandet" bezeichnet Kampf der drei Großmachtstaaten als den Krieg für eine neue und bessere Weltordnung. Deutschland, Italien und Japan seien entschlossen, die Welt vor dem jüdisch kapitalistischen Zwangssystem zu befreien. Bereits jetzt erkenne man die Früchte der planmäßigen Zusammenarbeit dieser drei Großmächte. Der angelsächsische Egoismus werde durch diese Zusammenarbeit zerschlagen werden.

Dr. Best

14. Conrad Roediger: Notiz 8. Dezember 1942

OKW havde 18. oktober 1942 fremsendt et udkast til en aftale med Danmark vedrørende skader påført værnemagten. Det var med Barandon aftalt, at det indtil videre ikke var formålstjenligt at gennemføre den forhandling.

Sagen blev taget op af OKW over for AA 17. april 1943.

Kilde: PKB, 13, nr. 707.

18 P.L.S.124 g II. Skrivelsen er ikke lokaliseret.

Ref.: VLR. Dr. C. Roediger

Ich habe Herrn Min. Rat Schreiber mitgeteilt, daß das obige Schreiben des OKW vom 18.10.[19] Anfang November d.J. von mir mit Herrn Gesandten Barandon in Kopenhagen besprochen worden sei. Dieser sei damals der Auffassung gewesen, daß zunächst Verhandlungen mit der Dänischen Regierung über den Abschluß eines Abkommens nicht zweckmäßig seien, daß man vielmehr nach Lage der Dinge den Erlaß entsprechender Verordnungen in Deutschland und in Dänemark erwägen müsse. Herr Schreiber erklärte auf die Anfrage, ob es sich nicht empfehle, den obigen Entwurf im Sinne der neueren Entwürfe zur Regelung von Wehrmachtschäden umzuarbeiten, er wolle diese Frage sowie die Frage der Weiterbehandlung der Angelegenheit Dänemark gegenüber noch einmal prüfen und zu gegebener Zeit wieder an das Auswärtige Amt herantreten. Vorerst ist daher in der Angelegenheit nichts zu veranlassen.
Hiermit
1.) Herrn Dr. Stahlberg zu gefälligen Kenntnis vorgelegt.
2.) zu den Akten.
   Berlin, den 8. Dezember 1942.

R[oediger]

15. Niederschrift über die Besprechungen vom 21./23. Oktober 1942 über Handelsschiffsneubauten auf dänischen Werften 8. Dezember 1942

Der blev indgået en aftale om bygning af en række tyske handelsskibe på danske værfter i løbet af de tre følgende år. Materialerne til hver nybygning blev leveret fra Tyskland, og skete det ikke inden en aftalt frist, kunne den pågældende aftale ophæves. Ifølge aftalen skulle danske redere kunne overtage og betale hver anden nybygning. Alle skibene skulle bygges efter en plan for bygning af standardskibe, det såkaldte Hansa-program. Alle skibene skulle stilles til rådighed for Tyskland under hele krigen.

Den økonomisk og beskæftigelsesmæssige meget omfattende aftale blev indgået midt under telegramkrisen, men blev derefter i december kun vedføjet visse præciseringer. Begge parter stod ved aftalen. Se om Hansaprogrammet og dets videre skæbne i Danmark *Politische Informationen* 1. februar 1942, afsnit II. 3.

Kilde: BArch, Freiburg, RW 27/13. KTB/Rü Stab Dänemark 1. Vierteljahr 1944, Anlage zu Anlage 31.

Zu S 8 RL 4249/42.

Niederschrift
über das Ergebnis der Besprechungen vom 21./23. Okt. 1942 über
Handelsschiffsneubauten auf dänischen Werften.

1.) Während der Verhandlungen wurde folgendes Verzeichnis über die dänischen Neubauten, die auf Hellinge stehen, aufgestellt:

Burmeister & Wain,	No.	671
–	No.	672
Helsingör	No.	273
–	No.	274

19 Trykt ovenfor.

Nakskov	No.	94
–	No.	104
Odense	No.	86
–	No.	92
–	No.	97
Aalborg	No.	71
–	No.	72
–	No.	73
Frederikshavn	No.	212
Svendborg	No.	50

Deutscherseits wurde zugesagt, die Lieferung des noch fehlenden Materials möglichst zu fördern, damit diese Neubauten innerhalb möglichst kurzer Frist fertiggestellt werden können.

2.) Deutscherseits besteht die Absicht, folgende deutsche Neubauten, die bereits kontrahiert sind, fertigzustellen:[20]

Burmeister & Wain	No.	659
–	No.	667
Helsingör	No.	271
Nakskov	No.	95
–	No.	106
–	No.	111
Svendborg	No.	48
Odense	No.	96

3.) Dänischerseits wird zugesagt, anzustreben, ein Bauprogramm von deutschen Einheitsschiffen von etwa 189.000 tdw. in den Größen 3.000, 5.000 und 9.000 tdw. bis Ende 1944 durchzuführen; die Verteilung dieser Neubauten auf die einzelnen dänischen Werften geht aus dem beigefügten Hellingplan (Anlage 1)[21] hervor. Änderungen in dem aufgestellten Hellingbelegungsplan, die sich aus praktischen Gründen ergeben, können durch Verhandlungen zwischen der dänischen Werftvereinigung und den Sonderausschuß Handelsschiffbau vereinbart werden; wesentliche Änderungen bedürfen der Zustimmung der beiden Regierungen.

Sämtliche Einheitsschiffe sind in Übereinstimmung mit den deutschen Plänen und Bauvorschriften und unter deutscher Bauaufsicht zu bauen.

4.) Von den in Ziffer 3 genannten Einheitsschiffen werden folgende Schiffe für dänische Rechnung gebaut:

  2 Schiffe à 3.000 tdw.
16 Schiffe à 5.000 tdw.

Die fertiggestellten Neubauten werden abwechselnd den deutschen und dänischen

---

20 Kontrakterne er ikke lokaliseret på den af Rüstungsstab Dänemark førte a-liste.
21 Bilaget er ikke vedlagt.

Auftraggebern zugeteilt. Die Kontrakte der für deutsche Rechnung zu bauenden Schiffe werden zwischen der Schiffahrt-Treuhand GmbH und den dänischen Werften abgeschlossen. Die Kontrakte der für dänische Rechnung zu bauenden Schiffe werden zwischen der dänischen Regierung und den dänischen Werften abgeschlossen.

5.) Deutscherseits werden sämtliche zur Fertigstellung der Schiffe notwendigen Werkstoffe und Zubehör jeder Art geliefert, Dänischerseits erklärt man sich jedoch bereit, zu untersuchen, in welchem Umfange dänische Unternehmungen Angebote auf Lieferung von Maschinen und Zubehör für die erwähnten Einheitsschiffe im Rahmen der normalen Produktion Dänemarks machen können.

6.) Falls dänische Schiffseigner innerhalb eines Zeitraumes von drei Jahren nach Aufhören der Feindseligkeiten Verträge mit einem Käufer in einem dritten Land über den Verkauf eines oder mehrerer Einheitsschiffe abzuschließen wünschen, hat die Fachgruppe Reeder in Hamburg das Vorkaufsrecht auf diese Schiffe unter denselben Bedingungen, die von dem betreffenden dritten Land angeboten sind.

7.) Sofern sich für die zuständigen deutschen Stellen die Notwendigkeit ergibt, die Neubauten des Hansa-Programms, soweit sie unter dänischer Flagge fahren, für deutsche dringende Bedürfnisse einzusetzen, soll die bisher geltende grundsätzliche Bestimmung, daß Schiffe unter dänischer Flagge in erster Linie für die Versorgung des Landes selbst eingesetzt werden, keine Anwendung finden.

8.) Über die in Punkt 1 genannten dänischen Neubauten hinaus, sind bei dänischen Werften von dänischen Reedereien eine Reihe weiterer Neubauten kontrahiert, für welche die erforderlichen Materialien in üblicher Weise bei deutschen Werken seit langem bestellt worden sind. Deutscherseits erklärte man sich außerstande, z.Zt. diese Lieferungen durchzuführen, da sie hinter die Lieferungen für das Hansa Programm zurücktreten müssen. Sobald die Durchführung des Hansa-Programms es erlaubt, werden deutscherseits Lieferungen für diese Neubauten wieder aufgenommen werden.

Berlin, den 23. Oktober 1942

gez. **Max Waldeck**   gez. **M.A. Wassard**

Zu S 8 RL 6003/42

Z u s a t z z u r N i e d e r s c h r i f t
über das Ergebnis der Besprechungen vom 21.-23.Okt. 1942
über Handelsschiffsneubauten auf dänischen Werften

1.) Im Anschluß an Ziffer 4.

Die deutsche Regierung wird die Schiffahrt-Treuhand GmbH in den Stand setzen, ihren finanziellen Verpflichtungen gegenüber den dänischen Werften aus den Bauvertragen nachzukommen. Die deutsche Regierung behält sich vor, die Erfüllung dieser Verpflichtungen der Schiffahrt-Treuhand GmbH, dadurch sicherzustellen, daß mit Zustimmung der Werften eine dritte Stelle hierfür garantiert.

Die dänischen Werften haben durch die dänischen Regierungsbehörden den Reichskommissar für die Seeschiffahrt Mitteilung zu geben, falls Nichterfüllung der von der Schiffahrt-Treuhand GmbH. übernommenen Verpflichtungen vorliegen sollte.

2.) Das Risiko für durch Kriegsereignisse verursachte Schäden an den für deutsche Rechnung zu bauenden Schiffen unter dem Hansa-Programm wird von der deutschen Regierung getragen.

Im Falle größerer Schäden an Schiff und Maschine soll über den etwaigen Fortfall des betreffenden Neubaus verhandelt werden; dasselbe gilt, falls die Werft größere Schäden erleidet.

3.) Im Anschluß an Ziffer 5.
Sämtliche zur Fertigstellung der Neubauten unter dem Hansa-Programm, deutsche sowohl als dänische, notwenigen Werkstoffe und Zubehör einschl. Hauptmaschinen, Abdampfturbinen und Kessel werden auf Veranlassung des Sonderausschusses Handelsschiffbau geliefert. Dieser besorgt insbesondere auch Misen- und Metallscheine, Kennziffern, usw. Alle Lieferverträge werden von der Werft mit den in Betracht kommenden Lieferfirmen abgeschlossen mit der Maßgabe, daß deutscherseits die Werften schadlos gehalten werden, wenn die Neubauten nicht zur Ausführung kommen.

Sollten die für den Bau eines Schiffes bis zum Stapellauf erforderlichen Materialien nicht innerhalb eines Monats nach dem programmäßigen Lieferdatum bei der Werft eingetroffen sein, so wird über die Frage einer etwaigen Annullierung zwischen den beiden Regierungen verhandelt werden. Falls hierbei keine Einigung erzielt wird, kann die Werft nach einer Verspätung von insgesamt 5 Monaten den Vertrag gegen Rückzahlung der eingezahlten Raten abzüglich der Kosten der von ihr ausgeführten Arbeiten annullieren. Unter diesen Kosten sind zu verstehen: Lohn, Material, Betriebsunkosten und anteiliger Verdienst.

4.) In Falle des Aufhörens der Feindseligkeiten in Europa soll, falls der Bau eines deutschen Schiffes unter dem Hansa-Programm auf der Helling noch nicht begonnen ist, über die Frage einer etwaigen Annullierung zwischen den beiden Regierungen verhandelt werden. Falls hierbei keine Einigung erzielt wird, kann die Werft nach einem Monat nach Aufhören der Feindseligkeiten den Vertrag annullieren. Es sind alsdann Verhandlungen darüber aufzunehmen, was mit geliefertem Material, Maschine und Ausrüstungsgegenständen zu geschehen hat. Die eingezahlten Raten sind entsprechend der Vereinbarung zu Ziffer 3 Absatz 2 dieser Niederschrift zurückzuzahlen.

Kopenhagen, den 8. Dezember 1942
gez. **Max Waldeck**   gez. **M.A. Wassard**

16. OKM: Betr. Marineattaché Dänemark 8. Dezember 1942

Forespurgt af OKM havde AA og Best meddelt, at de ikke var interesseret i nybesættelse af stillingen som marineattaché i København på grund af den store officersmangel. Dog skulle stillingen ikke opgives, men blot være ubesat, og den hidtidige marineattaché Hennings tilbagetrækning ske stilfærdigt, så unødige politiske bivirkninger blev undgået. Forslaget blev godkendt af OKM og admiral Mewis blev orienteret i henhold dertil.[22]

Hermann H. Henning var kommet til København som tysk marineattaché i oktober 1939 (Sjøqvist 1966, s. 335). Når Best ikke ønskede en ny marineattaché i hans sted, var grunden næppe politisk, men at Best ikke anså det for nødvendigt (det er hans formuleringer, der anes ud af pkt. 1), og at marineofficerernes kvalifikationer var bedre udnyttet andetsteds.[23] Det var også i overensstemmelse med, at "Übersichtsverwaltung" skulle ske med så få ressourcer som muligt. I øvrigt havde der før oktober 1939 ikke været en fast marineattaché i København; forgængeren Werner Steffan 1933-39 havde haft bopæl i Stockholm. Med henblik på Bests senere mange og lange konflikter med Kriegsmarine var det en ikke uvæsentlig beslutning, der blev truffet her. Henning forlod Danmark februar 1943.

Den eneste klart politisk motiverede afskedigelse, som Best foretog efter sin embedstiltrædelse, var at skaffe sig af med Gustav Meissner efter først at have lagt ham på is (tillæg 4).

Kilde: BArch, Freiburg, RM 7/1187.

Oberkommando der Kriegsmarine   *Berlin, den 8. Dezember 1942*
1. Abt. Skl. Ic …/42 Gkdos   Geheim

V o r t r a g s n o t i z
Betr.: Marineattaché Dänemark.

Rückfrage beim Ausw. Amt und dem Bevollmächtigten des Reiches in Dänemark haben ergeben, daß sie auf die Neubesetzung der Stelle eines Marineattaché in Kopenhagen angesichts der angespannten Offizierslage zur Zeit keinen Wert legen. Es wird jedoch gebeten, daß die Stelle als solche nicht aufgehoben wird, sondern die Tätigkeit des Marineattachés nur vorläufig ruht, und daß die Zurückziehung des Attachés nicht brüsk erfolgt, um nicht unerwünschte politische Rückwirkungen zu erzielen.

Es wird vorgeschlagen, zugleich mit der Verfügung über die vorläufige Nichtbesetzung der Stelle des Marineattachés Kopenhagen den Marinebefehlshaber Dänemark wie folgt anzuweisen:

"Die Vertretung der Belange der Kriegsmarine gegenüber der dänischen Marine obliegt dem Marinebefehlshaber Dänemark entsprechend seiner Dienstanweisung (OB. Mob. Mar. § 40 IA Abs. a)."

Da die geordnete Abwicklung der Geschäfte des Marineattachés Zeit erfordert und praktisch erst erfolgen kann, wenn Konteradmiral Henning von der Tätigkeit als Chef des Stabes des Mar. Bef. Dän. entbunden ist, andererseits die Neubesetzung der Stelle in Lissabon eilig ist, ist die baldige Kommandierung des neuen Chefs des Stabes notwendig.

---

22 Hos Kirchhoff, 3, 1979, s. 115 note 59 fremstilles det sådan, at det var WB Dänemark, der "trumfede tilbagekaldelsen af militærattacheerne igennem for at markere den nye kurs." Det var imidlertid et rent anliggende mellem den tyske hær- og marineledelse og AA og vedkom ikke WB Dänemark, da attacheerne var tilknyttet gesandtskabet.

23 G.F. Duckwitz roser i sine erindringer i høje toner Henning og beretter, at han såvel hos Henning som hans foresatte admiral Mewis fandt lydhørhed for sine argumenter og støtte over for Berlin (Duckwitz' erindringer u.å. kap. III, s. 19 (PA/AA, Nachlass Georg F. Duckwitz, bd. 29)).

17. Werner Best an das Auswärtige Amt 9. Dezember 1942

Takket være dansk politis oplysninger var Best godt og præcist underrettet om tre SOE-agenter, som var blevet anholdt af dansk politi under et klodset forsøg på at komme til Sverige med en robåd. Både agenternes personlige data, og hvornår og hvor de var nedkastet i Danmark, forelå der korrekte oplysninger om. De tre fangne agenter blev overladt til tysk politi, og de efterfølgende bestræbelser fra dansk side gik ud på at undgå, at de blev dødsdømt. For Best var det en aktualisering af spørgsmålet om den juridiske kompetence i forhold til værnemagten og SS (se telegram nr. 1848 10. december 1942, PKB, 7:1, s. 259f., Hæstrup 1954, s. 180, Birkelund/Dethlefsen 1986, s. 28f., Stevnsborg 1992, s. 357).

Kilde: PA/AA R 100.758. RA, pk. 229.

Telegramm

| Kopenhagen, den | 9. Dezember 1942 | 14.38 Uhr |
| Ankunft, den | 9. Dezember 1942 | 15.17 Uhr |

Nr. 1842 vom 9.12.[42.]

Betrifft: Feindliche Agenten in Dänemark.
Bezug: Hiesige Berichte, zuletzt vom 26.9.42. INN. vom 3. B. Nr. 1190/42.[24]

Die dänische Polizei hat auf Grund eigener Ermittlungen am 3.12.1942 in Skodsborg, 10 km. nördlich von Kopenhagen, folgende englische Fallschirmagenten festgenommen:

1.) Max Johannes Mikkelsen, (genannt Mik), geboren am 28.12.1911 in Ribe, Steuermann, dänischer Staatsangehörigkeit, er war am 17.4.1942 bei Jyderup/Nordseeland mit Fallschirm abgesprungen.
2.) Knud Erik Pedersen, geboren am 4.12.1910 in Kopenhagen, Schiffsführer, dänischer Staatsangehöriger.
3.) Hans Erik Frederik Hansen, geboren am 23.3.1919 in Kopenhagen, Maschinenmeister, dänischer Staatsangehöriger.

Die Agenten zu 2.) und 3.) sind am 1.8.1942 in der Nähe von Ranum/Nordjütland mit Fallschirm und Sabotage-material (2 Trommeln mit je 100 kg. Sprengstoff) abgesprungen. Das Material ist damals sichergestellt worden. Die drei Agenten wurden von das dänischen Polizei festgenommen, als sie den Versuch machten, mit einem Ruderboot nach Schweden zu entfliehen. Die Agenten werden auf Grund das vom Führer ergangenen besonderen Befehls über die Behandlung von Fallschirmagenten nach Vereinbarung mit dem Befehlshaber der deutschen Truppen in Dänemark durch die Wehrmacht von Kopenhagen nach Warnemünde überführt und dort der deutschen Staatspolizei zur weiteren Veranlassung übergeben.

Dr. Best
Wassersnot[25]

---

24 Indberetningerne er ikke lokaliseret.
25 Betydningen af dette ord (Vanløse?) i denne sammenhæng er ubekendt. Det er i øvrigt ikke anvendt andre steder.

18. Werner Best an Joachim von Ribbentrop 10. Dezember 1942

Spørgsmålet om tysk kontra dansk jurisdiktion var kommet på den danske regerings dagsorden før overleveringen af de tre SOE-agenter til tysk politi, men blev aktualiseret heraf. Den danske regering frygtede, at dødsstraf ville komme i anvendelse og gik til Best for at undgå, at det kom dertil. Best intervenerede med dette telegram hos Ribbentrop for at undgå en dødsstraf over de tre.

Ribbentrop fulgte indstillingen og lod Martin Luther henvende sig til RFSS for at opnå det ønskede resultat med en bemærkning om, at såfremt Himmler ikke var enig, at Ribbentrop da fik besked derom før henrettelsen, så der kunne gøres yderligere i sagen. Se Sonnleithner til Luther 12. december 1942.

Kilde: PA/AA R 29.566. PKB, 13, nr. 719.

Telegramm

| Kopenhagen, den | 10. Dezember 1942 | 20.45 Uhr |
| Ankunft, den | 10. Dezember 1942 | 21.30 Uhr |

Nr. 1848 vom 10.12.42.   Citissime!

Für Reichsaußenminister persönlich.

Wie im Drahtbericht Nr. 1842[26] vom 9. Dezember 42 berichtet, hat dänische Polizei aufgrund eigener Ermittlungen drei englische Fallschirmagenten, dänische Staatsangehörige, festgenommen, als sie Versuch machten, mit Ruderboot nach Schweden zu entfliehen. Die Agenten werden auf Grund des vom Führer ergangenen besonderen Befehls über die Behandlung von Fallschirmagenten der Geheimen Staatspolizei, Staatspolizeistelle Schwerin, zur weiteren Veranlassung übergeben. Die Festgenommenen sind Agenten, nach welchen seit August 42 bereits gefahndet wird, da ihr Absprung bekannt war. Es handelt sich dabei um die letzten noch im Lande befindlichen Fallschirmagenten, deren Absprung festgestellt worden ist. Ermittlung und Festnahme der Agenten sowie Identifizierung sind ohne Mitwirkung deutscher Stellen ausschließlich durch die dänische Polizei erfolgt. Dänische Regierung hat unter diesen Umständen auf Vereinbarung hingewiesen, die zu Beginn dieses Jahres, also vor Erlaß der letzten Befehle des Führers, zwischen Befehlshaber der deutschen Truppen und der Abwehrstelle einerseits und dem dänischen Justizministerium andererseits getroffen und schriftlich bestätigt worden ist, nach welcher deutscherseits zugesichert wurde, daß an Fallschirmagenten dänischer Staatsangehörigkeit, wenn sie aufgrund der Initiative der dänischen Polizei festgenommen werden, die Todesstrafe nicht vollstreckt werden wird. Die leitenden Beamten des dänischen Justizministeriums und der dänischen Polizei haben seinerzeit die mit der Verfolgung der Fallschirmagenten beschäftigten Polizeibeamten über die Vereinbarung unterrichtet. Sie haben ihnen versichert, daß nunmehr keine Gefahr bestehe, daß von ihnen als Agenten festgestellte dänische Staatsangehörige dem Tode überantwortet würden und daß sie deshalb in der Verfolgung der Agenten keine Hemmungen aus ihrer Eigenschaft als Dänen heraus zu haben brauchten. Die Vereinbarung ist seinerzeit mit dem Ziel getroffen worden, die aktive Mitarbeit der dänischen Polizei und der Bevölkerung an der Auffindung und Unschädlichmachung von Fallschirmagenten zu sichern. Die Vereinbarung hat tatsächlich den gewünschten Erfolg gehabt. Die däni-

26 bei Pol I M. Trykt ovenfor.

sche Polizei hat sich mit Energie der Verfolgung der Fallschirmagenten angenommen. Dabei ist in einem Falle ein dänischer Polizeibeamter von einem Agenten, der selbst unmittelbar darauf Selbstmord verübte, erschossen worden, in einem anderen hat ein dänischer Beamter seinerseits einen Agenten erschossen. Die dänische Regierung ist sich darüber klar, daß die seinerzeit getroffene Vereinbarung in Rücksicht auf die neueren bestimmten Weisungen deutscherseits über das Verfahren gegenüber Fallschirmagenten nicht aufrecht erhalten bleiben kann. Sie findet sich für die Zukunft mit dieser Tatsache ab, sie weist aber darauf hin, daß es verhängnisvoll sei, wenn die Vereinbarung ohne vorherige Ankündigung schon im vorliegenden Falle, in welchem dänische Beamten im Vertrauen auf die deutsche Zusage tätig geworden seien, nicht eingehalten werde. Ein solches Vorgehen von deutscher Seite müsse den guten Willen der dänischen Polizei zur Zusammenarbeit mit den deutschen Stellen, den sie gerade in den Fallschirmagenten-Sachen bisher bewiesen habe, grundlegend erschüttern. Darüber hinaus haben die leitenden Beamten, die die Vereinbarung und die in ihr enthaltene deutsche Zusage seinerzeit an die dänischen Vollzugsbeamten weitergeleitet haben, erklärt, daß sie sich, wenn die festgenommenen drei Agenten entgegen der Vereinbarung, deren Aufhebung ihnen bisher nicht mitgeteilt worden sei, hingerichtet würden, ihren Beamten gegenüber gezwungen sähen, ihre Ämter zur Verfügung zu stellen. Es handelt sich dabei um den Departementschef Eivind Larsen, den Staatsanwalt für besondere Angelegenheiten Hoff und den leitenden Vollzugsbeamten der politischen Polizei Kriminalkommissar Odmar, die bisher in positivster Weise mit uns zusammengearbeitet und sich für unsere Belange eingesetzt haben. Da meine Behörde an der erwähnten Vereinbarung und an der Durchführung der jetzigen Maßnahmen unbeteiligt ist, sehe ich von einem Vorschlag ab und stelle anheim, ob von dort im Hinblick auf den dargestellten Sachverhalt die[27] einer Führerentscheidung für zweckmäßig gehalten wird. In diesem Falle müßte das Reichssicherheitshauptamt benachrichtigt werden, damit der Führerentscheidung nicht durch Vollzugsmaßnahmen vorgegriffen wird.

Dr. Best

19. Werner Best an das Auswärtige Amt 10. Dezember 1942

Det var en ovenud tilfreds Best, der kunne meddele AA, at von Hanneken havde indledt et fuldstændigt tilbagetog over for gesandtskabet i nogle centrale spørgsmål. For det første trak han de udtalelser, han var fremkommet med på et møde 3. december, tilbage, for det andet tilsluttede han sig helt og fuldt et udkast vedrørende den strafferetlige behandling af danske statsborgere, der forbrød sig mod den tyske værnemagt.

For Bests eget vedkommende var der også tale om en kovending. Nogle dage tidligere havde han endnu forfægtet synspunktet, at jurisdiktionen skulle forblive på danske hænder. Det ville være optimalt ud fra hans ideer om "Aufsichtsverwaltung," men han havde indset, at der måtte et alternativ til på dette begrænsede område. Udkastet gav den rigsbefuldmægtigede ikke kun indseende med, men også indflydelse på jurisdiktionen. Den 21. januar 1943 kunne Best meddele OKWs indstilling til AA.

Kilde: PA/AA R 46.371.

27 I den tyske tekst mangler her et ord mellem "die" og "einer Führerentscheidung". Det manglende ord turde være "Herbeiführung" el. lign. I den tyske tekst er man opmærksom på manglen, idet det i en note hedder: "so gekommen".

Der Bevollmächtigte des Reiches in Dänemark   *Kopenhagen, den 10.12.1942.*
II/42

An das Auswärtige Amt,
    Berlin

Betrifft: Die Tätigkeit der deutschen Kriegsgerichte in Dänemark.
Vorgang: Mein Bericht vom 6.12.1942 (11/42)[28]
… Durchschlage
… Anlagen – dreifach.

Die in dem obenbezeichneten Bericht dargestellte Auseinandersetzung mit dem Befehlshaber der deutschen Truppen in Dänemark hat nunmehr in der Weise ihren Abschluß gefunden, daß der General von Hanneken in allen Punkten nachgegeben und meine Auffassung anerkannt hat.

Der General von Hanneken ist am 8.12.1942 bei mir erschienen und hat mir die Erklärung abgegeben, daß er mir und meiner Behörde keineswegs eine Haltung unterstelle, wie er sie in der Besprechung am 3.12.1942 zum Ausdruck gebracht haben solle. Er habe auch meine Mitarbeiter – insbesondere die Vertreter der "Inneren Verwaltung," die er persönlich besonders schätze, – keineswegs kränken wollen, wenn er in der Besprechung am 3.12.1942 einige militärische Kraftausdrücke gebraucht habe.

Diese Erklärungen wiederholte der General von Hanneken anschließend in Gegenwart des Regierungsvizepräsidenten Kanstein und des Obersten Grafen von Brandenstein-Zeppelin.

Hinsichtlich der Tätigkeit der deutschen Kriegsgerichte in Dänemark erklärte der General von Hanneken in der Besprechung am 8.12.1942, er beabsichtige, an die Kriegsgerichte einen Befehl herauszugeben, in dem die von ihm gewollte Linie eindeutig klargestellt werde. Ich übergab ihm als Unterlage für diesen Befehl eine Aufzeichnung über "Grundsätze für die Behandlung von Straftaten dänischer Staatsangehöriger gegen die deutsche Wehrmacht in Dänemark," deren Wortlaut in Anlage 1 hier beigefügt ist.

Am 10.12.1942 hat der Befehlshaber der deutschen Truppen in Dänemark den in Abschrift beigefügten Befehl betr. Richtlinien für die Behandlung von Straftaten dänischer Staatsangehöriger bei Verletzung von Wehrmachtsinteressen erlassen, der wörtlich die in meiner Aufzeichnung vom 8.12.1942 enthaltenden "Grundgedanken" wiedergibt.

Die von dem Befehlshaber in Aussicht gestellten Richtlinien für meine Unterrichtung über kriegsgerichtliche Maßnahmen werden zweifellos dem von mir im II. Teil meiner Aufzeichnung vom 8.12.1942 vorgeschlagenen Verfahren entsprechen, zumal ich nur die Verfahrensgrundsätze zusammengestellt hatte, die bereits zwischen meiner Behörde und der Gerichtsabteilung des Befehlshabers mündlich vereinbart worden waren.

[sign. W. Best]

28 Trykt ovenfor.

Grundsätze
für die Behandlung von Straftaten dänischer Staatsangehöriger
gegen die deutsche Wehrmacht in Dänemark.

I. Grundgedanken

1.) Aus militärischen Gründen erscheint es erforderlich, daß – gemäß dem Grundsatz, daß ein Heer sich selbst schützt, – unmittelbare schwere Angriffe dänischer Staatsangehöriger gegen die Deutsche Wehrmacht in Dänemark von den deutschen Kriegsgerichten abgeurteilt werden.

2.) Aus politischen Gründen erscheint es erwünscht, daß in allen Fällen, in denen nicht die Anwendung des vorstehenden Grundsatzes unbedingt erforderlich ist, bis auf weiteres die Aburteilung von Straftaten dänischer Staatsangehöriger gegen die deutsche Wehrmacht in Dänemark den dänischen Gerichten überlassen wird. Dies gilt vor allem für mittelbare (meist mit politischen Mitteln ausgeführte) und für unbedeutende Angriffe auf die deutsche Wehrmacht.

Durch die Überlassung der Aburteilung solcher Straftaten an die dänischen Gerichte soll erreicht werden, daß der dänische Staat mit seinen Einrichtungen ein Maximum an Verantwortung für die Sicherung der deutschen Interessen in Dänemark selbst übernimmt und sich dadurch immer stärker auf die Zusammenarbeit mit dem Reiche festlegt. Versagt der dänische Staat mit seinen Einrichtungen, so finden später zu treffende deutsche Maßnahmen hierin ihre politische Rechtfertigung.

3.) Im Hinblick auf die unvermeidbaren politischen Auswirkungen der Verurteilung dänischer Staatsangehöriger durch die deutschen Kriegsgerichte erscheint es erforderlich, daß – ohne daß hierdurch die Entscheidungsfreiheit des Befehlshabers der deutschen Truppen in Dänemark und der deutschen Kriegsgerichte berührt wird – dem Bevollmächtigten des Reiches in Dänemark die Möglichkeit gegeben wird, zu den Entscheidungen über die Behandlung von Straftaten dänischer Staatsangehöriger die Gesichtspunkte beizutragen, die sich aus der von ihm verantwortlich geführten deutschen Politik in Dänemark ergeben.

II. Verfahren

1.) Bevor der Befehlshaber der deutschen Truppen in Dänemark entscheidet, ob die Straftat eines dänischen Staatsangehörigen gegen die deutsche Wehrmacht von einem deutschen Kriegsgericht abgeurteilt oder an die dänischen Gerichte abgegeben wird, unterrichtet das Gericht des Befehlshabers die Behörde des Reichsbevollmächtigten von dem Tatbestand und von dem Vorschlag, mit dem die Sache dem Befehlshaber vorgelegt werden soll. Hat die Behörde des Reichsbevollmächtigten politische Gesichtspunkte beizutragen, so teilt sie dies unverzüglich dem Gericht des Befehlshabers mit. Von der ergangenen Entscheidung wird die Behörde des Reichsbevollmächtigten unterrichtet.

2.) Wenn sich im Laufe des Verfahrens ergibt, daß der Anklagevertreter voraussichtlich Todesstrafe oder Zuchthausstrafe gegen dänische Staatsangehörige beantragen wird, unterrichtet das mit der Aburteilung beauftragte Kriegsgericht hiervon über das Gericht des Befehlshabers die Behörde des Reichsbevollmächtigten.

3.) Wenn der Reichsbevollmächtigte es für erforderlich hält, daß im Rahmen des richterlichen Ermessens politische Gesichtspunkte berücksichtigt werden, teilt er dies dem Gericht des Befehlshabers mit, das hiervon unverzüglich das mit der Aburteilung beauftragte Kriegsgericht in Kenntnis setzt. Glaubt das Kriegsgericht die politischen Gesichtspunkte des Reichsbevollmächtigten aus gesetzlichen oder Ermessensgründen nicht berücksichtigen zu können, so teilt es dies über das Gericht des Befehlshabers unverzüglich der Behörde des Reichsbevollmächtigten mit.

4.) Jedes Urteil eines Kriegsgerichts gegen dänische Staatsangehörige wird über das Gericht des Befehlshabers der Behörde des Reichsbevollmächtigten mitgeteilt.

Soweit eine Bestätigung des Urteils durch den Befehlshaber zu erfolgen hat, teilt das Gericht des Befehlshabers der Behörde des Reichsbevollmächtigten mit unter gleichzeitiger Unterrichtung, ob dem Befehlshaber die Bestätigung des Urteils oder eine andere Entscheidung vorgeschlagen wird.

Wenn der Befehlshaber wegen Strafen, die von deutschen Kriegsgerichten gegen dänische Staatsangehörige erkannt worden sind, über die Ausübung seines Gnadenrechts zu entscheiden ist, teilt das Gericht des Befehlshabers dies der Behörde des Reichsbevollmächtigten mit unter gleichzeitiger Unterrichtung, welchen Vorschlag es dem Befehlshaber unterbreitet.

5.) Soweit dänische Staatsangehörige zur Verbüßung von Strafen, die von deutschen Kriegsgerichten gegen sie erkannt worden sind, in Strafanstalten im Reichsgebiet verbracht werden, teilt das Gericht des Befehlshabers dies der Behörde des Reichsbevollmächtigten unter Angabe der Strafanstalt und sonstiger etwa bedeutsamer Umstände mit.

Kopenhagen, den 8.12.1942.

gez. **Dr. Best**

20. Karl Kaufmann an Werner Best 10. Dezember 1942

Karl Kaufmann i Hamburg havde været kandidat til posten som rigsbefuldmægtiget i Danmark, og da den var gået ham forbi, valgte han at gå direkte til den i stedet udpegede for at fremme sine sagsområder og vel også for at prøve Best af ved samme lejlighed.

Kaufmann fik svar på sin henvendelse om skibsmateriel til de danske værfter med telegram nr. 1871, 16. december 1942 (Herbert 1996, s. 332).

Kilde: BArch, R 901 68.712 (koncept).

Berlin, den 10. Dezember 1942   zu HA Pol III a 5527/42
Diplogerma Kopenhagen Nr. [2232]

Für Min. Dir. Dr. Best persönlich.

Sehr geehrter Parteigenosse Dr. Best.
Durch den Leiter meiner Abteilung Neubau und Reparaturen, Herrn Staatsrat Blohm, der gleichzeitig den Hauptausschuß Schiffbau im Reichsministerium für Bewaffnung und Munition führt, wird mir berichtet, daß die Durchführung der Neubauten für

das Hansabauprogramm auf den dänischen Werften dadurch hinausgezögert wird, daß die dänischen Werften noch nicht die Aufträge für Lieferung des Schiffbaumaterials an Ferrostahl gegeben haben.[29] Ich wäre Ihnen dankbar, wenn sie veranlassen würden, daß die Auftragserteilung umgehend geschieht. Wegen weiterer Einzelheiten bitte ich, den Länderbeauftragten von Herrn Staatsrat Blohm, Herrn Goedecken, und den Schiffahrtssachverständigen, Herrn Duckwitz, hinzuziehen. Der Leiter des Seeschiffartsamts, Herr Ministerialdirektor Waldeck, wird nach Beendigung der Wirtschaftsbesprechungen in Stockholm am nächsten Mittwoch oder Donnerstag in dieser Angelegenheit bei Ihnen vorsprechen. Ich habe den bestimmten Eindruck, daß die Dänen in allen Fragen der Schiffahrt starke Verzögerungstaktik betreiben. Im Hinblick auf die derzeitige Lage muß ich dringend den Einsatz ihrer Schiffe und die Ausnutzung ihrer Werftskapazitäten fordern. Ich wäre Ihnen deshalb zu Dank verpflichtet, wenn Sie sich in diese Frage persönlich einschalten würden. Heil Hitler! Karl Kaufmann, Reichskommissär für die Seeschiffahrt.

Saller

21. Werner Best an das Auswärtige Amt 11. Dezember 1942

Se telegrammerne 28. november og 1. december 1942.
Kilde: PA/AA R 29.566. RA, pk. 202

Telegramm

Kopenhagen den	11. Dezember 1942	13.25 Uhr
Ankunft, den	11. Dezember 1942	15.00 Uhr

Nr. 1849 vom 11.12.42.

Auf Drahterlaß vom 5.12.42 Nr. 2178/4[30]
Gesandter Mohr beabsichtigt 18. d.M. nach Berlin zurückzukehren.
Dr. Best

22. Werner Best an das Auswärtige Amt 11. Dezember 1942

Best indberettede, hvordan det finske gesandtskab forsætligt og demonstrativt havde vist en tilbageholdende holdning over for de tyske og italienske diplomatiske repræsentanter. Derfor anbefalede han, at den finske gesandt Paavo Pajula snarest muligt blev kaldt hjem. Noget svar fra AA er ikke lokaliseret, men Best skrev igen i sagen 15. januar 1943.

Best var så opbragt, at han 10. december havde skrevet til von Hanneken om episoden for at slutte: "Unter diesen Umständen halte ich es für geboten, daß von deutscher Seite bis auf weiteres jeder Verkehr mit dem finnischen Gesandten und seiner Behörde unterlassen wird. Ich habe die Angehörigen meiner Be-

---

29 Om Hansabyggeprogrammet, se *Politische Informationen* 1. februar 1943, afsnit II. 3.
30 Prot. 47 g.Rs. Telegrammet er ikke lokaliseret.

DECEMBER 1942

hörde entsprechend angewiesen und wäre dankbar, wenn Sie für Ihren Stab die gleiche Anordnung treffen wollten." (Bests brev i BArch, Freiburg, RM 38/25. RA, pk. 456).

Kilde: PA/AA R 61.130.

Abschrift Pol VI 1501/42
Der Bevollmächtigte des Reiches in Dänemark   *Kopenhagen, den 11.12.1942*
I A Nr. 612/42

An das Auswärtige Amt

Betrifft: Den finnischen Gesandten Pajula in Kopenhagen

Der finnische Gesandte Pajula hat einige Tage vor dem 6.12.42 dem Gesandten Dr. Barandon mündlich mitgeteilt, daß am 6.12.42 um 15.00 Uhr in der finnischen Gesandtschaft ein Empfang aus Anlaß des finnischen Nationalfeiertages stattfinde. Er würde sich freuen, wenn – wie in den vergangenen Jahren – von deutscher Seite Angehörige der Reichsvertretung und des deutschen Militärs zu diesem Empfang erscheinen. Er bringe seine Einladung in dieser Form vor, weil er nicht recht wisse, wie er sich formell zu dem Reichsbevollmächtigten, der ja kein diplomatischer Vertreter mehr sei, verhalten solle.

Ich leistete mit einigen Angehörigen meiner Behörde der Einladung folge und sprach dem finnischen Gesandten meine Glückwünsche zum 25-jährigen Bestehen des finnischen Staates aus.

Während des Empfangs, zu den auch der italienische Geschäftsträger erschien, wurde bekannt, daß der Hauptempfang erst für 16.30 Uhr angesetzt war, zu welchem Zeitpunkt sowohl die Dänische Regierung wie auch die Vertretungen der übrigen Staaten eingeladen waren. Über den Hauptempfang ist am folgenden Tage in der dänischen Presse in großer Aufmachung berichtet worden, während von dem Besuch der deutschen und italienischen Repräsentanten überhaupt nicht die Rede war.

Als der Gesandte Pajula mir am 8.12.42 einen Gegenbesuch machte, habe ich ihm eröffnet, daß sein Verhalten auf der deutschen Seite sehr befremdet habe. Er versuchte sich damit zu rechtfertigen, daß in Kopenhagen die deutschen Vertreter – insbesondere beim Dänischen König – vor den Vertretern der übrigen Staaten empfangen worden wären.

Da das Verhalten des finnischen Gesandten bei Berücksichtigung der von ihm insgesamt an den Tag gelegten Haltung als eine vorsätzliche und demonstrative Zurückhaltung gegenüber dem Reiche und seinen Repräsentanten bewertet werden muß, habe ich den Angehörigen meiner Behörde bis auf weiteres den Verkehr mit der finnischen Gesandtschaft und ihren Angehörigen untersagt.

Da ein finnischer Gesandter mit der von dem Gesandten Pajula bewiesenen politischen Einstellung den Reichsinteressen in Dänemark mindestens nicht förderlich ist, wäre es erwünscht, wenn gelegentlich seine Abberufung veranlaßt werden könnte.

Dr. Best

23. Marinebefehlshaber Dänemark an die Abschnittskommandanten 11. Dezember 1942

Admiral Mewis meddelte, at han overtog al bevogtning af værftstjenestesteder i Danmark fra Kriegsmarines værft i Kiel. Det skulle oplyses, hvor mange vagter, der ville blive brug for.

Det var et skridt på vejen til en fuldstændig og omfattende bevogtning af alle tyske tjenestesteder og lagre i Danmark. I februar 1943 lod Mewis afholde en øvelse ved marinehovedkvarteret på "Hotel Phønix" i København i anledning af det stigende antal sabotager, hvorefter fire personer skulle smugle 10 kg. sprængstof (sand blev brugt) ind på hotellet. Det lykkedes dem at bære de 10 kg. ind på hotellet, uden at de blev antastet af hovedkvarterets vagter. Det fik 2. februar Mewis til at indskærpe alle sine kommandanter, at vagtposterne skulle tage opgaven alvorligt og være årvågne (kilde som nedenfor).[31]

WB Dänemark var 30. marts 1943 ude i et lignende ærinde, se nedenfor.

Kilde: BArch, Freiburg, RM 45 III/50a.

Marinebefehlshaber Dänemark   *Kopenhagen, den 11. Dezember 1942*

B. Nr. g 15926 Kü   Geheim

An

    Kommandant im Abschnitt Südjütland und dänische Inseln,

    Kommandant im Abschnitt dänische Westküste,

    Kommandant im Abschnitt Nordjütland.

Betrifft: Bewachung der Werftdienststellen in Dänemark.

Gemäß Vereinbarung mit der KMW Kiel ist die Überwachung sämtlicher in Dänemark befindlichen Dienststellen und Lager der KMW Kiel aus Zweckmäßigkeitsgründen durch den Marbef. Dän. zu übernehmen, zumal der größte Teil dieser Dienststellen und Läger nach einer Neuregelung dem Marbef. Dän. unmittelbar unterstellt ist.

Anbei wird eine Zusammenstellung der in den Bereichen der Abschnittskommandanten vorhandenen Schutzobjekte übersandt. Im Benehmen mit den zuständigen Ausrüstungsstellen sind die in der Zusammenstellung aufgeführten Schutzobjekte daraufhin zu überprüfen, ob eine zusätzliche Überwachung überhaupt notwendig ist und bejahendenfalls in welcher Stärke. Gleichzeitig ist die Zusammenstellung auf Vollzähligkeit zu überprüfen; etwa noch nicht erfaßte Objekte sind nachzutragen und hierher zu melden.

Nach durchgeführter Überprüfung ist der anfallende Gesamtbedarf an Wächtern hier anzufordern. Die Zuteilung des erforderlichen Wachpersonals geschieht durch den Marinebefehlshaber, der Einsatz durch die Abschnittskommandanten.

Die Abschnittskommandanten bezw. die Leiter der Ausrüstungsstellen sind künftig für die Bewachung der Lager und Betriebe verantwortlich. Auf möglichst zweckmäßigen und wirtschaftlichen Einsatz des Wachpersonals, gegebenenfalls durch Bildung von Wachgruppen, die verschiedene Wachobjekte umfassen, ist besonders Bedacht zu nehmen.

---

31 Der blev anmodet om et så betydeligt antal danske vagter til marinetjenestestederne i det hele taget, at Wurmbach i april 1943 måtte indskærpe, at de blev anvendt hensigtsmæssigt, og at der blev udvist sparsommelighed. Der var store problemer med at skaffe vagterne pistoler, ligesom en hel del af de hvervede vagter viste sig uegnede (Admiral Dänemark til afsnitskommandanterne 21. april 1943 (BArch, Freiburg, RM 45 III/348)).

44 — DECEMBER 1942

In Kopenhagen und Frederikshavn ist der Betrieb des Nachrichtenmittelressorts mit zu erfassen.

Für den Marinebefehlshaber Dänemark
Der Chef des Stabes
Laud

24. Franz von Sonnleithner an Martin Luther 12. Dezember 1942

Luther fik ordre om at tage sagen vedrørende henrettelse af tre faldskærmsagenter i Danmark op med Himmler. Skulle Himmler ikke være enig i den foreslåede behandling, ville Ribbentrop have besked før henrettelsen for at kunne gøre noget.

Der henvises til en førernotits, hvis indhold er ubekendt, men sandsynligvis drejede det sig om en notits i forlængelse af den ordre, som Hitler havde ladet udgå 18. oktober 1942, og hvorefter påtrufne fremmede agenter og sabotører uden videre skulle henrettes (se anf. dato). Ganske vist gjaldt denne ordre ikke for det danske område, men holdningen til agenter var skærpet. Se i forlængelse heraf Sonnleithner til Luther 15. december 1942.

Kilde: RA, pk. 229.

Büro RAM   Eilt sehr!

Über St.S.
U.St.S. Luther vorgelegt

Der Herr RAM bittet Sie, die im Telegramm Kopenhagen No. 1848 vom 10.12.[32] behandelte Angelegenheit der Vollstreckung der Todesurteile an englischen Fallschirmagenten in Dänemark im Sinne der beiliegenden Führernotiz[33] mit dem Reichsführer-SS weiter zu behandeln. Sollte die SS mit der vom Herrn RAM vorgeschlagenen Behandlung jedoch nicht einverstanden sein, so bittet Sie der Herr RAM um so rechtzeitigen Bericht, daß er vor Vollstreckung noch weiteres veranlassen kann.

Berlin, den 12.Dezember 1942

Sonnleithner

25. Rudolf Brandt an Gottlob Berger 14. Dezember 1942

Som svar på forespørgslen om militær uddannelse af de medlemmer af det tyske mindretal, der ikke var egnede til frontindsats, ønskede Himmler yderligere oplysninger, før en beslutning blev truffet. Han havde nemlig i tankerne at samle disse folketyskere i en alarmbataljon.

Berger svarede 21. januar 1943.

Kilde: RA, pk. 443. RA, Danica 1000, T-175, sp. 59, nr. 575.552f. PKB, 14, nr. 358.

Der Reichsführer-SS   *Feld-Kommandostelle, 14. Dez. 1942.*
Persönlicher Stab
Tgb. Nr.: 36/14/43 g

---

32 Trykt ovenfor.
33 Denne vedligger ikke.

Bra/Sch.   Geheim!

Betr.:   Militärische Ausbildung von Volksdeutschen.
Bezug: Dort. Schreiben vom 3.12.42[34] – Amt VI Vi/1 Az. 27 – Dr. R/Ni.

SS-Gruppenführer Berger
Chef des SS-Hauptamtes Berlin.

Lieber Gruppenführer!
Der Reichsführer-SS möchte, bevor er seine endgültige Entscheidung zu Ihrer Anfrage wegen der militärischen Ausbildung von Volksdeutschen in Dänemark gibt, noch folgendes wissen:
1.) Welche Anzahl von Volksdeutschen kämen für diese Ausbildung in Frage?
2.) Wer wäre der geeignete Führer?
Der Reichsführer-SS denkt nämlich daran, allenfalls die Volksdeutschen in einer Art Alarmbataillon zusammenzufassen.

Heil Hitler!
i. A.
Ihr
R. Brandt
SS-Obersturmbannführer

26. Werner Best an das Auswärtige Amt 14. Dezember 1942

Rigskommissær Josef Terbovens indbydelse til von Hanneken og Best var med henblik på mere end en høflighedsvisit.

Forud for indbydelsen havde han selv søgt at blive øverste politiske chef også i Danmark og havde i november stærkt beklaget Bests udnævnelse over for Himmler. Nu skulle gæsterne fra Danmark have et indtryk af, hvordan tysk besættelsespolitik skulle føres. Terboven forudsagde, at det snart ville blive nødvendigt med de samme skrappe foranstaltninger fra tysk sikkerhedspoliti i Danmark som i Norge (Dahl 1992, s. 386, 428, Herbert 1996, s. 611, n. 33).

Kilde: ADAP/E, 6, nr. 287.

Telegramm

Kopenhagen, den	14. Dezember 1942	21.25 Uhr
Ankunft, den	14. Dezember 1942	22.45 Uhr

Nr. 1864 vom 14.12.[42.]

Die Dienstreise nach Oslo, die ich auf Einladung des Reichskommissars für die besetzten norwegischen Gebiete zusammen mit dem Befehlshaber der deutschen Truppen in

---

34 Trykt ovenfor.

Dänemark, General von Hanneken, vom 11. bis 13. dieses Monats unternommen habe, hat zu einer befriedigenden Fühlungnahme mit den deutschen Dienststellen in Norwegen geführt. Ich habe auch dem Wehrmachtsbefehlshaber Norwegens, Generaloberst von Falkenhorst, einen Besuch gemacht und bin bei gemeinsamen Veranstaltungen mit dem Luftwaffenbefehlshaber, Generaloberst Stumpff, und mit dem Marinebefehlshaber, Generaladmiral Boehm, zusammengetroffen. Auf Vorschlag des Reichskommissars Terboven habe ich den Ministerpräsidenten Quisling besucht, der in Unterhaltung mit mir darüber Beschwerde führte, daß Dänen den Norwegern zu Unrecht Grönland abgenommen hätten. Ich erwiderte ihm, daß die Verwaltung solcher Kolonialgebiete in Zukunft wohl eine Regelung finden werde, die alte Besitzstreitigkeiten zwischen einzelnen europäischen Ländern als überholt erscheinen lassen werde.

Aus den Darstellungen, die mir von den Verhältnissen zwischen dem Reichskommissar und der norwegischen Regierung sowie von der Art der von dem Reichskommissar über die norwegische Regierung ausgeübten Aufsicht gegeben wurden, habe ich den Eindruck gewonnen, daß das Verhältnis gespannter und die Aufsicht lockerer ist als zwischen mir und der dänischen Regierung. Der Reichskommissar sieht den Ministerpräsidenten oft während langer Zeiträume nicht und es ist vorgekommen, daß der Reichskommissar durch ihm unerwünschte Gesetze, Verordnungen oder ähnliches der norwegischen Regierung überrascht wurde, was in Dänemark nicht geschehen könnte. Im Land soll nach den Exekutionen in Drontheim Ruhe herrschen. Die deutsche Sicherheitspolizei hat zur Zeit besonders auf Sabotagetrupps zu achten, die mit Booten und Flugzeugen auf norwegischen Boden abgesetzt werden.

Der Reichskommissar Terboven gab der Auffassung Ausdruck, daß sich die Verhältnisse in Dänemark in absehbarer Zeit ebenso wie in Norwegen entwickeln und zur Anwendung der gleichen Maßnahmen zwingen würden.

Dr. Best

27. Das Auswärtige Amt an Werner Best 14. Dezember 1942

AA meddelte Best: RVM modsatte sig, at der blev flyttet en færge fra strækningen Warnemünde-Gedser til Malmø-København. Skulle betjeningen på strækningen Malmø-København forbedres, måtte det ske ved at indføre flere afgange. AA bad Best om en indberetning.

Bests svar er ikke lokaliseret.

Kilde: BArch, R 901 68.712 (telegramforlæg).

Berlin, den 14. Dezember 1942.   zu Ha Pol XII a 5534/42.

Diplogerma Kopenhagen

Telegramm

Auf Drahtbericht 1802 vom 27.11.[35]

---

35 Trykt ovenfor.

Reichsverkehrsministerium mitteilt:

"Die Fahrten auf der Strecke Warnemünde-Gedser reichen schon jetzt für die Bewältigung des Verkehrs auf dieser Fährstrecke nicht immer aus. Es ist somit nicht vertretbar, ein Fährschiff von der Strecke Warnemünde-Gedser auf der Strecke Malmö-Kopenhagen einzusetzen. Wenn die Dänen oder Schweden andere Fährschiffe nicht verfügbar haben sollte müßte versucht werden, die bessere Bedienung der Strecke Malmö-Kopenhagen durch Vermehrung der Fahrten mit den vorhandenen Fährschiffen durchzuführen. Ich gestatte mir hierzu noch zu bemerken daß von der im Juli 1942 erfolgten Einstellung des Fährverkehrs auf der Strecke Malmö-Kopenhagen eine bessere Bedienung des Verkehrs ebenfalls möglich war, ohne daß auf die Fährschiffe der Strecke Warnemünde-Gedser zurückgegriffen zu werden brauchte."

Erbitte Bericht über Veranlaßtes.

Saller

Nach Abgang: Ha Pol VI

28. Werner Best an das Auswärtige Amt 15. Dezember 1942

Arbejderne på B&Ws skibsværft i København nedlagde 11. december arbejdet, da de blev mødt af bevæbnede danske vagter, hovedsageligt nazister. Våbnene var udleveret af tyskerne. Vagternes indsættelse skyldtes ifølge Best en ubetydelig sabotage, mens der fra dansk side blev anført den grund, at der var tale om et arbejde af særlig krigsvigtighed for værnemagten. Best benyttede hændelsen til at pointere, at det passerede kunne være undgået, hvis den tyske marinebefalende havde konsulteret ham først. Når han endvidere bagatelliserede de kommunistiske elementers indflydelse på B&W, var der tale om ren ønsketænkning bestemt for Berlin.

Oberstleutnant Reinberg fra Kriegsmarinedienststelle Kopenhagen, der tog sig af sagen, nævnte ikke med et ord kommunistiske elementer (RA, KTB/Kriegsmarinedienststelle Kopenhagen 11.-14. december 1943 (Danica 628, sp. 6, nr. 4225f.), KB, Bergstrøms dagbog 11., 12. og 25. december 1942, *Land og Folk* 31. december 1942, *Frit Danmark* december 1942, Kirchhoff, 1, 1979, s. 246).

Kilde: PA/AA R 29.566. RA, pk. 202. LAK, Best-sagen (afskrift).

Telegramm

Kopenhagen, den	15. Dezember 1942	20.10 Uhr
Ankunft, den	15. Dezember 1942	21.15 Uhr

Nr. 1869 vom 15.12.[42.]

Am 10.12.1942 setzte deutscher Marinebefehlshaber auf mehreren auf der Werft Burmeister u. Wain zur Reparatur liegenden deutschen Schiffen dänische Wachtmannschaften ein, deren Aufgabe Verhinderung von Sabotagehandlungen sein sollte. Anlaß war, daß einige unbedeutende Beschädigungen, u.a. einschlagen von Nägeln in eine Lichtleitung, an Bord eines Schiffes erfolgt waren. Maßnahme Marinebefehlshabers wurde getroffen obwohl aufgrund soeben von dänischem Reichstag angenommenen Werkschutzgesetzes Einrichtung eines umfassenden Werkschutzes unter Leitung dänischer Polizei auf Werft Burmeister u. Wain unmittelbar bevorstand.

Unter den auf fraglichen Schiffen tätigen Arbeitern entstand durch Einsetzen der Wachtmannschaften Unruhe, vor allem, weil es sich bei den Wachtmännern im wesentlichen um dänische Nationalsozialisten handelte, und Arbeiter sich durch diese, durch die deutsche Marine mit mittelalterlich aussehenden Pistolen bewaffnete Wachtmänner während der Arbeit nicht beaufsichtigen lassen wollten. Die Arbeiter machten ihrem Ärger im wesentlichen durch unfreundliche Bemerkungen gegenüber den Wachtmännern, in einem Falle auch durch Werfen mit Torfstücken Luft.

Hiesiger Vorschlag, sofort dänischen Werkschutz nach neuem Gesetz für die Schiffe zu organisieren und in der Zwischenzeit dänische Polizei die Bewachung ausüben zu lassen, wurde von deutschem Marinebefehlshaber aus Prestigegründen abgelehnt. Marinebefehlshaber kam nur soweit entgegen, daß er anordnete, daß die Wachtmänner nicht während der Arbeitszeit, sondern nur in den Arbeitspausen und außerhalb der Arbeitszeit tätig werden sollten. Als am 12.12. die Wachtmänner sich entgegen dieser Anordnung doch während der Arbeitszeit auf Werfgelände und an den Schiffen sehen ließen, legten die auf den Schiffen tätigen Arbeiter die Arbeit vorübergehend nieder. Der Arbeitsniederlegung schlossen sich am 14.12. auch die übrigen Arbeiter der Werft an.

Aufgrund dieser Situation fand am 14.12. vormittags neue Besprechung beim Marinebefehlshaber statt, an welcher von dänischer Seite Vertreter der Polizei und der Werftleitung teilnahmen und in welcher von einem Vertreter der Vorschlag, den ich bereits am 11.12. zur Regelung der Angelegenheit gemacht hatte, wiederholt wurde.

Marinebefehlshaber stimmte nunmehr diesem Vorschlag zu, wonach am 15.12. dänischer Werkschutz gemäß Werkschutzgesetz eingesetzt und die vom Marinebefehlshaber bestellten Wachtmannschaften zurückgezogen werden sollten. Diese Regelung ist inzwischen durchgeführt und Arbeitsaufnahme ist reibungslos erfolgt.

Ganzer Vorgang wäre bedeutungslos gewesen, wenn Marinebefehlshaber politisch ungeschickte Einsetzung von der DNSAP angehörenden Wachtmannschaften, die er ohne Fühlungnahme mit mir beschlossen hatte nicht vorgenommen hätte oder wenn er, nachdem die erste Beunruhigung auf der Werft eingetreten war, gleich meinem Vorschlage entsprechend verfahren wäre.

Anhaltspunkte für ein Aufhetzen der Werftarbeiter durch kommunistische Elemente bestehen nicht. Angelegenheit kann zur Zeit als erledigt betrachtet werden.

Dr. Best

29. Franz von Sonnleithner an Martin Luther 15. Dezember 1942

Endnu inden Luther havde fået svaret på RAMs ordre af 12. december, sendte Sonnleithner ham en notits i sagen, hvis indhold han skulle anvende ved drøftelsen med SS-ledelsen og give udtryk for, at RAM af udenrigspolitiske grunde anså det for nødvendigt, at den foreslåede fremgangsmåde blev anvendt. Notitsen lagde op til, at indgåede aftaler med den danske regering i den foreliggende sag skulle følges, dvs. de tre fangne agenter skulle ikke henrettes. Fremover ville det i lignende sager forholde sig anderledes.

Den sidste tilføjelse var en indrømmelse, som AA næppe havde fået overvejet konsekvenserne af og som af ukendte årsager ikke fik videre betydning for det dansk-tyske forhold før august 1943.

Se Geiger til Luther 17. december 1942.

Kilde: RA, pk. 229.

DECEMBER 1942

Büro RAM

Über St.S.
U.St.S. Luther vorgelegt.

Der Herr RAM bittet Sie, die Angelegenheit der dänischen Fallschirmagenten im Sinne der anliegenden Notiz mit der Reichsführung-SS weiter zu behandeln und dabei zum Ausdruck zu bringen, daß der Herr RAM dieses Vorgehen aus außenpolitischen Gründen für notwendig hält, und bittet, entsprechendes zu veranlassen.

Der Herr RAM sieht Ihrem Bericht über den Fortgang der Angelegenheit entgegen.

Berlin, den 15. Dezember 1942

Sonnleithner

N o t i z

Wie im einzelnen aus den beiden anliegenden Telegrammen des Bevollmächtigten des Reichs in Dänemark[36] zu ersehen ist, sind drei dänische Staatsangehörige, die von den Engländern als Fallschirmagenten in Dänemark abgesetzt worden waren, durch die dänische Polizei ohne Mitwirkung deutscher Stellen festgenommen und an die deutsche Polizei zur weiteren Veranlassung übergeben worden.

Der Bevollmächtigte weist in seinem Bericht darauf hin, daß diese Festnahme und Übergabe an die deutschen Behörden auf Grund einer zu Beginn dieses Jahres zwischen den deutschen militärischen Stellen in Dänemark und dem dänischen Justizministerium getroffenen Vereinbarung erfolgt ist, in der deutscherseits zugesichert wurde, daß an Fallschirmagenten dänischer Staatsangehörigkeit, deren Festnahme durch die dänische Polizei erfolge, die Todesstrafe nicht vollstreckt werde. Diese Vereinbarung verfolgte das Ziel, die aktive Mitarbeit der dänischen Polizei an der Unschädlichmachung von Fallschirmagenten zu sichern, und hat auch den gewünschten Erfolg gehabt.

Es stellt sich jetzt jedoch die Frage, ob die seinerzeitige Vereinbarung angesichts der neuen Befehle des Führers über die Behandlung von Fallschirmagenten noch berücksichtigt werden kann.[37]

Im Hinblick auf die politische Bedeutung, die der Entscheidung dieses Falles für das deutsch-dänische Verhältnis zukommt, halte ich folgendes für zweckmäßig:

1.) Grundsätzlich ist eine deutsch-dänische Vereinbarung des Inhalts, daß von der dänischen Polizei gefaßte Fallschirmagenten nicht mit dem Tode bestraft werden, natürlich nicht möglich, da sie dazu führen müßte, daß dem Absetzen von Fallschirmagenten in Dänemark durch die Engländer dadurch Vorschub geleistet wird.

2.) In dem vorliegenden Fall der drei dänischen Staatsangehörigen, die jetzt von den Dänen unserer Geheimen Staatspolizei übergeben worden sind, wird es sich emp-

---

36 Telegrammerne af 9. og 10. december, trykt ovenfor.
37 Der henvises til førerordren af 18. oktober 1942, hvorefter fjendtlige agenter og sabotører uden dom skulle henrettes.

fehlen, die seinerzeit getroffene Vereinbarung noch zu honorieren und gegen die drei Fallschirmagenten lediglich auf lebenslängliche Freiheitsstrafe zu erkennen; wie Dr. Best berichtet, würde nämlich eine Nichteinhaltung der Vereinbarung den guten Willen der dänischen Polizei zur Zusammenarbeit mit den deutschen Stellen, den sie gerade in der Fallschirmagenten-Angelegenheit bisher bewiesen hat, grundlegend erschüttern. Auch würden einige leitende dänische Beamte, die bisher in positivster Weise mit uns zusammengearbeitet haben, ihre Ämter zur Verfügung stellen.

3.) Der Dänischen Regierung gegenüber muß klargestellt werden, daß die Vereinbarung fortan keine Geltung mehr hat, wir aber selbstverständlich auch so von der dänischen Polizei loyalste Mitarbeit bei der Auffindung und Festnahme von Fallschirmagenten verlangen müssen, was in einer neuen Vereinbarung festzulegen wäre.

Berlin, den 15.12.1942.

[uden underskrift]

30. WB Dänemark: Propaganda-Lagebericht vom 15. Dezember 1942

Propagandaofficer Daub kunne kun melde om små ændringer med hensyn til frontberetningerne. Den danske befolknings stemning var som hidtil dårlig. Stemningen var påvirket af engelsk og amerikansk radiopropaganda og illegal kommunistisk propaganda. Sidstnævnte rettede sig for tiden mod besættelsesmyndighederne og regeringen Scavenius. Regeringen ville med et forbud mod at afspille udenlandsk radio på offentlige værtshuse modvirke propagandaen, og da endvidere nogle førende kommunister og sympatisører var arresteret, ville den kommunistiske propaganda venteligt tage af i den næste tid.

Der var fra tysk side pres på den danske Statsradiofoni i november og december for at lægge stilen om og bidrage til en mere offensiv antikommunistisk propaganda, ligesom Scavenius som udenrigsminister havde søgt at få en særlig repræsentant i radiorådet, hvilket var mislykkedes.[38] Også de aktive bidrag til den tyske propaganda blev afvist. Det er efterfølgende blevet fremstillet, som om kravene fremkom på baggrund af, at den nye rigsbefuldmægtigede forventede resultater på dette område (Christiansen/Nørgaard 1945, s. 165, Boisen Schmidt 1965, s. 154). Imidlertid var presset begyndt før Bests ankomst (sst. s. 159-165, Boisen Schmidt 1965, s. 146-154, Christiansen 1950, s. 251f., 257-260), og så kom det delvis på tværs af det samarbejde, han tilstræbte med regeringen, selv om der ikke kan herske tvivl om, at han lagde øget vægt på propagandaen som en positiv streng i sin politik.

Pressets udspring var i stedet WB Dänemark, der var kommet til et af Hitler udpeget fjendeland, hvor pressen var friere end i både Tyskland og andre besatte lande.[39] Von Hanneken var næppe uvidende om, at Terboven 12. oktober 1942 i det værste tilfælde havde indført dødsstraf for aflytning af udenlandsk radio, og at radioapparaterne i Norge for længst var konfiskeret. Den 28. november henvendte WB Dänemark sig direkte til Best og bad om, at aflytning af udenlandsk radio i det mindste ("zum mindesten") blev forbudt på offentlige steder med baggrund i en konkret sag fra Vejle, hvilket Best 7. december lovede at foranledige hos det danske justitsministerium (BArch, Freiburg, RW 38/106). Propagandaofficerens situationsberetninger var kun med til at animere til indgriben mod den udenlandske radioaflytning, og det må siges at være en mild indgriben alene at forbyde den på offentlige steder. Best tiltog sig umiddelbart efter krigen æren for at have forhindret, at alle danske radioapparater blev konfiskeret.[40] Rigtigheden heraf kan med hans i øvrigt

---

38 Sjøqvist, 2, 1973 fandt det ikke nødvendigt at beskæftige sig med Scavenius' rolle i forbindelse med presset på radioen.

39 Afsnitskommandanterne pressede også på for et forbud, se for afsnit Sydjylland Oskar Steckelberg til von Hanneken 7. august 1943.

40 Notat af Werner Best 31. juli 1945, pkt. 17 og senere gentaget flere gange (se Lauridsen: Werner Bests fængselsoptegnelser 1945-51, ms. 2010). Spørgsmålet om konfiskation af danske radioapparater blev første

DECEMBER 1942 *51*

førte politik in mente på ingen måde udelukkes, og det er bemærkelsesværdigt, at det end ikke blev forbudt danskerne privat at lytte til udenlandsk radio, hvor svær en håndhævelse heraf end ville have været.

Kilde: RA, pk. 450.

WPrO beim Befehlshaber *H.Q., den 15.12.1942*
der deutschen Truppen in Dänemark Geheim
Az.: Br. B. Nr. 249/42 g.

An das Oberkommando der Wehrmacht
  Abteilung WPr/IV i
  Berlin W 35
  Am Karlsbad 28
nachrichtlich an OKW / WPr (IId)
  über Befehlshaber d.dt. Tr. in Dänemark

Propaganda-Lagebericht
vom 11. Dezember 1942

Das pressepolitische Bild hat sich in der Berichtszeit nicht wesentlich verändert. Die Zeitungen bemühen sich nach wie vor um eine gewisse Objektivität, berichten in der Hauptsache nach deutschen Quellen über die Ereignisse an den Fronten und nehmen in übrigen eine abwartende Haltung ein. Besonders hervorgehoben wurde in den letzten Tagen, daß die Sowjet-russische Offensive ohne wesentlichen Erfolg geblieben ist und daß die deutschen Truppen wirkungsvolle Gegenangriffe unternommen hätten. In den Blättern vom 11. Dezember wurde aus englischen und neutralen Quellen berichtet, daß die 8. Armee zu einer groß angelegten Offensive gegen das deutsch-italienische Afrika-Korps bereit steht.

Auch die innerpolitische Lage in Dänemark ist unverändert geblieben. Die neue Regierung Scavenius hat eine Reihe von Maßnahmen durchgeführt, die die Sicherstellung der Lebensmittel- und Warenversorgung für die Bevölkerung gewährleisten sollen (u.a. ein Verbot des Verkaufs von Schweinefleisch in den Gaststätten und eine Auslagebeschränkung in allen Schaufenstern, in denen – im Gegensatz zu früher – nur eine beschränkte Anzahl von Waren ausgestellt werden dürfen).

Von den außenpolitischen Ereignissen wurden die Reden Mussolinis und des finnischen Staatspräsidenten Ryti aus Anlaß des 25-jährigen Jubiläums der Befreiung Finnlands in der dän. Presse besonders stark hervorgehoben. Eine starke Beachtung findet auch die englisch-amerikanische Spannung wegen der Unterstützung Darlans durch die Amerikaner.

Die Stimmung in der Bevölkerung ist nach wie vor schlecht. Es wirken sich hier weiterhin die englische und amerikanische Rundfunk-Propaganda, die kommunistische Propaganda und die von Schweden aus illegalen Wegen herüber kommenden politi-

gang hypotetisk nævnt af den tyske radiocensor Lohmann 30. august 1943 over for radioens direktør F.E. Jensen (Christiansen 1950, s. 275), men Jodl havde forud 27. august fremført kravet over for WB Dänemark (trykt nedenfor).

schen und militärischen Meldungen ungünstig aus, die aus den Quellen der Feindmächte kommen. Von der dänischen Regierung wurde ein Verbot des Einstellens ausländischer Sender in den öffentlichen Gaststätten erwirkt.[41]

Gegen die unterirdische kommunistische Propaganda, die sich z.T. gegen die deutschen Besatzungs-Behörden, z.T. aber auch gegen die Regierung Scavenius wendet, hat die dänische Regierung in Verbindung mit den deutschen zuständigen Stellen neuerdings energisch Front gemacht. Es konnten in diesen Tagen einige führende Kommunisten und außerdem auch verschiedene dänische Intellektuelle, die mit diesen sympathisieren und sich an der Verteilung der kommunistischen Hetzbroschüren beteiligten, verhaftet werden. Es ist anzunehmen, daß die kommunistische Propaganda, die damit einiger ihrer führenden Köpfe beraubt wurde, in der nächsten Zeit etwas abflauen wird.[42]

Im Entwurf gezeichnet:

gez. v. Hanneken
General d. Inf.

Daub
Hauptmann u. WPrO
b. Bef. d. Dtsch. Trupp. i. Dän.

31. Politische Informationen für die deutschen Dienststellen in Dänemark 15. Dezember 1942

Best redegjorde i det andet nummer af *Politische Informationen* først og fremmest for de danske kommunisters stilling siden den tyske besættelse og resultatet af de præventive arrestationer 2. og 7. november 1942.

Kilde: RA, Centralkartoteket, pk. 680.

Der Bevollmächtigte des Reiches in Dänemark   *Kopenhagen, den 15.12.1942.*

Politische Informationen
für die deutschen Dienststellen in Dänemark.

Betr: Kommunismus in Dänemark und Mitteilungen aus der Außenpolitik und Kulturpolitik.

Der Kommunismus in Dänemark

I. Die kommunistische Partei in Dänemark war bis zum 22.6.41 legal. Sie zählte rund 9.000 eingeschriebene Mitglieder und hatte insgesamt etwa 40.000 Anhänger. Sie stellte 3 Reichstagsabgeordnete. Die Parteizeitung war das "Arbejderbladet." Die legale kommunistische Betätigung war weit weniger aktiv als die der ehemaligen deutschen kom-

---

41 Et forbud mod aflytning af udenlandsk radio på offentlige steder så som restauranter og hoteller blev indført ved et cirkulære fra Justitsministeriet til politimestrene, og det er præsenteret i *Politische Informationen* 1. februar 1943, afsnit IV.

42 UM havde 10. december udsendt en officiel meddelelse i denne sag omfattende det illegale blad *Frit Danmark* og Ole Chievitz (gengivet hos Alkil, 1, 1945-46, s. 210. Jfr. også *Politische Informationen* 15. december 1942 og Best til AA den følgende dag).

munistischen Partei. Auch nach der deutschen Besetzung Dänemarks trat die Partei in ihrer Presse und durch ihre Redner nicht eigentlich aggressiv gegen Deutschland auf. Der Leiter der Partei, der "Erste Sekretär" Reichstagsabgeordneter Aksel Larsen, genoß für seine Person in vielen bürgerlichen und behördlichen Kreisen Dänemarks ein gewisses Ansehen.

Am 22.6.41 wurde die dänische Regierung im Zuge der anläßlich des Beginns des Krieges mit Sowjetrußland notwendigen Maßnahmen u.a. veranlaßt,
1.) alle führenden dänischen Kommunisten, darunter auch die Reichstagsabgeordneten, festzunehmen,
2.) die Gebäude, Parteilokale und die Presse der DKP zu schließen,
3.) alle deutschen und staatenlosen Kommunisten (Emigranten) festzunehmen.
Die dänische Polizei hat diese Maßnahmen durchgeführt und dabei rund 350 Kommunisten festgenommen, darunter auch den Reichstagsabgeordneten Martin Nielsen. Die Fahndung nach den beiden anderen Abgeordneten wurde eingeleitet. Nach Überprüfung der festgenommenen Kommunisten und nach Aussonderung unbedeutenderer Personen (und der deutschen Kommunisten, die nach Deutschland überführt wurden), sind damals 126 Kommunisten in ein neu errichtetes Kommunistenlager in Horseröd/ Nordseeland eingeliefert worden.

Für diese Maßnahmen der dänischen Polizei gab es keine eigentliche gesetzliche Grundlage. Sie sind auf ausdrücklichen deutschen Wunsch und daher, mit dänischen Augen gesehen, aus einem übergesetzlichen Notstand heraus durchgeführt worden. Die Legalisation erfolgte dann durch das dänische Kommunistengesetz vom 22.8.41. Dieses Gesetz verbietet unter Strafe bis zu 8 Jahren Gefängnis, falls nicht nach einem anderen Gesetz (z.B. "Lex Örum") eine höhere Strafe, verwirkt ist,[43] jegliche kommunistische Wirksamkeit und Organisation. Bestehende kommunistische Einrichtungen sind aufgelöst worden. Gefährliche Kommunisten können, ohne daß gegen sie ein Strafverfahren stattfindet, in einem Internierungslager (Horseröd) untergebracht werden.

Das Vorgehen gegen die Kommunisten ist von der dänischen Öffentlichkeit, deren Aufmerksamkeit durch den Kriegsausbruch Deutschland-Rußland stark beschäftigt wurde, im allgemeinen einfach hingenommen worden. Auch mit dem Erlaß des Kommunistengesetzes hat man sich abgefunden. Das Urteil gegen die dänischen Schiffssaboteure (Haupttäter Richard Jensen: 15 Jahre Gefängnis)[44] hat dazu beigetragen, die Maßnahmen gegen die Kommunisten mehr verständlich erscheinen zu lassen.

II. Unter Leitung des flüchtigen und illegal im Lande lebenden Aksel Larsen organisierte sich nun die illegale dänische kommunistische Partei. Es gab ein Zentralkomitee, eine Bezirksleitung für Groß-Kopenhagen und Bezirksleitungen in der Provinz. Die Tätigkeit der Partei bestand in erster Linie in der Verteilung von immer zahlreicher werdenden Hetzschriften, so z.B. "Orientierung zur Lage," "Land og Folk," "Danske Toner" und

---

43 Lex Ørum var lov nr. 14 af 18. januar 1941, hvorefter der kunne idømmes strengere straffe for spionage og for at træde i allieret krigstjeneste samt for sabotage.

44 Kommunisten og fagforeningslederen Richard Jensen var marts 1941 blevet arresteret og idømt 16 års fængsel, anklaget for at have spillet en ledende rolle ved en række skibssabotager, bl.a. mod to spanske trawlere i Frederikshavn 1938.

"Frit Danmark." In diesen Schriften wurde gegen Deutschland gehetzt und zur Bildung einer allgemeinen Einheitsfront der Feinde Deutschlands in Dänemark aufgerufen. In örtlich hergestellten kleineren Flugschriften wurde auf politische Einzelvorkommnisse eingegangen und u.a. auch zum Boykott namentlich benannter deutschfreundlicher Geschäfte aufgefordert.

Es erschienen auch Hetzschriften in deutscher Sprache, die sich an die deutsche Wehrmacht im Lande wandten und von Meuterei, Desertion usw. redeten. Bekannt geworden sind insbesondere der "Tagesbefehl des Volkskommissars für Landesverteidigung Stalin" und die "Ansprache des deutschen Reichstagsabgeordneten Florin, Ruhrgebiet." Zwei dänische Kommunisten, die bei der Verteilung dieser Schriften festgenommen wurden, sind Mitte November 1942 vom Kriegsgericht des Befehlshabers der deutschen Truppen in Dänemark wegen gemeinschaftlicher Zersetzung der Wehrkraft zu 10 bzw. 5 Jahren Zuchthaus verurteilt worden.[45]

Selbstverständlich beteiligten sich die kommunistischen Elemente auch an den Demonstrationen anläßlich des Beitritts Dänemarks zum Antikominternpakt am 26.11.1941 und den folgenden Tagen.

Von Sabotage wurde in den Hetzschriften zunächst nicht gesprochen. Erst seit Beginn des Jahres 1942 erschien in den kommunistischen Schriften zunächst umschrieben und dann ganz offen – die allgemeine Aufforderung zur Sabotage jeglicher Art an Wehrmachtsgut und in Wirtschaftsbetrieben, die irgendwie für die deutsche Wehrmacht oder für Deutschland tätig sind. Ein Erfolg war zunächst nicht zu bemerken. Seit Ende Juni 1942 setzte jedoch eine Reihe von gleichartigen Brandfällen an Wehrmachtsgut – so an Kraftwagen, Telefonleitungen und in Betrieben, die für die deutsche Wehrmacht arbeiteten – ein.[46] Die verwendeten Brandsätze waren aber nicht sehr wirkungsvoll, sodaß größerer Schaden an Wehrmachtsgut im allgemeinen nicht entstand. Aus der Art der Brandsätze und der Ausführung der Brände konnte geschlossen werden, daß es sich bei diesen Brandfällen nicht um Sabotageakte handelte, die irgendwie auf englischen Einfluß (englisches Material bezw. Fallschirmagenten als Täter) zurückgingen, sondern daß die Täter im Lande in kommunistischen Kreisen zu suchen sind.[47] Die dänische Polizei hat die Brandfälle eingehend untersucht. In einigen Fällen ist es ihr gelungen, Täter festzustellen, ohne jedoch die zweifellos bestehende Organisation der kommunistischen Sabotagegruppen aufdecken zu können. Auf Grund verschiedener ernsthafter deutscher Vorstellungen gegenüber der dänischen Regierung, wobei, die Einführung der Todesstrafe für solche Delikte erörtert wurde, hat der damalige dänische Staatsminister Buhl in seiner Rundfunkrede von 1.10.42., die nachher in der Presse erschien,[48] die dänische Bevölkerung, – in sehr eindringlichen Worten vor solchen, unverantwortlichen Delikten gewarnt und auf die nicht abzusehenden ernsten Folgen, die daraus für Dänemark entstehen können, hingewiesen. Die Rede kam für die dänische Bevölkerung überra-

---

45 Christian Valdemar Olsen var blevet anholdt 16. august og (fornavn ukendt) Kolling 29. oktober, begge i Fredericia. De blev dømt 18. november og meddelelsen offentliggjort 24. november (PKB, 7, s. 266f., bilag nr. 156-160, Alkil, 2, 1945-46, s. 834, Bindsløv Frederiksen 1960, s. 357).

46 Der blev taget udgangspunkt i en sabotage foretaget 26. juni 1942, se Kanstein til AA 4. oktober 1942.

47 Se Kanstein til AA 4. oktober 1942.

48 Talen blev holdt 2. oktober og bragt i pressen dagen efter. Trykt hos Alkil, 1, 1945-46, s. 205f.

schend, hat aber allgemein großen Eindruck gemacht. Die Kommunisten ließen sich jedoch dadurch, wie ja zu erwarten war, in ihrer Sabotagearbeit nicht stören.

In dieser Zeit gelang es auch durch deutsche Beobachtungen, das Vorhandensein eines kommunistischen Senders festzustellen. Es war durch eigene Tätigkeit ferner möglich, einen gewissen Kreis von Personen aus der illegalen kommunistischen Parteileitung zu ermitteln.

Die dänische Polizei hat bis zum 1.11.42. eine größere Zahl von Personen wegen verbotener kommunistischer Betätigung (Hetzschriftenpropaganda) festgenommen. Da diese Personen selbstverständlich leugneten, war es jedoch in den meisten Fallen nicht möglich, sie einwandfrei zu überführen. Es sind etwa 50 Kommunisten wegen Verteilens kommunistischer Hetzschriften zu Strafen von durchschnittlich 4 bis 6 Monaten Gefängnis verurteilt worden. Es darf hier bemerkt werden, daß die dänische Polizei auch an die Bekämpfung des Kommunismus – wie in sonstigen polizeilichen Fällen – zunächst mit rein kriminaltechnischen Methoden heranging. Die deutschen Anregungen zielen daher wesentlich darauf hin, ihr die politisch-polizeilichen Grundlagen beizubringen, die zu einer wirklich erfolgreichen Bekämpfung kommunistischer Organisationen und Bestrebungen notwendig sind.

III. Ende Oktober 1942 hatte die deutsche Beobachtung der illegalen Kommunistischen Kreise zu so positiven Ergebnissen geführt, daß nunmehr bei einem Einschreiten die Aufdeckung größerer kommunistischer Umtriebe zu erwarten war. Es kam hinzu, daß auch auf Grund der politischen Situation ein solches Vorgehen gegen die Kommunisten angebracht erschien. Dieser Zugriff war zweckmäßigerweise nicht nur auf die bekannt gewordenen illegal aktiv tätigen Kommunisten zu erstrecken, sondern aus allgemein vorbeugenden Gründen auch auf die Personenkreise, denen eine solche Betätigung in gleicher Weise zuzutrauen war. Das dänische Justizministerium und die dänische Polizei wurden daher davon in Kenntnis gesetzt, daß aus den genannten Gründen die folgenden Personengruppen festzunehmen seien:
1.) kommunistische Funktionäre, die am 22.6.41 (Kriegsausbruch mit Sowjetrußland) festgenommen und später wieder entlassen worden waren,
2.) die bei dänischen und deutschen Stellen bekannt gewordenen illegal aktiv tätigen Kommunisten,
3.) die dänischen Rot-Spanien-Kämpfer.
Die Aktion gegen die ersten beiden Gruppen fand an Morgen, des 2.11.1942 statt. Die dänischen Rot-Spanien-Kämpfer wurden an 7.11.1942 festgenommen.[49] Insgesamt hat die dänische Polizei in diesen Tagen 259 dänische Staatsangehörige verhaftet. Soweit sie bestimmter strafbarer Handlungen überführt werden konnten, wird gegen sie ein dänisches Strafverfahren eingeleitet. Im übrigen werden sie bis auf weiteres dem dänischen Kommunistenlager Horseröd zugeführt. Eine Entlassung erfolgt nur mit ausdrücklichem deutschen Einverständnis.

Der Kreis der Kommunisten um den Leiter der illegalen dänischen kommunistischen Partei, den ehemaligen Reichstagsabgeordneten Aksel Larsen, der durch die Beobach-

---

49 Se om aktionerne Barandon til AA 2. november 1942.

tung der hiesigen deutschen Polizeibeamten bekannt geworden war, wurde in deutsche Haft überführt. Zu Beginn der Aktion waren dies 7 Personen. Durch die sofortige und eingehende Vernehmung konnten weitere in der illegalen Parteileitung tätige führende Kommunisten namentlich festgestellt werden.

Diese Personen halten sich jedoch bereits seit dem Verbot der KP illegal im Lande auf. Es wird nach ihnen mit Nachdruck gefahndet. Es gelang auch, die Chiffrierstelle des bereits bekannten kommunistischen Senders, der Funkverbindung mit der Sowjetunion hatte, zu ermitteln. Bei der Durchsuchung dieser Wohnung wurde eine Lehrerin, welche das Ver- und Entschlüsseln der Funksprüche von und nach Moskau besorgte, verhaftet und das Schlüsselmaterial sichergestellt.[50] Eine andere Wohnung, die den Umständen nach eine Anlaufstelle des Aksel Larsen war, wurde mit Polizei belegt, die jede, anlaufende Person festzunehmen hatte. Hier wurden am 5.11.1942 zwei weibliche Kuriere, von denen die eine Pistole mit 32 Schuß Munition bei sich hatte, und am Abend dann Aksel Larsen verhaftet.[51] Er wird seit dieser Zeit mit gutem Erfolg vernommen.[52]

In den verschiedenen illegalen Wohnungen des Aksel Larsen wurde umfangreiches Material vorgefunden und sichergestellt. Es ist zu erwarten, daß die z. Zt. im Gange befindliche Sichtung des Materials und die Vernehmungen der jetzt in deutscher Haft sitzenden insgesamt 44 Kommunisten zu beachtlichen Ergebnissen und zu einer Reihe weiterer Festnahmen führen wird. Vor dem Abschluß der Ermittlungen kann aber auf die bisherigen Ergebnisse dieser Ermittlungen, wie verständlich, noch nicht eingegangen werden.

Mitteilungen aus dem Gebiete der Außenpolitik und Kulturpolitik
I. Außenpolitik
1.) Die Dänische Regierung hat an das Auswärtige Amt eine Anfrage gerichtet, ob der Dänische Gesandte Mohr, nach Berlin zurückkehren könne. Diese Anfrage ist vom Auswärtigen Amt positiv beantwortet worden. Der Gesandte Mohr wird etwa am 18. Dezember 1942 auf seinen Posten nach Berlin zurückkehren.
2.) Die nunmehr schon mehrere Wochen andauernde Regierungskrise in Island hat noch immer zu keiner Lösung geführt. Diese Tatsache ist ein neuer, einwandfreier Beweis für die schweren Erschütterungen, denen das isländische politische und wirtschaftliche Eigenleben durch die amerikanische Besetzung ausgesetzt ist.
3.) Der Dänischen Regierung ist am 10.12.42 mündlich mitgeteilt worden, daß laut Meldung aus völlig einwandfreier Quelle der amerikanische Marineattaché in Lissabon sich kürzlich wie folgt geäußert hat:
"Der schnellere Weg zum Sieg in Europa sei die unbedingte Unterstützung

---

50 Elisabeth Søndergaard-Jensen, Roshagevej 22, København (Laustsen 2006, s. 129).

51 Kureren Ilse Lundsfryd medbragte efter Aksel Larsens ønske en revolver til det illegale poststed Borgskrivervej 1, hvor hun blev arresteret sammen med endnu en kurer, Aksel Larsens samlever Gerda Petersen. Da Aksel Larsen ikke hørte fra samleveren, mødte han selv op på poststedet og blev arresteret af dansk politi (Houmann 1990, s. 197f., Jakobsen 1993, s. 263-265).

52 Se Gestapos forhørsprotokol vedr. Aksel Larsen (trykt hos Revsgaard Andersen 1981, s. 130-191). Diskussioner om betydningen og omfanget af Aksel Larsens oplysninger til Gestapo er senest drøftet af Laustsen 2006, s. 122-141.

der bolschewistischen Opposition in allen europäischen Ländern und insbesondere auf der iberischen Halbinsel. Leider sträube sich England noch, diesen Weg eindeutig einzuschlagen. Für Nord- wie für Südamerika, könne es aber nur von Vorteil sein, wenn Europa durch Untergang im Bolschewismus von der politischen Bildfläche verschwände."

II. Kulturpolitik

1.) Verhandlungen mit dem Dänischen Außen- und Justizministerium haben zu dem Ergebnis geführt, daß man dänischerseits dem Wunsche zugestimmt hat, die bisher in einem kleinen Teil der dänischen Lichtspieltheater gezeigten Wochenschauen nunmehr regelmäßig für sämtliche Lichtspieltheater zu übernehmen. Es würde damit praktisch eine obligatorische Wochenschau eingeführt. Die UFA Film AG überprüft z.Zt. die Frage der Durchführung dieser Regelung, die allerdings von den finanziellen Möglichkeiten abhängig sein wird.[53]

2.) Von der Behörde des Bevollmächtigten des Reiches ist bei der Dänischen Regierung angeregt worden, ein offiziöses Pressebüro für die gesamte dänische Presse einzurichten, das die Redaktionen der dänischen Blätter mit einheitlichen außenpolitischen und militärischen Informationen bzw. Aufsätzen versehen soll. Der Staatsminister von Scavenius hat dieser Anregung entsprochen. Das Dänische Außenministerium ist z.Zt. damit beschäftigt, einen geeigneten Schriftleiter für dieses Büro zu verpflichten, das im Laufe des Januar 1943 seine Arbeit aufnehmen wird.[54]

32. Werner Best an das Auswärtige Amt 16. Dezember 1942

Best svarede ret udførligt på rigskommissær Karl Kaufmanns henvendelse af 10. december og tilbageviste, at der skulle være udvist langsommelighed fra de danske værfters side med hensyn til gennemførelsen af Hansaprogrammet.

Korrespondancen fik et efterspil for Best, da Weizsäcker 28. december rettede en henvendelse til ham.
Kilde: BArch, R 901 68.712.

Telegramm

Kopenhagen, den	16. Dezember 1942	11.05 Uhr
Ankunft, den	16. Dezember 1942	11.40 Uhr

Nr. 1871 vom 16.12.42.

Für Reichskommissar Seeschiffahrt,
    Reichsstatthalter Kaufmann.

53 Det var kun efter tysk pres, at de tyske ugerevyer blev obligatoriske i alle biografer. Det er en understregning af den vægt, Best lagde på propagandaen over for den danske offentlighed.
54 Best havde 12. november sendt presseattaché Gustav Meissner til UM for at forhandle med Karl Eskelund om oprettelse af et pressebureau for udenrigspolitisk stof. Bureauet fik navnet Udenrigspolitisk Informationsbureau og fik Cai Schaffalitzky de Muckadell som leder med Eigil Steinmetz som medarbejder. Det fungerede til 29. august 1943 (Bindsløv Frederiksen 1960, s. 281-284).

Auf Nr. 2232 vom 10. Dezember 1942.[55]

Sehr geehrter Parteigenosse Kaufmann, die von Ihnen in Ihrem Geheimschreiben vom 10. Dezember berührten Fragen werden von mir fortlaufend und aufmerksam verfolgt. Zur Beschwerde des Herrn Staatsrats Blohm habe ich festgestellt, daß dänische Werftvertreter dem Länderbeauftragten Goedecken gegenüber bereits bei letzter Besprechung erklärt haben, daß unbeschadet des noch nicht erfolgten formellen Kontraktabschlusses mit der Schiffahrttreuhand, dessen Verzögerung nicht den Dänen zur Last gelegt werden kann, das für die 3.000-Tonner Neubauten benötigte Material inzwischen abgewälzt werden könne und auch von dänischen Werften bezahlt werde. Formelle Materialbestellung bei Lieferfirma Ferrostaal erfolgte sofort nach Kontraktabschluß, jedoch brauche deshalb keine Verzögerung in der Fertigung eintreten. Der Schiffahrtssachverständige, Herr Duckwitz, hat jedoch auf Grund eines Telefonanrufs der Fachgruppe Reeder die dänischen Werften am Mittwoch, dem 9. Dezember, veranlaßt, die formelle Auftragserteilung bei der hiesigen Vertreterfirma des Lieferwerkes unverzüglich vorzunehmen, was inzwischen geschehen ist, sodaß auch die formelle Seite der Materialbestellung in Ordnung sein dürfte. Der Wunsch auf völlige Ausnutzung der dänischen Werftkapazität ist auf Grund der Berliner Abmachungen vom 21. und 22. Oktober mit dem auf Dänemark entfallenden Anteil des Hansaprogramms sichergestellt. Nach Fertigstellung der noch auf Helgen befindlichen Neubauten für dänische Rechnung werden dänische Werften ausschließlich für Hansaprogramm tätig sein. Wie mir Schiffahrtssachverständiger, Herr Duckwitz, soeben meldet, haben Besprechungen in Berlin am 11. d.M. mit dem Leiter dänischen Frachtenausschusses Einigkeit ergeben über noch bessere Ausnutzung der dänischen im deutschen Machtbereich fahrenden Tonnage. Ich bitte jedoch, auch von dort aus die Einhaltung der in diesen Besprechungen gegebenen Zusagen der Kohlensyndikate zu überwachen, die eine Voraussetzung für eine bessere Ausnutzung der Dänentonnage bildet. Ich werde mich jederzeit für die Durchsetzung Ihrer berechtigten Forderungen einsetzen, über die mich der Schiffahrtssachverständige laufend unterrichtet.

Heil Hitler!

Ihr

Best

33. Werner Best an das Auswärtige Amt 16. Dezember 1942

Se Bests telegram nr. 1880, 16. december 1942.
    Kilde: PA/AA R 29.566. RA, pk. 202.

Telegramm

| Kopenhagen, den | 16. Dezember 1942 | 16.50 Uhr |
| Ankunft, den | 16. Dezember 1942 | 18.00 Uhr |

55 Trykt ovenfor.

Nr. 1879 vom 16.12.42.

Im Rahmen der Finanzgesetzdebatte des dänisches Reichstages hielt Staatsminister von Scavenius am 15.12.1942 die folgende Rede:

"Die Reden, mit denen die Wortführer der Parteien die neue Regierung empfangen haben, haben mit einer einzigen Ausnahme den Willen unterstrichen, uns bei Durchführung unserer Politik auf der Grundlage der Regierungserklärung zu unterstützen. Diese Zustimmung, für die ich meinen Dank ausspreche, hat, wie es natürlich ist, in verschiedener Form ihren Ausdruck gefunden. Diejenigen Redner, deren Parteien im voraus der Regierung ihre Zustimmung gaben, haben übereinstimmend die Notwendigkeit hervorgehoben, Ruhe und Ordnung aufrecht zu erhalten. Gleichzeitig haben sie nachdrücklich gegen jede Form der Sabotage gewarnt.

Am prägnantesten und in Worten, die ich zu unterstreichen wünsche, ist dieses in den Äußerungen des Wortführers der Venstre, Herrn Knud Kristensen, zum Ausdruck gekommen. Er stellte fest, daß es in der jetzigen Zeit beinahe so aussehe, als ob jeder einzelne durch seine Handlungen, Äußerungen und sein Auftreten Außenpolitik machen könne. Gleichzeitig fügte der Vorsitzende der Venstre aber hinzu, daß man eine solche private Außenpolitik mißbillige und in höchstem Masse die Regierung unterstützen wolle, dieser Form der privaten Außenpolitik entgegen zu wirken und sie unschädlich zu machen. Der Wortführer der Venstre hat recht, wenn er äußert, daß die Handlungen und Äußerungen des einzelnen Bürgers in dieser Zeit weitgehende und vielleicht schicksalsschwere Konsequenzen für alle enthalten können, für unser Land und seine Zukunft.

Es gibt dänische Stimmen – im Äther und anderswo – die verantwortungslos oder leichtfertig diejenigen zu verwirren suchen, die auf sie hören und die sie verlocken, durch Sabotage oder andere unverantwortliche oder verbrecherische Taten gegen die Wünsche des dänischen Volkes und gegen die Interessen Dänemarks zu handeln. Glücklicherweise sind es nur wenige, die sich von diesen Aufforderungen, Handlungen eines schädlichen und gefährlichen Charakters zu verüben, verlocken lassen. Das dänische Volk will nichts von diesen Dingen wissen, wofür ich die Reden der Wortführer als klaren und entschlossenen Ausdruck anführen möchte. Wie bereits hervorgehoben wurde, ist es die Absicht der Regierung, diese Formen einer "privaten Außenpolitik," wie Herr Knud Kristensen es richtig getauft hat, mit aller Kraft zu bekämpfen. Diejenigen Kreise hier im Lande, an die man diese Warnung richten muß, sind zahlenmäßig gesehen meiner Überzeugung nach verschwindend gering. Aber das Unglückliche und Gefährliche ist ja gerade, daß nicht viele Unbesonnenheiten erforderlich sind, um Unglück über das Land und den weit überwiegenden Teil der Bevölkerung zu bringen, der an sich den Standpunkt vertritt, den die Wortführer der Parteien zum Ausdruck gebracht haben.

Das Reichstagsmitglied, Herr Valdemar Thomsen, hat die bisher geführte Innenpolitik besprochen und angegriffen, wobei er besonders verschiedene Veranstaltungen auf dem Gebiete der Landwirtschaft beachtete. Ich will auf diesen Teil seiner Rede nicht eingehen, dagegen aber meine Zufriedenheit darüber aussprechen, daß er sich völlig der außenpolitischen Linie der Regierung anschließt.

Das Reichstagsmitglied, Herr Frits Clausen, hat in seiner Rede nicht den Willen zum

Ausdruck gebracht, die Regierung zu stützen. Er hat sich klar in Opposition gestellt, jedoch bin ich überzeugt, daß er mit den übrigen Wortführern in einem wichtigen Punkte völligeinig geht, nämlich hinsichtlich der Notwendigkeit, Ruhe und Ordnung hier im Landeaufrecht zu erhalten und jede Sabotage oder ähnliche Vergehen zu bekämpfen. Somit besteht in allen Parteien des Reichstages volle Zustimmung hinsichtlich der Politik der Regierung auf diesem Gebiete ebenso wie auch Einigkeit darüber besteht, daß es Pflicht jedes einzelnen verantwortlichen Dänen in der Bevölkerung ist, in Übereinstimmung mit diesen Gesichtspunkten zu wirken.

Die Notwendigkeit einer solchen Haltung ist durch die Ereignisse der letzten Zeit nur äußerlich unterstrichen worden. In dieser Verbindung benutze ich gern die Gelegenheit, die tüchtige Arbeit hervorzuheben, die die Polizei unter schwierigen Verhältnissen jetzt wie auch früher ausgeführt hat. Es scheint so, als ob die dänischen Kommunisten, indem sie sich als nationale Opposition camouflierten, in der Lage gewesen sind, anders Denkende zu verwirren und sich ihren Beistand zu erwerben. Die Tatsache, daß dieses nun öffentlich bekannt geworden ist, wird, wie ich hoffe, eine gute Wirkung haben. Diese Enthüllungen erfordern, daß man sich die richtigen Mittel genau überlegt, um die kommunistische Tätigkeit hier im Lande, die Auflösung und Zersplitterung in der Bevölkerung anstrebt, zu bekämpfen. In dieser Verbindung habe ich die Äußerungen über die kommunistische Gefahr beachtet, die in der Debatte von dem Reichstagsabgeordneten Hartel vorgebracht wurden.

Die Bekämpfung von Saboteuren und Sabotagetendenzen ist für die Regierung eine wichtige Aufgabe. Aber die Hauptaufgabe, sowohl hinsichtlich der Förderung unserer eigenen Interessen wie auch mit Rücksicht auf unseren Beitrag in der europäischen Zusammenarbeit ist die, eine Geld- und Preispolitik und eine Beschäftigungspolitik zu führen, die hier im Lande mit den Mitteln, über die wir verfügen, festgelegt ist und bewirkt, daß die verschiedenen Schichten der Bevölkerung ihr bestmögliches Auskommen haben und die Produktionskraft des Landes in weitest möglichem Umfange aufrecht erhalten bleibt. Auch in dieser Verbindung danke ich für die Zustimmung zur Politik der Regierung, die von den Wortführern gegeben wurde. Denn die Lösung dieser Hauptaufgabe erfordert das Verständnis, die Mitarbeit möglichst des ganzen dänischen Volkes. Die Anforderungen, die im Augenblick an uns, die wir die Verantwortung für die Zukunft Dänemarks haben, gestellt sind, sind die, unseren Willen und unsere Kraft für die Lösung der Aufgaben des Tages einzusetzen."

Dr. Best

34. Werner Best an das Auswärtige Amt 16. Dezember 1942

Scavenius' bemærkninger om og advarsel mod den illegale presse og sabotagen i talen under finanslovsdebatten skete på baggrund af bl.a. arrestationen af nogle af lederne af det illegale *Frit Danmark*, udsendelsen af professor Mogens Fogs første illegale brev og arrestationen af SOE-agenterne omtalt ovenfor.

Kilde: PA/AA R 29.566. PKB, 13, nr. 366.

DECEMBER 1942   61

Telegramm

| Kopenhagen, den | 16. Dezember 1942 | 17.15 Uhr |
| Ankunft, den | 16. Dezember 1942 | 18.00 Uhr |

Nr. 1880 vom 16.12.[42.]

Die gestrige im Rahmen der Finanzdebatte gehaltene Rede des Staatsministers von Scavenius, deren Wortlaut mit Drahtbericht Nr. 1879[56] vom 16.12. gemeldet ist, enthält einige bemerkenswerte Äußerungen zum deutsch-dänischen Verhältnis. Scavenius wandte sich insbesondere gegen eine verantwortungslose Propaganda. Er sprach von dänischen Stimmen im Äther und anderswo, die zu Sabotage und Verbrechen aufreizen und damit die Interessen des dänischen Volkes auf das schwerste gefährden. Er warnte dringend vor einer solchen privaten Außenpolitik. Er erwähnte zum ersten Male auch eine Rede des in Opposition stehenden Parteiführers Frits Clausen, dessen Äußerungen er bis dahin stets zu ignorieren pflegte und sprach die Überzeugung aus, daß auch Clausen, obwohl er nicht bereit sei, die Regierung zu stützen, doch in einem Punkte mit den übrigen Wortführern einig sei, nämlich hinsichtlich der Notwendigkeit, Ruhe und Ordnung im Lande aufrecht zu erhalten und jede Sabotage oder ähnliche Vergehen zu bekämpfen. Die Rede des Staatsministers bildet in ihrer ruhigen Entschiedenheit eine beachtliche Kundgebung zur Politik der neuen Regierung.

Dr. Best

35. Werner Best an das Auswärtige Amt 16. Dezember 1942

Gesandt dr. Paul Karl Schmidt fra AA havde dagen før talt i Dansk-Tysk Forening i en overfyldt sal over temaet "Nationalsocialistisk udenrigspolitik og dens bidrag til Europas skæbnekamp". Det var det hidtil mest virkningsfulde bidrag til tysk propaganda i Danmark. Blandt de tilstedeværende var den danske stats- og udenrigsminister Scavenius, minister Gunnar Larsen og talrige andre fremtrædende personligheder. Schmidts pointer gjorde et stærkt indtryk, og den københavnske presse behandlede dagen efter talen som en fremragende begivenhed. Også danske politiske kredse blev stærkt påvirkede af talen. Dansk-Tysk Forening fik allerede dagen efter et stort antal nyindmeldelser.

Den meget begejstrede indberetning om Paul Schmidts besøg og dets virkning, som Best lod sende til Berlin, var egnet til at skabe mere end et godt indtryk af den nye rigsbefuldmægtigedes politik. Der blev ikke sparet på superlativerne i Bests første erfaringer med at håndtere den danske presse og offentlighed. Best tog sig også personligt af Schmidt under dennes ophold i København. Dagen efter sin hjemkomst fra Oslo – 14. december – spiste han frokost med Schmidt, og Schmidt var muligvis med til Germanische Leitstelles konferences afslutningsaften på Høveltegård samme dag.[57] Siden mødtes de igen hos Best, og Best fulgte Schmidt til flyveren 17. december. Det var meget få besøgende fra Berlin, som Best gav en sådan

---

56 bei Pol VI. Trykt ovenfor.

57 Germanische Leitstelles konference i København fandt sted i henhold til en beslutning, som Gottlob Berger havde fremlagt på et møde i SS-Hauptamt 8. oktober 1942 (se Schmidts referat 20. oktober 1942). På mødet skulle deltage medlemmer fra alle "Hauptämter" i de germanske lande, fra RSHA og fra Waffen-SS' tjenestesteder. For mødets indhold, se Riedweg til Schneider 18. november 1942 og referaterne 12. januar og 20. januar 1943 af to opfølgende møder.

opmærksomhed. Best ville gøre det bedste indtryk på AAs pressechef, der hørte til von Ribbentrops nærmeste omgangskreds (RA, Bests arkiv, Bests kalenderoptegnelser 14.-17. december 1942, Nordlien 1998, s. 60, Benz 2005)

Kilde: PA/AA R 97.656.

Telegramm

Kopenhagen, den	16. Dezember 1942	19.30 Uhr
Ankunft, den	16. Dezember 1942	20.45 Uhr

Nr. 1881 vom 16.12.42.

In Kopenhagen sprach gestern im Rahmen Vortragsveranstaltung Deutsch-Dänischer Vereinigung Gesandter Dr. Schmidt vor überfülltem Hause über Thema: "Nationalsozialistische Außenpolitik und ihr Beitrag zum Schicksalskampf Europas", Veranstaltung darstellte größten Erfolg bisheriger deutscher Propaganda in Dänemark. Dänischerseits nahmen Staats- und Außenminister Scavenius, Minister Gunnar Larsen, der Unterrichtsminister und zahlreiche hervorragende Persönlichkeiten des öffentlichen Lebens an Veranstaltung teil. In mehr als eineinhalbstündigen Ausführungen gab Gesandter Schmidt ein Bild der Entwicklung der nationalsozialistischen Außenpolitik von Versailles bis zur Gegenwart. Vortrag gab dänischer Zuhörerschaft eindringliches Bild von Kriegsschuld und Kriegspolitik angelsächsischer Mächte und imperialistischer Ziele Sowjetunion. Ausführungen Schmidts machten besonders tiefen Eindruck, da sie in klarer, geschliffener Form unbedingte deutsche Siegesgewißheit unterstrichen. Schmidt schloß mit Mahnwort, daß Kampf Deutschlands für Europa keine Altersversorgung sei und daß auch Dänemark voll und ganz zu jenem europäischen Raum gehöre, um dessen Sieg oder Untergang gekämpft werde. Ausführungen Schmidts wurden von dänischer Versammlung mit stärkstem Beifall begrüßt. Heutige Kopenhagener Presse behandelt Veranstaltung als hervorragendes Ereignis.[58] Auch dänische politische Kriese stehen unter starkem Eindruck Ausführungen. Kennzeichnend ist, daß Dänisch-Deutsche Vereinigung bereits am Tage nach dieser Veranstaltung große Anzahl Neuanmeldungen aufweisen kann. Dänische Pressestimmen werden mit Bericht nachgereicht.

Dr. Best

36. Werner Best an das Auswärtige Amt 17. Dezember 1942

Best benyttede det forestående italienske gesandtskifte i København til at søge at styrke sin egen position, idet han brugte den danske suverænitetsbevidsthed som begrundelse. Han ønskede ikke den bevidsthed øget ved udnævnelsen af en ny gesandt.

At den bevidsthed netop ville blive vakt, hvis ikke en ny italiensk gesandt blev udnævnt, valgte han ikke at nævne som en mulighed.

Ministeriets svartelegram til Best er ikke lokaliseret, men af en notits af Bruns 21. december 1942 fremgår det, at der først i AA var udarbejdet et svartelegram, der fulgte Bests indstilling, mens Rintelen og Büro

---

58 Se som eksempel Rohde 1945-46, 2, s. 439f.

DECEMBER 1942

RAM påfølgende frarådede Ribbentrop det: "Die Zulassung eines neuen italienischen Gesandten in Kopenhagen beruht, wie zu Ihrer vertraulichen Unterrichtung mitgeteilt werden darf, auf einer Entscheidung des Führers. Es wird vorgeschlagen, Herrn Min. Dir. Best in geeigneter Weise davon zu verständigen, daß eine Rückgängigmachung der Zulassung des Gesandten Diana in Kopenhagen nicht in Frage kommt." (PA/AA R 28.889). Dermed var spørgsmålet afgjort. Guiseppe Sapuppo havde været gesandt siden 1938 og blev afløst af Pasquale Diana (se også Renthe-Finks optegnelse 9. oktober 1942 og beretningen 1. juli 1943).
Kilde: PA/AA R 29.566. LAK, Best-sagen (afskrift). PKB, 13, nr. 367.

Telegramm

| Kopenhagen, den | 17. Dezember 1942 | 12.30 Uhr |
| Ankunft, den | 17. Dezember 1942 | 14.10 Uhr |

Nr. 1882 vom 17.12.[42.]

Zu der Mitteilung betreffend Bestellung eines neuen italienischen Gesandten in Kopenhagen vom 7. Dezember 1942 Pol IV 3431 berichte ich, daß mir die Bestellung neuer Gesandter in Kopenhagen politisch unerwünscht erscheint. Sie stärkt das dänische Souveränitätsbewußtsein und wirkt dadurch der vom Führer gewünschten politischen Entwicklung entgegen. Im Falle Spanien habe ich davon abgesehen, ein Einschreiten des Auswärtigen Amtes vorzuschlagen, da mir die Schwierigkeit einer Intervention in Madrid bewußt war. Im Falle Italien bitte ich jedoch zu erwägen, ob nicht doch bei der italienischen Regierung geltend gemacht werden kann, daß sich gegen die Bestellung eines neuen italienischen Gesandten in Kopenhagen Bedenken ergeben hätten, weil dieser ohne sein Zutun gegen den Reichsbevollmächtigten ausgespielt und dadurch in eine unangenehme Lage gebracht werden könnte.

Dr. Best

37. Emil Geiger an Martin Luther 17. Dezember 1942

Luther havde ladet Geiger foretage henvendelse til SS, dvs. RSHA Amt IV efter Sonnleithners ordre 15. december. Henvendelsen havde været uden definitivt resultat. Luther skulle selv mødes med Heinrich Müller en af de nærmeste dage.
Den for RAM vigtige udenrigspolitiske sag var for Luther ikke vigtigere, end at han lod en af sine underordnede henvende sig til en anden underordnet i RSHA for at gå videre med sagen. Det kan ikke just kaldes en direkte kontakt til SS-ledelsen, som ønsket af RAM.
Se Luthers notits 24. december 1942.
Kilde: RA, pk. 229.

IV II 2092 g   Geheim

Aufzeichnung

Die Angelegenheit der dänischen Fallschirmagenten habe ich weisungsgemäß heute mit Oberregierungsrat Panzinger vom Amt IV des Reichssicherheitshauptamtes im Sinne der anliegenden Notiz vom 15. Dezember 1942 besprochen. ORR Panzinger wird seinerseits SS-Gruppenführer Müller entsprechend unterrichten.

Nach Mitteilung von Herrn Panzinger befinden sich die drei Agenten zurzeit in Berlin, wo sie vernommen werden. Im Großen und Ganzen seien sie geständig. Die Vernehmung würde voraussichtlich Anfang nächster Woche beendet sein. Alsdann würden die Vernehmungsprotokolle dem Reichsführer-SS mit einer Stellungnahme des Reichssicherheitshauptamtes - die, wie Oberregierungsrat Panzinger ausdrücklich versicherte, sich engstes an die Punkte anlehnen werde, die in der in Frage stehenden Notiz niedergelegt sind – vorgelegt werden.

Oberregierungsrat Panzinger erwähnte noch, daß ein Befehl des Reichsführers-SS bestünde, wonach nur auf seine ausdrückliche Weisung irgendwie über die drei Agenten befunden werden dürfe.

Ich sagte Oberregierungsrat Panzinger dann noch, daß Herr U.St.S. Luther den SS-Gruppenführer Müller in der Angelegenheit in den nächsten Tagen noch persönlich aufsuchen werde, um mit ihm den Fall auch noch zu besprechen. Auch hierüber wird Herr Panzinger Gruppenführer Müller unterrichten.

Hiermit mit sämtlichen Vorgängen Herrn U.St.S. Luther vorgelegt.

Berlin, den 17. Dezember 1942.

Geiger

38. OKM an das Auswärtige Amt 17. Dezember 1942

OKM ønskede at chartre to af Det Forenede Dampskibsselskabs skibe, men kunne ikke blive enig med rederiet om hverken lejens størrelse eller charterbetingelserne. OKM ønskede, at AA intervenerede hos den danske regering for at få rederiet til at acceptere OKMs vilkår.

OKMs skibsafdeling (Qu A VI) henvendte sig igen i sagen til AA den 13. februar 1943.

Kilde: RA, Danica 628, sp. 7, nr. 5242-45.

Berlin, den 17. Dezember 1942

Schnellkurzbrief

An Auswärtiges Amt, Berlin

Betr.:   Charterung zweier dänischer Schiffe durch die Kriegsmarine.
Vorg.:   Telefonische Besprechung Min. Rat Dr. Eckhardt mit Vertr. Leg. Rat Bisse.

Die Kriegsmarine beabsichtigt, die beiden der dänischen Reederei Det Forenede Dampskibs Selskab A/S Kopenhagen, gehörenden Dampfer "Dronning Maud" und "Kjöbenhavn" zu chartern. Die von der Reederei gestellten Charterbedingungen erscheinen jedoch für die KM unannehmbar, obschon sie, jedenfalls soweit es sich um die Höhe des Charterbetrages handelt, die Billigung der zuständigen dänischen Regierungsstelle (Fragtnävn) gefunden haben sollen. Da die KM die Schiffe dringend benötigt, wird gebeten, bei der dänischen Regierung vorstellig zu werden, daß sich die Reederei zu Charterbedingungen, die für die KM günstiger sind, versteht.

Im Einzelnen wird folgendes bemerkt:

I. D. "Dronning Maud"

1.) Das Schiff ist 1906 gebaut und hat eine Größe von 1779 BRT. Vertraglich soll ein Ersatzwert von 2.000.000 dänischen Kronen festgelegt werden, der nach Ansicht des OKM weit übersetzt ist.

2.) Die von der Reederei geforderte Chartersumme beträgt 110.000 d.Kr. für 30 Tage, während die Kriegsmarinedienststelle Kopenhagen 70.000 d.Kr. für angemessen hält. Auch dieser Charterbetrag erscheint dem OKM noch reichlich hoch. Gemessen am Ersatzwert für das Schiff handelt es sich um 66 % bzw. 42 % jährlich.

   Diese Chartersätze erscheinen insbesondere aber deswegen übermäßig hoch, weil sie lediglich das Kasko betreffen. Die KM soll nämlich das Schiff selbst bemannen, alle Fahrtkosten tragen, alle Reparaturkosten übernehmen, sowie für jegliches Risiko und für jegliche Haftpflicht einstehen.

3.) Die Ersatzsumme vom 2.000.000 d.Kr. soll in schwedischen Kronen ausgezahlt werden. Für diese Verpflichtung soll die Kriegsmarine die Garantie einer erstklassigen schwedischen Bank beibringen. Auch diese Vertragsbestimmung ist für die KM untragbar: denn schwedische Devisen würden ggfa. nur sehr schwer zu beschaffen sein.

II. D. "Kjöbenhavn"

1.) Das Schiff ist 1918 gebaut und hat eine Größe von 1668 BRT. Als Ersatzwert soll ein Betrag von 2.400.000 d.Kr. vereinbart werden. Dieser erscheint dem OKW mit Rücksicht auf die Größe und das Alter des Schiffes zu hoch.

2.) Für dieses Schiff fordert die Reederei für 30 Tage einen Charterbetrag von 140.000 d.Kr. Die KMD Kopenhagen hält höchstens 105.000 d.Kr. für angemessen, welcher Betrag dem OKM noch zu hoch erscheint.

   In diesen Chartersätzen sind die Kosten der Bemannung enthalten. Setzt man hierfür maximal 30.000 d.Kr. ab, verbleiben 110.000 d.Kr. bzw. 75.000 d.Kr., welche Beträge, am Ersatzwert gemessen, jährlich 55 % bzw. 37 ½ % ausmachen. Auch in diesem Fall gehen Reparaturen, jegliches Risiko und jegliche Haftpflicht zu Lasten der KM, so daß diese Sätze als zu hoch angesehen werden müssen.

3.) Nach § 6 des Chartervertrages soll jeglicher Bergelohn, der dem Schiff im Verlaufe der Mietzeit zufallen sollte, der Reederei zugutekommen.

   Das OKM möchte diese Bestimmung dahin abgeändert wissen, daß der Bergelohn der KM als Charterin zufällt, unbeschadet des Rechts der Besatzung des gecharterten Schiffes auf Anteil am Bergelohn.

   Dies ist in diesen Falle von Bedeutung, weil das Schiff als Geleitschiff für die Fähren zwischen Warnemünde und Gedser eingesetzt werden soll, seine normale Funktion also gerade in der Bergung dieser Fähre bestehen soll.

III. Für beide Schiffe soll die Vertragsbestimmung vereinbart werden, das die Charterzahlung bis zur Bekanntgabe des Verlustes des Schiffes an die Reederei fortlaufen soll.

   Das OKM möchte diese Vereinbarung dahin getroffen wissen, daß die Charterzahlung bis zum Verlusttage einschließlich erfolgt und die vereinbarte Ersatzsumme von dem auf dem Verlusttag folgenden Tage ab bis zu deren Auszahlung mit 4 % verzinsen ist.

Es können nämlich militärische Gründe die sofortige Bekanntgabe des Verlustes an die Reederei verbieten; auch ist kürzlich ein Fall vorgenommen, wo wegen eines Fehlers in der Nachrichtenübermittlung die Bekanntgabe des Verlustes eines kleineren in Nordnorwegen eingesetzten dänischen Schiffes erst 11 Monate später erfolgte.

Es erscheint unbillig, daß die Kriegsmarine für ein tatsächlich schon verlorengegangenes Schiff noch weiterhin die Chartersumme zu zahlen hat.

Da die beiden Schiffe dringend für die Kriegsmarine als Urlaubsschiff nach Norwegen bzw. als Fährengeleitschiff benötigt werden, wäre das OKM für eilige Behandlung der Angelegenheit dankbar.

Oberkommando der Kriegsmarine
Skl. Qu A VI r 12745/42 geh.

39. Werner Best an das Auswärtige Amt 18. Dezember 1942

Frikorps Danmarks orlov i Danmark i efteråret 1942 blev både et politisk og økonomisk anliggende for Det Tyske Gesandtskab. Paradeforestillingen affødte et udlæg af den danske nationalbank, som SS ikke forhastede sig med at betale (se Hugo Hensels telegram 11. november 1942). Best rykkede gennem AA for betalingen.

Kilde: PA/AA R 100.988. RA, pk. 225. LAK, Frits Clausen-sagen XIV/343.

Der Bevollmächtigte des Reiches in Dänemark   *Kopenhagen, den 18.12.1942*
Z/Pers. R 17d/42.

An das Auswärtige Amt,
    Berlin.

Betr.: Kostenverrechnung Freikorps Dänemark.
2 Durchschläge

Die hiesige Nationalbank ist im September d.J. zur Deckung der Aufgaben, die während der Beurlaubung des Freikorps Danmark für repräsentative Veranstaltungen entstanden sind, mit 200.000 dän. Kr. in Vorlage getreten. Auf den hierüber erstatteten Bericht vom 16. September d.J. – Wi/3628/42 – nehme ich Bezug. Die Abrechnung über die Verwendung dieses Betrages habe ich mit Bericht vom 11.11. d.J. – Pers. R 17d – eingereicht und gleichzeitig gebeten, die Reichsführung-SS zu veranlassen, RM 104.400 als Gegenwert von 200.000 Kr. bei der Deutschen Verrechnungskasse zugunsten der Danmarks Nationalbank einzuzahlen. Diese Einzahlung ist nach Mitteilung der Nationalbank bisher nicht erfolgt. Ich bitte, auf die baldmöglichste Erledigung dieser Angelegenheit hinzuwirken.

Dr. Best

40. OKW an Hermann von Hanneken 18. Dezember 1942

OKW tilsluttede sig von Hannekens ønske om at overtage vedligeholdelsen af krigergravene i Danmark fra den rigsbefuldmægtigede. Når der igen kom roligere tider, kunne AA atter overtage plejen. Den besked gik videre til AA.

Se AA til OKW 1. februar 1943.
Kilde: RA, pk. 285.

Abschrift.   Entwurf
Oberkommando der Wehrmacht   *Berlin, den 18. Dezember 1942*
Az.: 31 t AWA/WVW (II M)
Nr. 5828/42

Bezug: Dort. Schreiben vom 6. Okt. 1942, Abt. Qu. Nr. 317/42
Betr.:   Gräberfürsorge in Dänemark.

An den Befehlshaber der Deutschen Truppen in Dänemark

Den Darlegungen im Bezugschreiben wird vollinhaltlich zugestimmt. Da es unerheblich ist, wer die vom Führer befohlene weitgehende Fürsorge für die deutschen Gräber durchführt, hingegen wichtig, daß sie von dem ausgeführt wird, der am besten dazu imstande ist, wird mit Hinblick darauf, daß Dänemark Operationsgebiet geworden ist, gebeten, die Gräberfürsorge zu übernehmen. Besonderer Wert wird dabei auf eine weitgehende Übereinstimmung und Zusammenarbeit mit den Organen des Auswärtigen Amtes gelegt, die die Fürsorge bisher ausgeübt haben, damit beim Eintreten ruhigerer Zeiten die Fürsorge ohne weiteres wieder in die Hände des Auswärtigen Amtes zurückgelegt werden kann.

Es wird gebeten, die Übernahme der Gräberfürsorge hierher mitzuteilen und den Namen des Sachbearbeiters anzugeben.

Der Chef des Oberkommandos der Wehrmacht

Im Auftrage

[uden underskrift]

41. Major der Schutzpolizei an Karl Wolff 19. Dezember 1942

Ved Bests udnævnelse til rigsbefuldmægtiget ønskede AA i den officielle meddelelse derom ikke, at hans rang i SS skulle oplyses. Der skulle blot stå, at han var tidligere Ministerialdirektor i AA. Best lod i et brev til en tidligere kollega i SS oplysningen herom gå videre. Den måtte gerne komme RFSS for øre, så han kunne få sig en latter derover, ligesom Best selv fik. Himmler fik da også oplysningen og formodede, at det kunne være en uvenlighed fra Luthers side. Det skulle ved lejlighed tages op med gesandt Walther Hewel.

Bests adfærd i sagen er bemærkelsesværdig. Den ærekære mand ville gerne have haft sin høje rang i SS offentliggjort, og han ville tillige gerne stå på fortrolig fod med Himmler. Andet kunnet forventningen om en fælles latter ikke tages til udtryk for.

Sagen blev henlagt i foråret 1943, se notat 16. marts fra Himmlers personlige stab.
Kilde: BArch, SSO 064, Best. RA, pk. 443. RA, Danica 1000, T-175, sp. 59, nr. 575.541-575.543.

Der Reichsführer-SS und Chef der deutschen   *Berlin, den 19. Dezember 1942*
Polizei im Reichsministerium des Inneren
Adjutant

An den Chef des Persönlichen Stabes RF-SS
    SS-Obergruppenführer Wolff
    Feldkommandostelle

Sehr verehrter Obergruppenführer!
Anläßlich der Einsetzung des SS-Gruppenführers Dr. Best als Bevollmächtigter des Reiches in Dänemark hatte Dr. Best dem Auswärtigen Amt davon Mitteilung gemacht,
daß er vom Reichsführer-SS mit Wirkung vom 9.11.42 zum SS-Gruppenführer befördert worden sei und der Reichsführer-SS genehmigt hätte daß bei der Veröffentlichung
seiner Ernennung zum Bevollmächtigten des Reiches in Dänemark bereits sein neuer
Dienstgrad – SS-Gruppenführer – angeführt werden kann. Von dieser Mitteilung hat
auch der Reichsaußenminister Kenntnis erhalten und Dr. Best in einer persönlichen
Unterredung klar gemacht, daß es nicht üblich wäre, Dienstgradbezeichnungen von
Gliederungen der Bewegungen mit anzuführen, sondern daß lediglich sein Dienstgrad,
den er im Auswärtigen Amt innehat – nämlich Ministerialdirektor – erwähnt werden
kann (siehe anl. Auszug aus einem Brief des SS-Gruf. Dr. Best). Dieser Ansicht entsprechend ist dann auch die Veröffentlichung – siehe Anlage I – erfolgt.[59]

Entgegen dieser im Falle Dr. Best zum Ausdruck gebrachten grundsätzlichen Tendenz des Auswärtigen Amtes war aber seinerzeit bei der Einsetzung des SA-Obergruppenführer Kasche als Gesandter in Agram und des SA-Obergruppenführers von Jagow
als Gesandter in Budapest in den offiziellen Verlautbarungen in der Presse stets auch der
SA-Dienstgrad angeführt (seine Anlage II).[60]

Der Reichsführer-SS bittet, dieserhalb einmal mit dem Gesandten Hebel zu sprechen, da der Reichsführer-SS hier wieder einmal eine Unfreundlichkeit des Staatssekretärs Luther vermutet.[61]

Heil Hitler!
Ihr sehr ergebener
[underskrift ulæselig]
Major der Schutzpolizei

[Bilag: Best til majoren:]
Melden Sie bitte dem Reichsführer-SS, daß mein heute an die Presseabteilung des Auswärtigen Amtes gegebener Hinweis, man möge mich in der Veröffentlichung meiner
Einsetzung in Dänemark als SS-Gruppenführer bezeichnen, einen ganz kuriosen Erfolg
hatte: Der "Fall" erregte einen Wirbel bis zum Reichsaußenminister, der mir Höchst-

---

59 Som bilag er medsendt udklip fra *Völkischer Beobachter* og *Berliner Börsen-Zeitung* 6. november 1943
med den officielle meddelelse om Bests udnævnelse.

60 Bilaget er ikke medtaget. Siegfried Kasche blev gesandt i Zagreb i april 1941, Dietrich von Jagow blev
gesandt i Budapest i juli samme år (BHAD, 2, s. 414f., 480).

61 Gesandt Hebel er sandsynligvis en fejlskrivning for Walther Hewel.

selbst in wohlgesetzter Rede klar machte, daß dies nicht üblich sei und daß es deshalb auch in meinem Falle nicht geschehen könne. So werde ich in der Veröffentlichung als "ehemaliger Ministerialdirektor im Auswärtigen Amt" bezeichnet. Ich hoffe, daß der Reichsführer-SS darüber ebenso lacht, wie ich es – natürlich mit ernsthaftester Miene – getan habe.

42. Das Auswärtige Amt an die Deutsche Gesandtschaft 21. Dezember 1942

AA meddelte, at gesandtskabets budget for 1943 var for højt ansat, og der blev fremsendt et forsøg på opstilling af et justeret budget. Der var bl.a. ikke afsat midler til Sankt Petri Skoles igangværende nybyggeri (se herom Best til AA 29. december 1942).
  Best fulgte op over for AA 4. januar 1943 (ikke lokaliseret) og 26. januar 1943, trykt nedenfor.
  Kilde: PA/AA R 100.945.

Abschrift
Auswärtiges Amt   *Berlin, den 21. Dezember 1942*
Pers. 4150 g

An die Deutsche Gesandtschaft in Kopenhagen

Auf den Bericht vom 3. Dezember 1942. – Z/Pers. R 3/42 –[62]
Betr.: Voranschlag des Devisenbedarfs für 1943.

Bei voller Berücksichtigung der von der Gesandtschaft gemachten Vorschläge und der von den zuständigen Abteilungen des Auswärtigen Amts angeforderten Beträge wäre für 1943 der Gegenwert von mehr als 8 Millionen RM in Dänen-Kronen erforderlich.
  Da jedoch auf dem Kronen-Konto IV für Zwecke des Auswärtigen Amts höchstens 6 Millionen RM zur Versorgung der Gesandtschaft mit Zahlungsmitteln zur Verfügung stehen werden, ist es notwendig, die geplanten Ausgaben diesem Betrag anzupassen.
  Zunächst müssen die für die einzelnen Aufgabengebiete erforderlichen Beträge rein haushaltsmäßig in RM bereit gestellt und vom Auswärtigen Amt bewilligt werden. Diese ausgesprochenen Bewilligungen bilden auf jeden Fall die oberste Grenze, bis zu der für den betreffenden Zweck Zahlungen geleistet werden können. Sie gelten aber stets nur unter der Voraussetzung, daß genügend Zahlungsmittel in Dänenkronen vorhanden sind, um sie auszuführen. Reichen die verfügbaren Kassenmittel nicht aus, um alle Bewilligungen voll auszuschöpfen, wie es im Jahre 1943 voraussichtlich leider der Fall sein wird, so hat der Herr Bevollmächtigte des Reichs selbst zu entscheiden, welche Vorhaben unter Berücksichtigung der jeweiligen Lage zugunsten dringlicherer Aufgaben ganz oder teilweise zurückzustellen sind. Für die Nummern 14-17, 19 und 23 des Voranschlags war dies schon in dem obenbezeichneten Bericht von dort aus angeregt worden.
  Der hier aufgestellte und in der Anlage beigefügte Plan kann also nur als ein Versuch angesehen werden, vorläufig eine gewisse Übersicht zu schaffen.

62 Indberetningen er ikke lokaliseret.

Den Anträgen der dortigen Gefolgschaftsmitglieder auf Transferierung von Beträgen aus Privatmitteln oder aus Inlandsgehältern wird im Jahre 1943 erhöhte Aufmerksamkeit zuzuwenden sein, da die hierfür etwa in Anspruch genommenen Beträge dann für die amtlichen Ausgaben ausfallen. Vor allen Dingen bitte ich, durch Bekanntgabe in der dortigen Behörde sicherzustellen, daß nicht durch Anschaffungen auf Abzahlung Verbindlichkeiten eingegangen werden, die bei plötzlicher Abberufung nur noch unter Zuhilfenahme amtlicher Devisen gedeckt werden können.

Berlin, den 21. Dezember

Im Auftrag
gez. **Schwager**

			d.Kr.	RM
Geschäftsbetrieb	1	Persönl. Ausgaben, Gehälter, Pensionen	1.915.710	1.000.000
	2	Sächl. Haushalts-Ausgaben	1.000.000	522.000
	3	Bedarf der Konsulate	400.000	208.800
	4	Marineattaché	109.962	57.400
	5	Schiffahrts-Sachverständiger	59.962	31.300
	6	Nachbargrundstück		
Schule	7	a.) St. Petri Schulneubau		
		b.) lfd. Betrieb	191.570	100.000
Kulturausgaben	8	Deutsche Akademie, Kult. Spr., Kult W	63.985	33.400
	9	Deutsch. Wissenschftl. Institut	239.846	125.200
Volkstumspol. Ausgaben	10	Lehrerbesoldung Nordschleswig	781.610	408.000
	11	für VOMI	201.150	105.000
	11a	für kirchliche Zwecke		
Rundfunk	12	Gehälter	80.460	42.000
	13	Sachausgaben	22.988	12.000
Presse	14	Presse	107.280	56.000
	15	Eusondi	103.448	54.000
Propaganda	16	Abt. D IV	160.920	84.000
	17	Abt. Inf.	80.459	42.000
	18	Promi (Frielitz)[63]	35.057	18.300

---

63 Frielitz havde været tysk presseattache i København 1940, men blev påfølgende filmreferent. Det er påfaldende, at han ikke optræder en eneste gang i Bests kalenderoptegnelser. Promi var Propagandaministeriet (også forkortet RMVP).

Politische Ausgaben	19	Abt. D III (einschl. R.J.F.)	3.639.850	1.900.000
	20	Abt. Pers. geh. (Kr. K.S.F.)	172.413	90.000
Auftragszahlung	21	Familienunterhalt	450.000	234.000
	22	Arbeitsvermittlungsstelle des RAM	400.000	208.800
	23	Reichsstelle für Tiere	459.770	240.000
	24	Reisekosten und sonstige Auftragszahlungen einschl. Privattransfer	817.816	426.900
		Zus.:	11.494.256	6.000.000

43. Ernst von Weizsäcker an Joachim von Ribbentrop u.a. 21. Dezember 1942

Weizsäcker noterede sig indholdet af den første samtale med den danske gesandt Mohr efter dennes tilbagekomst til Berlin. Scavenius skulle være en styrket statsminister og forholdet mellem ham og Best meget godt.

Kilde: RA, pk. 211.

St.S. No. 747 *Berlin, den 21. Dezember 1942.*

Der Dänische Gesandte machte mir nach seiner Rückkehr heute seinen ersten Besuch. Er erwähnte, die innenpolitische Stellung des Ministers Scavenius habe sich im Laufe der Zeit gestärkt. Scavenius fühle sich jetzt gut im Sattel. Das Verhältnis zwischen dem Reichsbevollmächtigten Dr. Best und Scavenius stellte der Gesandte gleichfalls als sehr befriedigend hin.

gez. Weizsäcker

Verteiler:
Herrn RAM
Herrn U.St.S. Pol.
Herrn Dg. Pol.
Herrn Ges. v. Grundherr
Herrn Dir. Pers.
Protokoll

44. Ernst von Weizsäcker [: Notiz] 21. Dezember 1942

Under sit besøg hos Weizsäcker havde gesandt Mohr sonderet muligheden af udveksling af nytårshilsener mellem det danske kongehus og Hitler. Det havde Weizsäcker ikke forholdt sig til.

Kilde: RA, pk. 211.

St.S. No. 748 *Berlin, den 21. Dezember 1942.*

Der Dänische Gesandte sondierte heute bei mir vorsichtig, wie es wohl mit den sonst zwischen dem Führer und dem König von Dänemark üblichen Neujahrsglückwünschen zu halten wäre. Herr Mohr sagte gleich, der König sei noch krank. Die Geschäfte würden vom Kronprinzen versehen, sodaß dieser zu Neujahr gegenüber fremden Staatsoberhäuptern als Repräsentant auftrete.

Es schien mir als wolle der Gesandte mit dieser Bemerkung gleich die Brücke dazu bauen, daß ein Telegrammaustausch zum bevorstehenden Neujahrstag unter den Tisch fallen könnte.

Ich habe mich nicht aus dem Stegreif äußern wollen und behielt mir weiteres vor.

Hiermit dem Chef des Protokolls mit der Bitte um Rücksprache.

gez. **Weizsäcker**

45. Werner Best an das Auswärtige Amt 21. Dezember 1942

Best bad om tilsendelse af 15 kriminalbetjente.

På den ene side skulle behovet for de 15 begrundes, på den anden understreges den allerede succesrige bekæmpelse af den danske kommunisme. Skulle den succes holdes og Bests politiske kurs opretholdes, var det nødvendigt at imødekomme hans, må det vurderes, beskedne ønske.

Han fik svar med telegram nr. 2326, 28. december 1942.

På det tidspunkt var der allerede 24. december afgået telegram fra SS til Paul Kanstein i hans egenskab af Beauftragter für die innere Verwaltung hos Best. Telegrammet meddelte, at 13 navngivne politifolk fra forskellige tyske byer havde fået ordre til at melde sig i København. 15. januar 1943 fik Kanstein meddelelse om, at yderligere tre politifolk (heraf en kvinde) fra statspolitiet i Hamborg var beordret til København. Samme besked tilgik AA. Hensel kvitterede på Bests vegne den følgende dag til AA for kriminalbetjentene, trykt nedenfor (alle akter i PA/AA R 100.757).

Kilde: PA/AA R 100.757. RA, pk. 233.

Telegramm

Kopenhagen, den	21. Dezember 1942	20.40 Uhr
Ankunft, den	21. Dezember 1942	22.30 Uhr
Nr. 1909 vom 21.12.[42.]		

Unter Bezugnahme auf die Schriftberichte betr. illegale Organisation "Frit Danmark" (II C 3 a Nr. 1302/42[64]) vom 12.12.42 und betr. die illegale dänische kommunistische Partei (III A Nr. 354/42[65]) vom 12.12.42 berichte ich, daß die Bekämpfung des Kommunismus und der Widerstandsbestrebungen einen stärkeren Einsatz deutscher Sicherheitspolizei in Dänemark erforderlich macht. Sowohl zur Durchführung eigener Ermittlungen, wie auch zu Beratung und Steuerung der dänischen Polizei sind weitere deutsche Beamte erforderlich, die zum Teil den Außenstellen zugeteilt werden sollen. Durch informatorische Fühlungnahme ist festgestellt worden, daß das Reichssicherheitshauptamt (am I) bereit ist, 15 Beamte zum 5.1.1943 zur Verfügung zu stellen. Ich

64 bei Pol VI g. Telegrammet er ikke lokaliseret.
65 bei Pol V. Telegrammet er ikke lokaliseret.

DECEMBER 1942 73

bitte deshalb, die Abordnung dieser Beamten zu meiner Behörde zu veranlassen und besonders darauf hinzuwirken, daß die Beamten am 5.1.1943 hier ihren Dienst antreten.

Ich möchte nicht versäumen, darauf hinzuweisen, daß von der erfolgreichen polizeilichen Bekämpfung des Kommunismus und der Widerstandbestrebungen weitgehend die Einhaltung des von mir hier eingeschlagenen politischen Kurses abhängig ist und daß bei ungünstiger Entwicklung jede Versäumnis auf diesem Gebiet sowohl mir wie auch dem Auswärtigen Amt zur Vorwurf gemacht würde.

Dr. Best

46. Das Auswärtige Amt an das Reichsministerium für Volksaufklärung und Propaganda 22. Dezember 1942

AA videresendte til RMVP, Abteilung Rundfunk, uddrag af en skrivelse fra Best, hvoraf det fremgik, at det i København kun i ganske ringe omfang var muligt at høre de danske udsendelser fra Europasenderen. Best foreslog en forbedring af sendeforholdene for at imødegå den fjendtlige propaganda. AA kommenterede skrivelsen med, at den var i modstrid med oplysningerne fra Europasenderen om, at modtageforholdene var tilfredsstillende. AA bad om en undersøgelse af, om der ikke kunne ske en forbedring af senderens danske udsendelser.

AAs henvendelse blev fulgt op af RMVP, og det viste sig, at modtageforholdene i København var meget dårlige. Hertil kom også ønsket om en forbedring af programmernes indhold. På det sidstnævnte område gjorde SS-Sturmbannführer Holger Arentoft sig bemærket ved, at han både kom med forslag til, hvordan programmerne kunne forbedres og siden fremsendte stærkt kritiske vurderinger af de bragte udsendelsers indhold. De kritiske vurderinger blev videresendt fra København af RR Friedrich Karl Frielitz 30. april og 15. maj 1943 til RMVP. Frielitz præsenterede sig som "Behörde des Reichsbevollmächtigten", så kritikken var forud sanktioneret af Best, hvortil kommer, at Arentofts offensiv først begyndte efter, at han havde været til møde hos Best 15. og 23. januar 1943. Arentoft handlede ikke på egen hånd, men havde den rigsbefuldmægtigedes fulde støtte i denne sag. Arentoft var medlem af DNSAP, tillige officer i den danske hær, og var en af K.B. Martinsens støtter ved forberedelsen af oprettelsen af Schalburgkorpset. Her var en fællesinteresse med Best (talrige akter i sagen i nedennævnte arkiv, Bests kalenderoptegnelser 15. og 23. januar, 19. april 1943, *Føreren har Ordet!* 2003, s. 781).

RMVP reagerede på kritikken til Frielitz 22. maj 1943.

Kilde: RA, Danica 465, Moskva: Osobyj Archiv: 1363/1/163/143.

Auswärtiges Amt   *Berlin, den 22. Dez. 1942*
Abteilung RU
Kiesinger

Arbeitsnotiz für Herrn Noack

Der Bevollmächtigte des Reiches in Dänemark übersandte nachstehendes Schreiben:

"Es ist festzustellen, daß der dänische Dienst des Europasenders (Bremen dänisch) schon seit Monaten im Stadtgebiet von Kopenhagen nur in ganz geringem Masse gehört werden kann, da der zur Verfügung stehende Sender offenbar zu schwach ist.

Befriedigende Empfangsverhältnisse könnten wohl durch Verstärkung des Flensburger Senders auf Hamburger Welle geschaffen werden. Es wird deshalb vorgeschlagen, auf Durchführung einer solchen Verbesserung dringend hinzuwirken, zumal die Feindsendungen in dänischer Sprache auf acht verschiedenen Wellenlängen mehrmals täglich

74 DECEMBER 1942

in großer Lautstärke hier einfallen und die deutsche Rundfunkpropaganda als Gegengewicht nicht entbehrt werden kann."

Die von Seiten des Europasenders getroffene Feststellung, daß die Empfangsverhältnisse der Bremer Sendungen in Dänemark befriedigend seien, steht zu dieser Feststellung des Bevollmächtigten des Reiches in Widerspruch.

Es wird daher dringend gebeten, die Möglichkeit einer Verbesserung der dänischen Sendungen des Europasenders in technischer Hinsicht zu überprüfen.

Kiesinger

Durchdruck erhielt Dr. Weyermann.

47. Werner Best an das Auswärtige Amt 23. Dezember 1942

På en forespørgsel udtalte Best sig positivt om den svenske gesandt Gustav von Dardel, der havde været i København siden 1941.

Baggrunden for forespørgslen var givetvis, at angiveligt tyskkritiske udtalelser af Dardel ved et middagsselskab var nået til Berlin (KB, Bergstrøms dagbog 23. december 1942). Dardel havde bl.a. nær forbindelse til Bests underordnede, skibsfartssagkyndig G.F. Duckwitz. Dardel var gesandt i København til 1948.

Kilde: PA/AA R 29.566. RA, pk. 202.

Telegramm

| Kopenhagen, den | 23. Dezember 1942 | 16.40 Uhr |
| Ankunft, den | 23. Dezember 1942 | 17.30 Uhr |

Nr. 1918 vom 23.12.[42.]

Auf Telegramm vom 18. Nr. 2282[66] und im Anschluß an Bericht vom 16. IA Nr. 636.

Im Drahterlaß erwähnte Äußerungen des hiesigen schwedischen Gesandten sind hier nicht bekannt geworden. Nach meiner Kenntnis der Persönlichkeit des Gesandten von Dardel und nach dem Ergebnis vorsichtig angestellter Nachforschungen halte ich es für unwahrscheinlich, daß er derartige Äußerungen getan hat. Dardel, über dessen Person die Gesandtschaft mit Erlaß Pol VI 1299/41 vom 21. November 1941 informiert wurde, hat allerdings einen belgischen Offizier zum Schwiegersohn. Ich halte ihn aber nach meiner Unterredung mit ihm, über die ich berichtet habe, für viel zu klug und jedenfalls zu vorsichtig, um sich in dem angegebenen Sinne zu äußern. Zwei Gewährsmänner wurden unauffällig über Dardel befragt, ohne daß ihnen über den konkreten Fall etwas mitgeteilt wurde. Der eine, ein mit einer Schwedin verheirateter hochgestellter Däne, gab an, daß Dardel in Privatgespräche von sich aus niemals politische Fragen berühre. Der andere Gewährsmann, ein Schwede, wurde über das Verhältnis Dardels zu Prinz zu Wied befragt und gab an: Dardel sei mit Prinz zu Wied seit 25 Jahren befreundet und Pate von dessen Tochter. Dardel habe aber auf Befragen erklärt, er habe von Prinz zu Wied niemals ein einziges Wort der Kritik über deutsche Verhältnisse gehört.

Dr. Best

66 Pol VI … g.Rs. (Sonderzug 1538). Telegrammet er ikke lokaliseret.

48. Karl Otto Klingenfuß: Notiz 23. Dezember 1942

Best havde den først kendte drøftelse om jøderne i Danmark i december 1942 med en udsending fra AA, Franz Rademacher, der var en hel uge i København. Rademacher var leder af D III i Abteilung Deutschland i AA og næst efter Luther ministeriets mest involverede i jødeanliggender. Det var ikke en tilfældig embedsmand, der var på høflighedsvisit, og han sonderede situationen hos andre end Best og Det Tyske Gesandtskab.[67]

Der blev fra dagen for Bests embedstiltrædelse fra RSHA skubbet på hos AA for, at der skete noget i sagen. Initiativtageren i AA var Martin Luther, der efter mødet 23. december foreløbigt lod sagen udsætte en måned, mens Best fik lejlighed til at udarbejde en indberetning om spørgsmålet. Til formålet aktiverede Best DNSAPs fører Frits Clausen, der lod udarbejde flere notater om jøderne i Danmark til brug for Best. Notaterne indgik både i Bests påfølgende drøftelser i AA og i den indberetning, han afleverede 13. januar 1943 (Yahil 1967, s. 80 (skriver fejlagtigt, at det er Rademachers notits), Browning 1978, s. 160, Herbert 1996, s. 616 n. 112, Lauridsen 2002a, s. 280f.).

Kilde: PA/AA R 100.864. Lauridsen 2008a, nr. 58.

Notiz

Die Frage der weiteren Maßnahmen gegen die Juden in Dänemark ist von Pg. Rademacher bei seinem Aufenthalt in Kopenhagen mit dem Bevollmächtigten besprochen worden. Die Maßnahmen sollen nunmehr langsam anlaufen. Auf Weisung von Herrn U.St.S. Luther ist zunächst ein Monat zuzuwarten, um dann mit einem Erlaß nach Kopenhagen den Stand der Angelegenheit zu erfahren und die weiteren Maßnahmen ins Rollen zu bringen.

Berlin, den 23. Dezember 1942

[uden underskrift][68]

49. Martin Luther: Notiz 24. Dezember 1942

Afgørelsen af, hvad der skulle ske med de tre arresterede danske SOE-agenter (se telegram nr. 184, 9. december 1942 og flg.), trak ud. Foreløbig var de overført til Berlin. Deres skæbne afhang af Hitlers personlige beslutning, som Himmler ville indhente.

Det var, hvad Luther kunne notere i AA juleaftensdag 14 dage efter sagens start. Se Geiger til Luther 15. januar 1943.

Kilde: PA/AA R 29.566. RA, pk. 229. PKB, 13, nr. 720.

Notiz

Betr.: Dänische Fallschirmspringer   zu D II 2092 g

Ich habe die Angelegenheit gestern mit Gruppenführer Müller nochmals eingehend besprochen. Gruppenführer Müller erklärte mir, daß die 3 in Berlin befindlichen dänischen Fallschirmspringer nicht abgeurteilt werden würden, bevor der Reichsführer-SS durch persönlichen Vortrag die Weisungen des Führers eingeholt hat. Ich habe Gruppenführer Müller darum gebeten, den Reichsführer zu veranlassen, vor diesem Vortrag eine Verständigung mit dem Herrn RAM herbeizuführen, falls der Reichsführer-SS

---

67 Af Bests kalenderoptegnelser for december 1942 fremgår det, at han under en del af Rademachers besøg selv var på rejse til Norge (RA, Bests arkiv).

68 Browning 1978, s. 250 n. 67 angiver med henvisning til T 120/2591/D524843, at notitsen er af Karl Klingenfuß. Han var ansat i AA (jfr. Weitkamp 2008).

glaubt, dem Ersuchen des AA nicht entsprechen zu können. Gruppenführer Müller hat dieses zugesagt.

Berlin, den 24. Dezember 1942

Luther

50. Der Reichsführer-SS an das Auswärtige Amt 24. Dezember 1942

AA fik af RFSS oplyst navnene på de tyske kriminalbetjente, der ville ankomme til København i begyndelsen af januar 1943.

Kilde: PA/AA R 100.757.

Der Reichsführer-SS und Chef der Deutschen   *Berlin, den 24. Dezember 1942*
Polizei im Reichsministerium des Innern
S I A l d Nr.2514/42

An das Auswärtige Amt
    – z.Hd. v. Herrn Amtsrat Radtke –
    in Berlin
    Rauchstr. 27.

Abschrift.
(FS)

Hiermit werden mit Wirkung vom 5.1.1943 folgende Angehörige der Kriminalpolizei bezw. Staatspolizei bis auf weiteres zur Dienstleitung beim Beauftragten für die Innere Verwaltung beim Bevollmächtigten des Deutschen Reiches in Kopenhagen abgeordnet:

1.)	KOS.	Wilhelm Koch II	Kr. Bremen
2.)	KOS.	Wilhelm Berndt	KA. Brüx
3.)	KOS.	Franz Krausse	Krl. Dresden
4.)	KOS.	Franz Krieger	KA. Gotenhafen
5.)	KOS.	Franz Reinisch	Kr. Graz
6.)	KOS.	Bernhard Tappert	Krl. Hamburg
7.)	KOS.	Gustav Oehlerking	Krl. Hannover
8.)	KOS.	Fritz Wagner	Kr. Kiel
9.)	KOS.	Georg Baierl	Kr. Nürnberg
10.)	KOS.	Emil Holz	Krl. Posen
11.)	KOS.	Heinrich Minks	Kr. Salzburg
12.)	KOS.	Franz Marquardt	Krl. Stettin
13.)	KOS.	Willi Glosch	Stl. Stettin

Einkleidungsort: Berlin, Kochstr. 64.
Meldeort: Kopenhagen
Auf Bef.Bl.S.282/42 wird hingewiesen.

Zusatz für Kopenhagen: Der Dienstantritt ist zu melden.

An die Kriminalpolizei[leit]stellen bezw. – Abteilungen in Bremen, Brüx, Dresden, Gotenhafen, Graz, Hamburg, Hannover, Kiel, Nürnberg, Posen, Salzburg und Stettin,
die Staatspolizeileitstelle in Stettin,
den Beauftragten für die Innere Verwaltung beim Bevollmächtigten des Deutschen Reiches – SS-Brigadeführer Kanstein – in Kopenhagen.

Abschrift übersende ich mit der Bitte um Kenntnisnahme.

Im Auftrage:

gez. **Dr. Trautmann**

51. Werner Best an das Auswärtige Amt 26. Dezember 1942

Med henvisning til de katastrofale følger det kunne få for den militære sikkerhed, anmodede Best igen om at få fyldt de danske kullagre op.

Her var et område, hvor Bests interesser fuldt ud kunne forenes med von Hannekens.

Heller ikke på denne henvendelse fik han svar, hvorfor Barandon skrev igen 8. januar 1943. Et svar fra AA indløb først efter 19. januar skrevet af Karl Schnurre.

Kilde: BArch, R 901 68.712.

Telegramm

Kopenhagen, den	26. Dezember 1942	15.10 Uhr
Ankunft, den	26. Dezember 1942	15.40 Uhr

Nr. 1927 vom 26.12.42. Geheim!

Im Nachgang zu Drahtbericht Nr. 1828[69] vom 4.12.1942 berichte ich, daß die Lage auf dem Gebiet der Versorgung der Dänischen Staatsbahnen mit Kohlen noch schwieriger geworden ist und Vorräte für etwa nur 14 Tage bis 3 Wochen vorhanden sind. Befehlshaber der deutschen Truppen hat bereits im Verhandlungswege dänische Staatsbahnen zu weiteren Einschränkungen im Eisenbahnverkehr veranlassen müssen.

Ab 11.12.1942 sind diese insbesondere für den Güterverkehr in Kraft getreten. – Mit Rücksicht auf die katastrophalen Folgen, die bei einem Eiswinter für die militärische Sicherheit, Truppenverschiebungen, Nachschub, eintreten können, teilt mir Befehlshaber mit Schreiben von heute mit, daß "eine Auffüllung der Kohlenvorräte der Dänischen Staatsbahnen auf etwa 120 to vor Einsetzen der Frostperiode aus militärischen Gründen dringen gefordert werden muß."

Bitte diese Lage bei Entscheidung meiner mit obigem Drahtbericht vorgelegten Bitte zu berücksichtigen.

Dr. Best

---

69 bei Ha Pol. Trykt ovenfor.

Bitte um Weiterleitung nachstehenden G.-Schreibens an Kohlenwache, Berlin.
Zu Hd. von Herrn Generaldirektor Pleiger.
Quote mitteile nachstehend im Anschluß an mein Schreiben vom 5.12.1942 – III/4759/
42 – heutigen Drahtbericht an das Auswärtige Amt:[70]

52. Martin Luther an Werner Best 28. Dezember 1942

Bests ønske af 21. december om 15 kriminalbetjente var blevet imødekommet, men han blev gjort opmærksom på, at AA ville varetage forbindelsen med RSHA.

Paul Kanstein varetog det videre praktiske over for de nye kriminalbetjente, da de blev placeret under hans kommando, hvilket RSHA skrev i hvert brev i sagen. Kanstein videreførte dermed den virksomhed, han havde forestået før Bests ankomst, men hans direkte kommunikation med AA blev indskrænket: Best ville selv forestå den i politisager.

Kilde: PA/AA R 100.757.

Telegramm

Berlin, den   28. Dezember 1942
Diplogerma Nr. 2326
Referent: V K Geiger

Betrefft: Abstellung von Kriminalbeamten des RSHA nach Dänemark.

Auf Drahtbericht Nr. 1909 vom 21. d. M.[71]

Reichssicherheitshauptamt wird dortigem Wunsch auf Abstellung in frage stehender 15 Beamter Rechnung tragen. Fraglich ist nur, ob alle 15 bereits am 5. Januar Dienst antreten können, da geeignete Kräfte von anderen Stellen nur unter großen Schwierigkeiten freigemacht werden können. AA bleibt bis zur endgültigen Abstellung aller angeforderten Kräfte in ständiger Verbindung mit Reichssicherheitshauptamt.

Luther

53. Ernst von Weizsäcker an Werner Best 28. Dezember 1942

På Karl Kaufmanns initiativ havde Best indledt en korrespondance om skibsfartsforhold, som delvist gik uden om AA og dermed de tjenstlige kanaler (se telegram 10. december 1942). Den sagkyndige i AA, Emil Wiehl klagede til Weizsäcker, der i en let diplomatisk iklædning kaldte Best til orden. Forretningsgangen i AA skulle følges.

Kilde: PA/AA R 29.857.

Berlin, den 28. Dezember 1942.

An den Bevollmächtigten des Reiches in Dänemark
    Herrn Ministerialdirektor Best, Kopenhagen

70 Her gentages telegrammets tekst i sin helhed.
71 Trykt ovenfor.

Nach Abgang: Herrn Min. Dir. Wiehl

Lieber Herr Best!
Ihren Brief von 22. d.M. an Herrn Wiehl in Sachen Ihrer Korrespondenz mit den Reichsstatthalter Kaufmann hat Wiehl mir vorgelegt.[72]

Ich bekenne mich ohne Zögern als derjenige, der die direkte Korrespondenz zwischen Ihnen und dem Reichsstatthalter Kaufmann beanstandet hat. Nicht als ob ich mich in Kleinlichkeiten und Engherzigkeiten ergehen wollte. Es ist eben eine feste Regel unseres Dienstes, daß direkte amtliche Korrespondenzen mit Dienststellen außerhalb unseres Hauses im Reich nicht stattfinden. Gewisse Ausnahmen hiervon – z. B. auf dem konsularischen Gebiet – sind besonders festgelegt. Diese Regel besteht schon seit langer Zeit. Sie hat sich bewährt und ich selbst glaube auch, daß man weiter an ihr festhalten sollte. Ich bin Ihnen also dankbar, wenn Sie sich dem anpassen.

In übrigen weiterhin herzliche Wünsche für Ihre erfolgreiche Tätigkeit und beste Grüße zum Jahreswechsel.

Heil Hitler!

gez. **Weizsäcker**

54. Werner Best an das Auswärtige Amt 29. Dezember 1942

AA regnede med, at det danske undervisningsministerium ville vise øget imødekommenhed i forhold til byggeriet af den tyske skole i København, men Best ville afvente forhandlingernes afslutning. Imidlertid kunne han ikke for det kommende år stille midler til rådighed til videreførelse af opførelsen af en ny skolebygning. Derfor ville han af hensyn til den tyske anseelse have undersøgt, om der på anden vis kunne gives en særbevilling på 300-500.000 kr. til byggeriet.

Lederen af AAs kulturafdeling, Fritz von Twardowski, svarede 6. januar 1943.

Grunden til, at Best indledte dette kursskifte i forhold til den tyske Sankt Petri Skole, var, at AA allerede forud var blevet tvunget til at indstille byggeriet til krigens afslutning for at spare valuta. Det fremgår af et brev fra Stuckart til Weizsäcker 16. september 1942, hvor han beklagede det både på grund af den tyske anseelse i Danmark og det tyske skoleliv (RA, pk. 212). Best havde ved selvsyn besigtiget bl.a. den tyske skole 17. november 1942 ledsaget af GR dr. Gebhard Seelos (RA, Bests arkiv, Bests kalenderoptegnelser).[73]

Planerne for udbygningen af Sankt Petri Skole gik tilbage til 1937, da der først var fremkommet forslag

---

72 Brevet til Wiehl er ikke lokaliseret, men Bests korrespondance kan delvis følges i telegrammerne 10. og 16. december 1942.

73 Det er værd at bemærke, at Best i december 1942 samtidig havde købt ejendommen "Rydhave" Strandvejen 259 ved København som sin embedsbolig for et beløb af 250.000 kr., hvortil kom en renovering og ombygning, der androg 150.000 kr. Arkitekt Axel Wanscher, der i forvejen stod for byggeriet af St. Petri Skole, blev udset til arkitekt ved ombygningen. Best trumfede købet af ejendommen og renoveringen igennem uden hensyn til gesandtskabets budget for 1943 og uden forud at indhente RFMs bevilling. Valget af arkitekt var også hans eget valg, hvilket også blev påtalt (se AA til RFM 5. december 1942, Schäfer til Best 16. december 1942, Reichsbaudirektion til AA 19. december 1942, AA til RFM 18. januar og 25. februar 1943 (BArch, R2/11574, RA, Danica 203, pk. 81, læg 1082)). Forløbet illustrerer både den nye rigsbefuldmægtigedes selvrådighed, og at han trods besparelser på andre områder ikke var tilbageholdende med brugen af midler. AA begrundede til RFM 5. december 1942 ekstravagancen således: "Es hat sich im Verfolg höherer Weisung aus politischen Gründen als notwendig erwiesen, der Tätigkeit des Bevollmächtigten des Deutschen Reichs in Kopenhagen nach Neubesetzung der Stelle in höheren Masse, als es bisher der Fall war, einen repräsentativen Rahme zu geben."

fra Det Tyske Gesandtskab derom. Gradvist steg imidlertid ambitionerne for planerne, især efter den tyske besættelse, og efteråret 1941 forelå et projekt til 4 millioner RM, der 9. november 1941 blev tiltrådt af RFM. Forud havde von Ribbentrop i juli fået forevist en model af den nye skole. Grundstensnedlæggelsen fandt sted 24. januar 1942. Byggeriet, der fandt sted i Emdrup, skulle gennemføres i to etaper for at skaffe den nødvendige valuta. Internatet til ca. 60 drenge skulle sammen med en ny skole med børnehave og to gymnastiksale bygges først og på et senere tidspunkt en svømmehal og et stadion (*St. Petri Skoles Aarsberetning 1940/41*, 1941, s. 6f., optegnelse af Quandt i AA 7. januar 1943 om skolebyggeriets forhistorie (RA, pk. 290)).[74] Der var tale om et tysk prestigeprojekt skabt på et tidspunkt, hvor den tyske optimisme var stor. A.C. Højbjerg Christensen karakteriserede det siden som værende af "fantastisk overdrevne Dimensioner" (Højbjerg Christensen 1946, s. 19), mens det skulle være kommet skolens tyske ledelse til at stå klart endnu under besættelsen, at der mere end en ny Sankt Petri Skole var tale om en opdragelsesanstalt for det germanske Norden (Jensen 1986, s. 149).

Kilde: RA, pk. 290

Der Bevollmächtigte des Deutschen Reiches   *Kopenhagen, den 29. Dezember 1942*
K I/ K 1116/42

Betr.: Die deutsche Schule in Kopenhagen
– 2 Durchschläge –

An das Auswärtige Amt
    Berlin

Unter Bezugnahme auf den Anruf des Leiters der Kulturabteilung des AA vom 22.12.1942, in welchem um eine grundsätzliche Stellungnahme zur Frage der deutschen Schule in Kopenhagen gebeten wurde, berichte ich:

Über die sachliche Gestaltung der deutschen Schule in Kopenhagen schweben zurzeit persönlichen Besprechungen zwischen dem Ministerialrat Dr. Huhnhäuser vom Reichserziehungsministerium und dem dänischen Unterrichtsminister Höjbjerg-Christensen. Dr. Huhnhäuser hat mir berichtet, daß er zu erreichen hofft, daß der dänische Unterrichtsminister den deutschen Wünschen weiter entgegenkommen wird als bisher zu erwarten war. Ich will das Ergebnis der nächsten Unterhaltung zwischen Dr. Huhnhäuser und Höjbjerg-Christensen abwarten, um mir ein Urteil zu bilden, ob auf der Grundlage der in diesen Besprechungen geäußerten Auffassungen die offiziellen Verhandlungen wieder aufgenommen werden sollen.

Für die Fortführung der Bauarbeiten an dem für die deutsche Schule begonnenen neuen Schulgebäude stehen mir leider im kommenden Haushaltsjahr keine Mittel zur Verfügung. Da mindestens eine langsame Fortführung der Bauarbeiten aus sachlichen Gründen wie auch mit Rücksicht auf das deutsche Ansehen erwünscht wäre, bitte ich um Prüfung, ob für diesen Zweck eine Sonderzuteilung von Devisen in ausreichender Höhe – 300.000-500.000 Kronen erwirkt werden kann. Der Ministerialrat Dr. Huhnhäuser will das Reichserziehungsministerium in einem Bericht bitten, ebenfalls für eine Sonderbewilligung von Devisen zur Fortführung des hiesigen Schulneubaues einzutreten.

74 Hos Havning 1956 og Gad 2008 er en gennemgang af bygningen og dens arkitektur, men uden værdi for tiden før 1945.

DECEMBER 1942

Für baldigen Bescheid, ob mit einer Devisenzuleitung für den Schulneubau zu rechnen ist, wäre ich sehr dankbar, da in jedem Fall alsbald mit den an dem Bau beteiligten Firmen erörtert werden muß, was weiter geschehen kann.

Best

55. Der Reichsminister der Finanzen an den Reichsminister für Ernährung und Landwirtschaft 29. Dezember 1942

Ministerialrat Christian Breyhan skrev på RFMs vegne til REM og meddelte, at det beløb som efter en overenskomst i det tysk-danske regeringsudvalg skulle overføres til særkonto 5 ved Danmarks Nationalbank, var sket. Samtidig udtalte Breyhan sin stærke misbilligelse af, at han ikke var blevet rådspurgt før overenskomstens indgåelse, da det angik RFM. Han vurderede, at aftalen var dårlig for Tyskland, da den løbende gjorde den tyske gæld til Danmark endnu større. Han var af den opfattelse, at Danmark var mere begunstiget end noget andet besat land, en fredelig oase i Europa, der blev fritaget for at bidrage til krigens omkostninger, mens Tyskland kæmpede for sin eksistens. Breyhan sluttede af med at påpege, at han var uden skyld i at overførslen af det ønskede beløb var forsinket (Winkel 1976, s. 130).

Adressaten for Breyhans vrede var ikke statssekretær i REM, fungerende minister Herbert Backe, men REMs repræsentant og formand for det tysk-danske regeringsudvalg Ministerialdirektor Alex Walter, der havde indgået den overenskomst med danskerne, som han stillede sig stærkt kritisk over for. Walter svarede 18. februar 1943 (trykt nedenfor), men det berørte ikke hans position, da han havde fuld dækning for den førte politik hos Backe.

RFMs indflydelsesmuligheder i Danmark var begrænsede, langt mere begrænsede end i f.eks. Norge, hvor Breyhan i en kortere periode havde været den ledende finansmedarbejder i Rigskommissariatet. Som Ministerialrat i Berlin måtte han konstatere, at det var langt vanskeligere at have føling med udviklingen i Danmark, selv om ministeriet havde en tilknyttet repræsentant ved gesandtskabet.[75] Det foreliggende tilfælde viser, at det langtfra var tilstrækkeligt til at sikre informationer og indflydelse. Hertil kan lægges, hvad Breyhan ikke kunne vide, at den nye tysk-danske overenskomst først blev underskrevet 21. december, næsten 14 dage efter at Walter bad om overførsel af det til aftalen knyttede beløb (kopi af aftalen i RA, Danica 465: Moskva, Osobyj Archiv, 1458/21/107/189). Det vil sige, der havde været tid til i det mindste at orientere RFM (om overenskomsten meget kort hos Jensen 1971, s. 213. Se desuden Wehrwirtschaftsstab Dänemark: Lagebericht 31. oktober 1942, pkt. 7a).

Kilde: BArch, R 901 113.554. RA, Danica 201, pk. 81, læg 1079.

Abschrift
Der Reichsminister der Finanzen   *Berlin, den 29. Dezember 1943*
Y 5104/1 – 146 V
                    S c h n e l l b r i e f

Herrn Reichsminister für Ernährung und Landwirtschaft, Berlin

Bezahlung von Lebensmittelkäufen deutscher Truppen in Dänemark,
    Ihr Schreiben V B 4 – 1640 vom 16. Dezember 1942[76]

Um zu vermeiden, daß ein von einem deutschen Regierungsausschuß gebilligter Vertrag

75 Se om denne Bests telegram 13. september 1943 til AA.
76 Brevet er ikke lokaliseret.

82   DECEMBER 1942

nicht eingehalten wird, werde ich die Reichshauptkasse zur Überweisung des Gegen-
werts von 15 Millionen Dänenkronen auf das Sonderkonto V bei Danmarks Nationalbank anweisen.

Ich mache dabei nochmals darauf aufmerksam, daß ich schon bei den Vorverhand-
lungen hätte beteiligt werden müssen, weil auf Grund des Abkommens über Haushaltsmittel des Reichs verfügt werden soll. Mindestens wäre es erforderlich gewesen, meine
Stellungnahme vor der zustimmenden Kenntnisnahme durch den Deutsch-Dänischen
Regierungsausschuß, in dem ich nicht vertreten war, einzuholen.[77]

Ich lege Wert auf die folgenden Feststellungen:

Die Kosten des gesamten Unterhalts der deutschen Truppen in Dänemark sind Besatzungskosten. Als solche müßten sie grundsätzlich aus dem Kredit der Nationalbank
bezahlt werden. Die bei der Besatzung des Landes von militärischer Seite Abgegebene
Erklärung, daß der Bedarf der Truppe aus Deutschland nachgeschoben werde, sollte lediglich klarstellen, daß ein Ausverkauf des Landes durch die deutsche Wehrmacht nicht
stattfinden werde. Dieser Zweck wurde schon dadurch erreicht, daß die Wehrmachtbe-
züge in vollem Umfang auf die Kontingente angerechnet werden. Keinesfalls kann die
erwähnte Erklärung als Zusage aus hinsichtlich der *Bezahlung* der von Dänemark für die
deutsche Wehrmacht im Land bereitgestellten Lebensmittel aufgefaßt werden. Bedeutet
also schon die bisherige Regelung vom 4. Oktober 1941, nach der die Wehrmachtbezü-
ge von Butter, Eiern, Rindern und Schweinen im Verrechnungsverkehr *bezahlt* werden,
eine Vergünstigung, die über die bei der Besetzung gegebene Zusage hinausgeht, so
enthält das neue Abkommen, das die Bezahlung aller Lebens- und Futtermittel im Ver-
rechnungswege vorsieht, eine noch erheblich weitergehende Besserstellung Dänemarks.
Nach Ihrer Ansicht handelt es sich bei den neu aufgenommenen Waren *vorwiegend*
um Nachschubwaren. Ich kann diese Meinung nicht teilen. Daß seit langem in sehr
beträchtlichem Umfang Lebens- und Futtermittel *nicht* nachgeschoben, sondern in Dänemark gekauft und aus dem Wehrmachtkredit bezahlt worden sind, ergibt sich schon
aus der dänischen Abrechnung über die für die Zeit vom 15. Februar bis 31. Oktober
1941 zur Erstattung angemeldeten 12,3 Millionen d.Kr. Bestätigt wird meine Auffassung auch durch eine Aufstellung der Wehrmacht, in der die unmittelbaren Bezüge an
dänischen Lebens- und Futtermitteln für die Zeit vom Februar bis Oktober 1941 mit
rund 17,5 Millionen d.Kr. ausgewiesen werden. Wenn von diesem Beträge nur 10 Millionen auf die in dem Abkommen vom 4. Oktober 1941 angeführten Waren entfallen,
so zeigt das, daß auch schon *vor* dem neuen Abkommen andere Waren in sehr großem
Umfange von der Wehrmacht in Dänemark unmittelbar gekauft und aus dem Wehrmachtkredit bezahlt worden sind.

Die Erstattung der Wehrmachtkäufe im Verrechnungsverkehr bedeutet eine erhebliche laufende Mehrbelastung des Reiches und gleichzeitig insofern eine Stärkung der
dänischen Position, als sie die Kommerzialisierung einer politischen Schuld bewirkt.
Das starke Anwachsen der deutschen Verrechnungsschuld gegenüber den europäischen
Ländern macht allen Beteiligten Stellen des Reichs ohnehin größte Sorge.

---

77 Christian Breyhan og RFM arbejdede påfølgende på at få en repræsentant i det tysk-danske regeringsudvalg, hvilket lykkedes i januar 1944. Se nedenfor Hans Clausen Korff til Breyhan 29. december 1943 og
der anf. henv.

DECEMBER 1942

Bei längerer Kriegsdauer haben die Kriegslasten und die Opfer Deutschlands einen unvorhergesehenen Umfang angenommen und auch die Beanspruchung der anderen europäischen Länder, wie z.B. Frankreich und der Niederlande hat erheblich zugenommen. Es kann m.E. nicht verantwortet werden, daß einem Land wie Dänemark, das bisher fast seine gesamten Ausgaben ohne irgendwelche Schwierigkeiten durch laufende ordentliche Einnahmen finanzieren konnte und das auch sonst, insbesondere erfahrungsmäßig, als friedliche Oase in Europa bezeichnet werden kann, zu Lasten des um seine Existenz ringenden Deutschen Reiches stets weitergehende Vergünstigungen gewährt werden, die in der Geschichte besetzter Länder ohne Beispiel sind.

Was die von Ihnen bedauerte Verzögerung betrifft, so stelle ich fest, daß ich erst durch Ihr Schreiben vom 8. Dezember[78] von dem neuen Abkommen erfahren habe. Es wäre deshalb, selbst wenn keine Rückfrage hätte gestellt werden müssen, nicht möglich gewesen, den angeforderten Betrag vor dem 10. Dezember auf das Sonderkonto zu überweisen. Die Verzögerung ist also von mir nicht zu vertreten.

I.A.

gez. **Breyhan**

56. Martin Luther an Joachim von Ribbentrop 30. Dezember 1942

Der gik tre uger fra Bests meddelelse om planerne for oprettelsen af Schalburgkorpset til AA reagerede. Muligvis skyldtes det, at det var von Grundherr, der modtog og behandlede telegrammet, muligvis at først en direkte henvendelse fra Frits Clausen til Luther fik AA til at reagere. Det kan også være en kombination af begge dele. I hvert fald tog Luther offensiven i spørgsmålet og bad Ribbentrop om, at Best fik besked på at følge kommandovejene. Det var AA og ikke Best, der skulle tage stilling til dette spørgsmål, der også ville sætte DNSAP i en vanskelig situation. Best anbefalede ganske vist Schalburgkorpsets oprettelse under sit eget opsyn, hvilket iflg. Luther givetvis ville føre til konflikter mellem Berger og Best.

Det synes på dette tidspunkt ikke at stå Luther klart, at Best agerede i overensstemmelse med Berger, eller også foretrak Luther ikke at gøre RAM opmærksom på det på dette tidspunkt. I betragtning af, at Best allerede havde fået en klar ordre om, at han ikke måtte agere selv i det germansk-völkische spørgsmål (se Brandt til Berger 21. november 1942), forekommer det førstnævnte overraskende. Bergers fremfærd var endvidere en klar overtrædelse af den begrænsning af Bormanns 12. august-forordning, som Luther havde kæmpet for. Begrænsningen blev fortsat ikke anerkendt af SS for Danmarks vedkommende.

Luthers indstilling blev fulgt op, som det fremgår af Sonnleithners telegram til Luther 7. januar 1943. Kilde: PA/AA R 100.986.

Durchdruck   Geheim   zu D III 1151 g

Der den Herrn Staatssekretär zur Vorlage bei dem Herrn Reichsaußenminister

V o r t r a g s n o t i z

Im Rahmen des Aufbaues einer großgermanischen SS beabsichtigt der Reichsführer-SS in Dänemark ein Schalburg-Korps zu gründen, dessen Aufgabe sein sollen:

a.) Die aus der Waffen-SS entlassene oder auf Grund ihrer Verwundung nicht mehr kriegsverwendungsfähigen Männer zu erfassen und zusammenzustellen.

---

78 Brevet er ikke lokaliseret.

b.) Junge dänische Männer heranzuziehen, auszubilden, mit den germanischen Gedanken vertraut zu machen und zum Fronteinsatz zu bringen. Dabei ist SS-Tauglichkeit Vorbedingung.

Die vormilitärische und weltanschauliche Ausbildung für Führer, Unterführer und Männer soll in Dänemark selbst stattfinden. Dort soll die Unterrichtssprache dänisch sein, während im Schalburgkorps als Kommandosprache deutsch vorgesehen ist. Das Korps soll als rein soldatische Organisation der SS, vollkommen unabhängig von der DNSAP, aufgebaut werden.

Der Leiter der DNSAP Clausen ist von der Notwendigkeit und Zweckmäßigkeit der Gründung des Korps im Hinblick auf die augenblickliche politische Lage Dänemarks nicht überzeugt. Er sieht naturgemäß nicht gern, daß er so einen Großteil seiner jungen Mannschaft verliert, wenn auch den SS-Freiwilligen nach ihrem Einsatz im Osten die Entscheidung überlassen bleiben soll, ob sie der DNSAP oder dem Schalburg-Korps angehören wollen.

Er befürchtet wohl auch, daß von dem Korps eine eigene Innen-Politik versucht werden wird. Trotz dieser Bedenken hat Clausen bei seinen Verhandlungen mit dem Leiter der Freiwilligenwerbestelle für die Waffen-SS in Dänemark, SS-Sturmbannführer Boysen, dem Plane zugestimmt, weil er den Wunsch des Reichsführers-SS respektieren will und weil durch die vorgesehene eindeutige Trennung von der DNSAP er seine Partei von Eindeutschungstendenzen, die er im Vorgehen der SS sieht, glaubt distanzieren zu können.[79]

Der Bevollmächtigte des Reiches für Dänemark empfiehlt die Gründung des Schalburg-Korps, weil im Innenverhältnis erreicht ist, daß den seit einiger Zeit währenden Reibungen der SS und der DNSAP endgültig die Grundlage entzogen wird und nach außen junge Dänen, die aus irgendwelchen Gründen nicht zur DNSAP wollen, sich dem Schalburg-Korps anschließen können und die DNSAP nicht mehr das alleinige Ziel der Angriffe aus dem dänischen Lager bleibt, sondern sich diese Angriffe dann gegen zwei auf den Reichsgedanken ausgerichtete Gruppen richten müssen.

Der Bevollmächtigte des Reiches für Dänemark geht allerdings bei seiner Stellungnahme von dem Gedanken aus, das ihm die Leitung aller in Dänemark beabsichtigten Vorhaben der SS übertragen wird und er damit die im einzelnen zu ergreifenden Maßnahmen und die politische Ausrichtung des "Schalburg-Korps" fest in der Hand haben wird. Ob allerdings die unter Leitung des SS-Gruppenführers Berger stehende Germanische Leitstelle eine solche Zwischenschaltung hinnehmen würde, erscheint mir sehr zweifelhaft. Zumindestens müßte es zwangsläufig wegen dieser Frage bald zu Reibungen zwischen dem Bevollmächtigten des Reichs in Dänemark und Gruppenführer Berger kommen.

Wir müssen uns darüber völlig im klaren sein, daß im Falle der Genehmigung des Antrags des Reichsführers-SS auf Errichtung des "Schalburg-Korps" in Dänemark eine neue Bewegung entstehen würde, die ausschließlich dem Reichsführer-SS unterstellt und demgemäß ausschließlich auch auf dessen Befehl hören würde. Diese Gründung hätte im übrigen weitgehende politische Rückwirkungen zumindestens auf Schweden und Finnland.

---

79 Forhandlingerne med Boysen fandt sted 4. december 1942 (se Best til AA 7. december 1942).

Ich schlage aus diesem Gründe vor, die Entscheidung des Führers durch persönlichen Vortrag des Herrn Reichsaußenministers herbeizuführen.

Im übrigen muß ich feststellen, daß die Frage der Gründung des "Schallburg-Korps" wiederum unmittelbar von der von Gruppenführer Berger geleiteten Germanischen Leitstelle mit dem Bevollmächtigten in Dänemark verhandelt worden ist, ohne daß sie ordnungsgemäß vorher mit dem Auswärtigen Amt abgesprochen wurde. Gruppenführer Berger hat sich also wiederum nicht an das Versprechen gehalten, welches er mir in einer grundsätzlichen Aussprache über die Germanische Leitstelle bei Obergruppenführer Wolff dahingehend abgegeben hat, alle Angelegenheiten von außenpolitischer Bedeutung zunächst mit dem Auswärtigen Amt klarzustellen. Es erscheint mir notwendig, diese Angelegenheit dem Reichsführer-SS mitzuteilen. Der Reichsbevollmächtigte in Dänemark wird entsprechende Weisung erhalten.

Ich bitte um Weisung.

Luther

57. Werner Best an das Auswärtige Amt 31. Dezember 1942

Som statsoverhovedernes fødselsdage var en anledning til udveksling af høflige telegrammer, således var årsskiftet det. Den danske gesandt i Berlin, Otto Mohr, var 21. december overfor Weizsäcker indstillet på at lade en telegramudveksling bortfalde, men fik intet tysk svar. Til gengæld søgte Best en genåbning af forbindelsen ved at meddele, at han uden indvendinger havde accepteret Christian 10.s nytårstale. Den meget forsigtige nytårstale havde ikke været forelagt statsminister Scavenius inden udsendelsen (PKB, 13, nr. 369, Thomsen 1971, s. 132, Sjøqvist, 2, 1973, s. 238).

Kilde: PA/AA R 29.566. PKB, 13, nr. 370.

Telegramm

Kopenhagen, den	31. Dezember 1942	20.30 Uhr
Ankunft, den	31. Dezember 1942	20.50 Uhr

Nr. 1936 vom 31.12.[42.]

Betr.: Rundfunkansprache des König am 1.1.1943.

Der König von Dänemark wird am 1. Januar 1943 19 Uhr, über den Staatsrundfunk eine Ansprache halten, deren Inhalt das Außenministerium mir wie folgt mitgeteilt hat:

"Wieder ist ein für das Land ernstes Jahr verflossen. Der König teilt die gemeinsamen Wünsche, daß das Jahr 1943 hellere Zeit für uns alle bringen möge. Er spricht allen denjenigen seine Teilnahme aus, die durch die ernsten Ereignisse zu Lande und zur See Verwandte verloren haben. Er dankt für die Blumen, Briefe und Gaben, die er während seiner Krankheit erhalten hat. Er richtet seinen Dank an die Ärzte und Krankenschwestern, die ihn betreut haben. Er spricht die Hoffnung aus, daß es nicht lange dauern wird, bis er die Folgen des Unfalls überwunden hat und sein gewöhnliches Leben wieder aufnehmen kann. Er erbittet den Segen für alle dänischen Heime und entbietet allen Landsleuten seinen Gruß."

Diese Ansprache unterscheidet sich durch ihren zurückhaltenden und positiv gefaßten Inhalt von der recht negativen und mit politischen Schärfen versehenen Ansprache, die der König am 1. Januar 1942 über Rundfunk gehalten hat. Bemerkenswert ist, daß er den Angehörigen der gefallenen dänischen Freiwilligen seine Teilnahme ausspricht, die die einzigen Dänen sind, die "zu Lande" dem Kriege zum Opfer fielen (wie übrigens auch die "zur See" umgekommenen Dänen fast ausschließlich für Deutschland fuhren).

Mit Rücksicht auf den mitgeteilten Inhalt habe ich davon abgesehen, gegen die Ansprache Einwendungen zu erheben. Ein Einschreiten gegen die Ansprache hätte zweifellos die gesamte "Königsfrage" aufgerollt, woran angesichts der politischen Zurückhaltung des Königs und der positiven Arbeit der Regierung Scavenius kein deutsches Interesse besteht.

Dr. Best

JANUAR 1943

58. Werner Best an das Auswärtige Amt 1. Januar 1943

Best refererede i meget positive vendinger landbrugsminister Kr. Bordings nytårstale, som faldt helt i tråd med den politik, han selv ønskede fremmet.

  Kilde: PA/AA R 29.566. RA, pk. 202.

Telegramm

Kopenhagen, den	1. Januar 1943	
Ankunft, den	1. Januar 1943	21.45 Uhr

Nr. 1937 vom 1.1.[43.]

Betr.: Neujahrs-Rundfunkrede von Landwirtschaftsminister Bording.

Diesjährige Neujahrs-Ministerrede wurde von Landwirtschaftsminister Bording gehalten und heute Abend vom Staatsrundfunk ausgesendet. Bording äußerte sich positiv über Versorgungslage Dänemarks im vergangenen Jahre, die er als eine der besten Europas bezeichnete. Gewisse unvermeidliche Verknappungen von Genußmitteln müßten in Kauf genommen werden, wichtig sei dagegen gerechte Verteilung lebensnotwendiger Güter, die in noch erhöhtem Maße durchzuführen sei, wobei Preisniveau von 1942 gehalten werden solle. Arbeitslosenziffer sei niedrigste seit vielen Jahren, Mangel an ausländischen Rohstoffen werde durch intensive Bodenbearbeitung und gesteigerte Ausnutzung heimischer Produkte weitgehend ausgeglichen. Diese Resultate seien möglich geworden durch Gemeinschaftssinn des Volkes. Die Politik betreffend hervorhob Bording Verdienste Staunings und Buhls nationale Sammlung und sprach den Wunsch aus, daß Scavenius diese Zusammenarbeit mit Reichstag und Bevölkerung sowie seine außenpolitische Linie fortsetzen möge. Ansprache ist zweifellos geeignet, Vertrauen der Bevölkerung zu stärken. Genauer Wortlaut folgt mit Schriftbericht.

Dr. Best

59. Dänemark zum Jahresbeginn [1. Januar] 1943

Denne anonyme stemningsberetning fra Danmark omkring årsskiftet er sandsynligvis udarbejdet af en af RSHAs meddelere i Danmark. Det tyder den kontekst, hvori beretningen er fundet, på, samt de strenge krav om fortrolighed og destruktion efter læsningen. Selv om udarbejdelsen ikke er sket i forståelse med Best, er det hævet over enhver tvivl, at beretteren er ham positivt stemt. Det fremgår af beretningens tendens, der er i fuld samklang med den politik og opfattelse, som Best ønskede fremmet. Beretningen vidner om, i hvor høj grad man fra tysk/RSHAs side ønskede at sikre opslutning om den førte politik på dette tidspunkt. Beretningens bagmand kan have været Eberhard von Löw i RSHA.[1]

  Kilde: RA, Danica 1069, sp. 12, nr. 15.791-93. Lauridsen 2008a, nr. 59 (uddrag).

---

1 Dette har Henning Poulsen peget på som en mulighed. Jeg takker for forslaget. Der er trykt en næsten lignende anonym (men ikke nummereret) stemningsberetning af 18. juli 1942 i PKB, 13, nr. 271.

JANUAR 1943

Sk. Nr. 124
Streng Vertraulich! Nur für den Dienstgebrauch!
Nach Kenntnisnahme vernichten!

Wer Abschriften dieses Berichtes herstellt oder herstellen läßt, oder die Berichte an nicht empfangsberichtigte Personen außerhalb des Dienstgebrauches weitergibt, macht sich strafbar.
Bericht unseres Vertrauensmannes.

Dänemark zum Jahresbeginn 1943

Nachdem der Gesandte von Renthe-Fink und der Befehlshaber der deutschen Truppen in Dänemark, General Lüdke, Ende September abberufen worden waren, herrschte in dänischen politischen Kreisen zunächst große Unsicherheit. Als bald darauf General von Hanneken ernannt wurde und einige den Dänen bis dahin ungewohnte Anordnungen traf, wurde die Stimmung noch trüber. Tolle Gerüchte durchschwirrten das Land. Die Stimmung stieg zur Siedehitze, und erst als der neue Bevollmächtigte des Reiches, SS-Gruppenführer Dr. Best, ernannt und die dänische Regierung umgebildet worden war, begannen die Gemüter sich zu beruhigen. Die Umbildung war intern außerordentlich schwierig, da ein Teil des Reichstages gegen jede Einwirkung von außen war und lieber "noch den letzten Schlag entgegennehmen" wollte. Immerhin glückte es, die Regierung Scavenius zu bilden, und zwar unter Beteiligung der bisherigen Regierungsparteien. Dazu kamen Nichtparlamentarier in die neue Regierung. Bald darauf nahm der Reichstag ein Ermächtigungsgesetz an, das die Regierung in die Lage versetzte, ohne Beschluß des Reichstages Maßnahmen zur Wahrung der Sicherheit und Ordnung zu treffen. Die Stellung des Staatsministers Erik von Scavenius ist in letzter Zeit sehr viel stärker geworden. Man sagt von ihm, daß er trotz seines Wunsches nach Zusammenarbeit mit Deutschen ein "guter Däne" sei, wie überhaupt das Verständnis für die Notwendigkeit der dänisch-deutschen Zusammenarbeit immer größeren dänischen Kreisen aufgeht. Viele, die früher nicht mit Scavenius gingen und auch heute noch nicht mit ihm als politischer Persönlichkeit sympathisieren, sind doch mehr und mehr zu der Einsicht gekommen, daß seine Politik die richtige für Dänemark ist ohne Rücksicht auf den Ausgang des Krieges. Immer größere Teile der Bevölkerung beginnen zu verstehen, in welchem Masse Dänemark mit Europa verbunden ist.

An dieser Entwicklung ist die Presse sehr stark beteiligt. Die verantwortlichen Presseleute haben in der letzten Zeit ungeheuer viel gelernt. Es geschieht nicht selten, daß führende Blätter scharf von Radio London und Christmas Möller Abstand nehmen, z.B. Kamphövener im "Jydske Tidende" mit den Worten: "Engelsk Radio... det vet man dog, hvad er."[2]

Die vorsichtige Haltung, die von Dänemark sofort eingenommen wurde, als man erkannt hatte, daß Berlin nicht mit sich spielen lasse, kam noch in der Presse zum Ausdruck. Es ist das Verdienst des dänischen Pressechefs Eskelund, daß die dänische Presse

---

2 Morten Kamphøvener, redaktionssekretær ved *Jydske Tidende*, var ved denne tid en stærk fortaler for samarbejdspolitikken.

auch in den Tagen der Krise nicht die Selbstbeherrschung verlor. Eskelund hat immer wieder durch Ermahnungen und gutes Zureden die Presse in die richtigen Bahnen gelenkt, ohne dabei seinen grundsätzlichen dänischen Standpunkt aufzugeben.

Nach einigen Monaten der Tätigkeit des Reichsbevollmächtigten Dr. Best zeigt es sich, daß die Dänen sich mit dem neuen Kurs, den Dr. Best eingeschlagen hat, abgefunden haben. Ein einflußreicher und keineswegs deutschfreundlicher Däne faßte kürzlich sein Urteil über Dr. Best folgendermaßen zusammen: "Dr. Best ist ein Mann, der vom besten Willen beseelt ist, über persönliche Frische und angenehme Umgangsmethoden verfügt. Sein Hauptziel ist, die vorliegenden Geschäfte und Arbeiten schnell und reibungslos zu erledigen. Er geht dabei wesentlich schneller vor, als wir Dänen es gewohnt sind. Aber er ist offenbar doch entschlossen, gewisse Rücksichtnahmen auf alte dänische Verhältnisse und auf die für Dänemark bestehenden Schwierigkeiten zu üben …"

Großes Aufsehen erregte die Tatsache, daß die Gewerkschaftsführer Kjärböl und Lauritz Hansen, die in der neuen Regierung Arbeitsminister und Sozialminister geworden sind, engere Fühlung mit dem Reichsbevollmächtigten genommen haben. Der Reichsbevollmächtigte soll großes Interesse für die Arbeiterfragen gezeigt und sich als Sozialist bekannt haben.

Die dänischen Nationalsozialisten treten zurzeit nicht sehr stark in Erscheinung; aber die dänische Bevölkerung ist ihnen gegenüber skeptisch und manche Kreise nehmen an, daß Dr. Best doch Beziehungen zu dänischen Nationalsozialisten unterhalte und es in der Hand habe, wann er sie loslassen wolle.

Ein gewisses Aufsehen erregen in Dänemark die englischen und schwedischen Rundfunkberichte über Judenverfolgungen, besonders die aus Oslo kommenden Meldungen. Im dänischen Staatsapparat sind übrigens jüdische Elemente kaum vorhanden und die Zahl der Juden, die meist in Kopenhagen leben, ist verhältnismäßig gering. Man hat den Eindruck, daß Deutschland in nächster Zeit keine Judengesetzgebung in Dänemark erzwingen wird, was als tiefer Eingriff in das dänische Verfassungsrecht betrachtet würde.

Große Aufmerksamkeit hat in Dänemark die Tatsache erregt, daß mehrere dänische Intellektuelle, die in den letzten Monaten die kommunistischen Wühlereien und eine periodische Hetzschrift "Det frie Danske" geistig und finanziell unterstützt hatten, am 11. Dezember im Zusammenwirken der Exekutive des Reichsbevollmächtigten mit der dänischen Polizei verhaftet worden sind. In der dänischen Regierungsverlautbarung wurde von den Verhafteten nur einer mit Namen genannt, und zwar Professor Chiewitz. Seine Verhaftung schlug wie eine Bombe ein. Es hat dann eine gewisse Befriedigung hervorgerufen, daß die Verhafteten in das dänische Gefängnis überführt wurden und von dänischen Gerichten abgeurteilt werden sollen. Auch in Verbindung mit dieser Sache schwirrten wilde Gerüchte in der Stadt umher, doch kann man sagen, daß der größte Teil der Bevölkerung auf dem Standpunkt steht, derlei Dinge seien nicht angängig und müßten bestraft werden. Es ist zu erwarten, daß die dänische Regierung in Kürze die Namen der übrigen Verhafteten veröffentlicht, was bis jetzt aus Gründen der Kollisionsgefahr noch nicht geschehen ist.

In dänischen juristischen Kreisen ist man der Ansicht, daß die Verhafteten sehr strenge Strafen zu erwartet haben.

60. Werner Best an das Auswärtige Amt 5. Januar 1943

AA fik meddelelse om, at det danske handelsministerium havde udstedt to bekendtgørelser, hvorefter det var forbudt at afgive købs- eller chartertilbud på dansk skibstonnage i udlandet. Bekendtgørelserne var blevet til efter drøftelser med og billigelse af de interesserede tyske myndigheder. Best lagde vægt på, at forbuddene var i tysk interesse.

Kilde: RA, Danica 628, sp. 7, nr. 5250f.

Abschrift Ha Pol XI 45/43
Der Bevollmächtigte des Reichs in Dänemark   *Kopenhagen, den 5.1.1943*
S/SCH 3/Ia

An das Auswärtige Amt
    Berlin

Betr.: Abgabe von Verkaufs- oder Vercharterungsangeboten dänischer Tonnage an das Ausland.

Das dänische Handelsministerium hat auf Grund der weiter unten dargestellten Verhältnisse, deren Abstellung sowohl in deutschem als auch in dänischem Interesse liegen, zwei Bekanntmachungen erlassen, die in Zukunft die Abgabe von Verkaufs- oder Charterungsangeboten dänischer Tonnage ins Ausland verbieten. Diese Bekanntmachungen, die in der Anlage in Übersetzung beigefügt sind,[3] sind vor Erlaß mit den an dieser Frage interessierten deutschen Dienststellen (Bevollmächtigter des Reiches, Wehrwirtschaftsstab Dänemark, Kriegsmarinedienststelle Kopenhagen) besprochen worden, die ihnen zugestimmt haben.

Zur Begründung dieser Bekanntmachungen darf darauf hingewiesen werden, daß mit Ausnahme der aus Brennstoffschwierigkeiten aufgelegten großen Motorschiffe keine Einheiten der dänischen Tonnage zur Zeit aufliegen. Dies gilt nicht nur für die große und mittlere Tonnage, sondern auch für die Kleintonnage bis 40 BRT. Die Transportschwierigkeiten in den innerdänischen Gewässern sind durch die Notwendigkeit, weit mehr Braunkohle und Torf als in früheren Zeiten zu fahren, so angestiegen, daß auch in absehbarer Zeit mit einem Aufliegen von Tonnage irgendwelcher Größe nicht gerechnet werden kann. Die Versorgung der einzelnen Landesteile Dänemarks mit Brennstoffen liegt aber auch ebensosehr in deutschem als dänischem Interesse. Wird nämlich dänische Tonnage aus diesen Versorgungsfahrten herausgezogen, so wirkt sich eine solche Maßnahme mittelbar und unmittelbar auf die dänischen Lieferungen für Deutschland aus. Es liegt daher auch in unserem Interesse, daß diese Tonnage plan- und vernunftmäßig eingesetzt wird.

Trotzdem diese Tatsachen allgemein bekannt sind, kommt es täglich vor, daß dänische Makler, in vereinzelten Fällen auch Reeder, Schiffe an deutsche Dienststellen anbieten, die sie praktisch gar nicht an Hand haben. Verweigerte dann das dänische Handelsministerium die Zustimmung zur Freigabe dieser Schiffe, da es sie für die obenerwähnten Zwecke selber dringend benötigte, versteckte sich der dänische Makler hinter

---

3 Bilagene er ikke vedføjet.

die betreffende deutsche Dienststelle, die am dem Kauf bezw. der Charterung interessiert war und versuchte auf diesem Umwege einen Druck auf das Handelsministerium zwecks Freigabe dieser Schiffe auszuüben. Bei der Lage der Dinge konnte aber auch der Frachtenausschuß als Exekutivorgan des Handelsministeriums in solchen Fällen die Zustimmung zur Freigabe nicht erteilen.

Die neuen Bekanntmachungen sehen nun vor, daß die früher nur beim Abschluß der Verhandlungen einzuholende Genehmigung des Frachtenausschusses nunmehr bereits vor einem Angebot einzuholen ist. Durch diese Maßnahme wird kostspielige Zeit und ein in der letzten Zeit immer grösser werdender Leerlauf vermieden, sowie die durch die zahlreichen Angebote interessierter dänischer Makler entstandene ganz falsche Eindruck, als ob in Dänemark ein großes Angebot freier Tonnage vorhanden sei. Da die Zustimmung des Frachtenausschusses auch bereits früher auf Grund einer gesetzlichen Bestimmung vorgeschrieben war, ändert sich durch diese neuen Bekanntmachungen praktisch nichts, außer daß die Zustimmung des Frachtenausschusses nunmehr vor Herausgehen eines Angebotes einzuholen ist.

gez. **Dr. Best**

61. Wehrwirtschaftstab Dänemark: Lagebericht 5. Januar 1943

Med undtagelse af omtalen af loven om fabriksværn var situationsberetningen for december helt præget af de store og især mindre problemer, der var for rustningsaftalerne med dansk industri. Brændstofforsyningerne fra Tyskland var ganske vist i tilbagegang, men der var stadig ledig produktionskapacitet i visse industrisektorer.

Kilde: BArch, Freiburg, RW 27/4. RA, Danica 1000, T-77, sp. 696, KTB/Rü Stab Dänemark 4. Vierteljahr 1942, Anlage E.

Anlage E   Geheim
Wehrwirtschaftstab Dänemark   *Kopenhagen, den 5.1.1943*
ZA/Ia Az.66dl/Wi-Ber. Nr.26/43 g

Bezug: OKW Wi Rü Amt/Rü IIIb Nr. 21.755/42 v. 9.5.42.
Betr.: Lagebericht.

Wehrwirtschaftstab Dänemark übersendet in der Anlage Lagebericht gemäß o.a. Bezugsverfügung.

Forstmann

Wehrwirtschaftstab Dänemark   *Kopenhagen, den 5.1.1943*
ZA/Ia Az.66dl/Wi-Ber. Nr.26/43 g

Vordringliches
Zur Frage der Nachkontingentierung für Eisen und Stahl hat R. Wi. Min. nunmehr verfügt, daß alle bis 30.9.42 gegen ordnungsmäßige Kontrollnummern gebuchten Aufträge ohne Nachkontingentierung ausgeliefert werden müssen. Die im Lagebericht vom

1.12.42 gemeldete Lieferfreigabe von 25.000 to ist demgemäß auf 43.000 to erhöht worden, was dem Antrag des W Stb Dän. an R. Wi. Min vom 20.10.42 entspricht. Lediglich die "Fertigerzeugnisse" und die Kontrollnummern, die nicht mehr rechtzeitig in die Hände der deutschen Werke gelangten, müssen nachkontingentiert werden.

Für die einheitliche Steuerung der Zementherstellung und -Verteilung an die Wehrmachtteile und die OT ist ein besonderer Bevollmächtigter für Zementfragen aus der Oberbauleitung Dänemark der OT eingesetzt worden.

Die bisher fakultative Preisprüfung von Miet- und Pachtverträgen mit der deutschen Wehrmacht ist lt. Bekanntmachung des Dän. Innenministeriums vom 30.11.42 obligatorisch geworden.

Die Kohlen- und Koksversorgung hat sich nicht gebessert. In den letzten 4 Monaten 1942 wurden durchschnittlich je Monat ca. 180.000 to Kohle und 50.000 to Koks, in der gleichen Zeit des Vorjahres aber ca. 240.000 to Kohle und 90.000 to Koks monatlich angeliefert. Verschärft wird die drohende Kohlenkrisis noch dadurch, daß die im vergangenen Jahr noch vorhandenen und nicht unbedeutenden Notlagerbestände jetzt nahezu erschöpft sind. Da aus diesen geringen Mengen die dän. Eisenbahnen sowie Gas- und Elektrizitätswerke vordringlich versorgt werden müssen, wird der katastrophale Brennstoffmangel Stillegungen in der Industrie mit sich bringen und damit die deutschen rüstungswirtschaftlichen Belange empfindlich treffen.

Der im Lagebericht vom 1.12.42 erwähnte Gesetzesvorschlag betr. Werkschutz ist von den dän. gesetzgebenden Körperschaften angenommen worden.[4] Die Ausführungsbestimmungen werden demnächst erlassen.

1a. Stand der Fertigung

Wert der seit der Besetzung Dänemarks über W Stb Dän. erteilten unmittelbaren und mittelbaren Wehrmachtaufträge:

Am 31.10.42	RM	288.831.898,-
Zugang im November	RM	8.616.032,-
Am 30.11.42	RM	297.447.930,-
Auslieferungen in November	RM	6.283.882,-

Aufträge der Besatzungstruppen (im gleichen Zeitraum), zu deren Durchführung Eisen und Stahl, Ne-Metalle über 50 kg sowie Kautschuk erforderlich sind:

Am 31.10.42	RM	69.056.000,-
Zugang im November	RM	5.391.000,-
Am 30.11.42	RM	74.447.000,-

Aufträge des kriegswichtigen zivilen Bedarfs (seit Februar 1941), in der Hauptsache solche, zu deren Durchführung Eisen und Stahl, NE-Metalle über 50 kg sowie Kautschuk erforderlich sind:

Am 31.10.42	RM	53.873.239,-
Zugang im November	RM	1.547.084,-
Am 30.11.42	RM	55.420.323,-

---

4 Loven forelå som nr. 489, 4. december 1942 (Alkil, 1, 1945-46, s. 801-806).

Die am 1.12.42 gemeldeten freien Leistungskapazitäten stehen fast durchweg noch zur Verfügung. Vornehmlich Firmen der Kleineisen- und Beschlagindustrie melden fortlaufend freie Kapazitäten. Ebenfalls sind nicht hinreichend beschäftigt Betriebe der holzverarbeitenden Industrie.

Mit Unterstützung des Treuhänders des holländischen Philips-Konzerns wurde die dän. Tochtergesellschaft in Kopenhagen veranlaßt, Aufträge des R.L.M. zu übernehmen.

1c. Versorgung der Betriebe mit Roh- und Betriebsstoffen
Der Lieferungsrückstand an Eisen und Stahl für Verlagerungsaufträge betrug am 30.11.42 35.377 to, ist also um rd. 17 % gesunken.

Der Lieferungsrückstand an NE-Metallen betrug am 30.11.42 433 to, ist also um 13 % zurückgegangen.

Für Wehrmachtaufträge der Besatzungstruppen sind im Dezember vom W Stb Dän. Bedarfsbescheinigungen über 15.057 cbm Nadelholz für die vorschußweise Freigabe aus Beständen der dän. Wirtschaft ausgestellt worden. Hiervon für Heer: 2.530 cbm, Org. Todt u. Festungspionierstab: 4.664 cbm, Kriegsmarine: 382 cbm, Luftwaffe 7.481 cbm.

2b. Lage der Energieversorgung
Die Zuteilung von Öl und Benzin an die mit Wehrmachtaufträgen belegten dän. Betriebe erfolgte im November ohne Schwierigkeiten. Petroleum konnte nur in ganz geringen Mengen zugewiesen werden. Die Zuteilungen an flüssigen Brennstoffen betrugen: 63.000 kg Dieselkraftstoff und 1.010 lt. Benzin.

2c. Lage der Kohlenversorgung. (s. unter "Vordringliches")
Im Dezember wurden geliefert: 199.600 to Kohle und 36.700 to Koks. Liefersoll 1940/41 monatlich: 250.000 to Kohle und 83.000 to Koks.

5. Arbeitseinsatz
Zahl der Arbeitslosen am 11.12.42: 47.236. Zugang gegenüber dem Vormonat: 14.015.

Zahl der z.Zt. in Deutschland beschäftigten Dänen rd. 66.500. Neuanwerbungen in November 3.529.

Gesamtzahl der in Norwegen eingesetzten dän. Arbeiter: 8.206. Zugang im November 296.

Nach Finnland wurden 10 dän. Arbeiter neu verpflichtet.

Für Aufträge des Neubauamts der Luftwaffe sind z.Zt. in Dänemark 5.182, für die des Festungspionierstabes und der OT 3.900 dän. Arbeiter und Angestellte beschäftigt, einschl. derjenigen, die durch dän. Unternehmerfirmen für diese Bauaufträge eingestellt sind.

6. Verkehrslage
Der Fährbetrieb verlief im Dezember normal. Seit 12.12.42 ist eine schwedische Fähre auf der Strecke Sassnitz-Trälleborg für den Personen- und zivilen Güterverkehr einge-

setzt; sie befördert aber kein Wehrmachtgut.

Die Waggongestellung wurde im Wehrmachtsektor zu 100 %, im zivilen Sektor zu 50 % erfüllt.

Die dän. Schiffahrt war tonnagemäßig in nachstehender Rangfolge eingesetzt:
1.) Kohlenfahrt von Deutschland nach Dänemark
2.) Erzfahrt von Schweden nach Deutschland
3.) Innerdänische Fahrt
4.) Transport von Düngemitteln nach Dänemark
5.) Deutsche Küstenkohlenfahrt
6.) Holztransporte von Finnland und Schweden nach Dänemark.

Die Anforderung von Kleintonnage war um 1/3 höher als überhaupt vorhanden, eine Folge der starken Inanspruchnahme durch die deutsche Wehrmacht und durch Transporte von Braunkohle und Torf für den innerdänischen Bedarf.

7a. Ernährungslage
Die Hackfruchternte ist als gute Mittelernte zu bezeichnen, hat aber gegenüber dem Vorjahr im Ergebnis etwas enttäuscht. Genaue Auswertungsergebnisse liegen noch nicht vor.

Die Kartoffelernte ist qualitativ und quantitativ besser als im Vorjahr. – Die Milchproduktion ist weiter rückläufig.

Am 1.1.43 ist eine Fleischordnung von der dän. Regierung erlassen worden. Sie verlangt eine Voranmeldung für Schlachtvieh (Rindvieh). Die Anmeldung hat ca. 1 Woche vor der Schlachtung zu erfolgen. Dadurch wird die Zufuhr zu den einzelnen Schlachtviehmärkten gesteuert.

Wertmäßig wurden im November aus den Lebensmittelbeständen des Landes entnommen:
a.) für die deutschen Truppen in Dänemark d.Kr. 4.220.201,15
b.) für die deutschen Truppen in Norwegen d.Kr. 2.134.687,27

62. Wehrwirtschaftsstab Dänemark: Übersicht über die in den Monaten Oktober, November, Dezember 1942 aufgetretenen wichtigen Probleme 5. Januar 1943
Fordelt på 14 punkter gav Forstmann en indgående redegørelse for udviklingen af og ændringerne i rustningsaftalerne med dansk industri, nye initiativer og forholdsregler. Trods oversigtens titel var det ikke problemerne, der optog pladsen, men de fortsatte muligheder for at udvide samarbejdet.

Bilagene til denne kvartalsoversigt er ikke medtaget. De ligger ved sagen.

Kilde: BArch, Freiburg, RW 27/4. RA, Danica 1000, T-77, sp. 696, KTB/Rü Stab Dänemark 4. Vierteljahr 1942, Anlage.

Ü b e r s i c h t
über die in den Monaten Oktober, November, Dezember 1942
aufgetretenen wichtigen Probleme.

I. Durchführung von Wehrmachtaufträgen (A-Liste des W Stb Dän.)

Es hatte sich ergeben, daß der Arbeitsbeginn bei den Verlagerungsaufträgen durch die Einrichtung des dänischen Preisprüfungskommissars eine erhebliche Verzögerung erlitt, weil vor Abschluß der Preisprüfung und Erledigung anderer Feststellungen, die ursprünglich nicht zu den Aufgaben des Preisprüfungskommissars gehörten, eine Arbeitsgenehmigung nicht erteilt wurde.

Mit Schreiben vom 2.10.42 (Anlage 1A) erhob deshalb Chef W Stb Dän. bei der Dänischen Regierung 4 Forderungen, um einen schnelleren Arbeitsbeginn zu erreichen.

Am 16.10.42 erfolgte nach stattgefundenen Besprechungen mit Vertretern der Dänischen Regierung eine Antwort, die den Forderungen des W Stb Dän. entspricht (Anlage 1b).

Es wurde erreicht, daß die dänischen Stellen innerhalb 10 Tagen den W Stb Dän. benachrichtigen, wenn Umstände auftreten sollten, die eine Verzögerung der Arbeitsgenehmigung rechtfertigen. Damit ist W Stb Dän. in die Lage versetzt, sich erforderlichenfalls sofort ordnend einzuschalten. Falls innerhalb der genannten Frist seitens der dänischen Stellen keine Einwendungen erhoben werden, wird die Arbeitsgenehmigung als gegeben betrachtet.

II. Lieferung von Maschinen aus Dänemark an neutrale Länder (Fortgesetzte Reise)

OKW/Sonderstab HWK äußerte mit Schreiben vom 23.10.42 (Anlage 2a) seine Bedenken gegenüber dem Ausfuhrgenehmigungsverfahren bei der Lieferung von Maschinen aus Dänemark an neutrale Länder, da eine Weiterleitung z.B. aus der Türkei nach der Sowjetunion oder nach Syrien, Palästina und Iran nicht ausgeschlossen erscheine.

Chef W Stb Dän. nahm als VO des Sonderstabes HWK am 23.10.42 persönlich Rücksprache mit Kapitän zur See Vesper in Berlin und gab dann nach seiner Rückkehr dem Bevollmächtigten des Deutschen Reiches, Beauftragten für Wirtschaftsfragen, in Kopenhagen am 27.10.42 Kenntnis von den Bedenken des Sonderstabes HWK (Anlage 2b).

Am 28.10.42 teilte Sonderstab HWK dem Auswärtigen Amt Berlin und nachrichtlich dem W Stb Dän. mit, daß die bisher übliche Erklärung des dänische Exporteurs, daß die Ware nicht weiter exportiert würde, grundsätzlich dann nicht ausreiche, wenn bei der Art der Empfangsfirma und der Ware eine entgegenstehende Verwendung möglich erscheint. Bei Bewilligung der Ausfuhr müßten deshalb die deutschen Dienststellen im Empfängerlande zur Stellungnahme aufgefordert werden, ob der Verwendungszweck als weder unmittelbar noch mittelbar im Feindesinteresse gelegen gesichert ist.

III. Neuordnung der Eisen- und Metallbewirtschaftung

Kurz vor Inkrafttreten der Neuordnung der Eisen – und Metallbewirtschaftung vom 1.10.42 hatte sich für die deutschen Belange in Dänemark eine untragbare Lage daraus ergeben, daß das einzige Konto für das Verlagerungskontingent in Dänemark, Nr. 9810, im 2. Kontenplan der Eisen- und Metallverrechnungsstelle abweichend von der 1. Ausgabe mit "Fälleskontoret for Jern og Metal" bezeichnet worden war. Die bankmäßige Erledigung wäre W Stb Dän. damit genommen und eine dänische Organisation in die deutsche Eisen- und Metallverrechung eingeschaltet worden. – Hiergegen wurde sofort und mit voller Unterstützung des OKW Einspruch erhoben und der Gruppenleiter ZA/IbRo zur Vertretung der Belange des W Stb Dän. zum Rü Amt kommandiert. R. Wi. Min. nahm die Wiederumbenennung des Kontos Nr. 9810 am 28.10.42 vor.

Die gleichzeitig von W Stb Dän. beantragte Ernennung eines "Bevollmächtigten der Eisen- und Metallverrechnungsstelle der Rüstungskontor GmbH" für Dänemark wurde zunächst abgelehnt und erst nach wiederholten Verhandlungen seitens OKW und W Stb Dän. am 13.10.42 von der Eisen- und Metallverrechnungsstelle der Rüstungskontor GmbH verfügt. – Dr. Ing. Pfautsch vom W Stb Dän. wurde zum Bevollmächtigten ernannt (Anlage 3a u. 3b).

Damit waren die für die Eisen- und Metallbewirtschaftung in Dänemark notwendigen Voraussetzungen geschaffen.

IV. Holzversorgung

Die Holzversorgung für das IV/42 bereitete besondere Schwierigkeiten. Dem W Stb Dän. standen durch Vorgriff auf das I/43 im IV/42 nur noch 10.000 cbm Holz für die Durchführung der Aufträge der Besatzungstruppen in Dänemark zur Verfügung. Dieses Kontingent reichte aber wegen der Befestigungsbauten an der Westküste bei weitem nicht aus, um den Bedarf der Besatzungstruppen zu decken. Die in Frage kommenden Dienststellen wurden deshalb aufgefordert (Anlage 4a), ihren Bedarf anzugeben. W Stb Dän. legte diesen Voranschlag mit Schreiben vom 10.10.42 (Anlage 4b dem OKW/Wi Amt vor.

Am 26.10.42 traf Amtsrat Büttner vom OKW/Wi Amt bei W Stb Dän. ein, um mit W Stb Dän. und den Dienststellen der Besatzungstruppen über den dringendsten Holzbedarf zu verhandeln (Anlage 4c).

OKW/Wi Amt gab W Stb Dän. mit Schreiben vom 5.11.42 (Anlage 4d) davon Kenntnis, daß für die in Dänemark im IV/42 auszuführenden Bauvorhaben 30.000 cbm zur Verfügung gestellt werden.

V. Zementbeschaffung für die OT

Die Organisation Todt, Oberbauleitung Dänemark, berichtete am 12.10.42 (Anlage 5a), daß für die Befestigungsanlagen in Jütland bis zum 30.4.42 für 400.000 cbm Beton rd. 166.000 to Zement beschafft werden müssen und für die Herstellung dieser Zementmenge 60.000 to Kohle benötigt werden.

W Stb Dän. gab hiervon mit Schreiben vom 17.10.42 dem OKW/Wi Amt Ro Kenntnis.

Die von OKW/Wi AMT/Ro IV in Erwägung gezogene Beistellung des Zements in natura wurde von W Stb Dän. als unzweckmäßig bezeichnet, und zwar

1.) wegen der unverhältnismäßig hohen Beanspruchung von Frachtraum,

2.) wegen der relativ großen Verluste, die beim Transport von Zement eintreten (Beschädigung oder Aufplatzen der Säcke, Beschädigung durch Wasser, usw.),

3.) wegen der schlechten Verteilungsmöglichkeit, während der Abruf von den hiesigen Zementfabriken die beste Lösung darstellt,

4.) wegen der Belastung der Transportmittel innerhalb des Reiches, da ja auch die deutschen Zementfabriken mit Kohle beliefert werden müssen und daher eine doppelte

JANUAR 1943

Frachtraumbeanspruchung notwendig ist.

Der Beauftragte für den Vierjahresplan, Generalbevollmächtigter für die Regelung der Bauwirtschaft, Reichsminister Speer, entschied mit Schreiben M. ZZ.5428 GB. Bau 693/Z5 vom 7.12.42 an OKW/Wi Amt, daß der benötigte Zement in den dänischen Zementwerken hergestellt und die hierzu erforderliche Kohle aus dem Reichsgebiet vordringlich zur Verfügung gestellt werden soll.

Die Lenkung der Versorgung wird einheitlich bei der OT-OBL Dänemark in Kopenhagen zusammengefaßt und die hierzu erforderlichen Maßnahmen durch deren Oberbauleiter Reg. Baurat Melms veranlaßt. Er bestimmt, welche militärischen Bauvorhaben in Dänemark mit Zement zu versorgen sind und in welcher Höhe die Belieferung zu erfolgen hat. Das OKW/Wi Amt wird sämtliche Wehrmachtteile in Dänemark dahin verständigen, daß die Auslieferung von Zement an die Zustimmung des Reg. Baurat Melms gebunden ist und veranlassen, daß der Bedarf ausschließlich beim W Stb Dän. anzumelden ist. W Stb Dän. gibt diese Anmeldungen an den Oberbauleiter der OT-OBL Dänemark weiter.

VI. Anordnung des Befehlshabers der deutschen Tr[upppen] in Dän[emark]
General der Inf. von Hanneken erließ am 13.11 den in Anlage 6a beigefügten Befehl betr. Beschlagnahmungen und Requisitionen in Dänemark.[5]

VII. Marinerohstoffstelle
Am 20.11.42 fanden Verhandlungen mit Kapitän zur See Mommsen, OKW/M Rü V, betr. Verwaltung sämtlicher für den Raum Dänemark zugewiesenen Marinekontingente, bei W Stb Dän. Statt.

Der neu eingesetzte Oberwerftstab Dänemark hatte die Verwaltung sämtlicher Marine-Kontingente beansprucht. Dagegen erhob W Stb Dän. Einspruch.

Nach einer späteren Rücksprache mit dem K-Amt wurde von M Rü V entschieden, daß die Verwaltung sämtlicher für den Raum Dänemark zugewiesenen Marine-Kontingente beim W Stb Dän., Abt. Marine, verbleibt. Durch W Stb Dän., Abt. Marine, werden dem Oberwerftstab die für seinen Bereich zugewiesenen Kontingente quartalsweise zur freien Verfügungsberechtigung übergeben, sodaß der Verbrauch dieser Kontingente ausschließlich nach Ermessen des Oberwerftstabes erfolgt.

Um die Marinerohstoffstelle beim W Stb Dän. gegenüber den sonstigen Aufgaben der Abt. Marine auch äußerlich zu kennzeichnen, gab W Stb Dän. sein Einverständnis, daß die Marinerohstoffstelle ihren Schriftwechsel unter dem Briefkopf "Wehrwirtschaftstab Dänemark. Marinerohstoffstelle" führt.

VIII. Einschaltung der dänischen Firma Philips für Rüstungszwecke
Am 1.12.42 fand in dieser Angelegenheit eine Besprechung statt, an der teilnahmen:
Direktor Heine   als Beauftragter des Reichsmarschalls (Industrierat),
Dr. Nolte   Treuhänder der holländischen Phillips,

---

5 WB Dänemark befalede, at der ikke måtte foretages selvstændige beslaglæggelser eller rekvisitioner af dansk stats- eller privatejendom. Forbuddet gjaldt ikke, hvis det kom til kamphandlinger.

Oberstleutnant Sell	vom R.L.M.,
Reg. Rat Dr. Meulemann	beim Bevoll. d. Reiches, Beauftr. f. Wirtschaftsfragen,
Kapitän zur See Dr. Forstmann	Chef WStb Dän.,
Major Kuhlmann	Abt. Leiter Luftw., W Stb Dän.

Dr. Heine legte dar, daß der gesamte Phillips-Konzern für ein spezielles gerät (Funkmeß-gerät) für die Luftwaffe eingeschaltet werden solle. Infolgedessen sei es auch notwendig, die dänische Firma, die zu fast 100 % im Eigentum der holländischen Mutterfirma stehe und sich bisher noch von Rüstungsaufträgen ferngehalten habe, mit einzusetzen. Die Anforderungen würden die gesamte Kapazität der dänischen Tochtergesellschaft in Anspruch nehmen, es sei jedoch die Frage zu stellen, ob und in welchem Umfang man eine Fabrikation für zivile dänische Zwecke (im wesentlichen Rundfunkgeräte) zulassen könne. Ergänzend teilte Dr. Heine mit, daß eine Einflußnahme auf die zivile Fertigung des Phillips-Konzerns in der Form beabsichtigt sei, daß der gesamte Röhrenexport, der von Deutschland und Holland aus nach Dänemark gehe, gedrosselt würde.

Der Beauftragte für Wirtschaftsfragen beantwortete die Frage, ob und in welchem Umfange eine zivile Fertigung der Firma Philips gestattet werden soll, dahin, daß gegenüber den klaren Forderungen des Reichsmarschalls keine Wünsche von ihm zu erheben wären, und daß die Firma soweit irgend möglich für deutsche Zwecke eingespannt werden könne. Da man die Kapazität der dänischen Firma Philips für die zivile Fertigung mit rd. 25-30 % bezeichnen könne, sei es aber immerhin möglich, andere dänische Firmen zur Versorgung des zivilen Marktes in größerem Masse heranzuziehen.

Die dann folgenden Besprechungen bei der Direktion der dänischen Firma Philips ergaben, daß diese voll und ganz bereit ist, den gestellten Wünschen zu entsprechen, und daß nunmehr unverzüglich mit den Vorbereitungen zur Aufnahme der Produktion begonnen werden kann.

IX. Ablauf des Übergangs von der alten Eisen- und Metall-Bewirtschaftung zur "Neuordnung"
Anläßlich der "Neuordnung" gem. Anordnung E I der Reichsstelle für Eisen und Stahl vom 13.6.42 sollten die Eisen- und Stahlmengen eingespart werden, die über die Gesamterzeugungsmöglichkeit hinaus angefordert worden waren.

Gem. Anordnung E I 1, §17, mußte ggf. eine Nachkontingentierung erfolgen. Für nach Dänemark verlagerte Aufträge war diese Nachkontingentierung nur in geringem Umfang erforderlich, da für Walzwerkerzeugnisse – dem größten Teil der Eisen- und Stahl-Bestellungen – entsprechende Lieferfreigaben des R. Wi. Min. vorlagen. Dennoch verlangten die Walzwerke ab 1.10.42 neue Mengerechte. W Stb Dän. erhob hiergegen Einsprach, u.a. mit Schreiben vom 20.10.42 an R. Wi. Min. (Anlage IX a). R. Wi. Min. erklärte die Forderung der Werke am 27.10.42 für unberechtigt, stellte jedoch zunächst nur eine Restlieferfreigabe von 16.000 to statt 40.000 to zur Verfügung und forderte für alle übrigen Mengen die Nachkontingentierung seitens der Auftraggeber. W Stb Dän. mußte deshalb die noch schwebenden Aufträge ermitteln, die nicht mehr gedeckten feststellen und für ihre Nachkontingentierung eintreten. Der Stahlwerksverband erhöhte in weiteren Verlauf der Verhandlungen die Freigabe von sich aus auf rd. 25.000 to. Am 7.1.43 stellte W Stb Dän. fest, daß R. Wi. Min. von den Walzwerken jetzt die Auslieferung aller bis 30.9.42 ordnungsgemäß gebuchten Aufträge forderte. – Unberührt von dieser Verfügung blieben die nach dem 30.9.42 eingereichten Kontrollnummern und die "Fertigerzeugnisse," für die seitens der Werke neue Bezugsrechte gefordert werden dürfen.

Der Übergang zur "Neuordnung" bei den NE-Metallen vollzog sich glatt, da das alte Verfahren ausreichende Sicherheit dafür geboten hatte, daß die Materialbestellungen im Rahmen der Vorhandenen Bestände blieben.

Der Wortlaut der Anordnungen E I 2 und M I 2 hatte bezgl. des Versorgungskontingents bei den deutschen Firmen und selbst bei den Prüfungsstellen zur der Auffassung geführt, daß W Stb Dän. für die Ausstellung der Bezugsrechte zuständig sei. W Stb Dän. unternahm sofort Schritte beim R. Wi. Min., um diesen Irrtum klarzustellen.

X. Brennstoffversorgung Dänemarks
Am 4.12.42 ergab sich folgendes Bild:
1.) Kohlenversorgung der Gas-, Wasser- und Elektrizitätswerke.

In den Bereitschaftslägern der öffentlichen Versorgungsbetriebe lagern z.Zt. 240.000 to Kohle, eine Reserve für 1 Monat. Außerdem verfügen die Gas- und Elektrizitätswerke selbst über einen Vorrat für 14-15 Tage. Insgesamt ist also eine Reserve an Kohle für die öffentlichen Versorgungsbetriebe für 6 Wochen vorhanden, die bei längerer Eisperiode nicht ausreicht.

Bei eintretender Vereisung der dän. Häfen werden hiervon in erster Linie die Inseln betroffen, während Jütland über Land besser versorgt werden kann, wobei allerdings zu berücksichtigen ist, daß auch die Bahntransportschwierigkeiten im Winter wachsen und die Lieferung von Kohle aus den Ostgebieten nach Dänemark nicht ohne weiteres möglich ist.

Es ist zu überlegen, ob nicht in Dänemark die nichtlebenswichtigen Betriebe außer Kohlenversorgung gesetzt werden können. Jedenfalls muß im Winter bei der Auswahl der zu beliefernden Betriebe ein strenger Maßstab angelegt werden. – Die Dän. Regierung sagte zu, diese Frage überprüfen zu wollen, verspricht sich aber hiervon keine großen Ergebnisse. – Ferner wird dänischerseits immer mehr angestrebt, die Elektrizitätswerke auch auf Braunkohle umzustellen. – Schließlich soll dänischerseits durch geeignete Maßnahmen versucht werden, die Entnahme des elektr. Stromes zu drosseln.
2.) Kohlenversorgung der dänischen Staats- und Kleinbahnen.

Für die Staats- und Kleinbahnen wird am 1.1.43 nur noch ein Vorrat von 17-18.000 to Kohle vorhanden sein. Es besteht die Gefahr, den Eisenbahnverkehr ganz erheblich einschränken zu müssen, wenn die Kohlen aus Westfalen infolge der Transportschwierigkeiten während der Wintermonate nicht rechtzeitig eintreffen. Man hofft dänischerseits, den erforderlichen Monatsbedarf von 40.000 to für Dezember zu erhalten. – Tatsächlich ist also bei eintretender Vereisung der Häfen nur ein Bestand von 17.000 to vorhanden, der für etwa 12 Tage reicht.

Der Bevollmächtigte des Reiches in Dänemark hat in seinem Telegramm vom 4.12.42 an das Auswärtigen Amt Berlin eingehend über die Brennstoffversorgungslage berichtet[6] und um Veranlassung gebeten, daß

a.) die allgemeinen Läger um rund 100.000 to Kohle aufgefüllt werden und daß

b.) Lieferung möglichst noch im Laufe des Dezember erfolgt, wofür dänischer Schiffsraum ausreichend zur Verfügung steht.

Ein Aktenvermerk über die oben geschilderte Kohlenversorgungslage und eine Abschrift des Telegramms des Bevollmächtigten wurden von W Stb Dän. dem OKW/Wi Amt/ Ro mit Schreiben Nr. 2061/42 vom 5.12.42 mit der Bitte um Kenntnisnahme und Unterstützung vorgelegt.

XI. Fertigung von Heeresgerät

Im 4. Quartal 1942 haben die Fertigungen für OKH in den einzelnen Produktionsstätten wesentliche Fortschritte gemacht.

Anlaufschwierigkeiten bei einer Reihe von Aufträgen in den dänischen Firmen konnten in Zusammenarbeit mit den OKH-Beschaffungsstellen, den Ausschüssen und den deutschen Verlagerungsfirmen überwunden werden.

Durch Einflußnahme auf die dänischen Verlagerungsfirmen wurde die Heranziehung von kleineren, bisher wenig beschäftigten Firmen, die für eine direkte Auftragserteilung nicht in Frage kommen, für eine indirekte Verlagerung mit Erfolg betrieben. Das Ergebnis der im Laufe des Jahres 1942 aufgewendeten Bemühungen kam in einem erhöhten Ausstoß bei vermindertem Ausschuß zum Ausdruck. Dagegen litt die Fertigung unter den Schwierigkeiten in der Rohstoffbeschaffung und der Beistellung von Vorrichtungen und Werkzeugen.

XII. Bau von Kriegs-Fischkutter-Motoren Demag-Type SRB 45 in Dänemark

OKM erteilte im Oktober 1942 den Auftrag, den Bau von Kriegs-Fischkutter-Motoren Demag-Type SRB 45 in Dänemark unterzubringen. An der Durchführung dieses Programms ist dem OKM außerordentlich viel gelegen. Nach sehr eingehenden technischen Untersuchungen und Verhandlungen unter Mitwirkung der Abt. Marine erklärten sich die beiden Kopenhagener Firmen A/S Atlas Maschinenfabrik und A/S Völund grundsätzlich bereit, diesem Projekt näherzutreten und die Fertigung des Motors in enger Zusammenarbeit mit der Fa. Demag-Motorenwerke A.G. aufzunehmen. Die Forderung des OKM geht dahin, daß eine Auslieferungszahl von 20 Stück Motoren je Monat angestrebt werden soll. In dieser Angelegenheit fanden wiederholt Besprechungen und Untersuchungen in Kopenhagen statt, an denen sich zweimal der Amtschef K II des OKM Min. Dir. Brandes, persönlich beteiligte. Außerdem wurden die verantwortlichen Betriebsingenieure der beiden Firmen nach Darmstadt geschickt, um die Fertigung der Motoren dort zu studieren.

Nach Abschluß der vorbereitenden Verhandlungen und Klärung einiger noch offener Fragen ist mit dem Abschluß der endgültigen Verträge zu rechnen und anzunehmen, daß bei normalem Ablauf die Auslieferung der ersten Motoren im August 1943 erfolgen kann.[7]

---

6 Se Bests telegram nr. 1828, 4. december 1942.

7 Der blev 20. januar 1943 indgået to kontrakter (nr. 6120 og 6121) med Vølund om levering af motorer og dele dertil i et mere beskedent omfang (for 140.000,- d.Kr.) (BArch, Freiburg, RW 19, Wi I E1: Dänemark 6).

XIII. Heranziehung der dänischen Radio-Industrie

Die dänische Radio-Industrie hatte bisher fast ausschließlich für den innerdänischen Bedarf gearbeitet. Allmählich jedoch geriet die Fabrikation der Rundfunkindustrie durch Röhrenmangel ins Stocken. Abt. Luftw. hatte mehrfach beim RLM auf diesen Zustand aufmerksam gemacht und vorgeschlagen, diese Lage zur Entlastung deutscher Firmen auszunutzen. Zur Prüfung dieser Angelegenheit kam in der Zeit vom 1.-11. Dezember eine Kommission der zuständigen Fachabteilungen des RLM und verschiedener deutscher Firmen nach Dänemark. Die gesamte dänische Nachrichtenmittel-Industrie wurde hierbei untersucht und ein Plan zur rationellen Ausnutzung der freien Kapazität aufgestellt. Es ist beabsichtigt, jeweils verschiedene dänische Betriebe durch einen deutschen Auftraggeber zu steuern, indem dieser eine Arbeitsgemeinschaft mehrerer dänischer Unternehmen bildet. Es wird ferner angestrebt, die Einzelfertigung in Dänemark auf deutsche Einheitsnormen umzustellen, um so allmählich zu einer vollen Ausnutzung der dänischen Nachrichtenmittel-Industrie zu gelangen.

XIV. Beschäftigung der dänischen Konfektionsfabriken

Die verhältnismäßig leistungsfähige Konfektionsindustrie Dänemarks wurde auch im IV. Quartal 1942 in größerem Umfange durch das Heeresbekleidungsamt Stettin und das Marinebekleidungsamt Kiel mit Aufträgen im Anfertigen von Uniformen laufend beschäftigt. Infolge Mangels an eigenem Verarbeitungsmaterial ist die freie Fertigungs-Kapazität der dänischen Konfektionsfabriken in den letzten Monaten immer größer geworden. Diese zusätzlich frei gewordene Fertigungskapazität wurde den Bedarf der Wehrmacht nicht beansprucht, weshalb die dänischen Konfektionsfabriken neben der Belegung mit Wehrmachtaufträgen auch wieder mit Aufträgen im kriegswichtigen zivilen Sektor belegt wurden. Hierbei hat es sich im vollen Masse bewährt, daß mit Zustimmung von OKW/Wi Rü Amt und im Einvernehmen mit dem Reichswirtschaftsminister dem W Stb Dän. die Aufgaben einer Zast übertragen sind, sodaß ohne weiteren zusätzlichen Verwaltungs-Apparat die Aufträge im kriegswichtigen zivilen Sektor neben den Wehrmachtaufträgen reibungslos untergebracht werden können. Interessenkonflikte bei der Unterbringung von Wehrmachtaufträgen und von Aufträgen des zivilen Sektors in den gleichen dänischen Fabriken waren durch die gleichzeitige Betrauung des W Stb Dän. mit den Aufgaben einer Zast von vorneherein ausgeschaltet, Doppelarbeit konnte vermieden und den Dänen gegenüber eine einheitliche Steuerung gewährt werden.

Forstmann

63. Friedrich Kritzinger: Vermerk 5. Januar 1943

Rigsarbejdsfører Konstantin Hierl ønskede at oprette en arbejdstjeneste i Danmark og i den forbindelse at træde i direkte forbindelse med den rigsbefuldmægtigede. Han lod derfor en henvendelse ske til Rigskancelliet, hvor statssekretær Kritzinger behandlede sagen og rådede til, at der blev rettet skriftlig henvendelse til Rigskancelliet.

Se Hermann von Stutterheims notat 8. januar 1943, Weizsäcker til Hierl 18. februar og Hierl til AA 23. februar med henvisninger til den følgende korrespondance (Hierl havde 20. september 1942 henvendt sig til Hitler i samme sag, trykt ovenfor. Hierls initiativ skal ses i sammenhæng med hans samarbejde med

SS, hvor igennem han så muligheden for at øge sit virkefelt. Berger kunne 16. januar 1943 skrive til RFSS: "Reichsarbeitsführer Hierl hat mir persönlich mitteilen lassen, daß er in allen politischen Fragen in den germanischen Ländern sich in jeder Weise nach Reichsführer-SS richten werde." (*De SS en Nederland*, 2, 1976, nr. 297. Se endvidere Berger til RFSS 15. februar 1943, sst. nr. 335). Hierl havde ikke alene valgt side, men også valgt at underkaste sig SS for at opnå en vis indflydelse. På den baggrund var det klart, at der ikke var lagt op til et samarbejde med DNSAP om en arbejdstjeneste.

Kilde: BArch, R 43 II/1430. LAK, Best-sagen (dansk oversættelse).

Abschrift

Zu Rk. 121 D/B   *Berlin, den 5. Januar 1943*

Betrifft: Stellung des Bevollmächtigten des Deutschen Reichs bei der Dänischen Regierung.

1.) Vermerk:
Heute suchte mich Oberstarbeitsführer Müller-Brandenburg, der Leiter der Abteilung für auswärtige Angelegenheiten beim Reichsarbeitsführer, auf, um sich über die Stellung des deutschen Bevollmächtigten in Dänemark zu unterrichten. Herrn Müller-Brandenburg führte folgendes aus:

Der Reichsarbeitsführer habe in Norwegen und Holland in Fühlungnahme mit den Reichskommißaren einen Arbeitsdienst eingerichtet, der unabhängig von den dortigen nationalsozialistischen Bewegung (Quisling, Mussert) aufgezogen sei und außerordentlich gut funktioniere. Besonders die Trennung von den innenpolitischen Bewegungen der Länder habe sich sehr bewährt. In Dänemark habe man wegen der Einrichtung eines Arbeitsdienstes schon vor längerer Zeit mit dem Auswärtigen Amt Fühlung genommen. Das Auswärtige Amt habe verlangt, daß der Arbeitsdienst im Zusammenhang mit der Bewegung Clausen organisiert werde.[8] Daraus hätten sich erhebliche Schwierigkeiten ergeben. Nachdem jetzt der deutsche Gesandte in Dänemark abberufen und ein deutscher Bevollmächtigter in Dänemark eingesetzt worden sei, hätte der Reichsarbeitsführer den Wunsch, mit diesem wegen der Organisation des Reichsarbeitsdienstes unmittelbar in Verbindung zu treten. Er wolle sich jedoch zunächst vergewissern, ob das zulässig sei.

Ich habe Herrn Müller-Brandenburg erwidert, daß der neue deutsche Bevollmächtigte zwar nicht mehr diplomatischer Vertreter sei, aber vom Auswärtigen Amt ressortiere. Seine Stellung sei m.W. noch nicht endgültig geklärt. Ich würde empfehlen, daß der Reichsarbeitsführer sich mit seinem Wunsch schriftlich an den Herrn Reichsminister und Chef der Reichskanzlei wende. Herr Müller-Brandenburg wird dies dem Reichsarbeitsführer vorschlagen.

2.) Herrn Reichsminister gehorsamst mit der Bitte um Kenntnisnahme.
gez. Dr. Lammers 5.1.[43.]
3.) Herrn Hermann von Stutterheim ergebenst.
gez. von Stutterheim 6.1.[43.]

gez. Kritzinger

---

8 DNSAP havde sin egen arbejdstjeneste, Landsarbejdstjenesten, som partiet først i september 1943 slap grebet om (Lauridsen 2002a, s. 515).

64. Fritz von Twardowski an Werner Best 6. Januar 1943

Der havde været møde i AA om standsningen af nybyggeriet af den tyske St. Petri Skole i København. Alle de interesserede havde været enige om, at alle muligheder for at skaffe midler skulle prøves, før byggeriet blev stoppet. Det ville påvirke Tysklands anseelse både i Danmark og Norden. Derfor skulle Best ikke meddele et byggestop og trække eventuelle givne erklæringer derom tilbage.

Twardowski havde 5. januar skrevet et længere svar til Best, som ikke blev afsendt. Det var skrevet forud for det afholdte møde i AA og gengiver givetvis de synspunkter, han fremsatte på mødet, og som også delvist er indeholdt i telegrammet til Best.

Som det fremgår af et mødereferat i AA 19. februar 1943 (pk. 290), lykkedes det ikke at skaffe midler til nybyggeriets videreførelse. I stedet blev byggeriet fuldstændig indstillet, og bygningen, der var under tag, blev nødtørftigt sikret for at modstå klimaet. Se herom Best til AA 10. marts 1943.

Kilde: RA, pk. 290 (koncept).

Telegramm i.Z.

Berlin, den   6. Januar 1943

Diplogerma Kopenhagen Nr. 11

Im Nachgang zu Telegramm Nr. 2287 vom 18. Dezember.[9]

Im Auswärtigen Amt stattfand heute Sitzung aller interessierter Stellen über beabsichtigte Einstellung Schulneubaues. Übereinstimmende Auffassung geht dahin, daß völlige Einstellung des Schulneubaues im gegenwärtigen Zeitpunkte eine derartig propagandistisch und politisch ungünstige Wirkung nicht nur in Dänemark sondern im ganzen Norden auslösen kann, daß dieser Entschluß erst gefaßt werden sollte, wenn sich herausstellt, daß keine ~~andere~~ Möglichkeit besteht, die an sich geringen notwendigen Kronenbeträge zu beschaffen. ~~Dieser Auffassung schließe ich mich an.~~

Wenn eine Umschichtung auf Kronenkonto IV unter gar keine Umständen möglich erscheint, so sind noch folgende Wege vielleicht ~~noch~~ gangbar, wobei davon ausgegangen wird, daß 500.000 Kronen unter allen Umständen bereitgestellt werden müssen, um die aus einer Baueinstellung resultierenden Verpflichtungen abzudecken.

1.) Zur Verfügungstellung von ca. 2-300.000 Kronen gegen Reichsmark (ev. zu einem bevorzugten Kurse) seitens der reichsdeutschen Gemeinschaft.

2.) Aufnahme einer größeren Hypothek, die den Schulbau sicherstellt, durch den Schulverein als dänische Korporation.

3.) Verhandlungen mit der Dänischen Regierung um die für den Schulbau notwendigen Devisen außerhalb aller sonstigen Kreditabmachungen aus kulturpolitischen Gründen zur Verfügung zu stellen. Derartige Verhandlungen haben im Herbst mit Ungarn schnell und reibungslos zu vollem Erfolge geführt.

4.) Aufnahme eines Unternehmerkredits durch den dänischen Bauunternehmer mit hypothekarischer Sicherung.

Ich bitte um baldige Stellungnahme und bitte etwa bereits erfolgte vorsorgliche Kündigungen vorläufig zurückzuziehen.

Twardowski

---

9 Telegrammet er ikke lokaliseret.

65. Ewald Lanwer an das Auswärtige Amt 6. Januar 1943

Konsul Lanwer sendte AA to eksemplarer af det foredrag, han havde holdt forud i AA. Begrundelsen synes ikke mindst at have været, at Martin Luther ikke havde været til stede, og Lanwer ønskede, at han blev gjort bekendt med, hvad der var blevet udtalt. Han skildrede de problemer, der havde været i det tyske mindretal siden april 1940, ikke mindst for dets ledelse, da en grænseændring ikke længere kunne stå på programmet. Nu havde mindretallet imidlertid overtaget den stortyske ide, og mindretallet var nu selve den bro, der kunne vinde danske folk for den stortyske ide. Et udtryk for det var, at der var sket en forbedring i forholdet til DNSAP.

Ewald Lanwer var tysk konsul i Åbenrå juni 1940-juli 1943.
Kilde: PA/AA R 100.355. PKB, 14, nr. 99.

Deutsches Konsulat   *Apenrade, den 6. Januar 1943*
Gesch. Z.: J. Nr. 34

An Herrn LR Dr. Reichel,
    Auswärtiges Amt.

Lieber Herr Reichel!
Anbei übersende ich wunschgemäß eine Notiz, die meine Ausführungen auf der letzten Besprechung der Volkstumsreferenten im Auswärtigen Amt in Berlin zusammenfaßt. Ich gehe davon aus, daß die Notiz als vertraulich behandelt wird.

Für den Fall, daß Herr Staatssekretär Luther, der am ersten Tage der Besprechungen nicht zugegen war, meine Ausführungen zu lesen wünscht, lege ich ein weiteres Exemplar bei.

Mit freundlichen Grüßen und

Heil Hitler!
Ihr gez. **Lanwer**

Vertraulich.

Zusammenfassung
meiner mündlichen Ausführungen auf der Besprechung der
Volkstumsreferenten im Auswärtigen Amt.

Die Volksgruppe Nordschleswig (ca. 35.000 Köpfe, etwa 16 % der Bevölkerung Nordschleswigs und weniger als 1 % der gesamten Bevölkerung Dänemarks) hat seit der Abtretung Nordschleswigs vom Reich nie jene Schikanen pp. seitens des Staatsvolkes zu erdulden gehabt, wie das in den anderen europäischen Volksgruppen die Regel war. Der dänische Volkstumsgegner ließ sich im allgemeinen von der klugen Erkenntnis leiten, daß durch Druck und rigorose Maßnahmen lediglich der organisierte Widerstand der Volksgruppe und ihre Sammlung zu einer geschlossenen Einheit herbeigeführt wird. Mit viel Geschick führte er daher den Volkstumskampf mit "vornehmeren" Mitteln, die aber im Endziel erfolgreicher sein sollten und für das Deutschtum gefährlicher sein konnten. Dieses dänische Vorgehen fußte vor allem auch auf der Tatsache, daß Deutsche und Dänen in Nordschleswig sich weder hinsichtlich der Rasse, der Abstammung, des Kulturniveaus, der Konfession und zu einem großen Teil auch nicht hinsichtlich der Haussprache unterscheiden. Solche Voraussetzungen gaben den dänischen Volkstumspolitikern die Hoffnung, durch eine geschickte Kampfmethode den deutschen Volksteil allmählich *aufzusaugen*. Diese dänische *Aufsaugungsparole* – wie sie in offiziellen dänischen Kreisen wiederholt formuliert worden ist – war das Leitmotiv der volksgruppenfeindlichen Maßnahmen. Während man auf zahlreichen Gebieten, vor allem in kultureller Hinsicht, dem Deutschtum weitgehende Freiheiten gewährte, half man der "Aufsaugung" etwas kräftiger nach auf dem wirtschaftlichen Sektor, wo die Volksgruppe infolge der *dänischen Kreditpolitik* mit anschließenden Zwangsvollstreckungsverfahren im Laufe der Jahre große Flächen deutschen Bodens und infolge des *dänischen Boykotts* im Einzelhandel, Gewerbe und Handwerk mehr und mehr an wirtschaftlichem Lebensraum verloren hat, sodaß sie zahlenmäßig durch Abwanderung zurückging und wirtschaftlich teilweise verarmte. Der wesentliche Inhalt des volksdeutschen Abwehrkampfes gegen die dänische Aufsaugungspolitik bestand somit in der Schaffung von geeigneten Schutzmaßnahmen für den Bodenkampf sowie gegen die Beeinträchtigung des wirtschaftlichen Lebensraumes der Volksgruppe schlechthin, denen entsprechende öffentliche Anklagen gegen den Staat parallel liefen. Neben diesen beiden abwehrmäßig bedingten Parolen, die sich wie ein roter Faden durch 2 Jahrzehnte Volkstumsringens hindurchziehen, stand als offensive *politische* Kampfparole, ausschließlich die Grenzrevisionsforderung, die Jahr für Jahr auf sämtlichen Veranstaltungen, in allen Verlautbarungen der volksdeutschen Presse usw. und bei jeder Gelegenheit hervorgehoben wurde, in einem solchen Masse im Vordergrund, daß die oben erwähnte Abwehr dänischer Methoden demgegenüber fast abfiel.

Diese zwei Jahrzehnte geführte "Volkstumspolitik" stand im Jahre 1940 – nach der Besetzung Dänemarks durch die deutschen Truppen – auf ihrem Höhepunkt, als z.B. am 9. April unerlaubterweise volksdeutscherseits auf dänischen Gebäuden und Kirchtürmen die Hakenkreuzflagge gehißt wurde, und als sich zum 28. Juni (dem Tag des Abschlusses des Versailler Diktates) aufgrund eines offiziös seitens der Volksgruppenführung geförderten Gerüchts die gesamte Volksgruppe für die Rückkehr Nordschleswigs zum Reich mit Fahnen versorgte.[10] In dieser "Hochstimmung" trat ich im Juli 1940 mein Amt als Leiter des Konsulats in Apenrade an mit Weisungen des, Auswärtigen Amts, die eine sofortige, radikale Wendung der bisherigen Volksgruppenpolitik verlangten. Es galt, die Volksgruppe nach der reichsdeutschen Großpolitik auszurichten, die folgende Forderungen erheben mußte:

a.) Aufgrund des deutscherseits dem dänischen König überreichten Aprilmemorandums sowie vor allem aufgrund der außenpolitischen Gesamtlage mußte in der Volksgruppe die zwanzig Jahre leidenschaftlich proklamierte Forderung nach einer Revision der Grenze sofort und restlos verschwinden. Nicht nur in öffentlichen Verlautbarungen, sondern auch auf den zahlreichen Volksgruppenveranstaltungen und selbst in geschlossenen Amtswalterbesprechungen konnte von jetzt ab keinerlei Diskussion über die Grenze geduldet werden.

b.) Die militärische und politische Lage verlangte unbedingte Ruhe und Ordnung im

---

10 Se herom Lauridsen 2008b med der anf. henvisninger.

Grenzgebiet. Trotz des psychologischen Auftriebs, den die Volksgruppe durch die Besetzung erhielt, war weitgehende Mäßigung im Volkstumskampf eine Pflicht, die selbst die bisherigen Abwehrparolen nicht mehr im vollen Umfange zulassen konnte.

c.) Für jede *politische* Tätigkeit der Volksgruppenführung mußten künftig die Richtlinien seitens der Führung der reichsdeutschen Großpolitik abgewartet werden.

Diese drei Grundforderungen, die eine Revolutionierung der Gesamthaltung der Volksgruppe bedeuteten, waren nunmehr bei einer Volksgruppenführung durchzusetzen, die bis dahin eine sehr selbständige Politik ohne Tuchfühlung mit dem Konsulat und ohne maßgeblichen Einfluß seitens der Volksdeutschen Mittelstelle geführt hatte. Zunächst war es nötig, den Kreis der Volksgruppenführung bis zum letzten höheren Amtswalter auf das neue Geleise umzustellen, um alsdann durch sie die Volksgruppe in ihrer Gesamtheit nach den neuen Zielen ausrichten zu lassen. Die Wege, die ich einschlug, sind mannigfacher Art und hier nicht weiter von Bedeutung. Ich wählte u.a. den unmittelbaren Weg des persönlichen Kontaktes mit allen Amtswaltern in allen fünf Kreisen Nordschleswigs. Bei diesen Gelegenheiten, vor allem aber bei vielen in kürzeren Zeitabständen in meinem Hause stattfindenden größeren und kleineren gesellschaftlichen Zusammenkünften der Amtswalter, bei Besuchen fast aller größeren volksdeutschen Veranstaltungen in Nordschleswig usw., ergab sich sehr bald, daß bei der sturen Eigenwilligkeit des hiesigen Volksschlags nur mit Ausdauer und großer Geduld langsam eine Wandlung durchzusetzen war. Fast ein Jahr haben Konsulat, Gesandtschaft und auch Volksdeutsche Mittelstelle sich bemühen müssen, bis wenigstens die Amtswalter, von der Notwendigkeit der neuen Richtlinien völlig und ausnahmslos überzeugt und imstande waren, eine neue Volksgruppenpolitik ihren Volksgruppenangehörigen auf den Veranstaltungen zu predigen, sodaß im Jahre 1941 die erwünschte innere Neuausrichtung der Volksgruppe im Großen und Ganzen erreicht war.

Während dieser Bemühungen war bald spürbar, daß der Volksgruppe, die zu ihren bisherigen Lieblingsthemen nunmehr schweigen sollte, neue Parolen gegeben werden mußten, da ein auf Kampf eingestellter Organismus ohne aktive Bewegung auf die Dauer zum Krebsgang verurteilt ist und verkümmern muß. Rechtzeitige Überlegungen zusammen mit der Gesandtschaft und Vertretern der Volksdeutschen Mittelstelle führten dazu

a.) als besonders wichtige Zukunftsaufgabe die innere Festigung des Deutschtums im nationalsozialistischen Geist und den weiteren Ausbau volksdeutscher Positionen auf allen Gebieten zu proklamieren, während außerdem

b.) die Volksgruppenführung von sich aus als weitere neuere Parole den "Dienst am Deutschen Volk" in den Vordergrund stellte.

Diese von der Volksgruppe mit großer Aktivität befolgten Richtlinien führten zu recht bedeutsamen geistigen und organisatorischen Wandlungen. Die Konzentration und Anspannung aller Volkstumskräfte erzielte eine gewaltige Neu- und Umorganisation des Volkstumslebens auf allen Lebensgebieten im Sinne einer völligen Angleichung an den Geist und die Lebensformen des nationalsozialistischen Reiches. Mit dieser inneren und organisatorischen Umprägung gingen zahlreiche Schulgründungen und Schulbauten, die Errichtung neuer Kindergärten u.a. sowie die Erfassung und Betreuung verschüt-

JANUAR 1943

teten Deutschtums und zahlreicher "Unentschiedener" (schwebendes Volkstum) Hand in Hand. Der zur moralischen Pflicht erhobene "Dienst am Deutschen Volk" hatte die Einordnung sämtlicher Belange unter das gesamtdeutsche Schicksal zur Folge und wirkte sich aus in der Gestellung von bisher ca. 1.500 Kriegsfreiwilligen sowie von mehreren tausend Arbeitern für Fliegerhorste, Bauplätze der Wehrmacht und sonstige wehrwirtschaftlich wichtige Betriebe. Ähnlich wurden die Arbeiten der Landesbauernschaft und der in den "Deutschen Berufsgruppen" organisierten wirtschaftlichen Kreise auf die Erfordernisse der Versorgungslage des Reiches bzw. auf die Notwendigkeiten deutscher Kriegswirtschaft ausgerichtet. Als weitere Hilfsdienste entstanden eine laufende Verwundetenbetreuung in einem reichsdeutschen Grenzlazarett, eine eigene Wehrmachtsverpflegungsstelle im Bahnhof Fredericia, die Aufnahme von jährlich mehreren Tausend reichsdeutschen NSV Kindern, zahlreiche Spenden wie Woll-, Metall-, Geschirr- und Porzellanspenden usw.

Hatte somit die Volksgruppe aufgrund der neuen Parolen ein gewaltiges neues Betätigungsfeld gefunden und mit großer Begeisterung unerhörte Aktivität entfaltet, so war damit dennoch den politisch interessierten Amtswaltern und Volksgruppenangehörigen kein hinreichender Ersatz gegeben für die wegfallende Grenzrevisionsforderung, deren frühere Erörterung eine laufende Beschäftigung mit ausgesprochen politischen Angelegenheiten und einen Betätigungsdrang auf politischem Gebiet herbeigeführt hatte. Es leuchtet ein, daß Versammlungsreden und Zeitungsartikel eine Volksgruppe, die sich bisher zwar mit Grenzpolitik aber jedenfalls mit Politik befaßt hatte, nicht befriedigten, wenn nicht außer den Tageserscheinungen der Volkstumsarbeit auch politische Dinge berührt werden konnten. Es hätte nahe gelegen, die politische Idee der großgermanischen Einheit zu behandeln. Aber diese wurde *damals noch* in den breiten Schichten des Deutschtums als "blonder Fimmel" sehr abgelehnt, wohl weil man sie als den stärksten Feind einer Grenzrevision ansah. Um das durch die Zurückstellung der bisher üblichen politischen Erörterung entstehende Vakuum auszufüllen und der politisch nun einmal außerordentlich interessierten Volksgruppe ein Ventil zu geben, wurden ihr nachträglich kleine politische Aufgaben genehmigt, die sie sich in ihrer "Zwangslage" nach und nach selbstständig gegeben hatte. – Es war z.B. außenpolitisch nichts dagegen einzuwenden, wenn man sich in der ersten Zeitperiode öffentlich als *Wächter deutscher Ehre* mit Herabsetzungen des Führers, des Reiches, der Wehrmacht, des Hakenkreuzes, der nationalsozialistischen Weltanschauung usw. auseinandersetzte, die im nachbarschaftlichen Gemeinschaftsleben noch vielfach beobachtet werden konnten. Hier war die Volksgruppe eine wertvolle Hilfe und Unterstützung für die Gesandtschaft. – Aus dieser politischen Abwehrfunktion wurde allmählich *eine Art von negativer Nordenpolitik*, d.h. eine offizielle Rede- und Pressetätigkeit mit dem Ziele, unversöhnliche Gegner einer großpolitischen Verständigung und geistige Saboteure am deutsch-dänischen Verhältnis anzuprangern und nach Möglichkeit durch deutsche Einwirkung kaltstellen zu lassen. Das gesamte innerdänische Leben in der Öffentlichkeit und "hinter verschlossenen Türen" wurde mittels eines nicht schlecht organisierten Nachrichtendienstes vom Scheinwerferlicht volksdeutscher Kritik erfaßt und scharfe *öffentliche* Anklage gegen die negative Haltung in Presse, Schule, Jugendorganisationen, Kirche pp. erhoben. Es muß anerkannt werden, daß die Anklagen oft berechtigt waren und vielfach der Reichsvertretung das Material lieferten, bei der dänischen Regierung mit Erfolg Maßnahmen zur Abstellung verschiedener unhaltbarer Verhältnisse durchzusetzen. Andererseits erhielt aber die dänische Bevölkerung, die sich begreiflicherweise tüchtig wehrte, so stark den Eindruck einer volksdeutschen Einmischung in innerpolitische dänische Vorgänge, daß die Gesandtschaft und das Konsulat immer wieder die Volksgruppenführung belehren, ermahnen und vielfach auch sehr deutlich bremsen mußten. – Die dänische Erregung steigerte sich, als man schließlich volksdeutscherseits dazu überging, mit der Herausstellung des Negativen *Vorschläge für die politische Neuorientierung Dänemarks* zu verbinden. Nunmehr würden neben einer Kritik der dänischen Nordenpolitik, des Skandinavismus und anderer außenpolitischer Glaubenssätze "Ratschläge" für die dänische Einordnung in den gesamteuropäischen Raum gegeben sowie Forderungen auf aktive Mitarbeit am Neuordnungsprozeß Europas gestellt. Selbst die Probleme Finnland und Schweden fehlten nicht in solchen Erörterungen, die nicht nur in der Presse, sondern auf allen größeren Volkstumsveranstaltungen in allen Kreisen Nordschleswigs von den meisten Volksgruppenrednern gebracht wurden. Die Volksgruppe stellte sich auf diese Weise sehr stark in das politische System des europäischen Neubaus. Sie gab sich selbst die Verpflichtung, als aktiver Teil an der Schaffung der europäischen Völkergemeinschaft mitzuarbeiten. Wenngleich ein solcher Glaube an eine großpolitische Mission zweifellos das Deutschtum zu einer fruchtbaren Mittlerrolle erheben konnte, wirkten die Volksdeutschen Bemühungen auf die Dänen, die immer den "drohenden Zeigefinger" sehen wollten, wie Schulmeisterei und erregten sehr viel Ärgernis. Dänischerseits wies man in der Presse immer wieder bis heute u.a. darauf hin, daß die Volksgruppe ihre Befugnisse weit überschreite und selbst offizielle reichsdeutsche Erklärungen sowie reichsdeutsche Pressestimmen die politischen Vorgänge in Dänemark ganz anders, zumindest mit mehr Zurückhaltung, psychologischem Verständnis und Taktgefühl beurteilten – was in der Tat zutraf. Fest steht jedenfalls, daß durch die volksdeutsche politische Betätigung, wenngleich auch von besten Idealen getragen, und durch ihre Auswirkungen auf dänischer Seite das Spannungsverhältnis im Grenzland nicht gemildert – nach dänischer Ansicht wesentlich verschärft wurde: Ob ein solches Ergebnis darauf zurückzuführen ist, daß das dänische Volk sich Belehrungen usw. anstatt von fremden lieber von eigenen Männern, auf keinen Fall aber von seinen Grenzkampfgegnern geben läßt, möchte ich nur andeuten. Vielleicht folgen die Dänen einem alten psychologischen Gesetz, wenn sie aufgrund der gegebenen Verhältnisse den volksdeutschen Lehrmeister als schulmeisterlich empfinden und daher ablehnen. Allzu tragisch braucht man volksdeutscherseits diese ablehnende Reaktion nicht zu nehmen, denn es ist anzunehmen, daß die politische Gesamthaltung des dänischen Volkes, die auf verschiedensten hier nicht näher zu erörternden Überlegungen beruht, auch bei eisigem Schweigen der Volksgruppe wohl kaum besser sein würde. Die Volksgruppe setzt daher auch unbeirrt ihren Weg fort; ja – sie hat ihre politische Sendung noch nie so ernst genommen wie im Augenblick. Nordschleswig und zwar in erster Linie *das nordschleswigsche Deutschtum sei die Brücke*, so erklärt man, *über die allein die neue Weltanschauung und die großgermanische Idee in das dänische Volk getragen werden könne*. Die Volksgruppe sei *das Sturmbataillon für die Gewinnung des Nordens und Treuhänder der großgermanischen Politik des Reiches*. Durch das politische Programm der großgermanischen Idee, das die Volksgruppenführung seit kurzem weitgehend übernommen hat, glaubt das Deutschtum (besser: die Amtswalterschaft) eine wesentliche und wertvolle Hilfe zur Durchführung der deutschen Reichspolitik zu leisten. Eine solch starke politische Einschaltung der Volksgruppe in unsere großpolitischen Ziele erscheint ungewöhnlich und ist wahrscheinlich einmalig. Das enge kameradschaftliche Verhältnis zwischen dem Herrn Reichsbevollmächtigten und dem Volksgruppenführer dürfte eine Gewähr dafür bieten, daß bei den mehr gefühls- als vernunftmäßig motivierten politischen Methoden Dr. Möllers außenpolitische Unannehmlichkeiten nicht zu befürchten sind. – Ob die von mir in einzelnen Entwicklungsphasen skizzierte großpolitische Betätigung, die mehr und mehr *erstrangig geworden* zu sein scheint, eine gewisse Vernachlässigung der "echten" volkstumsmäßigen Aufgabengebiete (Vergrößerung der Besucherzahlen in Schulen und Kindergärten, Leergebietsvorstöße und dgl.) zur Folge haben kann, ist meine Befürchtung, mag aber die kommende Zeit beweisen. Schon jetzt dürfte vorauszusehen sein, daß die einheitliche Stoßkraft der Volksgruppe geschwächt wird, da ein nicht geringer Teil des Deutschtums die Notwendigkeit einer hundertprozentigen großpolitischen Schwenkung und einer Verlagerung der Schwerkraft auf dieses Gebiet nicht einsehen kann.

Abschließend sei erwähnt, daß das Aufgehen in die großgermanische Sendung keineswegs jegliche Vertretung volksdeutscher Sonderinteressen ausgeschlossen hat. Im Gegenteil! Nach *innen* d.h. gegenüber ihrer Gefolgschaft hat die Volksgruppenführung auf dem Wege der Schulung ihrer Parteigenossen dem Volkstumsringen eine neue Deutung gegeben: nämlich als *Kampf um die Führung in der Heimat.* Die Führung werde, so heißt es, dem zufallen, dessen völkische Kraft und Leistung die größte sei. Im Kampf um die Führung entscheide die Stärke und nicht die Zahl. Die stärkste völkische Gemeinschaft Nordschleswigs aber sei die Volksgruppe. Darum erwachse dem Deutschtum *das Recht der Führung in der Heimat.* – Auf dieser Basis fand die Volksgruppe auch erstmalig eine loyale Haltung zu Frits Clausen und zwar folgendermaßen:

Bekanntlich ist die Entwicklung der Haltung der Volksgruppe zu den dänischen Nationalsozialisten recht bemerkenswert. Bereits im Jahre 1940 wurde das Deutschtum angewiesen, eine korrekte Haltung gegenüber Frits Clausen und seinen Anhängern einzunehmen, jedoch in der Volkstumsarbeit getrennt zu marschieren. Es hat lange gedauert, bis dieser Forderung entsprochen wurde. Seitens der Volksgruppenführung wurde Frits Clausen innerlich abgelehnt und er bzw. seine Mitarbeiter und teils auch seine Arbeit in Amtswaltertagungen scharfer Kritik unterzogen. Es mag sein, das hierbei das Gefühl mitgespielt hat, bei einem gemeinsamen Marschieren in weiter Zukunft rein volkstumsmäßig die bisherigen Positionen (Schule usw.) nicht ganz halten zu können. Vielleicht sprach auch die Sorge mit, daß ein Teil der deutschen Nationalsozialisten sich um Frits Clausen sammeln könnte. Erst nach längerer Zeit fand man die Lösung und zwar auf der Grundlage der Feststellung der unmittelbaren Zugehörigkeit zum Führervolk. Ein Mitglied des Führervolkes, so argumentierte man, brauche sich nicht einzuordnen in die Reihen eines (dän.) Volkes, das in deutscher Gefolgschaft marschiere. Der Volksdeutsche brauche nicht eine Mittelsperson – den Führer eines anderen Volkes (Frits Clausen) – zwischen sich und seinem Führer Adolf Hitler einzuschieben. Die germanischen nationalsozialistischen Völkergemeinschaften stünden nicht gleichberechtigt nebeneinander, sondern unter der kameradschaftlichen Führung des deutschen Nationalsozialismus. Kurzum: Der Volksdeutsche bedürfe nicht des Umweges über Frits Clausen und den Dannebrog. Gleichzeitig appellierte man an den Stolz des Deutschtums auf seine Zugehörigkeit zur völkischen Gefolgschaft Adolf Hitlers und zum großdeutschen Reich. Auf diese Weise hatte man eine Formulierung für die Abgrenzung der beiden nationalsozialistischen Lager gefunden und arbeitete nunmehr lange Zeit tolerant nebeneinander, wenngleich auch kühlen Herzens. Das wurde anders, als die großpolitische Arbeit der Volksgruppenführung den obengeschilderten Höhepunkt erreichte, d.h. als bei der großgermanischen Propaganda auch eine Überprüfung des Verhältnisses zu Frits Clausen notwendig wurde. Den äußerlichen Anstoß hierfür erhielt der Volksgruppenführer gelegentlich des feierlichen Einzuges des "Frikorps Danmark" in Kopenhagen, dessen Männer in ihrer germanischen Haltung auf Dr. Möller einen tiefen Eindruck hinterließen. Seitdem ist eine kameradschaftliche Linie zu den dänischen Nationalsozialisten gefunden worden, die sich zwar in den Spitzen der beiden Bewegungen persönlich noch nicht weiter auswirkt, aber in einzelnen Orten bei Veranstaltungen verschiedentlich schon gute Früchte getragen hat.

Apenrade, im Dezember 1942.

gez. **Lanwer**

66. Franz von Sonnleithner an Martin Luther 7. Januar 1943

Best blev uden varsel kaldt til Berlin 7. januar, hvor han blev stillet til regnskab for sin involvering i planen for Schalburgkorpsets oprettelse. Best lovede på et møde i Berlin samme eftermiddag, at han fremover ville holde sig til Ribbentrops instrukser. Det fremgår af en notits af Luther, som han dagen efter stilede til Ribbentrop. Notitsen var vedlagt et udkast til brev til Himmler om SS' håndtering af forløbet. Brevet blev først afsendt 25. januar og er trykt nedenfor (notits og udkast både i PA/AA R 100.692 og 100.986).

Best nåede også et andet møde i Berlin. Se herom notitsen nedenfor 11. januar.

Kilde: PA/AA R 100.986.

BRAM FS

SZ "Westfalen" Nr. 75 v. 7.1.43

Über Herrn Staatssekretär, Herr Unterstaatssekretär Luther vorgelegt:

Der Herr RAM bittet Sie, Dr. Best nach Berlin kommen zu lassen und ihm folgendes zu sagen:

1.) Der Bevollmächtigte des Reichs, Dr. Best, möge sich mit Angelegenheiten der SS nur insoweit befassen, als er jeweils den Auftrag hierzu vom Auswärtigen Amt bekommt. Der Herr RAM wünscht daher nicht, daß von ihm aus eigener Initiative Verhandlungen mit einer SS-Dienststelle geführt werden. Es wäre richtig gewesen, wenn Dr. Best jedes Eingehen auf die Frage der Aufstellung des Schalburg-Korps vermieden und die an ihn herantretenden SS-Funktionäre von vornherein an das Auswärtige Amt verwiesen hätte, denn diese Fragen müssen, ehe irgend etwas präjudiziert wird, vom Gesichtspunkt unserer Gesamtaußenpolitik sehr sorgfältig geprüft werden. Dies behält sich der Herr RAM vor.

JANUAR 1943

2.) Zu Ideen, wie die Errichtung eines Korps Schalburg könnten wir erst Stellung nehmen, wenn seitens der SS dieserhalb an das Auswärtige Amt herangetreten wird.

3.) Falls ein solcher Antrag gestellt werden sollte, behält sich der Herr RAM die Entscheidung vor, ob die Aufstellung des Schalburg Korps aus außenpolitischen Geschichtspunkten opportun ist oder nicht.

Der Herr RAM bittet Sie ferner, ihm den Entwurf eines Briefes an die Reichsführung-SS vorzulegen, in dem festgestellt wird, daß entgegen dem bei Obergruppenführer Wolff durch Gruppenführer Berger abgegebenen Versprechen, Angelegenheiten von außenpolitischer Bedeutung zunächst mit dem Auswärtigen Amt klarzustellen, diese Zusage wiederum nicht eingehalten wurde, indem unmittelbar von Berger mit Dr. Best verhandelt wurde.

gez. v. Sonnleithner

Berlin, den 7. Januar 1943

Secher

67. Paul Barandon an das Auswärtige Amt 8. Januar 1943

Da Best havde skrevet forgæves to gange om den kritiske brændstofsituation i Danmark (4. og 26. december), skrev Barandon i hans sted om samme sag i forbindelse med Bests rejse til Berlin.

Karl Schnurre svarede på AAs vegne efter 19. januar.

Kilde: BArch, R 901 68.712. Afskrift i KTB/Rü Stab Dänemark 1. kvartal 1943, Anlage 14a (RA, Danica 1000, T-77, sp. 696).

Telegramm

Kopenhagen, den	8. Januar 1943	19.30 Uhr
Ankunft, den	8. Januar 1943	20.30 Uhr
Nr. 18 vom 8.1.[43.]	Cito	Geheim

Im Anschluß an Drahtbericht Nr. 1828[11] vom 4.12.42.

Dänemark hat in den Monaten Oktober bis Dezember 1942 statt der in Aussicht gestellten insgesamt 795.000 t Kohle und Koks nur insgesamt 752.000 t erhalten, wovon 75.000 t als Notlager bei Gas- und Elektrizitätswerken zurückgelegt sind.

Kohlenversorgungslage hat sich in letzter Zeit dadurch weiter verschlechtert, daß in der Zeit von Ende Dezember bis heute nur rund 22.000 t Kohle und Koks hier eingetroffen sind. Infolgedessen hat die dänische Kohlenverteilungsstelle die Auslieferung von Kohle an eine Reihe von Industriewerken eingestellt, so daß mit zahlreichen Stillegungen begonnen worden ist und entsprechende Arbeiterentlassungen folgen werden. Gleichzeitig schweben Pläne zur weiteren Einschränkung des Gas- und Elektrizitätsverbrauchs sowie der Einschränkung des Verkehrs, mit deren Durchführung in den nächsten Tagen zu rechnen ist. Dieser Vorgang hat in der Tagespresse starke Beachtung gefunden.

11 bei Ha Pol. Trykt ovenfor.

Infolge seit Tagen anhaltenden starken Frostes ist mit baldigen Eisschwierigkeiten in dänischen Versorgungshäfen zu rechnen, womit Kohlenzufuhr dänische Industrien auf unbestimmte Zeit unterbrochen werden kann. Öffentliche Bereitschaftslager, die auf etwa 135.000 t zurückgegangen sind, würden im Falle längeren Zufrierens der Ostsee keinenfalls ausreichen. Reserven der dänischen Staatsbahnen betrug am 1. Januar nur etwa 19.000 t.

Dänische Regierung ist besonders besorgt um die Lieferungen im Januar, da Kohlensyndikate bisher nur 165.000 t Kohle und Koks in Aussicht gestellt haben und bis 6.1. einschließlich Stems nur für insgesamt 83.000 t erteilt wurden. Da sich der von uns anerkannte Mindestbetrag auf monatlich 250.000 t Kohle und Koks beläuft, werden voraussichtlich allein im Januar rund 70.000 t fehlen, so daß der dringendste Bedarf nicht mehr gedeckt werden kann. Bitte daher dringend Kohlenzufuhr nach Dänemark unter Nachlieferung der in der ersten Dekade nicht gelieferten Mengen für Januar in normaler Höhe in Gang zu setzen und daneben allgemeine Läger nach Möglichkeit entsprechend meinem Bezugsdrahtbericht aufzufüllen,

Ausreichender Schiffsraum steht dänischerseits zur Verfügung.

Barandon

68. Martin Luther an Joachim von Ribbentrop 8. Januar 1943

Efter mødet med Best fremsendte Luther dels den meddelelse, at Best fremover ville holde sig til Ribbentrops anvisninger, dels et udkast til brev til Himmler vedrørende Germanische Leitstelles egenmægtige fremfærd i Danmark. Brevet til Himmler blev først afsendt 25. januar, trykt nedenfor.

Kilde: PA/AA R 100.692 og 100.986.

D III 1151 g   *Berlin, den 8. Januar 1943*
Geheim!

Vortragsnotiz

Die mir mit Notiz des VLR v. Sonnleithner vom 7. Januar 1943 übermittelte Weisung des Herrn Reichsaußenministers ist in einer Rücksprache mit Herrn Dr. Best gestern Nachmittag ausgeführt worden. Herr Dr. Best wird in Zukunft den Weisungen des Herrn Reichsaußenministers entsprechend handeln.

In der Anlage überreiche ich den Entwurf eines Schreibens an die Reichsführung-SS in der Frage des wiederholten eigenmächtigen Vorgehens der "Germanischen Leitstelle" in Dänemark.

[Luther]

Zur Vorlage über den Herrn Staatssekretär bei den Herrn Reichsaußenminister

69. Hermann von Stutterheim: Vermerk 8. Januar 1943

Von Stutterheim resumerede kompetenceforholdene i Danmark mellem AA og den rigsbefuldmægtigede og oplyste, at Hierls repræsentant ville anbefale Hierl at få Best til at henvende sig til AA i sagen. Det var ikke helt så let at få sagen fremmet (se Weizsäcker til Hierl 18. februar og Hierl til AA 23. februar 1943).

Kilde: BArch, R 43 II/1430. LAK, Best-sagen (dansk oversættelse).

Abschrift
Zu Rk. 121/D/B II
Berlin, den 8. Januar 1943

1.) Vermerk:

Oberstarbeitsführer Müller-Brandenburg hat die in der Aufzeichnung von Herrn Staatssekretär Kritzinger vom 5. Januar d.J. behandelte Angelegenheit am 7. d.M. auch mit mir besprochen.

Ich habe Herrn Müller-Brandenburg dargelegt, daß die Stellung des Bevollmächtigten des Deutschen Reiches in der Zwischenzeit eine wesentliche Änderung erfahren hätte. Er führe nicht mehr die Bezeichnung: "Bevollmächtigter des Deutschen Reiches bei der Dänischen Regierung," sondern "Bevollmächtigter des Deutschen Reiches in Dänemark." Er sei nicht mehr diplomatischer Vertreter des Reiches bei der Dänischen Regierung, was äußerlich z.B. dadurch in Erscheinung träte, daß er die dänischen Regierungsstellen nicht seinerseits aufsuche, sondern diese Stellen, insbesondere auch den dänischen Ministerpräsidenten, zu sich bestelle. Er sei also praktisch eine Art Reichskommissar in Dänemark, wenn er auch im Unterschiede zu den Reichskommißaren in Norwegen und den Niederlanden kein Weisungsrecht gegenüber den dänischen Stellen besitze. Er unterscheide sich weiterhin von den Reichskommißaren in Norwegen und den Niederlanden dadurch, daß er nicht dem Führer unmittelbar unterstellt wäre, sondern vom Auswärtigen Amt ressortiere. Gleichwohl glaube ich nicht, daß Wesentliches dagegen einzuwenden wäre, wenn der Reichsarbeitsführer mit dem Bevollmächtigten des Deutschen Reiches in Dänemark auch unmittelbar mündlich Fühlung nähme, zumal m.W. der Reichsarbeitsführer einen Verbindungsführer beim Deutschen Bevollmächtigten in Dänemark unterhalte. Die letzte Entscheidung in der fraglichen Angelegenheit würde natürlich der Reichsminister des Auswärtigen haben, aber vielleicht gelinge es dem Deutschen Bevollmächtigten in Dänemark den Außenminister zu einer Stellungnahme, die den Wünschen des Reichsarbeitsführers gerecht werde, zu bewegen.

Oberstarbeitsführer Müller-Brandenburg erklärte, daß Dr. Best, der Bevollmächtigte des Deutschen Reiches in Dänemark, demnächst nach Berlin kommen würde und bei der Gelegenheit auch seinen Besuch beim Reichsarbeitsführer in Aussicht gestellt hätte. Er, Müller-Brandenburg, werde dem Herrn Reichsarbeitsführer empfehlen, zunächst den Versuch zu machen, daß Dr. Best sich beim Reichsaußenminister für die Auffassung des Reichsarbeitsführers in der fraglichen Angelegenheit verwende. Sollte dies nicht zum Ziele führen, so würde dann zu überlegen sein, welche weiteren Schritte unternommen werden sollten. Es käme alsdann vielleicht in Frage ein unmittelbarer Bericht des Reichsarbeitsführers an den Führer. Ich habe dem zugestimmt.

2.) Z. d. A

gez. **von Stutterheim**

70. Geheime Staatspolizei, Kiel an RSHA 8. Januar 1943

Gestapo i Kiel meddelte RSHA, at en skrædder i Esbjerg var mistænkt for kommunistisk propagandavirksomhed.

10 dage senere skrev RSHA til Kanstein og bad om, at der blev set nærmere på sagen (sst. nr. 8.021). Godt 14 dage senere reagerede Dagmarhus med Anton Fests fjernskrivermeddelelse til RSHA 3. februar 1943.

Kilde: RA, Danica 1069, sp. 7, nr. 8.020.

Geheime Staatspolizei   *Kiel, den 8. Januar 1943*
Staatspolizeistelle Kiel
B. Nr. N 22/43g   Geheim!
Einschreiben!

An das Reichssicherheitshauptamt – IV N –
    Berlin SW. 11
    Prinz-Albrecht-Straße 8

Betrifft: GND.
Vorgang: Ohne.
Anlagen: Keine.

Eine nichtgemeldete Gewährsperson berichtet folgendes:

"Der Schneider Lauritzen, Esbjerg, Östergade 7, dessen Frau Russin ist, verteilt in einigen Häuserblocks in Esbjerg kommunistische Propagandaschriften.[12] Es wird vermutet, daß in der Wohnung des Lauritzen kommunistische Schriften hergestellt werden. Der Bankassistent Möller, Esbjerg, Jernbanegade 7 II, hat Propagandaschriften von dem Lauritzen erhalten. Ein Bruder des Möller hat ein Pelzgeschäft in Esbjerg. Die beiden Brüder sollen angeblich Juden sein. Sie hetzen gegen Deutschland und gegen die dänische nationalsozialistische Bewegung."

[underskrift]

71. Werner Best an Ernst von Weizsäcker 9. Januar 1943

Under sit korte ophold i Berlin fik Best ikke tid til at tale med Weizsäcker, men orienterede ham efter hjemkomsten om besøgets formål, og at han ville efterkomme den givne ordre om ikke at befatte sig med planerne for Schalburgkorpset.

Det var AAs første alvorlige blokering af hans selvstændige politiske linje (Poulsen 1970, s. 374, Monrad Pedersen 2000, s. 27). Best havde imidlertid også haft tid til at mødes med folk fra RSHA og drøfte jødespørgsmålet, hvilket han ikke fandt det værd at delagtiggøre Weizsäcker i. Se notits fra 11. januar og Bests telegram 21. maj 1943.

Kilde: PA/AA R 29.858. RA, pk. 212 (håndskrevet). PKB, 13, nr. 371.

Der Bevollmächtigte des Reiches in Dänemark   *Kopenhagen, 9.1.43*

---

12 Skrædder Arne Laursens kone Marie var ikke russer, men havde været på besøg i Sovjetunionen i 1930'erne.

Sehr verehrter Herr Staatssekretär.

Es hat mir sehr leid getan, daß ich mich während meiner unfreiwilligen kurzen Anwesenheit in Berlin nicht bei Ihnen melden konnte, um Ihnen in Kürze über die Lage in Dänemark zu berichten. Als mir nach häufigen Anrufen nach 12 Uhr ein Termin für 13 Uhr mitgeteilt wurde, war ich für diesen Zeitpunkt mit einigen Herren von der Reichsführung SS verabredet, die ich fernmündlich nicht mehr erreichen konnte, um ihnen abzusagen. Später waren Sie – wie mir mitgeteilt wurde – nicht mehr frei.

Der Gegenstand meiner Besprechung mit Herrn Unterstaatssekretär Luther, zu der ich nach Berlin bestellt worden war, war die Frage der Bildung einer "germanischen SS" in Dänemark unter dem Namen eines "Schalburg-Korps," die vom Reichsführer SS gewünscht und von der Abteilung Deutschland abgelehnt wird. Ich lasse die hier begonnenen Vorbereitungen einstellen und warte die in Aussicht gestellte Entscheidung ab.

Im übrigen hätte die Lage in Dänemark, die weiter durchaus ruhig ist, eine Dienstreise nach Berlin in diesem Zeitpunkt nicht notwendig gemacht. Ich beabsichtige nun, etwa im Monat April nach rechtzeitiger Verabredung zur Besprechung aller bis dahin aktuellen Fragen nach Berlin zu kommen. Hoffentlich bleibt die Lage so, daß man nach solchen Dispositionen und nicht unter dem Zwang irgendwelcher Ereignisse handeln wird!

Heil Hitler!

Ihr ergebener

Best

72. Gottlob Berger an Rudolf Brandt 11. Januar 1943

Lederen af den lille nazistiske gruppe Den Nationale Aktion, F.J. Hinné havde 30. november henvendt sig til Himmler med en situationsberetning fra Danmark. Brandt havde derpå 18. december skrevet til Berger, som svarede med det følgende brev (begge breve i RA, pk. 443, men Hinnés situationsberetning vedligger ikke). I brevet gør Berger op med den politik, at DNSAP skulle have en monopolstilling mht. tysk støtte. Med direkte henvisning til Luther tager han afstand derfra. Andre skulle kunne nyde tysk støtte, så der skulle tages kontakt til Den Nationale Aktion.

Den Nationale Aktion bestod hovedsageligt af tidligere medlemmer af DNSAP og gruppen havde næppe et trecifret antal tilhængere, hvad Berger på dette tidspunkt ikke var klar over (Alkil, 1, 1945-46, s. 542-544, Lauridsen 2002a, s. 523).

Kilde: RA, Danica 1069, sp. 6, nr. 7172f., RA, pk. 443.

Der Reichsführer-SS   *Berlin W 35, den 11. Januar 1943*

Chef des SS-Hauptamtes

Amt VI

VI/1 – Dr. R./Ni. –

VS-Tgb. Nr. 5192/43 geh.

VI-Tgb. Nr. 2522/43 geh.

Betr.:   Zuschrift des stellvertretenden Parteileiters der Nationalen Aktion in Dänemark, F. Hinné

Bezug: Dort. Schrb. vom 18.12.42, Tgb. Nr. 6/2/43 g Me/E.

Anlg.:   –

An den Reichsführer-SS
  Persönlicher Stab, z.Hd. SS-Obersturmbannführer Dr. Brandt
  Berlin SW 11, Prinz Albrecht-Str. 8

Lieber Doktor!
In Beantwortung Ihres Schreiben vom 18.12.42 hinsichtlich des Briefes der Nationalen Aktion in Dänemark teile ich Ihren folgendes mit:

Die Ausführungen des stellvertretenden Parteileiters der Nationalen Aktion, F. Hinné, sind im Großen und Ganzen richtig. Wir kommen um die Tatsache nicht herum, daß die DNSAP infolge nicht sehr geschickter Führung und vor allem durch eine Cliquenwirtschaft in der Leitung gelitten hat und festgefahren ist. Wenn wir die germanische Sache in Dänemark vorantreiben wollen, können wir uns nicht allein auf den Parteiführer Clausen stützen. Meine Auffassung, die auch von SS-Gruppenführer Best bestätigt und in die Tat umgesetzt wird, geht dahin, daß von der Linie der Dienststelle Luther, Clausen eine ausgesprochene Monopolstellung zu geben, abgegangen werden muß. Wir müssen auch andere Erneuerungskräfte, die nicht im Lager Clausen stehen, aber nicht die schlechtesten sind, heranziehen, auch wenn es Clausen im Augenblick nicht genehm ist.

Diese Nationale Aktion und der stellvertretenden Parteileiter Hinné sind mir näher nicht bekannt. Ich weiß, daß dort zum Teil ordentliche Leute dabei sind.

Von Dänemark habe ich heute eine Stellungnahme angefordert, möchte Ihnen aber heute schon Ihr Schreiben vom 18.12.42 grundsätzlich beantworten.

Ich bin der Auffassung, daß wir die Nationale Aktion wohlwollend behandeln und zu ihr in eine gewisse Fühlungnahme treten müssen.

Heil Hitler!
G. Berger
SS-Gruppenführer

73. Wehrwirtschaftstab Dänemark: Betr. Ausschaltung der jüdischen industriellen Firmen 11. Januar 1943

Ved besøget i Berlin 7. januar mødtes Best med repræsentanter for RSHA. Der foreligger ingen optegnelser fra samtalerne, men afhørt efter krigen udtalte Best, at samtalerne var af "tilfældig art." De indbefattede en samtale med Adolf Eichmann, der angiveligt skulle ønske en lejr oprettet i Danmark for kendte jøder fra hele Europa, hvilket Best skulle have talt imod pga. det dårlige indtryk, det ville gøre i Danmark (Afhøring august 1945).

Der foreligger imidlertid den her trykte notits om et møde, som Best havde 11. januar med repræsentanter for Wehrwirtschaftsstab Dänemark, hvoraf det fremgår, at Best udtalte at have fået nye instrukser vedr. jødiske firmaer i Danmark. Dette var givetvis et af emnerne ved samtalerne 7. januar 1943, som han ikke ønskede at komme ind på under afhøringen i 1945, men det dokumenterer, at der var mere end "forberedende" foranstaltninger i gang mod de danske jøder, og at han deltog i virkeliggørelsen af dem. Blot var de tilsyneladende uvidende derom i AA.

Alle de i notatet nævnte firmaer fortsatte arbejdet for værnemagten.

Yahil antager, at Best også havde samtaler med Luther og Rademacher om de danske jøder, hvilket bekræftes af Bests telegram til AA 13. januar 1943 (Bests kalenderoptegnelser 7. januar 1943, Yahil 1967,

JANUAR 1943

s. 80f., Jensen 1971, s. 210 (skriver, at Best 11. januar 1943 meddelte, at jødisk ledede firmaer ikke måtte få tildelt opgaver for tyskerne, men han glemmer at skrive, at det var Wehrwirtschaftsstab Dänemark, der fik denne meddelelse, og ikke danske myndigheder), Kirchhoff, 3, 1979, s. 125 n. 21, Brandenborg Jensen 2005, s. 114-116 (kalder dokumentet "hidtil upåagtet").

Kilde: BArch, Freiburg, RW 27/6. RA, Danica 1000, T-77, sp. 696. KTB/Rü Stab Dänemark 1. Vierteljahr 1943, Anlage 4. EUHK, nr. 82 (uddrag). Lauridsen 2008a, nr. 60.

Rü Stab Dänemark

Betr. Ausschaltung der jüdischen industriellen Firmen.

Am 11.1.1943 findet eine Besprechung beim Bevollmächtigten des Reiches in Dänemark wegen der Beschäftigung jüdischer, industrieller, mit deutschen Rüstungsaufträgen belegten dänischen Firmen statt. Der Bevollmächtigte führt aus, daß nach neueren Instruktionen aus dem Reich jüdische Firmen in Dänemark nicht mehr mit deutschen Aufträgen beschäftigt werden sollen. Nach den Nürnberger Gesetzen ist eine Firma als nicht-arisch zu bezeichnen, wenn der Besitzer, ein Aufsichtsrats- oder Vorstandsmitglied, Jude ist. Chef Rü Stab[13] bringt zum Ausdruck, daß am 29.9.1942 12 jüdische Firmen belegt waren, jetzt aber nur noch 6 jüdische Firmen Aufträge haben. Der Bevollmächtigte bittet, auch bei diesen zu überprüfen, ob die Aufträge nicht auslaufen können und in Zukunft auf die Kapazität dieser Firmen verzichtet würde. Ergäbe sich, daß ein dringendes, rüstungswirtschaftliches Interesse an der Weiterbeschäftigung vorliege, so sei von den zuständigen deutschen Dienststellen durch die deutschen Auftraggeber eine diesbezügliche Bescheinigung beizubringen.

Das Ergebnis der Besprechung lautet:

1.) Der deutsche Begriff "jüdische Firma" ist auch bei der Beurteilung dänischer Firmen maßgebend.

2.) Jüdische Betriebe, die nur noch mit auslaufenden Aufträgen beschäftigt sind, rechnen als ausgeschaltet.

3.) Bei nichtentbehrlichen jüdischen Firmen ist von dem Oberkommando der WT eine Bescheinigung in diesem Sinne zu beschaffen.

4.) Den jüdischen Firmen gegenüber soll, wenn die Frage an Rü Stab Dänemark oder den deutschen Auftraggeber gerichtet wird, warum Anschlußaufträge ausbleiben, erwidert werden, daß nach neueren Instruktionen aus dem Reich jüdische Firmen nicht mehr zu beschäftigen sind. Dadurch kann möglicherweise eine Arisierung solcher Firmen erreicht werden.

Daraufhin tritt Rü Stab Dänemark an die Oberkommandos zwecks Hergabe der erforderlichen Bescheinigung heran. Es handelt sich um die Firmen:

1.) Standard Elektric A/S, Kopenhagen

2.) Sören Wistoft & Comp., Kopenhagen

3.) Titan A/S, Kopenhagen

4.) Frichs A/S, Aarhus.

Für die Weiterbeschäftigung vorstehender Werke setzen sich ein:

13 Walter Forstmann.

118   JANUAR 1943

Zu 1.) Der Beauftragte für den Vierjahresplan, Generalbevollmächtigter für technische Nachrichtenmittel.

Zu 2.) OKM

Zu 3.) OKH, WuG 2.

Zu 4.) Das Reichsbahnzentralamt wird weitere Lokomotiven bei der Fa. Frichs nicht mehr bestellen.

74. Germanische Leitstelle: Arbeit in den germanischen Ländern 12. Januar 1943

Efter Germanische Leitstelles konference i København i december blev der nedsat en arbejdsgruppe, der skulle beskæftige sig nærmere med konferencens tema på andendagen: "Die geistig-politische Idee des germanischen Aufbruchs in Europa". Dertil var det tvingende nødvendigt at skaffe bøger om den germanske samhørighed.

Se endvidere Niederschrift..., 20. januar 1943.

Kilde: BArch, NS 21/938.

Abschrift!

Vermerk

Betr.: Arbeit in den germanischen Ländern

Bezug: Besprechung in Höveltegaarden bei Kopenhagen am 13.12.42[14]

Dringend notwendig ist die Schaffung von Schrifttum, das auf der Grundlage der germanischen Gemeinsamkeit beruht. Das völlige Fehlen geeigneter Bücher, Broschüren und Darstellungen auf diesem Gebiet macht sich als Mangel empfindlich bemerkbar. Im Hinblick auf die zentrale Bedeutung der germanischen Arbeit für die künftige Neuordnung Europas und der deswegen vom Reichsführer-SS gegebenen Richtlinien ist es vordringlich, die eigene Arbeit daraufhin auszurichten, wollen wir uns nicht durch andere aus diesen uns gebührenden Aufgaben herausdrängen lassen und damit eine führende Stellung verlieren. Zu erwägen wäre deshalb, die von uns geplante Reihe "Unsere Vorfahren" auf die germanische Arbeit hin auszurichten.

Bei der diesbezüglichen unter Vorsitz von SS-Obersturmbannführer Dr. Riedweg stattgefundenen Besprechung wurde deshalb ein Arbeitsausschuß gebildet, dem vorläufig angehören:

SS-Standartenführer Sievers

SS-Sturmbannführer Professor Dr. Jankuhn

SS-Sturmbannführer Dr. [O.] Plassmann

SS-Obersturmführer Dr. [Hans]Schneider

SS-Hauptsturmbannführer Professor Dr. [H.] Schwalm

SS-Sturmbannführer [Walter] von Kielpinski

SS-Untersturmführer Koogmann

SS-Hauptsturmbannführer Professor Dr. [P.] Paulsen.

Nach einer Vorbesprechung dieses Arbeitsausschusses soll alsbald eine 1. Sitzung mit

14 Se Riedweg til Schneider 18. november 1942.

SS-Obersturmbannführer Dr. Riedweg stattfinden.
   Berlin-Dahlem am 12.1.43
   S/Wo

                    gez. Unterschrift[15]
                    SS-Standartenführer

75. Ernst von Weizsäcker: Aufzeichnung 13. Januar 1943

Det nedkølede forhold til det danske kongehus samt Christians 10.s helbredstilstand gjorde det fra tysk side nødvendigt at orientere nye udenlandske gesandter om den særlige situation i Danmark. Weizsäcker havde påtaget sig briefingen af den kommende slovakiske gesandt Czernak, men anbefalede også en orientering af Best.

Gesandt Czernak var hos Best 16. og 20. februar 1943 (Bests kalenderoptegnelser anf. datoer (med afvigende navneform)).

Kilde: PA/AA R 29.566.

St.S. Nr. 29   *Berlin, den 13. Januar 1943.*

Der Slowakische Gesandte beabsichtigt nunmehr, Ende des Monats in Dänemark sein Beglaubigungsschreiben zu übergeben. Nach Auskunft der hiesigen Dänischen Gesandtschaft werde der König von Dänemark bis dahin so weit wieder hergestellt sein, um die Geschäfte zu übernehmen und den Gesandten zu empfangen.

Ich habe dem Slowakischen Gesandten einige Aufklärungen über den gegenwärtigen Stand der deutsch-dänischen Beziehungen gegeben und Herrn Cernak nahegelegt, was er übrigens selbst natürlich schon vorhatte, bei dem Reichsbevollmächtigten Dr. Best seinen Besuch zu machen.

Sofern noch weitere Ratschläge an Herrn Cernak zu geben wären, stelle ich dies anheim.

Hiermit Herrn U.St.S. Pol.

                    gez. **Weizsäcker**

(Unterrichtung von Dr. Best wird sich empfehlen).

76. Werner Best an das Auswärtige Amt 13. Januar 1943

Best udarbejdede sin første redegørelse for jødespørgsmålet i Danmark foranlediget af besøget i Berlin den 7. januar. Han har muligvis ved udarbejdelsen betjent sig af en tilsvarende redegørelse udarbejdet af hans forgænger; mange argumenter og synspunkter er de samme, og han har betjent sig af både en redegørelse fra og en samtale med Frits Clausen. Konklusionen var entydig: Det ville være slut med Bests "Aufsichtsverwaltung," hvis der blev foretaget større indgreb mod de danske jøder. Det kunne alene komme på tale at fjerne jøder fra nøglestillinger.

Best fik tilslutning til sin opfattelse hos AA, først uændret hos Luther i et notat 28. januar, dernæst hos Sonnleithner 1. februar ved forlæggelsen for Ribbentrop, som gav sin tilslutning i margenen på dokumen-

15 Uden underskrift.

tet, hvorpå Luther ved telegram 6. februar 1943 kunne meddele Best resultatet (PA/AA R 100.864, Yahil 1967, s. 80f., Herbert 1996, s. 616, n. 112, Lauridsen 2002a, s. 280f.).

Kilde: PA/AA R 100.864. ADAP/E, 5, nr. 39, Best 1988, s. 275f. Lauridsen 2008a, nr. 61.

Der Bevollmächtigte des Reiches in Dänemark   *Kopenhagen, den 13. Januar 1943*
II/C 103/43

Betrifft: Die Judenfrage in Dänemark.

Unter Bezugnahme auf meine Besprechung mit Herrn Unterstaatssekretär Luther und Herrn Legationsrat Rademacher am 7.1.43 in Berlin berichte ich über die Judenfrage in Dänemark, was folgt:

I. Von Seiten der Dänen – und zwar sowohl von den gegenwärtig den Staat tragenden politischen Faktoren wie auch von der Gesamtbevölkerung des Landes – wird die Judenfrage in erster Linie als ein Problem des verfassungsmäßigen Zustandes Dänemarks angesehen. Ein Grundpfeiler der gegenwärtigen Verfassung ist die Gleichheit aller dänischen Staatsbürger vor dem Gesetz. Würde für eine Gruppe bisheriger dänischer Staatsbürger – die Juden dänischer Staatsangehörigkeit – eine Sonderbehandlung, die Rechtsungleichheit bedeutet, gefordert, so sähen die Dänen darin den Auftakt zur Aufhebung oder Auflösung ihrer bisherigen Verfassung. Sie würden, wenn der erste Stein aus dem geltenden Verfassungsrecht herausgebrochen ist, ein Fortschreiten auf diesem Wege befürchten, das zur Einschränkung der persönlichen Freiheit aller Staatsbürger – z.B. Zwangsarbeit – und zur völligen Änderung des rechtlichen und politischen Status des Landes führe.

Deshalb würden nach meinen Feststellungen, die sowohl auf vertraulichen Ermittlungen wie auf vorsichtig geführten eigenen Gesprächen beruhen, alle verfassungsmäßigen Faktoren des dänischen Staates einer deutschen Forderung auf eine allgemeine Sonderbehandlung der Juden in Dänemark – also auf eine Judengesetzgebung nach deutschem Vorbild –Widerstand entgegensetzen und eher ihre weitere Mitarbeit verweigern als in dieser Frage nachgeben. Der Staatsminister Erik von Scavenius hat mir erklärt, daß er in einem solchen Falle mit seiner gesamten Regierung zurücktreten werde. Eine neue Regierung, die die deutsche Forderung annähme, könnte nicht mehr gebildet werden, da sowohl der König wie auch der Reichstag ihre Mitwirkung verweigern würden. Dies würde also bedeuten, daß der Reichsbevollmächtigte die Verwaltung des Landes nach der Art der Reichskommissare selbst übernehmen müßte.

Die voraussichtliche Reaktion der dänischen Bevölkerung gegen allgemein und sichtbar in Erscheinung tretende Maßnahmen gegen die Juden hat der Führer der DNSAP Dr. Clausen mir gegenüber auf die Formel gebracht, daß nach der Einführung des Judensternes bestimmt zehntausende germanischer Dänen als Protest gegen diese Maßnahme selbst den Judenstern anlegen würden.

Ein Systemwechsel, d.h. die Aufhebung des bisherigen verfassungsmäßigen Regierungssystems in Dänemark, würde – wie ich zusammenfassend feststellen muß – alle Hemmungen der dänischen Bevölkerung beseitigen und ihren allgemeinen passiven und z.T. aktiven Widerstand gegen die Besatzung auslösen, was "norwegische Maßnahmen" und damit den Einsatz starker deutscher Polizeikräfte sowie wahrscheinlich auch zusätzliche militärische Kräfte erforderlich machen würde. Die leichteste und sparsamste Art, Dänemark in deutschem Sinne zu lenken, besteht darin, die Dänen weiter in der Hoffnung und in der Furcht um die Erhaltung ihres politischen und verfassungsmäßigen Systems leben zu lassen.

II. Ohne die Notwendigkeit eines Systemwechsels in der deutschen Lenkung Dänemarks heraufzubeschwören, können die folgenden Maßnahmen eingeleitet werden, die geeignet sind, für eine spätere totale Lösung der Judenfrage in Dänemark den Boden vorzubereiten:

1.) Systematische Entfernung aller Juden aus dem öffentlichen Leben – Staatsdienst, öffentliche Körperschaften, Presse usw. – indem sie einzeln der dänischen Regierung als für eine Zusammenarbeit untragbar bezeichnet werden;

2.) systematische Entfernung aller Juden aus dem deutsch-dänischen Wirtschaftsverkehr, indem bei deutschen Aufträgen zur Auflage gemacht wird, daß an der dänischen Firma keine Juden beteiligt sein dürfen;

3.) einzelne Zugriffe gegen Juden durch die deutsche Exekutive mit der Begründung politischer oder krimineller Vergehen.

In diesen drei Richtungen sind von mir Maßnahmen eingeleitet, über deren Durchführung ich von Fall zu Fall berichten werde.

Zur Vorbereitung einer späteren totalen Lösung der Judenfrage in Dänemark wird im übrigen von meiner Behörde eine Übersicht über die hier ansässigen Juden geschaffen werden, auf Grund deren später weitere Maßnahmen veranlaßt werden können. Die Gesamtzahl wird nach meiner Schätzung verhältnismäßig gering sein; nach meinem gegenwärtigen Überblick dürfte es sich um etwa 6.000 Köpfe handeln. Diese geringe Zahl und die Konzentration der meisten Juden in der Stadt Kopenhagen wird die späteren Lösungen erleichtern.

Dr. Best

77. Werner Best an Rudolf Bälz 13. Januar 1943

Best kvitterede for modtagelsen af en forordning, der 18. december 1942 var udsendt af hans tidligere kollega ved den tyske militærforvaltning i Paris, Rudolf Bälz. Bälz var leder af Gruppe "Justiz". Best betegnede forordningen som et helt besættelseskodex, som var resultatet ikke alene af hans egne bestræbelser, men også viste, at de tidligere medarbejdere videreførte den fælles linje. Med få ændringer ville forordningen kunne finde anvendelse i alle besatte områder. I Danmark var situationen stille og rolig. Best håbede at kunne videreføre den kurs, hvis ikke der kom uro til landet udefra.

Brevet var ikke blot en høflig takkeskrivelse. Best benyttede lejligheden til at fastslå sin indflydelse på den franske militærforvaltnings retlige politik, som nu endelig var kronet med udsendelsen af forordningen af 18. december. Det var en forordning på godt 11 sider, der samlede alle hidtidige sikkerhedsbestemmelser i en forordning til beskyttelse af besættelsesmagten, hvortil kom enkelte nye bestemmelser, ligesom andre blev skærpet (Umbreit 1968, s. 121f.).

Sammen med brevet ligger et manuskript på 19 sider med titlen "Vorbeugungs- und Sühnemaßnahmen bei Angriffen auf die Besatzungsmacht", der består af en generel del og en del om forholdsreglerne i Frankrig. Manuskriptet er uden forfatter og skrevet efter 20. november 1942, da en forordning af denne

122 JANUAR 1943

dato omtales (s. 14 noten). Udarbejdelsen af beretningen (Bericht omtales den som s. 4) er sket på grundlag af militærforvaltningens arkiver, hvilket nævnes (s. 16), så tilblivelsen er sket der. Beretningen er interessant ved klart at udtrykke de Best'ske synspunkter på anvendelsen af soneforanstaltninger, som han dels ville legalisere anvendelsen af over for enkelte befolkningsgrupper og mente at finde grundlag derfor i internatio-nal ret, dels hele tiden ville have holdt afbalanceret i forhold til de politiske konsekvenser, som de medførte. Beretningen er skrevet i datid, og henviser næsten udelukkende til den periode i Frankrig, hvor Best var i landet, til sommeren 1942, og før RFSS i Frankrig for alvor tog over.

(Meyer 1992, s. 62f. og 2000, s. 77-79, 213f. note 119, Herbert 1996, s. 303-305 behandler ikke ma-nuskriptet, men især Meyers undersøgelser gør det klart, at Bests synspunkter er indeholdt deri. Se tillige Best 1941b og Meyer 2005, s. 274, 276-278, 282, 385 om Bälz' virksomhed).

De synspunkter, som Best havde givet udtryk for for Frankrigs vedkommende med hensyn til sabota-gebekæmpelse overførte ham til Danmark og gav første gang udtryk for i *Politische Informationen* 1. maj 1943. Desuden havde han i bagagen erfaringerne med forskellige repressalieformers anvendelse og hensigts-mæssighed. Se endvidere Best til AA (udat.) juni 1943 om sammenligningen af lovgivningen i det besatte Frankrig og Danmark.

Bests reklame for den hidtidige politik i Frankrig mht. jødespørgsmålet, se Best til von Weizsäcker 1. marts 1943.

Kilde: BArch, Freiburg, RW 35/312.

SS-Gruppenführer Dr. Werner Best   *Kopenhagen, den 13.1.1943*
Bevollmächtigter des Reiches in Dänemark

An Herrn Kriegsverwaltungsabteilungschef
   Ministerialrat Bälz,
   Feldpostnummer 06 661 V.

Lieber Herr Bälz!
Für die mit Ihren Zeilen vom 7.1.43 erfolgte Zusendung der Verordnung zum Schutz der Besatzungsmacht vom 18.12.42 danke ich Ihnen herzlich.

Dieser kleine "Besatzungs-Codex", um dessen Zustandekommen ich mich so lange bemüht habe, ist mir ein Gruß aus dem alten Tätigkeitsbereich und ein Zeichen, daß meine früheren Mitarbeiter die von uns gemeinsam gefundenen Linien weiter vertre-ten.

Im übrigen haben Sie durchaus recht mit Ihrer Feststellung, daß diese aus mehr als zweijähriger praktischer Erfahrung und aus zahlreichen Einzelverordnungen erwachsene Schutz-Verordnung mit wenigen Abwandlungen auf jedes besetzte Gebiet anwendbar ist. Sie kann also mit besserem Recht als die früheren durchweg nur theoretisch erarbei-teten Entwürfe einem künftigen "roten Esel" eingefügt werden.

Ich werde mit den 12 Stücken des Verordnungsblattes, die Sie mir zugesandt haben, in geeigneter Weise für die in dieser Hinsicht zweifellos vorbildliche Rechtsetzungsarbeit der Militärverwaltung in Frankreich Reklame machen.

Hier in Dänemark laufen alle Dinge weiter ruhig und positiv. Ich hoffe, diesen Kurs auch künftig einhalten zu können, wenn mir nicht von außen Unruhe in das Land getragen wird.

Wie haben die Ereignisse der letzten Monate die Organisation und Zuständigkeiten der Militärverwaltung in Frankreich verändert? Ich hänge so sehr an dem alten Tätig-keitsbereich und – wie Sie wissen – an den gesamten Westproblemen, daß ich für eine

JANUAR 1943

Unterrichtung über die gegenwärtige Lage im dortigen Gebiet außerordentlich dankbar wäre.

Mit herzlichen Grüßen an Sie und die dortigen Kameraden und mit

Heil Hitler

Ihr **W. Best**

78. Ernst von Weizsäcker an Werner Best 15. Januar 1943

Se Bests telegram 9. januar 1943.
Kilde: PA/AA R 29.858. RA, pk. 212. PKB, 13, nr. 372.

Berlin, den 15. Januar 1943.

An den

Bevollmächtigten des Reiches in Dänemark
Herrn Gesandten Dr. Best
Kopenhagen.

Sehr verehrter Herr Best!

Vielen Dank für Ihren handschriftlichen Brief vom 9. ds.Mts., den ich heute erhielt. Es tat auch mir leid, daß wir uns bei Ihrem kürzlichten Besuch in Berlin nicht gesehen haben. Zu meiner Freude habe ich aber gehört, daß Sie über den Stand der Dinge in Dänemark eigentlich nur Gutes zu berichten hatten. Möge es so weitergehen.

Heil Hitler!

Ihr ergebener

gez. **Weizsäcker**

79. Werner Best an das Auswärtige Amt 15. Januar 1943

Efter at den finske gesandt Pajula havde været hos Barandon for at forklare misforståelsen vedrørende besøget 6. december; et besøg, Best mente skyldtes en besked fra Helsinki, havde han besluttet at ophæve forbuddet mod at have kontakt med den finske ambassade.
Kilde: PA/AA R 61.130.

Abschrift Pol VI 75/43
Der Bevollmächtigte des Reiches in Dänemark   *Kopenhagen, den 15.1.1943*
I. A. Nr. 22/43

In Anschluß an den Bericht I.A. Nr. 612/42 vom 11.12. v.J.[16]
Betrifft: Den finnischen Gesandten Pajula in Kopenhagen.

Der finnische Gesandte Pajula hat am 13. d.M. den Gesandten Barandon aufgesucht

16 Trykt ovenfor.

und sich noch einmal ausführlich über den Empfang vom 6. Dezember verbreitet. Er gab an, durch ein Mitglied seiner Gesandtschaft aus deutscher Quelle gehört zu haben, daß man in "Berlin" sehr verstimmt über die Angelegenheit sei, was er außerordentlich beklage, da er die deutsche Vertretung durch die besondere, auch auf die Italiener ausgedehnte Einladung, besonders habe ehren wollen. Herr Pajula wiederholte seine im Vorbericht ausgeführten Rechtfertigungsversuche und er ging sich in Klagen über das Mißverständnis seiner guten Absicht. Herr Barandon beschränkte sich darauf, die Erklärungen seine Besuchers zur Weiterleitung an mich zur Kenntnis zu nehmen, nicht ohne zu bemerken, daß der Vorfall vom 6. Dezember nicht nur "in Berlin" starkes Befremden erregt habe.

Da ich Herrn Pajula seinerzeit meine Auffassung persönlich mitgeteilt hatte, ist nicht recht ersichtlich, weshalb er seinen Besuch bei Herrn Barandon mit Nachrichten aus anderer Quelle motivierte. Ich glaube, in der Annahme nicht fehlzugehen, daß der meinem Vertreter gemachte Entschuldigungsbesuch auf eine Weisung aus Helsinki zurückzuführen ist. Unter diesen Umständen glaube ich, die Herrn Pajula offenbar höchst peinliche Angelegenheit nunmehr auf sich beruhen lassen zu können und habe das den Angehörigen meiner Behörde erteilte Verbot des Verkehrs mit der finnischen Gesandtschaft aufgehoben, auch die Befehlshaber der Wehrmachtsteile in Dänemark entsprechend verständigt.

Dr. Best

80. Politische Informationen für die deutschen Dienststellen in Dänemark 15. Januar 1943

Hoveddelen bliver brugt til at redegøre for oprulningen af den illegale organisation De frie Danske, at karakterisere grupper og at rose dansk politi for dets medvirken til oprulningen.

Kilde: RA, Centralkartoteket, pk. 680.

Der Bevollmächtigte des Reiches in Dänemark   *Kopenhagen, den 15.1.1943*

P o l i t i s c h e   I n f o r m a t i o n e n
für die deutschen Dienststellen in Dänemark.

Betr: I. Nationale Widerstandsbewegung in Dänemark (Aufrollung der Organisation "De frie Danske").
II. Mitteilungen aus der Außenpolitik.
III. Deutsche Volksgruppe in Nordschleswig.

I. Nationale Widerstandsbewegung in Dänemark (Aufrollung der Organisation "De frie Danske")

Eine nationale Widerstandsbewegung hat sich in Dänemark – im Gegensatz zu den übrigen besetzten Gebieten – erst langsam im Laufe der Besetzungszeit entwickelt. Die Hauptgründe hierfür sind einmal die Tatsache, daß die Besetzung Dänemarks ohne kriegerische Handlungen vorgenommen und von der dänischen Regierung anerkannt wurde, zum anderen die Mentalität des Durchschnittsdänen, der weniger zum aktiven Widerstand neigt und dem der Weg stiller passiver Resistenz mehr liegt.

Es hat deshalb 2 Jahre gedauert, bis Gruppen von Dänen, die innerlich gegen das Reich und die Zusammenarbeit Dänemarks mit dem Reich eingestellt waren, sich so organisierten, daß ein Zugriff von deutscher Seite erforderlich wurde.

Im Mai 1942 war die sicherheitspolizeiliche Exekutive des Reichsbevollmächtigten durch Beobachtungen auf eine geheime Organisation gestoßen, die die schon seit längerem erscheinende Hetzschrift: "De frie Danske" herausgab, und die, wie sich später herausstellte, auch Sabotageakte plante. Anfang September erfolgte der Zugriff. Die dänische Polizei, die sich bis dahin zwar schon bemüht hatte, die Hintergründe um die Hetzschrift "De frie Danske" aufzuklären, aber zu einem greifbaren Ergebnis noch nicht gekommen war, wurde von der deutschen Exekutive informiert; gemeinsam mit ihr wurden zunächst 4, später weitere 10 Personen festgenommen, die zu dem Kreis um die Organisation "De frie Danske" gehörten. Die systematischen Vernehmungen ergaben ein klares Bild der unterirdischen Arbeit der Organisation. Danach hatte die Gruppe ein weitverzweigtes Nachrichtennetz aufgebaut, durch das Material für die Hetzschrift herbeigeschafft wurde. Verbindungsleute hatten sich in fast allen Schichten der Bevölkerung gefunden. Das ausgesprochene Ziel der Organisation war, das deutsch-dänische Verhältnis im Laufe der Zeit derartig zu belasten, daß als zwangsläufige Reaktion ein verschärftes deutsches Vorgehen eintreten mußte.[17]

Einige Angehörige der Gruppe, darunter der eigentliche Kopf des Unternehmens, Sven Erik Hammer, sind noch, flüchtig.[18] Die Fahndungen nach diesen Personen werden fortgesetzt.

Das Ermittlungsverfahren gegen die Festgenommenen ist im wesentlichen abgeschlossen. Die Festgenommenen werden der dänischen Gerichtsbarkeit zur Aburteilung übergeben. Mit der Aburteilung ist im Laufe des Monats Februar zu rechnen. Es sind hohe Strafen zu erwarten.[19]

Bemerkenswert ist, daß es sich bei dem Kreis der Festgenommenen durchweg um sehr intelligente, rassisch wertvolle und, wie sich bei den Vernehmungen zeigte, auch charaktervolle Personen handelt. In der Organisation machte sich sogar ein gewisser Antisemitismus geltend; so hatte man abgelehnt, geldliche Zuwendungen von Juden, die angeboten waren, anzunehmen. Ebenso wurde jede Zusammenarbeit mit den Kommunisten abgelehnt. Bei den Vernehmungen kam des öfteren demonstrativ zum Ausdruck, daß man dem Kommunismus genau so wie dem Nationalsozialismus – womit der dänische Nationalsozialismus gemeint war, – feindlich gegenüberstehe. Die Grundhaltung dieser Gruppe war also eine ganz andere als die der an sich auch bürgerli-

17 Der henvises til PKB, 7, s. 244-251 og Birkelund 2000, s. 108-116 vedrørende oprulningen af De frie Danske, der skyldtes danske håndlangeres infiltration af gruppen og tysk politiarbejde ledet af SS-Hauptsturmbannführer Hans Wäsche.
18 Svend Erik Hammer blev anholdt 8. februar 1943 (PKB, 7, s. 249, Birkelund 2000, s. 140f.).
19 Straffene blev offentliggjort 24. februar 1943 i en omfattende meddelelse gennem Udenrigsministeriets Pressebureau. De medlemmer af De frie Danske, der alene havde beskæftiget sig med illegal bladvirksomhed, fik mellem 3 måneders og to års fængsel (meddelelsen er optrykt hos Alkil, 1, 1945-46, s. 212-215).

chen Chiewitz-Gruppe, die aus taktischen Gründen die Zusammenarbeit mit den – ihr innerlich fremden – Kommunismus gesucht und gefunden hatte.

Mit der Zerschlagung eines großen Teils der Organisation "De frie Danske," die durch den erfolgten Zugriff erreicht wurde, hat die nationale Widerstandsbewegung einen schweren Schlag erhalten. Trotzdem hat man – wie zu erwarten war – versucht, die Bresche wieder auszufüllen. Ein Ersatzblatt für die Hetzschrift "De frie Danske" erscheint weiter. Der Ton des Blattes ist gehässiger geworden; die Informationen sind aber offenbar nicht mehr so gut wie vorher. Bemerkenswert ist, daß in der Propaganda der Hetzschrift die Anlehnung an England, die schon früher mehr oder weniger deutlich zum Ausdruck kam, jetzt ganz in den Mittelpunkt gerückt wird. Die Verfolgung der Ersatzorganisation ist im Gange.

Die dänische Polizei, auf deren Heranziehung zur Mitarbeit gerade in diesem Falle besonderer Wert gelegt wurde, hat sich verständnisvoll an der Ermittlungsarbeit beteiligt. Sie hat für diese Arbeit besondere Beamte abgestellt, die sich in jeder Weise bewährt haben. Ein großer Teil des Erfolges des Ermittlungsverfahrens ist ihr zu verdanken.

II. Mitteilungen aus der Außenpolitik

1.) In Island ist ein Geschäftsministerium gebildet worden, dem man keine lange Lebensdauer voraussagt. Die Regierungsumbildung erfolgte aus innerpolitischen Gründen, um der wirtschaftlichen Schwierigkeiten und der drohenden Inflation Herr zu werden.

2.) Die Dänische Regierung hat dem neuen italienischen Gesandten Marchese Diana und dem neuen spanischen Gesandten Agramonte y Cortijo das Agreement erteilt, nachdem die Reichsregierung diesen Ernennungen zugestimmt hatte.

3.) Die Japanische Regierung hat das Agreement für Herrn Suemasa Okamoto als außerordentlichen Gesandten und bevollmächtigten Minister bei der Königlich Dänischen Regierung beantragt. Der Amtssitz des japanischen Gesandten ist Stockholm.

4.) Auf Grund einer Verabredung zwischen der Behörde des Bevollmächtigten des Reiches in Dänemark und den zuständigen dänischen Stellen sind für die Zeit vom 15. Dezember 1942 bis 15. Januar 1943 im Verkehr zwischen Dänemark und Schweden Reisen zwecks Besuchs nächster Angehöriger grundsätzlich gestattet worden. Nach dieser Regelung ist insgesamt für rund 3.500 Reisen die Genehmigung erteilt worden.

III. Deutsche Volksgruppe in Nordschleswig

In Gravenstein in Nordschleswig fand am 29.11.42 die feierliche Einweihung der dort neu erbauten Deutschen Schule statt. Bei der neuen Schule handelt es sich um den größten und modernsten Neubau, den die deutsche Volksgruppe in Nordschleswig im Rahmen des vor 2 Jahren in Angriff genommenen Neubauprogrammes errichtet hat. Der Ort Gravenstein wurde dafür gewählt, weil er als Wohnsitz des Volksgruppenführers zugleich als Mittelpunkt der Volksgruppenarbeit betrachtet werden muß. Außerdem legt die Volksgruppe besonderen Wert auf eine repräsentative Schule in Gravenstein, weil sich die dänische Kronprinzessin von ihrer dortigen Sommerresidenz aus besonders rührig für die Förderung dänischer kultureller Belange in Nordschleswig betätigt.

Die Einweihungsfeier erhielt durch die Teilnahme einer größeren Anzahl führender Persönlichkeiten, die mit der Volksgruppenarbeit verbunden sind, ein besonderes Gepräge und gestaltete sich zu einer eindrucksvollen Kundgebung der deutschen Volksgruppe in Nordschleswig. Anwesend waren u.a.: der Bevollmächtigte des Reiches in Dänemark, Dr. Best, SS-Obergruppenführer Lorenz und SS-Brigadeführer Behrends von der Volksdeutschen Mittelstelle, SS-Gruppenführer Querner aus Hamburg, Landesgruppenleiter Dalldorf, Landeshauptmann Schow aus Kiel, Oberbürgermeister Dr. Kracht aus Flensburg. Im Mittelpunkt der Feier, der ein Aufmarsch der SK (Schleswigschen Kameradschaft – entsprechend der SA) und der Deutschen Jungenschaft vorausging, stand eine eindrucksvolle Rede des Volksgruppenführers Dr. Möller.[20]

81. Heinrich Himmler an Adolf Hitler 15. Januar 1943

Himmler meddelte Hitler antallet af faldne og sårede germanske og folketyske frivillige.
Kilde: RA, Danica 1069, sp. 6, nr. 7209-11.

Der Reichsführer-SS
10/43 g. 4. 6. Ausfertigung

Feld-Kommandostelle
den 15. Januar 1943

Meldung an den Führer.

Betr.: Bisherige Verluste an germanischen und volksdeutschen Kriegsfreiwilligen. Stand vom 30.11.1942.

1.) Gefallene:

a.) Volksdeutsche Freiwillige:

Baltenland		104
Kroatien		73
Rumänien		574
Serbien		141
Slowakei		83
Südtirol		65
Ungarn		124
Sonstige Volksdeutsche		253
		1.417

b.) Germanische Freiwillige:

Dänen	Waffen-SS	125	
	Freikorps Danmark	157	282
Finnen	Waffen-SS		155
Flamen	Waffen-SS	24	
	Legion Flandern	148	172

20 Se Best til AA 5. december 1942.

Niederländer	Waffen-SS	270	
	Legion Niederlande	410	680
Norweger	Waffen-SS	76	
	Legion Norwegen	116	192
Schweden			7
Schweizer			27
			1.515

2.) Verwundete:

a.) Volksdeutsche Freiwillige — 3.156

b.) Germanische Freiwillige:

Dänen	626
Finnen	393
Flamen	414
Holländer	1.244
Norweger	402
Schweden	3
Schweizer	23
	3.105

gez. **H. Himmler**

82. Emil Geiger an Martin Luther 15. Januar 1943

Geiger meddelte Luther, at Himmler endnu ikke havde fået talt med Hitler om de tre dødsdømte danske faldskærmsagenter. RSHA lovede øjeblikkelig besked, når Himmlers indstilling forelå.

Se Luthers notits 16. januar 1943.

Kilde: RA, pk. 229.

– Sr –

Geheim   zu D II 2092 g Ang. II

N o t i z

Betr: Dänische Fallschirmspringer

Ich habe vorgestern und auch heute mit Oberregierungsrat Panzinger wegen der dänischen Fallschirmspringer gesprochen. ORR Panzinger sagte mir, daß der Stand der Dinge noch derselbe wie Ende Dezember v.Js. sei, d.h., daß der Reichsführer-SS seiner Ansicht nach bisher die Angelegenheit dem Führer noch nicht vorgetragen hätte.

ORR Panzinger wird mich sofort unterrichten, wenn er in der Angelegenheit vom Reichsführer-SS eine Weisung erhält.

Hiermit Herrn U.St.S. Luther m.d.B. um Kenntnisnahme vorgelegt.

Berlin, den 15. Januar 1943.

gez. Geiger

83. Graf von Brandenstein an Raul Mewis 15. Januar 1943

WB Dänemark lod forespørge, om det var muligt, at englænderne kunne foretage en invasion syd for Esbjerg. Den mulighed var for nylig kommet frem ved en drøftelse i Esbjerg.

Forespørgslen er et vidnesbyrd om den usikkerhed og manglende erfaring, der herskede i den nye værnemagtsøverstbefalendes stab.

Mewis lod svare 23. januar 1943.

RA, Danica 203, pk. 28/læg 281.

Der Befehlshaber der deutschen Truppen in Dänemark   *Kopenhagen, den 15.1.43.*
Abt. Ia Br. B. Nr. 94/43 geh. –

An Marinebefehlshaber Dänemark
    Kopenhagen.

Es wird gebeten, hierher baldmöglichst mitzuteilen, wie Landungsunternehmen der Engländer gegen den dänischen Raum marineseits beurteilt werden. – Bei Besprechungen in Esbjerg wurde ganz neu der Gesichtspunkt in den Vordergrund geschoben, daß Landungen über das bisher als Wattemeer und unwahrscheinlich bezeichnete Gebiet von Fanö bis zur Reichsgrenze möglich sind. Bisherige Auffassungen gingen dahin, daß Landungsunternehmen der Engländer sich wesentlich auf die Häfen der jütischen Nordwestküste stützen müßten und im übrigen überall in Raid-Form durchführbar sind, nur nicht südlich Esbjerg.

Die Äußerungen werden erbeten, weil Maßnahmen zur Abwehr derartiger Landeversuche Truppenverschiebungen bedingen, deren Unterkunft vorbereitet werden muß.

Für den Befehlshaber
der deutschen Truppen in Dänemark
Der Chef des Generalstabes
gez. **G. v. Brandenstein**

84. Martin Luther: Aktennotiz 16. Januar 1943

Luther noterede sig en samtale i RSHA dagen før, hvor han om de tre danske faldskærmsagenter havde gjort opmærksom på, at RAM efter aftale skulle have forudgående besked, hvis Himmler ikke fulgte hans indstilling om, at de ikke skulle henrettes.

Agenterne undgik henrettelse. Hvornår denne beslutning blev truffet vides ikke, men de blev efter deportationen til Tyskland holdt fanget til maj 1945 (Sjøqvist, 2, 1973, s. 237f., Kirchhoff, 1, 1979, s. 169, Stevnsborg 1992, s. 261ff.).

Kilde: RA, pk. 229.

U.St.S. D. Nr. 74/43   *Berlin, den 16. Januar 1943.*

Aktennotiz

Gelegentlich eines Gespräches in anderer Angelegenheit befragte ich gestern ORR Pantzinger von der Gestapo nach dem Stand der Angelegenheit der drei nach Berlin verbrachten dänischen Fallschirmspringern. Herr Pantzinger erklärte, daß sich alle drei in Berlin befänden und daß hinsichtlich ihres weiteren Schicksals noch keine Entscheidung getroffen sei. Ich erinnerte Herrn Pantzinger daran, daß vereinbarungsgemäß der Reichsführer-SS mit dem Herrn RAM in Verbindung treten würde, falls dem Wunsche des Herrn RAM, die Fallschirmspringer gemäß der früheren Vereinbarung mit der Dänischen Regierung nicht zum Tode zu verurteilen, nicht entsprechen werden sollte. Herr Pantzinger hat diese Vereinbarung nochmals bestätigt.

[Luther]

85. Werner Best an Joachim von Ribbentrop 16. Januar 1943

Best arbejdede straks fra sin ankomst til Danmark for en normalisering af forholdet til det danske kongehus. Det indgik som et stabiliserende element i hans "Aufsichtsverwaltung." Med henvisning til en henvendelse fra Scavenius skrev han 16. januar 1943 direkte til Ribbentrop for at opnå det tilstræbte (Thomsen 1971, s. 133).

Ribbentrop svarede 28. januar 1943.
Kilde: PA/AA R 29.566. PKB, 13, nr. 373. ADAP/E, 5, nr. 54. Best 1988, s. 265f.

Der Bevollmächtigte des Reiches in Dänemark *Kopenhagen, den 16.1.1943.*

Vorgang zu Drahterlaß Nr. 139
v[om] 26.1.43 n[ach] Kopenhagen.[21]

Sehr verehrter Herr Reichsminister,
Über die folgende Angelegenheit bitte ich um ihrer Bedeutung und Vertraulichkeit willen in dieser persönlichen Form berichten zu dürfen.

Nachdem ich mehrere von dem Staatsminister von Scavenius an mich gerichtete Fragen wegen einer neuen Beglaubigung des Reichsvertreters beim dänischen Staatsoberhaupt gemäß meinen Instruktionen a limine zurückgewiesen hatte, hat dieser mir nun vertraulich den folgenden Vorschlag vorgetragen:

Der König und der Kronprinz-Regent sind bereit und haben den Wunsch, auf der Grundlage des gegenwärtigen Zustandes mit dem Reichsbevollmächtigten in persönliche Verbindung und unmittelbare Zusammenarbeit zu treten.

Ich bitte um Entscheidung, welche Antwort ich dem Staatsminister von Scavenius auf diesen Vorschlag erteilen soll.

Für die Annahme des Vorschlages sprechen folgende Gründe:

1.) Von der dänischen Seite würde der neue Status, in dem das Reich als Besatzungsmacht und als politisch führende Macht durch einen von allen Bindungen gegenüber dem dänischen Staatsoberhaupt und der dänischen Regierung freigestellten Reichsbevollmächtigten, Dänemark hingegen in Berlin durch einen normalen Gesandten vertreten ist, förmlich anerkannt.

2.) Durch das erneute Nachgeben des Königs (das erste erfolgte durch seine Mitwirkung an der Bildung der neuen Regierung) und durch seinen Verkehr mit mir würde ihm der Nimbus des Märtyrers und den dänischen Nationalisten einschließlich des dänischen Militärs der Vorwand, für den gekränkten König zu kämpfen, genommen.

---

21 Ribbentrops instruks til Best er fra 28. januar, men blev sendt under nr. 139.

JANUAR 1943 131

3.) Für den Staatsminister von Scavenius und seine Regierung würde diese Legitimierung und Stabilisierung des gegenwärtigen Status eine außerordentliche politische Stärkung bedeuten, durch die wiederum die von mir vermittels dieser Regierung ausgeübte Lenkung aller dänischen Angelegenheiten und die Erfüllung aller Reichsinteressen – Ruhe und Ordnung, Fortführung der Produktion – gefördert würde.

4.) Auch außenpolitisch würde zweifellos die günstige Wirkung, die unser "dänischer Kurs" bereits auf Länder wie Schweden und Finnland ausgeübt hat, vertieft, wenn die "letzte offene Frage" durch ein erneutes Nachgeben des dänischen Königs und durch seine Anerkennung des neuen Status ihre Lösung fände.

5.) Gegebenenfalls – wenn überhaupt noch einmal völkerrechtliche Auseinandersetzungen mit den Dänen geführt werden sollten – kann künftig dänischen Berufungen auf die "Vereinbarungen" vom 9.4.1940[22] entgegengehalten werden, daß sich unter Mitwirkung aller staatlichen Faktoren Dänemarks inzwischen das politische und völkerrechtliche Verhältnis Dänemarks zum Reiche in neue Formen weiterentwickelt habe.

Diesen Erwägungen, die für die Annahme des dänischen Vorschlags sprechen, steht wohl nur ein anderer Gesichtspunkt gegenüber: die Kränkung des Führers durch das Königs-Telegramm[23] würde als vergeben angesehen und könnte künftig nicht mehr als politisches Argument verwendet werden. Hierzu darf ich bemerken, daß dieses politische Argument durch Zeitablauf doch an Brauchbarkeit verliert und daß es, wenn der König stirbt, gegen seinen Nachfolger kaum verwendbar sein wird. Wenn hingegen der jetzige Kronprinz – wie vorgesehen ist – sich ebenfalls auf die Anerkennung des gegenwärtigen Status festlegt, so ist nach meiner Auffassung damit mehr gewonnen, als mit dem Argument gegen den alten König aus der Hand gegeben wird.

Da der Staatsminister von Scavenius, dessen loyale und kluge Mitarbeit ich nur loben kann, mit Spannung auf meine Antwort wartet, wäre ich Ihnen, sehr verehrter Herr Reichsminister, für baldige Entscheidung sehr dankbar.

Heil Hitler!
Ihr sehr ergebener
gez. **Best**

86. Der Generalbevollmächtigte für den Arbeitseinsatz an das Auswärtige Amt 16. Januar 1943

Den tyske generalbefuldmægtigede for arbejdsindsatsen henvendte sig til AA for at få forøget antallet af danske arbejdere, der tog arbejde i Tyskland. Den danske regering lagde hindringer i vejen herfor. Han ønskede, at AA foretog sig noget i sagen og ville have meddelelse derom.

AA reagerede ved 26. januar at sende en instruks til Best.
Kilde: RA, pk. 287. PKB, 13, nr. 825.

Der Beauftragte für den Vierjahresplan   *Berlin SW 11, den 16. Januar 1943*
Der Generalbevollmächtigte für den Arbeitseinsatz

22 På dansk hos Alkil, 2, 1945-46, s. 816-819, på tysk i ADAP/D, 9, nr. 66.
23 PKB, 13, nr. 305, ADAP/E, 3, nr. 321.

Nr. Va. 5780.7/444

Schnellbrief

Betrifft: Anwerbung dänischer Arbeitskräfte für das Reichsgebiet.

An das Auswärtige Amt.
    Berlin W 8 Wilhelmstr. 74-76.

Die Dänische Regierung läßt es seit langem an der notwendigen Bereitwilligkeit zur verstärkten Anwerbung dänischer Arbeitskräfte für das Reich fehlen. Sie beeinträchtigt vor allem die Anwerbemaßnahmen durch Unterstützung der Kurzarbeit in Dänemark und durch großzügige Arbeitsbeschaffungsmaßnahmen, die nicht als produktiv angesehen werden können.

Mein Beauftragter in Dänemark, ORR Dr. Heise, ist schon immer bemüht gewesen, das Ergebnis der Anwerbung dänischer Arbeitskräfte für das Reichsgebiet zu erhöhen. Am 25.11.1942 hat er sich im Zuge dieser Maßnahmen im Auftrage des Bevollmächtigten des Deutschen Reichs mit dem Ministerium für öffentliche Arbeiten in Kopenhagen in Verbindung gesetzt mit dem Ziel, die Kurzarbeit zu beseitigen und die unproduktiven Arbeitsbeschaffungsmaßnahmen wesentlich einzuschränken. Auf diese Weise sollten Arbeitskräfte für das Reichsgebiet gewonnen werden. Die Verhandlungen sind noch nicht zum Abschluß gekommen.

Neuerdings hat der Generalluftzeugmeister ebenfalls darauf hingewiesen, daß es bei der derzeitigen Arbeitslosenziffer in Dänemark möglich sein müsse, der deutschen Rüstungsindustrie mehr Arbeitskräfte zuzuführen, als dies bisher der Fall war. Nachstehend gebe ich Ihnen Zahlen über die Vermittlungsergebnisse und über die Entwicklung der Arbeitslosigkeit in Dänemark bekannt:

Vermittlungsergebnisse:

Monat	i.d. Reichsgebiet vermittelt	Einsatz i.		Insgesamt
		Norwegen u.	Finnland	vermittelt
Nov.	1942	3.222	307	3.529
Okt.	–	3.055	363	3.418
Juli	–	2.471	276	2.747
Nov.	1941	3.546	53	3.599

Arbeitslose:
    Ende November 1942 34.177
      –   August   –   23.000

Da es nach den gemachten Erfahrungen zweifelhaft erscheint, ob auf dem bisher eingeschlagenen Wege eine verstärkte Anwerbung dänischer Arbeitskräfte zu erreichen sein wird – die dänischen Arbeitskräfte werden auf freiwilliger Grundlage, und zwar entsprechend dem Wunsche der dänischen Regierung in den meisten Fällen nur für die Dauer von 6 Monaten angeworben –, halte ich es im Interesse der Versorgung der deutschen Rüstungsindustrie mit Arbeitskräften für unbedingt erforderlich, daß auf die Dänische Regierung dahingehend eingewirkt wird, daß sie die Anwerbung dänischer Arbeitskräfte

JANUAR 1943

für das Reichsgebiet mehr als bisher unterstützt. Da die verhältnismäßig guten Lebensverhältnisse in Dänemark und die dort auf gewerkschaftlicher Grundlage bezahlten Arbeitslosenunterstützungen die freiwillige Werbung für das Reichsgebiet erheblich erschweren, ist es untragbar, daß die Dänische Regierung die Arbeitslosen daneben noch durch verstärkte Kurzarbeit und Einweisung in unproduktive Arbeitsbeschaffungsmaßnahmen auffängt und so von einer Anwerbung nach Deutschland fernhält.

Ich wäre dankbar, wenn das Erforderliche bald veranlaßt werden könnte. Für eine Mitteilung hierüber wäre ich dankbar.

In Vertretung
gez. **Dr. Timm**

Beglaubigt:
Müller,
Angestellte.

87. Hugo Hensel an das Auswärtige Amt 16. Januar 1943

På Bests vegne kvitterede Hensel for ankomsten af de sidste 12 af de 15 kriminalbetjente, der var bedt om, og medsendte en liste over dem med personlige oplysninger.

Betjentene var alle født i 1890'erne og ægtefolk, de fleste med børn.

Kilde: PA/AA R 100.757.

Der Bevollmächtigten des Reiches in Dänemark   *Kopenhagen, den 16.1.1943*

Z/Pers. P 6 –
Unter Bezugnahme auf Drahterlaß Nr. 2326 vom 28.12.1942

Von den mit Drahtbericht Nr. 1909 vom 21.12. erbetenen 15 weiteren Polizeibeamten sind inzwischen die in der anliegenden Liste aufgeführten 12 Kriminaloberskretäre an den aufgegeben Tagen hier eingetroffen. Die Genannten haben sämtlich am Tage nach dem Eintreffen ihren Dienst hier aufgenommen.

Für eine Festsetzung der Auslandsbeschäftigungsvergütung wäre ich dankbar.

Im Auftrag
[**signeret**]

Betr: Personalien Inn. Verw. – II/z.

Name	*Geboren am:*	*in:*	*Amtsbez.:*	*Verh., Kinder:*	*einge-troffen 1943*	*Dienst-antritt 1943*	*Heimat-dienstst.:*
Hols, Emil	3.7.90	Hamburg	Krim. O. Sekr.	verh.,2	5.1	6.1	Krim. Pol. Leitsth. Posen
Minke, Heinrich	11.11.95	Zdiar/sud.	Krim. O. Sekr.	verh.,1	5.1	6.1	Krim. Pol. St. Salzburg

Marquardt, Frans	21.11.97	Karpen	Krim. O. Sekr.	verh.,4	5.1	6.1	Krim. Pol. Leitsth. Stettin
Glosch, Willi	12.1.99	Natzlaff i/ Pom.	Krim. O. Sekr.	verh.,2	5.1	6.1	Krim. Pol. Leitsth. Stettin
Krieger, Frans	20.9.92	Marienburg	Krim. O. Sekr.	verh.,2	6.1	7.1	Krim. Pol. Danzig
Wagner, Fritz	29.8.97	Kiel	Krim. O. Sekr.	verh.,2	6.1	7.1	Krim. Pol. Kiel
Krausse, Franz	20.3.91	Goschwitz	Krim. O. Sekr.	verh.	6.1	7.1	Krim. Pol. Leitst. Dresden
Tappert, Bernhard	17.3.92	Friedrichs- stadt	Krim. O. Sekr.	verh.,1	7.1	8.1	Krim. Pol. Leitst. Hamburg
Oehlerking, Gu- stav	9.9.90	Helstorf	Krim. O. Sekr.	verh.,2	8.1	9.1	Krim. Pol. Leitst. Hannover
Koch, Wilhelm	30.9.93	Bremen	Krim. O. Sekr.	verh.	8.1	9.1	Krim. Pol. Leitst. Bremen
Reinsch, Franz	24.10.99	Pfall	Krim. O. Sekr.	verh.,2	8.1	9.1	Krim. Pol. St. Graz
Berndt, Wilhelm	13.7.96	Düsseldorf	Krim. O. Sekr.	verh.,3	8.1	9.1	Krim. Abt. Brüx/Sud.

88. Heinrich Himmler an Werner Best 19. Januar 1943

Bests direkte og i den første tid nære forbindelse til Himmler er kun lejlighedsvis oplyst. Det følgende brevfragment giver et indtryk af, hvorledes Best spillede på mere end en hest, og ikke var fuldt loyal over for AA. Ikke alene fremgår det, at Himmler fik tilsendt Bests situationsberetninger, men også at Himmler støttede ham i sager, hvor han handlede på trods af ministeriet. Brevets slutning lader mere end formode, at det f.eks. gjaldt i spørgsmålet om et germansk korps (Schalburgkorpset), som Best tidligere på måneden havde fået besked på ikke at beskæftige sig mere med. Her lovede RFSS Best at lade alle sager fra Berger og Riedweg gå via ham, hvorved Best fik et kardinalpunkt for sit virke i Danmark opfyldt: Ingen ikke-militære anliggender skulle gå uden om ham (Poulsen 1970, s. 378f., 481, n. 89, Thomsen 1971, s. 131 med n. 9 s. 250 (der daterer det til 18. januar). Kun et uddrag er lokaliseret).

Kilde: BArch, NS 19/3302. RA, pk. 443 og 443a. RA, T-175, sp. 59, nr. 575.540.

Der Reichsführer-SS   *Feldkommandostelle, 19. Jan. 1943*
Tgb. Nr. I 196/43 Ads/g
SS-Gruppenführer Dr. Werner Best,
    Bevollmächtigter des Reiches in Dänemark,
    Kopenhagen   Geheim!

Mein lieber Best!

Zunächst meinen herzlichen Dank für Ihre beiden Briefe vom 20. und 22.12.1942.[24] Besonderen Dank für die freundliche Aquavit-Gabe. Er wird nicht nur mir, sondern vor allem auch manche unserer braven SS-Männer an der Front gut schmecken.

Ihr Tätigkeitsbericht hat mich sehr interessiert und ich kann ihn nur völlig anstimmen. Ich sehe von hier aus und von mir aus die Lage genau wie Sie. Mindestens muß die Chance wahrgenommen werden, den Attentismus der Dänen zu erhalten. Wirklich gewinnen werden wir die germanischen Völker erst, wenn der Machtkampf in Europa zu unseren Gunsten entschieden ist, was sicher sein wird.

Betrüblich ist es, daß auch die dänischen Nationalsozialisten so wenig wirkliche Persönlichkeiten haben. Clausen ist leider nicht gewachsen. Ich meine, man müßte zunächst versuchen, ihm beizubringen, daß jemand nach der Größe seiner Umgebung gemessen wird. Ist diese klein, so ist anzunehmen, daß der betreffende König selbst klein ist. Doch habe ich sehr starke Bedenken, ob er solche Lehren, die er hört, auch wirklich annimmt und beherzigt. [Ih]n in die Regierung einzusetzen, halte ich mindestens für absehbare Seit für völlig unmöglich.

Formalitäten haben nichts zu sagen. Handeln Sie jederzeit so, als ob sie die bewußte Vollmacht faktisch in Händen hätten. Was ich tun kann, um Sie zu unterstützen, vor allem in Ihrem Wunsch, daß Ihnen nicht von außen hereinregiert wird, werde ich immer tun. Meine Männer, Berger und Riedweg, werden alle Dinge nur über Sie und durch … [her slutter teksten].

89. Deutscher Politischer Bericht vom 19. Januar 1943.

Blandt Bests talrige initiativer efter ankomsten til København var at lade udarbejde "Deutscher Politischer Bericht", der på baggrund af international presse dagligt redegjorde for aktuelle spørgsmål i verdenspolitikken. Det er uvist, hvor længe beretningen blev udarbejdet og til hvem, den blev distribueret. Det er muligt, at den ikke nåede ud over gesandtskabet, men den kan også være tilgået tyske tjenestesteder og dele af dansk presse, f.eks. *Fædrelandet* og *Nordschleswigsche Zeitung*.[25] Der er kun lokaliseret enkelte eksemplarer fra begyndelsen af 1943. Indholdet er interessant ved at være vulgær nazistisk propaganda, f.eks. benægtelsen af den systematiske undertrykkelse og udryddelse af dele af det polske folk og ikke mindst den udprægede antisemitisme. Samtidig med at Best manede til tilbageholdenhed med aktioner mod de danske jøder, sad der personer andetsteds i gesandtskabet og ophidsede mod jøderne med den rigsbefuldmægtigedes fulde støtte.

Der blev ved siden af og samtidigt med "Deutscher Politischer Bericht" udarbejdet en "Deutscher Wirtschaftsbericht" omhandlende internationale erhvervsmæssige forhold, hvoraf kun et enkelt eksemplar for 18. januar 1943 er lokaliseret. For gesandtskabets andre løbende udarbejdede oversigter, se "Vertrauliche Tagesinformation" 11. april og 27. juni 1944 og 3. og 4. maj 1945.

Kilde: RA, Vesterdals nye pakker, pk. 1.

Der Bevollmächtigte des Reiches in Dänemark
Abteilung K

---

24 Brevene er ikke lokaliseret (jfr. Poulsen 1970, s. 482).

25 Flere af de lokaliserede eksemplarer af "Deutscher Politischer Bericht" er stemplet i KBs Småtryksafdeling kort efter udsendelsen, hvilket indikerer både at oversigten blev sendt til biblioteket og siden af ubekendte grunde atter udskilt for via Vesterdals nye pakker at ende i RA.

Deutscher Politischer Bericht
vom 19. Januar 1943

Der Chef der polnischen Exilregierung in London plante seit längerer Zeit einen Besuch in Moskau. Diese Reise ist jetzt abgesagt worden, woran ausländische Blätter, die sich für das Tun und Lassen Sikorskis interessieren, Kommentare knüpfen. Die "Basler Nachrichten" wollen wissen, daß Roosevelt Sikorski bei seinem kürzlichen Aufenthalt in Washington den Rat gab, den Besuch in Moskau zu verschieben. Die "Basler Nationalzeitung" berichtet, daß Sikorski allmählich erkenne, daß er sich in Bezug auf die Gefühle Stalins gegenüber einer polnischen Restauration Illusionen hingegeben habe. Das Blatt schreibt, es sei mehr als unwahrscheinlich, daß die Sowjets bereit wären, im Falle ihres Sieges zwischen sich und Mitteleuropa ein Gross-Polen bestehen zu lassen. Es ist schwer zu beurteilen, inwieweit diese Erkenntnisse eines Schweizer Blattes sich der polnischen Emigration mitgeteilt haben. Geweisse Zeichen scheinen dafür zu sprechen, daß auch Sikorski an einen Ausgleich zwischen Polen und Russen nicht mehr glaubt. So führte er kürzlich mit der mexikanischen Regierung Verhandlungen über die Ansiedlung von polnischen Flüchtlingen. Das seinerzeit zwischen Sikorski und Stalin getroffene Abkommen, in dem die Sowjetregierung sich verpflichtete, die von ihr nach Sibirien deportierten Polen frei zu lassen, ja sogar die Aufstellung von polnischen Divisionen in Rußland zu gestatten, hat kaum zu einem praktischen Ergebnis geführt. Nach einem Bericht der "Neuen Zürcher Zeitung" hat die mit der Ermittlung der in der Sowjetunion in Gefangenenlagern verstreut lebenden Polen beauftragte Kommission feststellen müssen, daß von 1,8 Millionen Menschen, die von den Bolschewisten im Herbst 1939 aus Polen verschleppt wurden, 1,4 Millionen spurlos verschwunden sind, Bisher ist es nur gelungen, 320.000 Deportierte festzustellen. Von diesen wiederum sind nur 60.000 als wehrfähig befunden worden. Aus ihnen werden die im Nahen Osten unter britischen Befehl stehenden Polen rekrutiert. Die übrigen 260.000 ermittelten Deportierten will die Sowjetregierung nur unter der Bedingung frei lassen, daß sie nach Lateinamerika auswandern. Wie dies im Kriege bewerkstelligt werden soll, bleibt ein Geheimnis. In jedem Fall besteht kein Zweifel darüber, daß die Sowjetregierung ohne Rücksicht auf die mit Sikorski getroffenen Abkommen eine systematische Ausrottung des Polentums in ihren Gebieten betreibt. Während die polnische Emigrantenregierung in London sich den Anschein zu geben sucht, als arbeite sie für die Restauration Polens, ist sie in Wirklichkeit noch nicht einmal imstande, ihre Landsleute vor dem bolschewistischen Henker zu retten. Der einzige Ort der Welt, wo das Polentum heute ruhig und in Frieden leben kann, ist das Generalgouvernement. Dort sind ihm nicht nur die Grundlagen einer wirtschaftlichen Existenz und eines kulturellen Fortlebens, sondern auch die Vorteile einer nach westeuropäischem Vorbild im Aufbau befindlichen Verwaltung gegeben. Im Reiche selbst finden polnische Arbeiter unter den gleichen Bedingungen Brot, wie die Angehörigen aller übrigen europäischen Nationen. In der Sowjetunion leben die Polen hinter Stacheldraht. In Großbritannien und in den USA werden sie von einem Vorzimmer ins andere geschickt, ohne etwas zu erreichen. Nur als Kanonenfutter sind ihre Dienste noch willkommen. Im neuen größeren Europa haben dagegen auch die Polen einen Lebensraum.

Die wichtige Rolle, die das amerikanische Judentum bei der Penetration Französisch-Nordafrikas durch die Vereinigten Staaten spielt, ist jetzt auch äußerlich zum Ausdruck gebracht worden. Der Jude Samuel Reber ist jetzt von Roosevelt zum Assistenten von Murphy im Hauptquartier Eisenhower ernannt worden. Er war bisher stellvertretender Leiter der Europa-Abteilung des Staatsdepartements. Seine alte wie seine neue Stellung verdankt Samuel Reber seinem Rassegenossen Samuel Rosenmann, dem intimsten Freunde Roosevelts und dem ungekrönten Herrscher des Weißen Hauses. Es ist bezeichnend für das anglo-amerikanische Verhältnis, daß Roosevelt gegen die Faustschläge, die ihm Churchill mit der Ermordung Darlans und der Ernennung MacMillans zum Ministerresidenten erteilt hat, kein anderes Mittel mehr weiß, als den Einsatz eines durch seine Listigkeit bekannten Juden. Der robuste Murphy scheint gegenüber dem geriebenen MacMillan bereits versagt zu haben. Man darf gespannt sein, wie der gerissene Judenjunge Reber dem britischen Leu in Nordafrika zuleibe gehen wird. Nach dem "Daniel in der Löwengrube" wird es jetzt einen "Samuel in der Löwengrube" geben.

90. Paul Barandon an das Auswärtige Amt 19. Januar 1943

Det tyske mindretal i Danmark nærede i begyndelsen forhåbninger til, at Best ville være dem gunstigere stemt end forgængeren. Den 29. november besøgte han Sønderjylland, og forhåbningerne blev ikke gjort til skamme. Mindretallets planer om øget kulturel autonomi håbede mindretalslederne at afsætte til ham. Best var dog ikke en leder, der tog beslutninger på stedet, og gesandtskabets sagkyndige i det nordslesvigske spørgsmål, dr. Rolf Kassler, afgav 19. januar 1943 en redegørelse for mindretallets forhold, herunder om autonomiplanerne, der lod forstå, at der ikke var taget stilling til disse spørgsmål (Noack 1975, s. 145).

Kilde: PA/AA R 100.355. PKB, 14, nr. 101.

Der Bevollmächtigte des Reiches in Dänemark   *Kopenhagen, den 19. Januar 1943.*
I C/Tgb. Nr. 16/43

Betr.:   Zusammenfassung der Ausführungen des Gesandtschaftsrats Dr. Kassler bei der
         Besprechung der Volkstumsreferenten im Auswärtigen Amt.
– 2 Durchschläge –
1 Anlage (dreifach).[26]

An das Auswärtige Amt,
   Berlin.

In der Anlage wird weisungsgemäß eine Zusammenfassung der von dem Volkstumsreferenten Gesandtschaftsrat Dr. Kassler bei der Zusammenkunft der Volkstumsreferenten im Auswärtigen Amt am 17. Dezember v. Js. gemachten Ausführungen vorgelegt.

I.V.
Barandon

---

26 Bilaget er Rolf Kasslers tale.

I. Im politischen Verhältnis des Reiches zu Dänemark spielt Nordschleswig eine nicht unwesentliche Rolle. Die Tatsache, daß Dänemark die Abtrennung Nordschleswigs in Verbindung mit dem Versailler Friedensdiktat erreichte, wirkt sich auch heute noch dahin aus, daß man sich auf dänischer Seite nicht von einer gewissen Furcht freimachen kann, Dänemark könnte eines Tages zur Rückgabe von Nordschleswig oder von Teilen desselben gezwungen werden. Die Dänen zeigen sich daher bei allen Nordschleswig betreffenden Fragen besonders empfindlich und verfolgen die deutsche Volksgruppenpolitik mit besonderer Wachsamkeit. Während der im Oktober v. Js. vorübergehend auftretenden politischen Spannung in den deutsch-dänischen Beziehungen war deshalb auch eine gewisse dänische Nervosität hinsichtlich Nordschleswigs festzustellen, während sich umgekehrt bei der deutschen Volksgruppe vielfach Gerüchte bildeten, die von einer Verwirklichung des alten Wunsches nach Grenzrevision und Heimkehr ins Reich sprachen.

II. Es kann nicht geleugnet werden, daß trotz der Aufgabe der Grenzrevisionsparole im politischen Leben der Volksgruppe der Wunsch nach einer Angliederung an das Reich im Herzen der meisten Volksdeutschen noch lebendig ist. Dies ist auch angesichts der historischen Entwicklung Schleswigs und des nach dem Weltkriege 20 Jahre hindurch geführten Revisionskampfes der Volksgruppe kaum anders zu erwarten. Eine Gefährdung des politischen Programms der Volksgruppe, d.h. der nach der Besetzung Dänemarks gegebenen neuen Zielsetzung ist darin in keiner Weise zu erblicken, denn die unbedingte Autorität und das Vertrauen, das der Volksgruppenführer in allen Schichten der Volksgruppe genießt, sowie die innerhalb der Volksgruppe vorhandene Disziplin bieten die Gewähr dafür, daß die Volksgruppe in jeder Beziehung ihre Wünsche den politischen Interessen des Reiches unterordnet. Der Volksgruppenführer selbst hat erst kürzlich in einer bedeutungsvollen und staatsmännisch geschickten Rede, die er im Beisein des Reichsbevollmächtigten und des SS-Obergruppenführers Lorenz hielt, erneut hervorgehoben, daß die Aufgaben der Volksgruppe in der heutigen Zeit, in der es um den Zusammenschluß und die Existenz der europäischen Völker ginge, weit über den engen Rahmen der Epoche nach dem Weltkrieg hinausgewachsen seien und andere Perspektiven erhalten hätten.

III. Eine besondere Note erhält die Volksgruppenarbeit in Nordschleswig durch den großgermanischen Gedanken. Aus der Verbindung der eigentlichen Volkstumsarbeit mit der von der Volksgruppe zu leistenden Mitwirkung an der Erfüllung germanischer Aufgaben ergeben sich manche Probleme, die schon durch die Aufgabenstellung für die Volksgruppe gekennzeichnet werden. So hat die Volksgruppe Aufgaben, die sich zum Teil überschneiden, nämlich

1.) Bewahrung und Ausbau der deutschen Positionen – zwangsläufig gegen das Dänentum gerichtet, das hinsichtlich aller Fragen des Grenzgebietes sowohl zentral wie im Grenzgebiet selbst sehr gut organisiert ist,

2.) Brücke der Verständigung zu bilden vom Süden zum Norden hin und Zusammengehen mit den positiv ausgerichteten Kräften im dänischen Volk, insbesondere den dänischen Nationalsozialisten, mit dem Ziel einer weitgehenden inneren Annäherung beider Völker auf der Grundlage des gemeinsamen germanischen Blutes.

In diesem Zusammenhang möchte ich erwähnen, daß bei der Volksgruppe im vorigen Sommer eine ernste Beunruhigung darüber entstand, daß zahlreiche volksdeutsche

Freiwillige der Waffen-SS dem aus dänischen Freiwilligen gebildeten Freikorps Dänemark zugeteilt waren und unter dänischem Kommando und dänischer Flagge an der Ostfront gekämpft hatten, zum Teil auch gefallen waren. Auf die Vorstellungen des Volksgruppenführers hin, daß die Deutschen Nordschleswigs als Deutsche und unter deutschem Kommando kämpfen wollten, wurde vom Reichsführer-SS der Befehl erteilt, alle Volksdeutschen aus dänischen Freiwilligenverbänden herauszuziehen und sie ausschließlich reichsdeutschen Verbänden der Waffen-SS zuzuteilen. Die Volksgruppe glaubte, diesen und anderen Vorgängen eine ernste Bedeutung beilegen zu müssen. Sie erklärte nämlich, aus einer Reihe von Anzeichen entnehmen zu müssen, daß man an maßgeblicher Stelle im Reich den großgermanischen Gedanken in Dänemark in der Weise verwirklicht sehen wolle, daß die Zugehörigkeit zum deutschen Volkstum vollkommen vor dem von Deutschen und Dänen in gleicher Weise abzulegenden Bekenntnis zur nationalsozialistischen germanischen Schicksalsgemeinschaft zurückzutreten habe. Der Volksgruppenführer befürchtete, daß die Volksgruppe mehr und mehr ihre geschlossene völkische Einheit aufzugeben habe, um sich mit denjenigen dänischen Kräften zu verschmelzen, deren Ziel es sei, das dänische Volk für die großgermanische Idee zu gewinnen; das aber müsse letzten Endes Einordnung und Unterstellung der Volksgruppe unter die Führung der dänischen Nationalsozialisten bedeuten.

Der Volksgruppenführung ist auf diese Anfragen hin klargelegt worden, daß ihre Befürchtungen völlig unbegründet seien und man in keiner Weise daran denke, zugunsten großgermanischer Ziele von der Volksgruppe Aufgabe des Deutschtums zu fordern, sondern daß im Gegenteil die Behauptung des Deutschtums immer erste Pflicht der Volksgruppe bleibe.

IV. An aktuellen Vorgängen innerhalb der Volksgruppe ist in erster Linie der dem Reichsbevollmächtigten vom Volksgruppenführer vorgetragene Wunsch hervorzuheben, man möge dänischerseits der Volksgruppe auf kulturellem Gebiet die Selbstverwaltung einräumen. Der Plan der Volksgruppe, der zunächst in großen Zügen ausgearbeitet ist, geht dahin, daß die Volksgruppe ein eigenes Schulwesen erhält. Zu diesem Zweck sollen die volksdeutschen Kommunalschulen in der örtlichen und mittleren Instanz aus dem staatlichen dänischen Schulwesen herausgegliedert werden und zusammen mit den volksdeutschen Privatschulen einem Schulamt der Volksgruppe unterstellt werden, das unmittelbar dem dänischen Kultusministerium untergeordnet wird. In ähnlicher Weise soll ein eigenes Kirchenwesen der Volksgruppe geschaffen werden. Die Volksgruppe erhebt dabei die Forderung, daß sowohl das Schulwesen wie das Kirchenwesen ausschließlich vom dänischen Staat finanziert wird. Die Volksgruppe wünscht ferner für die Behandlung von volksdeutschen Angelegenheiten die Einrichtung einer Verbindungsstelle bei der dänischen Regierung in Kopenhagen. Die Behandlung dieser Fragen durch den Herrn Reichsbevollmächtigten ist noch nicht abgeschlossen.

Kopenhagen, den 13. Januar 1943.

Kassler

91. Karl Schnurre an Werner Best [efter 19.] Januar 1943

Efter at Best havde rykket to gange (4. og 26. december), og siden Barandon igen 8. januar fremstillede den tilspidsede brændstofsituation i Danmark, sendte AA en meddelelse om, at der ville komme forøgede tyske forsyninger i januar og februar 1943.

Kilde: BArch, R 901 68.712

Durchdruck

Berlin, den Januar 1943
zu Ha Pol VI 220/43
zu Ha Pol VI 239/43
zu Ha Pol VI 289/43

F e r n s c h r e i b e n

Citissime
Diplogerma Kopenhagen
Nr. ...
Ref.: LR van Scherpenberg
Betrifft: Kohlenlieferung nach Dänemark

Auf Nr. 18 vom 8. Januar.[27]
Im Hinblick auf die aus dortiger Berichterstattung hervorgehenden besonders großen Schwierigkeiten der dänischen Brennstofflage haben zuständige innere Stellen sich bereit erklärt, trotz des weiterhin im Inland und bezüglich der Ausfuhr bestehenden Notstandes zunächst für die Monate Januar und Februar erhebliche zusätzliche Mengen Brennstoffe zur Verfügung zu stellen.

Auf Grund der getroffenen Maßnahmen können die Dänen damit rechnen, daß im Januar im ganzen 180-200.000 t Kohle und Koks und 30-40.000 t Braunkohlenbriketts eintreffen. Für Februar können die Dänen mit dem Eintreffen von mindestens 260.000 höchstens 290.000 t Kohle und Koks und dem größten Teil von 60.000 t Braunkohlenbriketts rechnen. In der für Kohle und Koks genannten Menge sind voraussichtlich etwa 30.000 t von der über Rotterdam zur Verfügung gestellten Sondermenge von 40.000 t enthalten. Wegen dieser Menge bitte ich Dänen zu veranlassen, entsprechenden Schiffsraum in Rotterdam zur Verfügung zu stellen und wegen der praktischen Durchführung sich mit dem RWKS in Essen in Verbindung zu setzen.

Von den Braunkohlenbriketts sind 30.000 t Sonderzuteilung für die aus besonderen Gründen ein Preisaufschlag von 1,70 RM pro to gezahlt werden muß.

Aus den für Februar vorgesehenen verhältnismäßig großen Mengen sollen die Dänen Teilmengen zur Auffüllung der Reserveläger verwenden. Über den Umfang dieser Abzweigung wird mit den Dänen anläßlich der Februarverhandlungen in Berlin gesprochen werden.

Bitte ferner schon jetzt auf dänische Regierung einzuwirken, daß sie Sonderzuteilungen Braunkohlenbriketts im Januar und Februar derart bei der Industrie und anderen Kohlenverbrauchern unterbringt, daß dadurch entsprechende Steinkohlenmengen für Dänische Staatsbahnen frei werden.

Zur Information. Die vorstehend mitgeteilte Zahlen decken sich nicht mit dem Mo-

---

27 Trykt ovenfor.

JANUAR 1943 *141*

natssoll für das jeweils Stems aufgegeben werden, da sich dabei regelmäßig erhebliche Überhänge von Monat zu Monat ergeben. Die Zahlen stellen vielmehr einen Voranschlag derjenigen Mengen dar, die nach unseren Erwartungen auf Grund der Produktions- und Transportlage tatsächlich in den betreffenden Monaten in dänischen Häfen eintreffen werden.

Schnurre

Vermerk:
Die in dem zessierten Telegrammentwurf vom 19.1. aufgeworfenen Schiffsraumfrage braucht nicht behandelt zu werden, da nach Mitteilung von Min. Dir. Waldeck zur Zeit infolge der Luleaa-Erzfahrt ausreichender Schiffsraum auch für die Kohlenverschiffung nach Finnland zur Verfügung steht.

92. Werner Best an das Auswärtige Amt 20. Januar 1943

Admiral Mewis havde meddelt Best, at AA havde beklaget sig til OKM over hans foranstaltninger i forbindelse med B&W-strejken i København og var blevet afkrævet en redegørelse for dem. I den anledning ville Best beklage den opståede misstemning hos Mewis og ønskede, at AA meddelte OKM, at Best betragtede sagen som afsluttet.
Kilde: PA/AA R 29.566. RA, pk. 202.

Telegramm

Kopenhagen, den	20. Januar 1943	18.30 Uhr
Ankunft, den	20. Januar 1943	19.00 Uhr

Nr. 72 vom 20.1.[43.]

Im Anschluß an Drahtbericht Nr. 1869[28] vom 15.12.42.

Der Marinebefehlshaber in Dänemark hat mir heute mitgeteilt, daß er auf Grund einer, an das OKM gerichteten Beschwerde des AA vom OKM zu eingehender Berichterstattung, über seine Maßnahmen, anläßlich des in dem Vorbericht dargestellten Streiks aufgefordert worden sei. Ich bedaure die hieraus entstandene Verstimmung des Marinebefehlshabers und wäre dankbar, wenn dort dem OKM mitgeteilt würde, daß, wie ich auch im Schluß-Satz meines Vorberichtes festgestellt habe, die Angelegenheit als erledigt betrachtet wird. Da bisher zwischen dem Marinebefehlshaber und meiner Behörde das beste Verhältnis bestand, liegt mir sehr viel daran, daß der Marinebefehlshaber nicht den Eindruck gewinnt, als ob ich gegen ihn Beschwerden erhoben hätte, ohne ihn mit der unseren Beziehungen entsprechenden Offenheit hierüber zu unterrichten. Mein Bericht sollte ja tatsächlich auch nur die Sachlage klarstellen, weil mir bekannt geworden war, daß von unberufener Seite Berichte erstattet worden waren, in denen der Streik auf kommunistische Agitation zurückgeführt wurde.

Dr. Best

28 Pol. VI. Trykt ovenfor.

93. Martin Luther: Memorandum an Friedrich Gaus 20. Januar 1943

Luther gav en oversigt over en række lande, der i løbet af 1942 havde fået besked om at trække deres statsborgere af jødisk oprindelse hjem. Blandt de lande, hvor dette skridt endnu ikke var taget, blev nævnt Danmark og Sverige. De planlagte skridt i forhold til de skandinaviske lande var udsat, da man afventede den nytiltrådte Bests initiativ. Nu kunne man så gå i gang (Yahil 1967, s. 80).

Luther satte sig i forbindelse med Best 22. januar i sagen.

Kilde: ADAP/E, 5, nr. 64. Lauridsen 2008a, nr. 62.

Unterstaatssekretär Luther an Unterstaatssekretär Gaus (z.Z. Sonderzug)

Fernschreiben

Nr. 301   *Berlin, den 20. Januar 1943*

Im Laufe des Jahres 1942 wurden im Reich und in den besetzten Westgebieten alle Juden aus dem Protektorat, ferner die Juden slowakischer, kroatischer, serbischer und griechischer Staatsangehörigkeit den allgemeinen Sicherheitsmaßnahmen einschließlich Kennzeichnung und Abschiebung unterworfen. Entsprechende Übereinkünfte wurden dann auch bezüglich der Juden rumänischer und bulgarischer Staatsangehörigkeit erzielt. Bezüglich der weiterverbleibenden ausländischen Juden ergibt sich folgendes Bild:

Italien:

Die italienische Regierung, welche Bedenken gegen die geplante Regelung äußerte, erhielt nunmehr gemäß bekannter Weisung des Herrn RAM Mitteilung darüber, daß auch italienische Juden bis zum 31.3.1943 zurückgenommen sein müssen, sofern sie nicht unseren Maßnahmen unterworfen werden sollen.[29]

Ungarn:

Bei den ungarischen Juden, auf welche die genannten Maßnahmen ebenfalls ausgedehnt wurden, erhob die ungarische Regierung Einwendungen, besonders im Hinblick auf Sicherung der Vermögenswerte. Es wurde daher letzter Termin bis zum 31.12.1942 gestellt, bis zu dem die ungarische Regierung die Möglichkeit haben sollte, einzelne ihrer jüdischen Staatsangehörigen zurückzunehmen. Dieser Termin ist auf Bitten der ungarischen Regierung zwecks Regelung notwendiger vermögensrechtlicher Vorfragen bis zum 31.1.1943 verlängert worden.

Türkei:

Die türkische Regierung erklärte sich mit Zurücknahme ihrer Juden bis zum 31.12.1942 einverstanden unter Hinweis darauf, daß sie in manchen Fällen durch Nichterteilung des Sichtvermerks auch ihr Desinteressement zu erkennen gebe; in Frankreich hat sich durch angeblich nicht rechtzeitige Unterrichtung des türkischen Generalkonsulats eine kurzfristige Verlängerung des genannten Termins bis Ende Januar 1943 ergeben.

Schweiz:

Die Schweizer Regierung erhielt Mitteilung, daß Juden schweizerischer Staatsangehö-

---

29 Se ADAP/E, 5, nr. 32.

rigkeit ab 1.2.1943 unseren Maßnahmen unterworfen würden. Es sei ihr Gelegenheit gegeben, diese Juden vorher zurückzunehmen. Prüfung des Einzelfalles bleibe vorbehalten, da es sich offenbar teilweise um Ostjuden beziehungsweise Emigranten handle. Die Schweizer Behörden haben Listen der für Holland und Belgien in Frage kommenden Juden bereits überreicht und bereiten die Liste für Frankreich vor.

Keine Schritte sind bisher erfolgt bezüglich der Juden spanischer, portugiesischer, dänischer und schwedischer Staatsangehörigkeit. Im Falle Spanien und Portugal sollte der Schritt erleichtert werden unter Hinweis darauf, daß es sich um die einzigen noch verbleibenden ausländischen Juden handelt, bei denen aber auch keine Ausnahme gemacht werden könne. Dieser Schritt kann nun erfolgen.

Der bereits geplante Schritt in den skandinavischen Ländern war zurückgestellt worden, damit der neue Bevollmächtigte in Kopenhagen von sich aus Gelegenheit hat die Initiative zur Bereinigung der dänischen Judenfrage zu ergreifen. Auch dieser Schritt kann nunmehr erfolgen.

Luther

94. Der Reichsminister der Finanzen an Emil Wiehl 20. Januar 1943

AA havde 7. december bedt RFM om et hurtigt svar på, om clearingkontoen i Nationalbanken kunne omstilles fra RM til kroner, da Best i så tilfælde ville drage politisk fordel af det. RFM svarede, at det ville trække sine betænkeligheder tilbage, hvis det var AAs mening, at det var påkrævet af hensyn til de økonomiske og politiske forbindelser til Danmark. Dog skulle Best samtidig gøres opmærksom på, at danskerne ikke skulle lades i tvivl om, at det ikke foregreb den endelige ordning af det tysk-danske finansielle mellemværende.

Reaktionen i AA på ekspresbrevet, som trods det havde været længe undervejs, fremgår af en række håndskrevne bemærkninger. Ordet "erforderlich" var givet to understregninger og ud for det var noteret "nein!" Det blev i stedet foreslået at indhente Alex Walters stillingtagen, ligesom imødekommelsen af Bests ønske skulle knyttes sammen med politiske ønsker. Bemærkningerne er rimeligvis Wiehls, da signaturen er W 23/1. Det var også Wiehl, der svarede Best 1. marts 1943.

Kilde: BArch, R 901 113.554.

Der Reichsminister der Finanzen   *Berlin W 8, 20. Januar 1943*
F 4406 Dän.-Norw.-195 GenB

Schnellbrief

Auswärtiges Amt
z.Hd. v. Herrn Ministerialdirektor Wiehl o.V.i.A.
Berlin

Umstellung des Besatzungskostenkontos der Dänischen Nationalbank bei der Hauptverwaltung der Reichskreditkassen
Auf das Schreiben vom 7.12.42 Ha. Pol. VI – 4339/42

Ich stelle meine Bedenken gegen die außergewöhnliche Maßnahme zurück, wenn das Auswärtige Amt der Meinung ist, daß die Umstellung der Reichsmark-Forderung der

144   JANUAR 1943

Dänischen Nationalbank gegenüber der Hauptverwaltung der Reichskreditkassen auf dän. Kronen erforderlich ist, um die wirtschaftlichen und politischen Beziehungen zwischen dem Deutschen Reich und Dänemark zu fördern.

Die Umwandlung des bestehenden Guthabens hat zum gegenwärtigen Umrechnungskurs zu erfolgen.

Ich bitte, den Bevollmächtigten des Deutschen Reichs in Kopenhagen anzuweisen, die dänische Seite nicht darüber im Zweifel zu lassen, daß durch dieses Entgegenkommen einer Regelung der finanziellen Verpflichtungen Dänemarks durch die beiderseitigen Regierungen nicht vorgegriffen wird.

Abschrift habe ich den von Ihnen beteiligten Stellen und dem Verwaltungsrat der Reichskreditkassen zugehen lassen.

Im Auftrag

gez. **Bayrhoffer**

95. Niederschrift über die Besprechung des SS-Ausschusses der Arbeitsgemeinschaft für den germanischen Raum am 12.1.1943, 20. Januar 1943

I SS-samarbejdsudvalget for det germanske område var der blevet afholdt møde 12. januar 1943 (jfr. Germanische Leitstelles notat 12. januar 1943, trykt ovenfor). Franz Riedweg gav en oversigt over situationen i de germanske lande. For Danmarks vedkommende fandt han det overordentlig glædeligt, at Best var blevet ny rigsbefuldmægtiget. Man kunne forvente, at Bests politik ville blive et skoleeksempel på "völkischer" rigspolitik. Forholdet til Frits Clausen var blevet anstrengt. Han modsatte sig, at medlemmer af DNSAP også kunne være medlemmer af det planlagte frontkæmperkorps. Forhandlingerne var stadig i gang, men DNSAPs monopol på hvervningen var uholdbar. Riedweg kom også ind på de drøftelser, der havde været på Germanische Leitstelles konference i København i december, hvor bl.a. begreberne "folk" og "stamme" var blevet diskuteret (Outze, 3, 1962-68, s. 506f., Schreiber Pedersen 2008, s. 294f.).

Referatet understreger, at man i SS havde store forventninger til Best som rigsbefuldmægtiget, forventninger næret af den forbindelse og de aftaler, han havde lavet med bl.a. Berger og Riedweg før afrejsen fra Berlin til København. Til gengæld var Frits Clausens stilling stærkt svækket.

Berger sendte 1. februar 1943 referatet til Wolfram Sievers.

Kilde: RA, Danica 1069, sp. 15 (uden nr.).

<table>
<tr><td>

Der Reichsführer-SS
SS-Hauptamt, Amt VI
VI/1 – Dr. Schm/Ni. –
VS-Tgb. Nr. 704/43 geh.
VI-Tgb. Nr. 214/43 geh.

</td><td>

Bln.-Wilmersdorf 1, d. 20.1.1943
Hohenzollerndamm 31
Geheim!

</td></tr>
</table>

N i e d e r s c h r i f t

über die Besprechung des SS-Ausschusses der Arbeitsgemeinschaft für den germanischen Raum am 12.1.1943, 12 Uhr, im SS-Hauptamt.

An der Besprechung nahmen teil:

1. SS-Brigadeführer Bauer   SS-Führungshauptamt, Kommandoamt Allgemeine-SS

2. SS-Oberführer [Kurt] Ellersieck	Kommandeur der SS-Mannschafts-häuser
3. SS-Standartenführer Lörner	SS-Wirtschafts-Verwaltungshaupt-amt
4. SS-Standartenführer Schmidt	Fürsorge- u. Versorgungsamt SS/Ausland
5. SS-Standartenführer [Wolfram] Sievers	Amt Ahnenerbe
6. SS-Obersturmbahnführer Dr. [Franz] Riedweg	SS-Hauptamt, Amt VI
7. SS-Sturmbahnführer Dr. [Walter] Stier	Stabshauptamt des Reichskommis-sars für die Festigung deutschen Volkstums
8. SS-Sturmbahnführer Paulus	SS-Personal-Hauptamt
9. SS-Hauptsturmführer Dr. [Günther] Tesch	Amt Lebensborn
10. SS-Hauptsturmführer Dr. [Hans] Sichel-schmidt	Volksdeutsche Mittelstelle
11. SS-Obersturmführer Harderer	Rasse- u. Siedlungshauptamt
12. SS-Obersturmführer Dr. [Hans] Schneider	Amt Ahnenerbe
13. SS-Obersturmführer Dr. Schmidt	SS-Hauptamt, Amt VI
14. SS-Obersturmführer [Curt von] Ulrich	SS-Hauptamt, Amt VI

SS-Obersturmbannführer Dr. Riedweg geb einleitend einen Bericht über die Lage in den germanischen Ländern.

Die Gegnerkreise in den germanischen Ländern haben sich in der Berichtzeit aktiver bemerkbar gemacht. Verschiedene Maßnahmen haben sich für die politische Entwick-lung erschwerend ausgewirkt, so vor allem unter anderem die Arbeits-Dienstverpflich-tung in Flandern und in den Niederlanden.

Die Entwicklung der Ersatzlage macht es notwendig, auch im germanischen Raum größere Werbeaktionen stattfinden zu lassen. Sämtliche Germanen – ausgenommen die Flamen – werden in einem germanischen Verband zusammengefaßt. Die Flamen ver-bleiben im Regiment "Langemarck".

Die Division "Prinz Eugen" ist inzwischen nach Kroatien verlegt worden. Hier soll ferner eine kroatische Legion gebildet werden, die unter den Befehl von SS-Gruppen-führer Phleps tritt.

Eine Tatsache von weittragender Bedeutung ist es, daß der Führer seine Zustim-mung zur Aufstellung einer SS-Standarte aus französischen Freiwilligen gegeben hat, die den Namen "Karl der Große" tragen soll.

Norwegen

In Norwegen ist inzwischen Minister Fuglesang der Nachfolger des tödlich verunglück-ten Ministers Lunde geworden.[30]

---

30 Kultur- og folkeoplysningsminister Guldbrand Lunde og hustru omkom ved en drukneulykke 26. ok-tober 1942. Rolf Jørgen Fuglsang blev hans efterfølger (Dahl 1992, s. 367).

Trotz der seitens der Quisling-Partei gemachten Versprechungen kann man nicht damit rechnen, daß aus Norwegen ein wesentliches Kontingent gestellt wird.

Dänemark
In Dänemark ist die Lage außerordentlich erfreulich durch die Übernahme der Führung durch SS-Gruppenführer Dr. Best. Man darf die Überzeugung haben, daß SS-Gruppenführer Dr. Best hier ein Schulbeispiel völkischer Reichspolitik bieten wird.

Das Verhältnis zu Parteiführer Clausen hat sich in der letzten Zeit schwierig gestaltet. Clausen hat dem Plan der Gründung eines Frontkämpfer-Korps als Vorstufe zur germanischen Schutzstaffel in Dänemark nur unter der Voraussetzung zugestimmt, daß die Zugehörigkeit zu diesem Korps die Zugehörigkeit zur Partei ausschlösse.[31] Verhandlungen zu dieser dringend notwendigen Sammelorganisation der Frontkämpfer laufen. Die Monopolstellung der Partei ist nicht haltbar; es müssen sämtliche Erneuerungskräfte herangezogen werden, wenn auch Claussen persönlich – aber ohne Clique – im Vordergrund zu stehen hat.

Niederlande
In den Niederlanden ist inzwischen Mussert durch Reichskommissar Dr. Seyss-Inquart zum Führer des niederländischen Volkes proklamiert worden. Diese Maßnahme hat sich auf die übrigen germanischen Länder außerordentlich beunruhigend ausgewirkt, vor allem auf Flandern. Die entscheidende Rolle fällt wiederum dem Generalkommissariat zu, dessen Prinzip der "Abnutzung" Musserts, um ihn hinterher fallen zu lassen, seitens einer germanischen Reichspolitik im Sinne der Schutzstaffel abgelehnt werden muß.[32]

Flandern
In Flandern ist in der letzten Zeit die Entwicklung VNV weiterhin ungünstig verlaufen. Darüber kann auch die sehr geschickte Politik des neuen VNV-Leiters, Dr. Elias, nicht hinwegtäuschen, der im übrigen einmal die Meinung geäußert hat, daß Deutschland zu Zugeständnissen auf volkspolitischem Gebiet immer nur dann bereit sei, wenn es ihm dreckig ginge.

In der letzten Zeit ist die wallonische Frage besonders stark in den Vordergrund getreten. Leon Degrelle, der als Leutnant bei der wallonischen Legion stand und sich dort das EKI geholt hat, ist gegenwärtig in Belgien und benutzt diese Zeit, um nach allen Seiten eine politische Fühlungnahme durchzuführen. Die Absicht Degrelles, eine allgemeine wallonische SS zu gründen, ist zurückgestellt worden. In der Beurteilung des Verhältnisses zwischen Religion und Politik zeigt sich bei Degrelle, daß er in seinem Denken ein Welscher ist.

Eine erfreuliche Entwicklung hat sich in Bezug auf den flämischen Arbeitsdienst angebahnt. Die vom Reichsarbeitsführer und insbesondere von Oberstarbeitsführer

---

31 Dette standpunkt opretholdt Frits Clausen i fuldt omfang til september 1943 til stor fortrydelse for Best (Lauridsen 2003b, s. 357f.).

32 Den hollandske nazistiske leder Anton Mussert havde januar 1942 samlet alle landets nationalistisk prægede grupper i et enhedsparti og erklærede sig senere på året som tilhænger af et fællesgermansk statsforbund, hvilket skaffede ham Hitlers anerkendelse som fører for det hollandske folk, og 1. februar 1943 kunne han danne en regering. Rigskommissær Arthur Seyss-Inquart beholdt fortsat den øverste myndighed.

JANUAR 1943

Müller-Brandenburg mit Zustimmung des Reichsführers-SS geführten Verhandlungen haben ergeben, daß am 1.4.1943 der Arbeitsdienst in Belgien obligatorisch wird, sowohl auf dem flämischen wie auf dem wallonischen Sektor. Zur Überbrückung werden bereits am 15.1.43 Studenten und Beamtenanwärter zum Arbeitsdienst eingezogen.

Finnland
In Finnland ist Feldmarschall Mannerheim für die Nachfolge der Staatspräsidentschaft intern vorgeschlagen.

Im Verkehr mit General Talvela ist außerordentliche Zurückhaltung geboten.

Im Augenblick sind finnische Verwundete (Offiziere, Unteroffiziere, Mannschaften und Lottes) als Gäste des Reichsführers-SS in Deutschland. Diese Verwundetenbetreuung hat sich als sehr wesentlich erwiesen.

Südosten
Im Südosten sind inzwischen sämtliche volksdeutschen Freiwilligen der SS zugewiesen worden.

In Ungarn sind nach wie vor äußerste Schwierigkeiten hinsichtlich der Beschaffung der nötigen Devisen für den Familienunterhalt der eingezogenen Freiwilligen. Die Vorschläge der ungarischen Regierung sind jeweils nur Stückwerk.

Insgesamt zeigt sich im Südosten als eine Folge der allgemeinen Kriegslage ein starker Attentismus, und zweifellos muß man damit rechnen, daß durch den Vatikan eine gewisse Fühlungnahme mit deutschfeindlichen Kräften besteht.

Nachdem am 12.8.42 der Erlaß des Reichsleiters Bormann über die Zuständigkeit des Reichsführers-SS für alle germanischen Fragen und die strikte Anweisung an alle Parteigliederungen erfolgt war,[33] war von Reichsminister Dr. Lammers ein ähnlicher Erlaß auf den staatlichen Sektor vorbereitet worden, der demnächst herauskommt. Die neue Formulierung verlangt auch auf dem staatlichen Sektor ein Mitbestimmungsrecht des Reichsführers-SS in grundsätzlichen völkischen Fragen, d.h., daß die Reichskommissare in allen wesentlichen grundsätzlichen Fragen des Volkstums den Reichsführer-SS zu beteiligen haben.[34]

SS-Obersturmbannführer Dr. Riedweg berichtet dann noch über Fragen der Terminologie, die auf der internen Arbeitsbesprechung der Germanischen Leitstelle in Kopenhagen berührt worden waren.[35] In der Hauptsache betrifft diese Terminologie die Begriffe "Reich", "Nation", "Volk" und "Stamm" sowie "nordisch" und "germanisch".

In Übereinstimmung mit dem Amt Ahnenerbe wurde festgelegt, daß der Begriff "Reich" reserviert bleiben soll für das gesamte Reich aller germanischen Stämme und Völker. Für Deutschland soll der offizielle Begriff "Deutsches Reich" angewandt werden.[36]

33 Trykt ovenfor i forbindelse med Martin Bormanns brev til RFSS 5. oktober 1942.
34 Hans Lammers' forordning er trykt nedenfor 6. februar 1943.
35 Se Bests telegram nr. 1881, 16. december 1942.
36 Wolfram Sievers udarbejdede et notat 12. januar 1943 om "Arbeit in den germanischen Ländern" på grundlag af mødet i København. I et brev til H.E. Schneider 9. marts 1945 gengav han optegnelser herfra,

"Nation" als ein doch vorwiegend vom Liberalismus her geprägter Begriff soll auf die germanischen Völker nicht mehr angewandt werden.

Schwierigkeiten ergeben sich auch in der Auseinanderhaltung der Begriffe "Stamm" und "Volk". Der Begriff "Volk" soll möglichst den gesamtgermanischen Raum umschließen.

Das Wort "Stamm" soll, wo es angeht, für die Länder gebraucht werden.

Hinsichtlich der Begriffsbestimmung "nordisch" und "germanisch" muß der erstere Ausdruck immer stärker zurücktreten. Gerade mit dem Begriff "nordisch", der oft territorial gesehen wird, hat man den Norwegern, Schweden und Dänen gegenüber den Westgermanen eine zu große Stellung eingeräumt.

SS-Standartenführer Sievers vom Amt Ahnenerbe bestätigt noch einmal die Wichtigkeit der Dezember-Besprechung des Amtes VI und berichtet von dem Zusammentritt des dort beschlossenen wissenschaftlichen Ausschusses. Eine Besprechung über das germanische Geschichtsbuch hat im Reichssicherheitshauptamt stattgefunden.

SS-Standartenführer Lörner berichtet über eine Vereinheitlichung der Finanzen und stellt fest, daß ein neues Übereinkommen zwischen dem Reichsschatzmeister und Wirtschafts-Verwaltungshauptamt erzielt worden ist.

SS-Standartenführer Schmidt wünscht erneut eine die Arbeit vereinfachende Zusammenlegung der Dienststellen in Flandern, insbesondere der Antwerpener Dienststellen nach Brüssel. Er berichtet außerdem von laufenden Schwierigkeiten in der Familienunterhaltsarbeit, besonders in Ungarn.

96. Werner Best an das Auswärtige Amt 21. Januar 1943

Bests udkast til en forordning om udøvelsen af værnemagtsjurisdiktion over for ikke-tyske statsborgere i Danmark var blevet godkendt af OKW, hvilket han meddelte AA.

Overenskomsten blev underskrevet af Wilhelm Keitel 28. januar 1943.

Kilde: PA/AA R 46.371. RA, pk. 285.

hvad angik begrebsbestemmelser (*De SS en Nederland*, 2, 1976, nr. 655):
1.) Der Begriff das *Reich* bleibt germanischer Arbeit vorbehalten. Er ist Mittelpunkt unserer Arbeit und das gemeinsame Ziel. Sonst ist zu sprechen vom Deutschen Reich überhaupt, aber nicht mehr vom Reich in Verbindung mit holländischem, schwedischem, englischem Reich.
2.) Der Begriff *Nation* (finnische, dänische, holländische, usw.) fördert separatistische Tendenzen.
3.) *Volk* ergibt die gleichen Schwierigkeiten, darum anzuwenden, wo möglich: *Stamm* (z.B. bayrischer, württ. Stamm).
4.) Sonst zu sprechen von
Dänen
Schweden
Niederländern
oder dän., schwed., niederländ. Bevölkerung.
5.) Nordisch, ein Begriff, der zurückzutreten hat, den *wir* zurücktreten lassen müssen. Für die Behandlung der Westgermanen wesentlich, ebenso im Südostraum. Statt dessen sprechen von germanisch, z.B. von germanischem Blut in Italien.
Mit den besten Grüßen. Heil Hitler! Ihr

Sievers

JANUAR 1943

Der Bevollmächtigte des Reiches in Dänemark   *Kopenhagen, den 21.1.43.*
– II/B 70/43 –

An das Auswärtige Amt,
    Berlin

Betrifft: Die Ausübung der Wehrmachtgerichtsbarkeit in Dänemark gegen Personen
             nichtdeutscher Staatsangehörigkeit.
Vorgang: Hiesiger Bericht Nr. II/42 vom 10.12.1942.[37]
Anlagen: 2 Durchschläge
             1 Anlage (dreifach)[38]

Der Befehlshaber der deutschen Truppen in Dänemark hat mir mitgeteilt, daß das
OKW einen zweiten Erlaß über die Ausübung der Wehrmachtgerichtsbarkeit in Dänemark gegen Personen nichtdeutscher Staatsangehörigkeit herausgeben will, der den
aus der Anlage ersichtlichen Wortlaut erhalten soll. Das OKW hat den Befehlshaber der
deutschen Truppen in Dänemark beauftragt, das Einverständnis des Reichsbevollmächtigten zu diesem Erlaß einzuholen.
    Da der Erlaßentwurf genau die zwischen dem Befehlshaber der deutschen Truppen
in Dänemark und mir vereinbarten Richtlinien für die Ausübung der Wehrmachtgerichtsbarkeit enthält, habe ich seinem Inhalt zugestimmt.

Dr. Best

97. Albert van Scherpenberg an Werner Best 21. Januar 1943

Best blev bedt om at understøtte og indberette om et modeshow, som det tyske firma Berliner Modelle ville
afholde i København i begyndelsen af februar. Der er ikke lokaliseret en indberetning fra Best om dette
eksportfremstød.
    Kilde: PA/AA R 113.551 og BArch, R 901 68.712 (gennemslag).

zu Ha Pol VI 209/43   *Berlin, den 21. Januar 1943*

F e r n s c h r e i b e n !

An Reichsbevollmächtigten
    Kopenhagen

Nr. 102.
Ref.: LR van Scherpenberg
Betrifft: Modeschau in Kopenhagen der Fa. Berl. Modelle GmbH.

37 Trykt ovenfor.
38 Se Bests indberetning 10. december 1942 og brevet til Best 17. februar 1943. Sidstnævnte sted er overenskomsten af 28. januar 1943 medsendt som bilag. Overenskomsten er også aftrykt i PKB, 13, s. 897f.

Nach Mitteilung Reichswirtschaftsministeriums beabsichtigt die Fa. Berliner Modelle GmbH, Berlin-Schöneberg, in der Zeit vom 5.-10. Februar eine Modeschau in Kopenhagen zu veranstalten, die dem Verkauf von Modellen und der Entgegennahme von Bestellungen dienen soll. Reichswirtschaftsministerium hat zur Ermöglichung der sich aus den Geschäftsabschlüssen ergebenden Ausfuhren die erforderlichen Textilkontingente zur Verfügung gestellt, so daß mit Abschluß effektiver Geschäfte gerechnet werden kann.

Ich bitte die Veranstaltung, die im Interesse des deutschen Exportes nach Dänemark und damit des Ausbaues der deutsch-dänischen Wirtschaftsbeziehungen liegt, nach Kräften zu unterstützen. Über das Ergebnis bitte ich zu berichten.

Scherpenberg

Nach Abgang:

1.) Inf. K und

2.) D V zur gef. Kenntnis.

bei letzterem mit dem Anheimstellen der Entnahme eines Doppels des Eingangs m. Anlage, sowie mit der Bitte um weitere Veranlassung, wenn die Anträge auf Durchlaßscheine gestellt werden.

98. Gottlob Berger an Rudolf Brandt 21. Januar 1943

Berger fremsendte svar på de spørgsmål, som Himmler havde stillet 14. december. Der kunne stilles 1.000 mand til rådighed for Waffen-SS i Danmark. Det fremgår, at svarene var indhentet gennem Best, og at han også havde været i kontakt med von Hanneken i denne anledning. Rimeligvis var det også efter Bests råd, at Berger anbefalede, at Boysen blev inspektør over gruppen, og at der ikke blev indsat en egentlig fører. Himmlers ide om en alarmbataljon lod sig ikke realisere, da der var tale om geografisk spredte reservister.

Berger fik svar 6. februar.

Kilde: RA, pk. 443. PKB, 14, nr. 360.

Der Reichsführer-SS	*Berlin W 35, den 21. Januar 1943*
Chef des SS-Hauptamtes	
Amt VI CdSSHa.	Geheim!
VI/1 – Dr. R/Ni –	
VS-Tgb. Nr. 333/43 geh.	
VI-Tgb. Nr. 145/43 geh.	

Betr.: Militärische Ausbildung von Volksdeutschen

Bezug: Dort. Schrb. vom 14.12.42, Tgb. Nr.36/14/43 g

Bra/Sch.

Anlg.: 1 (Kopie d. diess. Schrb. v. 3.12.42)[39]

An den Reichsführer-SS

    Persönlicher Stab

39 Trykt ovenfor.

JANUAR 1943

z. Hd. SS-Obersturmbannführer Dr. Brandt
Berlin SW 11.

Lieber Doktor!
In Beantwortung Ihres Schreibens vom 14.12.42 hinsichtlich der militärischen Ausbildung von Volksdeutschen teile ich Ihnen folgendes mit:
1.) Der Führer der deutschen Volksgruppe in Nordschleswig hat dem Bevollmächtigten des Reiches in Dänemark berichtet, daß für die Einberufung zu einer Sondereinheit der Waffen-SS in Dänemark ca. 1.000 Männer zur Verfügung stehen. Von diesen haben etwa 100 Männer ihren Wohnsitz in Kopenhagen, die übrigen verteilen sich auf das Land.

Für diese Ausbildung sollen die älteren Jahrgänge und die UK-gestellten Männer erfaßt werden.
2.) Wie bereits in meinem Schreiben vom 3.12.42 erwähnt, sollen die Männer zwar zur Waffen-SS eingezogen, in Anbetracht aber, daß kein Truppenteil der Waffen-SS in Dänemark liegt, zum Reservedienst an einzelnen Wochentagen in den Abendstunden und an Sonntagen durch die jeweilige Standortkommandantur ausgebildet werden.

Das Einverständnis des Bevollmächtigten des Reiches und des Militärbefehlshabers hierzu liegt vor.
3.) Da es sich hier nur um einen zusätzlichen Reservedienst handelt, kann von der eigentlichen Aufstellung einer geschlossenen Formation nicht die Rede sein. Die Männer müssen getrennt an einzelnen Standorten abends und an Sonntagen ausgebildet werden.

Ein Alarmbataillon zu bilden, würde aus diesen Gründen schwierig sein. Ich schlage vor, daß kein eigentlicher Führer eingesetzt wird, sondern daß der Leiter der Germanischen Leitstelle in Kopenhagen, SS-Sturmbannführer Boysen, die Inspektion übernimmt. Er könnte zugleich die an einzelnen Standorten Ausgebildeten dann später für einen zweiwöchigen Lehrgang an der SS-Schule Höveltegaard in 5 bis 6 Schüben einberufen.
Ich darf um baldige Stellungnahme bitten.

Heil Hitler!
Ihr
G. Berger
SS-Gruppenführer

99. Martin Luther an Werner Best 22. Januar 1943

Luther underrettede Best om en forestående aktion mod jøder i Frankrig, Belgien og Holland og bad om, at Best meddelte den danske regering, at den skulle trække danske statsborgere af jødisk afstamning ud af disse områder senest 31. marts 1943.

Påfølgende lod UM sine ambassader i de pågældende lande indhente de nødvendige oplysninger og videregav dem til de tyske ambassader samme sted, hvorfra de tilgik AA (sådanne indberetninger om danskjødiske statsborgere er at finde i RA, pk. 219). Se endvidere Luther til Gaus 20. januar, Bergmann til Best

JANUAR 1943

18. februar og Best til AA, telegram nr. 168, 18. februar 1943.

Luthers henvendelse fandt sted efter drøftelser mellem AA (Inland II) og RSHA (Eichmann og hans medarbejder Otto Hunsche), hvorefter den i efteråret 1942 påbegyndte tyske aktion med "hjembringelse" eller deportation af udenlandske jøder, der befandt sig i det tyske magtområde, skulle videreføres. Der gik i februar og marts 1943 besked til diplomatiske missioner i det meste af Europa derom, og Luthers information af Best allerede i januar kan måske opfattes som udtryk for, at der var et godt forhold imellem dem, eller at Luther ville forberede ham på et uundgåeligt tiltag vedrørende jødespørgsmålet i Danmark (Weitkamp 2008, s. 233-235).

Kilde: PA/AA R 100.864. Best 1988, s. 277. Lauridsen 2008a, nr. 63.

Telegramm

Berlin, den   22. Januar 1943

Diplogerma Kopenhagen
Nr. 115.
Referent: U.St.S. Luther
Gr. Klingenfuß
Betreff.:

In den besetzten Gebieten Frankreichs, in Belgien und den Niederlanden befindet sich noch eine Anzahl ausländischer Juden, welche in die von den Besatzungsbehörden den Juden gegenüber getroffenen Maßnahmen bisher nicht einbezogen sind. Diese Ausnahmebehandlung ausländischer Juden kann sowohl im Hinblick auf das Auftreten dieser Juden, als auch aus Gründen militärischer Sicherheit nicht länger beibehalten werden.

Das Gleiche trifft für einzelne Gruppen im Reich sowie im Protektorat ansässiger ausländischer Juden zu.

Es besteht daher die Absicht, ab 1. April d.J. alle noch in den genannten Gebieten befindlichen Juden den geltenden Judennahmen einschließlich Kennzeichnung, Internierung und späterer Abschreibung zu unterwerfen. Von diesen Maßnahmen wird auch eine Anzahl Juden dänischer Staatsangehörigkeit betroffen.

Bitte entsprechend an Dänische Regierung heranzutreten und sie von der geplanten Maßnahme zu unterrichten. Aus Gründen der Courtisie gebe man ihr, bevor entsprechende Anordnung erfolgt, hiervon Kenntnis. Es sei ihr Gelegenheit gegeben, bis zum 31.3.1943 die Juden dänischer Staatszugehörigkeit aus den genannten Gebieten des Deutschen Machtbereiches zurückzuziehen. Entsprechende Ausreiseerlaubnis werde von deutschen Stellen erteilt, sobald das entsprechende Einreisevisum vorliege. Prüfung des Einzelfalles müssen allerdings vorbehalten bleiben. Nach dem 31.3. sei eine Ausnahmebehandlung nicht mehr möglich.

Erbitte Drahtbericht.

Luther

JANUAR 1943

100. Hermann von Hanneken an OKW 22. Januar 1943

Von Hanneken fandt så mange tegn på modstand og modvilje hos den danske hær, at han anbefalede den opløst og dens udrustning, ammunition m.v. overført til værnemagten. Det var en meget alvorlig trussel mod hele Bests besættelsespolitik, hvad von Hanneken ikke var i tvivl om. Han havde på grund af sagens alvor valgt at indhente Bests indstilling, som han vedføjede som bilag (givetvis identisk med det telegram, som Best 25. januar sendte til AA). (Kirchhoff, 1, 1979, s. 121f., Roslyng-Jensen 1980, s. 138).

Kilde: RA, Danica 1069, sp. 1, nr. 631-33. LAK, Best-sagen (afskrift i uddrag). PKB, 13, nr. 374 (uddrag).

Der Befehlshaber der deutschen Truppen
in Dänemark

Hauptquartier den 22. Januar 1943.

4 Ausfertigungen

Geheime Kommandosache.

1. Ausfertigung

An

a.) das Oberkommando der Wehrmacht Wehrmachtführungsstab
Berlin, W 35.

b.) den Chef der Heeresrüstung und Befehlshaber des Ersatzheeres Berlin, W 35
Tirpitzufer 72-76.

Aus Gesprächen mit dem dänischen Chef des Generalstabes, General Rolsted, habe ich entnommen, daß in den Kreisen der dänischen Armee mehr und mehr die Meinung verbreitet ist, daß Deutschland den Krieg nicht mehr gewinnen könne.

Die Meinung dort geht so weit, daß die dänische Armee einen schroffen Zusammenbruch der deutschen Wehrmacht erwartet und daß sie dann den Schutz der Bevölkerung, aber auch den Schutz der aus Dänemark zurückflutenden deutschen Truppen übernehmen müsse.

Der Nachrichtendienst der dänischen Wehrmacht gegen uns scheint mir weitgehend ausgebaut.

Wenn auch die dänischen Offizierskreise versichern, daß sie keinesfalls gewillt sind, die etwaigen Landungen englischer Truppen im Fall des Zusammenbruchs des Reiches hinzunehmen und daß sie sich gegen eine englische Besetzung zur Wehr setzen würden, so scheinen mir das nur falsche Versicherungen zu sein.

In Wirklichkeit denkt die dänische Heeresleitung ständig an eine Verstärkung ihrer Wehrmacht und bereitet meiner Ansicht nach unter der Hand alles vor, um gemeinsam mit den Engländern gegen uns zu gehen.

Die jetzige geringe Präsenzstärke der dänischen Armee (1.422 Offiziere, Offizianten und Offizieranwärter und 2.900 Unteroffiziere und Mann einschließlich 300 Mann Leibgarde des Königs sowie 1.100 Arbeitssoldaten), die auf Seeland, Fünen und Laaland[40] in Garnison liegen, gibt zurzeit zu Bedenken keine Anlaß.

Widersinnig ist das starke Offizierskontingent. Hier liegt auch die Gefahr, daß diese unbeschäftigten Offiziere besondere Arbeiten für die Wiederherstellung ihrer Wehrhoheit leisten, und daß sie als Cadre für zukünftige Erweiterungen gedacht sind.

40 Lolland.

Das Nebeneinanderleben zwischen deutscher und dänischer Wehrmacht hat zwar bisher zu ernstlichen Reibungen keinen Anlaß gegeben. Es mehren sich aber neuerdings die Fälle, wo dänische Offiziere und Soldaten in ihrem Verhalten bewußt ablehnend sind, z.B. Verweigerung des Grußes, anfechtbares Verhalten in Gaststätten. Andererseits versteift sich die Meinung der deutschen Soldaten, daß bei der im allgemeinen feindlichen Haltung der Bevölkerung und der dänischen Wehrmacht man dem deutschen Soldaten nicht zumuten kann, dänische Unteroffiziere und Offiziere zu grüßen, wie das bisher zwischen deutschen und dänischen Dienststellen abgemacht war.

Eine Berechtigung zur Aufrechterhaltung der dänischen Wehrmacht vermag ich *nicht* anzuerkennen.

Das dänische Heer hat jede Mitarbeit an der Abwehr des Bolschewismus verweigert. Das dänische Heer tut nichts für die militärische Mitarbeit im Sinne des Reiches, mit Ausnahme von Beseitigung von abgeworfenen Blindgängern auf den Inseln. Im Gegenteil; je länger der Krieg dauert und je mehr man hier sieht, daß das Reich an einzelnen Stellen der Front Schwierigkeiten hat, versteift sich der Widerstand.

Anders verhält sich dagegen die dänische Kriegsmarine. Diese arbeitet nach Weisungen des Marinebefehlshabers in Dänemark und erledigt ihren Dienst im Minensuchen und Freimachen der Fahrtrinnen, sowie im Sprengen von Minen einwandfrei.

Ich habe mehrfach versucht, die leitenden Offiziere des Heeres auf die Diskrepanz zwischen ihrem und dem Marineverhalten hinzuweisen und habe dabei darauf hingewiesen, daß der König ja doch gemeinsamer Oberbefehlshaber sei und es eigentümlich erscheine, daß ein Wehrmachtsteil eine Mitarbeit leiste, der andere sie völlig versage.

Ich kann mich des Eindrucks weiter nicht verschließen, daß die dänischen Offiziere der Politik des Staatsministers von Scavenius feindlich gegenüber stehen. Ich glaube, daß gerade aus diesen Kreisen eine starke Stimmung gegen die deutschfreundliche Politik des Ministerpräsidenten resultiert. Trotzdem wird der Ministerpräsident die Aufrechterhaltung des Heeres mit allen Mitteln erstreben. Bereits bei der Forderung nach Abgabe dänischer Waffen gab es für das Ministerium große Schwierigkeiten, da die Abgabe als ein Eingriff in die Souveränität betrachtet wurde.

Es ist sicher, daß der König und vor allem der Kronprinz, der meiner Ansicht nach uns viel feindlicher gesinnt ist, als der alte König, versuchen werden, gegen eine Auflösung der Armee alle Volkskräfte zu mobilisieren. Ich glaube jedoch, daß bei der desinteressierten Haltung des dänischen Volkes an militärischen Dingen ein Appell des Königs sich für die Erhaltung der dänischen Wehrmacht einzusetzen, wenig Erfolg hat.

Die dänische Armee hat noch reichlich Waffen und Ausrüstungen, sowie Bekleidung und Fahrzeuge im Besitz, die bei einer Auflösung nutzbringend von der deutschen Wehrmacht verwandt werden können, während sie zurzeit in Händen der dänischen Armee entweder brach liegen oder als Mobilmachungsbestände lagern.

Ich halte im militärischen Interesse eine Auflösung des dänischen Heeres und die Übernahme sämtlicher Waffen, Munition und der gesamten Ausrüstung und Bekleidung für geboten.

Ich habe meinen Standpunkt dem Bevollmächtigten des Reiches klargelegt und um seine Stellungnahme zu der von mir in Vorschlag zu bringenden Auflösung des dänischen Heeres gebeten.

Ich füge diese Stellungnahme in der Anlage bei.[41]

Ich kann auf Grund der Stellungnahme und den schwerwiegenden politischen Folgen, die der Bevollmächtigte voraussieht und die ich anerkennen muß, einen Antrag auf Auflösung der dänischen Armee nicht stellen. Ich lege jedoch meine Gedanken vor, um auf die Gefahren, die ich von der Seite des dänischen Heeres erwarte, hinzuweisen.

gez. **Hanneken**

101. Hermann von Hanneken: Bekämpfung von Fallschirmjägern, Luftlandetruppen und feindlichen Agenten 22. Januar 1943

WB Dänemark udsendte direktiver for, hvordan faldskærmsagenter og modstandsgrupper skulle bekæmpes. Det blev forudset, at sådanne ville øge deres indsats i Danmark, og at de ville optræde brutalt og uden videre dræbe deres fanger. Fangne agenter og sabotører skulle uden videre overgives til Gestapo i Warnemünde eller Flensburg. Ved pågribelsen af faldskærmsagenter skulle de tyske tropper samarbejde med det danske politi, der havde pligt til øjeblikkeligt at meddele det til nærmeste tyske tjenestested, når de fik oplysning om en faldskærmsnedkastning. Dansk politi skulle ligeledes deltage i eftersøgningen af faldskærmsagenter og ved afspærringen af afgrænsede områder. Fangne flyveres ejendele skulle man sikre sig med henblik på deres efterretningsværdi og videregive dem sammen med fangen til Abwehr. Agenters udstyr og sabotagemateriel skulle ligeledes videregives til Abwehr. Der blev medsendt et bilag med en liste over mulige sabotagemål, som i påkommende tilfælde skulle sættes under bevogtning, idet hvert mål blev prioriteret med hensyn til, hvor stor skade en sabotage ville forvolde.

Direktivet for bekæmpelse af faldskærmsjægere blev udsendt sammen med den nye "Kampanvisning", som var blevet udarbejdet i von Hannekens stab.[42] Begge afløste tidligere befalinger og begge blev senere på året fulgt op, se 20. juli 1943.

Var førerordren af 18. oktober umiddelbart blevet efterfulgt i Danmark, ville von Hanneken på kort tid have kunnet afslutte forhandlingspolitikken i Danmark. De tre faldskærmsmænd, der i december 1942 blev taget til fange, stod dansk politi for arrestationen af, og de fangne blev straks overgivet til tysk politi, så von Hannekens evne til kriseeskalering blev ikke testet på det tidspunkt (se Werner Best 9. og 10. december 1942).

I sine aktivitetsoversigter for oktober-november 1942 og for december 1942-januar 1943 kom von Hanneken heller ikke nærmere ind på sin implementering af denne førerordre i Danmark.[43] Da han ikke havde fået ordren direkte, kan der stilles spørgsmålstegn ved, om den overhovedet skulle have været bragt i anvendelse i Danmark på dette tidspunkt, og det uden nogen advisering af AA eller den rigsbefuldmægtigede. Det forekommer lidet sandsynligt alene pga. de politiske konsekvenser. WB Dänemark søgte at føre sin egen besættelsespolitik, mens AA og Best samtidig prøvede at redde tre faldskærmsfolk fra den ordre, som han satte i værk på dansk grund.

Ordren af 22. januar 1943 vedrørende bekæmpelse af faldskærmsjægere m.m. var stadig gældende i sommeren 1943, da den bl.a. indgik som bilag i Kampfanweisung des Kommandanten im Abschnitt Südjütland 24. august.

Kilde: RA, Danica 1069, sp. 3, nr. 3578-84. RA, Danica 203, pk. 29, læg 294.

41 Se Bests telegram til AA 25. januar 1943.

42 Kampfanweisung 22. januar 1943 er i RA, Danica 1069, sp. 3, nr. 003.555-75, hvortil føjer sig talrige bilag. Den afløste Kampfanweisung 12. juni 1942 og indeholder ikke oplysninger om, hvordan tropperne skulle forholde sig til en fjendtlig civilbefolkning (RA, Danica 203, pk. 62, læg 838). Det var endnu ikke aktuelt.

43 WB Dänemarks Tätigkeitsberichte der Abteilung Ia 1. oktober 1942-31. august 1943 er i BArch, Freiburg, RW 38/18 og i RA, pk. 449.

JANUAR 1943

Der Befehlshaber der deutschen Truppen in Dänemark   *Kopenhagen, den 22.1.1943*
Abt. Ia – Br. B. Nr. 160/43 geh.

Bezug: OKW 34 a/s 10 WFSt/Abt. L (II) Nr. 1858/40 geh. vom 10.8.40, Chef H Rüst
       u. BdE. Stab Ia Nr. 1334/41 gKdos. vom 29.5.41, Der Führer Nr. 003830/42
       gKdos./OKW/WFSt. vom 18.10.1942.
Betr.: Bekämpfung von Fallschirmjägern, Luftlandetruppen und feindlichen Agenten.
1 Anlage[44]

N e u f a s s u n g !

Der mit Bef. Dänemark Ia Nr. 260/42 geh. vom 8.3.42 übersandte Befehl ist zu vernichten.

Geheim!

Dieser Befehl ist mit der "Kampfanweisung" zusammen aufzubewahren.
(vergl. "Kampfanweisung" Ziffer B III)

In Anlehnung an die o.a. Verfügungen wird folgendes angeordnet:

1.) Der Feind bedient sich seit längerer Zeit sogenannter Kommandos, die er zu Sabotagezwecken oder zur Bildung von Bandentrupps benützt, um gegen militärische oder kriegswichtige Einzelobjekte und Anlagen, gegen Fabriken, Versorgungseinrichtungen, Transportwege, Brücken und dergl. vorzugehen. Auch in Zivil gekleidete Agenten hat er mit Fallschirmen aus Flugzeugen zu demselben Zweck und zur Nachrichtengewinnung abgesetzt (auch mehrfach in Dänemark).

2.) Mit dem zunehmenden Einsatz solcher Kommandos und Agenten muß bestimmt gerechnet werden. Die Angehörigen derselben benehmen sich besonders brutal. Aus erbeuteten Befehlen geht hervor, daß sie beauftragt sind, nicht nur Gefangene zu fesseln, sondern auch wehrlose Gefangene kurzerhand zu töten, im Moment, in dem sie glauben, daß diese bei der weiteren Verfolgung ihrer Zwecke als Gefangene einen Ballast für sie darstellen oder sonst ein Hindernis sein könnten. Es sind endlich Befehle gefunden worden, in denen grundsätzlich die Tötung der Gefangenen verlangt worden ist.

3.) Mit allen bei solchen Unternehmungen von deutschen Truppen gestellten Gegnern ist gemäß "Der Führer Nr. 003830/42 g.Kdos. OKW/WFSt. vom 18.10.42"[45] zu verfahren. Die Verfügung wurde unter Bef. Dänemark Ia Nr. 696/42 g.Kdos. vom 24.10.42[46] (nur an höhere Kommandobehörden) mitgeteilt. Pflicht der Rgts.- und gleichgestellten Kommandeure der anderen Wehrmachtteile ist es, die Führer der unterstellten Einheiten fortlaufend über die in diesem Befehl enthaltenen Bestimmungen zu unterrichten und für eingehende Belehrung der Truppe Sorge zu tragen.

---

44 Trykt nedenfor.
45 Se anf. dato ovenfor.
46 Denne ordre er ikke lokaliseret, jfr. ovenfor under anførte dato.

Auch diejenigen Standort-Ältesten, die nicht selbst im Besitz des o.a. Befehls sind, sind durch ihre Rgts.- pp. Kommandeure genau zu unterrichten.

4.) Gelangen einzelne Angehörige derartiger Kommandos als Agenten, Saboteure usw. auf einem anderen Wege, z.B. durch die dänische Polizei, der Wehrmacht in der Hände, so sind sie unverzüglich dem S.D. zu übergeben. Die nächsten Stellen des S.D. sind:

a.) Die Geheime Staatspolizei, Grenzpolizeiposten Warnemünde,

b.) Die Geheime Staatspolizei, Grenzpolizeikommissariat Flensburg.

Jede Verwahrung unter militärischer Obhut, z.B. in Kriegsgefangenenlagern usw., ist, wenn auch nur für vorübergehend gedacht strengsten verboten.

5.) Diese Anordnung gilt nicht für die Behandlung derjenigen feindlichen Soldaten, die im Rahmen normaler Kampfhandlungen (Großangriffe, Großlandungsoperationen und Großluftlandeunternehmen) im offenen Kampf gefangengenommen werden oder sich ergeben. Ebensowenig gilt diese Anordnung gegenüber den nach Kämpfen auf See in unsere Hand Gefallenen oder nach Kämpfen in der Luft durch Fallschirmabsprung ihr Leben zu retten versuchenden feindlichen Soldaten.

6.) Die Bekämpfung einzelner oder kleinerer Trupps von Fallschirmjägern oder Luftlandetruppen, wie sie in den vorstehenden Ziffern dieser Verfügung gekennzeichnet sind, ist in erster Linie Aufgabe der Standortältesten. Ihnen stehen hierzu die Truppen ihres Standortes zur Verfügung.

7.) Das Absetzen solcher Agenten wird meist bei Nacht erfolgen. Alle wachen und Posten sind auf erhöhte Aufmerksamkeit in dieser Hinsicht beim Herannahmen feindlicher Flugzeuge hinzuweisen.

8.) Der Kampf gegen den luftgelandeten Feind wird nach den hierüber in den Ausbildungs- und Gefechtsvorschriften festgelegten Anordnungen geführt. Grundsatz für den Einsatz muß sein, den Feind durch schnell zusammengezogene Kräfte zu vernichten.

9.) Um durch schnelles Zufassen den Feind möglichst noch auf seinen Landungsstellen oder in deren unmittelbarer Nähe zu fassen, ist Vorbedingung:

a.) Sicherstellung schnellster Verbindungsaufnahme.

Die Standortältesten oder die durch sie beauftragten Truppenführer haben zu dem in der Nähe befindlichen deutschen Luftwarndienst (Fluko und Fluwa) ebenso engste Vorbindung aufzunehmen, wie sie mit den dänischen Polizeistellen Fühlung zu nehmen haben. Letzteren ist klar zu machen, daß es sich hierbei vornehmlich auch um den Schutz dänischen Nationaleigentums handelt, daß es also vaterländische Pflicht der dänischen Stellen ist, sofortige Meldung über jeden zu ihrer Kenntnis gelangten Fallschirmabsprung oder Landungsversuch des Gegners auf dem vorher vereinbarten Wege an die Deutsche Wehrmacht zu erstatten (vergl. auch Ziff. 1C).

Unter Angabe der eingeleiteten Gegenmaßnahmen sind die Meldungen durch die Standortältesten ohne Verzug an Befehlshaber der deutschen Truppen in Dänemark weiterzuleiten. Die Meldungen sind unter dem Stichwort "Notgespräch" als Ausnahmegespräch anzumelden. Dies gilt auch für einzelne Absprünge jeder Art (also auch bei vermuteter Spionage, Sabotage usw.)

b.) Sicherstellung schnellster Beförderung der zur Bekämpfung der feindlichen Fallschirmjäger pp. einzusätzlichen Truppe.

Wo diese nicht motorisiert ist, sind ihr motorisierte Truppenfahrzeuge zur Verfügung zu stellen (z.B. 1 Lkw, aus dem Verpflegungstroß eines Batl.). Wo auch das nicht möglich ist, sind dänische Zivilfahrzeuge zu vermieten.

10.) Bei der Nachsuche und Gefangennahme von Kommandoangehörigen und Agenten sind auch die dänischen Behörden (Polizei, Kriminalpolizei pp.) zu beteiligen. Die Standortältesten setzen sich mit den zuständigen dänischen Polizeimeistern, auch für ihre erweiterten Gebiete, dieserhalb in Verbindung, (Absperrungsmaßnahmen in weiterem Umkreis um den Landeplatz, Bewachung der Verkehrswege, Sicherstellung schnellster Nachrichtenverbindung zwischen Deutscher Wehrmacht und dänischer Polizei pp.).

11.) Erbeutetes Gerät eines luftgelandeten Feindes ist zur weiteren Verwendung oder Auswertung durch die Luftwaffe sicherzustellen und vor Beschädigung und unsachgemäßer Behandlung zu schützen.

Gefangene Flieger, die gem. vorstehender Ziffer 5.) in unsere Hände kommen, sind so zu trennen, dann keine Verständigung untereinander möglich ist. Das persönliche Besitztum dieser Gefangenen ist in Besitz zu nehmen, soweit es für die Nachrichtengewinnung von Bedeutung sein kann (z.B. Briefe, Soldbuch, Scheckbuch). Die Gefangenen sind alsbald der nächsten Luftwaffendienststelle zuzuführen, welche die Weiterleitung in das Kriegsgefangenen-Durchgangslager der Luftwaffe, Oberursel, veranlaßt. Daß in Besitz genommene Besitztum der Gefangenen ist dieser Dienststelle mit zu übergeben.

12.) In der Anlage wird eine Liste wichtiger dänischer Wirtschaftsbetriebe übersandt. Die Standortältesten haben zu erkunden und festzustellen, ob an diese Betriebe je nach den örtlichen Verhältnissen im Falle eines feindlichen Fallschirmjäger-pp. – Angriffs eine besondere Wache abgestellt werden muß oder nicht. Diese Frage ist auch für Brücken, Fähren und sonstige kriegswichtige Ziele, soweit deren Sicherung nicht schon durch ständige Postierungen der Deutschen Wehrmacht gewährleistet ist, von den Standortältesten zu klären.

Die Erkundungsergebnisse sind seitens der Standortältesten schriftlich festzulegen und mit diesem Befehl aufzubewahren.

13.) Mit hinterhältigem Verhalten und dem Gebrauch unter der Kleidung versteckter Schußwaffen, die auch mit erhobenen Armen ausgelöst werden können, ist bei solchen Agenten ohne weiteres zu rechnen.[47]

14.) Bei Auffinden von abgeworfenen oder bei Verdacht von Absetzen feindlicher Agenten ist Meldung an Bef. Dänemark und an die zuständige Abwehrstelle (Ast. Dänemark, Kopenhagen, oder Abwehrnebenstelle Aarhus) als Ausnahmegespräch ("Notgespräch") zu erstatten (vergl. Ziffer 8a, letzter Absatz).

15.) Erbeutetes Agenten-Gerät (Nachr. Gerät und Sabotage-Material) ist möglichst unberührt (Fingerabdrücke pp.) am Fundort durch Posten zu sichern, da über

---

47 Her henvises til, at der på den første fundne døde SOE-agent i Danmark, Carl Johan Bruhn, i slutningen af december 1941 fandtes en pistol, der kunne affyres ved hjælp af et snoretræk, også selv om agenten stod med hænderne oppe (Eilstrup/Lindeberg, 2, 1969, s. 30f.).

dieses ausschließlich die zuständige Abwehrstelle verfügt. Unnötiges Betreten der Absprungstelle und des umliegenden Geländes ist unbedingt zu vermeiden, da hierdurch die Nachsuche durch Spürhunde pp. erschwert wird.

Für den Befehlshaber der deutschen Truppen in Dänemark

Der Chef des Generalstabes

gez.: **Graf von Brandenstein**

F.d.R.

[underskrift]

Oberleutnant

Anlage zu Bef. Dänemark Abt. Ia Nr. 160/43 geh. vom 22.1.43.

Name:		Ort:	Straße u. Hausnummer:
		Seeland	
Elektrizitätswerke:	Bewertungsklasse:		
Kraftwerk Frederiksberg	-	Kopenhagen	Finsensvej 6 (neb. Gaswerk)
Kraftwerk H.C. Örsted	II	Kopenhagen	Türmergravsgade
Kraftwerk Trianglen	-	Kopenhagen	Öster Allé
Vestre Elektrizitätswerk	-	Kopenhagen	Bernstorffsgade 15-17
Gaswerke:			
Flintholm Gaswerk	-	Kopenhagen	Flintholm Allé
Östre Gaswerk	II	Kopenhagen	Sionsvej
Strandvej Gaswerk	-	Kopenhagen	Strandvej
Valby Gaswerk	-	Kopenhagen	Vigerslev Allé
Wasserwerke:			
Wasserwerk	-	Kopenhagen	Borups Allé 177
Wasserwerk	-	Kopenhagen	Gladsaxevej
Wasserwerk	-	Kopenhagen	Roskildevej 211/213
Wasserwerk	-	Kopenhagen	Vestersögade
A/S Atlas	III	Kopenhagen	Baldersgade 3
A/S Burmeister u. Wain Maschinenfabrik	II	Kopenhagen	Strandgade 1
A/S Titan	II	Kopenhagen	Tagensvej 36
Dansk Industrie Syndikat Comp. Madsen A/S	II	Kopenhagen	Aarhusgade, Frihavnen
Frontreparaturbetrieb der deutschen Luftwaffe Heinkel	-	Kopenhagen	Kastrup
Gießerei	-	Kopenhagen	Teglholmen
Hans Lystrup	-	Kopenhagen	Pile Allé 5
Schiffswerft	-	Kopenhagen	Refshaleöen
Valby Jernstöberi og Maskinfabrik	III	Kopenhagen	Gl. Köge Landevej 22
Völund A/S	III	Kopenhagen	Öresundsvej 147

A/S Helsingör Jernskibe og Maskinbyggeri	II	Helsingör	
Motorfabriken Duich A/S	III	Kalundborg	
Elektrizitätswerk	-	Masnedö	

Fünen

Elektrizitätswerk	III	Odense	
H.K.P. – Leitstelle	-	Odense	Vesterbrogade 41/45
Thomas B. Thrige	III	Odense	

Jütland

Alborg Värft A/S	III	Aalborg	
Elektrizitätswerk	-	Aalborg	
H.K.P. – Leitstelle	-	Aalborg	Vesterbro 97
Skandinavisk Aero Industrie	-	Aalborg	Vestergade
Aarhus Motor Kdt. A/S	-	Aarhus	Skolebaggen
A/S Frichs	III	Aarhus-Aabyhöj	Frichsvej
Elektrizitätswerk	-	Aarhus	
Elektrizitätswerk	-	Apenrade	
Hans Klingner	-	Apenrade	
Bruhns A/S	-	Esbjerg	Banegaardsplads-Torgesgade 7
Elektrizitätswerk	-	Esbjerg	
Frederikshavn Värft og Flydedock A/S	III	Frederiks-havn	
Valdemar Hinrichsen	-	Hadersleben	Gaskäre 42
A/S Herning Not. – Komp.	-	Herning	Jyllandsgade
N. Olesen	-	Holstebro	Nörregade 50
Elektrizitätswerk	-	Kolding	
Motor – Comp.	-	Kolding	Laasbygade 75
Dansk Automobil Byggeri	III	Silkeborg	Torvet 4
Kuhnmünch	-	Thisted	Frederikstorv
Gebr. Roost	-	Tondern	Östergade 16
Varde Staalvärk A/S	III	Varde	Vestervold 11
H.K.P. – Leitstelle	-	Vejle	Vedelsgade 57
H.K.P. – Stab	-	Vejle	altes Gymnasium
Peter Henriksen	-	Viborg	Dumpen

Erklärung:

Bewertungsklasse II: Betriebe, deren Ausfall erhebliche Störungen der Wehrwirtschaft zur Folge haben würde.

Bewertungsklasse III: Anlagen von großer Bedeutung, die bei Ausfall von Werken der Bewertungsklasse II in diese Bewertungsklasse eingereiht werden müssen.

102. Werner Best an das Auswärtige Amt 22. Januar 1943

Volksdeutsche Mittelstelle (VOMI) havde fremsendt et foredragsprogram for det tyske mindretal i Nordslesvig til AA, som Best gav sin tilslutning ved at svare tilbage til AA. For VOMI var den rigsbefuldmægtigede ikke den instans i Danmark, der direkte tog sig af landets folketyske spørgsmål.

Kilde: PA/AA R 100.355.

Telegramm

An Ausw[ärtige Amt,] Berlin

Nr. 74 vom 22.1.1943.

Auf den Erlaß v. 15.1. d.Js.[48]
Nr. D VIII 120/43.

Gegen die Durchführung des von VOMI für deutsche Volksgruppe Nordschleswig vorgesehenen Vortragsprogramms Ende Januar bis Ende März habe ich mit Rücksicht darauf, daß in den letzten Monaten nur sehr wenige Vorträge in Nordschleswig angesetzt waren, keine Bedenken.

Dr. Best

103. RSHA: Vermerk 23. Januar 1943

RSHA afdeling IV A 1 a havde fået tilsendt et eksemplar af det illegale blad *De frie Danske*, som det ikke kendte i forvejen. Afdelingen vurderede det til ikke at være kommunistisk, men fra den danske modstandsbevægelse. Bladet blev videresendt til afdeling IV D 4 med spørgsmålet, om det var kendt der.

Det er værd at bemærke, at bladet stadig kunne være ubekendt i RSHA efter at adskillige af bladets redaktører og nogle af organisationens medlemmer var blevet arresteret i oktober 1942. Endvidere at RSHA opretholdt en konsekvent skelnen mellem kommunistisk aktivitet og anden modstandsaktivitet.

Se Gestapo i Kiel til RSHA 23. februar 1943.
Kilde: RA, Danica 1069, sp. 7, nr. 8230.

IV A 1 a   *Berlin, den 23. Januar 1943.*

Verschlossen

1.) Vermerk:

Die von vertraulicher Seite über IV N aus Dänemark übersandte illegale Druckschrift "De frie Danske" ist hier nicht bekannt. Inhaltlich scheint die Tendenz nicht kommunistisch zu sein. Vielmehr wird angenommen, daß die illegale Druckschrift "De frie Danske" eine Erscheinung der dänischen Widerstandsbewegung ist.

2.) IV D 4

zur gefl. Kenntnis und mit der Bitte um Äußerung übersandt, ob eine ähnliche Druckschrift dort bekannt bezw. erfaßt worden ist.

3.) IV A 1 a/Wv. – zu den Akten – Dänemark, Flugschriften.

[underskrift]

48 Skrivelsen er ikke lokaliseret.

104. Raul Mewis an Hermann von Hanneken 23. Januar 1943

På von Hannekens forespørgsel af 15. januar lod admiral Mewis svare, at en invasion langs kysten syd for Fanø var så godt som udelukket. Eventuelle afledningsmanøvrer i området kunne ikke udelukkes.

Det knappe svar lod ikke tvivl om, hvor usandsynlig en invasion i vadehavsområdet blev opfattet af marinestaben.

Kilde: RA, Danica 203, pk. 28, læg 281.

Abschrift.

Marinebefehlshaber Dänemark   *Kopenhagen, den 23.1.43.*
B. Nr. G 1047 A I   Geheime Kommandosache.

An den Befehlshaber der deutschen Truppen in Dänemark
    Kopenhagen.

Betr.: Beurteilg. Landgs. mögl. sudl. Fanö.
Vorg.: Befh. Dän. Abt. Ia 94/43 geh. v. 15.1.43.[49]

Ein Landungsunternehmen von größerem Ausmaße im Raum südl. Fanö bis zur Reichsgrenze erscheint so gut wie ausgeschlossen. Ein Anlandsetzen kleinerer "Commandos" unter Verzicht auf Rückzugsmöglichkeit für Mannschaft und Boote ist unwahrscheinlich, als Ablenkungsmanöver jedoch nicht ausgeschlossen.

Das Fahrwasser in den Prielen südl. Fanö bis zur Reichsgrenze ist nur unter ortskundiger Führung und unter Benutzung der Fahrwasserbezeichnung (Pricken) benutzbar, nach Entfernung der Seezeichen aber kaum möglich. Sämtliche Pricken sind bzw. werden auf hiesige Anordnung entfernt.

Der Charakter des etwa 15 km vorgelagerten Wattenmeeres, das z.T. bei jedem Niedrigwasser trocken fällt, bietet seemännisch an sich schon solche Landeschwierigkeiten, daß es als naturgegebener Schutz gegen feindliche Unternehmungen anzusehen ist.

In der Anlage wird eine Fotokopie der Seekarte D 83 des betreffenden Gebietes übersandt. Die rot unterstrichenen Seezeichen zeigen die oben erwähnten Pricken.

Für den Marinebefehlshaber
Dänemark
Der Chef des Stabes
gez. **Ihssen**

105. Martin Luther an Werner Best 25. Januar 1943

Der var i en bestemt artikel i *Fædrelandet* anvendt begrebet "Großgermanien," som samtidig var fundet hos nazistiske bevægelser i andre lande. Luther ville have oplyst baggrunden for artiklen og især begrebet "Großgermanien."

Muligvis ville Luther have opklaret, om SS stod bag. Det kunne være Gottlob Berger og Germanische Leitstelle, der var på spil.

Fædrelandets artikel 19. januar 1943 med titlen "Nordens Suverænitet" var skrevet under mærket "Mi-

---

49 Trykt ovenfor.

JANUAR 1943

mer" og diskuterede begrebet den nordiske tanke, især den svenske nyskandinavisme kontra fællesskabet med de germanske brødrefolk. Mimer mente, at en vis selvstændighed bedst blev bevaret ved, at de nordiske lande indgik i en føderation under Storgermanien.

Best havde kontrol over *Fædrelandet*, som var tyskejet, så han kunne gå direkte til avisens redaktør, Helge Bangsted, for at få sagen opklaret. Best lod Gustav Meissner svare 15. februar.

Kilde: RA, pk. 438a.

Telegramm

Berlin, den   25. Januar 1943

Nr. 124 vom 25.1.1943

Nach einer DNB-Meldung vom 19. Januar hat "Fädrelandet" sich gegen den schwedische[n] Neuskandinavismus gewandt und von einem Großgermanien gesprochen.

Es wird gebeten festzustellen, was der Anlaß für diesen Artikel gewesen ist, insbesondere für die Herausstellung des Begriffes "Großgermanien."

Es ist auffällig, daß gleichzeitig der neue Leiter des Flämischen Nationalverbandes Elias in Gent vom germanischen Reiche gesprochen hat,[50] das in militärischer und wirtschaftlicher Hinsicht nur eine einzige Gesamtheit bilden werde, und der Leiter der Rex-Bewegung Degrelle in Brüssel die kommende großgermanische Einheit herausgestellt hat.

Luther

106. Martin Luther an die Reichsführer-SS Persönlicher Stab 25. Januar 1943

Ført med Luthers pen rettede AA en skarp kritik af SS' fremfærd i Danmark i forbindelse med planerne om oprettelsen af Schalburgkorpset. AA var ikke blevet orienteret forud om en række forhold, der klart lå inden for ministeriets interesseområder. Berger blev bedt om at indstille Germanische Leitstelles selvstændige optræden i Danmark og træffe de nødvendige aftaler med AA.

Henvendelsen forelå som nævnt ovenfor 8. januar allerede i udkast, men fik lov til at ligge mere end 14 dage før afsendelsen i let ændret form (Poulsen 1970, s. 375). Brevet er skrevet af en mand, der hverken ønskede en alliance med RFSS eller følte sin stilling truet. Brevet var direkte udfordrende i sin tone. RFSS' svar derpå, om et sådant blev givet, er ikke lokaliseret, men Luther havde på ny bragt sig på kollisionskurs med SS og denne gang på et område, hvor SS ikke ville lade sig standse. Se Hans-Heinrich Lammers' cirkulære 6. februar 1943, trykt nedenfor.

Kilde: BArch, NS 19/3647. RA, pk. 443. RA, Danica 1000, T-175, sp. 74, nr. 592.343ff. og 128, sp. 654.632ff. LAK, Frits Clausen-sagen XV/124. Udkast af 8. januar i PA/AA R 100.692 og R 100.986.

Auswärtiges Amt   *Berlin W 8, den 25. Januar 1943*
Wilhelmstr. 74-76
D III 952 g   Geheim!

---

50 Hendrik Elias var leder af den flamske nationalistbevægelse.

JANUAR 1943

An die Reichsführer-SS
  Persönlicher Stab
  Berlin S W 11

In einer Besprechung, die in Gegenwart des SS-Obergruppenführer Wolff zwischen dem SS-Gruppenführer Berger und dem Unterzeichneten über die Zusammenarbeit der "Germanischen Leitstelle" mit dem Auswärtigen Amt stattfand, wurde festgelegt, daß die "Germanische Leitstelle" alle Fragen von außenpolitischer Bedeutung zunächst mit dem Auswärtigen Amt klarstellen werde. Es wurde weiterhin festgelegt, daß die "Germanische Leitstelle" keine unmittelbaren Verhandlungen mit den deutschen Reichsvertretungen im Ausland zu führen habe, da diese ihre Weisungen ausschließlich vom Auswärtigen Amt erhalten. Das Auswärtige Amt muß darauf hinweisen, das diese Vereinbarung von Seiten der "Germanischen Leitstelle" in folgenden beiden Fällen wiederum nicht eingehalten worden ist.

1.) Am 16. Oktober 1942 wurde durch SS-Obersturmbannführer Dr. Riedweg die Schule Höveldegaard eingeweiht. Bei der Einweihungsfeier waren neben den Angehörigen der SS und des Dänischen Freikorps deutsche und dänische Gäste anwesend, so z.B. der Leiter der DNSAP, Dr. Frits Clausen mit seinem Stab. Dr. Riedweg hielt hierbei eine Rede über die germanischen Freikorps und die sittliche Verpflichtung des germanischen SS-Offiziers. An das Auswärtige Amt war diese Angelegenheit von Seiten der "Germanischen Leitstelle" nicht herangetragen worden, vielmehr wurde lediglich der Gesandte Barandon in Kopenhagen unterrichtet.[51] Dem von der "Germanischen Leitstelle" auf die Rückfrage des Auswärtigen Amtes eingenommenen Standpunkte, es handele sich bei der Einrichtung und der Einweihung der Schule in Höveldegaard um eine interne Angelegenheit der Waffen-SS kann das Auswärtige Amt nicht zustimmen, da die Angelegenheit zweifellos von außenpolitischer Bedeutung ist. Infolgedessen war auch die Reise Dr. Riedwegs nach Höveldegaard keine interne Angelegenheit der Waffen-SS, diente vielmehr einem politischen Zweck. Sie mußte demgemäß nach den bestehenden Vorschriften beim Auswärtigen Amt zur Genehmigung beantragt und durfte nicht auf einen militärischen Ausweis der Waffen-SS hin unternommen werden. Weiterhin wäre es nach den bestehenden Vorschriften notwendig gewesen, den Text der von Dr. Riedweg beabsichtigten Rede vorher dem Auswärtigen Amt vorzulegen.

2.) Nach einem Bericht des Bevollmächtigten des Reiches in Dänemark hat ihm SS-Sturmbannführer Boysen, der ohne Kenntnis und ohne Genehmigung des Auswärtigen Amts in Dänemark augenscheinlich als Beauftragter der "Germanischen Leitstelle" auftritt, gemeldet, daß der Reichsführer-SS die Bildung eines "Schalburg-Korps" wünsche und hat ihm hierbei eine Aufzeichnung übergeben, nach der als Führer des "Schalburg-Korps" der SS-Sturmbannführer K.B. Martinsen vorgesehen sei, der vom Reichsführer-SS für diese Aufgabe bereits freigestellt wurde.[52] Aus der Aufzeichnung und den mündlichen Mitteilungen des SS-Sturmbannführers Boysen geht weiterhin hervor, daß der Reichsführer-SS wünsche, das "Schalburg-Korps" im Rahmen des Auf-

---

51 Barandon sendte 19. oktober 1942 AA en beretning om indvielsen af Høveltegård. Trykt ovenfor.
52 Se Best til AA 7. december 1942.

baues einer großgermanischen SS zu errichten. Sturmbannführers Boysen hat über den Plan dieser Gründung auch mit dem Leiter der DNSAP Dr. Frits Clausen Besprechungen geführt.[53]

Die Zustimmung des Auswärtigen Amtes zu diesem Vorhaben wurde weder eingeholt noch erteilt. Der Plan, in Dänemark ein "Schalburg-Korps" aufzustellen und damit, wie aus den Ausführungen des SS-Sturmbannführers Boysen dem Bevollmächtigten des Reiches in Dänemark gegenüber ersichtlich ist, eine neue Partei in Dänemark zu gründen, würde zwangsläufig erhebliche politische Rückwirkungen auf unser Verhältnis zur dänischen Regierung wie auch zu der DNSAP haben.

Das Auswärtige Amt kann nach Lage der Dinge zu dieser Angelegenheit abschließend erst Stellung nehmen, nachdem ihm seitens der Reichsführung-SS die Einzelheiten des Planes mitgeteilt worden sind. Es wird geprüft werden, ob die beabsichtigte Maßnahme aus außenpolitischen Gesichtspunkten opportun ist oder nicht. Die auch der Reichsführung-SS bekannten Umstände, die vor einigen Monaten zur Einsetzung des Bevollmächtigten des Reiches in Dänemark führten, haben gezeigt, daß in anderen Ländern, so insbesondere in Finnland, Schweden und der Schweiz alle Vorgänge in Dänemark mit großer Aufmerksamkeit verfolgt werden. Es muß daher alles vermieden werden, was das durch die Feindpropaganda eifrig geschürte Mißtrauen hinsichtlich der deutschen Absichten in diesen Ländern verstärken könnte. Es bedarf aber einer sorgfältigen Prüfung, ob Maßnahmen der in Frage stehenden Art außenpolitischen Rücksichten fallen gelassen oder zeitweilig zurückgestellt oder gegebenenfalls diplomatisch oder propagandistisch im Ausland vorbereitet werden müssen. Auch ist es notwendig, die deutschen Reichsvertretungen im Ausland und insbesondere in den unmittelbar beteiligten Ländern vorher mit einer einheitlichen Sprachregelung zu versehen.

Das Auswärtige Amt muß daher nochmals dringend bitten, Gruppenführer Berger anzuweisen, sich der getroffenen Absprache gemäß in Fällen der vorliegenden Art stets rechtzeitig vorher an das Auswärtige Amt zu wenden und davon unter allen Umständen abzusehen, unmittelbar mit den deutschen Reichsvertretern im Ausland in Verbindung zu treten. Die Reichsvertretungen haben Anweisungen, auf ein derartiges Herantreten nicht mehr zu reagieren.

Im Auftrag
gez. **Luther**

107. Volksdeutsche Mittelstelle an das Auswärtige Amt 25. Januar 1943

VOMI meddelte AA, at alle medlemmer af det tyske mindretal var forsat fra Frikorps Danmark og at der ikke fremover ville blive optaget medlemmer af mindretallet i korpset.

Kilde: RA, pk. 225.

Volksdeutsche Mittelstelle   *Berlin W 62, den 25. Jan. 1943*

---

53 Dette møde fandt sted 4. december (se Best til AA 7. december 1942).

An das Auswärtige Amt
    D VIII
    Berlin W 8
    Wilhelmstr. 74-76

Betr.: Volksdeutsche Freiwillige in Freikorps "Danmark."
Aktz.: IX/16/II/192
Dr. Si/Pu.
Bezug: Dort. Schreiben v.16.1.43. Nr. D VIII 377/42 II g.[54]

Auf den dortigen Schnellbrief vom 9.9.42 hin wurde seinerzeit zwischen SS-Brigadeführer Behrends und Herrn Dr. Goeken abgesprochen, daß das Auswärtige Amt auf die
Beantwortung des Briefes vom 9.9.42 verzichtet.[55]
    Der vorgesehene Besuch von Volksgruppenführer Dr. Möller beim Reichsführer-SS
kam nicht zustande.
    Inzwischen sind alle Volksdeutschen Freiwilligen aus dem Freikorps "Danmark" ver-
setzt worden. Es ist ferner dafür gesorgt worden, daß auch in Zukunft keine Neueinstel-
lungen in das Freikorps mehr stattfinden können.

Heil Hitler

i.A. [**underskrift**]

SS-Hauptsturmführer

108. Werner Best an das Auswärtige Amt 25. Januar 1943

Den 22. januar havde von Hanneken i en indberetning til OKW foreslået en opløsning af den danske hær
pga. dens tyskfjendtlighed (PKB, 13, nr. 374), hvilket Best svarede på til AA allerede tre dage senere. Han
afviste det på det skarpeste. Kravet ville lægge hele den hidtil førte politik i ruiner. Regeringen ville se det
som tegn på opløsningen af landets suverænitet. Omkostningerne ved et sådant skridt kom han også ind på
og vendte her tilbage til de betragtninger, han tidligere havde anstillet i sine forvaltningsstudier af forskellige
besatte områder med anvendelse af terminologien derfra.
    I midten af februar besluttede Jodl ikke at imødekomme von Hannekens forslag, idet dog den danske
regering blev advaret om, at ved selv den ringeste modstand ville den danske hær blive opløst (PKB, 13, nr.
389, Thomsen 1971, s. 151f., Kirchhoff, 1, 1979, s. 122, Roslyng-Jensen 1980, s. 138 (sidstnævnte daterer
telegrammet til 22. januar)).
    Kilde: RA, Danica 1069, sp. 1, nr. 634-636. LAK, Best-sagen (afskrift i uddrag). PKB, 13, nr. 375.
EUHK, nr. 83 (begge steder er kun uddrag trykt. PKB har tillige ændret på indholdet ved at flytte om på
rækkefølgen af brevets afsnit).

3 Ausfertigungen
1. Ausfertigung
Abschrift eines Schreibens des Bevollmächtigten des Reiches in Dänemark vom
25.1.1943.

54 Skrivelsen er ikke lokaliseret.
55 Brevet er ikke lokaliseret.

JANUAR 1943

I.

Eine deutsche Forderung, das dänische Heer aufzulösen und sämtliche Waffen, Munition, Ausrüstung und Bekleidung sowie die Akten in deutsche Hand zu übergeben, würde nach meiner Überzeugung von allen verfassungsmäßigen Faktoren des dänischen Staates – Regierung, Reichstag und König – einmütig abgelehnt werden. Denn sie würden in Übereinstimmung mit der gesamten Bevölkerung des Landes in dieser Forderung den ersten Schritt zur förmlichen und endgültigen Aufhebung der Selbständigkeit Dänemarks erblicken. Der Wunsch und die Hoffnung, diese Selbständigkeit zu erhalten, ist das Motiv, aus dem die verfassungsmäßigen Faktoren des dänischen Staates zur Mitarbeit mit dem Reich und mit der deutschen Besatzung in allen Fragen bereit sind, durch die nicht die politische Zukunft Dänemarks präjudiziert wird. Wenn von deutscher Seite eine Maßnahme gefordert würde, die wie ein Präjudiz für die politische Zukunft Dänemarks aufgefaßt wird, würden – insbesondere angesichts der gegenwärtigen Gesamtkriegslage – die verfassungsmäßigen Faktoren des dänischen Staates zweifellos ihre Mitwirkung versagen und es vorziehen, die Durchführung dieser Maßnahmen und die Verantwortung für sie den deutschen Organen allein zu überlassen.

Da nach dem Rücktritt der gegenwärtigen Regierung eine neue Regierung, die die deutsche Forderung annähme, mangels Mitwirkung des Reichstags und des Königs nicht mehr gebildet werden könnte, würde dies einen völligen Systemwechsel bedeuten, indem von deutscher Seite die dänische Verfassung außer Kraft gesetzt und die Verwaltung des Landes übernommen werden müßte.

Auch die Auflösung des dänischen Heeres und die Wegnahme der Waffen usw. müßte durch deutsche Vollzugsmaßnahmen durchgeführt werden.

Wenn die Verwaltung Dänemarks von dem Reichsbevollmächtigten übernommen und ausgeübt werden sollte, so würde dies bedeuten, daß künftig in Dänemark sehr viel stärkere deutsche Kräfte eingesetzt werden müßten, als dies im gegenwärtigen Status erforderlich ist, in dem die Lenkung des Landes über die dänische Regierung und den dänischen Verwaltungsapparat erfolgt.

Wahrscheinlich müßten zahlreiche Verwaltungsfunktionen im Lande unmittelbar von deutschen Verwaltungskräften übernommen werden. Denn ob nach dem Wegfall der dänischen Regierung die dänischen Mittel- und Lokalbehörden ihren Dienst weiter versehen würden, läßt sich nicht voraussehen. Eine Rechtspflicht hierzu besteht nicht, da die Haager Landkriegsordnung für das Verhältnis der deutschen Besatzungsmacht zu der dänischen Bevölkerung nicht gilt. Selbst wenn aber nicht alle Verwaltungsfunktionen (wie etwa im Generalgouvernement) von deutschen Kräften übernommen werden müßten, müßte eine deutsche Aufsichtsverwaltung eingerichtet werden, die (wie die Aufsichtsverwaltungen in Norwegen und in den Niederlanden) einen beträchtlichen Aufwand an Verwaltungskräften erfordern würde. Dies zeigt der Vergleich, daß zur Zeit die Behörde des Reichsbevollmächtigten, die über eine legale dänische Regierung das Land Dänemark mit fast 4 Millionen Einwohnern kontrolliert, ein Gesamtpersonal von etwa 200 Köpfen umfaßt, während die Verwaltung des Reichskommissars in Norwegen für eine Bevölkerung von etwa 2,8 Millionen Einwohnern 3.000 Köpfe zählt.

Da die dänische Bevölkerung, die zur Zeit an dem Leitseil der Hoffnung und Furcht um ihren Staat und ihre Verfassung gelenkt wird, nach dem Wegfall dieser Hemmungen zum passiven und aktiven Widerstand übergehen würde, wäre – wie in anderen besetzten Gebieten – ein stärkerer Einsatz deutscher Polizeikräfte erforderlich.

Wahrscheinlich würde die erhöhte Unsicherheit im Lande auch eine Verstärkung der deutschen militärischen Kräfte notwendig machen.

Die wirtschaftlichen Leistungen Dänemarks für das Reich würden infolge des passiven Widerstandes der Bevölkerung und der verminderten Ordnung im Lande beträchtlich zurückgehen, ohne daß durch deutsche Anordnungen und Zwangsmaßnahmen dieser Ausfall ausgeglichen werden könnte.

Außenpolitisch würde auf Schweden und Finnland, die mit ängstlichem Interesse auf die Lage in Dänemark blicken, eine negative Wirkung mit nicht voraussehbaren Folgen ausgelöst werden, da die Auflösung des dänischen Heeres als ein Bruch der Zusage vom 9. April 1940 gewertet und die Anwendung "norwegischer Methoden" in Dänemark, das sich nicht mit dem Reich im Kriege befindet, noch schärfer verurteilt würde als hinsichtlich Norwegens, das gegen Deutschland gekämpft hat und dessen Widerstandshandlungen bekannt sind.

II.

Ob aus militärische Gründen die Auflösung des dänischen Heeres unbedingt erforderlich ist, entzieht sich meinem Urteil.

In politischer Hinsicht stelle ich fest, daß der auch mir bekannten feindseligen Einstellung des dänischen Heeres bezw. seines Offizier- und Unteroffizierkorps – die eingezogenen Soldaten wechseln ja häufig – keine besondere Bedeutung beizumessen ist. Denn die politische Stimmung dieser Kreise entspricht durchaus der Stimmung von mindestens 90 % der dänischen Bevölkerung. Diese Stimmung kann als ein "Attentismus" gekennzeichnet werden, der den Ausgang des gegenwärtigen Ringens abwarten will und der auf den Sieg unserer Feinde hofft, weil von ihm die Rückkehr der guten Zeit vor 1939 erwartet wird.

Da aber die Dänen nicht gern eigene Opfer bringen wollen und da heftige Reaktionen und Gewalthandlungen nicht in ihrem Wesen liegen ist nicht damit zu rechnen, daß dieser "Attentismus" sich ohne äußeren Anlaß zu feindseligen Handlungen hinreißen lassen wird. Auch die Angehörigen des dänischen Heeres haben in dieser Hinsicht keine Beweis[e] eines größeren Aktivismus und Opfermutes gegeben als die übrigen Kreise der Bevölkerung. Sie dürften im Gegenteil durch die Hoffnung auf künftige Aufgaben von gegenwärtigen Unbesonnenheiten zurückhalten werden, während sie nach der Auflösung des dänischen Heeres vor dem nichts stünden und aus Desperado-Stimmungen viel eher Unbesonnenheiten begehen würden.

Wenn es gelingt, die Dänen in dem Glauben zu lassen, daß sie sich mit ihrem passiven Abwarten am besten aus der Affäre ziehen werden, wie auch der Krieg enden möge, so ist auf diesem Wege Dänemark am leichtesten und sparsamsten im deutschen Interesse zu lenken, ohne daß wesentliche Schwierigkeiten zu befürchten sind. Von dieser "attentistischen" Grundhaltung aus wird, wenn der Krieg einmal zu Gunsten des Reiches entschieden ist, der Realismus der Dänen unschwer den endgültigen Anschluß an Deutschland finden.

Wenn allerdings vorher – was nach meiner Auffassung nur durch deutsche Maßnah-

JANUAR 1943

men ausgelöst werden könnte – die dänische Bevölkerung in eine schärfere Opposition gegen das Reich und gegen das Besatzungsregime getrieben würde, so besteht die Gefahr, daß sie auch nach der Entscheidung den Anschluß an uns nicht oder jedenfalls sehr viel später fände.

gez. **Dr. Best**

109. Hans-Heinrich Lammers an Heinrich Himmler 25. Januar 1943

Lammers fremsendte til RFSS et udkast til et cirkulære vedrørende rettigheden til at føre forhandlinger med de germansk-völkische grupper i de germanske lande på det statslige område og bad om hans tilslutning.

Lammers fik RFSS' tilslutning 29. januar (det knappe svar er trykt i *De SS en Nederland*, 2, 1976, nr. 311).
Kilde: *De SS en Nederland*, 2, 1976, nr. 307.

Feldquartier, den 25. Januar 1943

Sehr verehrter Herr Reichsführer!
Der Leiter der Partei-Kanzlei hat im August v.Js. eine Anordnung über die Zuständigkeit für Verhandlungen mit den germanisch-völkischen Gruppen in Dänemark, Norwegen, Belgien und den Niederlanden erlassen und mich gebeten, für den staatlichen Sektor eine entsprechende Anweisung ergeben zu lassen.

Zwischen dem Chef des SS-Hauptamtes und meinem Vertreter ist hierfür der aus der Anlage ersichtliche Entwurf eines Runderlasses an die Obersten Reichsbehörden gefertigt worden.[56] Ich wäre Ihnen für baldige Mitteilung dankbar, ob Sie gegen diesen Entwurf Bedenken habe.

Heil Hitler! Ihr sehr ergebener
Lammers

110. Werner Best an das Auswärtige Amt 26. Januar 1943

Spørgsmålet om nyvalg til Rigsdagen var blevet diskuteret i den danske regering, og statsminister Scavenius havde sonderet mulighederne hos Best, før det kom til en formel henvendelse. Best tog et for regeringen overraskende positivt standpunkt hertil og talte varmt over for AA for afholdelsen af valg. Det var vel vidende, at det var et helt unik anmodning, og han kan ikke have været blind for den mulige modstand i Berlin. Men det var en test af det betimelige i "Aufsichtsverwaltung." For at berede vejen for forslaget angav han bl.a., at Frits Clausen fandt et rigsdagsvalg meget ønskværdigt, hvilket næppe er i overensstemmelse med Clausens holdning. Det er nærmere sandheden, at han af Best blev orienteret om udsigten til valg (Thomsen 1971, s. 135, Sjøqvist, 2, 1973, s. 240ff., Kirchhoff, 1, 1979, s. 194f., Herbert 1996, s. 338f.).

Kilde: PA/AA R 29.566. PKB, 13, nr. 376. ADAP/E, 5, nr. 74 (uddrag).

Telegramm

| Kopenhagen, den | 26. Januar 1943 | 12.30 Uhr |
| Ankunft, den | 26. Januar 1943 | 13.30 Uhr |

56 Identisk med Lammers' cirkulære 6. februar 1943, trykt nedenfor.

JANUAR 1943

Nr. 91 vom 26.1.[43.]

Am 25.1.43 hat der Staatsminister von Scavenius mich um Stellungnahme zu der Frage einer dänischen Reichstagswahl im Frühjahr 1943 gebeten. Er hat darauf hingewiesen, daß nach der dänischen Verfassung das Folketing (Unterhaus) und die Hälfte des Landstings (Oberhaus) des dänischen Reichstags alle vier Jahre neu gewählt werden muß und daß am 3. April 1943 die letzte vierjährige Wahlperiode abgelaufen sein wird. Ich habe mir meine endgültige Stellungnahme vorbehalten und darauf aufmerksam gemacht, daß, wenn die Wahl stattfinden sollte, von deutscher Seite gewisse Bedingungen für die Gestaltung des Wahlvorganges gestellt werden müßten.
Ich beabsichtige, der Durchführung der Wahl aus den folgenden Gründen zuzustimmen:
1.) Wenn keine Wahl stattfindet, wird vom 3.4.43 an kein verfassungsmäßiger Gesetzgeber in Dänemark vorhanden sein, so daß jede weitere Rechtsetzung, ob sie durch Verordnungen des Königs oder der Regierung oder durch Gesetze des etwa fortgesetzten gegenwärtigen Reichstags erfolgen möge, von den Gerichten für ungültig erklärt werden könnte, da alle Gesetze unter deutscher Kontrolle und viele auf deutschen Wunsch erlassen werden, liegt es im deutschen Interesse, daß die Gültigkeit der dänischen Gesetze nicht angezweifelt werden kann.
2.) Innerpolitisch würde die Zulassung der Wahl als ein Erfolg der Regierung Scavenius aufgefaßt werden. Da die Sammlungsparteien, die die Regierung Scavenius tragen, mit großer Mehrheit aus der Wahl hervorgehen würden, wäre die Wahl zugleich eine Art Volksabstimmung für Scavenius. Dies liegt durchaus im deutschen Interesse.
3.) Auch außenpolitisch dürfte es im deutschen Interesse liegen, zu zeigen, daß unter dem deutschen Besatzungsregime in Dänemark eine normale Reichstagswahl durchgeführt werden kann.
Für die Gestaltung der Wahl beabsichtige ich, die folgenden Bedingungen zu stellen:
1.) Die Wahl soll am spätesten zulässigen Termin stattfinden (um eine mögliche Verbesserung der Gesamtkriegslage sich auswirken zu lassen).
2.) Die Wahl soll möglichst kurzfristig vor dem Wahltermin ausgeschrieben werden (um die Zeit der politischen Spannung und Erwartung abzukürzen).
3.) Es soll keinerlei öffentliche Wahlagitation stattfinden (was durch eigenen Entschluß der Sammlungsparteien veranlaßt werden kann).
4.) Den dänischen Arbeitern und Freiwilligen im Reich soll die Stimmabgabe ermöglicht werden (nach dem Vorbild der dänischen Seeleute, die bei den Konsulaten ihre Stimme abgeben).
Diese Bedingungen werden von der dänischen Regierung zweifellos ohne Einwendungen angenommen werden.
Der Führer der DNSAP Dr. Clausen hält eine Reichstagswahl unter den von mir vorgesehenen Bedingungen für sehr erwünscht und hofft auf einen Stimmenzuwachs insbesondere auch durch die dänischen Arbeiter im Reich.

Dr. Best

JANUAR 1943

111. Conrad Roediger an Werner Best 26. Januar 1943

AA bad Best sætte sig i forbindelse med den danske regering i spørgsmålet om at øge antallet af Tysklands-arbejdere og rapportere tilbage derom.

Samtidig afgik der en skrivelse til Frits Sauckel om, at AA havde rettet henvendelse til Best.

Om Bests og AAs holdning til anvendelsen af danske arbejdere i Tyskland, se telegrammet 27. november 1942.

Sauckel svarede 26. marts 1943.

Kilde: RA, pk. 287. PKB, 13, nr. 826.

zu R. 50.698 (R. 53.964)   *Bln., den 26. Jan. 1943.*
Ref.: Roediger.   Eilt sehr!
1 Anlage.

1.) Dem Bevollmächtigten des Reichs für Dänemark.

Kurier! Kopenhagen mit der Bitte erg. übersandt, mit der dortigen Regierung nach-drücklich im Sinne der Darlegungen des Generalbevollmächtigten für den Arbeitsein-satz soweit sie sich mit den dort gemachten Beobachtungen decken, in Verbindung zu treten und über das Ergebnis baldigst zu berichten.

R[oediger]
Unterschrift beglaubigen

2.) An
den Herrn Generalbevollmächtigten
für den Arbeitseinsatz,
Bln., S.W. 11,
Saarlandstr. 96

Auf d. Schr. vom 16. d.M. Va 5780.7/444.[57]
Der Bevollmächtigte des Reichs für Dänemark in Kopenhagen ist im Sinne des seiten-wärts bezeichneten Schreibens wegen der Frage der Anwerbung dänischer Arbeitskräfte für das Reichsgebiet mit Weisung versehen worden.

Weitere Mitteilung darf sich das AA vorbehalten.
Ha Pol u Pol. VI z. g. Mz.

R[oediger] 22/1
Unterschrift beglaubigen

112. Werner Best an das Auswärtige Amt 26. Januar 1943

Som det tyske gesandtskab skulle spare på udgifterne, gjaldt det også udgifterne til det tyske mindretal, hvor der var bevilget over 300.000 kr. mindre, end der var budgetteret med. Best så sig for 1943 ikke i stand til at betale 200.000 kr. til VOMIs arbejde i Danmark, men overlod det til VOMI at søge pengene hos RWM.

Det har ikke været Best ukært at overlade VOMI selv at sørge for finansieringen af sin aktivitet i Dan-mark, da det var den mest effektive måde at stække en aktivitet på, som kunne gå uden om ham.

Kilde: PA/AA R 100.355.

---

57 Trykt ovenfor.

Der Bevollmächtigte des Reiches in Dänemark   *Kopenhagen, den 26.1.1943.*
I C/Tgb. Nr. 37/42

An das Auswärtige Amt,
    Berlin

Mit Bezugnahme auf den Bericht v. 17.3.1942 – Tgb. Nr. 182/42 – und den Erlaß v.
19.11.42[58]
Nr. D VIII 5081/42

Betr.: Haushaltsplan der Deutschen Volksgruppe Nordschleswig für das Jahr 1943/44
– 2 Durchschläge –
1 Anlage.[59]

In der Anlage wird der Haushaltsplan der Deutschen Volksgruppe Nordschleswig für
das Jahr 1943/44 vorgelegt. Er schließt mit einer Gesamtforderung von 1.395.349,-
Kronen gegenüber 1.293.890,- Kronen im Vorjahre ab.

Der diesjährige Haushaltsplan übersteigt in noch höherem Masse als der Haushaltsplan des vergangenen Jahres die Mittel, die der Volksgruppe angesichts der gespannten
Devisenlage zur Verfügung gestellt werden können. Da die eingesetzten Beträge in keinem Verhältnis zu den vorhandenen Mitteln stehen, halte ich es noch nicht für angebracht, auf die einzelnen Posten des Haushaltsplanes näher einzugehen.

Zum Ausgangspunkt für die Bearbeitung muß m. E. der mit dem obenbezeichneten
Erlaß für das Jahr 1942/43 bewilligte Betrag von 200.000,- Kronen gemacht werden.
Außerdem sind in dem laufenden Haushaltsjahr 780.000,- Kr. für Lehrergehälter an die
Volksgruppe transferiert worden, die im Haushalt der Volksgruppe für 1942/43 enthalten waren und auch in dem neuen Haushalt wieder eingesetzt sind. Unter Einrechnung
dieser Summe erhält die Volksgruppe demnach in dem mit dem 31.3.1943 abschließen-
den Haushaltsjahr 980.000,- Kr. gegenüber einer Gesamtforderung von 1.293.890,- Kr.
Die Volksgruppe ist somit schon in diesem Jahr gezwungen, über 300.000,- Kr. einzusparen.

Die über die Lehrergehälter hinaus mit dem obenbezeichneten Erlaß bewilligte
Summe von 200.000,- Kr. deckt sich nicht, wie in dem Erlaß angeführt wurde, mit
dem Vorschlag, der von hier mit Bericht vom 17.3.1942 – Tgb. Nr. 182/42 – gemacht
worden war. In diesem Bericht war darauf hingewiesen worden, daß die Ausgaben für
das Schulamt, den Wohlfahrtsdienst und die Hauptbücherei der Deutschen Volksgruppe erstmalig in den Haushalt aufgenommen werden mußten, weil der Deutsche Schulverein, der diese Ausgaben bisher getragen hatte, von der Volksdeutschen Mittelstelle
übernommen worden war. Es wurde deshalb in dem Bericht hervorgehoben, daß die
ehemals vom Deutschen Schulverein getragenen Ausgaben neben der für sonstige Haushaltsmittel vorgeschlagenen Summe von rund 200.000,- Kr. zusätzlich zu berücksich-

---

58 Trykt ovenfor.
59 Det meget omfattende og detaljerede bilag er udeladt.

tigen sein würden. Da der Volksgruppe insgesamt aber nur 200.000,- Kr., zugebilligt worden sind, ist sie genötigt, den für die erwähnten Ausgaben angesetzten Betrag, der im Haushaltsplan allein schon mit rund 200.000,- Kr. berechnet war, z.T. einzusparen, z.T. in der Weise einzusetzen, daß andere Positionen gestrichen werden.

Der diesjährige Haushaltsplan sieht nun wiederum für diese Ausgaben einen Betrag von rund 200.000,- Kr. vor. Ich halte es für unbedingt erforderlich, daß diese Ausgaben im Haushaltsplan 1943/44 wenigstens zu einem Teil Berücksichtigung finden und befürworte, daß dafür die Hälfte – d.h. 100.000,- Kr. – bewilligt werden.

Zu dieser Summe tritt der übrige Bedarf der Volksgruppe, der die Positionen des Haushaltsplanes mit Ausnahme des Schulamtes, des Wohlfahrtsdienstes und der Hauptbücherei zu decken hat. Für diesen Bedarf allein wurden in meinen vorjährigen Bericht 200.000,- Kr. berechnet. Im Hinblick auf die gespannte Devisenlage werden hierfür wohl trotz der Mehrforderungen der Volksgruppe auch in diesem Jahr nicht mehr als 200.000,- Kr. veranschlagt werden können. Ich halte es aber für unbedingt erforderlich, daß auch in diesem Jahr wiederum für diese Zwecke 200.000,- Kr. transferiert werden, weil sonst die gesamte Volkstumsarbeit in Nordschleswig in eine Rückwärtsentwicklung geraten würde.

Mein Vorschlag geht daher zusammenfassend dahin, daß für den Haushaltsplan 1943/44 ein Mindestbetrag an Devisen in Höhe von 300.000,- Kr. bewilligt wird. Dies würde bedeuten, daß die Volksgruppe (unter Berücksichtigung des Transfers an Lehrergehältern in Höhe von 780.000,- Kr.) eine Gesamtsumme von 1.080.000,- Kr. erhalten würde und daß rund 500.000,- Kr. des Haushaltsplanes 1943/44 ungedeckt bleiben und eingespart werden müssen.

Ich muß dabei schon jetzt – unter Bezugnahme auf meinen Bericht vom 4.1. d.Js. – Nr. Z 682/42[60] – darauf hinweisen, daß von dem genannten Betrag von 1.080.000,- Kr. dessen Zurverfügungstellung ich für notwendig halte, lediglich die Lehrergehälter von 780.000,- Kr. in dem diesjährigen Haushaltsplan meiner Behörde Berücksichtigung finden können. Es wird daher kaum möglich sein, für die Volksdeutsche Mittelstelle die in Vorschlag gebrachten 300.000,- Kronen aus dem hiesigen Devisenbestand für Haushaltsmittel der Volksgruppe zu zahlen. Im Vorjahre hat das Reichswirtschaftsministerium der Volksdeutschen Mittelstelle die Bereitstellung von Devisen abgelehnt, sodaß alle Zahlungen an die Volksgruppe durch meine Behörde erfolgen mußten. Unter den gegebenen Verhältnissen wird in diesem Jahre die Volksdeutschen Mittelstelle unbedingt dafür Sorge zu tragen haben, daß sie die benötigten Devisen für die Volksgruppe in Nordschleswig vom Reichswirtschaftsministerium erhält.

Dr. Best

---

60 Denne beretning er ikke lokaliseret.

113. Rolf Kassler an das Auswärtige Amt 27. Januar 1943

Kassler redegjorde for en drøftelse med afdelingsleder i VOMI, Lothar Heller, om det tyske mindretals erhvervsmæssige forhold, hvori også lederen af DBN, Peter Hansen-Damm, deltog. Det var først og fremmest Liefergemeinschafts problemer, der blev drøftet. Disse var mest af erhvervsmæssig art, men et enkelt punkt var politisk: Hvordan skulle man forholde sig til et samarbejde med virksomheder, der stod under DNSAPs indflydelse? Det var der ingen hindring for, blot måtte det ikke komme offentligt frem. Heller havde haft et møde med Walter Forstmann, der tilsagde Liefergemeinschaft støtte i visse tekniske og administrative spørgsmål. Med Forstmann var det også blevet drøftet at inddrage Liefergemeinschaft i skibsreparationerne. Det blev sluttelig drøftet, hvordan tysk landopkøb i Nordslesvig kunne finansieres med VOMIs støtte.

Kilde: RA, pk. 246.

Der Bevollmächtigte des Reiches in Dänemark *Kopenhagen, den 27.1.1943.*
I C/ Tgb. Nr. 35/43.

An das Auswärtige Amt,
Berlin.

Auf Drahterlaß Nr. 87 vom 19.1.d.Js.
– Geheim –
Betr.: Besprechung mit dem Wirtschaftsbeauftragten der Volksdeutschen Mittelstelle,
Herrn Heller.
– 2 Durchschläge –
1 Anlage.[61]

Mit dem Wirtschaftsbeauftragten der Volksdeutschen Mittelstelle, Herrn Heller, fand hier eine Besprechung statt, an der auch der Leiter der Deutschen Berufsgruppen Nordschleswig, Herr Hansen-Damm, teilnahm. Es wurden u.a. folgende Einzelfragen, die in der Hauptsache die Liefergemeinschaft der Deutschen Berufsgruppen betreffen, erörtert.

1.) In letzter Zeit hat die Liefergemeinschaft festgestellt, daß einzelne größere Firmen in Nordschleswig, die der Liefergemeinschaft angehören, mehr und mehr dazu übergehen, Aufträge aus dem Reich unmittelbar entgegenzunehmen und sie ohne Mitwirkung der Liefergemeinschaft auszuführen. Dieser Zustand ist unbefriedigend, weil dadurch die kleineren der Liefergemeinschaft angehörenden Firmen, die sonst von den Aufträgen der größeren Firmen einen Teil übernahmen, geschädigt werden. Zur Sicherheit der Einheitlichkeit der Auftragsverlagerung über die Liefergemeinschaft der DBN soll künftig auf reichsdeutsche Auftraggeber, u.a. durch Mithilfe der Reichs- und Gauwirtschaftskammern, seitens der Volksdeutschen Mittelstelle Einfluß genommen werden. Auch wird es Aufgabe der Liefergemeinschaft sein, ihre Leistungen an die Mitglieder zu erhöhen (Kontrolleure und Berater, Werbung und Vertretung, Rohstoff- und Arbeitsbeschaffung).

2.) Es wurde die Frage aufgeworfen, ob die Liefergemeinschaft in loser Form mit Fir-

---

61 Det omfangsrige bilag med DBNs aktivitetsberetning for sidste kvartal 1942 er ikke medtaget. Der foreligger sst. en aktivitetsberetning for første kvartal 1943 med et følgebrev fra Hensel til AA 18. maj 1943, hvori det oplyses, at DBN 31. marts 1943 havde 4.764 medlemmer mod 1.384 den 1. august 1940.

men, die unter dem Einfluß der dänischen nationalsozialistischen Partei stehen, wirtschaftlich zusammenarbeiten soll. Hier bestehen dagegen keine Bedenken, wenn die Zusammenarbeit nach außen hin nicht in Erscheinung tritt. Die Anregung dazu ist von einem Obmann der dänischen Nationalsozialisten ausgegangen, der bei der Liefergemeinschaft angefragt hat, ob einzelne Betriebe im Bedarfsfalle bei der Auftragsverlagerung berücksichtigt werden könnten. Die Liefergemeinschaft, der sich damit die Möglichkeit bietet, Aufträge aus dem Reich, die sie selbst nicht in vollem Umfange bewältigen kann, abzuzweigen, wird in Zukunft je nach Lage des Falles einzelne von einem Vertrauensmann der dänischen Nationalsozialisten zu nennende Betriebe heranzuziehen. Diese Betriebe werden dann direkt und im eigenen Namen Aufträge von den reichsdeutschen Auftraggebern übernehmen.

3.) Es ist bisher nicht möglich gewesen, die Beiträge der im Reich arbeitenden volksdeutschen Arbeiter an die DAF den Deutschen Berufsgruppen Nordschleswig zu transferieren. Es wurde vereinbart, daß die Volksdeutsche Mittelstelle beim Reichswirtschaftsministerium einen entsprechenden Antrag auf Genehmigung des Transfers stellt. Da es sich nur um eine Pauschalsumme von etwa 4-5.000,- RM handelt, wird es hier voraussichtlich möglich sein, die dänische Einwilligung für den Transfer zu erreichen.

4.) Herr Heller berichtete über seinen Besuch beim Leiter des Wehrwirtschaftstabes Dänemark, mit dem die Liefergemeinschaft der Volksgruppe ständig in Verbindung steht. Vom Wehrwirtschaftsstab wurde bestätigt, daß die technische und kaufmännische Arbeit der Liefergemeinschaft in Ordnung sei und es wurde die Wichtigkeit der genauen Beachtung der Vorschriften der deutschen und dänischen Dienststellen bei der Durchführung von Aufträgen erneut betont. Der Wehrwirtschaftsstab wurde ferner von der notwendigen Auffüllung der Kapitalbasis der Liefergemeinschaft sowie von der Arbeit der Buchstellen und Kontrollorgane der DBN unterrichtet. Auch wurde die Frage der Einschaltung der Liefergemeinschaft bei Schiffsreparaturen besprochen.

5.) Herr Heller erklärte, die Volksdeutsche Mittelstelle beabsichtige, die Aktienmehrheit bei einer der Nordschleswigschen Aktienbanken, von denen bisher keine unter dem Einfluß der Volksgruppe steht, zu erwerben. Darüber, wie dies geschehen solle, sei man sich jedoch noch nicht ganz schlüssig. in diesem Zusammenhang ging Herr Heller auch auf die Frage des Landkaufes durch die Volksgruppe ein. Es wurde ihm hier erklärt, daß gegen einen Landkauf hier solange keine Bedenken beständen, als dieser unauffällig vor sich ginge. Nach den Ausführungen von Herrn Heller ist anscheinend daran gedacht, dafür Mittel der Vereinigten Finanzkontore, die beim Kreditinstitut Vogelgesang in Hadersleben deponiert sind, zu verwenden. Da dies auf Grund der dänischen Buchführungs- und Revisionsbestimmungen sehr schwierig sein wird, wird, wie Herr Heller sagte, demnächst zur Prüfung dieser Frage ein Vertreter der Vereinigten Finanzkontore nach Nordschleswig reisen. Es wird in Erwägung gezogen, daß die Deutschen Berufsgruppen und der Landwirtschaftliche Hauptverein, die beide als dänische Vereine ohne Vorwiegend wirtschaftlichen Charakter einer weniger scharfen dänischen Finanzkontrolle unterliegen, einen Teil der Gelder der Finanzkontore treuhänderisch als Einlage beim Kreditinstitut Vogelge-

176   JANUAR 1943

sang übernehmen. Herr Heller wurde darauf aufmerksam gemacht, daß diese Frage nur im Benehmen mit der Behörden des Reichbevollmächtigten entschieden werden könne.

Abschrift des Vierteljahresberichtes über die Tätigkeit der Deutschen Berufsgruppen Nordschleswig vom 1. Oktober bis 31. Dezember 1942 ist beigefügt.

I.A.
Kassler

114. Karl Otto Braun: Aufzeichnung 27. Januar 1943

Legationsrat Braun havde drøftet finansiering af tyske bybørns ophold i Danmark med repræsentanter for Kinderlandsverschickung (KLV) i forbindelse med, at antallet af børn skulle sættes op fra 60 til 1.000. Det blev foreslået, at det krævede beløb blev betalt over clearingkontoen, hvilket krævede forhandling med den danske regering. Det skulle gøres danskerne klart, at det drejede sig om børn, der kom fra egne, som var særligt truet af luftangreb. Best skulle forestå forhandlingerne, og det skulle fremhæves, at planen for udvidelse af børnetallet havde fået førerens billigelse.

Se Scherpenbergs notat 24. marts 1943.
Kilde: BArch, R 901 113.554. RA, pk. 271.

Ref.: LR Dr. Braun   zu Partei II D 12/43
                    A u f z e i c h n u n g
zu Ha Pol VI 243/43.

Aussprache mit Oberbannführer Teetz, als Beauftragtem des Reichskassenverwalters der HJ für die KLV und Hauptbannführer Teichmann, als Beauftragtem für die KLV in Dänemark.[62]

Eine Bezahlung des Betrages für die von 60 auf 1.000 Kinder zu erhöhende KLV nach Dänemark über das Kronenkonto IV ist unter weiterer Kürzung des für den Reichsbevollmächtigten verfügbaren Betrages nicht möglich, da die Mittel für die vorgesehenen Zwecke festgelegt sind.

Die obengenannten Vertreter der HJ schlagen deshalb – wie ihnen bereits auch im Wirtschaftsministerium gesagt wurde – vor, die erforderlichen Mittel über das Clearing-Abkommen flüssig zu machen, weshalb dieses allerdings um die entsprechende Beträge erweitert werden müßte. Es handelt sich um monatlich RM 100.000,-; lediglich in dem ersten, bereits dem Reichswirtschaftsministerium vorliegenden Antrag wurden RM 200.000,- angefordert, da der Anlauf der Aktion erfahrungsgemäß besondere Ausgaben nötig macht.

Nach Meinung von Hauptbannführer Teichmann braucht nicht ohne weiteres erwartet zu werden, daß die Dänische Regierung den durch die KLV entstehenden Mehrbedarf auf das bestehende Clearing-Abkommen anrechnen wird, vorausgesetzt, daß es sich bei der erweiterten KLV um eine *rein karitative Angelegenheit zugunsten von erho-*

---

62 Emil Teichmann blev 29. juni 1943 Jugendreferent ved Germanische Leitstelle, se Germanische Leitstelle: Bericht ... 30. august 1943.

JANUAR 1943 *177*

lungsbedürftigen Kindern aus besonders stark luftgefährdeten Gebieten handelt.

Infolgedessen erübrigt sich vorerst eine Fühlungnahme mit dem Reichsministerium für Ernährung und Landwirtschaft; es wird vielmehr gebeten, den Bevollmächtigten des Reichs in Dänemark anzuweisen, bei den einzuleitenden Verhandlungen mit der Dänischen Regierung über die Erweiterung der KLV in Dänemark die oben angeführten finanziellen Fragen gleichzeitig zu erörtern.

Hervorzuheben ist dabei, daß der Plan zu Erweiterung der KLV in Dänemark die Zustimmung des Führers gefunden hat.

Es darf um telegraphische Weisung an den Bevollmächtigten des Reichs gebeten werden.

Hiermit Ha Pol VI mit der Bitte um weitere Veranlassung unter Beteiligung des Referats Partei vorgelegt.

Berlin, den 27. Januar 1943

Braun

115. Wehrwirtschaftstab Dänemark: Auswirkungen des britischen Fliegerangriffes vom 27. Januar 1943

Overvejelserne efter det engelske luftangreb på B&Ws maskinfabrik 27. januar 1943 demonstrerer, i hvilken grad besættelsesmagten var indstillet på at følge danske spille- og aftaleregler, selv om det kom væsentlige tyske rustningsinteresser på tværs. Hverken den danske regering, tyske tjenestesteder eller firmaet selv kunne tvinge arbejderne til at arbejde i treholdsskift, og Forstmann end ikke nævnte muligheden af tysk pression eller repressalier. De i Danmark "givne forhold" blev fulgt.

Kilde: BArch, Freiburg, RW 27/6. RA, Danica 1000, T-77, sp. 696, KTB/Rü Stab Dänemark 1. Vierteljahr 1943, Anlage 3.

Anlage 3

Rü Stab Dänemark

Betr.: Auswirkungen des britischen Fliegerangriffes vom 27.1.1943 auf die Maschinenfabrik der Firma Burmeister & Wain A/S, Kopenhagen

Der am 27.1.1943 erfolgte Tagesangriff britischer Flugzeuge auf die Maschinenfabrik der Firma Burmeister & Wain, bei welchem 12 Bomben geworfen wurden, hat in erster Linie Gebäudeschaden angerichtet und einige Kräne sowie Fundamente von Kranbahnen beschädigt. Die Werkzeugmaschinen sind dagegen zum größten Teil unversehrt geblieben. Der Betrieb mit einer Belegschaft von 1.900 Mann hat 4 Tage vollständig stillgelegen. Gleichzeitig mit den Aufräumungsarbeiten wurde zunächst im kleinen und dann im ständig steigenden Ausmaß mit der Produktion wieder begonnen. Ende März war die ganze Belegschaft wieder eingestellt und in der Produktion tätig.

Obschon also die *unmittelbaren* Schäden des Angriffs behoben sind, ist doch ein dauernder *mittelbarer* Schaden durch die infolge der Feindeinwirkung eingeführte Verkürzung der Arbeitszeit entstanden. Während vor dem Angriff in 3 Schichten von zusammen 23 Stunden gearbeitet wurde, werden jetzt nur 2 Schichten von zusammen

178   JANUAR 1943

14 Stunden verfahren, sodaß also 9 Stunden täglicher Arbeitszeit ausgefallen sind. Allerdings war die dritte Schicht wesentlich schwächer belegt. Es wurde nur an wenigen Werkzeugmaschinen gearbeitet. Aber diese Arbeit war für die Fertigung der Wehrmacht besonders wertvoll. Die Folge ist nun, daß sich voraussichtlich bei wichtiger Wehrmachtsfertigung Terminverzögerungen ergeben.

Der Grund für den Ausfall der dritten Schicht liegt auf psychologischem Gebiet; die Arbeiterschaft weigert sich aus Furcht vor einem erneuten Angriff in der Nachtzeit, in der dritten Schicht zu arbeiten. Alle dieserhalb geführten Verhandlungen stoßen auf Ablehnung durch die Arbeiter. Bei den in Dänemark gegebenen Verhältnissen ist es weder der dänischen Regierung oder den deutschen Dienststellen, noch der Firma selbst möglich, eine Änderung dieser Einstellung zu erzwingen.

116. Martin Luther an Joachim von Ribbentrop 28. Januar 1943

Best havde 13. januar frarådet, at der blev indført en jødelovgivning i Danmark efter tysk mønster. I stedet skulle der iværksættes tre forberedende foranstaltninger, hvilket Luther tilsluttede sig. Luther bad Ribbentrop om at tiltræde Bests forslag. Det skete 1. februar, og Luther sendte meddelelsen til Best 6. februar (Yahil 1967, s. 81, Browning 1978, s. 160).
    Kilde: PA/AA R 100.864. Sabile 1949, s. 7f. (på fransk). Best 1988, s. 276 (abrupt uddrag). Lauridsen 2008a, nr. 64.

Zu D III 109 g

Vortragsnotiz

Der Bevollmächtigte des Reiches in Dänemark nimmt folgendermaßen zur Judenfrage in Dänemark Stellung:

Eine Judengesetzgebung nach deutschem Vorbild würde auf den stärksten Widerstand in der gesamten Bevölkerung, dem Reichstag, der Regierung und beim König stoßen. Staatsminister von Scavenius habe erklärt, daß er mit seiner gesamten Regierung zurücktreten werde, falls wir die Forderung einer Sonderbehandlung der Juden in Dänemark stellen würden. Eine neue Regierung könne alsdann nicht mehr gebildet werden und dies würde bedeuten, daß der Reichsbevollmächtigte die Verwaltung des Landes nach der Art der Reichskommissare selbst übernehmen müsse. Der Führer der DNSAP habe zum Ausdruck gebracht, daß die Einführung des Judensterns den Protest zehntausender germanischer Dänen hervorrufen würde. Nach Ansicht des Herrn Bevollmächtigten des Reiches in Dänemark würde die Judenfrage als ein Problem des verfassungsmäßigen Zustandes Dänemarks angesehen. Die Gleichheit aller dänischer Staatsbürger vor dem Gesetz sei ein Grundpfeiler der gegenwärtigen Verfassung. Eine Sonderbehandlung der Juden dänischer Staatsangehörigkeit würde sich den Dänen als der Auftakt zur Aufhebung der bisherigen Verfassung darstellen. Er glaube deshalb, zwecks Vermeidung eines Systemwechsels in der deutschen Lenkung Dänemarks, von der Einführung einer Judengesetzgebung nach deutschem Vorbild in Dänemark abraten zu müssen. Er schlägt folgende vorbereitende Maßnahmen vor:

1.) Systematische Entfernung aller Juden aus dem öffentlichen Leben – Staatsdienst, öffentliche Körperschaften, Presse usw. – indem sie einzeln der dänischen Regierung als für eine Zusammenarbeit untragbar bezeichnet werden;

2.) Systematische Entfernung aller Juden aus dem deutsch-dänischen Wirtschaftsverkehr, indem bei deutschen Aufträgen zur Auflage gemacht wird, daß an der dänischen Firma keine Juden beteiligt sein dürfen;

3.) einzelne Zugriffe gegen Juden durch die deutsche Exekutive mit der Begründung politischer oder krimineller Vergehen.

In diesen drei Richtungen seien von ihm Maßnahmen eingeleitet, über deren Durchführung er von Fall zu Fall berichten werde. Er beabsichtige eine Übersicht über die in Dänemark ansässigen Juden anzufertigen und glaube, daß es sich hierbei um nicht mehr als 6.000 Personen handeln wird. Die vom Reichsbevollmächtigten vorgeschlagenen Maßnahmen bedeuten einen ersten Schritt zur Lösung der Judenfrage in Dänemark. Es muß so versucht werden, schrittweise auch die Judenfrage in Dänemark zu bereinigen. Mit Rücksicht auf die vom Reichsbevollmächtigten für sein Vorgehen vorgebrachten Argumente wird vorgeschlagen, ihm das erbetene Einverständnis des Auswärtigen Amtes zu erteilen.

Ich bitte um Weisung.

Hiermit über den Herrn Staatssekretär zur Vorlage bei dem Herrn Reichsaußenminister.

Berlin, den 28. Januar 1943

Luther

117. Joachim von Ribbentrop an Werner Best 28. Januar 1943

Ribbentrop erklærede sig indforstået med, at Best ønskede at optage personlig forbindelse med det danske kongehus. Dog ønskede han først en indberetning om, hvordan Best forestillede sig, at det praktisk skulle foregå og hvilke virkninger samarbejdet ville få.

Se Bests telegram 16. januar og Bests følgende telegram 28. januar og telegrammet 31. januar 1943 angående forholdet til det danske kongehus.

Kilde: PA/AA R 29.566. RA, pk. 202. PKB, 13, nr. 377.

Telegramm

| Sonderzug, den | 28. Januar 1943 | 02.10 Uhr |
| Ankunft, den | 28. Januar 1943 | 02.45 Uhr |

Nr. 201 vom 28.1.[43.]
RAM 40/R

Diplogerma Kopenhagen
    Für Bevollmächtigten persönlich.

Ich bin grundsätzlich damit einverstanden, daß Sie dem Wunsche des Königs und des Kronprinzregenten entsprechen und auf der Grundlage des gegenwärtigen Zustandes in persönliche Verbindung und unmittelbare Zusammenarbeit mit den beiden treten.

180 JANUAR 1943

Bevor Sie jedoch in dieser Angelegenheit an die Dänen herantreten, bitte ich Sie um Bericht, wie Sie sich diese Fühlungnahme praktisch vorstellen und wie sich Ihrer Auffassung nach die Zusammenarbeit auswirken soll. Insbesondere bitte ich Sie, im Einzelnen zu berichten, in welchen protokollarischen Formen sich diese persönliche Verbindung bei Veranstaltungen und Empfängen, auch im Verhältnis zu den diplomatischen Vertretern anderer Staaten abspielen soll, da schon rein äußerlich der Anschein vermieden werden muß, als ob Sie doch bei dem König akkreditiert seien.

Ribbentrop

Vermerk:
Unter Nr. 139 an Diplogerma Kopenhagen weitergeleitet.
Berlin, den 28.1.1943.
Pers. Ch. Tel.

118. Werner Best an Joachim von Ribbentrop 28. Januar 1943

Best var få timer efter at have modtaget et positivt svar på telegrammet af 16. januar til Ribbentrop klar med et forslag til, hvordan forbindelsen til det danske kongehus skulle genoptages. Tillige spurgte han, om von Hanneken også skulle fremstilles for kongehuset (Thomsen 1971, s. 133).
  Ribbentrop svarede 31. januar 1943.
  Kilde: PA/AA R 29.566. PKB, 13, nr. 378.

Telegramm

| Kopenhagen, den | 28. Januar 1943 | 13.00 Uhr |
| Ankunft, den | 28. Januar 1943 | 13.30 Uhr |

Nr. 98 vom 28.1.[43.]   Citissime!

Für Herrn Reichsaußenminister persönlich.

Auf das Telegramm Nr. 139[63] vom 28. Januar 1943.
Die Verbindung mit dem Kronprinz-Regenten und dem König gedenke ich in der Form aufzunehmen, daß ich auf Grund einer durch den Staatsminister von Scavenius vermittelten Verabredung in Begleitung des Staatsministers dem Kronprinzen und dem König Besuche mache. Diese Besuche sollen im Schloß Amalienborg zwar eine würdige Form erhalten, aber es soll von dem beim Empfang neuer Gesandter üblichen Zeremoniell (Abholen durch den Oberhofmarschall in einer Staatskarosse usw.) abgesehen werden. Von da an beabsichtige ich, diese Besuche in gewissen Abständen zu wiederholen, wenn dies zur Besprechung konkreter Fragen oder zur Unterstützung der Politik des Staatsministers von Scavenius erforderlich oder zweckmäßig erscheint.
  Bei Empfängen (andere Veranstaltungen kommen zurzeit nicht in Frage) wird vereinbart werden, daß ich – wie auch schon früher der Gesandte von Renthe-Fink – vor den di-

---

63 Sonderzug 201 bei Prot. Trykt ovenfor.

plomatischen Vertretern der anderen Staaten und getrennt von diesen empfangen werde.

Ich bitte noch um Entscheidung, ob ich nach Aufnahme der Verbindung mit dem Kronprinz-Regenten und dem König zu gegebener Zeit den neuen Befehlshaber der deutschen Truppen in Dänemark General von Hanneken dem Kronprinz-Regenten und dem König vorstellen soll.

Dr. Best

119. Wilhelm Keitel: Zweiter Erlaß über die Ausübung der Wehrmachtsgerichtsbarkeit 28. Januar 1943

OKW udsendte en forordning om udøvelse af værnemagtsjurisdiktion over for ikke-tyske statsborgere i Danmark. Den rigsbefuldmægtigede tog sig af alle retsforfølgelser, hvor krigsretten ikke havde opgaven. Krigsretten tog sig af alle sager, der direkte rettede sig mod eller angik værnemagten, dens personer, materiel og bygninger; krigsretten tog også over i det tilfælde, at Danmark blev operationsområde. Den værnemagtsoverstkommanderende afgjorde om en krigsretsdom skulle fuldbyrdes, men kunne overlade beslutningen til den rigsbefuldmægtigede med henblik på videre retsforfølgelse. Havde den rigsbefuldmægtigede politiske betænkeligheder ved en krigsretsdoms fuldbyrdelse, kunne han indstille til benådning hos den værnemagtsoverstbefalende. Kunne den værnemagtsoverstbefalende ikke følge denne indstilling, overgik sagen til OKWs domstol.

Forordningen blev til på baggrund af en drøftelse mellem von Hanneken og Best, som overhærarkivar Goes i oktober 1943 gengav på basis af et samtidigt referat: "Am 26.1.1943 hielt der Befehlshaber in Gegenwart des Reichsbevollmächtigten eine Ansprache an die Gerichtsherren und Richter und betonte die heikle Lage, in der wir uns Dänemark gegenüber befänden. Hier seien teils bei, teils während der Besetzung Zusicherungen gegeben worden, über die man nicht ohne weiteres hinwegsetzen könne, ohne an der Ehrlichkeit eines Manneswortes Zweifel zu erwecken. Es läge in unserem eigensten Interesse, nur solche Maßnahmen zu treffen, die geeignet seien, den Willen zur Mitarbeit und damit die Arbeitsleistung zu fördern. Gerade in der Justizhoheit komme die Selbständigkeit eines Staates vor allem zum Ausdruck; jeder Eingriff in sie treffe daher einen besonders empfindlichen Nerv und werde dadurch zu einem politischen Akt. Im weiteren Verlauf seiner Rede besprach der Befehlshaber eine Vereinbarung, durch die der Reichsbevollmächtigte mehr als bisher in schwebende Verfahren gegen Dänen eingeschaltet würde, und die Kriegsgerichte weitgehend von Verfahren gegen Landeseinwohner zu entlasten. Diese Vereinbarung wurde durch OKW vom 28.1.1943, 14 n 23 WR (I 3/4) 2940/43 gutgeheißen (Wortlaut siehe Anlage III). Der Reichsbevollmächtigte trug in seiner Erwiderung die Wünsche des Führers vom 27.10.1942 vor, daß in Dänemark Ruhe herrsche und die Leistungsfähigkeit des Landes nicht gestört werde; es solle nichts geschehen, was ohne besondere Notwendigkeit zu einem Systemwechsel führe. Dr. Best wies dann auf die wirtschaftlichen Leistungen Dänemarks hin; es habe im Wirtschaftsjahr 1941/42 280.000 Rinder, 564.000 Schweine, 31.500 t Butter, 9.110 t Eier und 8.000 t Fische, im Wirtschaftsjahr 1942/43 100.000 t Fleisch dem Reich geliefert. Der Hebel, das für uns Erforderliche zu erreichen, fuhr Dr. Best fort, sei der eigene Wunsch der Dänen, der jetzige Zustand möge bleiben, das Leitseil sei die Furcht und Hoffnung um Aufrechterhaltung ihres politischen Verfassungssystems. Ihre Haltung zum Reich und Krieg sei Attentismus, also Abwarten. Im Innern neigten sie zu 90 v.H. zu England, ihrem Wesen nach aber fügten sie sich den deutschen Wünschen. "Wenn es aus irgend welchen Gründen sein muß," sagte Dr. Best, "dann scheuen auch wir nicht vor einem System- und Regierungswechsel zurück, sofern es die Verhältnisse erfordern. Dann stolpern wir – nach den Worten des Führers – auch nicht über Zwirnsfäden". Der Däne verstehe durchaus, daß die Sicherung eines Heeres ausreichenden Schutz erfordere, und unmittelbare Angriffe gegen die deutsche Wehrmacht auch von deutschen Kriegsgerichten geahndet würden. Trotzdem sei aus politischen Rücksichten in den letzten Wochen eine Reihe von Fällen an die dänischen Gerichte abgegeben worden." (PKB, 4, s. 853f., Bests kalenderoptegnelser 26. januar 1943).

Kilde: PKB, 13, s. 897f.

182   JANUAR 1943

Abschrift von Abschrift
Oberkommando der Wehrmacht   *Führerhauptquartier, den 28.1.1943.*
14 n 23 WR (I 3/4)
2940/42.

Z w e i t e r   E r l a ß
über die Ausübung der Wehrmachtsgerichtsbarkeit in Dänemark
gegen Personen nichtdeutscher Staatsangehörigkeit
Vom 28. Januar 1943

Im Einvernehmen mit dem Bevollmächtigten des Reiches in Dänemark bestimme ich auf
Grund von § 118 der Kriegsstrafverfahrensordnung für die Ausübung der Wehrmachtsgerichtsbarkeit in Dänemark gegen Personen nichtdeutscher Staatsangehörigkeit, soweit sie nicht zum Gefolge der Wehrmacht gehören:

§ 1
Die Entscheidung über die Verfolgung von Straftaten, die deutsche Interessen berühren,
trifft der Bevollmächtigte des Reiches, soweit nicht nach § 2 die Wehrmachtsgerichte für
die Strafverfolgung zuständig sind.

§ 2
1.) Die Wehrmachtsgerichte sind zuständig für die Untersuchung und Aburteilung sol-
    cher Straftaten, die
    1.) sich unmittelbar gegen die deutsche Wehrmacht, ihre Angehörigen oder ihr Ge-
        folge richten oder
    2.) in Gebäuden, Räumen, Anlagen oder Schiffen begangen werden, die den Zwek-
        ken der deutschen Wehrmacht dienen.
2.) Dänemark gilt als Operationsgebiet im Sinne des § 14 Abs. 4 Nr. 2 der Kriegsstraf-
    verfahrensordnung.
3.) Der Befehlshaber der deutschen Truppen entscheidet, ob eine Straftat kriegsgericht-
    lich abgeurteilt werden soll. Er kann das Verfahren an den Bevollmächtigten des
    Reiches zur Entscheidung über die weitere Strafverfolgung abgeben; damit erlischt
    die Zuständigkeit der Wehrmachtsgerichte.

§ 3
1.) Politische Bedenken gegen die Vollstreckung von Strafen, auf die ein Wehr-
    machtgericht erkannt hat, wird der Bevollmächtigte des Reiches beim Befehlshaber
    der deutschen Truppen im Gnadenverfahren vorbringen.
2.) Glaubt der Befehlshaber den Bedenken nicht entsprechen zu können, so legt er die
    Akten dem Oberkommando der Wehrmacht vor; dieses beteiligt das Oberkomman-
    do des Wehrmachtteils, dessen Gericht in der Sache erkannt hat.

§ 4
§§ 1 und 2 des ersten Erlasses über die Ausübung der Wehrmachtgerichtsbarkeit in

Dänemark gegen Personen nichtdeutscher Staatsangehörigkeit vom 1. August 1940 werden aufgehoben.

Der Chef des Oberkommandos der Wehrmacht
gez. **Keitel**

120. Werner Best an das Auswärtige Amt 29. Januar 1943

Som ventet blev Bests forslag om afholdelse af rigsdagsvalg mødt med betydelig skepsis i Berlin. I sit forsvar for forslaget gik han så vidt som til at antyde, at det ville være et brud med de direktiver, han havde fået for politikken i Danmark, hvis valget ikke fandt sted. Det var trumfen og af større betydning end den propagandistiske værdi af valgets gennemførelse. Så sikker var han på sin politiks rigtighed, at han som konsekvens af rigsdagsvalgets afholdelse også forudskikkede afholdelsen af de kommunalvalg, som tidligere på tysk krav var blevet udskudt.

Kilde: PA/AA R 29.566. PKB, 13, nr. 379.

Telegramm

Kopenhagen, den	29. Januar 1943	13.25 Uhr
Ankunft, den	29. Januar 1943	14.35 Uhr

Nr. 103 vom 29.1.[43.]   Cito!

Auf Drahterlaß Nr. 144[64] vom 28.1.43.
Zu den Bedenken gegen die Zulassung der Reichstagswahl in Dänemark nehme ich wie folgt Stellung:

1.) Die von mir zu stellenden Bedingungen für die Durchführung der Wahl würden den günstigen Eindruck nach innen und außen deshalb nicht abschwächen, weil die Entschließung als aus dänischer Initiative entsprungen dargestellt und insbesondere der Verzicht auf Agitation von den Sammlungsparteien beschlossen und mit Motiven nationaler Würde begründet würde.

2.) Durch ein Verbot der Wahl würde größere innerpolitische Unruhe verursacht als durch die Durchführung der Wahl.

3.) Scavenius rechnet nicht mit einem besonders starken Anwachsen der Konservativen. Aber selbst in diesem Fall ist ein Ausbrechen dieser Partei nicht zu erwarten, da die Sammlungsparole stärker wirkt und da die Konservativen, die schon auf Wunsch des Königs in die Regierung Scavenius hineingegangen sind, nach der Aufnahme meiner Verbindung mit dem König sich keinesfalls gegen die politische Linie des Königs stellen können.

4.) Selbstverständlich müßten in Konsequenz meiner Linie auch Kommunalwahlen zugelassen werden, deren Ergebnis für die politische Lage in Dänemark gänzlich

---

64 Pol VI 90. Dette telegram er ikke lokaliseret (Herbert 1996, s. 612 n. 46; se dog Kirchhoff, 1, 1979, s. 195 nederst, der synes at citere det (med henvisning til RA, pk. 202)).

gleichgültig sein wird. "Deutschlandfreundliche" Elemente konnten uns in den Kommunalvertretungen nichts nützen, andere werden uns nicht schaden.

5.) Das Verbot der Wahl würde eine viel größere Stärkung der Anhänglichkeit an das parlamentarische System bewirken, als die Wahl eines Reichstags, der – obwohl im Zeichen der inneren Ablehnung gegen Deutschland gewählt – ein Plebiszit für die Regierung Scavenius bedeutet und sich der deutschen Linie voll und ganz fügen wird.

6.) Daß in England keine Wahlen stattfinden, während in Dänemark gewählt wird, ist nur als Aktivum für uns zu buchen.

7.) Selbstverständlich könnte eine Formel gefunden werden, durch die der Bruch der Verfassung durch Unterlassen der Wahl irgendwie camoufliert würde. Da aber der Sinn der dänischen Verfassung gerade darin liegt, daß sie sich selbst absolut setzt und kein Ausnahme- und Notrecht will, wäre juristisch die Feststellung unanfechtbar, daß nach dem 3.4.1943 Dänemark kein legaler Gesetzgeber mehr vorhanden ist; einen halben oder ganzen Systemwechsel in Dänemark vorzunehmen, läge selbstverständlich jederzeit in unserer Hand. Nur widerspräche dies der mir erteilten Weisung des Führers, die Legalität in Dänemark bis auf Weiteres einzuhalten, wenn nicht besondere Gründe einen Systemwechsel notwendig machen. Ein solcher Grund liegt zur Zeit nicht vor.

8.) Schließlich stelle ich fest, daß ich nicht in der Lage wäre, gemäß der Anordnung des Herrn Reichsaußenministers die Verbindung zum König in einem Zeitpunkt aufzunehmen, in dem ich ihm als "Morgengabe" ein nach meiner eigenen Überzeugung unnötiges Verbot der Reichstagswahl mitbringen müßte.

Dr. Best

121. Heinrich Himmler an Gottlob Berger und Hans Jüttner 30. Januar 1943

Hitler havde ønsket en oversigt over, hvor mange germanske frivillige, der ville være til rådighed for opstilling af en ny division af frivillige. Berger og Jüttner skulle levere de ønskede oplysninger til RFSS.

Berger svarede 10. februar 1943. Det rummer intet om de danske frivillige (RA, Danica 1069, sp. 6, nr. 7014-20), men Himmler havde fået de ønskede oplysninger på anden vis, som det fremgår af hans egen opstilling fra samme dag, trykt nedenfor.

Kilde: *De SS en Nederland*, 2, 1976, nr. 313.

Feld-Kommandostelle, den 30. Jan. 1943.

Der Führer will einen Überblick haben, wieviel germanische Freiwillige für die Aufstellung einer neuen germanischen Freiwilligen-Division zur Verfügung stehen. In dieser Aufstellung, die zunächst an mich einzureichen ist, ersuche ich aufzuführen:

1.) Die Stärke der Legion Niederlande, Flandern und des Freikorps Danmark, sowie Legion Estland.

2.) Die genaue Zahl der in den Ersatzeinheiten der Waffen-SS und Legionen vorhandenen Freiwilligen dänischer, niederländischer und norwegischer Herkunft.

JANUAR 1943

a.) gediente, die verwundet waren und wiedergenesen sind nach Tauglichkeit,
b.) Rekruten.

3.) Die Anzahl der in Sennheim mit dem Tag der Meldung vorhandenen Freiwilligen dieser drei Stämme.

4.) Die Zahl der mit absoluter Sicherheit innerhalb der nächsten 4 Wochen zu erwartenden Freiwilligen.

5.) Die Zahl der in den nächsten aus den Legionen und Freikorps Danmark ausscheidenden Freiwilligen, deren Vertrag abgelaufen ist und die nach Hause wollen.

[H. Himmler]

122. Joachim von Ribbentrop an Werner Best 31. Januar 1943

Ribbentrop erklærede sig indforstået med Bests forslag til, hvordan forbindelsen med det danske kongehus skulle genoptages. Dog skulle statsminister Scavenius gøres klart, at det ikke indebar nogen ændring i Bests stilling som rigsbefuldmægtiget. Von Hanneken skulle ikke have foretræde for kongehuset.

Se Bests telegram nr. 98 28. januar 1943.

Kilde: PA/AA R 29.858. RA, pk. 202. PKB, 13, nr. 381. ADAP/E, 5, nr. 85.

Telegramm

Sonderzug, den	31. Januar 1943	19.25 Uhr
Ankunft, den	31. Januar 1943	20.15 Uhr

Telko. Nr. 223

Diplogerma Kopenhagen
RAM 42/R, Sonderzug, den 30. Januar 1943

Für Bevollmächtigten persönlich.

Ich bin damit einverstanden, daß Sie nunmehr die Verbindung mit dem Kronprinzregenten und dem König in der von Ihnen vorgeschlagenen Form aufnehmen und beim Kronprinzen und König Besuche machen und diese auch in gewissen Abständen wiederholen, wenn Sie dies im Interesse der Unterstützung unserer Politik in Dänemark und zur Besprechung konkreter Fragen für erforderlich halten.

Ich bitte Sie jedoch, bei Staatsminister Scavenius vollkommen klarzustellen, daß durch diese faktische Zusammenarbeit nicht etwa eine Änderung Ihres jetzigen Verhältnisses als Bevollmächtigter des Reichs eintritt. Ferner muß den Dänen vollkommen klar sein, daß unsererseits nicht beabsichtigt ist, durch Aufnahme des persönlichen Kontakts zwischen dem König und Ihnen eine Beglaubigung des Reichsvertreters beim dänischen König herbeizuführen.

Von einer Vorstellung Generals von Hanneken beim Kronprinzregenten und König bitte ich abzusehen.

Ribbentrop

Vermerk:
Unter Nr. 163 an Diplogerma Kopenhagen weitergeleitet.
Berlin, den 31.1.43
Pers. Ch. Tel.

123. WB Dänemark: Tätigkeitsbericht der Abteilung Ia für die Zeit vom 1.12.1942-31.1.1943, 31. Januar 1943

I beretningsperioden var der opstået stigende bekymring for landforsvaret pga. de vigende kulforsyninger fra Tyskland. En forespørgsel fra admiral Mewis om anvendelse af russiske krigsfanger havde WB Dänemark afvist af politiske og psykologiske grunde. Det stigende antal sabotager mod værnemagtsejendom havde fået WB Dänemark til at rette henvendelse til UM for øjeblikkeligt at få iværksat beskyttelsesforanstaltninger.

Kilde: BArch, Freiburg, RW 38/15. RA, Danica 203, pk. 63, læg 854 (uddrag).

Befehlshaber der deutschen Truppen in Dänemark

T ä t i g k e i t s b e r i c h t
der Abteilung Ia für die Zeit vom 1.12.1942-31.1.1943.

[...]
III. Küstenverteidigung.
[...]
Das ständige Absinken der Kohlenvorräte in Dänemark wurde aus militärischen Gründen, insbesondere für die Landesverteidigung, immer bedenklicher. Der Reichsbevollmächtigte wurde daraufhin aufgefordert, auf eine vergrößerte Kohlenversorgung in Berlin eindringlich hinzuwirken.[65]
[...]

IV. Ausbau der Küstenverteidigung.
[...]
Eine Anfrage des Marinebefehlshabers Dänemark wegen Einstellung von russischen Kriegsgefangenen wurde durch Bef. Dänemark dahingehend beantwortet, daß ein Einsatz nach wie vor aus politischen und psychologischen Gründen unerwünscht sei und deshalb abgelehnt werden müsse.[66]
[...]

VI. Deutsche Wehrmacht und dänischer Staat.
In der Berichtszeit mehrten sich die Fälle, in denen an deutschem Wehrmachtsgut, vor allem Dingen auf abgestellten Eisenbahnfahrzeugen Sabotageakte verübt wurden. Das dänische Außenministerium wurde unter Bezug auf bereits ergangene entsprechende

---

65 Se Bests telegram nr. 1927, 26. december 1942.

66 Mewis' forespørgsel er ikke lokaliseret. WB Dänemark ændrede senere indstilling til brugen af russiske krigsfanger, se WB Dänemark til Best 21. oktober 1944.

Hinweise aufgefordert, nunmehr sofort energische Schutzmaßnahmen zu treffen.

Die über den Bevollmächtigten des Reiches mit der dänischen Regierung geführten Verhandlungen wegen Aufstellung eines dänischen Schutzkorps konnten noch nicht abgeschlossen werden.[67]

[...]

---

67 Se WB Dänemarks aktivitetsberetning 31. marts 1943.

188

FEBRUAR 1943

124. Politische Informationen für die deutschen Dienststellen in Dänemark
1. Februar 1943

Hovedhistorien var det store antal af danske arbejdere, der på frivillig basis havde taget arbejde i Tyskland. I forhold til Danmarks størrelse ydede arbejderne en betydelig indsats. Dansk skibsfart og dansk værftsindustris ydelser for Tyskland var den anden hovedhistorie, mens de udenrigspolitiske meddelelser var af helt neutral natur, og endelig kom der uden videre begrundelse meddelelsen om, at der på tysk foranledning var indført begrænsninger i radioaflytningen. Fjendtlig radio måtte ikke aflyttes på offentlige steder.

Der var ikke antydning af omtale af det tyske nederlag ved Stalingrad. Det var ikke en udenrigspolitisk meddelelse, der vedkom specielt Danmark og tysk besættelsespolitik, og den hørte derfor ikke hjemme i *Politische Informationen*, lige så lidt som den lige forudgående fejring af 10-året for Hitlers magtovertagelse. Den type begivenheder kunne tyskerne i Danmark i stedet orientere sig om i *Skagerrak*, i tysk presse eller gennem aftapningen i den censurerede danske presse.[1] *Politische Informationens* hensigt var målrettet, selv om det ikke havde fundet sin endelige form endnu.

Kilde: RA, Centralkartoteket, pk. 680.

Der Bevollmächtigte des Reiches in Dänemark   *Kopenhagen, den 1. Februar 1943*

Politische Informationen
für die deutschen Dienststellen in Dänemark

Betr.: I. Dänischer Arbeitseinsatz in Deutschland.
     II. Leistungen der dänischen Schiffahrt und der dänischen Werften für Deutschland; dänische Schiffsverluste.
     III. Mitteilungen aus der Außenpolitik.
     IV. Abhören von Nachrichtensendungen der Feindstaaten in öffentlichen Lokalen.

I. Dänischer Arbeitseinsatz in Deutschland

Um das an Dänemark zugestandene Kohlenkontingent fördern und anliefern zu können, forderte das Reich kurz nach der Besetzung Dänemarks die Entsendung von 6.000 dänischen Arbeitskräften, die die fremdberuflich eingesetzten Bergarbeiter ersetzen sollten, die zwecks Mehrförderung von Kohle ihrem eigentlichen Beruf wieder zuzuführen waren. Nach längeren Verhandlungen wurde dieses Kontingent an Arbeitskräften von der Dänischen Regierung genehmigt. Schon nach weiteren 6 Wochen wurde die Zahl auf 12.000, dann auf 18.000 und schließlich auf 25.000 erhöht. In späteren Verhandlungen erklärte sich die Dänische Regierung wiederholt bereit, durch Erleichterung des Lohntransfers, der Versorgung der in Deutschland eingesetzten dänischen Arbeitskräfte mit Lebensmitteln, der Zoll- und Transportfragen u.v.m., die Anwerbung von Arbeitskräften nach Deutschland in unbegrenzter Zahl zu fördern. Damit hat Dänemark gegenüber allen anderen dem Reich befreundeten Staaten einschließlich Italiens eine

---

1 Best havde i januarheftet af *Skagerrak* en meget lang artikel om nazismens udvikling i Tyskland, og tidsskriftet bragte en hel mindeside om de faldne i slaget om Stalingrad.

Ausnahmestellung eingenommen; denn mit den übrigen Ländern bestehen Staatsverträge, durch die das Kontingent der anzuwerbenden Arbeitskräfte von vornherein zahlenmäßig genau festgelegt ist. Als alleinige Gegenforderung stellte die Dänische Regierung das Einhalten des Grundsatzes der absoluten Freiwilligkeit bei der Anwerbung und eine erstmalige Höchstverpflichtungszeit von 6 Monaten. Es steht jedoch nichts im Wege, daß sich, wie es in tausenden von Fällen bereits geschehen ist, die dänischen Arbeitskräfte in Deutschland nach Ablauf der ersten Verpflichtungsperiode auf unbestimmte Zeit weiter verpflichten.

Bis zum 15. Januar 1943 wurden 148.843 Arbeitskräfte angeworben, von denen 114.088 in Marsch gesetzt werden konnten.

Gegen Ende des Jahres 1941 war es in Norwegen, das kaum 1.000 Arbeitskräfte nach Deutschland gestellt hat, nicht mehr möglich, für die Durchführung militärisch wichtiger Aufgaben im Lande selbst die erforderlichen Arbeitskräfte zu beschaffen. Nach längeren Verhandlungen erklärte sich die Dänische Regierung bereit, auch für Norwegen Arbeitskräfte zu denselben Bedingungen wie für Deutschland zur Verfügung zu stellen. Der für Norwegen angeforderte Bedarf war zunächst begrenzt und konnte auch ohne größere Schwierigkeiten besetzt werden. Bis zum genannten Stichtag wurden 10.999 Kräfte angeworben, von denen 8.643 nach Norwegen gefahren sind.

Die der deutschen Kriegswirtschaft aus Dänemark zugeführte Gesamtzahl an Arbeitern und Arbeiterinnen ist zwar im Verhältnis zu den nun etwa 7 Millionen insgesamt in Deutschland beschäftigten Ausländern nur ein kleiner Prozentsatz; gemessen an der Einwohnerzahl der entsendenden Länder wächst jedoch der Beitrag Dänemarks bedeutend. Die Zahl der in Deutschland tatsächlich eingesetzten Kräfte beträgt mehr als 21 % der Versicherungspflichtigen dänischen Bevölkerung.

Die weit über ihre früheren Aufgaben hinaus belasteten dänischen Staatsbahnen sind den für die Abbeförderung dieser Arbeitskräfte an sie gestellten Anforderungen stets gerecht geworden. Die Gesamtzahl der abgefertigten Transporte belief sich bis zum 15. Januar 1943 auf:

142 Sonderzüge über Gedser/Warnemünde nach Deutschland,

120 Sonderzüge über Padborg/Flensburg nach Deutschland,

471 Gesellschaftsfahrten und

145 Norwegentransporte.

II. Leistungen der dänischen Schiffahrt und der dänischen Werften für Deutschland; dänische Schiffsverluste

1.) Einsatz der dänischen Tonnage in der Nord- und Ostseefahrt

Die Leistungen der dänischen Schiffahrt für rein deutsche Fahrten innerhalb der Linie Bergen/Emden waren im Jahre 1942 trotz vermehrter Anforderungen durch die innerdänische Fahrt höher als im Jahre 1941. Während sich die Erzfahrt Schweden/Deutschland ungefähr auf der gleichen Höhe gehalten hat, wie im Vorjahre, hat die dänische Tonnage über 300.000 to mehr in der deutschen Küstenkohlenfahrt gefahren.

2.) Einsatz dänischer Tonnage in der Mittelmeer-Fahrt

Die Verhandlungen der dänischen Reedereien, die sich bereiterklärt hatten, ihre im

Mittelmeer befindliche Tonnage für deutsche Zwecke im Schwarzen Meer einzusetzen, wurden durch den deutschen Einmarsch in den bisher unbesetzten Teil Frankreichs überholt. Der Reichskommissar für die Seeschiffahrt hat die in Marseille liegenden dänischen Schiffe beschlagnahmen lassen und in der Mittelmeerfahrt eingesetzt.[2]

3.) Hansa-Programm
Ein Teil des deutschen Hansa-Neubauprogramms, der den Bau von Einheitsschiffen in der Größe von 3.000, 5.000 und 9.000 to Tragfähigkeit vorsieht, ist auf dänischen Werften untergebracht worden.[3] Die Dänische Regierung hat sich bereiterklärt, von der Durchführung einiger Neubauvorhaben für dänische Rechnung zunächst abzusehen und ab 1943 die gesamte dänische Werftkapazität zur Verfügung des deutschen Hansa-Neubauprogramms zu stellen. Es werden auf dänischen Werften bis 31. Dezember 1944 gebaut

    4 Schiffe à 3.000 to
  30 Schiffe à 5.000 to
    3 Schiffe à 9.000 to

4.) Schiffsverluste
Seit der Besetzung Dänemarks sind innerhalb der Linie Bergen/Rotterdam 29 dänische Schiffe mit insgesamt 66.544 to Tragfähigkeit verloren gegangen. Hierbei rangieren die Verluste durch Minentreffer an erster Stelle mit 33.6 %. Durch englische Fliegerangriffe gingen 29 % verloren, während durch Seeschäden 28 % der oben genannten Zahl verlorengingen. Die Verluste durch Torpedierung waren verhältnismäßig gering, nur 4 %. Ein dänisches Schiff, das bei Ausbruch des deutsch-russischen Krieges in Leningrad festgehalten wurde, ging hier durch Bombentreffer verloren.[4]

III. Mitteilungen aus der Außenpolitik
1.) Der Post- und Telegrafenverkehr der fremden diplomatischen Missionen in Dänemark wird auf deutsche Veranlassung in den nächsten Tagen denselben einschränkenden Überwachungsbestimmungen unterworfen werden, wie dies in Berlin bereits der Fall ist.
2.) Nachdem die Chilenische Regierung die diplomatischen und konsularischen Beziehungen zu den Achsenmächten abgebrochen hat, wird der Chilenische Gesandte in

---

2 Se Bests telegram nr. 1792, 26. november 1942.
3 Best nævner ikke, at det var blevet aftalt, at danske rederier kunne overtage hver anden nybygning. Det fremgår til gengæld af Forstmanns situationsberetning for januar 1943 ("Von diesen 37 Dampfern werden 18 für dänische Rechnung gebaut."). De senere store problemer med at gennemføre byggeprogrammet pga. materialemangel og sabotage, vil til dels fremgå nedenfor (Rüstungsstab Dänemark: Kiellegung 9. august 1944. Desuden Harhoff 1946, s. 316-318, Witthöft 1968 (om hele programmet), Jensen 1971, s. 173-175, Jensen 1976, s. 35-38, Frederichsen 1984 (på et uigennemskueligt kildegrundlag), Brandenborg Jensen 2005, s. 285-288). Her skal alene henvises til korrespondancen mellem Admiral Dänemark/Oberwerftstab og OKM i 1943, hvoraf det fremgår, hvor store problemerne var med at få bevilget materialer både til reparationer og nybyggeri (BArch, Freiburg, RW 27/41).
4 S/S "Axel Carl" henlå i Leningrad uden besætning; besætningen var deporteret til Sibirien, da skibet ved et bombeangreb af tyske fly 18. august 1941 blev sænket og ødelagt (Røder 1957, s. 194f.).

Kopenhagen seine Funktionen einstellen.

3.) Der Führer hat dem Spanischen Geschäftsträger in Kopenhagen Ramon de la Presilla für seine seinerzeitige Tätigkeit in Wien den Deutschen Adlerorden erster Stufe verliehen. De la Presilla ist zum Spanischen Generalkonsul in München ernannt worden. Nach Eintreffen des neuen Spanischen Gesandten in Kopenhagen Agramonte wird er sich an seinen neuen Dienstposten begeben.

IV. Abhören von Nachrichtensendungen der Feindstaaten in öffentlichen Lokalen

Das Dänische Justizministerium hat auf deutsche Anregung[5] das folgende Zirkularschreiben an die Polizeimeister in Kopenhagen und im Lande erlassen:

"In einer Reihe von Fällen ist es vorgekommen, daß Rundfunksendungen aus Ländern, die mit Deutschland im Kriege sind und die den Krieg und die Verhältnisse in den kriegführenden und neutralen Ländern betreffen, – darunter besonders die auf dänisch, norwegisch und schwedisch ausgesandten Propagandamitteilungen – in öffentlich zugänglichen Lokalen, in Hotels, Gaststätten u.a. Stellen wiedergegeben wurden. Da es unter den augenblicklichen Verhältnissen als besonders notwendig betrachtet wird, daß so etwas nicht stattfindet, wird darum ersucht, den Inhabern von Hotels, Gaststätten usw. innerhalb der Polizeikreise aufzuerlegen, Sendungen solcher Mitteilungen und ähnlicher Kundgebungen zu unterlassen und ihnen mitzuteilen, daß die gemäß § 24 Abs. 1 des Gesetzes Nr. 129 vom 15.3.1939 über Bewirtung und Beherbergung usw. von der Polizei erteilte Genehmigung zur Unterhaltung durch Radioanlagen umgehend eingezogen würde, sofern das Gebot übertreten wird.

Es wird außerdem ersucht, durch die Polizei überwachen zu lassen, daß das Gebot eingehalten wird und daß die genannte Genehmigung gemäß Gaststättengesetz § 24 umgehend eingezogen wird, wenn Übertretungen vorkommen."

125. Paul von Behr an Werner Best [...] Februar 1943

Under et besøg i Stockholm havde kontorchef C.A. Peschardt fortalt Alex Walter om de uhæmmede indkøb af kød, som den tyske værnemagt foretog i Danmark. De var af et omfang, så den danske befolkning kom til at mangle, hvilket kunne komme til at påvirke den fremtidige leveringsvillighed. Walter skrev derom til AA, som dels orienterede Best, dels bad OKW om at få stoppet de uregulerede opkøb af kød.

Kilde: BArch, R 901 68.712 (koncept).

zu Ha Pol VI 435/43 II   *Berlin, den ... Februar 1943*

F e r n s c h r e i b e n

Diplogerma Kopenhagen
Nr. ...
Ref.: LR Baron v. Behr

5 Se WB Dänemark: Propaganda-Lagebericht 15. december 1942.

Zur dortigen Information übermittle ich nachstehendes Telegramm von Ministerialdirektor Walter aus Stockholm vom 1. Februar.

"Kontorchef Peschardt vom dänischen Außenministerium mitteilte mir gelegentlich seines hiesigen Aufenthaltes folgendes:

Seitdem die deutsch-dänische Vereinbarung über die Lieferung von 100.000 t Fleisch getroffen und Inkrafttreten der dänischen Rationierungsmaßnahmen ab 15. Februar vereinbart worden sei, sei festzustellen, daß die deutsche Wehrmacht sozusagen schlagartig Lastautos zu den dänischen Großschlachtereien gesandt habe, um dort Fleisch in jeder greifbaren Menge aufzukaufen. Das Ergebnis sei, daß die dänische Bevölkerung nicht einmal 20 v.H. der ihr von uns zugestandenen Menge erhalte und daß praktisch seit Tagen in den Fleischerläden kein Fleisch zu kaufen sei. Unter der dänischen Bevölkerung sei deshalb das Gerücht verbreitet, diese völlig unzureichende Versorgungslage sei nur auf die Zusage der Lieferung von 100.000 t Fleisch an Deutschland zurückzuführen.

Peschardt, als deutschfreundlich bekannt, darauf hinwies, daß ein Fortdauern dieser Wehrmachtsaufkäufe, die nichts mit der normalen Truppenverpflegung zu tun hätten, dazu führen werde, daß die Dänen ihre Lieferzusage nach Deutschland nicht einhalten könnten, daß die *schlechte* Versorgungslage der Bevölkerung Lieferwilligkeit der dänischen Landwirtschaft im normalen Wege schwer beeinträchtigen müßte, und daß ein bisher praktisch nicht bekannter Schwarzhandel in gefährlichem Umfang großgezogen *werden wird*.

Ähnliche Mitteilungen sind mir auch in Kopenhagen von deutscher Seite gemacht worden.

Ich verwiese auf Protokoll Besprechungen zwischen Ebner/Hemmersam und Wehrmachtvertreter vom 25. Januar, die inzwischen dort angelangt sein wird. Wenn schon die darin enthaltenen Anforderungen der Wehrmacht für Fleischbezüge außerhalb der Truppenverpflegung mit mindestens 15.000 t eine untragbare Belastung *dänischer* Gesamtfleischversorgung bedeuten, so muß das von Peschardt behauptete Verhalten der Wehrmacht, wann es tatsächlich richtig sein sollte, zu gefährlichen Zuständen führen. Denn auch wenn infolge der unzureichenden Versorgung der Bevölkerung diese auf den Schwarzhandel geradezu verwiesen wird, muß er sich in einem Ausmaß entwickkeln, der auch bei guten Willen der dänischen Regierung jede geregelte Erfassung der dänischen Fleischerzeugung und damit sowohl eine geregelte Fleischversorgung Dänemarks als auch insbesondere die Durchführung der vereinbarten Fleischlieferungen nach Deutschland auf das stärkste gefährden und zum großen Teil unmöglich machen würden. Ich halte deshalb sofortiges wirksames Verbot aller derartiger Fleischaufkäufe bis zum Inkrafttreten der Neuregelung am 15. Februar unbedingt geboten.

Ich bitte auch den Reichsbevollmächtigten in Kopenhagen zu verständigen."

Schluß des Telegramms.

Das OKH – Chef der Heeresrüstung und Befehlshaber des Ersatzheeres – dem abschriftlich das Telegramm übermittelt wurde ist gebeten worden, unverzüglich militärische Stellen in Dänemark anzuweisen, die ungeregelten Fleischaufkäufe sofort einzustellen.

Protokoll über Besprechungen Ebner/Hemmersam mit Wehrmachtsvertreter vom 25. Januar liegt hier noch nicht vor.

Behr

126. Wehrwirtschaftstab Dänemark: Lagebericht 1. Februar 1943

Udeblevne leverancer, forsinkede leverancer og formindskede leverancer af enkeltkomponenter og af kul og koks fra Tyskland begyndte i stigende grad at genere den danske rustningsproduktion for Tyskland. Det engelske luftangreb på B&W 27. januar havde midlertidigt helt indstillet produktionen i fire dage, mens der blev ledt efter forsagere. Opstillingen af vagtmandskab ved de større virksomheder var i gang i henhold til loven om bedriftsværn. Hansaprogrammets realisering i Danmark var begyndt.

Kilde: BArch, Freiburg, RW 27/6. RA, Danica 1000, T-77, sp. 696. KTB/Rü Stab Dänemark 1. Vierteljahr 1943, Anlage 4.

Anlage 4

Wehrwirtschaftstab Dänemark   *Kopenhagen, den 1. Februar 1943*
ZA/Ia Az. 66dl/Wi-Ber. Nr. 99/43 g   Geheim!

Bezug: OKW Wi Rü Amt/Rü IIIb Nr. 21.755/42 v. 9.5.42
Betr.: Lagebericht.

Wehrwirtschaftstab Dänemark übersendet in der Anlage Lagebericht gemäß o.a. Bezugsverfügung.

gez. **Dr. Forstmann**

Abschrift

Wehrwirtschaftsstab Dänemark   *Kopenhagen, den 1.2.43*
ZA/Ia Az. 66dl/Wi-Ber. Nr.29/43g

Vordringliches

Durch die monatelange Nichtbelieferung der dänischen Industrie mit Walzdraht ist ein Mangel an Nägeln entstanden, der sich besonders auf die Bauvorhaben der Besatzungstruppen auswirken drohte. W. St. Dän. hat die sofortige Freigabe von Bezugsrechten über 150 to Nägel bei OKW erreicht; weitere 150 to Nägel sind zur späteren Lieferung fest zugesagt. (OKW Az. 66b 9941/I Wi Amt/Ag Wi M Nr. –/43 2 II 1b v. 22.1.43).

Die weiterhin schlechte Belieferung Dänemarks mit Kohlen und Koks beginnt sich auszuwirken. Die Gasversorgung ist um 33 % herabgesetzt worden. Dadurch wurde es Dansk Industri Syndikat Comp. Madsen A/S., Kopenhagen, unmöglich, Wehrmachtaufträge auf A.G.-Teile und Gurtglieder zu härten. Die Härterei mußte geschlossen werden. Bemühungen des W. Stb Dän. führten schließlich zur Erhöhung der Gaszulieferung auf 86 % des Verbrauchs von 1941; dadurch kann die Härterei einen Teil der Aufträge wieder in Angriff nehmen.

Am 27.1. nachmittags warfen englische Bombenflugzeuge 12 Bomben auf die Maschinenfabrik Burmeister & Wain, hierunter 7 Blindgänger. Deshalb Betrieb mit 1.900 Mann 4 Tage stillgelegt, bis die Bomben zur Selbstentzündung kamen oder gesprengt werden konnten. Auswirkung im einzelnen noch nicht zu übersehen. Aufräumungsarbeiten sind aufgenommen. Die meisten Werkzeugmaschinen sind unversehrt. Hallen und Kranbahnen müssen auf Fundamentverschiebungen hin überprüft werden. Firma meint, in 2-3 Monaten den Betrieb wieder voll aufgenommen zu haben.[6]

---

6 Om bombeangrebet: Skov Kristensen et al. 1988, s. 371-412. For genopbygningen af B&Ws afdeling, se Forstmanns følgende månedsindberetninger.

FEBRUAR 1943

Die polizeilichen Ausführungsbestimmungen zum dän. Werkschutzgesetz sind erlassen. Die Aufstellung der Wachmannschaften erfolgt bereits in den größeren Betrieben.

1a. Stand der Fertigung
Wert der seit der Besetzung Dänemarks über WStb Dän. erteilten
unmittelbaren und mittelbaren Wehrmachtaufträge:

Am 30.11.42	RM 297.447.930,-
Zugang im Dezember	RM 14.231.145,-
Am 31.12.42	RM 311.679.075,-
Auslieferungen im Dezember	RM 5.969.193,-

Aufträge der Besatzungstruppen
(im gleichen Zeitraum), zu deren Durchführung Eisen und Stahl, NE-Metalle sowie Kautschuk erforderlich sind:

Am 30.11.42	RM 69.056.000,-
Zugang im Dezember	RM 5.391.000,-
Am 31.12.42	RM 74.447.000,-

Aufträge des kriegswichtigen zivilen Bedarfs: (seit Februar 41), in der Hauptsache solche, zu deren Durchführung Eisen und Stahl, NE-Metalle sowie Kautschuk erforderlich sind:

Am 30.11.42	RM 55.420.323,-
Zugang im Dezember	RM 1.547.006,-
Am 31.12.42	RM 56.967.329,-

Rückblick:
Vom 1.5.1940 bis 31.12.41 und im Jahre 1942 sind nachfolgende Auftragsverlagerungen über WStab Dänemark durchgeführt:
1.) an mittelbaren und unmittelbaren Wehrmachtaufträgen
2.) an Aufträgen der Besatzungstruppen
3.) an Aufträgen des kriegswichtigen zivilen Bedarfs.

			1.5.40-31.12.1941		1942	
			Gesamt	Monats-durch-schnitt	Gesamt	Monats-durch-schnitt
Anzahl der Einzelaufträge	zu	1.	3.391	169	2.546	212
	zu	2.	1.676	84	1.464	122
	zu	3.	176	15	464	38
Auftragseingang wertmäßig in Mill. RM	zu	1.	175,6	8,7	126,1	10,5
	zu	2.	36,3	1,8	38	3,1
	zu	3.	42,4	3,5[+]	18,2	1,5
Auslieferungen in Mill. RM	zu	1.	64,8	5,4	74,8	6,2

[+] darunter Handelschiffsbauten.

Aus dieser Aufstellung geht hervor, daß sich die Auftragsverlagerung nach Dänemark im Jahre 1942 sowohl nach der Zahl der Aufträge, als auch wertmäßig wesentlich gesteigert hat. Auch die Auslieferung für Wehrmachtaufträge gestaltete sich günstig.

FEBRUAR 1943

Der für Dänemark vorgesehene Teil des Hansaprogramms ist jetzt bei 6 Schiffs-werften untergebracht. Es werden in Dänemark 37 Dampfer gebaut, und zwar 4 von je 3.000 to, 30 von je 5.000 to, und 3 von je 9.000 to Ladefähigkeit. Von diesen 37 Dampfern werden 18 für dänische Rechnung gebaut.[7]

1c. Versorgung der Betriebe mit Roh- und Betriebsstoffen
Der Lieferungsrückstand an Eisen, Stahl und NE-Metallen für Verlagerungsaufträge hat sich nicht wesentlich geändert. (Lagebericht vom 5.1.43).[8]

Für Wehrmachtaufträge der Besatzungstruppen sind im Januar vom W Stb Dän. Bedarfsbescheinigungen über 10.593 cbm Nadelholz für die vorschußweise Freigabe aus Beständen der dänischen Wirtschaft ausgestellt worden. Hiervon für Heer: 531 cbm, Kriegsmarine: 833 cbm, Luftwaffe 3.340 cbm, Festungspionierstab: 1.689 cbm, O.T. und Sonderbaustab: 4.200 cbm.

2b. Lage der Energieversorgung
Den Anforderungen der mit Aufträgen der Wehrmacht und des kriegswichtigen zivilen Bedarfs belegten dän. Firmen auf Freigabe von Öl und Benzin konnte entsprochen werden.

2c. Lage der Kohlenversorgung (s. unter "Vordringliches")
Im Januar wurden geliefert 114.827 to Kohle und 31.706 to Koks. Die von der Reichs-stelle für Kohle gem. Fernschreiben OKW Wi Amt/Ag Wi M 70 2/II-III vom 16.1.43 zugesagte Auslieferung für Januar von 205.000 to Steinkohle und Koks ist also nicht erfolgt. Die geringe Zufuhr an Kohle und Koks hat die Wirtschaft Dänemarks in eine sehr schwierige Lage gebracht. Betriebe, wie Dampfwäschereien, Porzellan-, Zement- und Textilfabriken usw. sind ganz oder teilweise geschlossen worden. Braunkohle geht fast ausschließlich an die E-Werke und Torf ist auch schon schwer erhältlich.

5. Arbeitseinsatz
Zahl der Arbeitslosen am 23.12.42: 50.369. Zugang gegenüber dem Vormonat: 3.133. Gesamtzahl der in Norwegen eingesetzten dänischen Arbeiter: 8.314. Zugang im De-zember: 8.
Nach Finnland: kein Zugang.

Für Aufträge des Neubauamtes der Luftwaffe sind z.Zt. in Dänemark 6.429, für die des Festungspionierstabes und der O.T. 4.887 dän. Arbeiter und Angestellte beschäf-tigt.

6. Verkehrslage
Fährbetrieb im Januar normal. Streckenbelastung Warnemünde-Gedser-Kopenhagen-Helsingör war 100 %-ig. In Jütland z.Zt. aus militärischen Gründen Überlastung der Strecken. Der Betrieb der Fähre Malmö-Kopenhagen ist wieder aufgenommen. Sie be-fördert Wehrmachtgut für Finnland und Zivilgut für Schweden. Für Nachschub von Wehrmachtgut nach Finnland und Norwegen durch Schweden werden täglich 70 Wa-

7 Om Hansabyggeprogrammet, se *Politische Informationen* 1. februar 1943, afsnit II. 3.
8 Trykt ovenfor.

FEBRUAR 1943

gen gestellt.

Waggongestellung innerhalb Dänemarks: Für die Wehrmacht nur noch 95 % (zum ersten Mal), für den zivilen Bedarf ca. 50 %.

Kohlenvorrat der Dän. Staatsbahn nur für 12 Tage.

Seeschiffahrt: Die dän. Tonnage war in der Seeschiffahrt in nachstehender Rangfolge eingesetzt:

1.) Kohlenfahrt von Deutschland nach Dänemark

2.) Erzfahrt von Schweden nach Dänemark

3.) Innerdänische Fahrt

4.) Fahrt mit Düngemitteln nach Dänemark

Küstenschiffart: Die dän. Kleintonnage innerhalb der dänischen Gewässer war vollkommen ausgelastet, und zwar mit der Beförderung von Braunkohle, Torf, Zucker, Steine, Erde und Zement. Das Ladungsangebot war größer als die vorhandene Tonnage.

7a. Ernährungslage

Die Milchproduktion ist rückläufig, weil die Frühjahrskalbungen bevorstehen.

Der Fischfang hatte gute Ergebnisse. Transportschwierigkeiten behindern aber die Lieferungen ins Reich.

Wertmäßig wurden im Dezember aus den Lebensmittelbeständen des Landes entnommen:

a.) für die deutschen Truppen in Dänemark d.Kr. 3.272.045,36

b.) für die deutschen Truppen in Norwegen d.Kr. 2.592.477,14

127. Gottlob Berger an Heinrich Himmler 1. Februar 1943

Efter at SS havde modtaget AAs brev 25. januar måtte Berger forklare Himmler sin version af planen for oprettelsen et germansk korps i Danmark. Ifølge den havde AA (Luther) ikke alene været orienteret fra starten, men havde også accepteret planen, mens der blev forhandlet med Frits Clausen. Det lader sig ikke eftervise, heller ikke hvilken form for korps Luther skulle have sagt ja til, men mødet mellem Bruno Boysen, Best og Clausen 4. december er til gengæld dokumenteret, da Best indberettede det til AA. Ifølge Bests indberetning sagde Clausen ja til et korps, der stod uden for DNSAP, men Best nævner ikke, at Clausen havde stået fast på, at man ikke kunne være medlem af både DNSAP og korpset. AA var dermed forholdt en væsentlig viden, som Luther først af Clausen blev orienteret om. Derfor var Best med kort varsel blevet kaldt til Berlin 7. januar, og som Berger kan berette, blevet beordret til at afbryde alle forhandlinger om korpset. Trods det ville Berger have Himmlers tilladelse til at gå videre med planerne; Martinsen og hans folk var parate, og forhandlingerne skulle fremover føres på en måde, så Best ikke kom i klemme over for AA.

Berger gør i brevet særlig meget ud af at understrege, at der ikke vil kunne blive tale om et korps inden for DNSAP. Frikorpsets besøg i og afrejse fra Danmark havde helt udelukket den mulighed. Hverken Martinsen ellers hans kolleger ville længere være med til det.

Berger skulle alene dække sig ind med hensyn til sin egen rolle i sagen, og her er forhåndsorienteringen af Luther det springende punkt. Den orientering kunne have været om et germansk SS-politikorps af frivillige, som der var planer fremme om i sommeren 1940 og ikke om det korps, det for Danmarks vedkommende materialiserede sig til. Derimod har Berger næppe vidst, at Best ikke orienterede AA fyldestgørende efter mødet 4. december, og at det skulle komme til at skabe store problemer (Poulsen 1970, s. 374-376).

Rudolf Brandt svarede Berger 10. februar.

Kilde: RA, pk. 442.

198 FEBRUAR 1943

Der Reichsführer-SS   *Bln.-Wilmersdorf 1, am 1.2.1943*
Chef des SS-Hauptamtes   Geheime Kommandosache
Amt VI – Dr. R./v. B.   4 Ausfertigungen
VS – Tgb. Nr. 17/43 g. Kdos.   1. Ausfertigung
VI – Tgb. Nr. 3/43 g. Kdos. Dr. R./v. B.

Betr: Sammelorganisation für die Frontkämpfer in Dänemark.

An den Reichsführer-SS
 Berlin SW 11
 Prinz-Albrecht-Str. 9

Reichsführer!
Ich darf melden, daß die anwachsende Zahl von Versehrten und anderen entlassenen dänischen Kriegsfreiwilligen, die in ihre Heimat zurückkehren, die Aufstellung eines dänischen Frontkämpferverbandes bezw. einer Vorstufe der Germanischen Schutzstaffel in Dänemark immer dringender macht.

Vor ca. 4 Monaten habe ich anläßlich einer Rücksprache im SS-Hauptamt Unterstaatssekretär Luther davon Kenntnis gegeben, daß ich mit Clausen Unterhandlungen führe, um entweder inner- oder außerhalb der SA der DNSAP einen Sondersturmbann zu bilden. Luther war nach einigen Bedenken mit diesem Vorschlag einverstanden.

Nach dem Urlaub des Freikorps stand einwandfrei fest, daß weder Sturmbannführer Martinsen noch seine Männer bereits sind, in die SA der DNSAP, die weder eine Ausrichtung noch Führung besitzt, einzutreten. Sturmbannführer Martinsen und seine Offiziere, die mit dem offensten Bekenntnis zu Clausen in die Heimat zurückgekehrt waren, hatten nach Urlaubsende insgesamt starke Bedenken, das Frontkämpfertum zu eng mit der Partei zu verbinden. Es ist dies darauf zurückzuführen, daß Clausen, beraten durch seine Clique, in dem letzten halben Jahr die Partei keineswegs glücklich geführt hat. Hinzukommt, daß er trotz größter Bemühungen unsererseits die großgermanische Einstellung der SS immer mehr mit Mißtrauen betrachtet und sich die von unseren Feinden ausgestreuten Eindeutschungs-Vorwürfe aneignet. Er ist gegen jeden Offizier, der von der Front zurückkehrt, voll Mißtrauen. Dies zeigte sich bei Schalburg und nun auch wieder bei Martinsen, dessen Rückkehr – wie er meinem Beauftragten mitteilte – ihm sehr unerwünscht ist.

Ich habe daraufhin nach Rücksprache mit Sturmbannführer Martinsen und eingehender Beratung mit Gruppenführer Best und Brigadeführer Kanstein vorgeschlagen, daß vorläufig als Vorstufe der Germanischen Schutzstaffel und Frontkämpferorganisation ein Schalburg-Korps errichtet wird, welches außer den Frontkämpfern junge, aufgeschlossene, soldatische Kräfte aus der Erneuerung aufnehmen soll. Für diese Organisation steht die SS-Schule Höveltegaard zur Verfügung. Die Führung sollte Sturmbannführer Martinsen übernehmen. Reichsführer hatte auch die Versetzung Martinsen nach Kopenhagen befohlen, die jedoch in Anbetracht der militärischen Lage nicht zustande kam. Gruppenführer Best und seine Herren waren mit diesem Plan voll und ganz einverstanden. In einer Rücksprache mit Clausen in Anwesenheit von Gruppenführer Best und Sturmbannführer Boysen gab auch Clausen sein Einverständnis, machte aber befremdenderweise den Vorbehalt, daß die Zugehörigkeit zum Schalburgkorps die Partei-Zugehörigkeit ausschlösse. Ich habe gegen diese Bedingung sofort Einspruch erhoben und hat Gruppenführer Best, Clausen zu beeinflussen, auf jeden Fall von dieser Forderung abzulassen, da sie keineswegs in seinem Interesse sei.

Am 7. Januar ds.Js wurde Gruppenführer Best von Unterstaatssekretär Luther plötzlich nach Berlin gerufen. Luther teilte Gruppenführer Best mit, daß er ihm im Auftrage des Reichsaußenministers eine ernste Rüge zu erteilen habe, da er ohne Rückfrage beim Auswärtigen Amt mit dem SS-Hauptamt Verhandlungen geführt und das Schalburg-Korps genehmigt habe. Er, Luther, befehle ihm, alle Unterhandlungen hinsichtlich des Schalburg-Korps abzubrechen. Er betrachte eine solche Einrichtung als außenpolitisch unerwünscht, da er dem Vorwurfe der Eindeutschung Vorschub leiste.

Ich bitte, Reichsführer nun vorschlagen zu dürfen, evtl. mit dem Reichsaußenminister diese Frage zu klären, da wir unter keinen Umständen die zurückgekehrten Frontkämpfer sich zerstreuen lassen können. Sollte Reichführer diese Unterredung nicht wünschen, bitte ich um Genehmigung, auf alle Fälle unter anderem Namen einen Frontkämpferbund ins Leben rufen zu dürfen, allerdings dann, um Gruppenführer Best nicht zu belasten, ohne Wissen der Vertretung des Auswärtigen Amtes in Dänemark.

Ich darf bei dieser Gelegenheit Reichsführer erneut darauf hinweisen, wie notwendig es für die germanisch-völkische Reichspolitik in Dänemark wäre, wenn Gruppenführer Best – nachdem er sowieso nicht Gesandter sondern nur Bevollmächtigter ist – in gleicher Weise wie die Reichskommissare dem Führer unmittelbar unterstellt würde.

G. Berger
SS-Gruppenführer

128. Franz von Sonnleithner an Martin Luther 1. Februar 1943

Ribbentrop erklærede sig indforstået med, at en omfattende jødelovgivning ikke omgående blev sat i værk i Danmark

Se Best til AA 13. januar og Luther til Best 6. februar 1943 (Yahil 1967, s. 81).

Kilde: PA/AA R 100.864. Sabile 1949, s. 8 (på fransk). Lauridsen 2008a, nr. 65.

Büro RAM   zu D III 109 g
Über St.S. U.St.S. Luther vorgelegt.

Der Herr RAM ist damit einverstanden, daß in Dänemark nicht sofort eine umfassende Judengesetzgebung durchgeführt sondern zunächst die von Dr. Best vorgeschlagenen vorbereitenden Maßnahmen getroffen werden.

Westfalen, den 1. Februar 1943

Sonnleithner

129. Das Auswärtige Amt an OKW 1. Februar 1943

Eduard Sethe tilsluttede sig på AAs vegne som foreslået af OKW og von Hanneken, at den militære øverst-befalende i Danmark overtog plejen af krigergravene fra den rigsbefuldmægtigede. Best blev samtidig un-derrettet om denne beslutning.

Det var et af de få nederlag, som Best måtte indkassere til von Hanneken i de første måneder af deres samarbejde i Danmark, og det var absolut på et af de mindre betydende områder. Imidlertid var det udtryk for, at Best ikke ønskede at afgive kompetence på noget felt, tværtimod.

Kilde: RA, pk. 285

Konzept (Reinschr.1.b.) Wdt
Ref. VLR Dr. Sethe   *den 1. Februar 1943*
R 2140

Auf das Schreiben vom 18.12.42 – Az. 31 t AWA/WVW (II M) – Nr. 5828/42

An das Oberkommando der Wehrmacht
– Abteilung Wehrmachtverlustwesen –
Berlin W 35
Bendlerstr. 4.

Dem dortigen Schreiben vom 18. Dezember 1942[9] an den Befehlshaber der Deutschen Truppen in Dänemark wird zugestimmt. Es darf angenommen werden, daß damit auch die Betreuung der wenigen Kriegergräber des Weltkrieges 1914/18 bis auf weiteres zweckmäßigerweise von der Truppe übernommen wird.

Die Deutsche Gesandtschaft in Kopenhagen entsprechend unterrichtet worden.

Im Auftrag
gez. **Sethe**

R 2140   *den 1.Februar 1943*

Abschriftlich – mit 2 abschriftlichen Anlagen – der Deutschen Gesandtschaft in Kopen-hagen zur gefälligen Kenntnis und Nachachtung übersandt.

Die Kriegsgräberfürsorge in Dänemark wird bis auf weiteres von dem Befehlsha-ber der deutschen Truppen in Dänemark ausgeübt. Es wird ergebenst gebeten, etwaige Wünsche den zuständigen militärischen Dienststellen mitzuteilen und die Konsulate entsprechend anzuweisen.

Für das Rechnungsjahr 1943 sind Mittel aus Kap. IV 3 Titel 4 für die Kriegsgräber-fürsorge nicht mehr aufzuwenden.

Im Auftrag
gez. **Sethe**

---

9 Trykt ovenfor.

FEBRUAR 1943

130. Anton Fest an RSHA 3. Februar 1943

Best lod 3. februar Regierungsrat Anton Fest bede RSHA om, at en navngiven tysk spion (65 56 fra Stapo i Schwerin) blev knyttet direkte til det tyske politi i Danmark. Begrundelsen var den løbende aktion mod de danske kommunister, og at spionens indhentede informationer var meget længe om at nå tilbage til København og komme til nytte der.

RSHA IV A 1 a gav sit tilsagn 18. februar, og 22. februar afgik svaret til Kanstein med den bemærkning, at spionen skulle overgå til Stapo i Schwerin igen efter kommunistaktionens afslutning (sst. nr. 9371-73).

Fest sendte endnu en anmodning samme dag. Se flg.

Kilde: RA, Danica 1069, sp. 7, nr. 9370 (fjernskrivermeddelelsen var ufuldstændig ved modtagelsen i RSHA).

Fernschreiben

N. Ü. Nr. 24606
Kopenhagen Nr. 334 vom 2. [således i original]

An das RSHA – IV A 1 a
Vorg.: Dort. Erlaß vom 19.1.43 – IV A 1 a – Nr. 2073/43 g
Betr. Druckschexxx [således i original]

Wie dort bekannt, läuft hier seit Anfang v[on] November 1942 eine größere Aktion gegen die dänischen Kommunisten. Ich bitte daher, die dortige V-Person H der hiesigen Dienststelle zur Verfügung zu stellen, da sie hier besser verwendet und in die laufende Arbeit eingeschaltet werden kann. Die [...] umgehend ausgewertet werden, während sonst – wie im vorliegenden Fall – Monate vergehen, ehe sie hier bekannt [...] Druck-schriftenverbreitung der Kommunisten in Kopenhagen. Können außerden bx Nach-richten köexx [således i original]
Der Bevollmächtigte des Reiches in Dänemark, II C
I.A.
gez. **Dr. Fest**
SS-Sturmbannführer

131. Anton Fest an RSHA 3. Februar 1943

Best lod 3. februar Anton Fest bede RSHA om, at endnu en navngiven tysk spion (Friedrich Wilhelm West-phal, Mellemdammen 8, Ribe) blev knyttet direkte til det tyske politi i Danmark. Begrundelsen var atter den løbende aktion mod de danske kommunister, og at spionens indhentede informationer var meget længe om at nå tilbage til København og komme til nytte der.

RSHA IV A 1 a gav sit tilsagn 3. marts med den bemærkning, at spionen igen skulle overgå til Stapo i Kiel efter kommunistaktionens afslutning (sst. nr. 8024f.).

Baggrunden for anmodningen var RSHAs skrivelse 18. januar, som tydeligvis havde vakt irritation på Dagmarhus. Gestapo i Kiel havde meldt en mistænkelig kommunistisk virksomhed til RSHA, som først 10 dage senere bad Dagmarhus om at tage sig af det fornødne, vel vidende at ressourcerne på Dagmarhus til den slags opgaver var yderst begrænsende. Derfor svarede Dagmarhus igen med en ressourceanmodning i stedet for straks at kaste sig over opgaven.

Den ønskede spion skulle sættes ind mod kommunister i Esbjerg. I Østergade 7 boede et ægtepar, Marie og skrædder Arne Laursen, der begge var fremtrædende lokale medlemmer af DKP. Arne Laursen havde

FEBRUAR 1943

været medstifter af DKP i Esbjerg i 1923, og de var begge aktive i det illegale bladarbejde. De blev først arresteret 21. november 1944, og Marie Laursen ført til Frøslevlejren (Trommer 1973, s. 213, Gertsen 1995, s. 41), mens han undgik fængsling, da han under en afhøring spillede utilregnelig og blev løsladt (mundtlig oplysning).

Kilde: RA, Danica 1069, sp. 7, nr. 8022.

Fernschreiben

N. Ü. Nr. 24607
Kopenhagen Nr. 335 vom 3.2.43 16.40 =Schn.=

An das RSHA – Amt IV A 1 a

Betr.: Lauritzen, Esbjerg, Östergade 7 u.a.
Vorgang: Dort. Erlaß vom 18.1.43[10] – IV A 1 a – Nr. 2075/43 g –.

Wie dort bekannt, läuft hier seit Anfang November eine Aktion gegen die Kommunisten in Dänemark. Ich bitte daher, die dortige V-Person der hiesigen Dienststelle zur Verfügung zu stellen, da sie hier besser verwendet und in die laufende Arbeit eingeschaltet werden kann. Es kommt hinzu, daß die anfallenden Nachrichten auf diese Weise auch umgehend der hiesigen Dienststelle zur Kenntnis kommen und sofort verwertet werden, während sonst erfahrungsgemäß Monate darüber hingehen. Die Auswertung wird aber dann durch diese Zeitversäumnis in vielen Fällen erschwert, wenn nicht unmöglich gemacht.

Der Bevollmächtigte des Reiches in Dänemark, II C
I.A.
gez. **Dr. Fest**
SS-Sturmbannführer

132. Der Reichswirtschaftsminister an das Auswärtige Amt und den Wehrwirtschaftsstab Dänemark 3. Februar 1943

Antallet af rustningskontrakter med danske firmaer havde taget et sådant omfang, at der kun måtte afgives civile ordrer til danske firmaer, hvis de efter den strengeste målestok kunne betegnes som krigsvigtige. Det var RWMs henstilling til Reichsgruppe Industrie i Berlin. AA og Forstmann fik skrivelsen fremsendt til orientering.

Kilde: BArch, R 901 67.735.

Abschrift!
Der Reichswirtschaftsminister   *Berlin W 8, den 3. Februar 1943.*
V Ld. (D) 4/103 004/43

An die Reichsgruppe Industrie,
  Berlin

10 Trykt ovenfor.

FEBRUAR 1943

Betr.: Verlagerung von Aufträgen des kriegswichtigen zivilen Sektors nach Dänemark.

Die Entwicklung der deutsch-dänischen Verrechnungskonten gebietet es, daß nach Dänemark auf dem zivilen Sektor nur solche Aufträge verlagert werden, die auch bei Anlegung *des strengsten Maßstabes* als kriegswichtig bezeichnet werden können.

Ich ersuche, die Mob-Beauftragten der Wirtschaftsgruppen anzuweisen, sich bei Erteilung von Bescheinigungen über die Verlagerungswürdigkeit hiernach zu richten.

Im Auftrag
Mützelburg

Der Reichswirtschaftsminister
V Ld. (D) 4/103 004/43   *Berlin, den 3. Februar 1943.*

An
a.) das Auswärtige Amt,
    z. Hd. von Herrn Legationsrat van Scherpenberg,
    Berlin
Abschrift übersende ich mit der Bitte um Kenntnisnahme und Unterrichtung des Wirtschaftsbeauftragten in Kopenhagen.

b.) den Wehrwirtschaftsstab Dänemark,
    z. Hd. von Herrn Kapitän zur See Dr. Forstmann,
    Kopenhagen
Abschrift übersende ich mit der Bitte um Kenntnisnahme.

Im Auftrag
Mützelburg

133. Werner Best an das Auswärtige Amt 4. Februar 1943

Før Bests ankomst havde det tyske gesandtskab fremsendt en oversættelse af dansk politis oversigt over anslag mod værnemagten siden 26. juni 1942. Best fortsatte hermed til ind i 1945 i meget skiftende form. Det er et vidnesbyrd om, at han ikke forholdt AA oplysninger om sabotagen i Danmark og heller ikke nødvendigvis manipulerede dem, idet han videresendte rapporter fra dansk og senere tysk politi. Derimod havde han sine egne opfattelse af, hvordan materialet skulle tolkes.

    Kilde: PA/AA R 61.119.

Abschrift Pol VI 181
Der Bevollmächtigte des Reiches in Dänemark   *Kopenhagen, 4. Februar 1943*
II C 3 B Nr. 1694/42

An das Auswärtige Amt

Betr.: Sabotagebrände in Dänemark

Unter Bezug auf den hiesigen Bericht vom 4.10.1942 – Inn. V. 3 Nr. 1694/42[11] – überreiche ich die Übersetzung einer weiteren Aufstellung der dänischen Polizei über die bis zum 6.11.42 in Dänemark vorgekommenen Sabotage- und Brandfälle. Wie aus der Übersicht ersichtlich, konnten bisher in den Fällen lfd. Nr. 35, 36, 38 und 41 die Täter ermittelt werden. Außerdem konnte der Brandfall unter lfd. Nr. 33 in der am 4.10.42 überreichten Nachweisung geklärt werden. Die bisher festgenommenen Täter wurden vom deutschen Kriegsgericht wie folgt verurteilt:

1.) Knud Andersen Hornbo, geb.11.8.16 in Odense, zu 15 Jahren Zuchthaus,
2.) Alf Houlberg, geb. 9.10.21 Frederikshavn, zu 10 Jahren Zuchthaus,[12]
3.) Walther Höjfeld Mosegaard, geb. 3.4.16 in Aarhus, zu 10 Jahren Zuchthaus,
4.) Gustav Lindvold, geb. 27.2.14 in Hornslet, zu 10 Jahren Zuchthaus,
5.) Otto Pedersen, geb. 6.4.98 in Aarhus, zu 10 Jahren Zuchthaus und
6.) Christian Bartram, geb. 24.4.22 in Aarhus, zu einem Jahr Zuchthaus.[13]

gez. Best

Abschrift zu Pol VI 181
Übersetzung
Übersicht

In Fortsetzung der früher übersandten Übersicht über Brandstiftungen, Brandstiftungsversuche usw. in Betrieben, die für die deutsche Wehrmacht arbeiten oder auf andere Weise mit der Wehrmacht in Verbindung stehen, wird mitgeteilt, daß seitdem folgendes geschehen ist:

35.) Freitag, den 19.9.1942. Brandstiftung in deutschem Kraftwagen, abgestellt auf dem Hof Sankelmarksgade 2, Aalborg. Entzündungsmittel unbekannt.
36.) Montag, den 21.9.1942. Brandstiftung in deutschem Kraftwagen, abgestellt auf dem Hof Sankelmarksgade 2, Aalborg. Als Entzündungsmittel wurden Celluloidplatten verwandt. Knud Andersen Hornbo, geb. in Odense am 11.8.1916, und Alf Houlberg, geb. in Frederikshavn am 9.10.1921, wurden festgenommen und haben gestanden, diese beiden Brandstiftungen verübt zu haben.
37.) Montag, den 21.9.1942, entdeckte ein Nachtwächter, daß in N.B. Hansens Lagergebäude am Hafen in Odense, das als deutsches Marinedepot verwandt wird, ein Feuer entstanden war. Die Feuerwehr wurde herbeigerufen, aber das Lagergebäude und das darin lagernde Wehrmachtsmaterial (Teile von U-Booten) brannte vollkommen nieder und wurde restlos zerstört. Der Schaden wird auf 3 Millionen Kronen

---

11 Trykt ovenfor.

12 Hornbo og Houlberg var medlemmer af Churchillklubben i Ålborg og havde i mellemtiden gjort sig bemærket ved at fortsætte sabotagen fra fængslet (tilfælde 35 og 36 nedenfor), hvilket Abwehr 9. oktober 1942 betegnede som skandaløst (PKB, 13, nr. 326, trykt ovenfor). Kirchhoff, 1979, s. 150 opgiver andre straflængder for de to. De blev dømt 19. november 1942.

13 De fire sidstnævnte blev dømt 15. december 1942 for sabotage mod et militært klædelager i Århus (Kirchhoff, 3, 1979, s. 150).

FEBRUAR 1943

veranschlagt. Es ist unbekannt, welches Entzündungsmittel benutzt wurde und wie der Täter sich in das abgeschlossene Lagergebäude Eingang verschaffen konnte. Dem deutschen Kommandanten in Odense und der Polizei war nicht bekannt, daß in dem Gebäude Werte aufbewahrt wurden, die der Wehrmacht gehörten und deshalb war kein Wachtposten davor aufgestellt worden. Für Aufklärungen, die zur Festnahme des Täters führen können, ist eine Belohnung bis zu 5.000 Kronen ausgesetzt.

38.) Am Sonnabend, den 26.9.1942 wurden 5 Sprengbomben in der Automobilwerkstatt "Adler Service" Lyngbyvej 182 abgelegt. Die Bomben wurden vor die in der Werkstatt stehenden deutschen Kraftwagen gelegt, von denen jedoch nur einer ganz leicht beschädigt wurde. Sämtliche Fensterscheiben des Gebäudes wurden dagegen zerstört.[14]

Der Täter ist festgenommen. Siehe unter Nr. 41.

39.) Sonntag, den 4.10.1942. Versuch des Feueranlegens in der neu aufgeführten Holzbaracke an der Ecke Haraldsgade/Torvegade in Esbjerg. Benzin und Petroleum wurden über den Fußboden gegossen und angezündet. Nur geringer Schaden.

40.) Montag, den 12.10.1942. Versuch des Feueranlegens auf dem Holzlagerplatz, Aalekistevej 81, Kopenhagen. Zwei Brandbomben (Thermit) wurden auf dem Platz neben den Bretterstapeln bezw. in einem "Maschinenhaus" genannten Gebäude abgelegt. Die Bomben wurden am nächsten Morgen bei Beginn der Arbeit aufgefunden. Die Bombe im Maschinenhaus war abgebrannt, hatte jedoch keinen Schaden verursacht; die andere war noch in Ordnung. Da eine Umzäunung sich in Reparatur befand, bestand ungehinderter Zugang zu dem Platz.[15]

41.) Am Mittwoch, den 21.10.1942, 7.00 Uhr morgens, wurde eine Sprengbombe gefunden, die auf einem Eisengitter über einem Lichtschacht vor dem Gebäude Bjelkes Alle 16, Kopenhagen, abgelegt war, in welchem eine Reihe deutscher Soldaten wohnen.[16] Die Sprengbombe wurde von der Wehrmacht entfernt und in das Jägerborger Gehege gebracht, wo sie von Leuten der Wehrmacht gesprengt wurde, ohne daß die Kriminalpolizei Gelegenheit hatte, sie zu sehen. Die Kriminalpolizei wurde erst zwei Tage, nachdem die Bombe gefunden war, unterrichtet. Die Bombe war nach den Angaben der Wehrmacht ungefähr oval, 30 cm lang und etwa 25 cm hoch, Gewicht etwa 15 kg. Obwohl ein wichtiger Gegenstand und Beweismittel zur Aufklärung der Sache nicht mehr vorhanden waren, glückte es der Polizei doch, aufgrund einer vertraulichen Mitteilung[17] und der in Verbindung damit vorgenommenen Untersuchungen am 29.10.1942 Hans Petersen, geb. am 20. April 1910 in Hejls festzunehmen, der zwei Jahre hindurch an dem Krieg in Spanien auf Seiten der Republikaner teilgenommen hat und der gestanden hat, daß er für den Kommunismus Sympathien habe. Er will jedoch nicht Mitglied der dänischen kommunistischen Partei gewesen sein. Vorläufig hat er sich der hier behandelten Tat schuldig bekannt, ebenso wie er zugegeben hat, zusammen mit einem noch nicht festgestellten Manne 5

---

14 Det var medlemmer af sabotageorganisationen BOPA, der gennemførte den første organiserede sprængstofsabotage i Danmark under besættelsen (beskrevet hos Kjeldbæk 1997, s. 51f).

15 Brandforsøget blev gennemført af BOPA (Kjeldbæk 1997, s. 458).

16 BOPAs attentatforsøg er nærmere omtalt hos Kjeldbæk 1997, s. 53-55.

17 Hans Petersen var angivet af Karl Winther (Laustsen 2006, s. 212).

Sprengbomben im "Adler-Service" Lyngbyvej 182 abgelegt zu haben.[18] *Ziffer 38)* Es glückte, festzustellen, daß die Bomben in Bjelkes Alle aus einem Gußeisenbehälter hergestellt waren (Schwimmer für eine Pumpenanlage, rund 30 cm Durchmesser, 18 cm hoch, Gewicht 12,5 kg) Die Sprengladung hat vermutlich aus Schwarzpulver bestanden. Die Bomben, die im "Adler-Service" abgelegt wurden, bestanden aus einem zweizoll[ig] starken Gasrohr, etwa 15 cm lang, mit angeschraubtem Deckel und angeschweißtem Bodenstück. Als Sprengladung ist Schwarzpulver benutzt worden.

42.) Montag, den 26.10.1942. Brandbombe (Thermit) und Sprengbombe entsprechend der unter Nr. 38 beschriebenen, wurden auf der Hintertreppe des Gebäudes Frederiksborggade 52 abgelegt. Die Treppe wurde durch die Feuersbrunst stark beschädigt.[19] In dem angeführten Gebäude befindet sich eine Schneiderfirma, die für die Wehrmacht arbeitet.

43.) Sonnabend, den 31.10.1942, 14.30 Uhr, bis 1.11.1942, 16.30 Uhr. Brandstiftungsversuch in der Werkzeugfabrik "Präzision" Emdrupvej 28. Brandbombe, wie bereits beschrieben, wurde auf der Treppe abgelegt. Das Feuer der Zündschnur zur Bombe löscht von selber aus.[20]

44.) Am Montag, den 2.11.1942 wurden auf Balken des Gebäudes der Ziegelei Hvalpsund im Polizeikreis Hobro zwei gebrauchsfähige Brandbomben gefunden, von denen die Prüfanstalt der Kriegsmarine in einer Erklärung vom 7.11.1942 u.a. sagt, "Das Prinzip besteht darin, daß Kaliumchlorat sich entzündet (explodiert und brennt) bei der Einwirkung von konzentrierter Schwefelsäure. In einer Metallhülse mit aufgelötetem Kupferboden befindet sich konzentrierte Schwefelsäure, welche nach und nach das Lötmetall auflöst und dadurch hinausgelangt. Um die Metallhülse befindet sich ein Satz, bestehend aus einer Mischung von

Kaliumchlorat	ca. 40 %
Kaliumpermanganat	ca. 30 %
Zucker	ca. 10 %
Firnisart. Stoff	ca. 20 %

Dieser Satz der untersuchten Brandbombe brennt mit kräftiger rotvioletter Stichflamme, die sehr heiß und deshalb im Stande ist, selbst schwer entzündbare Stoffe anzuzünden. Die Bombe ist offensichtlich durch Hausarbeit hergestellt. Die angewandten Stoffe können in jeder Drogerie gekauft werden.

45.) Am Mittwoch, den 4.11.1942, 8 Uhr, wurde in einem Fenster der Schiffswerft in Helsingör eine selbstgemachte Bombe gefunden, bestehend aus einer Pappschachtel, an derem einen Ende eine kleine Salpetersäure-enthaltende Flasche angebracht war. In dem paraffinierten Korken befand sich ein kleines Loch, so daß die Salpetersäure, wenn das Paraffin verzehrt war, in eine in der Schachtel befindliche Mischung aus Kaliumchlorat und Hobelspänen hineinlaufen konnte, wodurch wahrscheinlich ein Brand entstehen würde.

---

18 Der var endnu flere BOPA-medlemmer om aktionerne. Hans Pedersen blev 12. april 1943 dømt til døden, men senere benådet og sendt til afsoning i Tyskland (PKB, 7, s. 285ff.).

19 Aktionen blev gennemført af BOPA og målet var Konfektionsfirmaet A/S Svend Albertsen (Kjeldbæk 1997, s. 458).

20 Også denne aktion blev gennemført af BOPA (Kjeldbæk 1997, s. 458).

FEBRUAR 1943

46.) Am Mittwoch, den 4.11.1942 entdeckte ein Elektriker an Bord des deutschen Motorschiffes "Franken" aus Kiel, das z.Zt. am Kai 5, der Schiffswerft von Burmeister & Wain, Kopenhagen, liegt, daß verschiedene Nägel durch einige Kabel zum Fernthermometermesser usw. hindurchgeschlagen waren. Das Schiff, welches ein Neubau ist, war im Mai d.J. aus Kiel auf der Werft angekommen, um fertig gebaut zu werden. Die Kabel waren in Kiel gelegt worden, wo sie auch gestrichen wurden. Die gefundenen Nägel waren dänisches Fabrikat und ganz blank. Die Kabel müssen erneuert werden, sonst kein Schaden.[21]

47.) Am Freitag, den 6.11.1942, 5.20 Uhr, wurde auf dem Boden der Küche eines Pensionates in Helsingör eine Brandbombe hingelegt, die ganz der unter Nummer 45.) beschriebenen Bombe entspricht. In dem Pensionat essen etwa 150 deutsche Personen. Außer der Schwärzung des Fußbodens und eines Tisches wurde kein Schaden verursacht.

48.) Freitag, den 6.11.1942, etwa 22.20 Uhr, Attentat gegen den Eisenbahnzug zwischen Snekkersten und Espergärde, näher bezeichnet bei Egebäksvang. Eine Schienenlücke war dadurch geöffnet worden, daß die Laschen entfernt und die Schwellenschrauben von 12 Schwellen entfernt wurden. Von einem Zug mit Wehrmachtsgut entgleisten die Lokomotive und die beiden vordersten Wagen. Die letzten vier Wagen des Zuges enthielten Munition. Der Zug, welcher auf dem Wege nach Helsingör war, fuhr mit einer Geschwindigkeit von höchstens 35 Std./km. Der Schaden an der Lokomotive und den beiden Wagen war gering.[22]

Für die Übersetzung:
gez. Hansen
Olt. d. Sch.

134. Werner Best an Joachim von Ribbentrop 4. Februar 1943

Tilfreds med at kunne genoptage den diplomatiske forbindelse med det danske kongehus, som han havde ønsket det, brugte Best umiddelbart dette som afsæt for at forfølge sit næste mål, afholdelsen af rigsdagsvalg. Han pressede Ribbentrop for en hurtig afgørelse. Den skulle helst foreligge næste dag, så det ikke skulle blive pinligt for Best, hvis han blev spurgt om valget.

Ribbentrop lod sig ikke presse; om det pinlige kan han have haft en anden mening, og der gik endnu næsten fire uger, før afgørelsen forelå (se Weizsäckers telegrammer 1. og 5. marts 1943, Thomsen 1971, s. 136f.).

Kilde: PA/AA R 29.566. PKB, 13, nr. 382.

Telegramm

| Kopenhagen, den | 4. Februar 1943 | 16.15 Uhr |
| Ankunft, den | 4. Februar 1943 | 16.40 Uhr |

---

21 Jfr. Pilgaard Jeremiassen 1974, Appendix A, s. VI.
22 Aktionen blev udført af BOPA for at markere 25-året for den russiske revolution (Trommer 1971, s. 37, Kjeldbæk 1997, s. 64).

Nr. 126 vom 4.2.[43.]   Citissime!

Für Reichsaußenminister persönlich.

Auf das Telegramm Nr. 163[23] vom 31.1.43 berichte ich:
Über den Staatsminister von Scavenius ist vereinbart worden, daß am Sonnabend den 6.2.43 meine erste Besprechung mit dem Kronprinz-Regenten stattfinden soll. Die Besprechung wird eindeutig auf der Grundlage der von uns gestellten Bedingungen und in den von mir vorgeschlagenen Formen stattfinden. Wann der Besuch beim König, der wieder bettlägerig krank ist, stattfinden wird, hängt von dem Befinden des Königs ab.

Sehr dankbar wäre ich, wenn ich bis morgen eine positive Entscheidung auf meine Vorschläge für unsere Stellungnahme zur dänischen Reichstagswahl erhalten könnte, denn die Regelung der Wahlmodalitäten gemäß den deutschen Wünschen wäre ein geeignetes Thema für die Besprechung mit dem Kronprinzen und dem Staatsminister. Hingegen wäre es für mich sehr peinlich, wenn ich auf eine Frage wegen der Wahl antworten müßte, daß ich noch immer keine Stellungnahme geben könnte, obwohl die dänische Anfrage bereits am 25.1.43 an mich gerichtet worden ist. Dies entspräche nicht der Form und dem Tempo der Zusammenarbeit, an das ich die Dänen seit einem Vierteljahr gewöhnt habe.

Best

Vermerk:
Unter Nr. 516 an Sonderzug Westfalen weitergeleitet.
Berlin, den 4.2.43
Pers. Ch. Tel.

135. Werner Best an das Auswärtige Amt 5. Februar 1943

Best dementerede et jødisk blads påstand om, at Mosaisk Trossamfund i Danmark havde foræret Christian 10. en Davidsstjerne af guld.
   Kilde: PA/AA R 99.413. RA, pk. 219. Lauridsen 2008a, nr. 66.

Der Bevollmächtigte des Reiches in Dänemark   *Kopenhagen, den 5. Februar 1943*
II C – 2224/42.

An das Auswärtige Amt
   Berlin

Betrifft: Empfang einer jüdischen Delegation durch den dänischen König anläßlich
            seines 72. Geburtstages.
Bezug: Schrift-Erlaß vom 24.1.43 – D. III 7015 –
Anlagen: 2 Berichtsdoppel.[24]

23 Pol VI ... (Sonderzug Nr. 223) bei Pol VI. Trykt ovenfor.
24 Disse er ikke lokaliseret.

FEBRUAR 1943

Der Kabinettssekretär des dänischen Königs ist durch einen höheren Beamten des dänischen Außenministeriums zu der Angabe des in der Schweiz erscheinenden Israelitischen Wochenblattes vom 13.11.1942 befragt worden. Er hat erwidert, daß der König zu seinem 72. Geburtstage wegen seines Gesundheitszustandes keine Delegationen mehr empfangen habe. Es sei ihm auch nichts darüber bekannt, daß der König damals von der Jüdischen Gemeinde in Kopenhagen einen goldenen Davidstern überreicht bekommen habe; falls dies geschehen sei, würde er davon Kenntnis bekommen haben.

Auch die weiteren vertraulich eingezogenen Auskünfte haben keinerlei Bestätigung der Behauptung des Israelitischen Wochenblattes erbracht. Diese Angabe dürfte somit nicht den Tatsachen entsprechen.

Dr. Best

136. Rudolf Brandt an Gottlob Berger 6. Februar 1943

Brandt kunne meddele, at Himmler var indforstået med de forslag, Berger var fremkommet med 21. januar om militær uddannelse af medlemmer af det tyske mindretal. Samtidig gjorde han tjenestevejene klart: Kanstein havde ansvaret for, at tidsfristen blev overholdt, mens Boysen fik opgaven som inspektør over de uddannede.

Best blev ikke inddraget, heller ikke selv om det stod klart for Himmler, hvilken rolle han hidtil havde spillet i forløbet.

Kilde: RA, pk. 443. PKB, 14, nr. 361.

Der Reichsführer-SS   *Feld-Kommandostelle, 6. Februar 1943*
Persönlicher Stab
Tgb. Nr.: 36/14/43 geh.
Bra/Dr.   Geheim!

Betr.:   Militärische Ausbildung von Volksdeutschen.
Bezug: Dortiges Schrb. v. 21.1.1943 – VI/1 Dr. R/Ni.
             VS-Tgb. Nr. 333/43 geh.
             VI-Tgb. Nr. 145/43 geh.

An SS-Gruppenführer Berger, SS-Hauptamt, Berlin.

Lieber Gruppenführer!
Ich kann Ihnen heute die Mitteilung machen, daß der Reichsführer-SS, Ihrem Vorschlag entsprechend, mit der militärischen Ausbildung der Volksdeutschen in Dänemark einverstanden ist.

Er hält es aber für richtig, eine Frist für den Abschluß dieser Ausbildung festzusetzen und zwar soll dies der 1. April 1943 sein. Von diesem Zeitpunkt ab muß es nach seiner Ansicht dann möglich sein, die ausgebildeten Männer zu einem Alarmbataillon durch Einberufungsbefehl innerhalb weniger Stunden zusammenzurufen.

Übermitteln Sie bitte dem SS-Brigadeführer Kanstein, daß der Reichsführer-SS ihm die Verantwortung für die Innerhaltung dieses Termins überträgt.

Der Reichsführer-SS ist auch damit einverstanden, daß SS-Sturmbannführer Boysen die Inspektion übernimmt und die Männer dann zu einem zweiwöchigen Lehrgang in 5 bis 6 Schüben zu der SS-Schule Höveltegaard einberuft.

Der Reichsführer-SS bittet Sie, ihn abschließend über die erfolgte Ausbildung zu unterrichten.

Heil Hitler!

Ihr

R. Br[andt]

SS-Obersturmbannführer

137. Martin Luther an Werner Best 6. Februar 1943

Hermed fik Best tilslutning til den indberetning, som han 13. januar havde fremsendt om foranstaltninger mod de danske jøder. Sagen havde været forelagt Ribbentrop personligt, og Sonnleithner kunne 1. februar meddele Luther den beslutning, som Luther stort set ordret videresendte seks dage senere.

Det var samtidig den sidste skrivelse, Best modtog fra Luther, der få dage efter blev arresteret for at konspirere mod Ribbentrop og sat i koncentrationslejr[25] (se Bests indberetning 13. januar og Sonnleithner til Luther 1. februar 1943).

Kilde: PA/AA R 100.864. Best 1988, s. 278 (faksimile). Lauridsen 2008a, nr. 67.

Telegramm

Berlin, den   6. Februar 1943

An den Bevollmächtigten des Reiches in Dänemark

Diplogerma Kopenhagen
Nr. 204
Referent: U.St.S. Luther
          LR Rademacher

Betreff.: Die Judenfrage in Dänemark
Auf den Bericht vom 13.1.43[26]
– II/C 103/45 –

---

25 Luthers fald er ikke tilfredsstillende forklaret i den senere litteratur. Se modsætningsvis Browning 1977 (der vælger ensidigt at tro fantasifulde efterkrigsforklaringer af AA-embedsmænd) og Döscher 1993 (som vælger at fæste lid til den lidet pålidelige Walter Schellenbergs forklaring). Som påpeget af Poulsen 1970, s. 376f., og som det her fremlagte materiale også peger imod, er en enklere forklaring at antage, at SS havde fundet en måde at skaffe sig af med Luther på, som RAM blev tvunget til at acceptere. Goebbels' forklaring 12. februar 1943 på, at det var kommet til et brud mellem Ribbentrop og Luther ("den anden Bismarck"), var mindre dramatisk: Luther skulle have undladt at stille Walter Büttner til regnskab for urigtige beskyldninger, som denne havde rettet mod Ribbentrops embedsførelse og sendt til Hitler (*Die Tagebücher von Joseph Goebbels*, Teil II:7, 3. 325). Ikke desto mindre passer det godt med Poulsens formodning.
26 Trykt ovenfor.

Das Auswärtige Amt ist damit einverstanden, daß in Dänemark nicht sofort eine umfassende Judengesetzgebung durchgeführt, sondern zunächst die im dortigen Bericht vorgesehenen vorbereitenden Maßnahmen getroffen werden.

Luther

138. Werner Best an Joachim von Ribbentrop 6. Februar 1943

Best rapporterede umiddelbart efter audiensen hos kronprins Frederik om dennes forløb. Han videregav oplysningerne om audiensen i en positiv tone, der passede til de bestræbelser han forud havde gjort for at nå dertil. Et af hans politiske mål var nået. Når han bemærkede, at fortiden ikke blev nævnt, så lå heri også hans eget ønske om, at der politisk blev set fremad. Det ønske gik ikke sådan lige i opfyldelse. Von Hanneken kom ham atter på tværs, som det fremgår af telegrammet 11. februar (Thomsen 1971, s. 134).
Kilde: PA/AA R 29.566. PKB, 13, nr. 383.

Telegramm

| Kopenhagen, den | 6. Februar 1943 | 17.00 Uhr |
| Ankunft, den | 6. Februar 1943 | 18.10 Uhr |

Nr. 131 vom 6.2.[43.]

Für Herrn Reichsaußenminister persönlich.

Heute 6. Februar hat meine erste Fühlungnahme mit dem Kronprinzenregenten stattgefunden. Staatsminister von Scavenius fuhr mit mir in meinem Wagen zum Schloß Amalienborg. In der Besprechung zu dritt zeigte der Kronprinz das zunächst noch mit etwas Verlegenheit gemischte Bemühen betonter Liebenswürdigkeit. Er dankte zunächst – auch namens des Königs – für meinen Besuch und übermittelte das Bedauern des Königs, mich wegen seiner Krankheit (er liegt wegen Wunde am Fuß im Bett) noch nicht empfangen zu können, er hoffe, daß dies recht bald möglich sein werde. Nach den üblichen Fragen, ob ich mich in Kopenhagen gut eingelebt habe und wohl fühle, berührte das Gespräch in meist feststellenden und bestätigenden Formen Fragen der Zusammenarbeit zwischen mir und der Regierung, der Kohlenversorgung von Dänemark, der Ausübung der Wehrmachtsgerichtsbarkeit in Dänemark, der Behandlung der dänischen Presse und andere praktische Fragen. Der Kronprinz hat nicht in einer einzigen Sache eine Beschwerde oder einen Wunsch geäußert, sondern immer wieder betont, daß alles den Verhältnissen nach gut geht und daß es bei gutem Willen auch weiterhin gut gehen müsse. Die Vergangenheit wurde mit keinem Wort berührt. Die Besprechung dauerte 25 Minuten. Der Staatsminister von Scavenius zeigte sich von ihr sehr befriedigt.

Dr. Best

139. Hans-Heinrich Lammers: Verhandlungen mit den germanisch-völkischen Gruppen in den besetzten Gebieten 6. Februar 1943

Efter Hitlers ordre udgik der et cirkulære om, at alle forhandlinger med germansk-völkische grupper i de besatte lande skulle finde sted efter konsultation med RFSS.

Den tidligere udsendte forordning af Bormann 12. august 1942 i samme sag blev ikke nævnt, heller ikke de begrænsninger, der tidligere var blevet knæsat for Hollands og Norges vedkommende (Bormann til Lammers 2. november 1942). Hermed fik RFSS den afgørende bemyndigelse til uhindret at gå videre med sit germansk-völkische arbejde i de besatte lande. Cirkulæret blev ikke vel modtaget af Seyss-Inquart (se hans brev til Lammers 12. februar 1943), men hans indsigelser hjalp ikke (Lammers til Seyss-Inquart 22. februar 1943),[27] og for Danmarks vedkommende var det anledningen til igen at tage spørgsmålet om landets status som besat op. Det skete på foranledning af en henvendelse fra Gottlob Berger til AA 5. maj 1943 i forbindelse med, at han ønskede at høste frugterne af det nye cirkulære.

RFSS fulgte selv straks op på cirkulæret 10. februar 1943 med et oplæg om mulighederne for yderligere rekruttering i de besatte germanske lande i de kommende måneder (trykt nedenfor). Styrkelsen af RFSS' indflydelse havde sin baggrund i Hitlers støtte, en støtte udsprunget af fælles vægt på at få udvidet den tyske indflydelse i det storgermanske rum og behovet for soldater (Poulsen 1970, s. 373f. (der mener, at det lige forudgående nederlag ved Stalingrad kan have spillet ind, når SS' magt blev udvidet, men som det fremgår ovenfor var denne proces sat i gang, før nederlaget stod klart, mens modsat Orlov 1973, s. 407 har den opfattelse, at Stalingrad fik Hitler til at vende sig fra SS' germanske eksperimenter)[28], Hirschfeld 1984, s. 34, Monrad Pedersen 2000, s. 26f. med note 23 (alene henvisning til Best-sagen), Longerich 2008, s. 625 (med henvisning til Hirschfeld 1984, men opgiver fejlagtigt datoen til 3. februar), Materne 2000, s. 52 tillægger ikke cirkulæret videre betydning, men har heller ikke undersøgt den videre anvendelse af det).

Magtkampen i denne sag blev genoptaget i foråret 1944, se Bormann til Himmler 5. marts 1944.

Kilde: BArch, R 43 II/1430. ADAP/E, 5, nr. 102. *De SS en Nederland*, 2, 1976, nr. 318.

Der Reichsminister und Chef der Reichskanzlei   *Berlin, den 6. Februar 1943*
Rk 1602   z.Zt. Feldquartier

An die Obersten Reichsbehörden und die den Führer unmittelbar unterstehenden Dienststellen

Betr.:   Verhandlungen mit den germanisch-völkischen Gruppen in den besetzten Gebieten.

Im Auftrag des Führers gebe ich nachstehend die vom Führer getroffene Anordnung über die Führung von Verhandlungen mit den germanisch-völkischen Gruppen in den besetzten Gebieten bekannt.

1.) Zu Verhandlungen mit den germanisch-völkischen Gruppen in den besetzten Gebieten über gemeinsame germanisch-völkische Belange ist ausschließlich der Reichsführer-SS zuständig.

2.) Erscheint im Einzelfall der unmittelbare Verkehr einer staatlichen Dienststelle im

---

27 Brevene er trykt i *De SS en Nederland*, 2, 1976, nr. 333 og 343.

28 Her skal det med, at Orlow ikke kender Lammers' cirkulære af 6. februar 1943, men tilfældet er under alle omstændigheder et skoleeksempel på, at man skal være varsom med at trække de store krigsbegivenheder ind som direkte forklaring i forbindelse med de politiske og institutionelle magtkampe, da de oftest udspillede sig uafhængigt deraf. Det gælder også og måske især for Danmarks vedkommende, hvor Henning Poulsen har været en hovedeksponent for at trække krigsbegivenheder og -beslutninger ind som forklaring, når forholdet mellem besættelsesmagten og DNSAP 1940-43 har skullet forklares. Når jeg mener, at det især gælder Danmark, skyldes det landets størrelse, særstilling og manglende storpolitiske betydning.

Reich in den unter 1) genannten Gebieten über gemeinsame germanisch-völkische Belange mit den germanischen Volkstumsgruppen erwünscht, so ist das Einvernehmen mit dem Reichsführer-SS herzustellen.

3.) Die Dienststellen des Reiches, die ihren Sitz in den unter 1.) genannten Gebieten gelegen haben, bleiben innerhalb ihres Ausgabenbereiches für Verhandlungen mit germanisch-völkischen Gruppen ihres Gebietes zuständig. Soweit es sich dabei um grundsätzliche germanische Volkstumsfragen, um Fragen der Nachwuchserziehung (Jugend, Studentenführung usw.) oder um gemeinsame völkische Belange des deutschen Volkstums oder der germanischen Volksgruppen der besetzten Gebiete handelt, ist Einvernehmen mit dem Reichsführer-SS herzustellen.

gez. **Lammers**

140. Hermann von Hanneken an OKW 7. Februar 1943

Von Hannekens indberetning af 7. februar er ikke lokaliseret, men den er gengivet i OKWs notat 11. februar. Trykt nedenfor.

141. Gottlob Berger an Rudolf Brandt 9. Februar 1943

I trit med distanceringen til DNSAP orienterede Berger sig via Germanische Leitstelle om de nazistiske smågrupper i Danmark. F. Hinnés henvendelse var en anledning dertil.

Indholdet af Germanische Leitstelles beretning er ikke kendt, hvorfor det ikke vides, hvordan smågrupperne blev vurderet. Berger selv kommenterer ikke den beretning, som han fremsendte. Brandt svarede 20. februar.

Kilde: RA, pk. 443.

Der Reichsführer-SS — *Berlin W 35, den 9. Februar 1943*
Chef des SS-Hauptamtes — Geheim!
Amt VI
VS-Tgb. Nr. 917/43 geh.
VI-Tgb. Nr. 355/43 geh. Kü/La.

Betr.: Zuschrift des stellvertrenden Parteileiters der Nationalen Aktion in Dänemark, F. Hinné.

Bezug: Diess. Schreiben vom 11.1.43[29]
VS-Tgb. Nr. 5192/42 geh.
VI-Tgb. Nr. 2522/42 geh.

Anlg.: 1 Bericht[30]

An den Persönlichen Stab RF-SS
z.Hd. SS-Obersturmbannführer Dr. Brandt

29 Trykt ovenfor.
30 Bilaget er ikke lokaliseret.

Berlin SW 11
Prinz Albrecht Str. 8

Lieber Doktor!

Im Nachgang zu meinem Schreiben vom 11.1.43 übersende ich Ihnen beiliegend einen Bericht der Germanischen Leitstelle in Kopenhagen über die Nationale Aktion. Er gibt einen vollständigen Überblick über die nationalsozialistischen Splittergruppen Dänemarks, die sich zum großen Teil von der Clausen-Bewegung abgespalten haben.

Ich möchte Sie um gelegentliche Rückgabe bitten.

Heil Hitler

Ihr **G. Berger**

SS-Gruppenführer

142. Ernst von Weizsäcker an Werner Best [10.] Februar 1943

I sin argumentation for Rigsdagsvalgets afholdelse havde Best bl.a. Weizsäcker som modstander. Best gik så vidt i sin tone og formuleringer, at Weizsäcker fandt anledning til at påtale det (Thomsen 1971, s. 136).

Dateringen er udledt af Weizsäckers notits trykt i fodnoten.

Kilde: PA/AA R 29.858. RA, pk. 212. PKB, 13, nr. 388.

Berlin, den … Februar 1943.

Herrn Gesandten Dr. Best,
 Kopenhagen.

Sehr geehrter Herr Dr. Best![31]

Wir haben einen Meinungsaustausch über die Frage gehabt, ob und unter welchen Kautelen die Abhaltung der fälligen Parlamentsneuwahlen in Dänemark politisch empfehlenswert wäre. Sie sind für die Wahlen eingetreten. Ich hatte gewisse Zweifel. Diese habe ich jedoch, um Ihre Verantwortungsfreudigkeit nicht zu beengen, zurückgestellt. Ich eröffne das Gespräch hierüber nicht nochmals. Die Entscheidung des RAM bezw. des Führers bleibt abzuwarten. Das Sachliche ist nicht der Zweck dieses meines Briefes.

Vielmehr schreibe ich, da mir gemeldet wird, Sie hätten die Stellungnahme des AA in der Angelegenheit lebhaft beanstandet. Auch das mag hingehen. Das AA ist daran gewöhnt, von seinen nachgeordneten Außenposten Kritik zu hören. Solange sie sich auf sachlichem Boden bewegt, ist dagegen auch nichts zu sagen. Der Nachgeordnete kriti-

---

31 En vedlagt notits bærer følgende tekst, skrevet af Weizsäcker:
"H[err] U[nter] St[aats] S[ekretär] Pol[itische Abteilung]
Anbei Briefentwurf an Dr. Best.
Bitte um Weitergabe an Ges. v. Grundherr mit dem ich bereits kurz wegen des Weiteren gesprochen habe.
Ws 10."
Herunder er med Woermanns håndskrift tilføjet:
"Aus meinen Quellen ist mir über die Angabe S. 2 nichts bekannt geworden.
W 10."
(Side 2 i det pågældende udkast svarer til sidste stykke i ovenstående trykte tekst) [Note overtaget fra PKB].

siert und der Vorgesetzte entscheidet, beide nach bestem Wissen, das ist nun einmal so.

Nun höre ich aber, Sie hätten in Ihre Kritik die Vermutung gemischt, das AA opponiere Ihrer Anregung, da es Ihnen einen Erfolg in der Sache nicht gönne. Ich halte für ausgeschlossen, daß eine derartige Vermutung von Ihnen je gehegt oder gar ausgesprochen worden sein könnte. Denn sie würde ja nichts anderes unterstellen als die Bereitschaft, einen Erfolg der Politik des Reiches aus niederträchtigen Motiven zu sabotieren. Ich enthalte mich daher jeder Antwort auf eine solche Insinuation. Vielmehr schreibe ich Ihnen das Vorstehende, um Ihnen Gelegenheit zu geben, diese Behauptung in vollem Umfang zu dementieren.

Heil Hitler!

Ihr

[sign. mangler]

143. Rudolf Brandt an Gottlob Berger 10. Februar 1943

Brandt meddelte Berger, at han skulle tøve med at gå videre med planerne om en organisation for frontkæmperne i Danmark til han hørte nærmere.

Kilde: RA, pk. 442.

Der Reichsführer-SS *Feld-Kommandostelle, den 10. Febr. 1943*
Persönlicher Stab
Tgb. Nr. 1492/43
Bra/Bn

Betr: Sammelorganisation für die Frontkämpfer in Dänemark.
Bezug: Dort. v. 1.2.1943[32] – Amt VI – Dr. R/vB. –
        VS-Tgb. Nr. 17/43 g. Kdos.
        VS-Tgb. Nr. 3/43 g. Kdos.

An den   Geheime Kommandosache!
    Chef des SS-Hauptamtes
    SS-Gruppenführer Berger
    Berlin

Lieber Gruppenführer!
Der Reichsführer-SS hat von Ihren Vorschlägen, eine Sammelorganisation für die Frontkämpfer in Dänemark zu gründen, Kenntnis genommen.

Er bittet Sie, mit der Verfolgung dieses Planes noch etwas Geduld zu haben. Ich lasse im Laufe der nächsten 14 Tage wieder von mir hören.

Heil Hitler!

R. Brandt

SS-Obersturmbannführer

32 Trykt ovenfor.

144. Heinrich Himmler: Befehl 10. Februar 1943

På grundlag af indhentede oplysninger gjorde RFSS sig overvejelser omkring opstilling af en germansk SS-division med frivillige fra de germanske lande, herunder hvem der skulle være kommandør, og hvad divisionen skulle hedde.

Divisionen fik ikke det af RFSS foreslåede navn, men Felix Steiner blev dens kommandør.

Samtidig med at Berger og Himmler ville hverve nye frivillige, søgte både A.A. Mussert og Frits Clausen at få de frivillige, der havde gjort tjeneste, tilbage til deres hjemlande, så de kunne styrke deres partier (se Mussert til Seyss-Inquart 6. april 1943 for Hollands vedkommende (*De SS en Nederland*, 2, 1976, nr. 378I)).

Kilde: RA, Danica 1000, T-175, sp. 74, nr. 592.304f.

Für die Neuaufstellung einer germanischen SS-Division stehen folgende Freiwillige aus germanischen Ländern zur Verfügung:

I.

Legion Norwegen	mit rund	600	Mann
Legion Niederlande	–	1.500	–
Freikorps Danmark	–	700	–
Estnische SS-Legion	–	2.000	–
zurzeit im Lager Sennheim vorhandene Freiwillige			–
aus germanischen Ländern		1.650	
noch zu erwartender		2.000	–
Zugang im Februar und März		8.450	–

In den Monaten April und Mai ist ebenfalls noch ein Zugang zu erwarten, sodaß bis Ende Mai ein Grundstock von 10.000 Freiwilligen für eine neue germanische SS-Division vorhanden ist.

II.

Ich stelle mir die Aufstellung dieser neuen Division in absoluter Anlehnung an die Division "Wiking" vor und damit die Bildung eines germanischen SS-Korps, das dann auch fähig wäre, bei einer später sicherlich notwendig werdenden gesetzmäßigen Rekrutierung in den germanischen Ländern den Rahmen für die Erfassung und Ausbildung dieser hereingeholten germanischen Rekruten zu geben.

Der geeignete Kommandeur dieses germanischen Korps wäre der SS-Gruppenführer und Generalleutnant der Waffen-SS Steiner.

III.

Als Name für diese Division schlage ich "Waräger" vor; dieser Name würde wieder ein Gesamtbegriff für Dänen, Flamen, Niederländer, Norweger, Schweden und Schweizer werden, da er alle diese germanischen Stämme verbinden würde.

Feld-Kommandostelle 10. Februar 1943

RF/V.

gez. H. Himmler

145. Werner Best an Joachim von Ribbentrop 11. Februar 1943

Efter at have fået normaliseret det tyske gesandtskabs forhold til det danske kongehus, satte Best sig for, at værnemagten også skulle nå dertil. Von Hanneken havde ordre fra OKW om, at Hitler ikke ville have, at de tyske tropper i Danmark markerede begivenheder i det danske kongehus ved flagning, så som dødsfald eller festdage. Best ønskede, at Ribbentrop skulle formå Hitler til at ændre den befaling og kom med mange argumenter derfor.

Ribbentrop svarede 5. marts 1943, hvortil henvises (Thomsen 1971, s. 134).
Kilde: PA/AA R 29.566. PKB, 13, nr. 384. ADAP/E, 5, nr. 121.

Abschrift.
Der Bevollmächtigte des Reiches in Dänemark   *Kopenhagen, den 11.2.1943*

Sehr verehrter Herr Reichsminister,
die auf Grund Ihrer Genehmigung erfolgte Aufnahme des unmittelbaren Verkehrs mit dem dänischen Königshause hat dem Reiche zwei politische Vorteile eingebracht:

1.) Der neue Status der Beziehungen zwischen dem Reiche und Dänemark ist vom dänischen Staatsoberhaupt freiwillig durch konkludente Handlung anerkannt worden.

2.) Im Lande ist eine große Befriedigung und Beruhigung ausgelöst worden, wodurch die Stellung des Staatsministers von Scavenius außerordentlich gestärkt und die Erfüllung der Besatzungsnotwendigkeiten sowie der übrigen Reichsinteressen sehr erleichtert wird.

(Wie unangenehm unsere Politik dem Feind ist, ergibt sich aus Meldungen von Vertrauensmännern, nach denen auf britischen Befehl die Sabotageakte usw. in Dänemark vervielfacht werden sollen, um uns zur Einführung "norwegischer Methoden" zu zwingen!)

Ich gedachte nun, nicht bei den so erreichten Vorteilen stehen zu bleiben sondern durch stetige Beeinflussung des Kronprinzen und des Königs, die ich für möglich und aussichtsvoll halte, weitere Vorteile für das Reich herauszuholen. Vor allem muß das mit dem Königshause besonders eng verbundene dänische Heer dahin gebracht werden, daß es nicht nur seine deutschfeindliche Haltung ändert sondern daß sogar möglichst viele der überzähligen Offiziere und Unteroffiziere sich mit der ausdrücklichen Zustimmung des Königs zum Dienst in der deutschen Wehrmacht beurlauben lassen. Es gibt junge dänische Offiziere, die gern einmal wirkliche Soldaten sein möchten, die aber bisher durch ihren Fahneneid von dem Ausscheiden aus der dänischen und dem Übertritt in die deutsche Wehrmacht zurückgehalten wurden. Diese Hemmungen möchte ich mit Hilfe des Königshauses – der Regierung bin ich sicher, aber sie hat auf das Heer keinen Einfluß, – aus dem Wege räumen.

Der Erfolg dieses Bemühens kann jedoch in Frage gestellt werden durch den folgenden Befehl, den der Befehlshaber der deutschen Truppen in Dänemark General d[er] I[nfanterie] von Hanneken am 6.2.1943 vom OKW-Wehrmachtführungsstab erhalten hat:

"Der Führer hat angeordnet, daß sich an den dem Befehlshaber der deutschen Truppen in Dänemark gegebenen Richtlinien für sein Verhalten gegenüber dem dänischen Königshaus nichts ändert. Der Befehl, daß bei Trauerfällen oder Gedenktagen im Kgl. Haus keine Beflaggung von seiten der deutschen Wehrmacht stattzufinden hat, bleibt ebenfalls bestehen."

Auch ich befürworte aus sachlichen und aus taktischen Gründen eine weitgehende Zurückhaltung der deutschen militärischen Befehlsstellen gegenüber den Repräsentanten des dänischen Staates einschließlich des Königshauses. Wenn aber der Befehlshaber der deutschen Truppen den König weiter gänzlich ignoriert, wird dies im dänischen Heer, das ja mit dem Befehlshaber – nicht mit mir – zusammenzuarbeiten hat, die von uns erstrebte Umstellung hemmen und die deutschfeindlichen Tendenzen stärken. Auch die dänische Marine, die mit unserer Marine willig und erfolgreich zusammenarbeitet, kommt hierdurch in eine Lage, die ihre innere Aufgeschlossenheit für uns an der vollen Entfaltung hindert.

Ein voller Rückschlag aber würde eintreten, wenn der alte König stürbe und die deutsche Wehrmacht ihm jede Ehrung versagte. Man würde dies nicht verstehen, nachdem der König nun wieder einmal einer vom Reich gewünschten Entwicklung des deutsch-dänischen Verhältnisses nachgegeben hat. Ist doch selbst am Grabe des Sozialdemokraten Stauning ein Kranz des Führers niedergelegt worden!

Ich bitte Sie, Herr Reichsminister, deshalb, beim Führer zu erwirken, daß der Befehlshaber der deutschen Truppen in Dänemark gelegentlich dem König bzw. dem Kronprinzregenten vorgestellt werden darf und daß das Flaggverbot aufgehoben wird.

Man könnte daran denken, die Wiederaufnahme eines offiziellen Verhältnisses des Befehlshabers der deutschen Truppen zum König davon abhängig zu machen, daß an die dänische Wehrmacht bestimmte von uns gewünschte Befehle betr. Beurlaubung zur deutschen Wehrmacht o. ä. erlassen werden. Psychologisch wäre dies allerdings nicht geschickt, weil solche Befehle im gegenwärtigen Augenblick leicht als erpreßt aufgefaßt werden und die Meldefreudigkeit auch der Gutwilligen beeinträchtigen könnten. Es entspricht mehr der dänischen Art, daß eine solche Regelung erst durch Meinungsäußerungen der maßgebenden Persönlichkeiten vorbereitet wird. Diese Meinungsäußerungen herbeizuführen, halte ich für meine politische Aufgabe. Sollte der Führer jedoch bestimmte Bedingungen wünschen, so zweifele ich nicht an der Bereitschaft der dänischen Seite.

Bis ich von Ihnen, Herr Reichsminister, einen Bescheid erhalte, werde ich etwaige dänische Fragen auf dem hier erörterten Gebiet dilatorisch behandeln.

Heil Hitler!
Ihr ergebener
gez. **Werner Best**

146. OKW/WFSt: Vortragsnotiz 11. Februar 1943

OKW/WFSt tog stilling til von Hannekens forslag om opløsning af den danske hær og inddrog Bests argumenter imod. Endvidere blev der taget stilling til von Hannekens mere begrænsede forslag til indgreb over for den danske hær af 7. februar, men da også de ville føre til de af Best frygtede politiske konsekvenser, blev von Hannekens forslag ikke taget til følge.

Kilde: RA, Danica 1069, sp. 1, nr. 615-617.

WFSt/Qu. (III)   *11. Febr. 1943*

Betr.: Maßnahmen gegen die dänische Wehrmacht

Vortragsnotiz

Mit Bericht vom 22.1.43[33] hatte der Befehlshaber der deutschen Truppen in Dänemark zum Ausdruck gebracht, daß er im militärischen Interesse eine Auflösung des dänischen Heeres und die Übernahme sämtlicher Waffen, Munition und der gesamten Ausrüstung und Bekleidung für geboten halte. Im einzelnen wurde in dem Bericht ausgeführt:

1.) Der Nachrichtendienst der dänischen Wehrmacht gegen uns scheint weitgehend ausgebaut.

2.) Versicherung der dänischen Offizierskreise, nicht gewillt zu sein, im Falle des Zusammenbruchs des Reichs Landungen englischer Truppen hinzunehmen, erscheint nicht glaubhaft. Dänische Heeresleitung denkt ständig an Verstärkung der Wehrmacht und bereitet alles vor, um mit England gegen uns vorzugehen.

3.) Gegenwärtige Stärke dänischer Armee:

  1.422 Offz., Offizianten und Offz. Anwärter

  2.900 Uffz. und Mannschaften

  1.100 Arbeitssoldaten

unbedenklich, widersinnig aber das starke Offizierskontingent, dadurch Gefahr, daß beschäftigungslose Offz. Arbeiten für Wiederherstellung der Wehrhoheit leisten.

4.) Verstärkung des bewußt ablehnenden Verhaltens dänischer Offz. und Soldaten (Verweigerung des Grußes).

5.) Keine Berechtigung zur Aufrechterhaltung der dänischen Wehrmacht.

6.) Verhalten der dänischen Marine einwandfrei, sie arbeitet nach Weisungen des Marinebefehlshabers in Dänemark (Minensuchen, Freimachen der Fahrtrinnen, Sprengen von Minen).

7.) Feindliche Einstellung der Offz. gegen deutschfreundliche Politik des Staatsministers Scavenius (Schwierigkeiten für ihn bei Durchführung der Waffenabgabe, die als Eingriff in die Souveränität angesehen wurde).

8.) Übernahme der noch reichlich vorhandenen Waffen, Ausrüstungen und Bekleidungen nutzbringend für deutsche Wehrmacht.

Die vom Befehlshaber der deutschen Truppen eingeholte Stellungnahme des Bevollmächtigten des Reichs spricht sich gegen eine Auflösung des dänischen Heeres aus, von ihm wird Rücktritt der Regierung und Unmöglichkeit der Bildung neuer Regierung mangels Mitwirkung des Königs und Reichstages befürchtet.[34] Damit müsse Verwaltung von Deutschland übernommen werden, dies erfordere erhebliche Personalaufwendung (bisher 200 Köpfe in Dänemark gegenüber 3.000 Köpfe in dem geringer bevölkerten Norwegen) und Erhöhung der Polizeikräfte. Vor allem wird vor Wirkung auf Finnland und Schweden gewarnt. – Die Stimmung der dänischen Offz. und Uffz. sei nicht anders als die von 90 % der Bevölkerung (Attentismus), doch sei daraus nicht auf die Gefahr eines größeren Aktivismus zu schließen.

Auf Grund der Ausführungen des Bevollmächtigten des Reichs sieht der Befh. der deutschen Truppen davon ab, Antrag auf Auflösung der dänischen Armee zu stellen.

Der Befehlshaber der deutschen Truppen hat auf Aufforderung mit Bericht vom

---

33 Trykt ovenfor.
34 Bests stillingtagen er trykt ovenfor under 25. januar.

7.2.43[35] folgende Maßnahmen vorgeschlagen:

1.) Einschränkung der Formationen; Gesamtstärke von 4.322 Offz., Uffz. und Mannschaften sowie 1.100 Arbeitssoldaten darf nicht überschritten werden.

2.) Abgabe aller über diese Stärke hinaus vorhandenen Waffen, Bekleidungen und Ausrüstungen an deutsche Wehrmacht (Waffen und Munitionsbestand s. Anlage).

3.) Belassung von 3-5 Ausstattungen nach deutscher Berechnung, Neuanfertigung von Waffen und Munition nur mit deutscher Genehmigung und Kontrolle.

Zu diesen Maßnahmen bemerkt der Befehlshaber der deutschen Truppen, daß sie mit Sicherheit die vom Beauftragten des Reichs befürchteten politischen Folgen nach sich ziehen.

Ferner werden folgende weitere Vorschläge gemacht:

1.) Verbot der Werbetätigkeit für Wehrertüchtigung des Volkes durch Vorträge von Offizieren und anderen Personen.

2.) Verbot der Schießvereine und Abgabe ihrer Waffen (mehrere tausend alter Gewehre, die sich in Händen des einzelnen Vereinsmitglieds befinden). Abgabe der Vereinslisten.

3.) Verbot von Geländeübungen des Heeres und von Gefechtsschießübungen außerhalb der Schießbahnen.

4.) Verbot von Übungsfunkverkehr und evtl. Ablieferung der Funkausrüstung.

Stellungnahme:

Da die vorgeschlagene Abgabe von Waffen, Munition und Ausrüstung nach einigem Urteil des Befh. d. deutschen Truppen mit Sicherheit diejenigen Folgen hat, die ihn veranlaßten, keinen Antrag auf eine Auflösung der dänischen Armee zu stellen, kann der Abgabe nicht zugestimmt werden. Die weiteren Vorschläge fallen demgegenüber nicht ins Gewicht.

147. Kriegstagebuch/Admiral Dänemark 11. Februar 1943

Efter 2½ års erfaring med danskerne bedømte admiral Mewis arbejdsvilligheden på de danske skibsværfter og generelt den danske befolknings påvirkelighed. Bemærk: Dette dokument er rettelig fra 28. februar 1943.

    Kilde: KTB/ADM Dän 11. februar 1943, RA, Danica 628, sp. 3, s. 1949f.

[...]

XVII. Neues Stahlwerk

In Frederiksvärk am 1.12.42 in Betrieb genommen. Belegschaft z.Zt. 120 Arbeiter. Voraussichtliche Jahresproduktion 40.000 t gewalzter Stahl nach Siemens-Martin-Verfahren. Produktion in den beiden ersten Monaten 6.000 t Profileisen.

[...]

XIX. Arbeitseifer auf den dänischen Werften

Der handwerkliche Ehrgeiz der Arbeiter überwiegt ihre politische Einstellung. Gele-

---

35 Indberetningen er ikke lokaliseret.

FEBRUAR 1943

gentliche Aufschriften oder Bemalungen sind für die Arbeitsausführung ohne Einfluß. Im allgemein sind die Arbeiter arbeitswillig. Schwierigkeiten wegen Überstunden gehen in erster Linie von den Gewerkschaften und den mittleren Angestellten aus, welche gesetzlich keine Überstunden ausgezahlt erhalten. Auf sie sind auch sonstige Schwierigkeiten zurückzuführen. Die Direktionen sind nach außen im allgemeinen entgegenkommend. 2½ jährige Erfahrung aber lehrt, daß ihre Weisungen nach unten anders aussehen. Diese Feststellungen gelten allgemein für alle Werften. Bei der Werft Aalborg ist darüber hinaus sowohl bei der Direktion, wie bei den Angestellten und Arbeitern eine durch ihre politische Einstellung hervorgerufene Unlust zur Arbeit an deutschen Schiffen festzustellen.

XX. Täuschung des Feindes
Nach den vorliegenden Erfahrungen scheint Dänemark hierfür besondere Möglichkeiten zu bieten. Der Däne besitzt Phantasie, ist leichtgläubig und hat eine ausgesprochene Neigung zur Verbreitung von Gerüchten. Irreführung des Feindes kann erreicht werden auf den verschiedensten Wegen wie Blindfunkverkehr, erfundene Meldungen in der Presse, Dementis von irreführenden Gerüchten, durch Aufstellung von Attrappen aller Art und Flüsterpropaganda. (Vgl. OKM 3. Abt. Skl FM – B. Nr. 3478/43 Geh. v. 27.2.43).

Mewis

148. Helmut Bergmann an Werner Best 11. Februar 1943

Gennem VOMI havde det tyske mindretals leder Jens Møller sendt sin stilling til en deltagelse i det kommende valg. Best fik en kopi og blev bedt om at forhandle med Møller og melde tilbage.

Best svarede med telegram nr. 197, 24, februar 1943.

Kilde: PA/AA R 100.355. VOMIs brev til AA 6. februar 1943 er trykt i PKB, 14, nr. 144.

Nr. 93 22/05 Erh. Dg Kopenhagen BE + (e)   *Berlin, den 11. Februar 1943*

Telegramm

Diplogerma Kopenhagen
Nr. 224
Referent: LR. Dr. Reichel
Betreff: Wahlen in Dänemark

Volksgruppenführer Dr. Möller teilt zur Beteiligung der deutschen Volksgruppe in Nordschleswig an den Wahlen in Dänemark über die Volksdeutsche Mittelstelle folgendes mit:

1.) Da die gesamten Kräfte der Volksgruppe seit dem 3. Sept. 1939 und insbesondere seit dem 9. April 1940 vollkommen auf den Kriegseinsatz abgestellt sind, ist für die Durchführung einer Wahl bei der Volksgruppe keine innere Resonanz vorhanden.

2.) Es würde in der gegenwärtigen Lage bei der Proklamation des totalen Einsatzes im Reich nicht vertretbar sein, den Einsatz der Volksgruppe bei den Kriegsaufgaben durch eine Wahl abzudrängen.

3.) Nach den z.Zt. vorliegenden Ermittlungen sind über 7.500 Volksgenossen, die bis auf einen ganz geringen Prozentsatz, alle im wahlpflichtigen Alter stehen, in Nordschleswig ortsabwesend. Sie stehen entweder im Waffen- oder im Arbeitseinsatz im Reich oder in Jütland. Die Erfassung dieser Volksgenossen für den Wahlvorgang dürfte nicht möglich sein.

4.) Die Volksgruppe hält daher eine Beteiligung an der Wahl nicht für zweckmäßig, umsomehr als ein, durch den starken auswärtigen Einsatz bedingter zahlenmäßiger Rückgang auch vom Standpunkt der Reichspolitik aus nicht als tragbar angesehen werden kann.

5.) Die Folge einer Nichtbeteiligung an der Wahl wäre der Verlust des Folketingsmandats des Volksgruppenführers.

6.) Bei einem Verlust des deutschen Folketingsmandats ist die Errichtung einer Volksgruppenvertretung unbedingt notwendig. Damit würde für die Belange der Volksgruppe in Kopenhagen eine Zentrale geschaffen, die gleichzeitig der deutsch-dänischen Befriedigung und der allgemeinen Politik des Reiches nutzbar gemacht werden könnte.

7.) Die Forderung nach einer solchen Kanzlei müßte in Verbindung mit etwaigen Verhandlungen über die deutsche Wahlbeteiligung sofort gestellt werden und zwar in der Form, daß gegebenenfalls der Staatsminister von sich aus als Ausgleich für den Verzicht auf die Wahlbeteiligung ein entsprechendes Angebot macht.

Zu den kommunalen Wahlen sind von der Volksgruppe aus folgende Punkte geltend zu machen:

1.) Für eine Nichtbeteiligung der Volksgruppe sind dieselben Gesichtspunkte geltend zu machen, wie bei der Folketingswahl.

2.) Die Folge wäre, daß die Volksgruppe aus sämtlichen kommunalen Körperschaften ausscheidet. Sollten sog. Friedenswahlen auf der Grundlage des status quo allgemein in Nordschleswig möglich sein, würden gegen eine solche Regelung von der Volksgruppe aus keine Bedenken erhoben werden brauchen.

3.) Sind solche Friedenswahlen nicht möglich, sollte dafür Sorge getragen werden, daß die Volksgruppe die Möglichkeit erhält, ihre kommunal-politischen Interessen auf andere Weise zu vertreten. Zu diesem Zweck könnten von der Volksgruppenführung aus besondere Referenten ernannt werden, mit denen die jeweils zuständigen Personen oder Körperschaften sich in allen Angelegenheiten, die das deutsche Leben betreffen, ins Vernehmen zu setzen hätten.

Die Volksgruppe wird bei der starken Herausstellung der kriegsbedingten Aufgaben, wie sie bereits für die Arbeit in Nordschleswig in den letzten Jahren kennzeichnend ist, für die Notwendigkeit der Durchführung von Wahlen ohnehin kein großes Verständnis haben, so daß ein etwaiger Beschluß der Volksgruppenführung, sich nicht zu beteiligen, psychologisch der gegenwärtigen Lage angepaßt ist. Außerdem wird diese kriegsbedingte Stellungnahme auch auf das Dänentum zu wirken in der Lage sein."

Es wird unmittelbare Erörterung der angeschnittenen Fragen mit Volksgruppenführer Dr. Möller und Bericht gebeten.

gez. Bergmann

FEBRUAR 1943

149. Franz von Sonnleithner an Werner Best 13. Februar 1943

Undervejs i AAs overvejelser om Bests forslag om afholdelse af valg i Danmark, måtte han i flere omgange svare på spørgsmål om både et valgs forløb og dets konsekvenser.

Bests svar på Ribbentrops spørgsmål indløb endnu samme dag. Se det følgende telegram (Thomsen 1971, s. 137, Kirchhoff, 1, 1979, s. 195f.).
Kilde: PA/AA R 29.566. RA, pk. 202. PKB, 13, nr. 385.

Telegramm

Sonderzug, den	13. Februar 1943	01.20 Uhr
Ankunft, den	13. Februar 1943	01.45 Uhr
Büro RAM/65/R		

Nr. 309 vom 13.2.[43.]

1.) Chiffrierbüro Telko
2.) Diplogerma Kopenhagen

Für Bevollmächtigten persönlich.

Reichsaußenminister bittet Sie um folgende nähere Angaben zur Frage der Neuwahl des dänischen Reichstags:

1.) Sie erwarten als Ergebnis dieser Neuwahlen einen Zuwachs der dänischen nationalsozialistischen Partei. Es interessiert, wie hoch dieser Zuwachs sich ziffernmäßig nach Ihrer Schätzung belaufen würde und welche Stellung die Partei Clausens dann im Rahmen der anderen Parteien einnehmen könnte.

2.) Es ist hier nicht bekannt, welche dänischen Parteien außer der Clausens positiv zu uns eingestellt sind. Könnten Sie deshalb einen kurzen Überblick über die Parteien geben, die uns freundlich oder feindlich gegenüberstehen und dabei anführen, welche Veränderungen Sie sich durch die Neuwahlen bei diesen Parteien zu unseren Gunsten erwarten?

3.) Sind Sie der Meinung, daß mit Sicherheit verhindert werden kann, daß durch die Neuwahlen uns feindlich gesinnte Parteien verstärkt werden? Der unangenehme Eindruck, der dadurch hervorgerufen würde, muß unbedingt vermieden werden.

4.) Zur Frage der Wahlagitation bittet Sie Reichsaußenminister, zu erwägen, ob sich eine Wahl ohne jede Agitation tatsächlich durchführen läßt oder ob ein solches Vorhaben von unseren Feinden propagandistisch ausgewertet werden könnte. In dem Falle, daß Sie die Durchführung einer Wahlagitation vorschlagen sollten, müßten geeignete Wahlparolen festgelegt werden etwa in dem Sinne, daß Dänemark dem Grundsatz treu bleiben wolle, sich nicht aktiv am Kriege zu beteiligen und daß es für die Zusammenarbeit mit Deutschland im antibolschewistischen Sinne eintreten solle; es müßte auch klargestellt werden, welche Partei solche Wahlparolen verbreiten soll.

Reichsaußenminister bittet Sie um umgehende Stellungnahme zu diesen Fragen.

Sonnleithner

224 FEBRUAR 1943

Vermerk:
Unter Nr. 231 an Diplogerma Kopenhagen weitergeleitet.
Berlin, 13.2.43
Pers. Ch. Tel.

150. Werner Best an Joachim von Ribbentrop 13. Februar 1943

I sine svar til Ribbentrop betonede Best kontinuiteten ved et valgs afholdelse. Regeringens sammensætning ville forblive uforandret, og der ventedes kun små ændringer i styrkeforholdet mellem partierne. Med hensyn til DNSAP var svaret udpræget kynisk og optikken rent instrumentel, og det fremgår klart, at Frits Clausen ikke havde store forventninger til valgresultatet, lige som hans forventninger til Best kunne ligge på et lille sted (Thomsen 1971, s. 137, Kirchhoff, 1, 1979, s. 195f., Herbert 1996, s. 339).
Kilde: PA/AA R 29.566. PKB, 13, nr. 386. ADAP/E, 5, nr. 129.

Telegramm

| Kopenhagen, den | 13. Februar 1943 | 17.30 Uhr |
| Ankunft, den | 13. Februar 1943 | 18.45 Uhr |

Nr. 148 vom 13.2.[43.]

Für Herrn Reichsaußenminister persönlich!

Auf Drahterlaß Nr. 231[36] / 13 vom 13. Februar berichte ich:

1.) Die DNSAP hat in der Reichstagswahl 1939 31.000 Stimmen erlangt. Dr. Clausen rechnet auf Grund des bisherigen Mitgliederzuwachses, auch unter Berücksichtigung aller ungünstigen Umstände, auf wenigstens 50.000 Stimmen in der neuen Wahl.[37] Aber selbst wenn die Partei nur ihre frühere Stimmenzahl hielte, würde dies ihre Brauchbarkeit als Instrument der deutschen Politik nicht beeinträchtigen. Ihre Bedeutung liegt nicht in ihrer Größe, sondern in ihrem Vorhandensein, durch das die übrigen Parteien bezw. Bevölkerungsgruppen unter einem gewissen Druck gehalten werden.

Eine Beteiligung der Partei an der Regierung käme auch nach der Wahl aus den gleichen Gründen wie im November 1942 nicht in Frage und wird auch von Dr. Clausen nicht erstrebt.

2.) Die Parteien des dänischen Reichstags sind zur Zeit die folgenden:
Sozialdemokraten (64 Mandate), Venstre (30 Mandate), Konservative (26 Mandate), Radikale (14 Mandate), Bauernpartei (4 Mandate), Nationalsozialisten (3 Mandate), Schleswigsche Partei (1 Mandat).
Die vier ersten Parteien tragen die Regierung Scavenius und betreiben insofern praktisch eine prodeutsche Politik, obwohl man ihre Organisation und ihre Anhänger nicht als "deutschfreundlich" bezeichnen kann. Daran wird sich auch durch die Neuwahlen

36 Pol VI V.S. Trykt ovenfor.
37 Se også Frits Clausens angivelige vurdering af valgresultatet i Bests telegram nr. 269, 11. marts 1943.

FEBRUAR 1943

nichts ändern. Der Vorteil für die deutsche Politik wird gerade darin liegen, daß diese vier "Sammlungs-Parteien" wieder die überwiegende Mehrheit aller Stimmen erhalten werden und daß dieses Ergebnis ein positives Plebiszit für die von diesen Parteien getragene Regierung Scavenius darstellen wird.

3.) Der Staatsminister von Scavenius hat mir heute auf meine Frage nochmals versichert, daß er nicht mit wesentlichen Verschiebungen in den Stimmenzahlen der Parteien rechne. Die Chancen der konservativen Partei, die als besonders feindselig zu bewerten ist, sind in der letzten Zeit durch die im Lande anerkannten Erfolge des Staatsministers stark vermindert, so daß sie nach seiner Auffassung nicht viel auf Kosten der Venstre und der Radikalen (der Partei des Staatsministers) gewinnen wird. Die Sozialdemokraten als überragend stärkste Partei haben Verluste an die Konservativen nicht zu befürchten; sie werden den als deutschfreundlich bekannten Sozialminister Lauritz Hansen als einen ihrer führenden Kandidaten aufstellen.

Feststeht, daß der Bestand und die Zusammensetzung der Regierung durch das Wahlergebnis auf keinen Fall berührt werden wird.

4.) Zur Frage der Wahlagitation hat mir der Staatsminister von Scavenius heute nochmals bestätigt, daß die Wahl ohne Agitation durchgeführt werden kann. Er ist mit mir der Meinung, daß der von dänischer Seite ausgesprochene Verzicht auf Agitation keinenfalls vom Feind ausgewertet werden könnte. Er hat hingegen nochmals darauf hingewiesen, daß ein Verbot der Wahl ihm große rechtliche und politische Schwierigkeiten bereiten und vor allem vom Feind – wie die tastende britische Funkpropaganda bereits erkennen läßt – stärkstens gegen ihn und gegen die deutsche Politik in Dänemark ausgenutzt werden würde.

Dr. W. Best

151. Seekriegsleitung Qu A VI an das Auswärtige Amt 13. Februar 1943

Seekriegsleitungs skibsfartsafdeling og det danske rederi "Det Forenede Dampskibsselskab" kunne ikke blive enige om, hvad det skulle koste månedligt fortsat at leje skibene "Dronning Maud" og "Kjöbenhavn". AA fik oversendt Seekriegsleitungs tilbud.

AA fik endnu et brev fra Seekriegsleitung 18. februar vedrørende samme sag.

Kilde: RA, Danica 628, sp. 7, nr. 5257.

Abschrift von Skl. Qu A VI r 703/43 II. Ang.

Skl. Qu A VI r 703/43 II. Ang.   *Berlin, den 13. Febr. 1943*

An Auswärtiges Amt
   zu Hd. des Vortr. Leg. Rat Bisse
   Berlin

Betr.: Charterung zweier dänischer Schiffe durch die K.M.
Vorg.: OKM Skl. Qu A VI r 12745/42 geh. vom 17.12.42.[38]

---

38 Trykt ovenfor.

Im Anschluß an das Vorgangsschreiben werden anbei 3 Abschriften eines Gutachtens des Wehrwirtschaftsführers Müller über dem Wert der dänischen Schiffe "Dronning Maud" und "Kjöbenhavn" übersandt. Die Totalverlustsummen sind demnach auf das dreifache des Wertes bei Kriegsbegin gesetzt. Als normaler angemessener Friedenscharterbetrag für große Schiffe ausschl. Fahrkosten sind 15-20 % des jeweiligen Zeitwertes anzusehen. Selbst wenn man eine gewisse Wertsteigerung der Schiffe berücksichtigt, erscheinen die verlangten Charterbeiträge um ein Mehrfaches übersetzt, zumal die K.M. jegliches Risiko trägt. Es können daher, selbst wenn man den besonderen Umständen Rechnung trägt, höchstens folgende Chartersätze äußerstenfalls bewilligt werden:

bei "Dronning Maud" 50.000.- d.Kr. monatlich,

bei "Kjöbenhavn" (einschl. Bemannung) 85.000.- d.Kr. monatlich.

Im Auftrage

gez. **Otto Kähler**

152. Werner von Grundherr: Notiz 15. Februar 1943

Med visse nuancer tilsluttede von Grundherr sig forsigtigt Bests ønske om afholdelsen af et valg i Danmark. Det Konservative Folkepartis chancer ved et valg vurderede von Grundherr anderledes positivt end Best.
Kilde: PA/AA R 29.566. RA, pk. 202.

Zu Pol VI 7858 g

Zum Drahtbericht Nr. 148 vom 13.2 aus Kopenhagen.[39]

Dem Reichsbevollmächtigten Dr. Best liegt es in erster Linie daran, die innerpolitischen Stellung des Ministerpräsidenten und Außenministers Scavenius dadurch zu stärken, daß wir unter Achtung der dänischen Verfassung Neuwahlen zum Reichstag stattfinden lassen. Dabei führt er meines Erachtens mit Recht aus, daß eine Schwächung der die Regierung Scavenius tragenden 4 Sammlungsparteien (Sozialdemokraten, Venstre, Konservative und Radikale) nicht zu erwarten sein wird. Zweifellos werden diese 4 Parteien, wie Dr. Best ausführt, die überwiegende Mehrheit aller Stimmen erhalten.

Ob und gegebenenfalls welche Verschiebungen innerhalb der einzelnen Parteien stattfinden werden, ist schwieriger zu beurteilen: sehr wesentlich dürften diese Verschiebungen kaum werden. Das Wahlergebnis für die DNSAP Clausen wird meines Erachtens in jedem Falle dartun, daß es sich um eine prozentual schwache Partei handelt. Nur diese Partei ist, zusammen mit der Schleswigschen Partei (z.Zt. 1 Mandat) als ausgesprochen deutschfreundlich anzusprechen. Die Konservative Partei, die zweifellos als besonders deutschfeindlich anzusehen ist, wird vielleicht einige Gewinne buchen können.

Unsere Zustimmung zur Abhaltung der Wahlen würde sich propagandistisch besonders in Finnland, aber auch in Schweden günstig auswirken.

Hiermit dem Büro RAM

Berlin, den 15. Februar 1943.

gez. **Grundherr**

---

39 Best til Ribbentrop. Trykt ovenfor.

153. Werner Best an das Auswärtige Amt 15. Februar 1943

Det Tyske Gesandtskab havde støttet DNSAPs arbejdstjeneste siden 1941 med meget betydelige beløb, selv om tilslutningen forblev ringe. Den tyske rigsarbejdsfører Konstantin Hierl ønskede imidlertid en selvstændig arbejdstjeneste i Danmark, men mødte ringe velvilje fra AA (se notitserne 5. og 7. januar 1943), og i frustration hjemkaldte han sin repræsentant i Danmark, arbejdsfører Hans Scheifarth. Det havde AA ikke noget imod, men Best intervenerede hos AA for at sikre Scheifarths forbliven. Han angav politiske grunde, herunder valget, og de fremtidige muligheder for arbejdstjenesten.

På den baggrund henvendte Weizsäcker sig 18. februar til Hierl (Karen Marie Nielsen: *Landsarbejdstjenesten*, 1946, s. 19-22, Lauridsen 2002a, s. 475, Bonde 2001, s. 549f.)

Kilde: PA/AA R 29.566. RA, pk. 202.

Telegramm

Kopenhagen, den	15. Februar 1943	19.00 Uhr
Ankunft, den	15. Februar 1943	19.45 Uhr

Nr. 155 vom 15.2.[43.]

Arbeitsführer Scheifarth, der mir als Berater für Fragen Arbeitsdienstes der DNSAP seinerzeit zugeteilt worden ist, hat mir mitgeteilt, daß der Reichsarbeitsführer seine Rückberufung zum Ende dieses Monats angeordnet habe. Bitte zu prüfen, ob nicht Regelung getroffen werden kann, nach der Scheifarth bis auf weiteres hier bleibt und der Zustand hinsichtlich des Arbeitsdienstes in Dänemark so aufrechterhalten bleibt, wie er bisher war. Ausscheiden Scheifarths würde nicht nur bedeuten, daß Arbeitsdienst der DNSAP zurückgehen und an Werbekraft verlieren würde, sondern würde zweifellos auch dahin ausgelegt werden, daß auf diesem Teilgebiet die deutsche Unterstützung der DNSAP zurückgezogen würde. Dies wäre im gegenwärtigen Augenblick, besonders im Hinblick auf möglicherweise bevorstehende Reichstagswahl, aus politischen Gründen unerwünscht. Auch im Hinblick auf künftige allgemeine Entwicklung des Arbeitsdienstgedankens in Dänemark halte ich es für zweckmäßig, daß wenigstens gegenwärtiger Zustand als Ausgangsbasis späterer Entwicklung erhalten bleibt. Wird er jetzt aufgegeben, so werden später nur mit größerer Mühe neue Ansatzpunkte geschaffen werden müssen.

Bitte um Prüfung, ob nicht doch unter Berufung auf meinen Wunsch an Reichsarbeitsführer Bitte gerichtet werden kann, Arbeitsführer Scheifarth in Kopenhagen zu belassen. Scheifarth ist der Auffassung, daß man im Reichsarbeitsdienst einer solcher Bitte entsprechen würde.

Dr. Best

154. Politische Informationen für die deutschen Dienststellen in Dänemark 15. Februar 1943

Efter ubetydelige udenrigspolitiske meddelelser, gav *Politische Informationen* en fyldig redegørelse for den illegale organisation Frit Danmark efter at en række fremtrædende medlemmer var blevet anholdt. Sagens håndtering i offentligheden var viet særlig opmærksomhed.

Kilde: RA, Centralkartoteket, pk. 680.

FEBRUAR 1943

Der Bevollmächtigte des Reiches in Dänemark   *Kopenhagen, den 15. Februar 1943*

Politische Informationen
für die deutschen Dienststellen in Dänemark.

Betr: I. Mitteilungen aus der Außenpolitik.
       II. Die illegale Organisation "Frit Danmark."

I. Mitteilungen aus der Außenpolitik

1.) Zum 30. Januar 1943 hat der dänische Staatsminister von Scavenius telegrafische bzw. schriftliche Glückwünsche an den Reichsaußenminister und an den Reichsbevollmächtigten gerichtet.[40] Auch der Finnische Gesandte Pajula hat dem Reichsbevollmächtigten einen schriftlichen Glückwunsch gesandt.[41]

2.) Der finnische Versorgungsminister Ramsay hat am 4.2.43 auf der Durchreise durch Kopenhagen in Begleitung des Finnischen Gesandten dem Reichsbevollmächtigten einen Besuch abgestattet.

3.) Am 6. Februar ist der Reichsbevollmächtigte mit dem dänischen Staatsminister von dem Kronprinz-Regenten zur ersten Besprechung empfangen worden. Eine Beglaubigung als diplomatischer Vertreter beim dänischen Staatsoberhaupt ist nicht erfolgt.

4.) Der Militärattaché Generalleutnant von Uhtmann und der Luftattaché Oberst von Heimann, beide mit dem Amtssitz in Stockholm, sind b.a.w. von der Wahrnehmung der Aufgaben als Militärattaché bzw. Luftattaché in Kopenhagen entbunden worden. Mit der Wahrnehmung der bisher dem Militärattaché bzw. dem Luftattaché obliegenden Aufgaben ist b.a.w. der Befehlshaber der deutschen Truppen in Dänemark beauftragt worden. Die Regelung erfolgt aus Zweckmäßigkeitsgründen und bedeutet nicht die Aufhebung der Stellen des Militär- und des Luftattachés in Kopenhagen.

II. Die illegale Organisation "Frit Danmark"

1.) Vor dem Ausbruch des Krieges mit Sowjetrußland (22.6.41) war von einer Hetzschriftenpropaganda gegen Deutschland oder gegen die deutsche Besatzung in Dänemark kaum etwas zu merken. Es zeigten sich ab und zu Handzettel oder Schmierereien, die aber offenbar nur Einzelaktionen deutschfeindlicher Personen waren. Der Beginn des Krieges gegen Sowjetrußland führte zum Verbot der Kommunistischen Partei Dänemarks und damit zur Organisation einer illegalen KP, deren Vorhandensein sich in der Folgezeit mehr und mehr in der Verbreitung von deutschfeindlichen Hetzschriften äußerte. Neben Schriften, deren kommunistischer Charakter eindeutig erkennbar war (z.B. "Land og Folk"), erschien im April 1942 erstmalig eine neue Monatsschrift "Frit Danmark." In dieser Hetzschrift heißt es u.a. wörtlich:

---

40 Det var i anledning af 10-året for Hitlers magtovertagelse.
41 Den finske gesandt ville lægge låg på den angivelige fornærmelse af Best i december. Se Best til AA 11. december 1942.

"Frit Danmark wird danach streben, ein Ausdruck dessen zu sein, was alle Dänen wirklich fühlen und denken. Wir wollen die heimatliche dänische Stimme sein in einer Zeit, wo Unterdrückungen, Gewalt und Überfall herrschen.

Unsere geborenen Feinde sind der deutsche Nazismus und seine dänischen Ableger.

Ein bestimmter und konsequenter Widerstand gegen die deutschen Übergriffe ist es, den die Zeit von jedem Einzelnen von uns fordert.

Wir müssen selber mithelfen. Es soll nicht der Fall sein, daß Dänemark in dem gemeinsamen Kampf gegen die Tyrannen der ganzen Welt fehlt.

Wir vertreten alle Bevölkerungsschichten und alle politischen Anschauungen hier im Lande, wir fordern: "Heraus aus dem Lande mit den deutschen Besatzungstruppen und ihren Anhängern!"

Es wurde ferner zu Sabotage jeglicher Art aufgefordert, um die Kriegführung Deutschlands mit allen Mitteln zu erschweren. Darüber hinaus wurden alle "guten Dänen" ermahnt, sich zusammenzuschließen, um der gegenwärtigen Regierung ihre "Nachgiebigkeit" gegenüber den Deutschen zu erschweren und für eine starke nationale Regierung zu kämpfen.

Als geistiger Urheber der Hetzschrift wurde entsprechend ihrem Inhalt zunächst die dänische nationalistische Widerstandsbewegung vermutet. Erst durch einen Zugriff der dänischen Polizei, die im Juni 1942 eine Druckerei aushob,[42] in der "Frit Danmark" neben anderen rein kommunistischen Hetzschriften gedruckt wurde, zeigte es sich, daß die Urheber in der illegalen KP zu suchen waren.

"Frit Danmark" war der Ausdruck der allgemeinen Taktik der Kommunisten in den besetzten Gebieten, die auf Weisung von Moskau dahin geht, unter nationalistischer Tarnung die allgemeine Unzufriedenheit und die feindselige Stimmung gegen Deutschland zu schüren. In einer folgenden Nummer von "Frit Danmark" heißt es ausdrücklich:

"Frit Danmark wird von einem Kreis von Menschen herausgegeben, die ganz verschiedene politische Ansichten vertreten, die sich aber darüber einig sind, daß das Verhalten verschiedener Regierungsmitglieder gegenüber den Deutschen wahrlich nicht der Sache nutzt, die alle Dänen verbindet, nämlich dem Kampf für ein freies Dänemark. Dieser Kreis von Menschen ist sich sowohl mit Christmas Möller einig, als er noch hier im Lande war, wie auch mit den Kommunisten, die im Kampf für Dänemark unschätzbare Dienste leisten."

Die polizeiliche Untersuchung führte jedoch nicht zu weiteren Ergebnissen. Auch ein kriegsgerichtliches Ermittlungsverfahren, das wegen des militärisch bedeutsamen Inhalts der Hetzschriften seitens des Befehlshabers der deutschen Truppen angeordnet war, brachte zunächst keine Klärung des Verfasser- und Verteilerkreises von "Frit Danmark."

2.) Durch die seit Anfang November 1942 im Gange befindliche Aktion gegen die illegale KP in Kopenhagen gelang es, Einblick in die Organisation "Frit Danmark" zu gewinnen und einige führende Mitglieder festzunehmen. Als Ergebnis der deutschen

---

42 Det var et bogtrykkeri i Glumsø på Midtsjælland. Ejeren og hans bror blev anholdt 22. juni 1942 af dansk politi. De blev 26. marts 1943 idømt hhv. et og to års fængsel (PKB, 7, s. 242, Snitker 1977, s. 37f.).

230   FEBRUAR 1943

polizeilichen Untersuchung, die sich wesentlich auf die Aussagen des Leiters der illegalen KP Aksel Larsen stützt,[43] ist folgendes festgestellt worden:

Gemeinsam mit dem inzwischen nach England geflüchteten ehemaligen dänischen Handelsminister Christmas Möller faßte Aksel Larsen zu Beginn des Jahres 1942 den Entschluß, eine Art "kleiner Volksfront-Bewegung" zu schaffen. Man wollte mit dieser zu bildenden Organisation die Opposition im Lande sammeln und sie auffordern, alles zu tun, was der Beseitigung, mindestens aber der Beschränkung der deutschen Herrschaft über Dänemark dienen könne. Gleichzeitig sollte eine einheitliche Opposition gegen die Politik der Nachgiebigkeit der Dänischen Regierung geschaffen werden. Auf weite Sicht war geplant, "Frit Danmark" allmählich zu einer Art "Dach-Organisation" aller aktiven politischen Widerstandsbestrebungen zu entwickeln. Diese Gedanken hat Christmas Möller persönlich in dem von ihm verfaßten Leitartikel der ersten Nummer von "Frit Danmark" zum Ausdruck gebracht.

Der Initiative Christmas Möllers gelang es auch, eine Besprechung zwischen Aksel Larsen und dem bekannten Professor Hal Koch in der Wohnung des Professors Ole Chiewitz im Frühjahr 1942 herbeizuführen. Professor Hal Koch billigte zwar grundsätzlich die Idee einer Vereinigung aller Dänen zum Kampf für ein freies Dänemark, glaubte es aber seiner Stellung schuldig zu sein, nicht unterirdisch gegen die gegenwärtige Regierung zu arbeiten.[44] Weitere Versuche hatten mehr Erfolg. So wurden für die illegale Arbeit Ärzte, Rechtsanwälte, Redakteure, ein Bibliotheksdirektor usw. gewonnen und schließlich die Gründung von "Frit Danmark" beschlossen, die dann im März 1942 erfolgte.

Es entstand in Kopenhagen ein Komitee, welches gleichzeitig für das ganze Land zuständig war. Von den Mitgliedern dieses Komitees sind die folgenden festgenommen: Aksel Larsen, Prof. Ole Chiewitz, Bibliotheksdirektor Dössing, Direktor Karl Wilhelm Jensen, Rechtsanwalt Rud. Prytz, Rechtsanwalt Ernst Petersen. Gesucht werden noch u.a.: Prof. Mogens Fog (langjähriges Parteimitglied der DKP), Redakteur Ole Kiilerich (Nationaltidende), Houmann (Geschäftsführer und Kassenverwalter der illegalen DKP).[45]

In den Provinzstädten Odense, Esbjerg, Aarhus und Aalborg gab es örtliche Komitees.

Es bestand die weitere Absicht, für eine Reihe von Berufsarten besondere Gruppen zu organisieren. Für Ärzte, Juristen und Studenten waren solche bereits eingerichtet. Mit der Leitung der Juristengruppe war der erwähnte Rechtsanwalt Prytz beauftragt.

"Frit Danmark" war somit eine regelrechte Organisation, die nach außen unparteiisch national auftrat. Die Kommunisten, die entscheidend an ihrer Bildung beteiligt waren, hielten sich mit ihren Parolen zurück. Andrerseits wurden die Mittel für den Druck und die Verbreitung des Propagandaorganes, die Hetzschrift "Frit Danmark",

---

43 Som det fremgår af Gestapos forhørsprotokol, gav Aksel Larsen talrige oplysninger om Frit Danmark. Imidlertid var de fleste medlemmer af ledelsen efter hans anholdelse blevet advaret derom, men valgte alligevel ikke at gå under jorden, hvorfor de påfølgende blev arresteret (Snitker 1977, s. 45f.). Muligvis blev Ernst Petersen ikke advaret (se Skov 2008, s. 63-65).

44 Sådan forholdt det sig (Snitker 1977, s. 19f.).

45 Af de tre eftersøgte lykkedes det Gestapo at anholde Mogens Fog 14. oktober 1944.

von der illegalen KP-Leitung zur Verfügung gestellt. Das Blatt erschien gedruckt und vervielfältigt in einer monatlichen Auflage von ca. 20.000 Exemplaren und wurde zum größten Teil mit der Post versandt. Durch dieses Hetzblatt und durch mündliche Agitationsarbeit war es bereits gelungen, große Teile der bürgerlichen Bevölkerung mit den Gedankengängen von "Frit Danmark" bekannt zu machen. Auf die Bearbeitung der Arbeiterschaft wurde weniger Gewicht gelegt, weil diese effektiv durch die Kommunistische Partei erfaßt werden sollte.

Die Festnahme der oben genannten Mitglieder der Organisation "Frit Danmark" erregte in Dänemark wie in Schweden und Finnland erhebliches Aufsehen, insbesondere die des Professors Chiewitz. Prof. Ole Chiewitz, der seine Mitarbeit in "Frit Danmark" voll eingesteht, spielte eine führende Rolle im Dänischen Roten Kreuz und war leitender Arzt im dänischen zivilen Luftschutz. Er hat als Wissenschaftlicher (Finseninstitut) und als nationaler Däne in der Öffentlichkeit einen guten Ruf. In Deutschland ist er nach seinen Angaben mit Professor Sauerbruch gut bekannt.[46] Im russisch-finnischen Krieg 1939 und im jetzigen Krieg hat er auf finnischer Seite als Arzt gewirkt. Seine Festnahme veranlaßte daher auch die Finnische Regierung zu einer offiziellen Anfrage beim Dänischen Außenministerium. Es war schwer verständlich, daß gerade dieser Mann, der kein Kommunist ist, sich mit den Kommunisten zusammengefunden hat. Wie er selbst erklärt, war er sich mit ihnen aber in der Bekämpfung des deutschen Einflusses in Dänemark einig und wollte sich ihrer Unterstützung bedienen, um wieder ein freies Dänemark ohne deutsche Besatzung zu schaffen.

Zur allgemeinen Unterrichtung der Öffentlichkeit erschien in der dänischen Tagespresse am 11.12.1942 eine amtliche Mitteilung, worin ausgeführt wird, daß die zunehmende Aktivität der illegalen kommunistischen Gruppen in Dänemark, insbesondere ihre Aufforderung zur Sabotage, zu einer verschärften Bekämpfung und zur Festnahme einer Anzahl von Kommunisten, so des Parteisekretärs Aksel Larsen, sowie zur Verhaftung weiterer Personen geführt hat, die zwar nicht kommunistisch eingestellt sind, sich aber mit den Kommunisten verbunden haben, um der Politik der Dänischen Regierung entgegenzuarbeiten und den Widerstand gegen die deutschen Besatzungstruppen zu organisieren. Anschließend wurde näher auf Professor Ole Chiewitz eingegangen. Diese Pressebekanntmachung hat in der Öffentlichkeit gut gewirkt.[47]

Auch der Staatsminister von Scavenius hat in diesem Zusammenhang Mitte Dezember 1942 vor dem dänischen Reichstag den Fall Chiewitz erwähnt und u.a. erklärt, es könne keine "private Außenpolitik" einzelner Dänen geduldet werden.

Professor Chiewitz und die übrigen festgenommenen Anhänger von "Frit Danmark" sind inzwischen im Einvernehmen mit dem Befehlshaber der deutschen Truppen den dänischen Justizbehörden zur weiteren Veranlassung und zur eigenen Aburteilung überlassen worden. Die dänische Untersuchung ist zur Zeit noch im Gange.

Die Fahndung der dänischen Polizei nach Professor Mogens Fog und dem Redakteur Ole Kiilerich, die beide leitende Personen in der Organisation waren, hat bisher

---

46 Kirurgen Ferdinand Sauerbruch, Berlin. Han var ikke medlem af NSDAP, men "völkisch"-nationalist og nød meget høj agtelse i Det Tredje Rige, var rigt dekoreret og bevilgede midler til bl.a. menneskeforsøg (Mengeles i Auschwitz).

47 Meddelelsen udgik gennem UMs Pressebureau. Trykt hos Alkil, 1, 1945-46, s. 210.

noch nicht zu einem Ergebnis geführt. Dem Vernehmen nach sollen sie sich aber noch im Lande aufhalten. Prof. Fog hat inzwischen auch zwei Briefe geschrieben, die von kommunistischer und nationalistischer Seite vervielfältigt wurden. Er fordert hierin erneut zum Widerstand und zur Sabotage gegen Deutschland auf.[48] Deshalb wurde in der Tagespresse vom 2.2.43 eine neue amtliche Presseveröffentlichung mit Lichtbildern von Fog und Kiilerich bekanntgegeben, worin das staatsfeindliche Treiben von "Frit Danmark" abermals aufgezeigt und eine Belohnung von je 5.000,- Kronen für Mitteilungen aus der Bevölkerung, die zur Festnahme von Prof. Fog oder Kiilerich führen, ausgesprochen wurde.[49]

Durch die geschilderten Maßnahmen ist der Organisation ihre bisherige Leitung zerschlagen worden. Es ist aber durchaus zu erwarten, daß andere deutschfeindliche Elemente versuchen werden, diese Arbeit fortzusetzen. Die Bekämpfung dieser Bestrebungen, die Dänemarks Interessen im Verhältnis zum Reich schwer schädigen, wird in wirksamer Zusammenarbeit mit der dänischen Polizei weiter fortgesetzt.

155. Werner Best an das Auswärtige Amt 15. Februar 1943

Se Bests telegram 13. februar 1943.
   Kilde: PA/AA R 29.566. RA, pk. 202.

Telegramm

Kopenhagen. den	15. Februar 1943	09.15 Uhr
Ankunft, den	15. Februar 1943	09.25 Uhr

Nr. 157 vom 13.2.[43.]   Citissime!

Auf Drahterlaß 241[50] vom 14.2.
Der Anfang des Satzes lautet:
   Die vier ersten Parteien"
Die zweite Hälfte des Satzes beginnt:
   "obwohl man ihre Organisationen und Anhänger nicht ...
Die sonstigen Satzteile sind klar.
              Deutsche Gesandtschaft Kopenhagen

---

48 Mogens Fogs to illegale breve er bl.a. trykt hos Alkil, 2, 1945-46, s. 1366-1370.
49 Efterlysningen blev udsendt gennem UMs Pressebureau og er genoptrykt hos Alkil, 2, 1945-46, s. 211f.
50 BRAM – betr. Berichtigung des Tel. Nr. 148 aus Kopenhagen, bei Pol VI V.S. (Reichstagswahl). Trykt ovenfor.

156. Gustav Meissner an das Auswärtige Amt 15. Februar 1943

Se telegram nr. 124, 25. januar 1943.

Dette er den næstsidste lokaliserede skrivelse til AA, som Meissner skrev på gesandtskabets vegne. Den sidste er fra 20. marts i en helt banal rutinesag (RA, Vesterdals pakker, pk. 1). Best havde næsten ikke gjort brug af ham efter sin embedstiltræden, så Meissner kunne først sende Ribbentrop en sidste hilsen 19. april 1943 – efter sin fratræden, trykt nedenfor. Duckwitz var af den opfattelse, at Best havde lagt denne karikatur af en legationsråd på is på grund af hans manglende takt og manglende sagkundskab (Duckwitz' erindringer u.å. kap. VI, s. 5 (PA/AA, Nachlass Georg F. Duckwitz, bd. 29)).

Kilde: RA, pk. 438a.

Der Bevollmächtigte des Reiches in Dänemark   *Kopenhagen, den 15. Februar 1943.*
K2/P7

Auf den Drahterlaß Nr. 124 vom 25.1.43.[51]
Betr. Artikel der Zeitung "Fädrelandet" über Großgermanien.
2 Durchschläge

Der Artikel der Zeitung "Fädrelandet" vom 19.1. d.Js., der sich mit dem Skandinavismus auseinandersetzte und hierbei den Begriff eines "Großgermanien" anwandte, ist, wie die Redaktion von "Fädrelandet" erklärt, auf keine besondere Anregung hin verfaßt worden. Auch der Ausdruck eines "Großgermanien" ist rein zufällig benutzt worden.

I.A.

Meissner

157. Rudolf Brandt an das Stabshauptamt des Reichskommissars für die Festigung deutschen Volkstums 16. Februar 1943

Ved SS' mellemkomst var brødrene Bryld i efteråret 1942 blevet trængt ud af DNSAPs ledelse. Himmler havde personligt involveret sig i sagen; han ønskede H.C. Bryld så langt væk fra København som muligt. H.C. Bryld kom da til Polen, og broderen Børge Bryld lovede ligeledes at rejse til østområderne, men fortrød senere sin beslutning. Det foranledigede Brandt til at sende nedenstående brev. Det fremgår, at det er Himmler om at gøre, at Best blev orienteret om den ændrede situation. Det var givetvis for, at han kunne tage sine forholdsregler i forhold til Frits Clausen. (De talrige akter i denne konkrete personsag gengives ikke. Blot skal det konstateres, at ikke alene brødrene Bryld skulle fjernes fra Danmark, men også deres familier, for ikke at kunne øve indflydelse på Frits Clausen. Det lykkedes dog ikke at få H.C. Bryld til at tage familien med. Jfr. også Poulsen 1970, s. 367f.).

Kilde: BArch, NS 19/902. RA, pk. 443 og 443a.

Der Reichsführer-SS   *Feld-Kommandostelle, 16. Februar 1943*
Persönlicher Stab
Tgb. Nr.: 4/8/43g
Bra/Dr.

Betr.:   Beschäftigung der dänischen Nationalsozialisten Gebrüder Bryld im Reich

---

51 Trykt ovenfor.

Bezug: Dortg. Schreib. v. 6.2.1943 – 166 208/42 – Ho/Ma – Tgb. Nr.: 148/93g

An das Stabshauptamt des Reichskommissars für die Festigung deutschen Volkstums,
Berlin – Halensee
Kurfürstendamm 140-142

Der Reichsführer-SS hat davon Kenntnis genommen, daß Börge Bryld von seiner Zusage, nach Deutschland zu kommen, Abstand genommen hat. Der Reichsführer-SS wünscht, daß SS-Gruppenführer Dr. Best entweder über das Stabshauptamt oder über SS-Gruppenführer Berger von der veränderten Sachlage Kenntnis erhält.

I.A.
Brandt
SS-Obergruppenführer

158. Karl Schnurre: Aufzeichnung 17. Februar 1943

Schnurre nedfældede beskeden om, at OKW ikke støttede von Hannekens forslag om opløsning af den danske hær, men at der skulle sendes den danske regering en advarsel. Schnurre foreslog, at det blev Best, der skulle overrække regeringen denne.

Se Bests telegram nr. 171, 19. februar 1943 (Kirchhoff, 1, 1979, s. 122f., Roslyng-Jensen 1980, s. 138).
Kilde: RA, pk. 202. LAK, Best-sagen (afskrift). PKB, 13, nr. 389.

zu Pol I M 286 gRs

A u f z e i c h n u n g
betreffend Auflösung des dänischen Heeres.

Oberst von Tippelskirch, OKW – Wehrmachtführungsstab – teilte mir fernmündlich heute Nachmittag mit, daß der Chef OKW auf Vorschlag des Generals Jodl entschieden habe, daß auf die Wünsche des Generals von Hanneken, das dänische Heer aufzulösen oder eventualiter die gesamten Waffen und Ausrüstungsgegenstände einzuziehen, nicht eingegangen werden soll. Es solle aber der Dänischen Regierung mitgeteilt werden, daß die gesamten Reste des dänischen Heeres der Auflösung verfallen, wenn der geringste Widerstand erkannt würde. Die Offiziere würden alsdann in deutsche Kriegsgefangenschaft überführt werden.

Oberst v. Tippelskirch fragte nach der Ansicht des Auswärtigen Amts, ob diese Mitteilung auf militärischem Wege oder auf dem Wege über den Reichsbevollmächtigten an die Dänische Regierung gemacht werden solle. Ich habe Oberst v. Tippelskirch eine Antwort für morgen Vormittag in Aussicht gestellt, dabei als meine persönliche Auffassung zum Ausdruck gebracht, daß es mir besser schiene, eine solche Mitteilung an die Dänische Regierung über den Bevollmächtigten des Reichs zu machen.

Berlin, den 17. Februar 1943.

gez. **Schnurre**

FEBRUAR 1943

159. Hermann Bielstein an das Auswärtige Amt 17. Februar 1943

Se Bests indberetning 21. januar 1943.
Kilde: PA/AA R 46.371.

Der Bevollmächtigte des Reiches in Dänemark
– II/A B 42/43 –

Kopenhagen, den 17.2.43.

An das Auswärtige Amt,
Berlin

Betrifft: Die Ausübung der Wehrmachtgerichtsbarkeit in Dänemark gegen Personen
nichtdeutscher Staatsangehörigkeit.
Vorgang: Bericht vom 21.1.43.[52]
Nr. II/B 70/43
Anlagen: 1 (dreifach)
2 Doppel des Berichts

Der im Vorbericht erwähnte zweite Erlaß des OKW ist am 28.1.43 herausgegeben worden. Der Erlaß entspricht im Wortlaut dem mit Bericht vom 21.1.43 überreichten Entwurf.
Abschrift des Erlasses ist beigefügt.[53]

In Vertretung:
Bielstein

160. Werner von Grundherr: Notiz an Joachim von Ribbentrop 18. Februar 1943

Grundherr kommenterede Bests telegram fra den 13. februar på en måde, der ikke var negativ, men han var ikke lige så overbevist om, at der ikke ville ske partimæssige forskydninger. Han gjorde det også klart, at DNSAPs lidenhed ville blive demonstreret; ikke for at drage konklusioner deraf, men påpeges skulle det. Det tyskfjendtlige konservative parti spåede han en fremgang. Trods det så han en positiv propagandaeffekt ved valgets afholdelse, især i Finland og Sverige.
Grundherr havde forsigtigt meldt sig på Bests parti i dette spørgsmål (Thomsen 1971, s. 137).
Kilde: PA/AA R 29.566. PKB, 13, nr. 387. EUHK, nr. 89.

Geheim!

zu Pol. VI 7858 g

Zum Drahtbericht Nr. 148 vom 13.2.[54] aus Kopenhagen.
Dem Reichsbevollmächtigten Dr. Best liegt es in erster Linie daran, die innerpolitische Stellung des Ministerpräsidenten und Außenministers Scavenius dadurch zu stärken, daß wir unter Achtung der dänischen Verfassung Neuwahlen zum Reichstag stattfinden lassen. Dabei führt er meines Erachtens mit Recht aus, daß eine Schwächung der

52 Trykt ovenfor.
53 Forordningen er trykt ovenfor, 28. januar 1943.
54 Trykt ovenfor.

die Regierung Scavenius tragenden 4 Sammlungsparteien (Sozialdemokraten, Venstre, Konservative und Radikale) nicht zu erwarten sein wird. Zweifellos werden diese 4 Parteien, wie Dr. Best ausführt, die überwiegende Mehrheit aller Stimmen erhalten.

Ob und gegebenenfalls welche Verschiebungen innerhalb der einzelnen Parteien stattfinden werden, ist schwieriger zu beurteilen; sehr wesentlich dürften diese Verschiebungen kaum werden. Das Wahlergebnis für die DNSAP Clausen wird meines Erachtens in jedem Falle dartun, daß es sich um eine prozentual schwache Partei handelt. Nur diese Partei ist, zusammen mit der Schleswigschen Partei (z.Zt. 1 Mandat), als ausgesprochen deutschfreundlich anzusprechen. Die Konservative Partei, die zweifellos als besonders deutschfeindlich anzusehen ist, wird vielleicht einige Gewinne buchen können.

Unsere Zustimmung zur Abhaltung der Wahlen würde sich propagandistisch besonders in Finnland, aber auch in Schweden günstig auswirken.

Hiermit dem Büro RAM.

Berlin, den 18. Februar 1943.

gez. **Grundherr**

161. Ernst von Weizsäcker an Konstantin Hierl 18. Februar 1943

Weizsäcker bad på Bests vegne Hierl om, at arbejdsfører Scheifarth måtte videreføre sit arbejde i Danmark på baggrund af den ændrede tyske politik. Det skete på trods af, at AA forud havde godkendt Scheifarths hjemkaldelse. Arbejdsføreren skulle støtte arbejdet med en arbejdstjeneste i en situation, hvor DNSAPs arbejdstjeneste gik tilbage og mistede hvervekraft, hvilket kunne udlægges som om, at det skyldtes tilbagetrækning af den tyske støtte. Best ønskede status quo bevaret med henblik på en kommende udvikling af arbejdstjenestetanken i Danmark.

Hierl svarede AA 23. februar 1943.

Kilde: BArch, NS 19/3473. RA, Danica 1069, sp. 6, nr. 7121f. RA, Danica 1000, T-175, sp. 17, nr. 520.955f. RA, pk. 443.

Abschrift

Auswärtiges Amt zu Partei 145/43 *Berlin W 8, den 18. Februar 1943*

An den Herrn Reichsarbeitsführer
Konstantin Hierl,
Berlin – Grünewald.

Sehr geehrter Herr Reichsarbeitsführer!
Der Bevollmächtigte des Reichs in Dänemark hat hier folgende Bitte vorgebracht:[55]

Der ihm zugeteilte Arbeitsführer Scheifarth sei zum Ende ds. Monate auf Ihre Anweisung zurückberufen. Den Bevollmächtigten des Reichs sei zwar bekannt, daß das Auswärtige Amt gegenüber dem Reichsarbeitsführer bereits dahin Stellung genommen habe, daß gegen die Rückberufung Scheifarths keine Bedenken erhoben würden. Mit

55 Se Bests telegram nr. 155, 15. februar 1943.

FEBRUAR 1943

Rücksicht auf die sich neu anbahnende politische Entwicklung in Dänemark, vor allem im Hinblick auf die bevorstehenden Reichstagswahlen, wäre es jedoch erwünscht, wenn der Reichsarbeitsdienst einer Weiterführung der Arbeit Scheifarths zustimmen würde. Dafür spräche noch, daß ohne seine Initiative und Beratung der Arbeitsdienst der DNSAP zurückgehen und an Werbekraft verlieren würde, sodaß sein Ausscheiden zweifellos dahingehend ausgelegt werden könnte, daß auf diesem Teilgebiet die deutsche Unterstützung der DNSAP zurückgezogen würde.

Der Bevollmächtigte des Reichs hält es auch um der künftigen allgemeinen Entwicklung des Arbeitsdienstgedankens in Dänemark willen für zweckmäßig, daß wenigstens der gegenwärtige Zustand als Ausgangsbasis späterer Entwicklungen erhalten bleibe, da andernfalls neue Ansatzpunkte später nur mit größerer Mühe geschaffen werden müßten.

Ich erinnere mich zwar sehr wohl der Gründe, die Sie seinerzeit dafür genannt haben, Ihre Unterstützung des Arbeitsdienstgedankens im Ausland entweder ganz oder garnicht zu gewähren. Jedoch kann ich mich den vom Bevollmächtigten des Reichs vorgebrachten politischen Argumenten, die gegen eine Abberufung Scheifarths im gegenwärtigen Augenblick sprechen, nicht verschließen und wäre Ihnen dafür dankbar, wenn Sie die Angelegenheit noch einmal überprüfen und sich mit einem Verbleiben Scheifarths in Kopenhagen bis auf weiteres einverstanden erklären würden.

Heil Hitler!

Ihr sehr ergebener

gez. **v. Weizsäcker**

162. Werner Best an das Auswärtige Amt 18. Februar 1943

Best meddelte AA, at han havde underrettet UM om de foranstaltninger, der ville blive iværksat mod udenlandske heljøder i Frankrig, Belgien og Holland.

Baggrunden var, at det for Danmarks, som en række andre landes vedkommende, gik langsomt med at få indhentet de nødvendige oplysninger.

AA reagerede 20. februar på Bests telegram med en præcisering.

Kilde: PA/AA R 100.864. Lauridsen 2008a, nr. 68.

Telegramm

| Kopenhagen, den | 18. Februar 1943 | 15.00 Uhr |
| Ankunft, den | 18. Februar 1943 | 16.10 Uhr |

Nr. 168 vom 18.2.[43.]

Zum Drahterlaß Nr. 115[56] vom 23.1.43.
Das dänische Außenministerium ist im Sinne vorstehenden Erlasses unterrichtet worden. Es wird Maßnahmen zur Heimschaffung der Juden dänischer Staatsangehörigkeit

---

56 D III 75 g V. Trykt ovenfor.

aus Frankreich, Belgien und den Niederlanden treffen. Auf besondere Frage ist dem dänischen Außenministerium mitgeteilt worden, daß sich die Maßnahmen in den genannten Gebieten nur gegen die Volljuden richteten, sowie daß auch die Juden, die mit einem Arier verheiratet sind, davon betroffen werden.

Dr. Best

163. Helmut Bergmann an Werner Best 18. Februar 1943

Best fik besked om at videregive oplysning til UM om, at der også ville ske foranstaltninger mod jøder i Generalguvernementet, i de baltiske lande og i de besatte østområder.

På den baggrund udvidede UM sine henvendelser til de danske ambassader i disse områder for at få klarlagt, om der var danskjødiske statsborgere der. Via det diplomatiske system gik oplysningerne videre til AA (disse er at finde i RA, pk. 219).

Kilde: PA/AA R 100.864. Lauridsen 2008a, nr. 69.

Berlin, den 18. Februar 1943

An den Bevollmächtigten des Deutschen Reichs
 in Dänemark
 Kopenhagen

Consugerma Nr. 261
Referent: LS von Hahn
Betreff: – In Anschluß an Drahterlaß Nr. 115 v. 22.1.[57]

Allgemeine Judenmaßnahmen werden auch auf die im Generalgouvernement, den baltischen Ländern und den besetzten Ostgebieten ansässigen dänischen Staatsangehörigen jüdischer Rasse ab 1.4. d.J. ausgedehnt werden.

Ich bitte Dänische Regierung hiervon zu unterrichten.

Bergmann

164. Geheime Staatspolizei, Kiel an RSHA 18. Februar 1943

Fra en meddeler fik RSHA via Gestapo i Kiel oplysninger om nogle danske journalister, bl.a. Karl Eskelund og Ole Kiilerich, og om Journalistforbundet med forslag om, at der blev grebet ind over for dem. Ved ransagninger hos dem kunne der komme værdifuldt materiale frem.

RSHA behandlede henvendelsen knapt en måned senere – 15. marts – og var ikke indstillet på at følge meddelerens forslag. Det fremgår, at RSHA havde været i kontakt med den rigsbefuldmægtigede og fået oplyst, at oplysningerne om Eskelund var forkerte. Journalistforbundet blev slet ikke nævnt, mens sagen mod Kiilerich allerede var i gang.

Sagsbehandlingen demonstrerer, at meddelere til RSHA, der på dette tidspunkt kom på tværs af den rigsbefuldmægtigedes politik ikke fandt støtte hos RSHA. I situationen ønskede Best både Eskelund og Journalistforbundet bundet op omkring sin politik, og et indgreb mod dem ville have været fatalt for den politiske balance, han ønskede at opnå.

Kilde: RA, Danica 1069, sp. 7, nr. 8026-28

57 Trykt ovenfor.

G. Nr. N – 147/43 g   *den 18. Februar 1943.*
                                                                    Geheim!

An das
  Reichssicherheitshauptamt, Amt IV (N)
  z.Hd.d. SS-Sturmbannführers u. Amtsrats Pommerening o.V.i.A.
  Berlin SW 11
  Prinz-Albrecht-Straße 8.

W. – 65 58 meldet am 16.2.1943:
"Der kommunistische Mord in der Laubenkolonie auf Amager ist nunmehr offiziell in der Presse bekanntgegeben worden. Der Hauptanstifter soll der Journalist oder Redakteur Meerits (Morits) sein.[58]

Damals wurde Dänemark mit sogenannten politischen Flüchtlingen der übelsten Sorte überschwemmt. Herr Eskelund, der damals Vorsitzender des Journalistenverbandes war, gewährte diesen Verbrechern alle mögliche Unterstützung. Es wurde ihnen auf jede Weise geholfen und man stellte ihnen journalistische Gästekarten aus, mit der Unterschrift der Polizei, für freies Reisen auf der Eisenbahn, für Theater und alles mögliche andere. (Bitte vergleichen Sie Berthel Bings privates Journalistenblatt "Ytringsfriheden", das Eskelund verbot). Sie erhielten außerdem laufend Unterstützung aus einem Fond, ohne daß Eskelund überhaupt Rechenschaft ablegte, wer eigentlich das Geld erhielt.

Es müßte doch verlangt werden, daß die dänische Staatspolizei eine vollständige Liste der ausländischen Journalisten herausgibt, denen eine Gästekarte, mit der Polizeiunterschrift versehen, ausgestellt worden ist. Was es für diese Art Schwindler bedeutet, die Erlaubnis zu haben, durch Polizeiabsperrungen zu gehen, braucht man nicht näher zu erklären, wenn man an die Kiilerich-Affaire im Dezember denkt, wo der Betreffende ein leitendes Mitglied des Journalistenverbandes war.

Dieser Mann, der zu dem konservativen Blatt National Tidende gehörte, war als Vertreter der Konservativen in der Leitung des Verbandes, er vertrat rein kommunistische Interessen – einfach weil die anderen Mitglieder des Verbandes nichts zu sagen haben, da der Verband von einer großen Juden-Clique kontrolliert wird. In diesem Falle gibt es nur ein Mittel – eine plötzliche, unangemeldete Untersuchung, so wie sie schon früher in anderen Kommunistenzentralen vorgenommen wurde.

Man sollte sich gleichzeitig alle Archive sichern und dies kann nur geschehen, wenn man wie ein Blitz aus heiterem Himmel zuschlägt, zur selben Zeit an folgenden Stellen:
1.) Hauptkontor des Journalistenverbandes, Vägtergaarden, Axeltorv.
2.) In der Wohnung des früheren Vorstandes Karl Eskelund, Store Kongensgade.
3.) Beim jetzigen Vorstand Gunnar Nielsen.
4.) Beim Kontorchef und der wirklichen Leiterin Frau Vibeke Herlöw Möller, die mit dem früheren Redakteur des Kristeligt Dagblad Helveg Larsen verheiratet ist, Vester Voldgade, und gleichzeitig in der Sommerwohnung in Farum.
5.) Bei der Privatsekretärin von Eskelund, Frl. Agnes Nilsson.

58 Der hentydes til mordet på en estisk kommunist i Kongelunden på Amager 1936, som blev begået af Komintern-agenter.

Die Korrespondenz, die in den Jahren vor dem Krieg mit den Emigranten geführt worden ist, wird von Wert sein, z.B. die mit Philipp Scheidemann. Von einem Fachkundigen durchgesehen, wird sie zahlreiche Aufklärungen bringen. Selbstverständlich ist es möglich, daß gewisses Material schon vernichtet ist, aber sicher ist noch viel vorhanden, das wertvoll sein kann."

IV A 1 a   *Berlin, den 15. März 1943*

1.) Vermerk:

In vorstehender Angelegenheit ist vorerst nichts zu veranlassen. Ähnlicher Bericht über den dänischen Journalistenverband liegt hier vor. Die seinerzeit geführten Ermittlungen verliefen ergebnislos.

Der im ersten Absatz des Berichtes genannte Journalist und Redakteur Merits (Moritzs) ist personengleich mit dem von der schwedischen Polizei festgenommenen und nach Kopenhagen ausgelieferten Mörder und Spitzel der Komintern Meerits-Looring.

Die Verdächtigungen gegen den ehemaligen Vorsitzenden des dänischen Journalistenverbandes Carl Eskelund erwiesen sich nach den Ermittlungen des Bevollmächtigten des Reiches in Dänemark als haltlos.

Redakteur Ole Kiilerich von der dänischen Tageszeitung "National Tidende" hat als Redakteur die illegale Druckschrift "Frit Danmark" fachlich geleitet. Er ist z.Zt. flüchtig.

2.) IV A 1 a zum Vorgang: Dänemark I/1.

[underskrift]

165. Seekriegsleitung Qu A VI an das Auswärtige Amt 18. Februar 1943

AA fik meddelelse om, at Seekriegsleitungs skibsafdeling havde fået et nyt tilbud fra Det Forenede Dampskibsselskab, der chartrede skibene "Dronning Maud" og "Kjöbenhavn" ud. Det krævede månedlige beløb var stadig for højt, og nu hastede det med at få en afgørelse, da kontrakten ellers ville blive forlænget med to måneder til det hidtidige beløb.

Sagens udfald er ikke undersøgt, men skibene blev senere tilbagegivet til rederiet og indgik i løbet af 1944 på ny i spillet om den danske skibstonnage.

Kilde: RA, Danica 628, sp. 7, nr. 5259f.

Berlin, den 18. Febr. 1943

S c h n e l l k u r z b r i e f

An Auswärtiges Amt
z.Hd. v. Herrn Vortrag. Legationsrat Bisse
Berlin
Im Hause: 1. Skl. I [...]

FEBRUAR 1943

Im Anschluß an Skl. Qu. A VI r 12745 geh. vom 17.12.42 wird mitgeteilt, daß dänische Reederei von "Dronning Maud" und "Kjöbenhavn" bereit ist, Monatscharter von 110.000 d.Kr. auf 90.000 d.Kr. bzw. von 140.000 d.Kr. auf 130.000 d.Kr herabzusetzen.

Dieses Entgegenkommen reicht nicht aus.

Mit Skl. Qu. A VI r 703 II. Ang. vom 13.2.43 war diesseits zum Ausdruck gebracht, daß Herabsetzung auf mindestens 50.000 d.Kr. bzw. 85.000 d.Kr erfolgen müsse.

Da vorläufige Verträge gemäß Forderung Reederei auf 110.000 d.Kr. bzw. 140.000 d.Kr. abgeschlossen sind und 7. März bzw. 2 März ablaufen bzw. sich automatisch um zwei weitere Monate zu alten Sätzen verlängern, falls nicht in nächsten Tagen Kündigung erfolgt, wird gebeten, dringend in Kopenhagen wegen Erledigung vorstellig zu werden.

Kriegsmarine ist auf die beiden Schiffe angewiesen, da Ersatzschiffe nicht gestellt werden können.

OKM Skl. Qu. A VI r

166. Alex Walter an Reichsminister der Finanzen 18. Februar 1943

RFM havde kritiseret den seneste aftale indgået i det tysk-danske regeringsudvalg. Som udvalgets formand svarede Walter indgående på kritikken, idet han fremhævede de talrige fordele for Tyskland i forhold til ulemperne. Han påpegede, at det var en fejlagtig opfattelse at betragte Danmark som et besat land og understregede den danske landbrugseksports afgørende betydning for Tysklands ernæring.

Walter sendte AA og Best en kopi af brevvekslingen.

Kilde: BArch, R 901 113.554. RA, pk. 271.

Abschrift   Ha Pol VI 758/43
Der Reichsminister für Ernährung und Landwirtschaft   *Berlin, den 18. Februar 1943*
Geschäftszeichen: VB4 – 137

An den Herrn Reichsminister der Finanzen
   Berlin

Betrifft: Bezahlung von Lebensmittelkäufen deutscher Truppen in Dänemark
Auf das Schreiben vom 29.12.1942[59] – I 5104/1 – 146 V –

Infolge mehrerer unmittelbar aufeinanderfolgender Dienstreisen des Unterzeichneten ist es erst heute möglich, Ihr Schreiben vom 29. Dezember 1942 zu beantworten. Es wäre zweifellos richtig gewesen, wenn Sie vor den endgültigen Abschluß der Vereinbarung, mindestens aber vor der Zustimmung das deutschen Regierungsausschusses, beteiligt worden wären. Daß dies nicht geschehen ist, ist u.a. auch darauf zurückzuführen, daß Sie in den letzten Jahren keinen Vertreter an den Regierungsausschuß-Verhandlungen entsenden, so daß es vorkommen kann, daß unvorhersehbare Fragen zur Erörterung gestellt werden, ohne daß ihre übliche ressortmäßige Behandlung sichergestellt ist. Ich würde es deshalb begrüßen, wenn hierin in Zukunft eine Änderung eintreten könnte.

59 RFM til REM 29. december 1942, trykt ovenfor.

Dadurch würden Sie Gelegenheit haben, sich auch über die wirtschaftlichen Verhältnisse in Dänemark laufend unmittelbar unterrichten zu lassen.

Zu der von Ihnen beanstandeten Vereinbarung bemerke ich folgendes:

Bis zum 12. September 1942 wurde, abgesehen von Fleisch, Butter, Käse, Eiern und einigen gelegentlich durch die Wehrmacht eingekauften Lebensmitteln, die Verpflegung für die deutschen Truppen in Dänemark aus der Heimat nachgeschoben. Es handelt sich hierbei insbesondere um Kartoffeln, Hafer, Stroh, Heu, Zucker, Marmelade. Diese Lieferungen gingen zu Lasten der deutschen Ernährungswirtschaft und belasteten außerdem die Transportmittel in nicht unbedeutenden Maße Kontingente zur Lieferung dieser Waren aus Dänemark nach Deutschland bestanden nicht.

Mit der zunehmenden Verschärfung der Transportlage einerseits und mit Rücksicht auf die im Oktober einsetzende Änderung des politischen Verhältnisses zu Dänemark andererseits bestand die deutsche Wehrmacht in Dänemark darauf, ihren gesamten Verpflegungsbedarf, somit irgend möglich, aus dem Lande selbst decken zu können.

Dieser Forderung kam die diesjährige gute Ernte in Dänemark an sich entgegen. Trotzdem waren auf dänischer Seite zunächst starke Hemmungen vorhanden, weil die Dänische Regierung sich auf die Zusage des seinerseitigen Befehlshabers berief, daß der Nachschub für die deutschen Truppen aus der Heimat erfolgen werde. Dagegen zeigte man sich auf dänischer Seite trotz des hohen Standes der Clearingverschuldung bereit, die von der Wehrmacht angeforderten Mengen auf Grund von Verhandlungen dann zu liefern, wenn sie über Clearing bezahlt, also handelspolitische Kontingente vereinbart würden. Die Ausnutzung dieser Kontingente sollte zunächst durch die zuständigen Reichsstellen erfolgen, die Ware selbst aus Transportersparnisgründen in Dänemark zur Verfügung der Wehrmacht verbleiben.

Diese Regelung wäre, vom Standpunkt des deutsch-dänischen Waren- und Zahlungsverkehrs aus gesehen, rein handelspolitisch gewesen. Die gegenwärtige Regelung weicht zwar formal von dem ursprünglichen Plan ab, ist aber praktisch gesehen die gleiche wie ursprünglich beabsichtigt und bringt außerdem den Vorteil der Geschäftsvereinfachung. Dadurch, daß die Wehrmachtsstellen in Dänemark bei ihren Einkäufen preislich gebunden sind, werden Überpreise vermieden.

Bei dieser Lage konnte meines Ermessens in Kauf genommen werden, daß auch bisher aus Wehrmachtskonto gekaufte Lebensmittel in die Neuregelung einbezogen wurden. Jedenfalls ist durch die neue Vereinbarung erreicht worden, daß die Verpflegung der deutschen Truppen in Dänemark bei gleichzeitiger echter Entlastung der Heimat sichergestellt werden konnte, ohne daß politische und wirtschaftliche Störungen eingetreten sind.

Wenn Sie darauf aufmerksam machen, daß "an Dänemark stets weitergehende Vergünstigungen gewährt werden, die in der Geschichte besetzter Länder ohne Beispiel sind", so darf ich darauf hinweisen, daß Dänemark kein besetztes Gebiet ist. Durch eine vernünftige Wirtschaftspolitik gegenüber Dänemark ist erreicht worden, daß sowohl die Regierung aktiv mitarbeitet, als auch die Wirtschaft, insbesondere die Landwirtschaft, Leistungen zu Gunsten Deutschlands aufweist, die man zu Beginn des Krieges für das 4. Kriegswirtschaftsjahr nicht für möglich gehalten hätte. Dänemark liefert im 4. Kriegswirtschaftsjahr

FEBRUAR 1943

                100.000 t Rind- und Schweinefleisch
             30-35.000 t Butter
etwa   100.000 t Fische
nach Deutschland.[60] Daneben werden aus Dänemark in diesem Jahre nach Finnland und Norwegen etwa 40.000 t Zucker geliefert werden, die bei einem Ausfallen Dänemarks aus Deutschland nach diesen Ländern hätten gebracht werden müssen. Im 3. Kriegswirtschaftsjahr hat Dänemark 17.000 Pferde insbesondere für das Heer geliefert, im laufenden Jahre ist mit ähnlichen Lieferungen zu rechnen. Diese wenigen Beispiele zeigen, daß das kleine Dänemark mit rd. 3,8 Millionen Einwohnern für die deutsche Ernährungswirtschaft von entscheidender Bedeutung ist und daß ein wesentlicher Ausfall dieser Lieferungen zu höchst unerfreulichen Rückwirkungen auf die deutsche Ernährungslage führen müßte. Es [muß?] deshalb durch Beibehaltung dieser vernünftigen Wirtschaftspolitik erreicht werden, daß die dänische Lieferfähigkeit erhalten bleibt und daß nicht in Dänemark Zustände wie z.B. im Südosten, eintreten, der als Liefergebiet für landwirtschaftliche Erzeugnisse weitgehend ausgefallen ist. Daß Dänemark – erfahrungsmäßig gesehen – besser dasteht, als die meisten europäischen Länder, ist richtig, aber es muß bedacht werden, daß die dänische Arbeiterbevölkerung im großen und ganzen nicht besser lebt, als die gleichen Schichten anderer Länder, und daß ein Schwarzhandel nennenswerten Umfanges in diesem Überschußlande nur deswegen bisher nicht eingesetzt hat, weil die Bevölkerung zumindest theoretisch die Möglichkeit hat, sich ausreichend zu versorgen. Würde infolge zu starker Herabsetzung der Rationen erst einmal ein Schwarzhandel größeren Umfanges einsetzen, so würde trotz schärferer Rationierung keine Mehrleistung an Deutschland die Folge sein, sondern ein Zurückgehen der für die Ausfuhr nach Deutschland greifbaren Mengen.

Endlich ist noch auf folgendes hinzuweisen:

Die jetzige Regelung der Lebensmittelaufkäufe der Wehrmacht in Dänemark ermöglicht es mir, die in Dänemark aufgekauften Mengen auf den Gesamtverpflegungsbedarf der Wehrmacht anzurechnen. Auch insoweit bedeutet die Neuregelung eine im allgemeinen Interesse liegende Verbesserung. Ich bin daher der Auffassung, daß alles in allem gesehen die von Ihnen hervorgehobenen Nachteile der Neuregelung wegen der damit zusammenhängenden wesentlichen Vorteile in Kauf genommen werden können.

Im Auftrag
gez. **Dr. Walter**

An das Auswärtige Amt Berlin

Abschrift übersende ich zur Kenntnisnahme und unter Bezug auf das auch Ihnen zugeleitete Schreiben des Herrn Reichsministers der Finanzen vom 29. Dezember 1942 – Y 5104/1 – 146 V.

Abschrift für den Bevollmächtigten des Deutschen Reiches in Kopenhagen ist beigefügt.

Im Auftrag
gez. **Dr. Walter**

---

60 Disse tal opgav Best påfølgende i sin halvårsberetning 5. maj 1943, afsnit III. 2.

167. Werner Best an das Auswärtige Amt 19. Februar 1943

Da generaloberst Alfred Jodl i midten af februar 1943 besluttede ikke at imødekomme von Hannekens ønske om opløsning af den danske hær, besluttede han samtidig, at det skulle være Best, der overbragte en advarsel til den danske regering om, at den ringeste modstand i den danske hær ville betyde dens opløsning. Best erklærede sig indforstået hermed og fremsendte den 19. februar et udkast til en sådan henvendelse til AA, hvor det med en ubetydelig ændring blev godkendt 20. februar (se Schnurres optegnelse anf. dato, trykt nedenfor). Den 24. februar sendte Schnurre forslaget til OKW/WFSt, hvor det blev godkendt (RA, Danica 1969, sp. 1, nr. 607-610), og den 5. marts kunne Best også meddele at have fået Hitlers tilslutning. Imidlertid kom der en ny hændelse i vejen, se Karl Ritters optegnelse 8. marts (Bests telegram 25. januar og 5. marts 1943, Schnurres notitser 17. og 20. februar 1943 (PKB, 13, nr. 389 og 391, ADAP, 7, nr. 147), Thomsen 1971, s. 152).

    Kilde: PA/AA R 29.566. LAK, Best-sagen (afskrift). PKB, 13, nr. 390.

Telegramm

Kopenhagen, den	19. Februar 1943	14.15 Uhr
Ankunft, den	19. Februar 1943	14.40 Uhr

Nr. 171 vom 19.2.[43.]
Auf Telegramm vom 18. Nr. 259[61]

Eine Warnmitteilung an die dänische Regierung läge in der Linie meiner Politik, wenn ich ihr etwa die folgende Form geben könnte:

Die feindselige Haltung des dänischen Heeres und insbesondere vieler Offiziere hat zu größtem Mißtrauen der deutschen Wehrmacht gegen das dänische Heer geführt, sodaß von deutscher militärischer Seite im Hinblick auf die Möglichkeit von Kampfhandlungen auf dänischem Boden einschneidende Maßnahmen erwogen werden. Reichsregierung möchte zur Wahrung ihrer bisher gegenüber Dänemark eingehaltenen Politik von Maßnahmen gegen das dänische Heer absehen, bedarf aber gewisser Garantien gegen militärische Gefahren, auf die von der deutschen Wehrmacht pflichtgemäß hingewiesen wurde. Stärkste Garantie wäre eine erkennbare Änderung der Haltung des dänischen Heeres gegenüber Deutschland. Wenn zum Beispiel die Beurlaubung dänischer Offiziere zum Dienst in der deutschen Wehrmacht offiziell und aufrichtig das heißt ohne Diffamierung dieser Offiziere bewilligt würde und wenn eine Anzahl jüngerer dänischer Offiziere hiervon Gebrauch machen würden, könnte das gegenwärtige Verhältnis des Mißtrauens in ein solches des Vertrauens und der Kameradschaft umgewandelt werden. Wenn hingegen eine Verschärfung der Lage eintrete und die geringsten feindseligen Handlungen des dänischen Heeres oder seiner Angehörigen gegen die deutsche Wehrmacht festgestellt würden, so werde der Rest des Heeres unverzüglich aufgelöst und die dänischen Offiziere in Kriegsgefangenschaft überführt.

Eine solche Mitteilung wäre von mir an die dänische Regierung zu richten und am besten gleichzeitig in einer Besprechung dem Kronprinz-Regenten zu eröffnen. Daß der Befehlshaber der deutschen Truppen diese Mitteilung macht, halte ich nicht für zweckmäßig.

Dr. Best

---

61 Pol I M 286 g Rs III. Telegrammet er ikke lokaliseret.

FEBRUAR 1943

168. Rolf Kassler an Ewald Lanwer 19. Februar 1943

Kassler orienterede Lanwer om et møde mellem Best og mindretalsleder Jens Møller. De var bl.a. i anledning af et brev fra Lanwer blevet enige om, at det ikke kunne komme på tale at henvende sig til UM for at få ændret domme, som medlemmer af det tyske mindretal var blevet idømt. Endvidere havde Best gjort det klart, at han var imod, at andre end han indberettede om Danmark, og at alle indberetninger fra andre skulle gå via ham. Det gjaldt også VOMI, hvad han ville tale med organisationen om.
Kilde: RA, pk. 393. PKB, 14, nr. 145.

Der Bevollmächtigte des Reiches in Dänemark   *Kopenhagen, den 19.2.1943.*
I C/Tgb. Nr. 69/43
1 Anlage[62]

Lieber Herr Lanwer!

In der Anlage sende ich Ihnen unter Bezugnahme auf Ihren Bericht vom 9.2. das Urteil gegen Kamprad wieder zurück. Ich habe die Sache dem Herrn Reichsbevollmächtigten vorgetragen und wir sind zu dem Ergebnis gekommen, das sich Fälle, in denen Volksdeutsche ohne die erforderlichen Genehmigungen an die Wehrmacht geliefert haben, nicht dazu eignen, bei der dänischen Regierung Vorstellungen zu erheben. Wir können nun einmal nicht verlangen, daß die dänischen Gerichte die bei den Volksdeutschen vielleicht hier und dort vorliegenden nationale Motive bei ihrer Rechtsprechung mildernd berücksichtigen. Dies würde in jedem Falle so aussehen, als ob wir für Volksdeutsche eine Sonderstellung vor dem Gesetz verlangen. Dr. Möller, mit dem ich mehrfach über diese Fälle gesprochen habe, ist übrigens auch der Meinung, daß wir bei allen diesen Fällen keine Handhabe haben, auf die dänische Regierung einzuwirken.

Über den Besuch Dr. Möllers möchte ich Ihnen zu Ihrer persönlichen Information kurz noch folgendes mitteilen:[63]

Der Herr Reichsbevollmächtigte hat Dr. Möller gegenüber in der Besprechung, an der auch ich teilnahm, keine Hehl daraus gemacht, daß er verwundert darüber sei, daß Dr. Möller das Telegramm an den Staatsminister gesandt habe,[64] ohne sich vorher mit ihm in Verbindung zu setzen. Auch brauchte er zum Ausdruck, daß es ihm recht ungelegen sei, daß Dr. Möller den Bericht an die VOMI über die Wahlen gemacht habe,[65] weil er darauf bestehen müsse, daß die gesamte Berichterstattung über Dänemark bei ihm zusammenläuft und nur über ihn bzw. durch ihn erfolgt. Dr. Möller konnte sich demgegenüber natürlich darauf berufen, daß er verpflichtet sei, de VOMI als seiner vorgesetzten Dienststelle über alle Vorgänge der Volksgruppe, namentlich auch über die Angelegenheiten, die in kleinen politischen Rat behandelt werden, zu berichten. Der Reichsbevollmächtigte wird diese Fragen mit Brigadeführer Behrends, der wohl dem-

---

62 Bilaget er Lanwers brev 9. februar til den rigsbefuldmægtigede (ikke medtaget). Heri beretter Lanwer om den folketyske bogtrykker Karl Julius Kamprad fra Haderslev, der uden UMs tilladelse havde udført arbejde for værnemagten for et mindre beløb og påfølgende var blevet idømt en bøde derfor på 446 kr. ved dansk ret. Lanwer mente, at det var en anledning til at bede UM om at lade de mindre straffesager falde.
63 Jens Møller var hos Best 12. og 17. februar 1943 (Bests kalenderoptegnelser anf. datoer).
64 Telegram af 14. februar 1943, trykt PKB, 14, nr. 105.
65 Se VOMI til AA 6. februar 1943, hvori Møllers indberetning til VOMI er citeret (trykt PKB, 14, nr. 144).

nächst nach Kopenhagen kommt, besprechen.[66] (Auch ist er gegen die von der VOMI angeordnete Berichterstattung an die Ihnen bekannte Stelle in Kiel und will dies für die Zukunft gern beseitigen.[67])

Es sind zwischen mir und Dr. Möller noch einige kleine Angelegenheiten besprochen worden, die ich wohl im einzelnen nicht anzuführen brauche. Wegen der Zeitfreiwilligen erhalten Sie in den nächsten Tagen einen Erlaß.[68] Zu dem Thema Wahlen, das auch in der Besprechung mit dem Herrn Reichsbevollmächtigten berührt wurde, möchte ich mich hier nicht äußern. Ich stelle anheim, sich darüber von Dr. Möller unterrichten zu lassen.

Mit den besten Grüßen und Heil Hitler!

Kassler

169. Das Ahnenerbe an das RSHA 19. Februar 1943

Tre ledende repræsentanter for Ahnenerbe skulle i henhold til RFSS' ordre til Danmark for at føre drøftelser med Best og lederen af Germanische Leitstelle i Danmark, Bruno Boysen. Til formålet ønskede Ahnenerbe den nødvendige valuta stillet til rådighed.

Svaret er ikke lokaliseret, men de nødvendige midler blev bevilget og besøget i København fandt sted fra 19. marts, da Wolfram Sievers besøgte Best i Rydhave og diskuterede Ahnenerbes kommende arbejde i Danmark; dagen efter var han hos Bruno Boysen samme med Hans Schneider og Hans Schwalm, hvor de bl.a. diskuterede muligheden for at invitere danske deltagere til et planlagt seminar i Hannover. Derefter tog Sievers til Dagmarhus til møde med Hans Pahl og Hans Wäsche, hvor seminaret i Hannover givetvis også blev drøftet[69] (Bests kalenderoptegnelser 19. og 22. marts 1943, Schreiber Pedersen 2008, s. 296).

Om opholdet i København se endvidere Sievers' notat 5. april 1943.

Kilde: BArch, NS 21/285.

Das Ahnenerbe   *Berlin-Dahlem, den 19.2.1943*
Der Reichsgeschäftsführer   Wo/He.

An das Reichssicherheitshauptamt – Devisenstelle –
    z.Hd. SS-Hauptsturmführer Feiler
    Berlin SW 68
    Kochstraße 64.

Betrifft: Anforderung von dänischen Devisen.

Gemäß Stabsbefehl Nr. 14/42 vom 14. August 1942 hat der Reichsführer-SS, Chef des SS-Hauptamtes, angeordnet, daß die gesamten im Rahmen der großgermanischen Arbeit auftretenden wissenschaftlich forschenden Arbeiten in engster Fühlungnahme mit

---

66 Hermann Behrends, næstkommanderende i VOMI. Han kom til København og mødtes med Best 20. og 21. april 1943 (Bests kalenderoptegnelser anf. datoer).

67 Der hentydes til Abwehr i Kiel.

68 Se om Zeitfreiwillige Best til AA 23. februar 1943.

69 Se Wäsche til Schneider 28. april 1943.

FEBRUAR 1943

dem Amt 6 des SS-Hauptamtes ausschließlich durch das Amt "Ahnenerbe" im Persönlichen Stab Reichsführer-SS durchzuführen seien.

Das Amt "Ahnenerbe" hat zu diesem Zweck eine eigene Abteilung mit den Dienstsitz in der Reichshauptstelle Berlin-Dahlem, Pücklerstr. 16, errichtet, deren Leitung der Abteilungsleiter SS-Hauptsturmführer Dr. Schneider inne hat. Es besteht nunmehr seitens des Reichsgeschäftsführers der hiesigen Dienststelle, SS-Standartenführer Sievers, des Leiters der Germanischen Freiwilligen Leitstelle im Amt "Ahnenerbe", SS-Hauptsturmführer Schneider, und des Leiters der Außenstelle Oslo, SS-Hauptsturmführer Prof. Dr. Schwalm, die Absicht, in Kopenhagen Besprechungen bezüglich Ausrichtung der gemeinsamen Arbeit mit dem Bevollmächtigten des Deutschen Reichs, SS-Gruppenführer Best, einerseits und dem Vertreter der Germanischen Freiwilligen Leitstelle in Kopenhagen, SS-Sturmbannführer Boysen, andererseits zu führen.

Da die Notwendigkeit der wissenschaftlich forschenden Arbeit innerhalb des großgermanischen Raumes unbedingt eine sofortige konzentrische Inangriffnahme aller dafür tätigen Kräfte erfordert und die in Kopenhagen geplanten Besprechungen den Arbeiten der Germanischen Freiwilligen Leitstelle einen wesentlichen Fortschritt bringen würden, wird darum gebeten, die für die Reise erforderlichen Devisen nach Möglichkeit in dänischen Kronen oder aber, falls diese nicht vorhanden sind, in anderer Währung zur Verfügung zu stellen. Hervorgehoben wird hierbei, daß SS-Standartenführer Sievers in Kopenhagen bei der Dienststelle von SS-Sturmbannführer Boysen noch verschiedene Präparate erwerben muß, die für die Durchführung der vom Reichsführer-SS angeordneten Geheimversuche, auf die im Interesse der Landesverteidigung hier nicht näher eingegangen werden kann, erforderlich sind.[70] Diese Präparate werden voraussichtlich den Gegenwert von ca. RM 130,- ausmachen.

Zusammenfassend wird gebeten, für die drei genannten Herren und den Ankauf der vorgenannten Präparate insgesamt für RM 450,- dänische Devisen zur Verfügung zu stellen.

Der Reichsgeschäftsführer

i.A.

[forbogstav]

SS-Untersturmführer

---

170. Das Auswärtige Amt an die Dienststelle des Bevollmächtigten des Reiches in Kopenhagen 20. Februar 1943

AA præciserede over for gesandtskabet i København, hvilke fremmede statsborgere af jødisk race, der var omfattet af de planlagte foranstaltninger. Jøder gift med ikke-jøder skulle indtil videre ikke inddrages.

Kilde: PA/AA R 100.864.

Durchdruck
Geheim
D III 213g

den 20. Februar 1943

---

70 Se om præparaterne Sievers til Boysen 8. november 1942.

248   FEBRUAR 1943

An die Dienststelle des Bevollmächtigten des Reiches in Kopenhagen

Mit Bezugnahme auf den Drahtbericht Nr. 168 vom 18.II.[71]

Die geplanten Maßnahmen gegen fremde Staatsangehörige jüdischer Rasse finden nur auf Volljuden Anwendung. Nationale Mischehen, deren einer Ehepartner der jüdischen Rasse angehört, werden von den Maßnahmen bis auf weiteres nicht betroffen.

Im Auftrag

gez. v. Hahn

171. Karl Schnurre: Aufzeichnung 20. Februar 1943

Schnurre tilsluttede sig med en enkelt ændring Bests forslag til en advarende meddelelse til den danske regering.

Kilde: LAK, Best-sagen (afskrift). PKB, 13, nr. 391. ADAP/E, 5, nr. 147.

Geheime Reichssache   zu Pol I M 504/g.Rs

Hergestellt in 6 Ausfertigungen.

Dies ist Nr. 3.

A u f z e i c h n u n g

zu Drahtbericht aus Kopenhagen Nr. 171 vom 19. Februar d.J.[72]

Der Befehlshaber der deutschen Truppen in Dänemark hatte in einem Schreiben an das OKW angeregt, das restliche dänische Heer (etwa 6.000 Mann) aufzulösen und die noch verbliebenen Waffen, Munition und Ausrüstungsgegenstände zu übernehmen. General von Hanneken begründet seinen Standpunkt mit Nachrichten über eine wachsende Unsicherheit der dänischen Offiziere. Der Bevollmächtigte des Reichs hat in einem Schreiben an den Befehlshaber und in einem Bericht an das Auswärtige Amt seine politischen Bedenken gegen Maßnahmen dieser Art geltend gemacht und gebeten, von derartigen Maßnahmen Abstand zu nehmen. Er weist darauf hin, daß die deutsche Forderung nach seiner Überzeugung von allen verfassungsmäßigen Faktoren des dänischen Staates – Regierung, Reichstag und König – endgültig abgelehnt werden würde. Wir müßten alsdann diese Maßnahmen unter beträchtlichem Personaleinsatz selbst durchführen. Es sei damit zu rechnen, daß es über diese Frage zu einem völligen Systemwechsel komme, da eine Regierung, die die deutsche Forderung annehme, nicht gebildet werden könnte. – Dazu kommt, daß auch nach dem Urteil der militärischen Stellen die dänische Kriegsmarine gut mit uns zusammen arbeitet und notwendige Arbeit leistet.

Das OKW hat nicht die Absicht, auf die Wünsche des Generals von Hanneken einzugehen und betrachtet die Berichte des Generals mehr von dem Gesichtspunkt aus, daß er sich eine Rückversicherung für eventuelle Vorkommnisse schaffen will. Damit aber doch etwas in der Linie dessen, was General von Hanneken vorschlägt, geschieht, möchte der Chef OKW den Dänen eine warnende Mitteilung machen lassen dahinge-

71 Trykt ovenfor.

72 Trykt ovenfor.

hend, daß die gesamten Reste des dänischen Heeres der Auflösung verfallen, wenn der geringste Widerstand erkannt würde und daß die Offiziere alsdann in deutsche Kriegsgefangenschaft überführt würden.

Das OKW hat dies mit der Bitte um Stellungnahme mitgeteilt, insbesondere auch angefragt, ob die Mitteilung auf militärischem Wege oder auf dem Wege über den Bevollmächtigten zu machen wäre.

Der Bevollmächtigte des Reichs, der um seine Ansicht gefragt wurde, schlägt die in seinem Drahtbericht vom 19. Februar Nr. 171 formulierte Erklärung an die Dänische Regierung vor, die durch ihn der Dänischen Regierung und dem Kronprinz-Regenten zu machen wäre.

In dem Vorschlag Dr. Best wären zweckmäßigerweise im zweiten Satz die Worte "gegen militärische Gefahren, auf die von der deutschen Wehrmacht pflichtgemäß hingewiesen wurde" zu streichen. Im übrigen ist gegen die Erklärung und die Art der Übermittlung durch Dr. Best an die Dänische Regierung und den Kronprinzen nichts einzuwenden. Ich bitte um die Ermächtigung, die Angelegenheit auf der Grundlage des Vorschlags Dr. Best mit dem OKW zu besprechen.

Hiermit über Herrn Botschafter Ritter [und] Herrn Staatssekretär dem Herrn Reichsaußenminister mit der Bitte um Entscheidung vorzulegen.

Berlin, den 20. Februar 1943.

gez. **Schnurre**

172. Rudolf Brandt an Gottlob Berger 20. Februar 1943

På baggrund af Germanische Leitstelles beretning om de nazistiske smågrupper i Danmark besluttede Himmler, at SS skulle indlede et samarbejde med dem, men kun i forståelse med Best. Berger fik til opgave at svare F. Hinné.

Himmlers beslutning var en understregning af, at Frits Clausen og DNSAP ikke længere nød RFSS' velvilje. Kontakten til smågrupperne var en måde at lægge et pres på Frits Clausen for at få ham til at rette ind. I hvert fald fandt Clausen hurtigt ud af, at SS og Best havde kontakter til anden side (se Clausen til Best 25. marts 1943, *Føreren har ordet!* 2003, s. 723-726). På den anden side kan Bruno Boysen også have givet et urealistisk billede af smågruppernes størrelse, betydning og fremtidsmuligheder.

Kilde: RA, pk. 443.

Der Reichsführer-SS   *Feld-Kommandostelle, den 20.2.1943*
Persönlicher Stab
Tgb. Nr. 6/2/43 g
Bra/Bn

Betr: Zuschrift des stellvertretenden Parteileiters der Nationalen Aktion in Dänemark, F. Hinné
Bezug: Dort. v. 9.2.1943[73] – Amt VI –
       VS-Tgb. Nr. 917/43 geh. und
       VI-Tgb. Nr. 355/43 geh. Kü/La –.

73 Trykt ovenfor.

An den Chef des SS-Hauptamtes SS-Gruppenführer Berger,
Berlin

Lieber Gruppenführer!
Ich danke Ihnen für die Zusendung der Stellungnahme des SS-Sturmbannführers Boysen zu der Nationalen Aktion. Ich habe dem Reichsführer-SS heute von dieser Mitteilung als auch von dem Schreiben des Herrn Hinné vom 30.11.1942 Kenntnis gegeben. Der Reichsführer-SS ist durchaus damit einverstanden, daß mit den Splittergruppen zusammengearbeitet wird, aber nur im Einvernehmen mit SS-Gruppenführer Dr. Best.

Ich wäre Ihren dankbar, wenn Sie in geeigneter Form den Brief des Herrn Hinné, den ich wieder beifüge, von Ihrer Dienststelle aus beantworten würden.

Heil Hitler!
R. Brandt
SS-Obersturmbannführer

1 Anlage[74]

173. Paul Kanstein an RSHA 20. Februar 1943

Kanstein meddelte RSHA, at opstilling af en flakmilits i Danmark skete i forståelse med generalen for det tyske luftvåben i Danmark og efter RFSS' retningslinjer. Hvervningen skulle ske gennem SS.

Den tyske konsul i Åbenrå, Ewald Lanwer, havde 8. februar 1943 bl.a. orienteret gesandtskabet om den igangværende hvervning til en særlig "Heimatflak": "In diesem Zusammenhang sei noch erwähnt, daß auf Veranlassung des SS-Ersatzkommandos in Kopenhagen innerhalb der Volksgruppe künftig auch für die Aufstellung einer Heimatflak geworben werden soll. Für diesen Dienst kommen in erster Linie ältere Jahrgänge und teilweise jene Volksdeutsche in Frage, die bisher vom Volksgruppenführer zurückgestellt worden sind. Die Fürsorge der Angehörigen wird von der Waffen-SS übernommen." (RA, pk. 393, PKB, 14, nr. 254).[75]

Flakmilitsen kom givetvis til at være flyvepladsvagter, der ikke deltog i betjeningen af flakstillingerne. Se endvidere Best til AA 22. februar og 24. juni 1943.

Kilde: RA, Danica 1000,T-175, sp. 17, nr. 520.998.

Kophg. FS. Nr. 517 20.2.43 =BRA=

An das RSHA M.O.St. um sofortige Wtltg.
An den Reichsführer SS – Feldkommandostelle

Betrifft: Aufstellung einer Flak-Miliz in Dänemark
Vorgang: Schreiben vom 10.12.42[76]
Tgb. Nr. 35/15/43 Kl. S

---

74 Bilaget foreligger ikke.
75 Heimatflak var man begyndt at organisere i Tyskland i foråret 1942 i områder, der blev anset for mindre truet af bombning. Luftwaffe stod for organiseringen, der omfattede civiliste, der ikke var egnet til indkaldelse (Nolzen 2004, s. 176f.). I Danmark organiseredes det, som det fremgår, i stedet af SS.
76 Denne skrivelse er ikke lokaliseret,

FEBRUAR 1943

Aufstellung der Flak-Miliz erfolgt im engen Einvernehmen mit dem General der Luftwaffe in Dänemark, Ritter von Schleich, nach dem vom Reichsführer-SS gegebenen
Richtlinien. Anwerbung erfolgt durch das Reichsführer-SS.

gez. **Kanstein**
Brigadeführer

174. Joseph Goebbels: Tagebuch 21. Februar 1943

Goebbels roste Bests politik i høje toner. Især var det lykkedes Best at knytte socialistiske kredse til sig. Han
blev opfattet som elev af Heydrich, og der var ros til Himmler for uddannelse af unge SS-folk til politiske
poster.

Det er givet, at Goebbels refererede, hvad han havde hørt i Hitlers nærmeste omgivelser. Der var på ny
ros til Best fra Goebbels 23. maj 1943.

Kilde: *Die Tagebücher von Joseph Goebbels*, Teil II:7, 1993, s. 386f.

[...]

Interessant ist übrigens, daß die Politik von Best in Dänemark beachtliche Erfolge gezeigt hat. Best hat seine Sache sehr elegant und elastisch angefaßt. Er ist ein Schüler
Heydrichs. Vor allem hat er es verstanden, die sozialistischen Kreise in Dänemark auf
seine Seite zu bringen. Der Arbeitsminister und der Sozialminister gehen bei ihm ein
und aus, was zu einer wesentlichen Entspannung in der Stimmung der Arbeiterschaft
geführt hat. Es scheint mir, daß die junge Garde der SS auf politischen Posten Beachtli-
ches zu leisten in der Lage ist. Hier macht sich doch die großartige Erziehung bemerkbar, die Himmler seiner unmittelbaren Umgebung hat angedeihen lassen.
[...]

175. Zur Lage der deutschen Volksgruppe in Nordschleswig 22. Februar 1943

Lejlighedsvis blev der af faste informanter afgivet meldinger til RSHA om folkestemningen i Danmark, især
vedrørende det tyske mindretal i Nordslesvig og det danske mindretal syd for grænsen.

Kilde: BArch, R 58/180. RA, Danica 201, pk. 82, læg 1107. *Meldungen aus dem Reich*, 12, 1984, s.
4837-4840. Paul 1997, nr. 94. Uddrag af Meldungen aus dem Reich nr. 361.

Zur Lage der Deutschen Volksgruppe in Nordschleswig

Die Entwicklung der deutschen Volksgruppe in Nordschleswig in den letzten Monaten und ihre heutige Lage sind gekennzeichnet durch den möglichst umfassenden
Einsatz des in den Volksgruppen-Organisationen erfaßten Deutschtums für das Reich
und durch dessen Ausrichtung auf die politischen Ziele des Reiches. Die Zurückdrän-
gung des verständlichen Wunsches der Volksgruppe nach einem engeren Anschluß an
das Reich nimmt daher nach wie vor einen wesentlichen Platz in der Erziehungsarbeit der Volksgruppenführung ein. Im Zuge dieser Entwicklung, über die in den "Meldungen aus dem Reich" vom 2. April und 12. Juni 1942 berichtet wurde, ist es der

Volksgruppenführung auch gelungen, nach Überwindung innerer Störungsmomente die Haltung der Volksgruppe so zu formen, daß sie nach außen hin als eine Einheit in Erscheinung tritt. Mit Ausnahme eines geringen Teiles von Angehörigen deutschen Volkstums, die dem Nationalsozialismus noch fernstehen oder politisch uninteressiert scheinen, kann dieser Prozeß als abgeschlossen gelten.

Während innerhalb der Volksgruppe Einmütigkeit über den Ausbau der eigenen Position besteht, erfordert ihre Ausrichtung im Hinblick auf das Verhältnis zum dänischen Volk als stammesverwandte Nachbarn im großgermanischen Raum noch eine durchgreifende Erziehungsarbeit. Zu dem Verhältnis der Deutschen Volksgruppe zum Dänentum heißt es in der Parole der Volksgruppenführung:

"Mit unserer heutigen politischen Zielsetzung sagen wir nicht dem dänischen Volkstum den Kampf an, sondern nur den Kräften im dänischen Volk, die die neueuropäische Entwicklung stören und bekämpfen."

Diese Politik gegenüber dem dänischen Volk wird allerdings teilweise kritisiert. Das Bauerntum, so erklärt man, laufe den dänisch eingestellten Heimatgenossen nicht nach, damit die Bevölkerung Nordschleswigs ein Brei werde, der aus lauter Unaufrichtigkeit bestehe.

Die Volksgruppenführung hat ihre Verständigungsbereitschaft gegenüber dem objektiv denkenden Dänen bekundet, aber klar den politisch weltanschaulichen Gegnern, die unter dem Einfluß der feindlichen Propaganda und des nationalen Chauvinismus vorläufig den weitaus größeren Teil in Dänemark ausmachen, den Kampf angesagt.

Die Stellung zu den dänischen Nationalsozialisten in der DNSAP, die nach den früheren Verhältnissen, die nur die Bekämpfung des "nationalen Gegners" kannten, besonders schwierig sein mußte, ist festgelegt in der Richtung einer gegenseitigen Verständigungsbereitschaft und Anerkennung als gleichberechtigte Volkstümer im großgermanischen Raum. Dieser Tatsache hat die Volksgruppe Rechnung getragen durch die Würdigung des Einsatzes der dänischen Freiwilligen im Freikorps "Danmark" und in den Verbänden der Waffen-SS. Beim Heldentod des gefallenen Kommandeurs des Freikorps "Danmark," SS-Obersturmbannführer von Schalburg, kam das besonders zum Ausdruck. Die Volksgruppe gedachte des gefallenen Kommandeurs in Versammlungen und in der Presse in würdigster Weise. Ebenso steht das Verhältnis zu allen dänischen Freiwilligen unter dem Grundsatz: "Die dänischen Freiwilligen, unsere Kameraden."

Der gemeinsame Einsatz von Dänen und Deutschen im Kampf gegen den Bolschewismus gibt gleichzeitig die Möglichkeit zu einem Zusammengehen des deutschen und dänischen Bevölkerungsteiles in Nordschleswig. In einigen Fällen war die Trauerfeier für im Osten gefallene dänische Nationalsozialisten Veranlassung zum gemeinsamen Vorgehen. Dänische antinationalsozialistische Pfarrer lehnten die Übernahme der kirchlichen Trauerfeier ab, weshalb jeweils ein deutscher Pastor dieses übernahm. Die Organisationen der Deutschen Volksgruppe und der Dänischen Nationalsozialistischen Partei stellten Fahnenabordnungen. Bei einer solchen Veranstaltung in Lügum-Kloster im Januar d.J. waren von den ca. 450 teilnehmenden Personen etwa je die Hälfte Deutsche und Dänen.

Dem Bemühen der Volksgruppenführung um ein gutes Verhältnis zu den zum Reich und dem neuen Europa positiv eingestellten dänischen Kreisen steht die Haltung des

Großteils der dänischen Bevölkerung gegenüber, die dem Einfluß der Feindpropaganda und einer äußerst aktiven, gegenüber Deutschtum und Nationalsozialismus betriebenen Hetze zu einer sich ständig steigenden Spannung in diesem Grenzland geführt haben. Die von offizieller dänischer Seite erlassene Aufforderung und die in einzelnen dänischen Stimmen zum Ausdruck gebrachte Mahnung zu einer Haltungsänderung gegenüber dem Reich bzw. den deutschen Element in Nordschleswig findet in den betreffenden dänischen Kreisen keinen Widerhall, zumal auf eine derartige Haltungsänderung offenbar nicht gedrängt wird. Die dem Dänen eingeimpfte Ablehnung gegen alles Deutsche und der daraus resultierende Haß konzentrieren sich in Nordschleswig naturgemäß auf die Deutsche Volksgruppe, deren Angehörige fortwährend den Anpöbelungen besonders Jugendlicher und Halbwüchsiger ausgesetzt sind.

An erster Stelle in der deutschfeindlichen Stimmungsmache und vor allem der negativen Beeinflussung der Jugend steht die Erzieher- und Pastorenschaft. Von der unverhüllten Deutschfeindlichkeit einer ganzen Anzahl von Pastoren wird immer wieder berichtet. So erklärte der Vorsitzende der Inneren Mission in Nordschleswig, Pastor Bartholdy, seinen Zuhörern: "Du sollst Deine Feinde lieben, doch die Deutschen sollst Du hassen, denn sie sind satanisch," während der Pastor Warnk, Ulderup, öffentlich behauptete, daß Deutschland "seine Staatsmacht dazu benutze, seine Jugend zur Gottlosigkeit, Roheit und Gesetzlosigkeit zu erziehen."

Bezeichnend für die Steigerung der systematisch betriebenen Hetze ist die Tatsache, daß man heute in Nordschleswig, einem Gebiet, in dem der Volkstumskampf noch nie mit Brutalität geführt wurde, wie in anderen Ländern, etwa des Südostens, der Deutschen Volksgruppe das Schicksal des Deutschtums in Bromberg von 1939 für den Fall einer deutschen Niederlage verkündet. So wurde in einer Diskussion bei einer Veranstaltung des "Danske Arbejders Samariter Forbund" am 24.11.1942 auf die Frage nach dem Schicksal der Volksdeutschen in Nordschleswig erklärt, daß für die Dauer von 24 Stunden ein Ausnahmezustand proklamiert werde, die meisten Deutschen würden dann verschwunden sein und mit dem Rest werde man schon fertig.

Diese feindliche Haltung des überwiegenden Teiles der dänischen Bevölkerung erschwert der Volksgruppe außerordentlich ihre Aufgaben als "Brücke zum Norden." Solange des Dänentum in dieser konsequenten Frontstellung verharrt, bleibt es unvermeidlich, daß hier das Deutschtum für eine Entwicklung im großgermanischen Sinne nur schwer zu gewinnen ist.

Die Volksgruppe hat ihre volkstumspolitische Stellung trotz aller Gegenarbeit des Dänentums halten und weiterhin ausbauen können. Insbesondere die deutschen Schulen haben seit dem April 1940 eine ständig steigende Schülerzahl aufzuweisen. Von Bedeutung ist auch die Gründung verschiedener neuer deutscher Schulen, die heute Mittelpunkt der deutschen Volkstumsarbeit sind und – wie aus einer Äußerung des Volksgruppenführers Dr. Möller zu entnehmen ist – einmal Mittelpunkt der großgermanischen Arbeit sein sollen. Dr. Möller erklärte in Gravenstein bei einer Schuleinweihung im November v.Js., daß der Kampf der Volksgruppe jetzt der Seele des germanischen Nordens gelte und er überzeugt sei, daß nach 25 Jahren deutsche und dänische Jugend die Schulräume gemeinsam benutzen würden.

Um die Position des Deutschtums auszubauen, ist die Volksgruppe in den letzten

Jahren in die nördlichen Teile Nordschleswigs vorgestoßen, die als sogenannte Leergebiete ohne deutsche propagandistische Betreuung waren, um dort noch vorhandene Teile deutschen Volkstums aufzurütteln und zurückzugewinnen. So ist es gelungen, in einigen Orten deutsche Organisationen zu gründen, in denen kein deutsches Leben mehr vorhanden war. Um den Erfolg noch zu steigern, beabsichtigt die Volksgruppenführung dort die Einsetzung von Rednern, die sich der dänischen Sprache bedienen können. Dieser Entschluß ist von besonderer Bedeutung, da die Umgangssprache zahlreicher, vor allem national noch unentschiedener Volksdeutschen dänisch ist, und diese die deutsche Sprache nicht oder nur schlecht beherrschen.

176. Werner Best an das Auswärtige Amt 22. Februar 1943
Den tyske invasionsfrygt fik Hitler til at kræve opstilling af luftværnsskyts bemandet med statsborgere fra de besatte lande.

Sådanne frivillige flaksoldater blev også rekrutteret i Danmark og anvendt ved de tyske flyvepladser, men som regel var deres tjeneste ikke egentlig krigsmæssig, selv om de var uddannet til en sådan (Alkil, 1, 1945-46, s. 785-787, Christiansen 1955, s. 52).

Kilde: PA/AA R 29.566. PKB, 13, nr. 666.

Telegramm

| Kopenhagen, den | 22. Februar 1943 | 12.45 Uhr |
| Ankunft, den | 22. Februar 1943 | 13.45 Uhr |

Nr. 182 vom 19.2.43.

Betr.: Aufstellung einer Heimatflak in Dänemark.

Auf Befehl des Führers soll in allen besetzten Gebieten eine Heimatflak in Form einer Miliz, bestehend aus Staatsangehörigen des besetzten Landes, aufgestellt werden. Dieser Befehl gilt auch für Dänemark. Die Luftwaffe benötigt in Dänemark 750 Mann, die als Angehörige der deutschen Wehrmacht in die Luftwaffe eingegliedert und in Seeland und Jütland eingesetzt werden sollen. Sämtliche Verpflichtungen betr. Besoldung, Versorgung usw. übernimmt die Luftwaffe. Für Dänemark ist weiter die Regelung getroffen worden, daß diejenigen Freiwilligen für die Flak-Miliz angeworben werden sollen, die sich zum Eintritt in die Waffen-SS gemeldet haben, für diese aber nicht geeignet sind. Die Anwerbung erfolgt durch das SS-Ersatzkommando Dänemark, das nach erfolgter Meldung die Überstellung an die Luftwaffe vornimmt. Die Aufstellung ist noch nicht abgeschlossen. Weiterer Bericht folgt.[77]

Dr. Best

---

77 En sådan indberetning er ikke lokaliseret.

177. Werner Best an das Auswärtige Amt 22. Februar 1943

Best uddybede, hvorfor han i telegrammet den 19. februar havde inddraget den finske hær og begrundede, hvorfor danske soldater skulle kunne træde uden for nummer og indgå enten i den tyske eller finske hær. Han skrev åbent, at det i Danmark blev betragtet som landsforræderi at melde sig til den tyske hær. Det kunne efter hans mening hindres, hvis de danske soldater på samme vilkår kunne melde sig til den finske hær (Roslyng-Jensen 1980, s. 138, 140).
   Kilde: PA/AA R 29.566. RA, pk. 202.

Telegramm

| Kopenhagen, den | 22. Februar 1943 | 21.30 Uhr |
| Ankunft, den | 22. Februar 1943 | 22.20 Uhr |

Nr. 185 vom 22.2.[43.]

Unter Bezugnahme auf meinen Drahtbericht Nr. 171[78] vom 19. Februar teile ich mit, daß mir auf vertraulichem Wege bekannt geworden ist, daß die hiesige finnische Gesandtschaft sich bemüht, dänische Offiziere und Soldaten zu gewinnen, in der finnischen Wehrmacht am Kriege teilzunehmen. Dies veranlaßt mich, meinen Vorschlag vom 19. Februar dahin auszudehnen, daß ich der dänischen Regierung und dem Kronprinz-Regenten nahelege, Angehörige der dänischen Wehrmacht zur Dienstleistung in der deutschen und in der finnischen Wehrmacht zu beurlauben und zu erkennen geben, daß Staatsoberhaupt und Regierung mit diesem Kriegsdienst dänischer Wehrmacht-Angehöriger aufrichtig einverstanden sind. Diese Verbindung deutscher und finnischer Interessen würde einerseits den dänischen Instanzen ihre Zustimmung erleichtern und andererseits diejenigen Angehörigen der dänische Wehrmacht, die sich zur Dienstleistung in der deutschen Wehrmacht entschließen, vor ihren Kameraden und vor der Bevölkerung rechtfertigen; denn wenn alle Dänen einem Einsatz dänischer Soldaten für Finnland zustimmen, können sie nicht mehr gleichzeitig den Einsatz dänischer Soldaten im deutschen Teil der gleichen Front als "Landesverrat" ablehnen.

Dr. Best

178. Werner Best an das Auswärtige Amt 23. Februar 1943

Best havde siden december gennem kontakt med Berger arbejdet for en militær uddannelse af den del af det tyske mindretal, der ikke var egnet til frontindsats. Med flere måneders forsinkelse fandt han det formålstjenligt at fortælle AA om den forestående opstilling og uddannelse af disse forstærkningsenheder i Danmark, den såkaldte Zeitfreiwilligendienst. Uden at inddrage sin egen rolle anbefalede Best, at AA accepterede det. Den danske regerings og von Hannekens tilslutning var opnået.
   RAM gav sin tilslutning 7. marts efter at have indhentet Abteilung Deutschlands udtalelse. Abteilung Deutschland gik ind for forslaget, dels fordi gesandtskabet gjorde det, dels fordi WB Dänemark lagde stor vægt på denne forstærkning. Mærkværdigvis havde Bergmann allerede 3. marts telegrafisk sendt Best AAs godkendelse, idet han givetvis kendte Abteilung Deutschlands indstilling afgivet 2. marts. Imidlertid oplyste Sonnleithner først 7. marts Bergmann om RAMs positive indstilling til Bests forslag. Forklaringen kan

---

78 bei Pol I M (V.S.). Trykt ovenfor.

være den enkle, at Bergmann havde forivret sig, og i dette tilfælde var det uden konsekvenser (akter i PA/AA R 100.355 og RA, pk. 237, Thomsen 1971, s. 108, Noack 1975, s. 115-119).

Kilde: PA/AA R 29.566. PKB, 14, nr. 363.

T e l e g r a m m

Kopenhagen, den	23. Februar 1943	19.20 Uhr
Ankunft, den	23. Februar 1943	20.00 Uhr

Nr. 190 vom 23.2.[43.]

Die Deutsche Volksgruppe in Nordschleswig hat den Wunsch, zur Verteidigung des dänischen Gebietes gegen feindliche Angriffe in gleicher Weise sogenannte "Zeitfreiwillige" neben den zum Fronteinsatz gelangenden Freiwilligen zu stellen, wie diese von den Reichsdeutschen in Dänemark gestellt werden. Um das Monopol der Waffen-SS auf Einziehung dänischer Staatsangehöriger zum deutschen Wehrdienst zu wahren, hat sich der Volksgruppenführer Dr. Moeller mit der hiesigen Ergänzungsstelle der Waffen-SS in Verbindung gesetzt und Einverständnis darüber erzielt, daß die in Frage kommenden Volksdeutschen von der Waffen-SS eingezogen und alsdann dem Befehlshaber der deutschen Truppen in Dänemark zur Ausbildung und zum Einsatz zur Verfügung gestellt werden. In Frage kommen nur solche Volksdeutsche, die nicht für den Fronteinsatz geeignet sondern entweder älteren Jahrgängen angehören oder vom Volksgruppenführer UK gestellt sind. Die Ausbildung der "Zeitfreiwilligen," die weiter ihrem Zivilberuf nachgehen, erfolgt an bestimmten Tagen durch besondere Ausbildungskommandos an den Wehrmachtsstandorten oder auch an Orten außerhalb der Standorte. Während des Dienstes tragen die "Zeitfreiwilligen" Uniform, Waffen sind nach der Beendigung des Dienstes abzugeben. Die Volksgruppe will etwa 1.600 Mann in Nordschleswig und etwa 100 Mann in Kopenhagen zur Verfügung stellen.

Der Befehlshaber der deutschen Truppen in Dänemark legt großen Wert auf diese Verstärkung seiner Einheiten und wünscht, daß die Ausbildung unverzüglich in Angriff genommen wird. Ich habe gegen die Durchführung dieses Planes keine Bedenken und beabsichtige, in dem Zeitpunkt, zu dem die Einberufungen erfolgen, die dänische Regierung von dieser Maßnahme zu unterrichten. Etwaige Einwendungen werden mit der Feststellung zurückzuweisen sein, daß die Einberufung von Freiwilligen dänischer Staatsangehörigkeit durch die Waffen-SS durchaus der bestehenden Übung entspräche. Daß Ausbildung und Einsatz bei hiesigen Heereseinheiten erfolge, entspreche den aktuellen Kriegsnotwendigkeiten.

Dr. Best

179. Werner Best an das Auswärtige Amt 23. Februar 1943

For at forebygge unødvendig rejsetrafik til Danmark af civile rigstyskere havde Best indført meldepligt og krav om udfyldning af spørgeskemaer, hvor der skulle gøres nøje rede for rejsens formål. Personer, der ikke havde meldt sig ved udrejsen og havde opholdstilladelse, ville blive afkrævet oplysninger, før de kom over grænsen.

FEBRUAR 1943

OKW udfærdigede 5. juni 1943 nye regler for værnemagtsrejser til Danmark (trykt nedenfor). Den meget omfattende rejseaktivitet til Danmark blev taget op igen efteråret 1944 (se Keitel til von Hanneken u.a. 27. oktober 1944).
Kilde: RA, pk. 289.

Der Bevollmächtigte des Reiches in Dänemark   *Kopenhagen, den 23. Februar 1943.*
I B/ R 5 [...]/43.

Betrifft: Meldepflicht von aus dem Reich nach Dänemark einreisenden reichsdeutschen Zivilpersonen.
– 4 Anlagen[79] –
– 3 Durchdrucke –

Seit der Übernahme meines hiesigen Amtes habe ich in zunehmenden Maße den Eindruck gewonnen, daß viele Reisen, die von Reichsdeutschen nach Dänemark durchgeführt werden, entweder überhaupt nicht notwendig sind oder in ihrer Bedeutung mit dem verursachten Devisenaufwand in keinen berechtigten Verhältnis stehen. Um sowohl die Kategorien von Reisenden wie auch die Einzelreisenden, auf die diese Feststellungen zutreffen, genau zu erfassen und das Auswärtige Amt durch laufende Berichterstattung in die Lage zu versetzen, die Ausstellung von Durchlaßscheinen Nord entsprechend zu handhaben, habe ich mit Wirkung vom 1. März d.J. für nach Dänemark reisende reichsdeutsche Zivilpersonen das folgende Meldeverfahren angeordnet:

Reichsdeutsche Zivilreisende nach Dänemark einschließlich derjenigen, die im Auftrage der Wehrmacht entsandt werden und mit Grenzübertrittschein reisen, haben sich in Zukunft unverzüglich bei meiner Behörde oder, wenn sie nicht nach Kopenhagen kommen, bei einem deutschen Konsulat in Dänemark zu melden. Zur Unterrichtung hierüber wird ihnen bei der Einreise nach Dänemark ein Merkblatt (Anlage I). Bei ihrer Meldung haben sie sodann eines Fragebogen (Anlage II) auszufüllen, worauf sie gegebenenfalls mit dem zuständigen Sachbearbeiter meiner Behörde in Verbindung gebracht oder unter Beobachtung gestellt werden. Vor ihrer Abreise werden sie angehalten, den in Entwurf beigefügten Zusatzfragebogen (Anlage III) auszufüllen. Reisende, die die vorgeschriebene Meldung unterlassen, sowie Reisende, die sich ohne Aufenthaltsgenehmigung länger als zwei Tage in Dänemark aufhalten, haben bei ihrer Rückreise in das Reich an der Grenzübergangsstelle einen Fragebogen (Anlage IV) auszufüllen. Inhaber von Diplomaten- und Ministerialpässen sind von dem Meldeverfahren ausgenommen.

Eine Abschrift meines an die Grenzpolizeikommissariate in Flensburg und Warnemünde sowie an die Deutsche Grenzaufsicht in Kastrup gerichteten Schreibens (Anlage V) füge ich bei.

gez. **Best**

79 Bilagene er ikke medtaget.

180. Werner Best an das Auswärtige Amt 23. Februar 1943

Best orienterede AA om kontrakten om bygningen af Hansa-skibe på danske værfter og om, hvem der stod som ansvarlige selskaber på tysk og dansk side. Danskerne havde til formålet oprettet et nyt selskab, der også skulle stå for kontrakterne med de enkelte værfter.

Kilde: BArch, R 901 68.230.

Der Bevollmächtigte des Reiches in Dänemark　　　　　*Kopenhagen, den 23.2.1943.*
S/Sch 4/1b
2 Durchschläge

An das Auswärtige Amt
　　Berlin

Betr.: Hansa-Programm auf dänischen Werften.

Zwischen der deutschen und der dänischen Regierung ist vereinbart worden, daß im Rahmen des Hansa-Programms 37 Schiffe mit insgesamt 189.000 to Tragfähigkeit bis Ende 1944 auf den dänischen Werften gebaut werden.

Diese Schiffe, bei denen es sich um Einheitstypen handelt, werden zwischen der deutschen und der dänischen Seite aufgeteilt und zwar entfallen auf die deutsche Seite 19 Schiffe mit 103.000 to Tragfähigkeit und auf die dänische Seite 18 Schiffe mit 89.000 to Tragfähigkeit.

Für die für deutsche Rechnung zu bauenden Schiffe wird der Bauvertrag zwischen den in Betracht kommenden dänischen Werften und der Schiffahrt-Treuhand GmbH. abgeschlossen.

Hinsichtlich der 18 für dänische Rechnung zu bauenden Schiffe ist nunmehr, wie aus den Anmeldungen zum Aktiengesellschaftsregister hervorgeht, seitens des dänischen Staates eine Gesellschaft zu dem Zweck gegründet worden, die erforderlichen Baukontrakte mit den dänischen Werften abzuschließen.

Der Name dieser neugegründeten Gesellschaft ist "Aktieselskabet af 6. Februar 1943 (Aktiengesellschaft vom 6.Februar 1943). Die Gesellschaft hat ihren Sitz in Kopenhagen. Das Aktienkapital, das voll eingezahlt ist, beträgt d.Kr. 50.000.-. Als Gründer der Gesellschaft treten höhere Beamte des dänischen Finanz- und Handelsministeriums in Erscheinung.

gez. **Dr. Best**

181. Konstantin Hierl an Ernst von Weizsäcker 23. Februar 1943

Rigsarbejdsfører Hierl truede med at trække sin repræsentant i Danmark ud med kort varsel, hvis ikke der skete fremskridt med skabelsen af en arbejdstjeneste i Danmark. Han fremsendte betingelserne derfor.

Samme dag sendte han Himmler en kopi af sit brev til AA, se nedenfor (RA, pk. 443). Hierl fik ikke svar fra AA, hvorpå han tabte tålmodigheden og skrev på ny 17. april 1943.

Det var ikke ensbetydende med, at Best ikke fortsat virkede for sagen. Den 2. april havde han bl.a. den danske minister Gunnar Larsen til middag på Rydhave og foreslog ham at stille sig i spidsen for organise-

FEBRUAR 1943

ringen af en frivillig arbejdstjeneste i Danmark (KB, Gunnar Larsens dagbog 2. april 1943. Jfr. Lauridsen 2006a). Gunnar Larsen synes at have stillet sig positiv over for forslaget, og Best fortsatte bestræbelserne, som var et led i hans virke for Germanische Leitstelle.

Kilde: RA, Danica 1069, sp. 6, nr. 7112-14. RA, pk. 443.

Abschrift.
Der Reicharbeitsführer   *Berlin, den 23. Februar 1943*
Ausw. Nr. 1740-638/43.

An Herrn Staatssekretär von Weizsäcker,
     Auswärtiges Amt, Berlin W.

Betrifft: Dortiges Schreiben vom 18.2.1943[80]
Partie Nr. 145/43.

Sehr geehrter Herr Staatssekretär!
Bei der angespannten Personallage des Reicharbeitsdienstes kann ich eine Belassung meines Verbindungsführers in Dänemark nur dann verantworten, wenn die Voraussetzung für eine wirklich fruchtbringende Arbeit geschaffen wird. Als solche unerläßliche Voraussetzung betrachte ich die Erfüllung der in der Anlage vorgelegten Grundbedingungen, über die eine Vereinbarung zwischen dem Auswärtigen Amt und dem Reichsarbeitsführer getroffen werden müßte. Sollte dies nicht möglich sein, bin ich zu meinem Bedauern gezwungen, meinen Verbindungsführer in Kopenhagen zum 1. März 1943 zurückzuziehen.

Heil Hitler!
Ihr
gez. **Hierl**

1.) Zweck des Arbeitsdienstes in Dänemark ist, die Jugend durch Erziehung für den germanischen Reichsgedanken und die nationalsozialistische Weltanschauung zu gewinnen.

Dazu ist die Einführung der allgemeinen Arbeitsdienstpflicht für die Jugend beiderlei Geschlechts, sobald die notwendigen Voraussetzungen dafür erfüllt sind, notwendig.

Die erste Vorbereitung dafür besteht in der Errichtung eines *staatlichen Arbeitsdienstes auf freiwilliger Grundlage*, um auf diesem Wege das notwendige Stammpersonal für die Durchführung der allgemeinen Arbeitsdienstpflicht heranzubilden.

Dieser vorbereitende Arbeitsdienst auf freiwilliger Grundlage muß ein *Volks*arbeitsdienst und darf nicht ein *Partei*arbeitsdienst sein, weil er als solcher nur für enge Parteizwecke gebraucht und damit seine werbende Kraft auf die dänische Jugend verlieren würde.

Ich bin der Meinung, daß Stellung und Bedeutung der Dänischen Nationalsozialistischen Partei nicht mit der NSDAP im Reich in Vergleich gezogen werden können. Und selbst im Reich hat der Führer nach der Machtübernahme den Arbeitsdienst von der Partei unabhängig und zu einer Reichseinrichtung gemacht.

80 Trykt ovenfor.

2.) Der Aufbau des dänischen staatlichen Arbeitsdienstes auf freiwilliger Grundlage erfolgt nach den Weisungen des Reichsarbeitsführers; in allen Fragen, die politische Bedeutung haben können, im Einvernehmen mit dem Bevollmächtigten des Reiches in Dänemark. Für Verhandlungen mit der dänischen Regierung ist allein der Bevollmächtigte des Reiches zuständig.

3.) Vertreter des Reichsarbeitsführers beim Bevollmächtigten des Reiches in Dänemark ist der Beauftragte des Reichsarbeitsführers. Er hat die Stellung eines Militär-Attachés (Polizei-Attachés) beim Bevollmächtigten des Reiches.

4.) Die formelle Führung des dänischen Arbeitsdienstes erfolgt durch einen dänischen Staatsangehörigen, der vom dänischen Regierungschef im Einvernehmen mit dem Bevollmächtigten des Reiches ernannt wird.

Der Reichsarbeitsführer schlägt dem Bevollmächtigten des Reiches die als Führer des dänischen Arbeitsdienstes geeignete Persönlichkeit vor und beantragt ebenfalls Änderung in der Besetzung.

Dem dänischen Staatsarbeitsführer wird der Beauftragte des Reichsarbeitsführers als maßgebender verantwortlicher Berater in allen Arbeitsdienstangelegenheiten zur Seite gestellt.

182. Konstantin Hierl an Heinrich Himmler 23. Februar 1943

Rigsarbejdsfører Hierl sendte Himmler en kopi af sit brev til AA samme dag, trykt ovenfor.
 Hierl fik svar fra Himmler 12. marts.
 Kilde: RA, pk. 443.

Der Reichsarbeitsführer   *Berlin-Grünewald, den 23. Februar 1943*
Ausw. Nr. 1740-638/43

An den Reichsführer-SS Himmler
 Berlin

Lieber Parteigenosse Himmler!
Das Auswärtige Amt hat sich, nachdem ich wegen der Ablehnung aller meiner Forderungen in Bezug auf die Gestaltung des Arbeitsdienstes in Dänemark meinen Verbindungsführer in Kopenhagen abberufen habe, mit der Bitte an mich gewandt, den Verbindungsführer aus politischen Gründen bis auf weiteres in Kopenhagen zu belassen.

Ich übersende Ihnen in der Anlage Abschrift des Schreibens des Auswärtigen Amtes und meiner Antwort zu Ihrer Kenntnis.

Heil Hitler!
Ihr
Hierl

183. Werner Best an das Auswärtige Amt 23. Februar 1943

Best orienterede AA om en tale, som lederen af det tyske mindretal Jens Møller netop havde holdt (se Det Tyske Konsulat til den rigsbefuldmægtigede 16. februar 1943 (PKB, 14, nr. 107)). Anledningen var især, at Møller havde henvendt sig til Scavenius for at få to danske præster fjernet på grund af deres ringeagtende udtalelser om de frivillige, danske såvel som fra det tyske mindretal, der meldte sig til tysk krigstjeneste. Henvendelsen var sket i forståelse med Best.

De to præster, provst Schülein i Løgumkloster og pastor Warncke i Ullerup, blev ikke afskediget, men fik efter en tjenstlig undersøgelse en disciplinær tilkendegivelse, hvilket blev meddelt det tyske kontor 23. juli 1943 (Hvidtfeldt 1953, s. 46f., Thomsen 1971, s. 107, Noack 1975, s. 117).

Kilde: PA/AA R 100.355. RA, pk. 237. PKB, 14, nr. 108.

Der Bevollmächtigte des Reiches in Dänemark   *Kopenhagen, den 23.2.1943.*
I C/Tgb. Nr. 105/43.

Betr.:   Rede des Volksgruppenführers Dr. Möller in Hadersleben, Resolution betr.
          Absetzung zweier dänischer Pastoren.
– 2 Durchschläge –

An das Auswärtige Amt,
    Berlin.

Der Volksgruppenführer Dr. Möller hielt am 14.2. in Hadersleben bei einer Veranstaltung der NSDAP Nordschleswig, an der etwa 1.000 Volksdeutsche teilnahmen, eine Rede, in der er einen Überblick über die Kriegsaufgaben der Volksgruppe gab und die Volksgruppe aufforderte, ihren Kriegseinsatz auf allen Gebieten zu verstärken. U.a. kündigte Dr. Möller an, daß über die bisher von der Werbung der Waffen-SS erfaßten Jahrgänge hinaus demnächst auch der Jahrgang 1924 aufgerufen würde, sich zur Musterung zu melden. In seiner Rede ging Dr. Möller auch auf die in letzter Zeit von der volksdeutschen und dänischen Grenzpresse geführte Polemik über grundsätzliche Fragen des Verhältnisses der Volksgruppe zum Dänentum ein und wies den von dänischer Seite erhobenen Vorwurf zurück, die Volksgruppe betreibe eine Politik der Isolierung. Es sei unverständlich, erklärte Dr. Möller, wie man von einer Isolierung der Volksgruppe sprechen könne in einer Zeit, in der die Volksdeutschen zusammen mit ihren dänischen Kameraden an der Ostfront um die Erhaltung der gemeinsamen Kulturgüter der abendländischen Welt kämpften.

Ein wesentliches Moment der Rede bildeten ferner die scharfen Angriffe des Volksgruppenführers gegen die vielfach in Schulen und Kirchen Nordschleswigs zu beobachtende Stimmungsmache gegen das Deutschtum. Insbesondere wandte sich Dr. Möller gegen zwei dänische Pastoren, die kürzlich beleidigende Äußerungen über die volksdeutschen und dänischen Freiwilligen gemacht haben. Der großen Empörung, die dadurch bei der Volksgruppe entstanden ist, wurde am Schluß der Kundgebung durch ein Telegramm an den Staatsminister Ausdruck gegeben, in dem die Strafverfolgung und Entfernung der Pastoren aus dem Grenzgebiet gefordert wird. Dieses Verlangen brachte Dr. Möller auch mündlich dem Staatsminister gegenüber in einer Unterredung zum Ausdruck, die er nach vorheriger Fühlungnahme mit mir am 17.2. mit dem Staatsminister hatte. Die erwähnten Fälle waren vorher mit mir erörtert worden; ich habe mit Dr. Möller vereinbart, daß die Angelegenheit zunächst unmittelbar zwischen ihm und dem dänischen Staats- bezw. Kirchenministerium weiter verfolgt wird.

W. Best

184. Geheime Staatspolizei, Kiel an RSHA 23. Februar 1943

Gestapo i Kiel fremsendte til orientering RSHA Amt IV A et nummer af det illegale blad *De frie Danske*, som blev karakteriseret som kommunistisk.

Skrivelsen vidner om ringe vidensniveau om den danske illegale presses politiske tilhørsforhold og lige så ringe koordination mellem Kiel og Berlin.

Kilde: RA, Danica 1069, sp. 7, nr. 8232.

Geheime Staatspolizei   *Kiel, den 23. Februar 1943*
Staatspolizeistelle Kiel
B. Nr. N 127/43g   Geheim!
Einschreiben!

An das Reichssicherheitshauptamt – IV A –
    Berlin SW. 11
    Prinz-Albrecht-Straße 8

Betrifft: GND.
Vorgang: Ohne.
Anlagen: Zwei.[81]

Als Anlage wird ein bisher noch nicht erfaßtes Exemplar der dänischen kommunistischen Hetzschrift "De frie Danske" Nr. 2 vom Dezember 1942 mit der Bitte um Kenntnisnahme überreicht.

Eine deutsche Übersetzung der Schrift ist ebenfalls beigefügt.

[underskrift]

185. Ernst von Weizsäcker an Joachim von Ribbentrop 23. Februar 1943

Den danske gesandt Mohr havde været hos Weizsäcker for at presse på for afholdelsen af et dansk folketingsvalg.

Kilde: RA, pk. 211.

St.S. Nr. 120   *Berlin, den 23. Februar 1943.*

Der Dänische Gesandte streifte heute bei mir nochmals die Frage der Wahlen zum Dä-

---

81 Bladet og den tyske oversættelse er ikke medtaget.

nischen Storting. Er wollte klarstellen, daß die dänische Verfassung eine Verlängerung der Legislaturperiode nicht vorsehe, und daß jede Abänderung von der Verfassung der nachträglichen Billigung durch ein neu gewähltes Storting bedürfe.

Im übrigen sagte Herr Mohr, der 3. April sei der Stichtag, an welchem die Mandate der Storting-Abgeordneten ablaufen. Um Herrn Scavenius in seiner Stellung als Staatsminister (d.h. Ministerpräsidenten) zu festigen, wäre eine baldige deutsche Zustimmung zu dem Wahlakt erwünscht.

Hiermit dem Herrn Reichsaußenminister (drahtlich).

gez. **Weizsäcker**

Durchdruck an:
U.St.S. Pol.
Dg. Pol.
Ges. v. Grundherr

186. Ernst von Weizsäcker: Notiz 23. Februar 1943

Den danske gesandt Mohr havde ved sit besøg hos Weizsäcker også ytret bekymring over, at von Hanneken havde udtalt, at der ville blive taget gidsler, såfremt de tre af seks kommunister, som havde stjålet sprængstof og endnu ikke var anholdt, ikke blev skaffet til veje. Fra dansk side gjorde man sig alle anstrengelser for at få fat i dem.

Baggrunden var seks KOPA/BOPA-medlemmers indbrud hos Faxe Kalkbrud 19. december 1942, hvor de stjal 63 kilo aerolit. Et par af medlemmerne var tidligere spaniensfrivillige. Halvdelen af udbyttet gik straks tabt, da det blev taget sammen med Jørgen Jacobsen, Kurt Blauenfeldt og Angelo Møller. Af de øvrige tre blev senere Henry Jacobsen arresteret og dødsdømt, men siden benådet (Kjeldbæk 1997, s. 71-75)

Kilde: RA, pk. 202 og 211. PKB, 13, nr. 718.

St.S. Nr. 121   *Berlin, den 23. Februar 1943.*

Der Dänische Gesandte erwähnte heute bei mir die Tatsache, daß 6 dänische Kommunisten, die aus dem spanischen Bürgerkrieg in Sprengstoff-Attentaten geübt seien, von einem dänischen Polizisten kürzlich gestellt wurden. 3 seien verhaftet, 3 andere jedoch noch nicht. Man mache alle Anstrengungen, um ihrer habhaft zu werden. General von Hanneken habe irgendwo geäußert, er werde sich Geiseln sichern, wenn man der 3 fehlenden Kommunisten nicht habhaft werde.

Herr Mohr betrachtete die Sache mit Sorge, da man in der Tat nicht wissen könne, ob trotz größter Bemühungen der vereinten deutschen und dänischen Polizeiorgane die Betreffenden ergriffen werden würden. Sie hätten sich in einer Fabrik einer beträchtlichen Menge hochexplosiver Sprengstoffe bemächtigt.

Ein besonderes Petitum knüpfte Herr Mohr an die Sache nicht.

gez. **Weizsäcker**

Herrn U.St.S. Pol.
Dg. Pol.
Ges. v. Grundherr (anheimstelle Mitteilung an Dr. Best
und weitere Verfolgung des Vorgangs) Pol. IM

187. Hans Clausen Korff an Christian Breyhan 23. Februar 1943

Korff havde været i København, hvor han havde drøftet besættelsen af stillingen i afdelingen for offentlige finanser ved gesandtskabet. Kunne han vælge, ville han tage stillingen i København, men det havde han fået at vide var udelukket af både RFM og Terboven. RFM foretrak, at han forblev i begge stillinger, hvilket Best indtil videre accepterede. Derfor bad Korff om hurtigst muligt at få en stedfortræder i København.

Korff skrev på ny om sagen til Breyhan 8. april 1943.

Kilde: RA, Danica 50, pk. 91, læg 1255 (gennemslag).

Oberregierungsrat Korff
beim Bevollmächtigten des Deutschen Reichs in Kopenhagen

Oslo, 23. Februar 1943

Herrn Ministerialrat Dr. Breyhan
  Reichsfinanzministerium
  Berlin W 8
  Wilhelmplatz 1/2

Betr. Mitarbeiter in Kopenhagen

Sehr geehrter Herr Dr. Breyhan!
Wie ich Ihnen bereits fernmündlich mitteilte, habe ich die Frage der Besetzung der Abteilung öffentliche Finanzwirtschaft beim Bevollmächtigten des Reichs in Dänemark bei meiner letzten Anwesenheit in Kopenhagen mit dem Reichsbevollmächtigten Dr. Best erörtert. Ich habe ferner Dr. Best vorgetragen, daß ich bei freier Wahl Kopenhagen vorziehen würde, da ich – abgesehen von persönlichen Gründen – die dänischen Verhältnisse seit vielen Jahren aus nächster Nähe studiert habe. Es sei aber nach Auffassung des Reichsfinanzministeriums und des Herrn Reichskommissars nicht möglich, daß ich in Oslo ausscheide, weil sich die finanzielle Lage in Norwegen weit mehr als in Dänemark zugespitzt habe und mein Austausch mit einem Beamten, der die Entwicklung nicht kenne, z.Zt. nicht vertretbar sei. Andererseits sei es der Wunsch des Reichsfinanzministeriums, daß ich wie bisher Kopenhagen nebenher betreue, da dadurch die Verwertung der Osloer Erfahrungen in Dänemark möglich sei.

Dr. Best erklärte dazu, er würde grundsätzlich vorziehen, wenn ich selbst ganz nach Kopenhagen käme. Er erkenne aber meine Unabkömmlichkeit in Norwegen an und sei unter den gegebenen Umständen damit einverstanden, daß ich bis auf weiteres auch die Leitung der Abteilung öffentliche Finanzwirtschaft in Kopenhagen behielte, vorausgesetzt, daß mir ein höherer Beamter als ständiger Vertreter beigegeben würde. Sein Ziel sei zwar, Kopenhagen einmal ständig zu besetzen, ihm eile es jedoch damit nicht und er wolle für meine weitere Tätigkeit auch keine Frist setzen sondern dies von der weiteren Entwicklung abhängig machen.

Inzwischen hat Herr Reichsbankdirektor Sattler in Kopenhagen einen Direktor einer Reichsbanknebenstelle als ständigen Vertreter.[82] Zollinspektor Jahn kann diesem gegenüber naturgemäß kein Gegengewicht bilden. Außerdem ist er noch z.Zt. an Ischias erkrankt und liegt seit 3 Wochen im Bett. Ich werde deshalb am 26. nach Kopenhagen fahren, um nach dem Rechten zu sehen.

---

82 Se Barandon til AA 22. oktober 1942.

FEBRUAR 1943

Unter diesen Umständen halte ich es aber für zweckmäßig, daß mir sobald wie möglich ein Vertreter beigegeben wird. Ich wäre dann allerdings für eine rechtzeitige Unterrichtung dankbar, damit ich mit ihm zusammen in Kopenhagen eintreffen kann. Sollte mir dies aus dienstlichen Gründen nicht möglich sein, schlage ich vor, daß er vor seinem Dienstantritt in Kopenhagen etwa eine Woche informatorisch in Oslo tätig ist.

Korff

188. Werner Best an das Auswärtige Amt 24. Februar 1943

Angiveligt på grund af betragtelige tab af medlemmer af det tyske mindretal på grund af krigsdeltagelsen, frygtede mindretallets ledelse, at dets mandat i folketinget ville gå tabt ved et kommende valg. Derfor foreslog Jens Møller i stedet oprettelsen af et kontor for det tyske mindretal under Statsministeriet.

Trods det forsøgte Best stadig at få ham overtalt til at deltage i valget, som det fremgår af telegram nr. 251, 9. marts 1943 (Thomsen 1971, s. 107, Noack 1975, s. 144-148).

Kilde: PA/AA R 29.566. PKB, 14, nr. 146.

Telegramm

| Kopenhagen, den | 24. Februar 1943 | 19.35 Uhr |
| Ankunft, den | 24. Februar 1943 | 20.15 Uhr |

Nr. 197 vom 24.2.[43.]

Der Inhalt des Telegramms Nr. 224 (D VIII 407/43) vom 11.2.43[83] ist mit dem Volksgruppenführer Dr. Moeller besprochen worden. Dr. Moeller hat bestätigt, daß ihm die Schaffung einer Vertretung der Volksgruppe im dänischen Staatsministerium wertvoller wäre als sein gegenwärtiges Folketingsmandat, das ihm als einer Einmannfraktion doch keine Beteiligung an den Reichstagsausschüssen und keinen Einfluß auf die Regierungsarbeiten ermöglicht. Dr. Moeller erstrebt die Schaffung eines Büros im Staatsministerium, das der früheren "Deutschen Kanzlei" entspricht und durch das unter der Autorität des Staatsministers alle Anliegen der deutschen Volksgruppe bei den Fachministerien vertreten und geregelt werden können. Da Dr. Moeller bereits gegenüber dem Staatsminister von Scavenius diesen Wunsch angedeutet hatte, hat dieser mich darauf angesprochen. Er erklärt mir, daß ihm dieser Plan durchaus einleuchte und daß er seine Verwirklichung für möglich halte. Diese Frage kann also im Zusammenhang mit der Regelung der Modalitäten der Reichstagswahl zwanglos gelöst werden. Hinsichtlich der Kommunalvertretungen wünscht Dr. Moeller entweder die Vereinbarung einer sogenannten "Friedenswahl," in der die Verteilung der Mandate unverändert bleibt, oder noch lieber die Einführung von besonderen "Referenten" der Volksgruppe, die ohne Stimmrecht an den Arbeiten der Gemeindevertretungen und ihrer Ausschüsse teilnehmen. Hierdurch würde erreicht, daß in vielen Gemeindevertretungen, in denen die Volksgruppe zur Zeit nicht oder zu schwach für eine Beteiligung an Ausschüssen vertreten ist, nunmehr eine

83 Bergmanns telegram til Best 11. februar 1943, trykt ovenfor.

Mitwirkung durch die erwähnten "Referenten" stattfinden könnte, die alle die Volksgruppe berührenden Fragen dem Volksgruppenführer und gegebenenfalls über diesen dem "Deutschen Büro" im Staatsministerium zur Kenntnis geben könnten. Über diese Fragen ist bisher mit der dänischen Regierung nicht gesprochen worden. Ich halte aber auch für sie eine zufriedenstellende Lösung ohne weiteres für möglich. – Die von dem Volksgruppenführer Dr. Moeller vorgetragenen Wünsche stehen nicht im Widerspruch zu meinem Vorschlag, die Reichstagswahl und die Kommunalwahl in Dänemark zuzulassen. Dr. Moeller stimmt vielmehr meinen politischen und rechtlichen Argumenten für die Zulassung der Wahlen durchaus zu.

Dr. Best

189. Ingo von Collani: Vorbereitung der Besetzung der dänischen Nachrichtenanlagen 24. Februar 1943

Generalstabschef von Collani beordrede, at der blev truffet forberedelse til en tysk besættelse af de danske kommunikationsanlæg som et led i de generelle forholdsregler til at modstå en invasion. Da der ikke var tilstrækkeligt med tyske tropper til at beskytte alle anlæg mod sabotage, skulle bevogtningen ske de steder, hvor der befandt sig tyske tropper. Der blev givet detaljerede anvisninger på, hvordan man skulle forholde sig, både hvis det danske personale skulle fortsætte arbejdet under tysk overvågning, og hvis personalet med enkelte undtagelser skulle fjernes.

Kilde: RA, Danica 1069, sp. 3, nr. 003.585f.

Anlagen zu 71. J. D. In ......

Der Befehlshaber der Deutschen Truppen in Dänemark	*O.U., d. 24.2.43.*
Nafü/ Ia Nr. 100/43 g.Kdos.	

Bezug: Bef. Dänemark Abt. Ia Nr. 100/43 g.Kdos. vom 22.1.43. Ziff. D II – "Kampfanweisung" –.

Betr.: Vorbereitung der Besetzung der dänischen Nachrichtenanlagen.

150 Ausfertigungen
116. Ausfertigung

Neufassung

Der mit Bef. Dänemark, Nafü Nr. 278/42 g v. 11.3.42 übersandte Befehl ist zu vernichten:

Dieser Befehl ist mit der Kampfanweisung zusammen aufzubewahren.

Gemäß o.a. Ziffer der Kampfanweisung kann bei Bereitschaftsstufe II die Besetzung der dänischen Nachrichtenanlagen in Frage kommen und muß daher vorbereitet werden. Hierzu wird folgendes angeordnet:

1.) Die Bewachung *sämtlicher* dänischer Nachrichtenanlagen zum Schutz gegen Sabotage ist durch Wehrmachtangehörige nicht möglich, da hierfür nicht genügend Kräfte zur Verfügung stehen. Es ist lediglich eine Bewachung der Nachrichtenanlagen in *den* Orten durchzuführen, in denen sich deutsche Truppen befinden.

2.) Die Standortältesten legen Maßnahmen für die Durchführung der Besetzung kalendermäßig fest. Nachrichtenmäßige Arbeiten und Schaltungen in den besetzten Fernsprech- und Verstärkerämtern dürfen von allen Wehrmachtteilen nur von ausgebildetem Postpersonal und wegen der vielen Kunstschaltungen nur mit ausdrücklicher Genehmigung des Nachrichtenführers im Stabe des Befehlshabers der Deutschen Truppen in Dänemark durchgeführt werden. Behebung von Großschäden an Postanstalten veranlaßt der Nafü b. Bef. Dänemark. Er befiehlt in wehrmachtmäßigem Sinne die Reihenfolge der Schaltungen. Eigenmächtigkeiten einzelner Wehrmachtteile sind ausdrücklich verboten.

3.) Für die Besetzung kommen 2 Arten in Frage:

a.) Stichwort: Fernsprechschutz "blau".

Schutz der Anlagen gegen Sabotage von außen und innen bei Fortführung des Betriebes der Nachrichtenanlagen durch das dänische Person.1.(Beamtetes dänisches Postpersonal hat dänischen Dienstausweis). Für die Durchführung dieser Sicherung haben die Standortältesten die vorbereitenden Maßnahmen mit dem zuständigen Nachrichtenbereichsführer durchzusprechen, um die Wachen unterrichten zu können, an welchen Stellen voraussichtlich Sabotage betrieben werden könnte.

b.) Stichwort: Fernsprechschutz "rot".

Schutz der Anlagen unter Entfernung des Betriebspersonals aus den Ämtern. Lediglich auf den Verstärkerämtern bleibt das dänische Personal unter Beaufsichtigung der dort eingesetzten Wachen tätig.

4.) Welche Art der Bewachung durchgeführt werden soll, wird durch besonderen Befehl entschieden, der nur vom Befehlshaber der Deutschen Truppen in Dänemark gegeben werden darf.

Für den Befehlshaber der Deutschen Truppen in Dänemark

Der Chef des Generalstabes

Collani

Verteiler:
Wie Kampfanweisung.

190. Werner Best an das Auswärtige Amt 25. Februar 1943

Best indberettede resultatet af forhandlingerne om tyske opkøb af lastbiler i Danmark og fremkom med et forslag til det videre forløb.

Der er ikke lokaliseret instrukser til Best før de fortsatte forhandlinger. På dansk side havde man samtidig det indtryk, at det tyske krav om 10.000 lastbiler var blevet sat ned til 350 opklodsede vogne (Ministermøde 24. februar (PKB, 4a, s. 775)). Se endvidere Scherpenberg til Best ... juni 1943.

Kilde: BArch, R 901 68.712.

Telegramm

| Kopenhagen, den | 25. Februar 1943 | 14.35 Uhr |
| Ankunft, den | 25. Februar 1943 | 15.15 Uhr |

Nr. 200 vom 25.2.[43.]

Auf Erlaß vom 20. Januar 1943.[84] – Ha Pol VI 216/ 43. Betreffend Ankauf von Kraftfahrzeugen in Dänemark.

Die am 23. und 24. Februar 1943 im dänischen Außenministerium geführten Verhandlungen über die geplante Ankaufsaktion haben zu folgendem Ergebnis geführt: Dänischerseits wird grundsätzlich als Bedingung für einen eventuellen Verkauf von Fahrzeugen Zahlung in freier Valuta gefordert mit der Begründung, daß es sich um Abgabe von Produktionsmitteln bezw. Kapitalwerten handelt, für die eine Kreditgewährung über Clearing nicht zugemutet werden kann.

Von deutscher Seite ist, ohne auf die Zahlungsfrage näher einzugehen, durch den Chef des Stabes des Bevollmächtigten für das Kraftfahrwesen Oberst Rittner folgender Vorschlag gemacht worden:

1.) Dänemark stellt aus den stillgelegten LKW bis 3 Tonnen Brutto (ca. 500 kg Nutzlast) bis zu 2.000 Fahrzeuge zum Ankauf und zur Ausfuhr zur Verfügung.

2.) Eine gemischte deutsch-dänische Kommission prüft unter Heranziehung der Vertreter von General Motors und Ford die Frage, wieviel stillgelegte LKW von mehr als 3 Tonnen Brutto (über 1.500 kg Nutzlast) vorhanden sind. Als stillgelegte gelten dabei nur diejenigen Kraftfahrzeuge, die am 1. Januar 1943 nicht im laufenden Betrieb waren.

Von den durch die Kommission festgestellten LKW dieser Klasse gelten 500 als Verkehrsreserve für Dänemark. Von der etwa über 500 hinausgehenden Zahl stellt Dänemark bis zu 1.000 LKW zum Ankauf und zur Verfügung.

3.) Aus der Zahl der stillgelegten PKW stellt Dänemark bis zu 1.000 zum Ankauf und zur Ausfuhr zur Verfügung.

4.) Aus der Zahl der stillgelegten Turistomnibusse stellt Dänemark bis zu 50 zum Ankauf und zur Ausfuhr zur Verfügung.

Von dänischer Seite hat man hierzu folgendes erwidert: Ob die von deutscher Seite gewünschten Zahlen erreicht werden könnten, sei mindestens bei den Lastkraftwagen zu Ziffer 2 des deutschen Vorschlages fraglich. Dänischerseits ist man der Auffassung, daß die für die dänische Wirtschaft benötigte Reserve bei den Lastkraftwagen zu Ziffer 2 mindestens 1.000 Stück betragen müsse und daß über diese Menge hinaus freie Fahrzeuge nicht abgegeben werden könnten. Um zu einer genauen Erfassung zur Zeit stillgelegten Fahrzeuge zu gelangen, wurde vereinbart, daß dänischerseits eine listenmäßige Erfassung der stillgelegten LKW baldmöglichst vorgenommen werden soll.

Ich bitte, vorab zu entscheiden, ob und inwieweit auf der Basis von Devisenzahlungen hier weiter verhandelt werden kann.

Dr. Best

191. Organisation Todt an SS-Hauptamt 25. Februar 1943

Der var indgået en aftale mellem OT og SS-Hauptamt om, at SS stillede mindst 7.000 mænd til rådighed for OT. Mindst 500 af dem skulle være chauffører, de øvrige faglærte arbejdere inden for byggeri og maskiner og være under 60 år. Til gengæld skulle SS rekruttere et tilsvarende antal som frivillige til en ny division i

84 Telegrammet er ikke lokaliseret.

FEBRUAR 1943

Waffen-SS blandt OTs arbejdere. Hvervningen skulle være gennemført senest 1. april 1943. Det blev pålagt OT-Indsatsgrupperne at arbejde energisk for aktionen på grund af dens overordentlige vigtighed.

Efter de foreliggende beskedne oplysninger lykkedes det ikke Berger inden for den nævnte knappe tidsfrist at gennemføre hvervningen af 7.000 mænd, en opgave der stadig ikke var løst i slutningen af juli 1943.[85] Hvervningen blev foretaget fra København på lige linje med OT i de øvrige germanske lande. Det havde givtvis været Bergers hensigt at gøre indtryk på RFSS ved på den meget korte tid at skaffe 7.000 frivillige, men selv ikke med OTs hjælp lod det sig gøre. Hvordan OT ville have overholdt sin del af aftalen er en anden sag.

Kilde: RA, Danica 1000, T-175, sp. 59, nr. 574.733f.

Organisation Todt
Nachrichtendienst

Fernschreiben

Abgang: 25.2.43   Geheim

An SS-Hauptamt

Betr.:   Werbung von germanischen Arbeitern für die OT und Austausch von freiwilligen Bewerbern für die Waffen-SS aus der OT.

Nach Vereinbarung zwischen OT und SS-Hauptamt werden von der SS mindestens 7.000 Kräfte für die OT gestellt. Davon sollen mindestens 500 Kraftfahrer, die übrigen Kräfte Bau- und Maschinenfacharbeiter sein. Alter der Facharbeiter bis 60 Jahre. Org. Todt stellt alsdann dagegen im Austauschweg in gleicher Höhe germanische Arbeiter aus ihren Einsätzen der Waffen-SS zur Verfügung, die diese als Freiwillige für neue Divisionen in den OT-Einsätzen anwirbt.

Werbung der Arbeiter in den germanischen Ländern erfolgt durch die Ersatzkommandos der Waffen-SS Oslo, Kopenhagen, Den Haag, Antwerpen und Riga im Einvernehmen mit den höheren SS- und Polizeiführern.

Die OT bestimmt für jedes Ersatzkommando je zwei OT-Führer, mindestens im Rang eines Haupttruppf. Der eine verbleibt beim Ers. Kdo. und hat Aufgabe, im Einvernehmen mit höherem SS- und Polizeiführer bezw. Reichskommissar die durch die Ers. Kdo. für die OT geworbenen germanischen Arbeiter zu erfassen und der OT zuzuführen. Der zweite ist bei der Untersuchungskommission tätig und erfaßt die SS-untauglichen Freiwilligen sofort für die OT. Die SS stellt zunächst den Ersatz. Die Werbung muß bis längstens 1.4.43 durchgeführt sein.

Zur Durchführung dieser Maßnahme wird angeordnet, daß abstellen die Einsatzgruppe Wiking für Oslo 2 und für Kopenhagen 2 Führer; die Einsatzgruppe West für den Haag 2 und für Antwerpen 2 Führer; die Einsatzgruppe Nord für Riga 2 Führer. Von diesen tritt je einer zum Ersatzkommando der Waffen-SS und je einer zur Untersuchungskommission.

In Anbetracht der außerordentlichen Wichtigkeit sind die von der SS in den Einsätzen beabsichtigten Werbemaßnahmen energisch zu unterstützen. Werbematerial

---

85 Se Berger til RFSS 28. juli 1943 (RA, Danica 1000, T-175, sp. 59, nr. 574.712f.).

270   FEBRUAR 1943

geht den Einsatzgruppen demnächst zu. Zweckmäßigerweise wird bei jeder Einheit ein Mann mit der Durchführung beauftragt. Vollzugsmeldung ist nach Abschluß der Aktion zu erstatten.

Org. Todt Zentrale
Hauptabteilung Arbeitseinsatz
Dr. Schmelter

Verteiler:

an die OT-Einsatzgruppen:	Wiking, Min. Rat Henne, Oslo
	West, Oberbaudir. Weis, Paris
	Rußland-Nord, Generalbaurat Giesler, Pleskau
	Finnland, Reg. Baurat Michahelles, Rovaniemi
Nachrichtlich an:	NSKK-Brigadeführer Nagel, Berlin-Charlottenburg 9,
	Am Messedam
	SS-Hauptamt Amt B I, Berlin, Hohenzollerndamm
z.d.A. bei ORR Dr. Post	

192. Helmut Bergmann an Werner Best 27. Februar 1943

Se telegram nr. 190, 23. februar 1943.

Telegrammet er påtegnet cessat, men blev alligevel modtaget i København 27. februar. Det blev sendt igen 3. marts. Forhandlingerne blev givetvis ført med en hast, så telegrammerne fra AA hverken kunne følge med eller kom på det belejlige tidspunkt.

Kilde: PA/AA R 100.355. RA, pk. 236.

T e l e g r a m m

Berlin, den   27. Februar 1943

Diplogerma Kopenhagen Nr. 302

Referent: LR Dr. Reichel
Betreff: Zeitfreiwillige

Mit Heranziehung von Angehörigen der deutschen Volksgruppe als Zeitfreiwillige im Sinne des Drahtberichts Nr. 190 vom 23.2.[86] einverstanden.

Bergmann

193. Emil Wiehl an Werner Best 27. Februar 1943

Det var besluttet, at antallet af de tyske bybørn, der skulle på landophold i Danmark skulle sættes op fra 60 til 1.000. Midlerne skulle søges over den danske clearingkonto, og det tysk-danske regeringsudvalg var kontaktet. Man afventede det danske svar.

86 Trykt ovenfor.

FEBRUAR 1943

Af et notat af LR Braun i AA 27. januar fremgår det, at planen havde fået førerens tilslutning, hvilket skulle fremhæves, og at det over for danskerne skulle gøres klart, "daß es sich bei der erweiterten KLV um eine rein karitative Angelegenheit zugunsten von erholungsbedürftigen Kindern aus besonders stark luftgefährdeten Gebieten handel."

For forhandlingernes forløb, se Scherpenbergs notat 24. marts 44.

Kilde: BArch, R 901 113.554. RA, pk. 271.

zu Ha Pol VI 583/43

Ha Pol VI 666/43

Nr. 222 27/ 1955 erhalten D G Kopenhagen KHL+

Telegramm

1.) Diplogerma Kopenhagen

Nr. 303

I. Reichsleitung NSDAP hat kürzlich beantragt, zu Lasten Kronenkonto IV dänische Zahlungsmittel im Gegenwert von 200.000 RM zur Bestreitung der Kosten der erweiterten Kinderlandverschickung nach Dänemark zur Verfügung zu stellen. Besprechung mit Reichsjugendführung hat ergeben, daß darüber hinaus in Zukunft monatlich etwa je 100.000 RM erforderlich sind, nachdem Zahl der in Dänemark Unterzubringenden von 60 auf 1.000 erhöht worden ist.

Da Kronenkonto IV für andere Zwecke bereits voll in Anspruch genommen und freie Devisen nicht verfügbar, haben wir in letzten Regierungsausschußverhandlungen Zustimmung dänischer Regierung erbeten, daß Beträge auf Clearingweg zur Verfügung gestellt werden können. Wassard zusagte wohlwollende Prüfung und baldigen Bescheid. Bei Verhandlungen wurde auf Grund entsprechende Mitteilungen von Reichsjugendführung davon ausgegangen, daß grundsätzliche Zustimmung dänischer Regierung zu beabsichtigter Erweiterung Kinderlandverschickung sowie technische Einzelheiten (örtliche Verteilung der Lager u. dergl.) bereits dort geregelt sind.

Da Wassard Entscheidung für diese Woche in Aussicht gestellt, bitte ihm gegenüber darauf zurückkommen und Ergebnis drahten.

II. Gleichzeitig ist auch bezüglich Kronenbedarf für Einrichtung von 10.000 Familienpflegestellen gemäß Erlaß Partei 906 vom 8. Februar in Höhe von 7.850 RM monatlich und für Unterbringung von 2-3 Müttern in Muttererholungsheim des Wohlfahrtsdienstes Nordschleswig auf der Insel Röm[ö] Übernahme auf Clearing von dänischer Regierung erbeten worden.

Bitte auch hierüber zu berichten.

Wiehl

[147.] Kriegstagebuch/Admiral Dänemark 28. Februar 1943

Bemærk, at dokument nr. 147, 11. februar 1943 (s. 220f.) rettelig hører under den 28. februar.

272

MARTS 1943

194. Politische Informationen für die deutschen Dienststellen in Dänemark 1. März 1943

Marts blev indledt med et indhold af *Politische Informationen*, der mest var politisk ganske betydningsløst og vidnede om periodens tilsyneladende stabilitet, men et irritationsmoment var der: Den antityske tendens og salonbolsjevistiske jargon i de danske studentertidsskrifter, som der nu fra de danske myndigheders side blev statueret et eksempel over for.

Kilde: RA, Centralkartoteket, pk. 680.

Der Bevollmächtigte des Reiches in Dänemark   *Kopenhagen, den 1. März 1943*

P o l i t i s c h e   I n f o r m a t i o n e n
für die deutschen Dienststellen in Dänemark.

Betr: I. Grönland, Island und die Färöer im dänischen Staatshaushaltsplan 1943/44.
        II. Mitteilungen aus der Außenpolitik.
        III. Mitteilungen aus der Deutschen Volksgruppe Nordschleswig.
        IV. Musterungen der in Dänemark ansässigen deutschen Staatsangehörigen.
        V. Hetztätigkeit in akademischen Zeitschriften; die Zeitschrift "Stud.merc."

I. Grönland, Island und die Färöer im dänischen Staatshaushaltsplan 1943/44
Es ist außenpolitisch von Interesse, daß im dänischen Staatshaushaltsplan für das Rechnungsjahr 1943/44 unter der Position "Staatsministerium" auch weiterhin die Ausgaben für die Färöer und die dänische Vertretung in Island in bisheriger Höhe erscheinen. Ebenso sind die Zuschüsse für den Betrieb von grönländischen Häfen für Färöer-Fischer mit 90.000 Kr. aufgeführt.

Für Grönland ist auch für 1943/44 ein Haushaltsplan mit Bewilligungen über 6,1 Mill. Kr. aufgestellt. Nach einer Notiz in den Anmerkungen zum Voranschlag sind hierbei normale Zeiten unterstellt. Die bewilligten Mittel sollen einem Sonderkonto zugeführt werden, bis ihre Verwendung möglich ist.

II. Mitteilungen aus der Außenpolitik
1.) Der Slowakische Gesandte Dr. Matus Cernák hat am 15.2.43 dem Kronprinz-Regenten sein Beglaubigungsschreiben überreicht und dem Reichsbevollmächtigten am 16.2.43 seinen Besuch abgestattet.[1]
2.) Der neuernannte Spanische Gesandte in Dänemark Francisco Agramonte y Cortijo hat am 15.2.43 dem Kronprinz-Regenten sein Beglaubigungsschreiben überreicht und ist am 16.2.43 mit seiner Gattin von der Königin empfangen worden. Er hat dem Reichsbevollmächtigten am 20.2.43 seinen Besuch abgestattet.

---

1 Se Weizsäckers notat 13. januar 1943.

III. Mitteilungen aus der Deutschen Volksgruppe in Nordschleswig

1.) Der Führer der Deutschen Volksgruppe in Nordschleswig Dr. Möller hielt am 14.2. in Hadersleben eine Rede, in der er einen Überblick über die Kriegsaufgaben der Volksgruppe gab und die Volksgruppe aufforderte, ihren Kriegseinsatz auf allen Gebieten zu verstärken. Ein wesentliches Moment der Rede bildeten die scharfen Angriffe des Volksgruppenführers gegen die vielfach in Schulen und Kirchen Nordschleswigs zu beobachtende Stimmungsmache gegen das Deutschtum. Insbesondere wandte sich Dr. Möller gegen zwei dänische Pastoren, die kürzlich beleidigende Äußerungen über die Volksdeutschen und dänischen Freiwilligen gemacht haben. Der großen Empörung, die dadurch bei der Volksgruppe entstanden ist, wurde am Schluß der Kundgebung durch ein Telegramm an den Staatsminister Ausdruck gegeben, in dem die Strafverfolgung und Entfernung der Pastoren aus dem Grenzgebiet gefordert wird.[2]

2.) Die Deutsche Volksgruppe in Nordschleswig wird in diesem Jahre 5.000 reichsdeutsche Kinder (etwa 1.000 mehr als im Vorjahre) aus bombengefährdeten Gebieten in Nordschleswig aufnehmen. Die Kinder werden für die Dauer von 6 Wochen in volksdeutschen Familien untergebracht. Außerdem werden weitere 5.000 reichsdeutsche Kinder durch die NSV bzw. die Landesgruppe Dänemark in reichsdeutsche Familien in Dänemark vermittelt werden.

IV. Musterungen der in Dänemark ansässigen deutschen Staatsangehörigen

Auf Grund der kürzlich angeordneten Musterungen der in Dänemark ansässigen deutschen Staatsangehörigen der Geburtsjahrgänge 1901-07 und 1925 sowie der Nachmusterungen der Geburtsjahrgänge 1908-24 für den Wehrdienst sind Ende Januar und Anfang Februar 1943 rund 500 Wehrpflichtige erfaßt und gemustert worden; weitere 4-500 Wehrpflichtige der genannten Geburtsjahrgänge werden im Verlaufe der nächsten 2 Monate in Dänemark gemustert werden.

V. Hetztätigkeit in akademischen Zeitschriften; die Zeitschrift "Stud.merc."

Bei der Beobachtung der dänischen Presse wurde die Feststellung gemacht, daß in demselben Masse, wie die deutsche Überwachung der allgemeinen Presse wirksam wurde, das Bestreben wuchs, in Fachzeitschriften oder Vorortsblättern Dinge zu erörtern, die in der Tagespresse verschwunden sind. Außer den Zeitschriften "Stud.jur.," "Medicineren" und anderen verdiente neuerdings das Blatt "Stud.merc." besondere Aufmerksamkeit. Während die vorgenannten Blätter seither in offener oder versteckter Form gehässige Äußerungen gegen das Reich gemacht hatten und deshalb durch entsprechende Einwirkung auf die dänischen Behörden zur Rechenschaft gezogen wurden, hat die Fachzeitschrift "Stud.merc." in ihrer Nummer vom Februar 1943 einen Artikel gebracht mit der Überschrift; "Kennst Du die Gesetze Deines Landes?" Darin heißt es wörtlich:

"Mache Dich bekannt mit den Gesetzen Deines Landes!

Wie es unseren Lesern bekannt sein wird, gibt es einige Gesetzesparagraphen, deren Bedeutung im Laufe der Zeit abgeschwächt oder doch gänzlich verändert wurde. Da wir bei verschiedenen Gelegenheiten erfahren haben, daß man die betreffenden Paragraphen

---

2 Se Bests brev til AA 23. februar 1943.

nur in geringer Weise kennt, so scheint es uns eine gute Tat zu sein, sie abzudrucken, damit unsere Leser genau wissen, was sie vergessen sollen.

§ 42. Der Reichstag ist unverletzlich. Derjenige, der seine Sicherheit und Freiheit antastet, derjenige, der eine Anordnung erteilt oder ihr gehorcht, die in diese Richtung geht, macht sich des Hochverrats schuldig.

§ 50. Abs. 2. Die Regeln darüber, ob ein Ausländer festes Eigentum hier im Lande erwerben kann, werden durch Gesetz festgelegt.

§ 79. Die Wohnung ist unantastbar. Haussuchungen, Beschlagnahme von Briefen und anderen Papieren dürfen, wenn das Gesetz keine Sonderausnahme vorsieht, allein auf Grund eines Gerichtsurteils erfolgen.

§ 84. Jeder ist berechtigt, im Druck seine Gedanken zu veröffentlichen, jedoch unter Verantwortung vor einem Gericht. Zensur und andere vorbeugende Maßnahmen können auf keine Weise neu eingeführt werden.

§ 86. Die Bürger haben das Recht, sich unbewaffnet zu versammeln.

§ 128. (Strafgesetzbuch). Derjenige, der im dänischen Staat für einen fremden Kriegsdienst wirbt, wird mit Geldstrafe oder Haft bis zu 3 Monaten bestraft oder unter erschwerenden Umständen mit Gefängnis bis zum gleichen Zeitraum.

Endlich wollen wir am Schluß noch ein Gesetz bringen, das unsere Leser im Gegensatz zu den obenerwähnten Regeln gerade fest im Sinne behalten müssen:

Gesetz Nr. 53 vom 19. März 1938 über Maßnahmen gegen die Einführung anstekkender Krankheiten in das dänische Reichsgebiet:

§ 16. Die in den §§ 14 und 15 und in den folgenden §§ festgesetzten Bestimmungen betreffend Ratten können in vorkommenden Fällen auch in Anwendung gebracht werden gegenüber anderen Schädlingen und im Ganzen auch gegenüber Tieren, die bekannt sind als Verbreiter ansteckender Krankheiten."

Außerdem enthält dieselbe Nummer auf der ersten Seite ein Gedicht mit der Überschrift: "Dänemark 1942" mit deutschfeindlicher Tendenz. Es ist im salonbolschewistischen Jargon gehalten und enthält Anspielungen auf die Folgen der Besetzung. Es schließt mit den Worten: "Noch atmen wir im Dunkeln; wir tasten nach einem neuen April. Dänemark schweigt – aber wir leben – und wir wachsen – durch Trotz."

Die sehr nachdrücklich auf die Bedeutung dieses Falles hingewiesenen dänischen Strafverfolgungsbehörden haben die ermittelten Verantwortlichen festgenommen und die erforderlichen Maßnahmen gegen Verlag und Druckerei durchgeführt. Die Zeitschrift wurde für dauernd verboten. Durch Urteil der I. Instanz des Stadtgerichts Kopenhagen wurden die beiden Hauptverantwortlichen zu je 4 Monaten Haft verurteilt. Der Staatsadvokat für Kopenhagen hat bereits gegen das Urteil Berufung eingelegt mit dem Ziel, eine Straferhöhung, insbesondere Umänderung der Haft in Gefängnisstrafe, zu erreichen. Von dem Ausfall des Urteils der II. Instanz wird abhängen, ob zusätzliche Maßnahmen von deutscher Seite erforderlich sind.[3]

---

3 Best havde presset på for at få statueret et eksempel over for studenterbladene, da han mente, at kontrollen med dem havde svigtet. De anholdte sad en tid i tysk fængsel, men blev igen overgivet til de danske myndigheder, da Best ikke ønskede at dømme dem ved tysk ret (PKB, 7, s. 292).

195. Rüstungsstab Dänemark: Lagebericht 1. März 1943

Manglende tyske leverancer af enkeltkomponenter forsinkede den danske rustningsproduktion for Tyskland, ligesom den utilstrækkelige tyske tilførsel af kul og koks gav stigende problemer. Oprydningen på B&W (efter luftangrebet) skred frem og 1.500 mand var kommet i gang igen. Der var kun en enkeltstående sabotage, der var værd at nævne.

Med virkning fra februar 1943 blev Wehrwirtschaft og Rüstungswirtschaft efter ordre fra OKW udskilt fra hinanden, idet Wehrwirtschaftsstab Dänemark dog forblev en enhed under Rüstungsstab Dänemark med Forstmann som chef. Forstmann rapporterede herefter ikke længere om Rüstungswirtschaft til OKW (KTB/Rü Stab Dän 1. Vierteljahr 1943, 3. februar 1943, og Anlage 1-2. Jfr. Giltner 1998, s. 226, n. 34). I august 1944 blev Rüstungsstab Dänemark yderligere opsplittet, se Forstmann til Waeger 31. juli 1944.

Kilde: BArch, Freiburg, RW 27/6. RA, Danica 1000, T-77, sp. 696, KTB/Rü Stab Dänemark 1. Vierteljahr 1943, Anlage 9.

Anlage 9

Rüstungsstab Dänemark   *Kopenhagen, den 1.3.1943.*
ZA/Ia Az. 66dl/Wi-Ber. Nr. 229/43g   Geheim

Bezug: OKW Wi Rü Amt/Rü IIIb Nr. 21755/42 v. 9.5.42.
Betr.: Lagebericht.

An das Rüstungsamt
   Des Reichsministers für Bewaffnung und Munition,
   Berlin W 62,
   Kurfürstenstr. 63/69.

Rü Stab Dänemark übersendet in der Anlage Lagebericht Gemäß u.a. Bezugsverfügung.
Forstmann

Rüstungsstab Dänemark   *Kopenhagen, den 1.3.1943*
ZA/Ia Az. 66dl/Wi-Ber. Nr. 229/43g

Vordringliches

Die im Vormonatsbericht erwähnten 300 to Nägel für das vom OKW genehmigte Lager Rü Stab Dänemark, vorzugsweise für dringende Bauvorhaben der Besatzungstruppen, sind lt. Mitteilungen des Drahtverbandes GmbH Düsseldorf in Arbeit. Lieferung soll in Teilsendungen Anfang März/Ende April dieses Jahres erfolgen. Der durch monatelange Nichtbelieferung der dänischen Industrie mit Walzdraht entstandene Mangel an Nägeln führte zu Versandschwierigkeiten, besonders bei der Fa. Burmeister &Wain. Um den Versand von U-Bootteilen vornehmen zu können, half die Marine-Baudienststelle Kopenhagen auf Veranlassung des Rü Stab Dänemark mit einem Posten Nägel der Fa. Burmeister & Wain leihweise aus.

Die immer noch recht ungenügende Belieferung Dänemarks mit Kohle und Koks steigerte die Schwierigkeiten der dänischen Industrie besonders in der Gas- und Elektrizitätsversorgung. Die wegen Brennstoffmangel von der Dänischen Regierung angeordnete Gasdrosselung wirkt sich auf die industrielle Fertigung aus. Rü Stab Dänemark bemüht sich, diese nicht absinken zu lassen. Vorstellungen bei der Dänischen Regierung werden die Schwierigkeiten wegen der schlechten Lage der Kohlenversorgung jedoch nicht völlig beheben können.[4]

Die Aufräumungsarbeiten bei der Fa. Burmeister & Wain sind soweit fortgeschritten, daß 1.500 Arbeiter wieder in der Produktion beschäftigt sind, 50 Arbeiter räumen auf und 400 sind noch nicht wieder eingesetzt.

In einem Fall wurde eine bewußte und überlegte Sabotagehandlung festgestellt, indem bei der Firma Carltorp A/S Kopenhagen ein Dreher während der Nachtschicht, nach der Kontrolle durch den Kontrolleur der Arado Flugzeugwerke, eine Abdrehung von 4 mm an den Augenteilen eines Werkstückes vornahm. Der Täter wurde verhaftet.[5]

1a. Stand der Fertigung

Wertsumme der seit der Besetzung Dänemarks über Rü Stab Dänemark erteilten unmittelbaren und mittelbaren Wehrmachtaufträge:

Am 31.12.1942	RM	311.679.075,-
Zugang im Januar 1943	RM	14.273.055,-
Am 31.1.1943	RM	325.952.130,-
Auslieferungen im Januar 1943	RM	5.745.280,-

Aufträge des Kriegswichtigen zivilen Bedarfs:

Am 31.12.1942	RM	56.967.329,-
Zugang im Januar 1943	RM	2.531.220,-
Am 31.1.1943	RM	59.498.549,-

Freie Leistungskapazitäten sind z.Zt. vorhanden für Holzbearbeitung, spanabhebende und Preß-Arbeiten, dagegen nicht für den Bau von Dampfmaschinen, Lokomotiven und Automatenarbeiten.

1c. Versorgung der Betriebe mit Roh- und Betriebsstoffen

Der Lieferungsrückstand Deutschlands an Eisen und Stahl für Verlagerungsaufträge betrug am 31.12.1942 noch 36.116 to.

Bei NE-Metallen ist der Rückstand für den gleichen Stichtag auf 534 to angestiegen.

Nach Mitteilung des Rü Stab Norwegen hat der Reichskommissar Norwegen die dringend notwendige Lieferung von 200 to Bremanger Vantit an Burmeister & Wain in Kopenhagen genehmigt. Die Auslieferung soll Anfang April ds.Jrs. erfolgen.

Für das Schweiß-Elektrodenlager bei der Fa. Essab in Kopenhagen sind 200 to Eisen in Anrollen. Weitere Maßnahmen zur Einrichtung des Lagers sind im Gange.

In den Rohstoffkontingenten der Abteilung Marine ist eine gewisse Verknappung festzustellen. Trotzdem werden die Mengen für das I. Quartal 1943 voraussichtlich ausreichen. Für das II. Quartal ist jedoch die Notwendigkeit für Einsparungen seitens OKM angekündigt.

Zur schnelleren Belieferung der Aufträge für Luftwaffendienststellen wurde von Rü Stab Dänemark dem RLM die Bildung eines Eisenlagers vorgeschlagen. Das RLM ist grundsätzlich damit einverstanden, und wird die Eisenzuteilung wahrscheinlich im II. Quartal 1943 erfolgen.

---

4 Se Rüstungsstabs Lagebericht 31. marts 1943.
5 Se Bests sabotageoversigt til AA 13. marts 1943.

2b. Lage der Energieversorgung

Die Zuteilung von flüssigen Brennstoffen, ausgenommen Petroleum, erfolgte ohne Schwierigkeiten.

Angeforderte Mengen:	685 l Benzin	7.670 kg Dieselöl
Nach Überprüfung zugeteilte Mengen:	685 l Benzin	5.430 kg Dieselöl
Somit wurden erspart:		2.240 kg Dieselöl.

2c. Lage der Kohlenversorgung. (s. unter "Vordingliches")

Zuteilungen von festen Brennstoffen für Heizzwecke müssen auf Grund der angespannten Versorgungslage auf dem Gebiet der Strom- und Gaserzeugung nur auf die allerdringendsten Fälle beschränkt werden. Die dänischen Firmen müssen sich, soweit möglich, mit einheimischen Brennstoffen (Torf und Braunkohle) behelfen, jedoch ist Torf sehr schwer erhältlich, und Braunkohle wird fast ausschließlich den E-Werken zugeteilt.

War der Januar der schlechteste Monat seit Anfang des Krieges bezügl. der Kohlenversorgung, so ist der Februar leider nicht wesentlich besser. Bis zum 20. Februar wurden abgeladen:

105.604 to Kohle und 19.615 to Koks.

In den letzten 8 Tagen des Monats Februar dürften noch 50.000 to zur Verschiffung kommen, sodaß eine Gesamtlieferung von 175.000 to Kohle und Koks erreicht werden wird.

196. Werner Best an Ernst von Weizsäcker 1. März 1943

Weizsäcker havde været blandt kritikerne over for planen om gennemførelsen af valg i Danmark, men havde ændret opfattelse. Best ilede med at kvittere herfor ved fremsendelsen af det af ham udarbejdede materiale om jødelovgivning i Frankrig, som Weizsäcker tidligere have anmodet om, og han undlod ikke at gentage argumenter for det rigtige i valgets afholdelse i Danmark (se Weizsäcker til Best 5. og 22. marts 1943).
Kilde: PA/AA R 29.858. RA, pk. 212. PKB, 13, nr. 731.

Der Bevollmächtigte des Reiches in Dänemark *Kopenhagen, den 1.3.1943.*

An Herrn Staatssekretär von Weizsäcker,
    Auswärtiges Amt,
    Berlin W 8,
    Wilhelmstrasse 75.

Sehr verehrter Herr Staatssekretär!
Während meiner informatorischen Beschäftigung im Auswärtigen Amt im Herbst des letzten Jahres habe ich Ihnen gelegentlich auf Ihre Frage versprochen, Ihnen die in Frankreich geltende Judengesetzgebung zu beschaffen.

Auf meine damalige Anforderung hin habe ich endlich heute von Verwaltungsstab des Militärbefehlshabers in Frankreich das Material zugesandt bekommen.[6]

Wenn ich auch nicht weiß, ob das Material für Sie heute noch von Interesse ist, sen-

---

6 De nævnte akter er ikke lokaliseret.

de ich es Ihnen zur Einlösung meines Versprechens in Anlage zu.

Da ich gerade heute Ihr Telegramm mit der Zustimmung zur Durchführung der dänischen Wahlen erhalten habe, möchte ich nicht versäumen, Ihnen zu sagen, wie froh ich über diese Entscheidung bin.[7]

Man kann nach meiner Auffassung in jedem Gebiet nur eine einheitliche Politik treiben. Ob diese richtig oder falsch ist, wird erst durch ihr Ergebnis sichtbar werden. Auf jeden Fall falsch ist aber eine Politik, die erst eine bestimmte Linie einschlägt und dann in wichtigen Fragen Entscheidungen trifft, die mit dieser Linie in krassem Widerspruch stehen. Dies wäre aber durch ein Verbot der dänischen Wahlen geschehen. Durch die Zulassung der Wahlen wird

a.) die Fortsetzung einer legalen Gesetzgebung und Regierung in Dänemark ermöglicht,

b.) dem Staatsminister von Scavenius ein neuer Erfolg zugespielt,

c.) ein Plebiszit für die gegenwärtige Regierung gewonnen,

d.) die Hoffnung des Feindes auf einen Bruch meiner politischen Linie enttäuscht,

e.) dem neutralen Ausland ein positives Bild großzügiger deutscher Großraumverwaltung vorgeführt.

Mit ergebensten Grüßen und

Heil Hitler!

Ihr

Best

197. Anton Fest an RSHA 1. März 1943

Fest fremsendte et eksemplar af det illegale *Danske Tidende* til RSHA Amt IV A med en tysk oversættelse ledsaget af den bemærkning, at den havde samme tendens som *Frit Danmark* og citerede en række kommunistiske skrifter.

Danske Tidende var alt andet end kommunistisk, og det er klart, at Fest havde svært ved at rubricere de nytilkomne illegale blade i det politiske spektrum.

Kilde: RA, Danica 1069, sp. 7, nr. 8462f.

Der Bevollmächtigte des Reiches in Dänemark   *Kopenhagen, den 1. März 1943*
II C – B. Nr. 590/43.

An das Reichssicherheitshauptamt – IV A –
nachrichtlich dem Reichssicherheitshauptamt – IV D 4 –
Berlin SW 11,
Prinz-Albrecht-Str. 8.

Betrifft: Die dänische Hetzschrift "Danske Tidende".
Anlagen: 2[8]

Hiermit überreiche ich 1 Original und 1 Übersetzung der dänischen Hetzschrift "Danske Tidende" Nr. 1, Januar 1943 1. Jahrgang. Die Schrift ist hier erstmalig im Januar

---

7 Telegrammet er ikke lokaliseret.
8 Eksemplarerne af *Danske Tidende* er ikke medtaget.

d.J. bekanntgeworden. Sie verfolgt im wesentlichen dieselbe Tendenz wie das bekannte Hetzblatt "Frit Danmark". Es wird eine Reihe kommunistischer Schriften zitiert und im übrigen unter nationalistischer Tarnung allgemein gegen Deutschland und die deutsche Besatzung im Lande gehetzt. Im 1. Artikel des Blattes heißt es u.a.:

"Am 9. April 1940 verlor die dänische Presse ihre Selbständigkeit und Unabhängigkeit. Schritt für Schritt sind wir dahin gebracht worden, daß unsere Zeitungen nur Organe der deutschen Hörigkeit sind. Jede Zeile, die über außenpolitische Verhältnisse gedruckt wird, hat einen bestimmten Zweck: im Dienste der deutschen Propaganda zu wirken. Jedes Wort zielt darauf ab, unsere Widerstandsfähigkeit zu schwächen, unsere Hoffnung zu töten, uns den Glauben auf denjenigen Sieg zu rauben, auf dem die Freiheit Dänemarks beruht. Täglich, Wort für Wort, Zeile um Zeile, wird dieses lähmende Gift in die Bevölkerung geträufelt, und die Schwachen können ihm nicht widerstehen…

Unter diesen Umständen ist eine auf geheimen Wegen verbreitete freie Presse eine Notwendigkeit. Es ist eine Pflicht, eine solche in einem Umfang, so groß wie möglich, zu schaffen.

"Danske Tidende", die heute ihre erste Nummer herausgibt, schließt sich der Reihe anderer illegaler Zeitungen an. Wir sind ein gesetzwidriges Blatt, und in dem Dänemark von heute ist das unsere Lebensberechtigung. Wir möchten einige Worte über unser Programm sagen.

Wir haben ein einzigstes Interesse, das ist die Freiheit und die Selbständigkeit Dänemarks! Wir gehören einer einzigen Partei an: Der der Freiheit. Wir nehmen einen klaren nationalen und demokratischen Standpunkt ein. Das Dänemark, an das wir glauben, das ist das freie demokratische Königreich, unberührt und unbefleckt von denjenigen Weltanschauungen, die die Feinde der ehrlichen Volksregierung sind.

Und über unsere Aufgaben fügen wir hinzu: Sie sollen darin bestehen, zuverlässige, genau untersuchte und erprobte Mitteilungen über alles das zu bringen, was in Dänemark geschieht, und worüber die legale Presse schweigt. Mit den uns zur Verfügung stehenden Mitteln wollen wir versuchen, die den gesetzmäßigen Zeitungen aufgezwungenen Verschweigungen und ihre ganzen und halben Unwahrheiten aufzudecken. Wir wollen ein Gegengift gegen die schändliche deutsche Propaganda bringen, und wir wollen im dänischen Gemüt das aufrichten, was die außenministerielle Pressezensur täglich untergräbt und zerstört. Hierzu gehört ferner eine Beleuchtung dessen, was außerhalb unserer Grenzen politisch und militärisch vor sich geht."

Die weiteren Ausgaben dieser Hetzschrift werde ich jeweils nach Erscheinen übersenden.

Nach dem Hersteller- und Verbreiterkreis wird im Einvernehmen mit der dänischen Polizei noch geforscht.

Im Auftrage:

A. Fest

198. Raul Mewis an OKM, Werner Best, Hermann von Hanneken u.a. 1. März 1943

Admiral Mewis skulle fratræde sin stilling i Danmark og ønskede en stillingtagen til, om han kunne få foretræde for den danske kronprins. Han spurgte på baggrund af, at Best havde genoptaget forbindelsen med kronprinsen og Kriegsmarines fremtidige interesser i Danmark. Samtidig var han opmærksom på, at von Hanneken havde fået ordre om, at der ikke var sket nogen ændring i hans stilling til kongehuset.

OKM forespurgte 2. marts hos OKW i spørgsmålet og fik svar 6. marts 1943.

Kilde: BArch, Freiburg, RM 7/1187. RA, Danica 628, sp. 7, nr. 5271f. og s. 5266-268.

Abschrift

Admiral Dän. *Kopenhagen, den 1.3.1943*
B. Nr. Gkdos 594 Geheime Kommandosache!

An den
Bevollmächtigten des Deutschen Reiches Herrn Dr. Best
Befehlshaber der Deutschen Truppen in Dänemark Herrn General der Infanterie
von Hanneken
mit der Bitte um Kenntnisnahme.
Für den Admiral Dänemark
Der Chef des Stabes
gez. **Ihssen**

Fernschreiben an:
– lt – Oberbefehlshaber Gruppe Nord
– lt – Oberbefehlshaber Station Ost
– lt – OKM/1.Skl.

Mit meiner Abkommandierung aus Dänemark am 19.3.43 wird Frage Abmeldung beim dänischen Kronprinzen, der z.Zt. erkrankten König in Staatsgeschäften vertritt, akut. Mir ist aus dänischen Kreisen bekannt, daß man dieser Abmeldung im Interesse deutsch-dänischer Beziehungen besonderes Gewicht beimißt.

Nach Wiederaufnahme Verbindung mit Kronprinzenregenten durch Bevollmächtigten deutschen Reiches, Dr. Best, halte ich auch Wiederaufnahme militärischer Fühlung durch Abmeldung für gegeben und erforderlich, besonders, da bei Notwendigkeit, dänische Marine in erweitertem Masse in Zukunft zur Mitarbeit heranzuziehen, Einwirkung Kronprinzen auf dänische Marine stark in deutschem Interesse liegt. Weise jedoch darauf hin, daß Befehlshaber deutscher Truppen in Dänemark auf entsprechende Anfrage vom OKW Antwort erhielt, "daß Führer angeordnet habe, daß sich an Befehlshaber deutschen Truppen gegebenen Richtlinien für sein Verhalten dänischem Königshaus gegenüber nichts ändere." – Daher z.Zt. Diskrepanz im Verhalten politischer und militärischer Stellen.

Da in letzten Tagen Bevollmächtigter und Gattin von Königin in Privataudienz empfangen wurden, liegt möglichst baldige Klärung im Sinne meines Antrages, zumal Auswirkung solcher Abmeldung – neben ihrem fraglos günstigen politischen Eindruck – Arbeit unserer Kriegsmarine, besonders Stellung meines Nachfolgers, nicht unwesentlich erleichtert und stärkt.

Hinweis erscheint angebracht, daß durch Akkreditierung neuer Gesandter verschiedener Länder in letzter Zeit Sonderstellung Dänemarks als neutraler Staat besetzten Ländern gegenüber unterstrichen wurde, wie auch aus einer Pressemitteilung ersichtlich.

Reichsbevollmächtigter hat mich im übrigen heute persönlich darüber unterrichtet, daß Reichsaußenminister von ihm gebeten sei, auf Änderung Befehlshaber deutschen Truppen erteilten Weisungen hinzuwirken, da sonst Auswertung seiner neuen Verbindung mit Königshaus – insbesondere hinsichtlich positiver Beeinflussung dänischen Wehrmacht (Beurlaubung von Offizieren zum Dienst in deutscher Wehrmacht u.a.m.) – vereitelt oder erschwert würde.

Entscheidung bis spätestens 15. März erbeten.

Kommandierender Admiral Dänemark Gkdos 594

199. Emil Wiehl an Werner Best 1. März 1943

Wiehl tilsluttede sig, at værnemagtskontoen blev omlagt fra RM til kroner, idet han lagde vægt på, at det skulle rumme en reel gevinst på det politiske område at gøre det.

Best svarede med telegram nr. 225, 3. marts 1943.

Kilde: RA, pk. 271 (med delvist ulæselige håndskrevne ændringer).

Fernschreiben

Berlin, den   1. März 1943

Ref.: LR v. Scherpenberg   zu Ha Pol VI 297/43 Ang. II

Diplogerma Kopenhagen Nr. 309.

Betrifft: Umstellung des Besatzungskonto von RM auf Kronen

Bezugnahme auf Bericht Wi/4724/42 vom 25. November 42.[9]

In letzten Regierungsausschußverhandlungen haben Dänen angekündigt, daß bei dem für März vorgesehenen hiesigen Besuch des Nationalbank-Präsidenten Bramsnäs neben anderen laufenden finanzpolitischen Fragen auch die Umstellung des sog. Besatzungskostenkontos von Reichsmark auf Dänenkronen vorgebracht werden soll. Diese Frage ist auf Grund des dortigen Berichts von hiesigen zuständigen Stellen nochmals eingehend geprüft worden. Während Reichsbank aus Währungs- und banktechnischen Gründen dänischen Wunsch befürwortet und Reichswirtschaftsministerium sowie Reichsministerium für Ernährung und Landwirtschaft (Ministerialdirektor Walter) keine grundsätzlichen Bedenken erheben, hat Reichsfinanzministerium seine ursprünglichen Bedenken nur unter der Voraussetzung zurückgestellt, daß Umstellung erforderlich ist, um wirtschaftliche und politische Beziehung zwischen deutschem Reich und

---

9 Trykt ovenfor.

Dänemark zu fördern.[10]

Bei dieser Sachlage erbitte ich zunächst nochmaligen Drahtbericht, ob nach dortiger Auffassung in nächster Zeit Möglichkeit besteht, deutsches Entgegenkommen auf diesem Gebiet im Zusammenhang mit politischen Wünschen zu verwerten, oder ob eine solche politische Geste etwa unter allgemeinen Gesichtspunkten zur Förderung des deutsch-dänischen Verhältnissen dringend erwünscht wäre.

Bejahendenfalls ist beabsichtigt, das Entgegenkommen im Sinne Ihrer Anregung vom November v.J. Ihnen zur geeigneten Verwertung an die Hand zu geben.

Da die Schwerpunkt unseres Entgegenkommens in dieser Frage auf dem politischen Gebiet liegt, während die materielle Bedeutung angesichts der Unwahrscheinlichkeit einer künftigen Rückzahlung des Betrages gering ist, beabsichtigen wir nicht, die Frage im Rahmen der finanzpolitischen Besprechung mit Herrn Bramsnäs zu behandeln, da sie in diesem Rahmen nur routinemäßigen banktechnischen Charakter tragen würde und daher nicht besonders auswertbar wäre.

Die politische Auswertung müßte daher noch vor dem hiesigen Besuch Bramsnäs erfolgen.

Ich bitte um umgehende drahtliche Stellungnahme.

Wiehl

200. Albert van Scherpenberg an Werner Best 1. März 1943

OKH havde anmodet AA om at overtage to tender-damplokomotiver fra Danmark, da behovet var stort. Lokomotivfabrikken Frichs var i gang med bygningen af et større antal af disse lokomotiver bestemt for DSB. Afgivelse af nogle af disse lokomotiver kunne kun ske med generaldirektør P. Knutzens billigelse. Det skulle forhandles i København. I givet fald ville OKH stille de nødvendige råstoffer til bygning af to andre lokomotiver til rådighed.

Franz Ebner svarede på Bests vegne 25. marts 1943.
Kilde: BArch, R 901 67.511.

F e r n s c h r e i b e n

Berlin, den   1. März [1943]

LR v. Scherpenberg   zu Ha Pol VI 877/43
Nr. 6 21.20. EHR DG Kopenhagen BE +
Diplogerma Kopenhagen Nr. 311

Betrifft:
Vermerk: Ing. Schulgé hat [...] bei mir vorgesprochen [...]en Eingang persönlich [eben]

[Nach] Abgang:

10 Se RFM til Wiehl 20. januar 1943.

284

[...] XII und Pol I M
[fälligen] Kenntnis

OKH benötigt dringend 2 Tender-Dampflokomotiven für Werkbahnbetrieb.[11] Wie festgestellt wurde, sind bei Lokomotivfabrik Frichs in Aarhus größere Anzahl Lokomotiven dieses Typs in Bau, davon 6 unmittelbar vor Fertigstellung. Letztere sind auf Grund Abstimmung zwischen deutscher Reichsbahn, die ganze Kapazität der Firma Frichs übernommen hat, und dänischer Staatsbahn für Dänemark bestimmt. Abgabe an uns daher nur mit Zustimmung von Generaldirektor Knudsen möglich.

Bitte Ingenieur Schulgé, der nächster Tage dort eintrifft und angewiesen ist, über Wehrwirtschaftsoffizier sich mit Reichsbevollmächtigten in Verbindung zu setzen, bei Verhandlungen mit dänischer Staatsbahn zu unterstützen. Erforderlichenfalls auch durch Besprechung mit Wassard. Die erforderlichen Rohstoffe für Ersatzbauten werden aus Kontingent des OKHs restlos zur Verfügung gestellt.

Bitte über Ergebnis zu berichten.

Scherpenberg

201. Helmut Bergmann: Vortragsnotiz 2. März 1943

Afdeling Tyskland i AA tilsluttede sig Jens Møllers ønske om oprettelsen af et tysk kontor under Statsministeriet, mens deltagelse i det senere kommunalvalg igen skulle drøftes. Vedhæftet er et svarbrev til Best i København.

Ingen af delene blev videresendt, da begge er påtegnet "cessat." Sandsynligvis forløb forhandlingerne i Danmark så hurtigt, at denne stillingtagen blev overhalet af udviklingen.

Kilde: PA/AA R 100.355. PKB, 14, nr. 148.

Abteilung Deutschland   D VIII 734 II

Vortragsnotiz

Betrifft: Stellungnahme der deutschen Volksgruppe in Dänemark zu den Wahlen.

Der Volksgruppenführer Dr. Moeller hat sich in einem Schreiben an die Volksdeutsche Mittelstelle und in einer daraufhin veranlaßten Aussprache mit dem Bevollmächtigten des Reichs in Kopenhagen dahin geäußert, daß in Anbetracht des Kriegseinsatzes der Volksdeutschen im Reich der Rückgang der deutschen Wahlstimmen in Dänemark so beträchtlich sein würde, daß die Erringung eines Reichstagsmandats ausgeschlossen erscheine, außerdem aber die deutschen Sitze in den Kommunalvertretungen sehr stark zurückgehen würden. Um dieses politisch unerwünschte Ergebnis zu vermeiden, schlagen der Reichsbevollmächtigte und der Volksgruppenführer vor, daß die Volksgruppe bei der Reichstagswahl Wahlenthaltung übe und die Vertretung der Belange der Volksgruppe von einer beim Staatsministerium zu errichtenden deutschen Kanzlei wahrgenommen werde. Für die Kommunalvertretungen schlägt Dr. Moeller entweder

---

11 OKH havde skrevet til AA derom 27. februar 1943.

MARTS 1943

eine Vereinbarung über sogenannte Friedenswahlen, d.h. unveränderte Verteilung der Mandate, oder Verzicht auf Wahlbeteiligung und Wahrnehmung der deutschen Belange bei den Gemeindevertretungen durch Referenten mit nur beratender Stimme, aber dem Recht der ständigen Verbindung mit der deutschen Kanzlei, vor.

Dr. Moeller hat gegenüber dem Staatsminister Scavenius den Wunsch nach Errichtung einer deutschen Kanzlei angedeutet. Dieser hat den Reichsbevollmächtigten darauf angesprochen und erklärt, daß ihm dieser Wunsch einleuchte und daß er seine Verwirklichung für möglich halte. Über die Frage der deutschen Referenten bei den Kommunalvertretungen ist mit der Dänischen Regierung bisher nicht gesprochen worden, doch hält der Reichsbevollmächtigte eine zufriedenstellende Lösung auch für sie ohne weiteres für möglich.

Die Volksdeutsche Mittelstelle unterstützt die Vorschläge des Volksgruppenführers.

Abteilung Deutschland ist der Auffassung, daß, wenn zu erwarten ist, daß infolge des Kriegseinsatzes eines großen Teiles der Volksgruppenangehörigen mit einem Rückgang der deutschen Stimmen zu rechnen wäre, es zweckmäßiger ist, Wahlenthaltung zu üben, als sich an der Wahl zu beteiligen. Gegen die Einrichtung einer sogenannten deutschen Kanzlei und eventuell auch von Referenten bei den kommunalen Behörden bestehen hier umso weniger Bedenken, als sich die sogenannten Staatssekretariate als Vertretung der deutschen Volksgruppen bei den Regierungen in der Slowakei und in Kroatien durchaus bewährt haben und daher auch in Rumänien schon die Errichtung einer ähnlichen Institution geplant war.

Abteilung Deutschland beabsichtigt, den als Anlage beigefügten Drahterlaß an die Deutsche Gesandtschaft in Kopenhagen zu richten und bittet um Weisung.

Berlin, den 2. März 1943.

Bergmann

Über Herrn Unterstaatssekretär Pol und Herrn Staatssekretär zur Vorlage beim Herrn Reichsaußenminister.

T e l e g r a m m

Berlin, den … März 1943

Diplogerma Kopenhagen Nr. … zu Akt. Z. D VIII 734 I
Referent: LR Dr. Reichel
Betreff: Vertretung der deutschen Volksgruppe.

Das Auswärtige Amt ist im Einvernehmen mit der Volksdeutschen Mittelstelle mit Vorschlag Volksgruppenführers Moeller betreffend Schaffung einer deutschen Kanzlei im Dänischen Staatsministerium und der eventuellen Einführung von deutschen Referenten bei den Gemeindevertretungen einverstanden.

Gleichzeitig wird gebeten, die Frage, ob bei den Kommunalwahlen sogenannte Friedenswahlen durchgeführt oder auch Wahlenthaltung geübt werden soll, nochmals eingehend zu überprüfen, da die Vereinbarung von Friedenswahlen eventuell als deutsche

Wahlbeeinflussung gedeutet und dadurch die durch Zulassung von Wahlen erstrebte politische Wirkung beeinträchtigt werden könnte. Erbitte Drahtbericht.

Bergmann

202. Werner Best an das Auswärtige Amt 3. März 1943

De stærkt stigende udgifter til det tyske fæstningsbyggeri foranledigede Best til at anmode om, at besættelsesomkostningskontoen blev omstillet fra RM til danske kroner. Han fik et positivt svar 6. marts (trykt nedenfor) og svarede igen med telegram nr. 260, 10. marts 1943.

    Kilde: BArch, R 901 68.712 og R 901 113.554. RA, pk. 271.

Telegramm

| Kopenhagen, den | 3. März 1943 | 09.35 Uhr |
| Ankunft, den | 3. März 1943 | 10.30 Uhr |

Nr. 225 vom 3.3.43.

Telegramm Nr. 309.[12]
Betr.: Umstellung des Besatzungskostenkontos von Reichsmark auf Dänenkronen.

Die Pläne über den verstärkten Ausbau der Küstenverteidigungsanlagen an der dänischen Westküste erfordern, wie mir der Befehlshaber der deutschen Truppen in Dänemark in den letzten Tagen eröffnet hat, eine wesentliche Erhöhung der von Danmarks Nationalbank vorgelegten Besatzungskosten. Es wird für dieses Jahr mit einem zusätzlichen Bedarf von rund 620 Millionen Dänenkronen gerechnet, so daß sich – zusammen mit den sonstigen Erfordernissen – monatlich rund 100 Millionen Kronen als Wehrmachtsbedarf ergeben das ungefähr das Doppelte des bisherigen Bedarfs. Diese erhöhten Anforderungen sollten der Nationalbank in den nächsten Tages seitens der Verbindungsstelle mitgeteilt werden. Sie werden vermutlich starke Besorgnisse auf der dänischen Seite auslösen, vielleicht sogar zu Verhandlungen zwischen den Regierungen über eine andere Form der Finanzierung oder dergleichen führen. Ich beabsichtige deshalb, unser Entgegenkommen in der Frage der Umstellung des Besatzungskontos in diesem Zusammenhang auszuwerten, und bitte, mir die Zustimmung zur Verwertung in diesem Sinne an die Hand zu geben.

    Herr Bramsnäs beabsichtigt, wie ich erfahren habe, Anfang oder Mitte nächster Woche nach Berlin zu reisen.[13]

Dr. Best

---

12 Ha Pol. VI 297/43 II. Trykt ovenfor.
13 C.V. Bramsnæs var nationalbankdirektør.

MARTS 1943

203. Helmut Bergmann an Werner Best 3. März 1943
Se Bests telegram 23. februar 1943.
  Kilde: PKB, 14, nr. 364.

Telegramm

Berlin, den   3.3.194[3].

Diplogerma Kopenhagen   zu Akt. Z. D VIII 715/43 II
Nr. 321.
Referent: LR Dr. Reichel.
Betreff: Zeitfreiwillige.

Mit Heranziehung von Angehörigen der deutschen Volksgruppe als Zeitfreiwillige im
Sinne des Drahtberichts Nr. 190 vom 23.2.[14] einverstanden.
                        Bergmann

204. Standortkommandantur Aalborg an WB Dänemark 3. März 1943
På baggrund af et attentat i Kolding 25. februar mod kvindelige værnemagtsmedlemmers kvarter havde
kommandanten i Ålborg kontaktet byens politimester for at få de tilsvarende kvarterer for alle tre værn i
Ålborg beskyttet. Det var politimesteren gået ind på.[15] Det var samtidig anledningen til at foreslå, at dansk
politi ved ikraftsættelse af beredskabsniveau I overtog bevogtningen af alle livsvigtige objekter i byen sammen med værnemagten. Politimesteren havde henvist til, at noget sådant skulle ske generelt efter anvisning
fra Justitsministeriet. Det foreslog kommandanten nu skete.
  Den 9. marts 1943 udtalte chefen for 416. infanteridivision sig i sagen.
  Kilde: RA, Danica 201, pk. 66, læg 873.

Abschrift.

Standortkommandantur (L)   *Aalborg, den 3.3.43.*
Br. B. Nr. 236/43 geh.   Geheim!

An den Befehlshaber der deutschen Truppen in Dänemark
  Kopenhagen
über 416. Inf. Div.
  Silkeborg.

Die Standortkommandantur (L) Aalborg hat mit dem Polizeimeister in Aalborg Verbindung dahingehend aufgenommen, daß anhand der Vorkommnisse in Kolding die
Diensträume und Quartiere Nachrichtenhelferinnen aller drei Wehrmachtteile durch
die dänische Sicherheitspolizei geschützt werden. Der Polizeimeister hat zugesagt, während der Verdunkelungszeit bei den drei Vermittlungen Heer, Marine und Luftwaffe
Polizeistreifen gehen zu lassen, desgleichen bei den zahlreichen auf die Stadt Aalborg

14 Trykt ovenfor.
15 Se om attentatet i Kolding Mewis til OKM 12. marts 1943.

verteilten Unterkünften des weiblichen Nachrichtenpersonals.

Bei dieser Gelegenheit wurde auch gefordert, daß die dänische Polizei im Falle der Bereitschaftsstufe I die Sicherung der lebenswichtigen Objekte der Stadt (Limfjord-brücken, Post- und Telegrafenamt, Elektrizitätswerk, Gaswerk usw.) zusammen mit der Wehrmacht übernimmt. Der Polizeimeister hat hierbei darauf hingewiesen, daß es nach seiner Ansicht am zweckmäßigsten sei, wenn eine solche Anweisung generell von dem Befehlshaber der deutschen Truppen in Dänemark über den Bevollmächtigten des Deutschen Reiches beim dänischen Justizministerium erlassen würde. Die Kommandantur schließt sich den Ausführungen des Polizeimeisters in Aalborg an und bittet, das Weitere veranlassen zu wollen.

gez. **Unterschrift**
Oberst und Standortkommandant

205. Heinrich Himmler an Gottlob Berger 4. März 1943

RFSS ønskede gennem Berger at få Best til at købe uniformer fra den danske hær til det planlagte germanske korps, men han skulle gå frem med politisk omtanke. Idet der blev henvist til Bests rang i SS, ville Himmler snarest have at vide, hvordan Best stillede sig til den opgave.

Best svarede gennem Berger 13. april 1943.

Himmlers fremgangsmåde var en klar omgåelse af tjenestevejene, og det hjalp formelt set ikke at gøre brug af Bests rang i SS. Himmler testede, hvad han kunne få en tidligere undergiven til.

Kilde: RA, pk. 443.

Fernschreiben

SS-Gruppenführer Berger
Berlin   Geheim

Unterrichten Sie doch bitte auf dem Kurierwege SS-Gruppenführer Dr. Best, ich lasse ihn bitten, irgendwie zu versuchen, in Dänemark Uniformen der dänischen Armee aufzukaufen. Er muß es allerdings mit allem politischen Bedacht vornehmen. SS-Gruppenführer Best soll uns bald Nachricht geben, wie er dazu steht.

gez. **H. Himmler**
4.3.1943
RF/Bn

206. Werner Best an das Auswärtige Amt 5. März 1943

Von Hannekens forsøg på at få den danske hær opløst nåede som sag frem til OKW og Hitler, der 1. marts efter Jodls og Keitels anbefaling besluttede foreløbigt at nøjes med at give den danske hær en advarsel. Det skulle ske ved en henvendelse fra Best til regeringen og kronprinsen.

En advarselsnote blev også udfærdiget. Best hørte først derom fra von Hanneken og bad nu AA om at fremsende førerbeslutningen fra OKW. Før det nåede dertil, havde von Hanneken fundet et påskud for at hindre dette. Se von Hanneken til OKW 5. marts, OKWs notat 7. marts og Karl Ritters optegnelse 8. marts (Kirchhoff, 1, 1979, s. 122f., Roslyng-Jensen 1980, s. 138).

Kilde: PA/AA R 29.566. LAK, Best-sagen (afskrift). PKB, 13, nr. 393.

MARTS 1943

Telegramm

Kopenhagen, den	5. März 1943	20.15 Uhr
Ankunft, den	5. März 1943	21.15 Uhr

Nr. 240 vom 5.3.43.

General v. Hanneken hat mir am 2. März 1943 mitgeteilt, er habe vom OKW ein Telegramm des folgenden Wortlauts erhalten: Der Führer habe auf Vorschlag des Auswärtigen Amtes angeordnet, daß der Reichsbevollmächtigte der dänischen Regierung und dem Kronprinz-Regenten eine Mitteilung wegen des dänischen Heeres machen soll, deren Wortlaut im Telegramm angegeben ist. Dieser Wortlaut entspricht wörtlich meinem Vorschlag in meinem Telegramm Nr. 185[16] vom 22. Februar 1943 an das Auswärtige Amt. Da ich die entsprechende Mitteilung bis jetzt nicht erhalten habe, bitte ich um baldige Unterrichtung über die vom OKW mitgeteilte Führerweisung.

Dr. Best

207. Joachim von Ribbentrop an Werner Best 5. März 1943

Best fik svar på en forespørgsel: Hitler ønskede fortsat ikke den fuldstændige normalisering af de diplomatiske forbindelser med Danmark, som Best tilstræbte.

Det fik øjeblikkeligt Best til at forfølge en tidligere sag. Se telegrammet til Ribbentrop 8. marts 1943.
Kilde: PA/AA R 29.566. RA, pk. 202.

Telegramm

Berlin, den	5. März 1943

Diplogerma Kopenhagen
Nr. 333

Für Bevollmächtigten persönlich.
Auf Brief vom 11.2.1943[17]
Ich bitte Sie, von der Verfolgung Ihres Vorschlages, den Befehlshaber der deutschen Truppen in Dänemark dem König oder Kronprinzregenten vorzustellen und eine Aufhebung des Flaggverbots herbeizuführen, abzusehen.

Zu Ihrer streng persönlichen Information teile ich Ihnen mit, daß der Führer bemerkt hat, er lehne jede Abänderung seines Befehls ab. Die deutsche Wehrmacht habe sich von allen politischen Handlungen – und die Aufnahme einer persönlichen Verbindung mit dem Königshaus sei eine solche – fernzuhalten.

Ribbentrop

16 bei Pol. I M. Trykt ovenfor.
17 Trykt ovenfor.

208. Ernst von Weizsäcker an Werner Best 5. März 1943

Efter at Best havde formået at få lov til at lade afholde valg i Danmark, undlod Weizsäcker ikke at gøre opmærksom på, at Bests forslag havde givet anledning til alvorlige overvejelser i AA. Det havde fået afgørelsen til at trække ud, og Ribbentrop havde anset det for nødvendigt, at spørgsmålet blev forelagt Hitler. Bests meget insisterende og ikke kun diplomatiske holden på sit, undlod Weizsäcker heller ikke at give en vel indpakket irettesættelse for (Bests telegram 1. marts 1943).

Kilde: PA/AA R 29.858. RA, pk. 212. PKB, 13, nr. 732.

Berlin, den 5. März 1943.

An den Bevollmächtigten des Reiches
   in Dänemark.

Sehr verehrter Herr Best!

Für Ihre Zeilen vom 1. d.M. nebst der umfangreichen Sammlung über die in Frankreich geltende Judengesetzgebung danke ich Ihnen sehr. Das Thema interessiert mich auch jetzt noch. Ich werde das Material nach dem beabsichtigten Studium Ihnen wieder zugehen lassen.

Es freut mich, daß Sie mit der Entscheidung wegen der Durchführung der dänischen Wahlen zufrieden sind. Unsere Antwort hat sich u.a. dadurch verzögert, daß der Herr Reichsaußenminister es für notwendig hielt, in der Sache auch den Führer zu befragen.

Ihre Ausführungen zu diesem Thema sind eine Bestätigung für meine Annahme, daß Sie im Falle einer negativen Entscheidung mit uns sehr unzufrieden gewesen wären. Da ich für Offenheit bin, will ich Ihnen nicht verschweigen, daß ich selbst an Ihren Vorschlag zunächst zögernd heranging. Da ich annahm, daß, wie in anderen parlamentarisch regierten Ländern die Verfassung eine Verlängerung der Legislaturperiode ohne Neuwahlen zulasse, würde ich diesen Weg als ebenso praktikabel und zugleich als ausreichend angesehen haben, um vor dem Auslande unsere Politik der Legalität in Dänemark darzutun. Inzwischen habe ich mich überzeugt, daß die dänische Verfassung diese Handhabe nicht bietet. Aber auch ehe mir dies ganz klar war, vertrat ich bei dem Herrn Reichsaußenminister den Standpunkt, man möge Ihrem Vorschlag zustimmen, da Sie sich für ihn so entschieden eingesetzt haben.

Um etwaige aus diesem Anlaß zwischen uns eingetretene Mißverständnisse auszuräumen, habe ich vor kurzem den Herrn Reichsaußenminister um sein Einverständnis gebeten, Sie zu einer kurzen Rücksprache nach Berlin einzuladen. Dieses scheint mir nun nicht mehr so dringlich, so daß wir hierfür einen Augenblick abwarten können, wo aktuelles vorliegt.

Mit besten Grüßen und

Heil Hitler!

gez. **Weizsäcker**

209. Hermann von Hanneken an OKW 5. März 1943

Netop som von Hannekens forslag om opløsning af den danske hær var blevet afvist, indtraf et tilfælde, som han øjeblikkeligt udnyttede. Der blev opsnappet et brev af den tyske postcensur fra en dansk officer med en mobiliseringsordre. Der var tale om en rutinesag, der ingen forbindelse havde med nogen aktuel situation, men von Hanneken greb chancen for at få advarslen til den danske regering angående den danske hær holdt tilbage med henblik på evt. at foretage et indgreb overfor hæren. Det lykkedes.

Se OKWs notat 7. marts og Karl Ritters optegnelse 8. marts.

Kilde: BArch, Freiburg, RW 4/642. RA, Danica 1069, sp. 1, nr. 599 (afskrift) og nr. 600f. (original).

WFSt/Qu (III)   *5.3.43*
Von SSD- Fernschreiben   Abschrift

An OKW/WFSt/Qu

Bezug: OKW/WFSt/Qu (III) Nr. 00712/43 g. Kdos. v. 1.3.43.[18]

Durch die an einen in Deutschland wohnenden dänischen Offizier mit Post gesandte Mobilmachungsordre habe ich in Erfahrung gebracht, daß vom dänischen Heer Mobilmachungsvorarbeiten geleistet werden. Der um Aufklärung ersuchte kommandierende General des Dänischen Heeres, General Goertz, hat mir soeben persönlich gemeldet, daß diese Tatsache zutrifft. Dänische Offiziere reisen nach General Goertz in Zivil im Lande umher und treffen Vorbereitungen für Aushebung von Personal, Pferden und Gerät. Derartige Maßnahmen sind nach Besetzung Dänemarks den Dänen weder zugestanden, noch von ihnen angemeldet worden und waren hier nicht bekannt.

Nach Lage der Dinge müssen sie sich jetzt gegen deutsche Besatzungsmacht auswirken.

Schlage vor, daß warnende Mitteilung an dänische Regierung durch Bevollmächtigten des Reiches vorläufig hingehalten wird und die in o.a. Verfügung genannten Maßnahmen gegen dänisches Heer evtl. schon jetzt einsetzen.

Schriftlicher Bericht folgt.

gez. **v. Hanneken**
/Befhl. Dänemark

Ia Br. B. Nr. 5/43 g. Kdos. (Sonderbriefbuch).

F.d.R.d.A
[signeret] Major
Abschrift für Chef OKW.

---

18 Fjernskrivermeddelelse, hvormed Hitler gav sin tilslutning til AAs forslag (sst. nr. 602).

210. Hermann von Hanneken: Kampfanweisung 5. März 1943

Von Hanneken gjorde andet end militære forberedelser til en evt. invasion af Danmark. Mens Best lagde tingene til rette til det kommende danske valg, lod von Hanneken udarbejde en tilføjelse til kampanvisningen af 22. januar vedrørende den danske regerings rolle og foranstaltninger i tilfælde af en invasion, og han formulerede det opråb, der i givet fald skulle sendes ud til den danske befolkning.

I afsnitskommandanternes version af kampanvisningen blev der tilføjet nogle ganske få linjer efter afsnit B.3. De gengives her efter 416. Infanterie-Divisions Kampfanweisung 10. marts 1943:[19]

"Diesbezügliche Vordrücke:

"K" = Beschlagnahme der listenmäßig festgelegten Kraftfahrzeugen,

"B" = Beschlagnahme der am Standort lagernden Benzin-, Generatorgas- und Hartholzvorräte,

"G" = Festnahme von Geiseln (Stichwort Gisela) – Bezug 6).

sind an Anlage 4 angehaftet.

Diese 3 Maßnahmen sind nur auf Befehl des Befehlshabers der deutschen Truppen in Dänemark zu treffen."

Ingen af forholdsreglerne blev på dette tidspunkt drøftet og afstemt med Best; det blev de først flere måneder senere, se WB Dänemark: Kampfanweisung 20. juli 1943. Best kom imidlertid på anden vis i besiddelse af viden om foranstaltningerne, se Bests telegram nr. 299 til AA 17. marts 1943.

Kilde: RA, pk. 449. EUHK, nr. 92 (uddrag).

Der Befehlshaber der deutschen Truppen in Dänemark   *H.Qu., den 5. März 1943*
Abt. 1c 46/43 g.Kdos.   9 Ausfertigungen
                                                        4. Ausfertigung

Betr.: Kampfanweisung
Bezug: Bef. Dän. Ia 100/43 g.Kdos. vom 22.1.43
Seite 14, Stufe II: Maßnahmen.

A.) Für den Fall eines Angriffs auf Dänemark sind Maßnahmen der dänischen Regierung vorgesehen, die diese im Interesse der Kampfführung der deutschen Wehrmacht zu treffen hat. Diese Maßnahmen beziehen sich vor allem auf:

1.) Das Verhalten der Bevölkerung.

2.) Die Befugnisse der örtlichen Befehlshaber zum Erlassen von militärischen Anordnungen an die zivilen dänischen Dienststellen und die dänische Polizei, soweit sie im Interesse der deutschen Wehrmacht notwendig erscheinen.

3.) Erlaß eines Versammlungsverbotes.

4.) Bestimmungen über Post-, Fernsprech-, Telegrafen- und Funkverkehr.

5.) Bestimmungen über Presse und Rundfunk.

6.) Bestimmungen über Einschränkung des zivilen Verkehrs.

B.) 1.) Im Angriffsfalle ist von Seiten des Befehlshabers der anliegende Aufruf durch die Standortältesten zu veröffentlichen. Die Veröffentlichung des Aufrufs darf erst auf ausdrücklichen Befehl des Bef. Dänemark erfolgen, und zwar durch Presse und durch Maueranschlag. Für die Divisionen liegt für die Standorte ihres Bereichs zunächst je ein Abdruck des Aufrufs als Anlage bei. Sie sind durch die Divisionen den Standortältesten ihres Bereichs zuzuleiten. Gedruckte Ausfertigungen des Aufrufes

---

19 RA, Danica 1069, sp. 5, nr. 5702. Her er endvidere bl.a. et fortryk til en "Haftbefehl" (sst. nr. 5728) i forbindelse med gidseltagningerne.

folgen nach Fertigstellung.

2.) Weitere Aufrufe seitens der militärischen Dienststellen und Standortältesten sind nicht zu erlassen. Wo solche Aufrufe vorgesehen waren, sind sie zu vernichten.

3.) Die Pflicht der Standortältesten, Maßnahmen zur Sicherstellung von Kraftfahrzeugen und Betriebsstoff sowie zur Sicherung der Standorte zu treffen, bleibt hierdurch unberührt.

v. Hanneken

Anlage zu Bef. Dän. Ic Nr. 46/43 g.Kdos. vom 5.3.43
128 Abdrucke
123. Abdruck

A u f r u f
an die dänische Bevölkerung!

In Jütland ist ein Angriff durch englische Kräfte erfolgt. Durch diesen Überfall ist Dänemark zum Kriegsschauplatz geworden. Die deutsche Wehrmacht wird für den Schutz des Landes mit allen ihr zu Gebote stehenden Mitteln sorgen.

Voraussetzung für diesen Kampf der deutschen Wehrmacht ist die Aufrechterhaltung von Ruhe und Ordnung im Lande selbst. Alle hierfür erforderlichen Maßnahmen werden die dänische Regierung und ihre Behörden treffen.

Ich erwarte, daß die dänische Bevölkerung den Erfordernissen der deutschen Kriegsführung Rechnung trägt und den zu diesem Zweck erlassenen Anordnungen Folge leistet.

Soweit im Kampfgebiet feindselige Handlungen der Bevölkerung begangen werden sollten, treten die deutschen Standgerichte der Truppenkommandeure zur Aburteilung und sofortigen Vollstreckung von Urteilen in Kraft, die auch auf sofortige Todesstrafe erkennen können.

In Gebieten, in denen keine Kampfhandlungen stattfinden, soll die Bevölkerung ihrer friedlichen Beschäftigung in gewohnter Weise nachgehen und den Einschränkungen, die nach Lage notwendig sind und ertragen werden müssen. Auch in diesem Gebiete können Zuwiderhandlungen gegen die deutsche Wehrmacht deutsche Stand- und Kriegsgerichte mit strengen Strafen eingreifen.

Ich hoffe, daß die Bevölkerung sich so verhält, daß ich davon keinen Gebrauch machen muß.

Kopenhagen, den .... 194...
Der Befehlshaber der deutschen Truppen in Dänemark

211. Rüstungsstab Dänemark: Lagebericht 5. März 1943

Forstmann redegjorde for situationen, først og fremmest den tiltagende mangel på brændstof, herunder generatortræ, og at den danske regering søgte at sætte tørveproduktionen i vejret. Der var også knaphed på tilførslerne af materialer og reservedele fra Tyskland. Beskæftigelsen var for opadgående, og arbejdsløsheden var betydeligt lavere end et år tidligere.

Kilde: BArch, Freiburg, RW 27/6. KTB/Rü Stab Dänemark 1. Vierteljahr 1943, Anlage 8.

Anlage 8

Abteilung Wehrwirtschaft   *Kopenhagen, den 5.3.1943*
im Rü Stab Dänemark
Gr. Ia Az. 66d l Nr. 2054/43g

Bezug: OKW Az. 1 e 24 Wi Amt Z 1/II Nr. 1143/43 geh. v. 20.2.43
Betr.: Lagebericht.   Geheim

An das Oberkommando der Wehrmacht/Wehrwirtschaftsamt
    Berlin W 62
    Kurfürstenstr. 63/69

Abt. Wwi im Rü Stab Dänemark übersendet in der Anlage Lagebericht gemäß o.a. Bezugsverfügung.

gez. **Forstmann**

Abteilung Wehrwirtschaft   *Kopenhagen, den 5.3.1943*
im Rü Stab Dänemark
Gr. Ia Az. 66d l Nr. 2054/43g   Geheim!

Vordringliches

Im Hinblick auf die Brennstoffknappheit in Dänemark hat die dän. Regierung zur Hebung der *Torfproduktion* am 3. Februar ein neues Torfgesetz erlassen. Es sieht eine Preiserhöhung von 1-2 d.Kr. pro Tonne in Jütland und bis zu 1 d.Kr. auf den Inseln vor. Außerdem gewährt der Staat in diesem Jahre Staatsdarlehen in Höhe von über 10 Millionen d.Kr. Durch die Festsetzung von höheren Maximalpreisen und namentlich durch den bedeutenden Staatszuschuß wurden bessere Bedingungen für eine erhörte Torfproduktion geschaffen, und man hofft deshalb, unter Berücksichtigung der gegenüber 1942 günstigeren Wetterverhältnisse die Jahresproduktion auf 5-6 Mill. to Torf bringen zu können.

In Frederiksvärk auf Nordseeland am Isefjord ist am 1.12.42 ein neues *Stahlwalzwerk* in Betrieb genommen. Belegschaft bei Vollbetrieb 200 Arbeiter, z.Zt. 120. Voraussichtliche Jahresproduktion 40.000 to gewalzter Stahl nach dem Siemens-Martin-Verfahren. Vorläufig werden Profileisen aus altem Schrot hergestellt. Produktion vom 1.12.42.-1.2.43 6.000 to Profileisen.

Das für Dänemark herabgesetzte *Eisenkontingent*, von 13.000 to auf 5.000 to monatlich im 1. Quartal, kann zu Auswirkungen führen, welche nicht ohne Nachteile für die Besatzungstruppe bleiben werden. Abt. Wwi hat dem Bevollmächtigten des Reiches hierüber berichtet.

Durch die starke Abnahme der *dän. Generatorholzbestände* einerseits und die Erhöhung der Generatoreinbauten für dän. Verkehrsmittelfahrzeuge andererseits ist die dän. Regierung nicht mehr in der Lage, die bisherige Zuteilung von Generatorholz für die von dem Festungspionierstab bezw. der OT ermieteten dän. LKWs weiter durchzuführen. Die Forderung des Festungspionierstabs für die Fertigstellung der Festungsbauten auf Jütland beträgt ca. 15.000 m^3. Ferner liegt eine Anforderung des Befehlshabers der dten. Truppen in Dänemark in Höhe von 5.000 m^3 für ermietete Bereitschafts-LKWs vor. OKH H Mot hat sich außer Stande erklärt, diese Mengen bereitzustellen. Zur Vermeidung einer weiteren Außerbetriebsetzung der LKWs will OKH H Mot ein Quantum von ca. 1.000-1.500 m^3 ungeschnittenes Generatorholz aus dem Ostbezirk zur Verfügung stellen. Weitere Verhandlungen mit den dän. Regierungsstellen über Lieferungen von Generatorholz schweben z.Zt. noch.

Bei den Anforderungen der *Besatzungstruppe* entstanden Schwierigkeiten in der Belieferung mit Nägeln und Glas. *Nägel* für Unterkünfte und Befestigungsbauten fehlen im Lande, weil die dän. Industrie monatelang nicht mit Walzdraht beliefert worden ist. Den Bemühungen der Abt. Wwi ist es gelungen, den vordringlichsten Bedarf noch aus dän. Restbeständen zu decken unter Hinweis auf das vom OKW genehmigte Nägellager von 300 to, dessen Lieferung jetzt im März anläuft.

Die *Glaslieferungen* für die Besatzungstruppe konnten nur unter großen Schwierigkeiten durchgeführt werden, die sich noch verschärfen werden; denn die dän. Industrie ist wegen Rohstoff- und Brennstoffmangel, ferner wegen der hohen Anforderungen der Besatzungstruppe und der Ersatzlieferungen für die durch Bomben- und Minenexplosionen entstandenen Schäden nicht in der Lage, die nötigen Mengen Glas weiterhin aus eigener Produktion zu liefern. Die Besatzungstruppe wird deshalb mehr und mehr allein auf den Nachschubweg angewiesen sein.

1a. Aufträge der Besatzungstruppe

Von der Abt. Wwi wurden im Januar und Februar 1943 Rohstoffsicherungen für Fertigungsaufträge, Bauaufträge und Wareneinkäufe der dten. Besatzungstruppe in Dänemark – soweit zu ihrer Durchführung Eisen, Stahl, NE-Metalle und Kautschuk benötigt wurden – in Höhe von 6,308 Mill. RM durchgeführt.

1c. Holzversorgung

Für Aufträge der Besatzungstruppe in Dänemark sind im Februar von der Abt. Wwi Bedarfsbescheinigungen über 6.569 cbm Nadelholz für die vorschußweise Freigabe aus den Beständen der dän. Wirtschaft ausgestellt worden.

Der Verbrauch der einzelnen Wehrmachtteile ist wie folgt: Heer 366,0 cbm Kriegsmarine 1.284,0 cbm; Luftwaffe 1.995,0 cbm; Festungspionierstab 316,0 cbm; OT u. Sonderbaustab 2.608,0 cbm.

Da das Festungsbauprogramm in Dänemark bis Ende Juni 43 abgeschlossen sein muß, ist in den kommenden Monaten mit einem Angsteigen des Holzverbrauches zu rechnen.

Der Holzbedarf für das 2. Jahrquartal 43 in Höhe von 30.000 cbm wurde beim OKW/Wi Amt angemeldet.

5. Arbeitseinsatz

Zahl der Arbeitslosen betrug Ende Januar 42: 87.694, Zugang gegenüber dem Vormonat rd. 36.000. Die Zahl der Arbeitslosen in Dänemark ist aber am 1.2.43 um 34.000 geringer als am gleichen Zeitpunkt des Vorjahres. Die Gesamtzahl der in Norwegen eingesetzten dän. Arbeiter: 8.981. Zugang im Januar 659. Für Finnland 3 Neuanwerbungen. Für Aufträge des Neubauamtes der Luftwaffe sind z.Zt. in Dänemark 8.060, für die des Festungspionierstabes und der OT 7.600 dän. Arbeiter und Angestellte eingesetzt. – Dem Reich wurden im Januar 1943 3.250 Arbeitskräfte zur Verfügung gestellt.

6. Verkehrslage

Der *Fährbetrieb* verlief im Februar normal. Die schwed. Fähre auf der Strecke Sassnitz-Trälleborg läuft weiter für Personen- und zivilen Güterverkehr; Wehrmachtgut wird nicht befördert.

Die Fähre Malmö-Kopenhagen läuft ebenfalls weiter, sie befördert wie im Vormonat Wehrmachtgut für Finnland und Zivilgut für Schweden. Für Nachschub Finnland und Schweden werden täglich 70 Wagen gestellt.

Waggongestellung innerhalb Dänemarks im Wehrmachtsektor 95 %, im zivilen Sektor ca. 50 %. Die Kohlenlage der dän. Staatsbahn ist außerordentlich kritisch, da die Bevorratung sich nur auf ca. 14 Tage beläuft.

Die dänische *Schiffahrt* war tonnagemäßig in nachstehender Rangfolge eingesetzt:.
1.) Kohlenfahrt von Deutschland nach Dänemark
2.) Düngemittelfahrt nach Dänemark (von Norwegen)
3.) Deutsche Küsten-Kohlenfahrt
4.) Innerdänische Fahrt.

7a. Ernährungslage

Die Milch- und Butterproduktion hat sich gut gehalten und liegt höher als im Vorjahr.- Die Eierproduktion ist infolge des Anhaltenden offenen Wetters ebenfalls höher als im Vorjahr. – Am 13.2.43 fand eine Schweinezählung statt. Es ist eine Zunahme gegenüber der Zählung vom 2.1.43 um 116.000 Stücke zu verzeichnen, die sich auf Ferkel, Läufer und Mastschweine erstreckt.

Fischfang: Ergebnisse zufriedenstellend. –

Wertmäßig wurden im Jan. 43 aus den Lebensmittelbeständen des Landes entnommen:

für die dten. Truppen in Dänemark: d.Kr. 2.837.710,52
für die dten. Truppen in Norwegen: d.Kr. 2.836.127,76

212. Werner Best an das Auswärtige Amt 6. März 1943

Best sendte AA en redegørelse for den jordpolitiske udvikling i Nordslesvig siden 1919, hvoraf det fremgik, at det tyske mindretal indtil 1940 år for år havde mistet jord til de dansksindede, men at der siden 1940 havde været en svag stigning i den tyske ejendomsbesiddelse. Med redegørelsen fulgte to bilag, hvori udviklingen nærmere var dokumenteret.
Kilde: RA, pk. 247.

Der Bevollmächtigte des Reiches in Dänemark   *Kopenhagen, den 6.3.1943.*
I C/Tgb. Nr. 112/43.

An das Auswärtige Amt,
    Berlin.

Betr.: Bodenpolitische Entwicklung in Nordschleswig.
– 2 Durchschläge –
2 Anlagen.[20]

In der Anlage werden zwei Aufstellungen des Amts für Agrarpolitik der Deutschen Volksgruppe Nordschleswig über die bodenpolitische Entwicklung in Nordschleswig vorgelegt.

Nach der Abtretung Nordschleswigs war der deutsche Bodenbesitz vom Jahre 1919 bis zum Jahre 1939 insgesamt um 34.710,38 ha zurückgegangen. Im Jahre 1940 konnte diese ungünstige Entwicklung erstmalig aufgehalten werden. Die Jahresbilanz der Deutschen Volksgruppe über Bodengewinn und Bodenverlust schloß für das Jahr 1940 mit einem Gewinn von 209,00 ha ab. In den Jahren 1941 und 1942 gelang es, den deutschen Bodenbesitz, wenn auch nur in bescheidenem Maße, weiter zu vermehren und zwar 1941 um 297,14 ha, im Jahre 1942 um 322,35 ha.

Die Ermittlung der Bodengewinn- und Bodenverlustziffern erfolgt in der Weise, daß seitens des Agrarpolitischen Amtes laufend die in Nordschleswig vorgenommenen Auflassungen aus der dänischen Staatszeitung entnommen und in eine besondere Liste übertragen werden. Dabei werden jedoch von vornherein Objekte mit einem Steuergewinn unter 1.000,00 Kronen wegen ihrer Geringfügigkeit ausgeschieden. Anhand der Liste werden sodann am Schluß des Jahres von den Obmännern der volksdeutschen Landesbauernschaft in den einzelnen Bezirken Erkundigungen eingezogen über die nationale Zugehörigkeit der Verkäufer und Käufer. Bodenverschiebungen werden von der Aufstellung demnach nur erfaßt, soweit diese mit einem Eigentumswechsel in Verbindung stehen, während dagegen z.B. ein Bodengewinn, der dadurch entsteht, daß ein bisher indifferenter Schleswiger den Weg zur Deutschen Volksgruppe findet, an den Zahlen nicht erkennbar wird.

W. Best

20 Trykt efterfølgende.

Anlage 1.

Bodengewinn und -verlust im Jahre 1942

Bodenverlust:

A.) Kreis Apenrade:
    Nordschl. Dänen   98,51 ha
    Reichsdänen   12,00 ha =   110,51 ha

B.) Kreis Hadersleben:
    Nordschl. Dänen   15,00 ha
    Reichsdänen   26,50 ha =   41,50 ha

C.) Kreis Sonderburg
    Nordschl. Dänen   58,00 ha =   58,00 ha

D.) Kreis Tondern:
    Nordschl. Dänen   90,00 ha
    Dänischer Staat   4,50 ha =   94,50 ha
                   <u>Total Bodenverlust</u>   = <u>304,51 ha</u>

Bodengewinn:

A.) Kreis Apenrade:
    Nordschl. Dänen   227,51 ha
    Reichsdänen   41,00 ha =   268,51 ha

B.) Kreis Hadersleben:
    Nordschl. Dänen   61,15 ha
    Reichsdänen   51,00 ha =   112,15 ha

C.) Kreis Sonderburg
    Nordschl. Dänen   12,70 ha =   12,70 ha

D.) Kreis Tondern:
    Nordschl. Dänen   147,50 ha
    Reichsdänen   86,00 ha =   233,50 ha
                   <u>Total Bodengewinn</u>   = <u>626,86 ha</u>
                   Total Bodengewinn   = 626,86 ha
                   <u>Total Bodenverlust</u>   = <u>304,51 ha</u>
                   <u>Netto Gewinn</u>   = <u>322,35 ha</u>

Der Netto Gewinn verteilt sich auf die einzelnen Kreise wie folgt:
    Kreis Apenrade: 158,00 ha
    Kreis Hadersleben: 70,65 ha
    Kreis Tondern: 139,00 ha
                           367,65 ha =   367,65 ha
    Verlust (Netto) im Kreise Sonderburg   =   45,30 ha
                   <u>Netto Gewinn</u>   = <u>322,35 ha</u>

Hadersleben, den 23. Februar 1943/B.

Anlage 2.

Bodengewinn und -Verlust für die Zeit von 1919 bis 1. Januar 1943

Jahr:		Gewinn:	Verlust:	Nettoverlust:
1919:		82,41 ha.	3.172,77 ha.	3.090,36 ha.
1920:		401,93 –	18.278,07 –	17.876,14 –
1921:		121,41 –	2.732,05 –	2.610,64 –
1922:		291,78 –	836,04 –	544,26 –
1923:		433,25 –	1.866,76 –	1.433,51 –
1924:		417,14 –	634,26 –	217,12 –
1925:		523,75 –	748,50 –	224,75 –
1926:		343,19 –	2.528,52 –	2.185,43 –
1927:		381,94 –	904,62 –	522,58 –
1928:		371,30 –	1.038,54 –	667,24 –
1929:		333,55 –	1.128,50 –	794,95 –
1930:		275,71 –	1.066,03 –	790,32 –
1931:		317,15 –	1.478,42 –	1.161,27 –
1932:		248,00 –	556,25 –	308,25 –
1933:		240,36 –	373,62 –	133,26 –
1934:		544,34 –	1.624,27 –	1.079,93 –
1935:		441,46 –	500,57 –	59,11 –
1936:		315,27 –	581,81 –	266,54 –
1937:		292,31 –	600,98 –	308,67 –
1938:		327,00 –	539,50 –	212,50 –
1939:		284,60 –	508,15 –	223,55 –
		6987,85 ha.	41.698,23 ha.	34.710,38 ha.
1940:	+	380,50 +	171,50 –	209,00 Gew.
		7368,35 ha.	41.869,73 ha.	34.501,38 ha.
1941:	+	486,29 +	189,15 –	297,14 Gew.
		7854,64 ha.	42.058,88 ha.	34.204,24 ha.
1942:	+	626,86 +	304,51 –	322,35 Gew.
		8481,50 ha.	42.363,39 ha.	33.881,89 ha.

Gesamtverlust	42.363,39 ha.
Gesamtgewinn	8.481,50 ha.
Nettoverlust	33.881,89 ha.

Hadersleben, den 23. Februar 1943 /B.

Im Jahre 1920 sind als Verlust miteinbezogen:

a.)	Domänen	6.378,27 ha.
b.)	Pastoratsländereien	5.650,00 ha.
		12.028,27 ha.

213. Hermann von Hanneken an OKW 6. März 1943

Von Hanneken videresendte general Ebbe Gørtz' forklaring på, at der blev givet mobiliseringsordrer, som var besættelsesmagten ubekendte, til danske officerer. Trods forklaringen anmodede von Hanneken om, at der straks blev nedlagt forbud mod mobiliseringsordreøvelserne.

Kilde: BArch, Freiburg, RW 4/642. RA, Danica 1069, sp. 1, nr. 595f.

Der Befehlshaber der deutschen Truppen in Dänemark   *H.Qu., den 6. März 1943*
Abt. Ia – Br. B. Nr. 6/43 g. Kdos. (bes. Br. B.)
2 Ausfertigungen

1. Ausfertigung

Bezug: Fernschreiben Bef. Dänemark – Ia – Nr. 5/43 g. Kdos. (bes. Br. B.) vom
        5.3.43.[21]
Betr.:   Mobilmachungsvorarbeiten der dänischen Armee.

An Oberkommando der Wehrmacht
   Wehrmacht-Führungsstab

Zu o.a. Fernschreiben wird in der Anlage der von General Görtz in dieser Angelegenheit eingeforderte schriftliche Bericht in Übersetzung vorgelegt.[22]

Die jährliche Auswahl von Kraftfahrzeugen und Pferden für das Heer findet in Dänemark nicht wie im Deutschen Reich in der Weise statt, daß die zu musternden Kraftfahrzeuge und Pferde an bestimmten Orten und Tagen zusammengezogen und dort gemustert werden. In Dänemark reisen vielmehr zu diesem Zweck Offiziere in Zivil im Lande umher und suchen die einzelnen Besitzer der Kraftfahrzeuge und Pferde auf und mustern bei ihnen die Kraftfahrzeuge und Pferde. Dadurch erklärt es sich, daß diese Mobilmachungsvorarbeiten seit 1940 der deutschen Besatzungstruppe nicht aufgefallen und daher hier nicht bekannt geworden sind.

Wie bereits in o.a. Fernschreiben zum Ausdruck gebracht, müssen sich diese Vorbereitungen nach der Sachlage jetzt gegen die deutsche Besatzungsmacht auswirken. Sollten die Mobilmachungsvorarbeiten der Dänen nicht als ausreichend angesehen werden, um Maßnahmen gegen das dänische Heer in Kraft treten zu lassen, wie sie in der Verfügung OKW/WFSt/Qu III Nr. 00712/43 g. Kdos. vom 1.3.1943 vorgesehen sind, dann werde ich dem dänischen Generalkommando den Befehl erteilen, die Mobilmachungsvorarbeiten sofort einzustellen. Die Mobilmachungsorder des in Deutschland wohnenden dänischen Offiziers liegt in Übersetzung hier bei.[23]

Hanneken

---

21 Trykt ovenfor.
22 Bilaget (sst. nr. 597f.) er ikke medtaget.
23 Bilaget (sst. nr. 598) er ikke medtaget.

214. Werner Best an das Auswärtige Amt 6. März 1943

Med den begrundelse at gesandtskabets embedsmænd ikke havde de tilstrækkelige kundskaber, anmodede Best om at få Kriminalrat Erich Bunke til Danmark, for at han kunne deltage i bekæmpelsen af erhvervs-sabotagen, mere præcist valutasvindelen. RSHA havde allerede givet sit tilsagn, så Best havde atter handlet på egen hånd.

AAs svar er ikke lokaliseret, men det var positivt, for Bunke kom til Danmark 1. april og begyndte sin tjeneste dagen efter.

Bunke var tidligere toldembedsmand og ansat i Devisenfahndungsamt under RSHA. Han kom til at stå i spidsen for bekæmpelsen af den økonomiske kriminalitet, men hertil kom fra efteråret 1943 sabota-gebekæmpelsen, opgaver han varetog til den tyske besættelses ophør (Kapler kvitterede på Bests vegne 2. april 1943 til AA for Bunkes ankomst, mens Hensel på sammes vegne 25. maj meddelte AA, at Bunke fra 1. maj var Kriminalrat og gjorde tjeneste i Hauptabteilung III, Wirtschaft (PA/AA R 100.757), Lundtofte 2003, s. 77f. For Bunkes renommé ved krigens slutning, se *Politische Informationen* 1. april 1945, afsnittet "Fjendtlige stemmer").

Kilde: BArch, R 901 68.712.

Telegramm

| Kopenhagen, den | 6. März 1943 | 10.00 Uhr |
| Ankunft, den | 6. März 1943 | 11.00 Uhr |

Nr. 243 vom 6.3.[43.]

Es hat sich als dringend notwendig erwiesen, die folgenden zwei Arbeitsgebiete mehr als bisher von der Abteilung Wirtschaft in Zusammenarbeit mit der Abteilung Verwaltung meiner Behörde wahrnehmen zu lassen: Verhinderung von Wirtschaftssabotage in weitestem Sinne einschließlich Abschirmung der dänischen Wirtschaft gegenüber dem Auslande und die Untersuchung derjenigen Fälle, in denen über erhebliche Devisenbeträge von nach Dänemark einreisenden Reichsdeutschen verfügt wird, deren Herkunft zweifelhaft ist, und die meist zu illegalen Warenaufkäufen benutzt werden zum Schaden wichtiger Reichsinteressen. Im letzten Fall müssen beschleunigt Ermittlungen angestellt werden, für die mir keine Beamte mit der erforderlichen Sachkenntnis zur Verfügung stehen. Das Reichssicherheitshauptamt ist bereit, den Regierungsamtmann Erich Bunke auf unbestimmte Zeit zur Verfügung zu stellen. Ich bitte, die Genehmigung zur Abordnung des Genannten alsbald zu erteilen und Bunke möglichst bis zum 15. März nach hier zu entsenden.

Dr. Best

215. OKW/WFSt an OKM 6. März 1943

På forespørgsel fra OKM svarede OKW, at admiral Mewis ikke skulle i afskedsaudiens hos den danske kronprins i forbindelse med sin fratræden.

Svaret gik videre til Mewis samme dag, og Mewis reagerede øjeblikkeligt 7. marts.

Kilde: BArch, Freiburg, RM 7/1187. RA, Danica 628, sp. 7, nr. 5261f.

KR GWNOL 02605 6/3 1200 DGZ=
Nachr.: OKM/Skl.=

GLTD Befh. d. dt. Truppen in Dänemark
Nachr. OKM/Skl.
Nachr. Auswärtiges Amt
z.Hd. Botschafter Ritter.
Gkdos

Bezug: Befh. d. dt. Truppen in Dänemark I A Nr. 183/43 g. Kdos v. 2.3.43.[24]

Der Führer hat entschieden, daß eine Abmeldung des Admirals Dänemark beim dänischen Kronprinzen zu unterbleiben hat. Gegen Verabschiedung bei den höchsten Kommandostellen der dänischen Marine ist nichts einzuwenden. Dem dänischen Staatsoberhaupt kann der Kommandowechsel gelegentlich vom Bevollmächtigten des Deutschen Reichs mitgeteilt werden.

OKW/WFSt/Qu. III Nr. 001140/43 g. Kdos

216. Emil Wiehl an Werner Best 6. März 1943

Som reaktion på Bests telegram nr. 225, 3. marts 1943 bad Wiehl ham omgående i samarbejde med von Hanneken at opgøre, hvilke forhøjede udgifter der ville gå til udbygning af kystforsvaret i 1943. Ville der blive tale om en så betragtelig forhøjelse, at det ville blive nødvendigt at vise sig imødekommende over for danskerne ved at omlægge værnemagtskontoen fra RM til kroner, fik Best hermed tilladelse dertil.

Se Bests telegram nr. 260, 10. marts 1943.
Kilde: BArch, R 901 113.554. RA, pk. 271 (enkelte håndskrevne tilføjelser).

F e r n s c h r e i b e n

Berlin, den   6. März 1943

Ref.: LR Baron v. Behr   zu Ha Pol VI 924/43
Diplogerma Kopenhagen Nr. 338.   Citissime

Betrifft: Umstellung des Besatzungskonto von Reichsmark auf Kronen.

Auf Telegramm 525 vom 3. März d.J.[25]

1.) Da nach den bestehenden Vereinbarungen der Geldbedarf der Besatzungstruppen in dänischen Kronen Verhandlungen mit der dänischen Nationalbank jeweils für ein Vierteljahr im Voraus festgesetzt wird, wird angenommen, daß es sich bei der bevorstehenden Anmeldung von erhöhten Anforderungen durch die Verbindungsstelle bei der Nationalbank um den erhöhten Geldbedarf für das II. Quartal 1943 handelt.

2.) Angesichts der dort bekannten Eisen- und Kohlenlage, die eine Herabsetzung unse-

---

24 Skrivelsen er ikke lokaliseret.
25 Det er rettelig telegram nr. 225, 3. marts 1943, trykt ovenfor.

rer Ausfuhr nach Dänemark von Eisen auf monatlich 5000 t und Kohle auf 210 bis 250.000 t monatlich notwendig macht, ferner im Hinblick auf Transportlage und Arbeitermangel, erscheint zweifelhaft ob Ausbau der Küstenverteidigungsanlagen, tatsächlich in […] Ausmaße jetzt durchführbar […], der einen Mehrbedarf von 620 Millionen Kronen im laufenden Jahr zur Folge hätte, tatsächlich in diesen Ausmaße jetzt durchführbar. Ich bitte im Einvernehmen mit General von Hanneken diese Frage zu überprüfen und tunlichst umgehend zu berichten, welche erhöhten Beitrag tatsächlich erforderlich.

3.) Falls diese Überprüfung ergibt, daß tatsächlich eine Erhöhung der Besatzungskosten im laufenden Jahr im solchen Maße notwendig, daß zur Durchsetzung unserer erhöhten Anforderungen ein Entgegenkommen unsererseits in der Frage der Umstellung des Besatzungskontos von Reichsmark auf Dänenkronen erforderlich erscheint, werden Sie ermächtigt, unsere Zustimmung zu dieser Umstellung zu erklären.

4.) Im Benehmen mit dem Reichbankdirektorium ist sichergestellt, daß eine vorzeitige Verausgabung dieser Konzession nicht erfolgt, insbesondere auch nicht bei dem bevorstehenden Besuch von Bramsnäs in Berlin.

Wiehl

217. Werner Best an die deutschen Dienststellen in Dänemark 7. März 1943

Lejlighedsvis fik abonnenterne på *Politische Informationen* tilsendt særskilt materiale, som den rigsbefuldmægtigede fandt af betydning, at de fik kendskab til. I det foreliggende tilfælde drejer det sig om 35 sider med titlen "Die Entwicklung der geistigen Lage in Skandinavien." Forfatterens navn oplyses ikke. Udsendelsen fandt sted på et tidspunkt, hvor en selvsikker Best mente at have kontrol over tingene. Derfor var der overskud til udsendelsen af et sådant materiale fra hans embede.

Manuskriptet var af professor Otto Höfler og udgjorde en del af den særopgave, som han udførte for RFSS og som i efteråret 1942 havde ført til sammenstød mellem Martin Luther og RSHA (se Luther til Rinteln 9. oktober og RSHA til Luther 25. november 1942). Manuskriptet blev udsendt umiddelbart før Höfler besøgte Best 12. marts, og dets udsendelse må ses i sammenhæng med, at Best arbejdede for Höflers kandidatur som præsident for Det Tyske Videnskabelige Institut i København (se Best til AA 24. marts 1943).

Manuskriptets tilblivelse går sandsynligvis tilbage til sommeren 1942, da Höfler i slutningen af juli på SD Hauptamts "Skandinavientagung" holdt et tretimers foredrag om "die kulturpolit. Lage Skandinaviens". Foredraget blev godt modtaget og i et brev 1. september 1942 skrev Höfler derom: "Der SS Obersturmbannführer Dr. Spengler sagte mir nachher, ich solle einen Bericht für den Reichsführer SS *und* für das Führerhauptquartier machen. Dies der (mit entsprechenden Diskretion zu behandelnde!) aktuelle Anlaß, warum ich gerade jetzt nochmal nach dem Norden wollte, um à jour zu sein".[26]

Det meget bredt og historisk anlagte foredrag er aftrykt i sin helhed, da Höflers fremstilling af nordisk mentalitet og anvisningerne på, hvordan den fra tysk side skulle håndteres, har interesse i sig selv og kan betragtes som det officielle Tysklands indstilling i kraft af sin tilblivelseskontekst. For Höfler var "jøden" Georg Brandes hovedskurken, der stod bag det intellektuelle forfald, der var sat ind i Norden siden 1880'erne. Dog mente Höfler ikke, at man ville vinde skandinaverne for sig ved plump propaganda. Skulle man vinde skandinaverne, skulle det snarere ske ved at appellere til deres æresfølelse og vise dem respekt. De fremsatte synspunkter fandt givetvis mere end genklang hos Best. I modsat fald havde han ikke ladet dem udsende. Specielt den skandinaviske opfattelse af ret og retfærdighed var et element, som Best selv senere brugte på lignende vis både i skrivelser til AA og i *Politische Informationen* i forbindelse med fremstillingen af sit syn på

26 Höfler til Franz Dierlmeier 1. september 1942 (Hausmann 2001, s. 197, note 40).

304　　MARTS 1943

sabotagebekæmpelsen (jfr. Lauridsen 2006c, s. 197-200. Om foredraget se endvidere Jakubowski-Tiessen 1998, s. 283f. og Hausmann 2001, s. 199, der ikke kender til Bests udbredelse af det).

Kilde: IfZG, MA 148D Bl. 6999183-6999200. RA, Centralkartoteket, pk. 680 (dette eksemplar er benyttet).

Der Bevollmächtigte des Reiches in Dänemark　　*Kopenhagen, den 7.3.43.*
P. 1/43

Betr.: Politische Informationen für die deutschen Dienststellen in Dänemark.

In Anlage wird der Wortlaut eines Vortrags "Die Entwicklung der geistigen Lage in Skandinavien" übersandt, den ein deutscher Universitätsprofessor, der einer der besten Kenner der skandinavischen Länder ist, vor kurzem im Reich gehalten hat. Seine Ausführungen erscheinen mir zur Information über die geistige und politische Lage in den skandinavischen Ländern und zur Erkenntnis unserer geistigen und politischen Aufgaben gegenüber diesen Völkern besonders bedeutsam.

Ich bitte, den anliegenden Text nur in die Hand von Deutschen gelangen zu lassen. Von den in ihm enthaltenen Gedanken möge weitgehendst geeigneter Gebrauch gemacht werden.

gez. **Dr. Best**
Beglaubigt: Dr. Hensel

Die Entwicklung
der geistigen Lage in Skandinavien

Durch die politische Berührung mit Skandinavien seit 1940 ist bei uns Deutschen der "nordische Gedanke" ins Wanken geraten. Die Enttäuschung darüber, daß die Skandinavier uns ablehnender gegenüberstanden und -stehen als Japaner, Inder oder Araber, hat nicht bloß das deutsche Skandinavien-Ideal verwirrt, sondern es hat auch zurückgewirkt auf die germanische Auffassung unserer eigenen Geschichte. Das völkische Denken selbst, der Rassegedanke und die gesamtgermanische Idee sind unsicher geworden, und vielleicht noch gefährlicher als die Kriegserklärung Englands und der USA ist die "skandinavische Enttäuschung" unseren eigenen germanischen Idealen ans Mark gegangen – bewußt und halbbewusst. Man vergleiche die Stoßkraft germanischen Denkens vor 10 Jahren und seit dem Norwegenfeldzug. Wer scharf beobachtet, wird finden, daß die germanische Geschichtsauffassung fast kleinlaut geworden ist und im Volk nur mehr wenig Begeisterung weckt. Die enttäuschenden Berichte unserer Soldaten aus Skandinavien wirken dabei mit, aber nicht sie allein.

Einige sind deshalb bereit, die germanischen Ideale kurzerhand durch irgendwelche anderen zu ersetzen. Ich persönlich glaube, daß ein Aufgeben der germanischen Ideen nicht nur den Kredit derer schwächen würde, die das 1933 Geglaubte jetzt verleugnen würden, sondern es würde damit den Wurzeln des Nationalsozialismus eine Wunde zugefügt, die nicht wieder heilen würde.

Ich kenne Skandinavien seit 23 Jahren und bin überzeugt, daß diese "Nordenttäuschung" ein herber Irrtum ist, fast ebenso falsch wie die frühere Skandinavien-Vergötterung.[27]

Es ist wohlfeil, aber falsch, über die deutsche Skandinavienbegeisterung zu spotten (wie es die Skandinavier meist tun, die darin nur plumpe Anbiederungsversuche sehen). Zwar ist diese Nordbegeisterung nicht entstanden aus einer historischen oder psychologischen Kenntnis der skandinavischen Wirklichkeit; von der hatte man keine Ahnung. Vielmehr verlegten wir unsere eigenen Ideale nach Nordeuropa. Und so ist jene Begeisterung zwar keine politische Kenntnis gewesen, wohl aber eine Selbstoffenbarung deutscher Wunschziele und deutscher Zukunftskräfte, die ans Licht wollen. Wenn wir diese aus Enttäuschung über Skandinavien fallen lassen, fallen wir von uns selbst ab. Darum aber ist es gerade jetzt doppelt notwendig, die skandinavische Wirklichkeit zu verstehen, damit nicht mit zerbrechenden Illusionen auch unsere Ideale zerbrechen.

Den früheren Standpunkt könnte man so formulieren: Skandinaviertum sei gleichsam gereinigtes Deutschtum oder gesteigertes Deutschtum; der Norden sei das, was wir sein sollten oder werden müßten.

Dieser Standpunkt ist kindisch und ungerecht.

Der Norden hat uns mancherlei voraus, aber in sehr vielem und wesentlichem waren und sind wir führend und gebend, und zwar seit der Heidenzeit. Nicht nur an Volkszahl und Energie. Es war faßt immer uns beschieden, das Neue als erste zu gestalten, auch es zu durchleiden und zu erkämpfen. Der Norden aber lernte von uns; in frühgermanischer Zeit haben erst wir großpolitische Formen ausgebildet, die dann nach dem Norden wanderten. Auch im Mittelalter, in der Reformations- und Neuzeit ist unvergleichlich mehr aus Deutschland nach Skandinavien gedrungen als umgekehrt (hunderte von deutschen Kulturwörtern drangen ins Skandinavische, kaum ein Dutzend skandinavischer ins Deutsche; von 24 Heldenliedern der Edda behandeln 21 deutsche Stoffe, also 7/8 dagegen finden wir kaum umgekehrte Entlehnungen; deutsche Adelsgeschlechter übten entscheidenden Einfluß im Norden, nicht umgekehrt; die Reformation, später die deutsche Wissenschaft wirkten unabsehbar in Norden; erst seit etwa 1870 eine Gegenströmung, s.u.).

Trotzdem ist die Geringschätzung des Nordens, die jetzt bei uns um sich greift, objektiv ungerecht, und sie könnte auch praktisch verderblich werden, indem sie Skandinavien geistig den Engländern vollends in die Arme triebe.

War die blinde, völlig erfahrungslose Vergötterung des Nordens schlimmster Illusionismus (Thilo von Trotha sagte mir im August 1929, die "Machtübernahme durch die schwedischen Nationalsozialisten stehe unmittelbar bevor", und er hat aus solcher frevelhaften Ahnungslosigkeit andere als "Sachkenner" verantwortlich "beraten"),[28] so stammt nun das achselzuckende Stabbrechen über den Norden oft aus ähnlicher Unkenntnis der geschichtlichen Werdebedingungen.

Man hat oft den Eindruck, als sähen manche Deutsche in den Verhaltungsweisen

---

27 Om Otto Höfler overdriver sit bekendtskabs længde får stå hen, men det var mangeårigt, og han havde tilbragt otte år i Sverige som lektor.

28 Thilo von Trotha var forfatter, medlem af NSDAP, Rosenbergs adjudant og fra 1933 leder af Afdeling Norden i AA der NSDAP. Han døde ved en ulykke 1938 (Klee 2007, s. 620).

des Nordgermanentums bloß eine Summe von unerwarteten oder zufälligen Privatbosheiten, über die man dann jedesmal überrascht ist – während hier in Wahrheit überpersönliche Gesetzlichkeiten vorliegen, sehr wohl durchschaubar, wenn man nur ihr politisches Werden kennt, das allerdings von unserem weit abweicht und nur ganz wenigen Deutschen bekannt ist (Literatur darüber gibt es kaum und die Skandinavier selbst sehen die Dinge anders als wir, wie ich unten zu zeigen habe; fast alles beurteilen sie, auch beim besten Willen zum Realismus, vom "Vorkriegsstandpunkt" aus).

In Wirklichkeit ist die skandinavische Entwicklung in vielem gradliniger und zugleich kollektivistischer verlaufen als die unsere. Die Folge ist, daß sich überaus feste Lebensformen und Anschauungen herausgebildet haben, die jetzt zähe und ernst zu nehmende Bollwerke gegen uns bilden. Wie zäh, das wird sich meiner Überzeugung nach erst in den kommenden Jahren ganz enthüllen und praktisch geltend machen.

Um die kommenden "Überraschungen" dieser Art möglichst zu vermindern, darf ich die folgende historische Skizze der Hauptzusammenhänge geben. Was an Ergänzungen gewünscht wird, bin ich natürlich nach bestem Wissen zu geben bereit.

Die stärkste geistige und kulturelle Annäherung des Nordens an Deutschland seit der Reformation brachte die napoleonische und nachnapoleonische Zeit. In diesem Stadium scheinbar größter Nähe muß diese Skizze über das Auseinanderführen der späteren Wege einsetzen.

War das 18. Jahrhundert auch in Skandinavien das "französische Jahrhundert" gewesen, so geschah nach 1800 die große Auflehnung gegen den französischen Rationalismus. Damals hat sich Skandinavien nach Deutschland ausgerichtet, so weit es ging. Und daraus ist eine der größten kulturellen Blütezeiten des Nordens erwachsen, die bis in unsere Tage weiterwirkt, ähnlich wie bei uns die Goethe-Beethoven-Zeit.

Die politisch-geschichtliche Voraussetzung war, daß unter dem Druck Napoleons und unter der Gefahr, daß Europa in das Joch uniformierter pariserischer Lebensformen und Denkformen gepreßt werden sollte, damals allenthalben eine pathetische Leidenschaft für die eigene Art, die eigene Vergangenheit, das eigene Volkstum erwachte. Dieses elementare Aufraffen zur Eigennationalität, bei uns durch den Geist der Freiheitskriege entflammt, von ungeheurer Tiefe und Inbrunst getragen, wirkte unmittelbar aus Deutschland auf Skandinavien hinüber; Henrik Steffens, aus dem Kreis der edelsten deutschen Freiheitskämpfer kommend, hat im französierten Norden tatsächlich wie ein flammender Herold gewirkt; hundert Stimmen bezeugen es und viele führende Skandinavier sind ihm nachgefolgt.

Wie in Deutschland und weithin nach deutschem Vorbild kommt man zur altgermanischen Geschichte, Mythologie, Volksart, die man im französischen Salonzeitalter höchstens komisch gefunden hatte. Es springt eine [ulæselige ord] deutschfreundlich und wenden sich von Frankreich ab.

Und trotzdem liegt in jener Zeit schon der Keim des Auseinanderwachsens, das so weit geführt hat, daß sich heute Deutschland und Skandinavien kaum mehr verstehen – und zwar gegenseitig.

Ich sehe den schicksalsschweren Gegensatz darin, daß Deutschland seine Ideale mit Blut besiegeln mußte, daß sein Nationalpathos durch Kampf zum Sieg führte, dann aber durch die Metternichsche Reaktion dem Liberalismus zugetrieben wurde. Skandinavien hingegen wurde vom Freiheitskrieg praktisch weniger berührt, und es hat sich damals hauptsächlich passiv verhalten: Beschießung Kopenhagen 1807, Verlust Finnlands an Rußland 1809, Verselbständigung Norwegens nur durch den Zusammenbruch Dänemarks, nicht aus eigener Kraft, – Schweden erhält den Jakobiner Bernadotte zum König.

Unter diesen politisch-historischen Bedingungen wurde die Vorzeitbegeisterung in Skandinavien schnell zu einer vorwiegend ästhetisch-moralistischen Angelegenheit und hat sich bald mit liberalen Ideen verschmolzen, die sich hier ungehinderter entfalten konnten, als im Metternichschen Deutschland.

Damals vollzog sich im Norden eine geistige Neubildung, die überaus folgenschwer wurde (auch politisch!), die aber bei uns fast unbekannt ist.

Die Germanenbegeisterung verband sich einerseits innig mit den demokratisch-liberalen Ideen von 1789, und – was besonders verderblich wurde – der echt nordische bäuerliche Stolz und Freiheitssinn wurde vom liberalen Demokratismus eingefangen.

Es entstand eine Ideologie, die die sogenannte altgermanische Demokratie durch die Brillen von 1789 ansah, bürgerliche Staatsfeindlichkeit mit Wikingerfreiheit gleichsetzte, aber andrerseits auch den echten skandinavischen Freiheitssinn in die Geleise eines Liberalismus lenkte, der nicht fruchtbarer war als der deutsche, aber auf diese Weise eine gewaltige geistige und moralische Blutzufuhr erlebte.

Aus dieser Verschmelzung von Altertumsbegeisterung und Demokratismus ist der Skandinavismus entstanden, der im 19. Jahrhundert eine geistige Großmacht war, dann – bei zunehmender Verjudung des skandinavischen Liberalismus – zu schwinden schien, aber jetzt wieder auflebt und heute und sicher noch auf Jahre hinaus ein Hort des skandinavischen Deutschenhasses ist, neben dem Judentum (und mit ihm) unser verbissenster Gegner im Norden, den man kindlicher Weise vielfach für ein Gegenstück unserer völkischen Bewegung gehalten hat.

Es ist notwendig, ihn psychologisch wirklich zu durchschauen.

Ich sehe das Wesentlichste (wenn auch vielleicht Hintergründigste) an ihm darin, daß er von Anfang an tief machtfeindlich war und dies in seinem innersten Wesen und Wollen auch geblieben ist.

Historisch ist das sehr begreiflich:

Die politisch geschwächten und besiegten Skandinavier (1807, 1809, 1814, s.o.!) haben sich in die Ideen der Vorzeitgröße geflüchtet, und das ist etwas von Grund auf anderes als der deutsche Aufbruch der Freiheitskriege.

Daher das ästhetisierte, verharmloste und bald mit dem Demokratismus der Französischen Revolution gleichgesetzte Bild des Germanentums, das nun den liberalen Emanzipationsideen den bombastischen Wortschatz eines sich in die Brust werfenden Urnordiertums lieh, das die Wikinger als liberale Zivilisationsbürger auffaßte und sie (besonders in Grundtvig) mit pastoraler Selbstgerechtigkeit ausstaffierte. Hier liegt die Wurzel des sehr ausgebildeten skandinavischen Ressentiments, einer "Schwäche-Philosophie", die die schlimmste Quelle der nordischen Gehässigkeit gegen Deutschland bildet.

Dazu kam als folgenschwerster politischer Faktor dieser: Der eigentliche Popanz, das Objekt des unmittelbaren Hasses, war für den skandinavistischen Liberalismus nicht das – recht zahme – einheimisch-nordische Königtum sondern Preußen. In ihm sah man alles, das man verabscheute; Macht, Zwang, Militarismus, Staatlichkeit, Expansion – also das genaue Widerspiel des skandinavischen Ideals.

Und so kam zu dem Gegensatz der 1848-Epoche, der in Deutschland doch im ganzen ein innerpolitischer blieb, dem Gegensatz von Demokratismus und Aristokratismus, Liberalbürgertum und Staatlichkeit, im Norden noch der Nationalgegensatz: Hie nordische Freiheit, dort preußisch-deutscher Zwang!

Dazu kam, daß der Adel Skandinaviens großenteils deutsch oder deutschgerichtet war, so daß die bürgerliche Adelsfeindlichkeit jener Zeit zugleich zur Deutschfeindlichkeit führte. So wurden die skandinavischen liberalen schon vor mehr als 100 Jahren scharf deutschfeindlich. Und sie sind es durch alle Wandlungen des Jahrhunderts hin bis heute geblieben.

Es gehört zum nordischen Charakter, daß er leicht zu kollektiven Stürmen sittlicher Entrüstung neigt. (Die moderne skandinavische Presse versteht diese Eigenheit mehrmals im Jahr meisterlich zu dirigieren). Das geschah seit dem schleswig-holsteinischen Konflikt in stärkstem Masse. Ausgehend von Dänemark ging eine Woge von Deutschenhaß durch ganz Skandinavien, besonders durch die akademische Jugend.

Der größte Historiker des Nordens, der Norweger P.A. Munch, stellte sich dieser Woge in einer sehr ernsten Schrift "Pangermanismus" (deutsch 1857) entgegen, in der er monumental auf die stete russische Gefahr hinwies und auf die Notwendigkeit, mit Deutschland zusammenzugehen, da nur so Rußland abgehalten werden könne.

Vergebens. Auch sein großes persönliches Ansehen vermochte nichts gegen die kollektive Leidenschaft, die nur Preußen sah, Rußland nicht. Auch das ist ja geblieben.

Der dänische Erfolg im "Dreijährigen Krieg" (1848-1850) bei dem – im Gegensatz zur deutschen 48er Revolution – die liberale Partei aktivistischer, nationaler und stärker gewesen war als das Königshaus, steigerte das Selbstbewußtsein des Skandinavismus ins Maßlose.

Dann aber stürzte die Niederlage von 1864 diese ganze Weltanschauung um.

Ratlosigkeit, Zweifel, Hohn, giftige Ironie und Verzweiflung waren die Folge. Ibsen dichtete damals: "daß v. Moltkes Hand erschlagen jede Kampfespoesie". Der ästhetizistische Machthaß in nuce. Strindberg charakterisierte den Zusammenbruch der verlogenen skandinavistischen Ideologie mit der Formel: 1864 habe die Jugend von Skandinavien "ihren Glauben an die Festrede verloren".

Noch hoffte man auf Frankreich und Napoleon III. als Rächer und Wiederhersteller von Freiheit, Liberalismus, Gerechtigkeit und Skandinavismus – wiederum fast völlig kollektiv. (Es ist wie ein Gesetz: alle Liberalen neigen immer wieder dem Westen zu; in Skandinavien läßt sich dies in fast grotesker Folgerichtigkeit im Größten wir im Kleinsten verfolgen). Der Herausgeber der einzigen deutschfreundlichen Zeitung von Schweden wurde damals nachts von Offizieren verprügelt. Man glaubte fest an Frankreich.

Nach Sedan und 1871 schien für die Skandinavier alles zusammenzubrechen. Man verstand die Welt nicht mehr und glaubte überhaupt an nichts mehr. Nur Schweden stellte sich erstaunlich schnell um, (ein Vorgang, der im einzelnen noch, untersucht worden sollte). Die anderen blieben deutschfeindlich. Als Björnson als einer der ersten Norweger für ein Hemmen des Hasses eintrat, hatte er ungeheure Schwierigkeiten

("Signalfehde").[29] Trotzdem trat er zu Deutschland in Beziehung, aber immerhin zu dem scharf altpreußischen Simplicissimus-Kreis in München. Und – was mir von größter Bedeutung erscheint – auch sonst knüpften die prominentesten Skandinavier (oder Pseudoskandinavier wie Brandes), die nun Verbindung mit Deutschland suchen, ihre Fäden fast durchwegs zu den anti-reichischen, den Bismarckfeindlichen Kreisen und Kräften an. Diese Tatsache, kaum beachtet, ist für das Verständnis des weiteren Verlaufs m.E. von entscheidender Bedeutung.

In dieser geschichtlichen Lage nun geschah ein Umschwung von europäischer Wirkung. Meiner Überzeugung nach liegt an diesem Punkt der Schlüssel zum Verständnis der weiteren Entwicklung bis heute.

Mit dem Zusammenbruch Frankreichs vor Deutschland 1871 schien die skandinavistisch-liberale Idee gegenüber dem Preußentum schneidend Unrecht behalten zu haben.

Man würde erwarten, daß nun der Geist des bisherigen Deutschenhasses, der sich sachlich so überlegen geglaubt hatte, an den Geschichtswirklichkeiten zerbrochen wäre und daß mit dem deutschen Waffensieg eine Periode der deutschen gei[st]igen Übermacht begonnen hätte.

Das Gegenteil war der Fall; ganz wenige Jahre nach dem französisch-skandinavischen Zusammenbruch beginnt ein Siegeszug französischer und west-orientierter skandinavischer Geistigkeit, der Deutschland geradezu überschwemmt hat. Aber es ist ein "neues" Skandinavien, das nun auftritt und in wenigen Jahren Weltgeltung gewinnt.

In Skandinavien vollzog sich in etwa 15 Jahren (1870 – 1885) ein geistiger Umsturz. Der bombastische skandinavistische Phrasen-Liberalismus wurde abgelöst durch einen extrem modernistischen, französisch orientierten, naturalistischen Liberalismus; die bürgerlieh-pastoralen Pathosredner werden verdrängt durch eiskalt-ironische Zyniker. Alles schien verändert. Aber – der Liberalismus ist bei diesem Umschwung geblieben; er wurde nur noch schärfer und nahm den bisher, regierenden Kreisen den Wind aus den Segeln! Und geblieben ist auch die Deutschfeindlichkeit. Die jetzt emporkommenden Literaten und Freimaurer um den Juden Georg Brandes waren der deutschen Macht ebenso gehässig, wie es die "romantischen" Anhänger des Pastor Grundtvig gewesen waren. Das war beinahe das einzige, was bei dem radikalen Umsturz der 70er und 80er Jahre konstant geblieben war.

Man darf ohne Übertreibung formulieren (ich stehe für diese Formulierung ein): Der Nihilismus der Besiegten, ihr Zweifel an allem und jedem, ergießt sich damals über ganz Europa, und ganz besonder auch nach Deutschland. Und dieser Geist der völligen Glaubenslosigkeit, Trostlosigkeit und Hoffnungslosigkeit wird in Deutschland gierig aufgenommen und bewundert.

Die "Skandinavier", voran Ibsen, dann Strindberg, und die "Franzosen", besonders Zola und die übrigen Naturalisten, erscheinen dabei geradezu als Einheitsfront.

Es ist töricht, hier etwas "nur Geistiges" oder gar "nur Literarisches" zu vermuten. In Wahrheit handelt es sich um einen politischen Vorgang größten Stils.

---

29 Bjørnstjerne Bjørnson udløste den såkaldte "signalfejde" i 1872, da han ved N.F.S. Grundtvigs grav talte om at "ændre signaler" og søge forsoning med Tyskland.

Im Hintergrund wird nun das Großjudentum und die Weltfreimaurerei sichtbar, die die Welle von Nihilismus und moralischer Zersetzung der Völker benutzen (und in jeder Weise praktisch begünstigen), um über den zerfallenden Volksordnungen nun ihre "aristokratische" Herrschaft vorzubereiten. Es ist die Weltfront, der wir heute gegenüberstehen. Und ich frage: wie viele Deutsche haben geahnt, daß Skandinavien bereits damals in diese Front sich eingegliedert hat, soweit es großpolitisch aktivisiert wurde?

Ein paar Skizzenstriche müssen hier genügen (für weiteres stehe ich, wenn es gewünscht wird, zur Verfügung): Ibsen hatte bisher in den Bahnen des Skandinavismus altnordische Stoffe "modern" behandelt. Hinter hohem Reckenpathos ist er dort am besten, wo er altgermanische Menschen als innerlich brüchige, zermürbte Zweifler darstellt ("Nordische Heerfahrt", "Jarl Skule" usw.). Nun findet er, fast 50jährig, endlich seinen "eigenen" Stil: brüchige Menschen, nun aber im modernen Gewand, die keinen Halt mehr haben, alles Höhere im Menschen bezweifeln oder begrenzen und alle Ideale als "Lebenslüge" und Selbstbetrug hinstellen.

Zusammen mit Zolas "Desillusionierungs"-Romanen werden diese Werke laut bejubelt. Juden wie Otto Brahm in Berlin sind leidenschaftliche Verbreiter dieses neuen Geistes.[30]

Damit ist Skandinavien damals, in den 70er und 80er Jahren zum ersten Mal aus einer jahrhundertelangen Nehmer-Rolle gegenüber Deutschland in die Geber-Rolle eingetreten!

Man kann diese historische Tatsache mit einem Satz formulieren: Im Zeichen und Zeitalter des Nihilismus ist das "moderne" Skandinavien zum ersten Mal seit Jahrhunderten Deutschland gegenüber führend geworden.

Das ist kaum je öffentlich ausgesprochen worden oder klar gesehen worden, – fast nur von Christoph Steding in seinem Buche "Das Reich und die Krankheit der europäischen Kultur".[31]

Deutschland hat nach dem Sieg von 1871 seine Kräfte auf wirtschaftliche und militärische Tätigkeiten konzentriert und die geistigen Entscheidungen uninteressiert von sich geschoben. Laue Epigonen und hohle Konjunkturschreiber hatten nichts zu bedeuten, weder an Dauer noch an Tiefenwirkung. Die starke Wirkung gehörte auch hier der wirklichen Leidenschaftlichkeit, und die war nun bei den Zersetzern und Juden.

Hier ist es, glaube ich, besonders nötig, ganz klar zu sehen und die wirklichen Energien vom Tagesgetriebe zu unterscheiden.

Der weitaus wichtigste Mann dieser Bewegung, die das soeben unterlegene und an sich selber irre gewordene Skandinaviertum ganz wenige Jahre nach seinem Niederbruch zu einer europäischen Führerrolle gebracht hat, war Georg Brandes (Vollblutjude, voller Name Georg Morris Cohen Brandes, geb. 1842 in Kopenhagen, gest. 1927).

Georg Brandes und seine Brüder, deren einer Großfinanzmann, dänischer Finanzminister (1909 und 1913-1920) und Chefredakteur der weitaus mächtigsten und aggressivsten Zeitung von Skandinavien ("Politiken") war, haben erst Dänemark und dann den ganzen Norden revolutioniert, nicht nur "geistig" sondern auch moralisch und sozial.

---

30 Den tyske forfatter og kritiker Otto Brahm (1856-1912) skrev bl.a. en biografi af Ibsen i 1884.
31 Christoph Steding: *Das Reich und die Krankheit der europäischen Kultur*, Hamburg 1938.

Ich möchte nicht mißverstanden werden; ich meine nicht, daß diese Juden und ihr (z.T. höchstbegabter) Anhang die Revolutionierung des Nordens allein "bewirkt" hätten. Aber sie haben in jener historisch gegebenen Lage, in der durch den politischen Zusammenbruch aller Glaube erschüttert war, die Situation geradezu genial benutzt. Sie haben den Skeptizismus als geistigen Adelsbrief ausgegeben – er gilt im Norden bis heute als höhere Geistigkeit –, haben damit alle alten Bindungen zersetzt und so die vorher herrschenden Beharrungsmächte der nordischen Völker weithin zerstört und sie durch den "Modernismus" ersetzt, den Glauben an das Geld und die Emanzipation, an die Macht der eleganten und angriffslustigen Feder statt der Autorität des Staates, der Sitte und des Soldatentums. Und sie haben damit nicht bloß neue Ideale gesetzt, sondern sie haben gleichzeitig einen neuen Aktivisten-Typus geschaffen, der bis heute in Skandinavien die Zügel in der Hand hat, geistig und politisch.

Brandes hat offen erklärt, daß er von der "großen Masse" nichts halte, und daß die Herrschaft in Europa der "Geistesaristokratie" gebühre. Diese "neue Herrenschicht" werde über kurz oder lang die Herrschaft über Europa antreten und in ("mitleidloser") Exklusivität ausüben. Heute lesen sich diese Programmerklärungen gewiß wesentlich anders, als sie den harmlosen ästhetischen Schwätzern, "Übermenschen" und sensationssüchtigen Dekadenztypen jener Zeit erschienen, welche meinten, sie seien mit diesem kommenden internationalen "Geistesaristokraten"-Typus gemeint. Es haben sich dazu fast sämtliche Literaten und Journalisten gerechnet (und tun es in Skandinavien bis heute). Aber sie blieben gänzlich bedeutungslose Kaffeehaushelden – wofern sie nicht den großjüdischen Interessen, der Freimaurerorganisation dienten. Die übrigen waren zumindest willkommen als Verhöhner aller Werte und Zersetzter aller Bindungen. Dieser Menschenschlag spielt noch heute in Skandinavien eine größere und wirksamere Rolle als man meint. Er hat das Volkstum einschneidend geschwächt – und damit die Chancen der Juden und Großfreimaurer entsprechend gesteigert. Das wollte man in Deutschland lange nicht glauben. Die heutige Stellung Gesamtskandinaviens gegen uns wird den realistischen Beobachter doch ernst stimmen.

Diese Zielbewußten wurden nun, beim Zerfall und der Zerstörung der früheren Mächte, die eigentlichen Machthaber im Norden. Natürlich wußten die liberalen Spießbürger im Freimaurerorden auch hier nicht, was sie wollten (vermutlich auch nicht die Könige und Prinzen, die hier alle dazugehört haben und noch jetzt dazugehören). Umso genauer aber wußten es Brandes und die Seinen. Brandes hat ohne jeden Zweifel zu denn "300 Männern, die den Erdball regieren", gezählt, und wohl als einer der allerwichtigsten. Es sind überall die Spuren zu sehen, daß er in der Tat jüdische Weltpolitik gemacht hat, deren Existenz man heute gewiß nicht mehr bezweifeln wird. Ich schätze, daß Brandes einer der 5 obersten Freimaurer seiner Zeit gewesen ist, ein Mann von geradezu ungeheurem Weitblick und politischem Wollen. Brandes war intimst mit Clemenceau befreundet und ist schärfstens für ihn eingetreten, so wie auch Zola zusammen mit Clemenceau im Dreyfussprozeß in der allervordersten Front der Judenpartei gefochten hat.[32]

Ich bin damit am Kernpunkt dieses Vortrags. Ich kann das, was ich über die innere Struktur des modernen Skandinaviens zu sagen habe, in die These zusammenfassen:

---

32 Georg Brandes var ikke frimurer, men han sloges for Dreyfuss.

Das heutige Skandinavien ist nicht, wie man bei uns meint, eine besonders ungebrochene organische Fortsetzung bäuerlich-germanischer Volkskultur, sondern es ist in seinen aktiven Schichten (nicht in den darunter liegenden bäuerlich-vegetativen) ein Ergebnis der unvorstellbar einschneidenden kalten Revolution der 70er und 80er Jahre.

Ich glaube, daß niemand, der dies verkennt, Skandinaviens gegenwärtige Struktur begreifen kann. Leider ist dieser historische Sachvorhalt in Deutschland beinahe völlig unbekannt.

In kürzester Formel: Die liberal-demokratische Revolution, die in Deutschland nach wütendem Ansturm an der Person Bismarcks gescheitert ist, (womit die Todfeindschaft zum Westen und der Keim des Weltkriegs gegeben waren), – diese selbe Revolution ist in Skandinavien auf legalem Wege zum Ziel gelangt, hat sich allmählich mit den monarchischen Mächten verschmolzen, hat sie aber dabei innerlich überspielt, sie war stärker an Energie, Intelligenz und internationalen Willen. Das heutige aktive Skandinavien ist vor allem ihr Ergebnis.

Und: Skandinavien hat seitdem keine innere Bewegung von auch nur annähernd gleicher Intensität und ähnlich totalitärem Charakter mehr durchgemacht. Die meisten Neusetzungen gehen auf jene Emanzipationsbewegung zurück (anders Finnland, dessen wirksamster Dauerfaktor die Rußlandfeindschaft war und blieb).

In Deutschland hat sich die gleiche Revolutionswelle geistig weitgehend durchgesetzt, staatlich dagegen zerbrach sie am Preußentum (bis 1918). In Skandinavien hat sie sich geistig und politisch durchgesetzt, aber auf dem Wege der Verschmelzung mit den alten Mächten, die indessen bei diesem Vorgang innerlich weithin besiegt wurden.

Ohne diese Erkenntnis bleibt unsere Nordpolitik m.E. romantisch und übersieht, daß die heutige Englandhörigkeit und Judenhörigkeit des Nordens nicht ein äußerlicher Zufall oder Unglücksfall ist, (den man etwa durch Flugschriften oder dergl. beseitigen könnte), sondern ein in alle lebenstiefen eingefressener, mehr als 60jähriger Geschichtsprozeß, der fast alle Lebensgebiete irgendwie beeinflußt oder geradezu umgeformt hat.

Ich möchte besonders hervorheben, daß die wichtige skandinavische Gegenbewegung gegen den Brandesianismus und Internationalismus, die in den 90er Jahren einsetzte, und die künstlerisch höchst bedeutendes schuf, (Lagerlöf, v. Heidenstam, Fröding, der junge Hamsun u.a.), im wesentlichen auf das Ästhetische beschränkt blieb und nicht eine allgemeine, totalitäre Lebensumformung erreichte oder auch nur ernstlich wollte wie der Naturalismus der 70er und 80er Jahre. Die wenigen, die über das bloß Künstlerische hinaus eine Lebensreform und Gesamtumgestaltung erhofften, blieben ohne größere Erfolge; Selma Lagerlöf ließ sich ihre politischen Interviews noch 1933 von ihrer jüdischen Freundin Elkan inspirieren;[33] Heidenstam, der noble und große Dichter heroischer Romane, war 1914 praktisch unbedingter Pazifist, Hamsun blieb als politischer Rufer fast ohne Gefolgschaft.

Die Gesamtstrukturen des öffentlichen und geistigen Lebens blieben durch die Kämpfe der Brandes-Revolution bestimmt.

Nur wenige Hinweise (zu Ergänzungen bin ich, wie gesagt, bereit):

---

33 Den svenske forfatter Sophie Elkan (1853-1921).

Fast alle wesentlichen Minister der Weltkriegs-Periode (und der Zeit vor- und nachher) waren in ihrer Jugend durch die Brandes-Ideale geweckt worden. Die Gruppe deutschfreundlich-konservativer Politiker, die in Schweden im Weltkrieg eine Rolle spielten, waren 1918 doppelt desavouiert, sie hatten auf das besiegte Pferd gesetzt und die konservativen Ideale, für die sie in Preußen Rückhalt gesucht hatten, waren in Deutschland selbst zertrümmert. Wer irgend konnte, der suchte eilends späten Anschluß an die Westlerpartei, die anderen verstummten. Die schwedische "Rechte" aber – im Weltkrieg die Trägerin der Deutschfreundlichkeit (nach der man bei uns bis ca. 1939 so oft ganz Skandinavien beurteilte und für deutschfreundlich hielt) – diese schwedische Rechte wurde nun rein bürgerlich-plutokratisch und die Führung in ihr gewannen (absolut folgerichtig) Freimaurer wie Admiral Lindman, (der dann beim Flug zu einem internationalen Freimaurerkongreß in Schottland ums Leben kam).[34]

Philosophie und Weltanschauung öffneten sich dem All-Zweifel. Der einflußreichste Philosoph Schwedens Axel Hägerström erklärte Wahrheit, Recht, Wert, Ethik für subjektive Illusionen oder Rest primitiver Magie. Die letzten Vertreter idealistischer Philosophie (bezeichnenderweise durchwegs deutschfreundlich) gerieten immer tiefer in Isolation. Die praktischen Ideale suchte man in der westlichen Zivilisation: Lebenskomfort, Sicherheit, Bequemlichkeit, möglichst witzigen Zweifel an allem und jedem außer dem persönlichen Wohlergehen, Amüsement, "Jazzkultur" in jedem Sinne, – und die Jahre glänzender Konjunktur, die nun folgten, schienen diesen "optimistischen" Lebensphilosophen triumphierend Recht zu geben und alle anderen zu Narren und Träumern zu stempeln.

Die Literatur und Kunst Skandinaviens, besonders seit dem Triumph des Westens 1918, spiegelt das eben Behauptete ebenso klar wie kraß wieder. Frivolität an sich galt schon als Geist. Wer Tieferes suchte, verbarg es scheu, um nicht als lächerlich zu gelten. Und im Lächerlichmachen und Verächtlichmachen sind die Skandinavier seit 1880 Meister geworden. Die meisten fürchten das wie Verfehmung – eine der gefährlichsten Waffen des journalistischen Terrorismus der Juden und ihrer Gefolgschaft.

Die Religion als solche war ein Hauptangriffsziel von Brandes gewesen, der sich leidenschaftlich zu Atheismus und Materialismus bekannte. Die Kirchen setzten teils sture Orthodoxie entgegen, die aber innerlich zunehmend unsicher wurde, teils erstrebten sie einen engen Anschluß an den Liberalismus, erst den deutschen, dann den anglo-amerikanischen. Sie versandeten in bürgerlichen Wohlanständigkeits- und Wohlergehensidealen. In der Bauernbevölkerung blieb die Staatskirche noch längere Zeit ein Rahmen der Volksfrömmigkeit und übrigens auch einer gewissen traditionellen lutherischen Deutschfreundlichkeit und Achtung vor deutscher Art und deutscher Tiefe. Allmählich wurde sie aber an seelischer Intensität vom Sektenwesen überflügelt, das fast durchwegs angelsächsisch geprägt, großenteils geradezu amerikanistisch war und ist (Heilsarmee, Pfingstfreunde usf.). Hier liegt m.E. eine Quelle besonders tiefbohrender Verwestlichung. Die Staatskirche hat dann ebenfalls, besonders in Schweden unter Erzbischof Söderblom, eine tiefgehende Wendung vom Luthertum zu angelsächsischen Religionsidealen durchgemacht und dürfte heute eines der wichtigsten Bindeglieder zum

---

34 Salomon Lindman, svensk politiker og erhvervsmand.

Angelsachsentum bilden. (Dabei ist nicht zu vergessen, daß seit dem 19. Jahrhundert Millionen von Skandinaviern nach den USA auswanderten – fast ebensoviele als daheim geblieben sind. Fast alle Familien haben irgendwelche Blutsverwandte in Amerika. Da die Ausgewanderten in der Regel die Energischsten waren und drüben oft große Erfolge hatten, ist ihr Ansehen und ihr Einfluß auf die Heimat höchst beträchtlich, m.E. ein wichtiger Faktor auf fast allen Gebieten, besonders dem der persönlichen Emanzipationsideale!)

Die Wissenschaft hat durch die materialistischen, aber exakten Methoden der 80er Jahre großen Auftrieb erhalten, der auf einigen Gebieten zu außerordentlichen Erfolgen, führte (z.B. Physik, Chemie), auf anderen zu böser Verflachung. Was statistisch erfaßt werden kann, wird mit wirklicher Virtuosität und glänzender Technik durchforscht. Die irrationalen Mächte dagegen, besonders im Geschichtlichen, werden daneben vernachlässigt und oft verleugnet.

Von besonderer geistiger Bedeutung ist es, auch für die nächsten Jahre, daß das gesamtgermanische Geschichtsdenken den Skandinaviern ebenso fremd geworden ist wie den Engländern, und daß man es konsequent verlächerlicht hat – ohne Zweifel vom Hintergrund her mit Plan und Absicht und mit größtem Erfolg. Vom Volksschullesebuch bis zur gelehrtesten Forschung wird das, was Skandinavien von Deutschland abhebt, weit über die tatsächlichen gesamtgermanischen Zusammenhänge herausgestellt. Die neue, seit 1940 jäh anschwellende Flut von Skandinavismus wird – das kann ich heute schon voraussagen – gerade in den kommenden Jahren einen wesentlichen Teil des außerordentlichen technischen Könnens der nordischen Geschichtswissenschaft in Bewegung setzen um nachzuweisen, daß Skandinavien mit Deutschland historisch möglichst wenig gemein habe und daß eine gesamtgermanische Geschichtsauffassung bloß eine verkappte deutsche Propagandathese sei.

Die Presse ist in ihrem Nervenzentrum verjudet (in Schweden Bonnier usw.). Aber das ist nicht ins Bewußtsein der Bevölkerung gedrungen, auch nicht der Gebildeten. Da nämlich über Harmlosigkeiten und neutrale Dinge jeder mitarbeiten kann, ist das Volk überzeugt, die Presse sei "sein" eigenes Sprachrohr. Nur die politischen Artikel und die Nachrichten-Auslese stehen, (wie an ihrer eisernen Konsequenz abzulesen ist), unter bewußter scharfer Kontrolle. Das Entscheidende ist, daß die Presse in Skandinavien einen für uns kaum vorstellbaren Grad von Glauben bei der Bevölkerung genießt. Wer die Mentalität der skandinavischen Bevölkerung kennt, wird immer wieder verblüfft sein, mit welcher Virtuosität man auf ihrer geistigen Klaviatur spielt. Eine durch lange Erfahrung erprobte Art, die seelischen Hauptfaktoren spielen zu lassen: Zweifelsucht und daneben völlig kindliche Leichtgläubigkeit, Ironie und das Bedürfnis nach sittlicher Entrüstung, Kitzeln der persönlichen und nationalen Eitelkeit, allerlei Frivolität und daneben Rechtschaffenheitspathos, den eifrigen Drang, in der Menge zu gehen und zu denken "wie alle", aber sich dabei selbständig zu glauben und zu fühlen usf. Das eigentlich wirksame dabei ist die glänzend gehandhabte Kunst, immer in dem Ton zu schreiben, als habe der intelligente Leser die betreffenden Gedanken soeben selber gehabt. Man darf ohne Übertreibung sagen: die Anpassung an den seelischen Mechanismus der Leser könnte nicht besser sein.

Die Folge ist eine fast uneingeschränkte Autorität der Presse.

Eine wichtige Besonderheit ist: die Blätter verschiedener Richtung befehden sich in Kleinangelegenheiten und auch in manchem Großen oft recht boshaft. Umso grösser die Wirkung, wenn alle geschlossen einer Meinung sind, und das sind sie in allen Fällen, wo jüdische Interessen auf dem Spiel stehen. Da gehen sämtliche Blätter von rechts bis links so durchaus in einer Front, daß die einheitliche Dirigierung von einer Zentrale her völlig handgreiflich wird. Ich habe nur ganz wenige Skandinavier getroffen, die davon etwas geahnt haben. Fast alle weisen jede Andeutung eines Verdachtes in solcher Richtung mit tiefer Entrüstung und ehrlichster Überzeugung weit von sich.

Eine Spezialfolge, aber eine höchst wichtige, ist die Auswahl von Literatur, besonders ausländischer, die den Skandinaviern vorgelegt wird. Man liest im Norden mehr und in breiteren Schichten als wohl irgendwo sonst. Die Auswahl regeln die Rezensenten der Presse. Es ist eine der unverkennbarsten Folgen des skandinavischen Kollektivismus, daß alle dasselbe lesen. Die Lebenszeit der meisten Bücher währt (ganz anders als bei uns) nur zwei Monate bis höchstens zwei Jahre, aber in dieser Zeit "müssen" alle, vom Kleinbürger bis zum Prinzen, die am lautesten vorgeschriebenen Bücher gelesen haben. Von deutscher Literatur wurden dabei, besonders seit der Nachkriegszeit, fast nur solche Bücher "vorgeschrieben", die uns verächtlich machen, wie Heinrich Manns "Untertan" oder "Im Westen nichts Neues";[35] größtenteils natürlich Juden (Schnitzler, Wassermann, Baum, Feuchtwanger usw.).[36] Von den uns wesentlichen Büchern hat kaum eines jene Zensur passiert, geschweige denn, daß es von den Opinionsmachern "vorgeschrieben" worden wäre. Fast ausnahmslos werden feindliche Werke propagiert, natürlich vorgeblich nur aus künstlerischen Gründen. Diese Werke aber wurden von sämtlichen Zeitungen aller Richtungen fast gleichzeitig empfohlen (meist in derselben Woche, was jeden "Zufall" ausschließt), und wurden dann von allen gelesen, die irgendwie mitzählen.

Man ahnt wohl nicht, mit welcher Intensität und welcher Tiefenwirkung das Bild des Deutschtums in der Welt dadurch bestimmt wird, und alles natürlich unter der Maske strengster Objektivität. Wer Skandinavien wirklich kennt, der wird mir bestätigen, daß die vielleicht mächtigsten Faktoren, die es dort gibt, die öffentliche Achtung und, auf der anderen Seite, der Achtungsverlust sind. Wer die kontrolliert, der beherrscht in Skandinavien im eigentlichen strengen Sinne des Wortes die Menschen und ihre innerste Seele.

Die entscheidende praktisch-psychologische Frage, die für die deutsche Nordpolitik grundlegend ist, muß m.E. sein:

Wieviel Germanisches ist trotz aller ablenkenden Zivilisationseinflüsse des Westens in Skandinavien noch vorhanden?

Ist die Verwestlichung und Amerikanisierung nur eine Oberflächenerscheinung, unter der noch ungebrochene Volkssubstanz lebt?

Und: Wird dieses echt Germanische im Norden gegen uns mobilisiert oder für uns?

Der geschichtliche Hauptfaktor, der uns Skandinavien entfremdet hat, ist die generationslange Geschichtslosigkeit des Nordens.

In Nordschleswig, wo Dänen und Deutsche durcheinander wohnen und rassisch

---

35 Sidstnævnte berømte roman skrevet af Erich Maria Remarque.
36 Talen var om Arthur Schnitzler, Jakob Wassermann, Vicki Baum og Lion Feuchtwanger.

völlig einheitlich sind, kann man bei einiger Übung die Nationalitäten nach den Gesichtern unterscheiden, die Deutschen schwer und ernst, die Dänen spöttisch, elegant, oft mit frivolem Lächeln oder spitz. Die skandinavische Literatur, besonders die vielgelesene, gibt in die gleiche Mentalität reichsten Einblick.

Wohlgefühlt haben sich im Norden unter diesem Geist nur flache und zynische Naturen.

Je tiefer, ernster, opferbereiter ein Charakter ist, umso unglücklicher war er bei den Herrlichkeiten der äußeren Zivilisation, umso innerlicher sehnte er sich nach ernsten Lebensaufgaben.

Die satten Jahrzehnte stellten keine solchen Aufgaben. Deshalb hat man sich teils künstlich solche zurechtgemacht (Antialkoholbewegung u. dergl., vergleiche Ibsens "Wildente"), teils zog man sich in die eigene Seele zurück (hochgesteigerte Persönlichkeitskultur, besonders im Religiösen – Kierkegaard u.a.)

Nun hat die Zeit ernste Aufgaben gebracht.

Man unterschätze ja nicht, was es für Völker, die seit dem germanischen Altertum stets souverän waren, seelisch bedeutet, wenn heute ihre Souveränität in Frage gestellt ist.

Man hat in Skandinavien die russische Gefahr nicht wirklich ernst genommen. Dabei hat natürlich die deutsche Propaganda sehr kräftig mitgewirkt, die Rußland als völlig geschwächt hinstellte (Karikaturen mit Stalin auf Krücken, mit dem russischen Bären mit verbundenem Kopf, abgehackten Pfoten usw.)

Die deutsche Besetzung dagegen hat man vor Augen und nimmt sie ernst.

Es ist nun die Frage, ob der patriotische Idealismus, dessen die nicht degenerierten Skandinavier ebenso fähig sind wie wir Deutschen, gegen oder für uns, Stellung nimmt.

Neben den Idealisten gibt es natürlich Kreaturen, die um Geld und Vorteil zu kaufen sind, und Feiglinge.

Wie hoch in Skandinavien gegenüber diesen Typen der Prozentsatz von Schlageter-Charakteren ist, denen ihr Vaterland wichtiger ist als ihr Leben und ihr persönliches Wohlergehen, wird sich zeigen.

Ich glaube, er ist höher als man denkt.

Und auf diese Schlageter-Naturen wird es ankommen, wenn ein germanisches Reich entstehen und Europa aktiv zusammenhalten soll.

Es scheint, als ob einige hofften, daß Skandinavien heute ein Charakterloser Völkerbrei sei. Diese Hoffnung oder Meinung ist absolut falsch (so falsch wie die frühere, z.T. von den gleichen Leuten vertretene "Überzeugung", daß die Skandinavier bereits halbe Nationalsozialisten seien oder es demnächst würden; beide Meinungen entstammen einem unwissenden Wunschdenken, nicht dem Realismus).

Die Entscheidung liegt in der Frage: wie wird es den ehrliebenden und vaterlandsliebenden unter den Skandinaviern möglich gemacht, an unsere Seite zu treten? Darin sehe ich das Kernproblem nicht nur der Skandinavienpolitik, sondern auch der germanischen Zukunft Europas.

Durch welche Mittel man die Käuflichen und die Feigen gewinnen kann, das brauche ich nicht zu erörtern. Die Zukunft der germanischen Sache ruht ja nicht auf ihnen, sondern auf der Gewissensentscheidung der Tapferen, Starken, Ehrenhaften.

Und wie ich mich seit 15 Jahren leidenschaftlich gegen die angenehme Selbsttäuschung gewehrt habe, daß die Mehrzahl der aktiven Skandinavier politisch auf unserer Seite stehe, (ich erinnere nochmals an die eingangs erwähnte politische "Diagnose" Thilo von Trothas von 1929), so warne ich heute vor der Meinung, es gebe in Skandinavien keine aufrechten, opferbereiten, mutigen Menschen mehr.

Sie haben politisch lange geschlafen. Für wen und gegen wen werden sie sich nun, wo sie durch die Ereignisse geweckt werden, geistig entscheiden?

Ein träges Achselzucken darüber, "daß ohnehin alles verkorkst sei", schiebt die geschichtliche Verantwortung nicht weg.

Wer als Menschenverächter lieber auf die niedrigen Instinkte der Menschen baut, wird eine Zeit lang recht behalten. Er wird mit innerster Notwendigkeit Lakaien und Kreaturen um sich sammeln, die sich ducken, solange sie müssen, und die viel "bequemer" sind als stolze Gefolgsleute. Aber in jeder Not werden die geduckten Lakaien davonlaufen und die Entscheidung wird bei den Ehrenmännern liegen.

Und was man auch über die Nordgermanen sagen mag, Lakaien sind sie niemals gewesen, ganz anders als jene Slawentypen, die vor der Peitsche Kuschen, aber frech werden, wenn man sie anständig behandelt. Ich glaube, daß hier tatsächlich ein Rasseproblem vorliegt, das den Schlüssel dazu gibt, warum die Nordrasse immer und überall Staaten errichtet und erhalten hat, während die Ostrasse es nicht konnte, und warum die Nordrasse immer adlig war, bis zum Bauernknecht herunter. Es ist nicht "Nordromantik", sondern eine historische Erfahrung aus 3000 Jahren, daß hier das eigentliche seelische Ur-Phänomen der nordischen Rasse liegt und seine wichtigste weltpolitische Leistung und Fähigkeit. Diese Tatsache durch tausenderlei nebensächlichen Kleinkram verdunkelt zu haben, ist die übelste Leistung der "Harmlosigkeitsvolkskunde", die für das "Wesen" des Nordischen Mondphasenrechnung, Heiterkeit oder was sonst ausgab. All das ist subaltern gegenüber der einen Frage: was macht die Nordrasse seit je zu Trägern der politischen Macht? Und dazu gehört es in allererster Linie, daß sie nicht Augendiener sondern Pflichtmenschen sind, zuverlässig, aber stolz und nicht leicht zu gewinnen und dort am treuesten, wo man an ihre Ehre appelliert und ihnen wirkliche Achtung gewährt. Was gegenüber dem ostischen Typus richtig und notwendig sein mag, kann im Norden schlechthin tödlich wirken.

Wer dafür persönlich keinen Sinn hat, der wird die Nordgermanen niemals behandeln können, sondern gerade die Edelsten zu Todfeinden machen.

Ich sage das nach 23jähriger Kenntnis Skandinaviens und nach mancher sehr bitteren persönlichen Enttäuschung über viele Zeiterscheinungen des Nordens, und ich stehe dafür ein, daß dies keine Phantasie ist, sondern daß Ehrliebe, das Bedürfnis nach persönlicher Verantwortung und Selbstachtung auch heute noch die Seele aller gesunden Nordgermanen ist.

Es ist kein Zweifel, daß der Westen, besonders England, seit 1918 in steigendem Masse in Skandinavien nicht bloß an Ansehen und Sympathie gewonnen hat, sondern auch an sehr handfester Macht und handgreiflichen politischen, kulturellen und wirtschaftlichen Einfluß. Aber das hat, wie heute wohl jeder sieht, nicht zur Englandfeindlichkeit geführt, im Gegenteil.

Man kann bereits heute leider klar die folgende Formulierung aussprechen:

Wo England Einfluß gewann, dort stieg gleichzeitig die Englandfreundlichkeit (Norwegen, Dänemark usw.).

Dagegen ist dort, wo Deutschland Macht gewann, als Begleiterscheinung steigender Deutschenhaß festzustellen.

Diese Behauptung wird man so ungern lesen, wie ich sie ungern ausspreche. Und trotzdem ist es, glaube ich, politisch notwendig, zu überlegen, ob sie sachlich falsch ist oder nicht.

Ich vermag mich nur über den Tatbestand auf dem skandinavischen Boden, zu äußern, den ich kenne.

Folgende Faktoren sind dabei m.E. wichtig:

a.) Der Nordgermane ist außerordentlich schweigsam. Das heißt durchaus nicht, daß im Norden besonders wenig geredet wird. Man spricht von gleichgültigen Dingen ohne weiteres. Aber das, was dem einzelnen ernst und persönlich ist, davon zu reden ist ihm schwer oder fast unmöglich. (Es ist bei unseren Niedersachsen ja ähnlich; im Norden sagt man, daß man mit einem Menschen mindestens ein Jahr lang "konversiere", ehe man zum ersten Mal mit ihm "rede").

Die Isländersagas zeigen, daß es vor 1000 Jahren schon ebenso war, daß also hier ein nordischer Grundcharakterzug vorliegt, mit dem gerechnet werden muß.

Die westliche Gabe, von seinen Idealen fortwährend und geläufig zu reden, ist dem Skandinavier fast durchwegs versagt. Eine Ausnahme bildet nur die Kampfrede. In Polemik, die sehr scharf, ironisch und sarkastisch werden kann, ist der Norden ganz besonders zuhause (übrigens schon in der Saga), während ihm das Aussprechen politischer Ideale nur in ganz seltenen Augenblicken stärkster Erregung möglich ist. Sonst bleibt es höchstens bei kurzen, knappen Andeutungen oder noch lieber einem ironischen Verhüllen des Ernstes.

Umso feinhöriger aber ist er für unechtes Pathos und Phrasen. Wer lieber weniger sagt, als er in sich hat, empfindet es als Beleidigung, wenn jemand das Gegenteil tut. Das sogenannte "Zerreden" ist hier besonders gefährlich. Wenn jemand einen ursprünglich ernsten und ernstgemeinten Gedanken dadurch stärker zu machen sucht, daß er ihn immer wiederholt, dabei aber an seelicher Anteilnahme und Ergriffenheit nachläßt und dies durch sogenanntes "Perorieren" und Stimmaufwand oder Rührungszittern wettzumachen sucht, so ist beim Nordgermanen die unausweichliche Folge ein ironisches oder höhnisches Sich-Verschließen, und zwar umso heftiger, je heiliger ihm das so zur Phrase Entwürdigte an sich ist oder war.

Man könnte geradezu sagen, dem nordischen Menschen ist das am wahrsten, was am seltensten, zögerndsten und schwersten ausgesprochen wird. In den rhetorischen westlichen Kulturen ist es ja bekanntlich umgekehrt.

Da diese Eigenheit, wie gesagt, bereits in der altnordischen Literatur voll ausgebildet erscheint (beim germanischen Bauern z.B. Niedersachsens ebenso), so scheint es sich dabei um einen Dauerfaktor zu handeln, auf dessen baldige Änderung nicht zu rechnen ist. England hat diese skandinavische Eigenschaft virtuos auszunützen verstanden.

b.) Es fällt auf, mit welcher Zurückhaltung jeder skandinavische, aber auch jeder niedersächsische Bauer mit seinem Knecht spricht. Er kann sehr verschlossen und kühl, ja kalt sein. Aber nie wird er seinen Untergebenen anschreien (ich habe dies nicht ein einziges Mal gehört, weder im Norden noch in Norddeutschland noch in der deutschen Steiermark oder in Salzburg). Auch der selbstbewußteste, stolzeste nordische Bauer wird seinem Knecht nie "zu nahe treten", wie die Redensart so treffend sagt. Verdient es der Knecht, so wird er ihm seine Verachtung andeuten, und das wirkt dann schärfer als ein Peitschenhieb, geradezu vernichtende.

Auch diese Haltung ist bereits altnordisch, sie ist dort geradezu die Grundlage allen Verkehrs zwischen Menschen. Ein einziges schiefes Wort konnte Blutrachefehden auslösen, die hunderte von Leben kosteten.

Im nordostdeutschen Raum hat sich zwischen germanischen Eroberern und slawischen Unterworfenen bekanntlich ein ganz anderer Ton herausgebildet, der dort wohl notwendig und richtig gewesen sein wird: schon in der Tonart des Befehls auszudrücken, daß der Untergebene unzuverlässig und widerwillig sei und deshalb gezwungen werden müsse. Also nicht ein Appell an die freie Verantwortung, sondern eine Drohung.

Wer mit Tschechen u.ä. zu tun hatte, Weiß, daß sie meist frech und widerspenstig werden, wenn man sie als Seinesgleichen behandelt. Der Subalterne duckt sich, wenn er Angst hat, und wird unverschämt, sobald er glaubt, es sich "leisten" zu können.

Wie der germanische Ton, höflich und korrekt, dem polnischen Hörigen gegenüber absolut falsch wäre, so ist es aber auch dem Freien, der den Appell an seine Ehre gewohnt ist, das Unerträglichste und Erbitterndste, was es überhaupt gibt, wenn er subaltern behandelt wird.

Und wie er jeder Treue und jeder Selbstaufopferung bis zum Tod fähig ist, wo seine Ehre sich frei verpflichtet hat, so antwortet er mit unversöhnlichem, geradezu tödlichem Haß, wenn man ihm "zu nahe tritt".

Mir scheint es ein weltpolitischer Faktor, daß England bei aller Härte seiner Mittel es offenbar verstanden hat, diese Instinkte nicht zu reizen und dem Vornehmheitssinn, der für den Norden so charakteristisch ist, eher entgegenzukommen als ihn zu beleidigen.

c.) Vielleicht am schwersten zu begreifen ist für uns an Skandinavien das Verhältnis des Einzelnen zur Gesamtheit. Es ist grundsätzlich anders als bei uns – und ich und andere haben Jahre gebraucht, es zu verstehen. Da dies einer der wichtigsten Faktoren ist, auch politische, versuche ich eine ganz knappe Skizze:

Man spricht viel vom germanischen "Individualismus", versteht aber darunter mindestens dreierlei:

1.) Ein Sozialsystem, in dem jeder nur für sich und seinen eigenen Vorteil kämpft. Beispiel: Amerikanismus und jeder Liberalismus. Dieser Individualismus kann sehr wohl mit Kollektivismus verbunden sein (s. Amerika und sein Herdengeist).

2.) Das Ernstnehmen der Persönlichkeit und ihrer Verantwortung, der individuellen Begabungen und Pflichten. Dieser "Individualismus", mit den höchsten deutschen Kulturwerten von Meister Eckhardt, Luther, Goethe, Beethoven, Richard Wagner unzertrennlich verbunden, ist offenbar etwas absolut anderes als der "Individualismus" des amerikanischen Schablonenmenschen.

3.) Der "Individualismus" des niedersächsischen Bauern, der auf seinem Hof sitzt und sich am liebsten alle Menschen "vom Leibe hält", ist wiederum etwas anderes, sowohl verschieden vom amerikanistischen Massenmenschentum wie vom Goetheschen Hochhalten der schöpferischen Einzelpersönlichkeit.

Wer diese drei Dinge vermischt, stiftet Verwirrung. So kann unter dem Schlagwort "Kampf dem Individualismus" z.B. scheinbar gegen die amerikanische Vermassung gekämpft werden, in Wahrheit aber gegen die Ehrfurcht vor dem großen Menschen und damit gegen eine der edelsten und stärksten deutschen Mächte.

Welche Art von Individualismus herrscht nun in Skandinavien?

Bei den Bauern sehr viel von der niedersächsischen Eigenbrötelei. Ihr wirkte aber (bis vor kurzem) eine sehr starke Dorfsitte und Dorfgebundenheit entgegen. Es bedeutet dort eine alles beherrschende seelische Großmacht, was "man" über einen Manschen sagt und von ihm hält. Das ist schon in der Isländer-Saga genauso, also wiederum ein "Dauerfaktor". In der Saga ist fast regelmäßig der entscheidende Aufruf zur Tat: "die Leute werden sagen…"

Die Macht dieser Opinion ist für uns kaum vorstellbar. Sie ist wahrscheinlich der stärkste Faktor, den es im Leben dieser Menschen überhaupt gibt. (Die letzte psychologische Wurzel ist wohl die enorme Bedeutung, die Achtung und Ansehen für den nordischen Menschen haben; selbst der persönlich Gewissenlose scheut den Achtungsverlust mehr als den Tod – z.B. Ibsens "Hedda Gabler").

Nun ist auf dem Dorf, wo jeder jeden genau kennt, die allgemeine Meinung in der Regel zutreffend.

Aber: die Städte Skandinaviens, die amerikanisch schnell gewachsen sind, und wo fast lauter Auswärtige zusammenströmen, haben diese Todesangst vor der "Opinion" beibehalten (nicht zu vergleichen mit deutschen Verhältnissen). Da aber hier, anders als im Dorf, nicht eine feste Gemeinschaft Trägerin der Opinion ist, so muß das allgemeine und gewohnte Bedürfnis nach Einheitlichkeit der Meinungen und Wertungen künstlich befriedigt werden. In diese Bresche ist nun die Presse eingesprungen und hat damit eine Machtposition eingenommen, von der wir uns kaum eine Vorstellung machen können. Weil nun – wie ausgeführt – in den für die jüdischen und freimaurerischen Interessen wichtigen Fragen die Blätter verschiedener Richtung einheitlich dirigiert werden, so resultiert daraus jene Diktatur der Opinionsbildung, die man deutscherseits entsetzt bestaunt, ohne sich dagegen wehren zu können (vgl. die neueste Entwicklung Schwedens). Ich vermute übrigens für die angelsächsischen Länder eine ähnliche Entwicklung. Jedenfalls ist die von manchen Rassenkundlern (z.B. Günther) vertretene Lehre, der nordische Mensch bilde sich stets kritisch sein eigenes Urteil,[37] unvereinbar mit der Tatsache der Aufhetzbarkeit der Angelsachsen im ersten und zweiten Weltkrieg. Sich dies klarzumachen ist schmerzlich aber notwendig. Andrerseits wäre es doch niederschmetternd, wenn man denken sollte, daß der Deutschenhaß dieser germanischen Länder (den doch niemand leugnen darf) wirklich auf das kritische, vorsichtige Eigenurteil von Millionen germanischer Einzelpersönlichkeiten zurückginge und nicht auf kollektivistische Massenverhetzung. In Wahrheit ist es leider so, daß gerade der germanische Mensch unbegrenzt aufhetzbar ist, wenn er psychologisch richtig angepackt wird, besonders wenn man sein moralisches Pathos, sein Ehr- und Rechtsgefühl aufstachelt und ihm den Gegner verächtlich macht, was die Juden so meisterlich verstanden haben.

37 Raceforskeren Hans Günther.

Und ich möchte ganz besonders auf die Kollektivgebundenheit aufmerksam machen, die hinter diesen hochpolitischen Dingen steht wie hinter fast allen Erscheinungen des skandinavischen – und wohl auch angelsächsischen – Lebens (Kleidermoden, Tischsitten, Moralbegriffe, Lektüre usf., fast alles in gleicher Einheitlichkeit).

Man kann formulieren: Wo die starke bäuerliche Lebensgleichheit entwurzelt ist (und das wird sie durch die Technik immer mehr), da wird sie zur erschreckenden kollektivistischen Uniformität. Während die Einheitlichkeit der dörflichen "Opinion" meist gerecht ist, wenigstens in dörflichen Angelegenheiten (nicht in solchen, die den Dorfhorizont übersteigen, wie z.B. großpolitische Probleme), so wird nach der Entwurzelung die Einheitlichkeit der Meinungen zwar bleiben, aber sie wird willkürlich. Wer da am Schaltbrett der Opinionsbildung sitzt (Presse, Radio, Flüsterpropaganda), der ist fast allmächtig. Allerdings muß er die seelischen Register seines Publikums ganz genau kennen.

d.) Der interessanteste Vergleichspunkt des altnordischen und neunordischen Menschen dürfte der Rechtsformalismus sein.

Mitten in der wildbewegten Wikingerzeit entstehen überall Thinggemeinschaften und Rechtsgebilde, ebenso aber auch vor und nachher, im Bauernstaat wie in den nordischen Großstaaten.

Dies ist das große Gegengewicht, das verhindert hat, daß Blutrachefehden und Sippenkämpfe zur Substanzgefährdung führten.

Ein Vergleich besonder mit der slawischen Welt, (die fast alle Begriffe und auch Wörter des höheren Sozialaufbaus aus dem Germanischen entlehnt hat), zeigt, daß es zu den immer wieder durchbrechenden Urinstinkten des Germanentums gehörte, auch bei Neusiedlungen und Kolonisationen alsbald straffe, oft sehr harte überpersönliche Rechtsordnungen zu schaffen.

Und mit einem Fanatismus, der oft erschreckend wirkt und sogar zu sachlichen Ungerechtigkeiten führen kann, wird an der formalen Integrität des Rechtes festgehalten.

Es gibt im Norden seit den Jahrzehnten der Kapitalisierung viel Korruption (auffallend viele Defraudationsfälle und eine viel weniger strenge Geschäftsmoral als in den puritanischen Ländern – England, Holland, Schweiz –, wo der Kapitalismus zu Hause ist und seit Jahrhunderten feste Lebensform geworden ist, während er nach Skandinavien erst im 19. Jahrhundert kam). Aber sogar noch in den Sphären gelockerter Moral ist das letzte, was zersetzt wird, das formale Recht und die formale Korrektheit.

Das wirkt oft beinahe pharisäisch oder zumindest unmenschlich, aber trotzdem äußert sich hier (selbst noch im Verfall, aber natürlich noch mehr in gesunden Verhältnissen) ein Respekt vor der Rechtsordnung, der einen der wichtigsten Faktoren geschichtlicher Stabilität darstellt und einen Hauptunterschied gegenüber der Unsicherheit slawischer Staatenbildungen (Polen, Rußland seit dem Schwinden des Wikingeradels, Tschechen usw.) bildet.

Ohne selbst Jurist zu sein, glaube ich beobachtet zu haben, daß das Pathos der formalen Rechtsintegrität zu den empfindlichsten Partien der skandinavischen Mentalität gehört.

e.) Eine der stärksten und ernstesten Gefahren aber möchte ich, dies sei nochmals gesagt, darin sehen, daß es gelungen ist, die alten, echt nordischen Freiheitsideale mit dem Liberalismus gleichzusetzen.

Das hat dem Liberalismus einen unerhörten Auftrieb und Machtzuwachs gegeben und ihm wertvollste germanische Seelenkräfte dienstbar gemacht und als Motoren eingebaut.

Dem liberalen Judentum, das in Skandinavien in seinem Kern natürlich genau dasselbe ist wie einst im "Berliner Tageblatt", der "Frankfurter Zeitung" usw., ist dadurch ein unabsehbarer Dienst geschehen.

Welche Kräfte hat der Liberalismus, besonders der jüdische, für sich einzugliedern gewußt?

Es sind leider einige der edelsten Instinkte des Nordens darunter:

Das Ideal der Eigenverantwortung und Selbstkontrolle. "Control yourself" ist bekanntlich einer der wirksamsten Sätze der englischen Erziehung: sich selber in Zucht zu halten, selber sein strengster Erzieher zu sein.

Zucht ist aber für alle nicht entarteten Skandinavier noch heute ein absolut ernstgenommenes Ideal. Aber diese Zucht sich selber zu geben und nicht einen Aufpasser nötig zu haben, ist der Stolz des heranwachsenden wie des gereiften Mannes. (Etwas ganz anderes ist die Furcht vor der "Opinion", von der ich sprach). Ich glaube, daß dieses Ideal der Selbst-Zucht, das ebenfalls schon im Altnordischen ein ehernes Fundament der Freiheit ist, zum Edelsten am Germanentum gehört. Seine Gefahren sind klar. Aber wo es wirkt, entstehen Menschen, auf die man im Ernstfall anders bauen kann, als auf solche, die nicht ihrem Gewissen folgen, sondern einer nur von außen kommenden "Zucht".

Sehr stark ist in Skandinavien der Instinkt der Ritterlichkeit gegenüber dem Hilfsbedürftigen ausgebildet (übrigens schon im Altnordischen der sogenannte "drengskaps"-Geist). Speziell in der Judenfrage war es eines der allerwirksamsten Mittel, die Juden als Wehrlose inzustellen. Meine jahrelangen Versuche, durch Mitteilungen aus meiner ostmärkischen Heimat zu beweisen,[38] wie sehr die Juden zersetzen und Bedrücker waren, sind fast durchwegs an der gefestigten Opinion gescheitert, der nur Gegenteiliges eingebleut war. So ist eine der vornehmsten Seelenkräfte des Nordens fast gänzlich gegen uns mobilisiert.

Der beste Typus, den der Norden hervorgebracht hat, ist der des Ehrenmannes.

Er ist oft starr, ungelenk und ungeschmeidig, für Neues schwer zugänglich und nicht selten eng, aber man kann sich auf ihn unbedingt verlassen, kann ihm sein Vermögen und sein Leben anvertrauen. Wer ihn gewonnen hat, darf bei den schwersten Schicksalskrisen auf ihn rechnen. Persönlich gerecht nach bestem Wissen, wie überhaupt ein starrer Rechtssinn schon im Altnordischen charakteristisch ist (s.o.), unbeugsam und absolut unkäuflich, Konjunkturvorteilen völlig unzugänglich (ja beim bloßen Schein von solchen ganz besonders borstig), und dem, was er für richtig hält, unbedingt treu bis zur Selbstaufopferung.

Es gehört nun zu den teuflischsten Erfolgen des liberalen Judentums, daß es ihm in der Tat gelungen ist, zahllose skandinavische Männer dieses Schlages in seinen Kreis zu ziehen und ihre Freiheitsideale und Rechtsbegriffe für sich einzubauen.

Das Mittel war sehr einfach: Man hat Jahr für Jahr durch eine unglaublich geschickte

---

38 Höfler blev født og voksede op i Wien.

Art der Berichterstattung alle die Tatsachen, die dem skandinavischen Stil zuwiderlaufen, mit scheinbarer trockener Objektivität kolportiert (dazu natürlich oft retouchiert, häufig auch geradezu gefälscht, zumindest aber nach Möglichkeit aufgebauscht) und hat demgegenüber das Große, Imponierende und Achtungsgebietende der deutschen Entwicklung totgeschwiegen oder verzerrt.

Dies alles aber in einem Ton, der der skandinavischen Seele so genau angepaßt war, daß man es naiv und gutgläubig hingenommen hat.

Deutscherseits versuchte man dagegen, "Propagandaschriften" hinaufzusenden. Aber diese trugen die "Propaganda" schon auf der Stirne, während sich die Gegenstimmen als nackte objektive Wahrheit gaben und keineswegs als Propaganda. (Ich habe in Skandinavien kein deutsches Zitat öfter gehört als das aus dem "Tasso": "Man merkt die Absicht, und man wird verstimmt".) Das Ergebnis liegt heute ja klar da. Es ist den Gegnern leider mit mehr Erfolg gelungen, von der Echtheit ihrer Darstellung zu überzeugen. Ein Grund ist: die Skandinavier sind heute zum nicht geringen Teil Massenmenschen. Aber sie scheuen sich (z. T. aus bäuerlichem Instinkt) heftig davor, als Massenmenschen behandelt zu werden.

Es ist sehr paradox, aber es ist unleugbar, daß heute im Norden sowohl die aristokratischen wie auch die demokratischen Instinkte gegen uns mobilisiert sind, und zwar nicht in zwei verschiedenen Parteilagern, sondern bei den gleichen Menschen.

Wir sollten uns, glaube ich, gerade darüber klar Rechenschaft geben, denn hier liegt einer der wichtigsten Angriffspunkte der englischen Propaganda.

Die Skandinavier fühlen sich im gleichen Maß als Aristokraten und als Demokraten.

Aristokratisch ist der abstandhaltende Vornehmheitssinn, den man im Norden vor allem bei den Bauern findet, aber auch durchwegs bei den nordrassigen Arbeitern, bei den meist streng korrekten Beamten und demjenigen Teil des Bürgertums, der nicht amerikanistisch korrumpiert ist, sondern in den alten festen Lebensformen beharrt. Strenge Selbstachtung (die allerdings, wie gesagt, bis zur Starrheit führen kann), scharfes Abstandsgefühl, dem jede plumpe Annäherung tödlich zuwider ist, lieber zuviel Kälte als zuviel Worte – all das sind Züge, die – seit der altnordischen Zeit so typisch – heute noch für jeden gutrassigen Skandinavier in größerer oder geringerer Ungebrochenheit konstitutiv sind.

Und obgleich man nicht viel von Rasse redet und diese Dinge mehr instinktiv fühlt als bewußt oder programmatisch durchführt, so besteht vom Bauern und Trambahnschaffner bis zu den führenden Schichten, soweit sie unverjudet sind, ein fast unüberwindlicher Widerwille gegen jene slawisch-ostischen Manieren und Lebensformen, die als "plebejisch" empfunden und geradezu verabscheut und gehaßt und aus tiefster Seele verachtet werden: die Art, sich gegen oben zu ducken und sich dafür unten schadlos zu halten, viel und laut zu reden, wo man meint, es sich ungestraft "leisten" zu dürfen, innere Unsicherheit durch Schnauzigkeit zu bemänteln usf.

Und ich betone ausdrücklich, daß der Haß gegen derlei beim gutrassigen Stockholmer Trambahnschaffner genauso tief und elementar ist wie beim Bauern oder beim Grafen.

Es scheint mir, als ob der allerinnerste Instinkt der nordischen Rasse, dem sie mehr als allem anderen ihre Weltstellung und ihre unendlichen Schöpfertaten verdankt, der Wille zum höheren Menschen ist.

Der nordische Mensch kann, wenn es sein muß, für seine Ideale hungern und Gesundheit und Leben opfern, aber man zerbricht ihm das Rückgrat, wenn man ihn zum Proleten machen will. (Der größte Lyriker Schwedens, Axel Karlfeldt, hat die vielzitierten Worte geschrieben: "Ty svart är det, att vara proletär, och även om man ar en miljoriär" – "Denn schwer ist es, Proletarier zu sein, auch wenn man dabei Millionär ist".) Tatsächlich hat auch der Arbeiter Skandinaviens etwas Vornehmes, Nobles, Schweigsames und Stolzes an sich.

Und mir scheint es überaus bezeichnend, daß man ihn (im Gegensatz zum ostischen Menschen, der so unversöhnlich "hinaufhaßt"), nicht gewinnen kann, indem man ihn gegen "die Vornehmheit" aufhetzt.

Man vergegenwärtige sich demgegenüber, welche ungeheure Chance die Agitatoren von 1889 wie die des Bolschewismus hatten (und nutzten!), als sie die "Unterklasseninstinkte" gegen das Noble an sich aufpeitschten. Damit erst sind die blutrünstigen Gefühle derer mobilisiert worden, die sich mit Recht als nicht nobel gefühlt haben. Es scheint zu den Grundinstinkten des nordischen Menschen zu gehören, daß er Vornehmheit sofort spürt, wenn sie ihm entgegentritt (und sei es im bescheidensten Gewände), und daß er sie anerkennt, wo er sie spürt, auch beim Gegner. Die Juden erst haben das giftige systematische Verächtlichmachen des Gegners großgezogen, daneben die englische "Cant"-Propaganda.

Andrerseits war es, wie schon betont, der vielleicht wirksamste Kunstgriff des liberalen Judentums, dem Volk beizubringen, die jüdisch-amerikanisch-kapitalistische "Demokratie" sei dasselbe wie die uralten germanischen Ideale der Selbstzucht, Selbstkontrolle, Selbstverantwortung und Gewissensentscheidung, das Ideal, selber sein eigener strengster Richter zu sein. Diese edelsten nordischen Tugenden, die den germanischen Pflichtmenschen zum absolut zuverlässigen, eisernen Träger aller großen europäischen Staaten gemacht haben, unter der Hand zu verquicken mit den Idealen des früheren "Berliner Tageblattes" usw., das war m.E. die entscheidende Leistung des Judentums, die ihm die innersten Kräfte des Germanentums unter dem Stichwort "Demokratie" vor seinen Wagen spannte.

Wenn es uns gelingt, diese Kräfte für einen freien, ehrenvollen Dienst an einem großgermanischen Reich zu gewinnen, dann glaube ich an eine germanische Zukunft Europas. Andernfalls können wir die Skandinavier möglicherweise niederhalten, nie gewinnen. Dann aber werden sie stets auf das Angelsachsentum hoffen und warten.

Ich will mit dem folgenden schließen:

Unsere stärkste und tiefgreifende Chance scheint mir zu sein, daß unter der Oberfläche der amerikanistischen Zivilisationsideale und materiellen Herrlichkeiten, die der Westen verspricht, bei den wertvolleren Skandinaviern (und deren sind viele) eine tiefe seelische Leere gähnt. Je höher ein Mensch steht, umso quälender beunruhigt ihn diese innere Leere, und er sucht nach dem wahren Ernst des Lebens.

Ich glaube, daß derjenige Europa gewinnen und führen wird – und am stärksten die edelsten Teile Europas –, dem es am ehrlichsten und ernstesten gelingt, des "europäischen Nihilismus", der Entseelung und der zivilisatorischen Erstarrung und mechanistischen Entwürdigung des Menschen Herr zu werden.

Nach vieljährigem Aufenthalt in Skandinavien habe ich die Überzeugung gewonnen, daß auf diesem Wege die echtesten und ernsthaftesten Deutschen durch das große und schwere Schicksal innerlich, heute weiter sind als die Nordgermanen.

Wenn dieses wahre Deutschtum an die – oft tief verschüttete – echte Substanz des Skandinaviertums rührt, und wenn den Skandinaviern ein Weg gesichert wird, auf dem sie unter Wahrung ihrer Selbstachtung und ungeschmälerten Ehre zu uns kommen können, dann wird ihnen das, was Deutschland ihnen zu geben hat, höher stehen als die Güter des Amerikanismus und einer veräußerlichten Massenzivilisation.

In diesem Sinne glaube ich, daß es im letzten um einen Wettkampf des menschlichen Ernstes geht.

218. OKW/WFSt: Aktenvermerk 7. März 1943

Henvendelsen fra von Hanneken til OKW om den danske hærs mobiliseringsøvelser fik Hitler til at reagere og kræve en ny og væsentlig kraftigere advarsel til den danske regering udarbejdet. Mobiliseringsforberedelserne skulle straks indstilles.

Se OKW til AA 10. marts 1943.

Kilde: BArch, Freiburg, RW 4/642. RA, Danica 1069, sp. 1, nr. 594.

WFSt/Qu. (III)   7. März 1943

Betr.: Warnung an dänische Regierung.   2 Ausfertigungen
Aktenvermerk.   1. Ausfertigung

I. Anruf Stellv. Chef WFSt bei Chef Qu.

Der Führer hat angeordnet, daß auf Grund der Meldung des Befh. d. deutschen Truppen in Dänemark über Mob. Vorbereitungen des dänischen Heeres die Warnung an die dänische Regierung in der bisher vorgesehenen Fassung nicht überreicht werden soll.

Nach Eingang des ausführlichen Berichtes des Befehlshabers Dänemark ist mit dem Auswärtigen Amt auf Grund dieser Unterlage ein neuer, wesentlich schärferer Vorschlag auszuarbeiten mit der Feststellung:

Wenn diese Mob. Vorbereitungen nicht sofort eingestellt werden und hierüber in bemessener Frist nicht eine amtliche Erklärung der dänischen Regierung der Reichsregierung vorliegt, werde das dänische Heer aufgelöst und die dänischen Offiziere in Kriegsgefangenschaft überführt.

Das Auswärtige Amt ist durch Qu. zu verständigen, daß die bisher vorgesehene Note auf Weisung des Führers hinfällig geworden und nicht zu überreichen ist.

II. Botschafter Ritter wurde am 7.3 durch Chef Qu. unterrichtet.
III. Eingang des Berichtes Befh. Dänemark, der seinerseits durch Stellv. Chef WFSt unterrichtet wurde, ist abzuwarten.

219. Raul Mewis an OKM 7. März 1943

Admiral Mewis forklarede OKM sine motiver for at søge en afskedsaudiens hos den danske kronprins. Det skulle tjene Kriegsmarines interesser. Han havde ikke søgt at skaffe en afgørelse gennem von Hanneken. De havde truffet hinanden tilfældigt, og von Hanneken havde erklæret, at han som WB Dänemark skulle i audiens før Admiral Dänemark.

Admiral Mewis forfulgte sagen over for OKM 12. marts.

Kilde: BArch, Freiburg, RM 7/1187. RA, Danica 628, sp. 7, nr. 5263f.

+S MDKP 0877 7/3 1330 =

S OKM 1 Skl

= Mit AÜ =

Gltd D OKM 1 Skl = S Nachr Ost =

– Gkdos –

Vorg. OKM 1 Skl eins C 6809 Gkdos v. 6.3.[39]

1.) Erbetene Regelung sollte Stärkung wichtiger Marineinteressen dienen. Antrag wurde daher an OKM gegeben da Adm. Dän. besonders Wert darauf legte, daß Frage durch Marine vertreten würde (Auf Telefongespräch Adm. Dän. mit K Adm. Voss und Schulte-Mönting wird hingewiesen).

2.) Trubef Dän. hat loyalerweise Fernschreiben lediglich zur Kenntnis erhalten.

3.) Von Antrag Trubef Dän war Adm. Dän. vorher nicht unterrichtet. General v. Hanneken hat nachher bei einem zufälligen Zusammentreffen am 3.3. Adm. Dän. mitgeteilt, daß er bei Genehmigung Marineantrages vorher einen Besuch machen müsse und entsprechend an OKW herangetreten sei.

4.) Form Antrag Trubef insbesondere ob hiesige Gründe vorgebracht hier nicht bekannt.

5.) In dortigen FS (Zusatz OKM): Trubef Dän. ist von hieraus selbstverständlich nicht um Herbeiführung Entscheidung angegangen worden.

Kom. Adm. Dän. Gkdos 594 2 Ang +

220. Helmut Bergmann an Werner Best 8. März 1943

Under forhandlingerne om det tyske mindretals stilling ved det kommende valg bad AA Best formå Jens Møller til at få mindretallet til at deltage i valget, idet det samtidig fik en særlig repræsentation i Statsministeriet.

Se Bests svar samme dag. De to telegrammer har muligvis krydset hinanden (Noack 1975, s. 148).

Kilde: PA/AA R 100.355. PKB, 14, nr. 150.

Telegramm

Berlin, den   8. März 1943

---

39 Skrivelsen er ikke lokaliseret.

Diplogerma Kopenhagen
Nr. 347
Referent: LR Dr. Reichel
Betreff: dänische Reichstagswahl

Auf Telegramm 197 vom 24.2.[43.][40]
Bitte mit Dr. Moeller zu erörtern und berichten, ob nicht bei weitgehender Heranziehung der sich in Deutschland aufhaltenden volksdeutschen Wahlberechtigten zusätzlich zu der beabsichtigten Vertretung der Volksgruppe im dänischen Staatsministerium auch das deutsche Folketingsmandat erhalten werden kann.

Bergmann

221. Werner Best an das Auswärtige Amt 8. März 1943

Best ønskede at få afklaret mellem AA og SS, hvordan man skulle forholde sig med unge under 18 år, der meldte sig som frivillige til Waffen-SS uden forældrenes samtykke.

Svaret er ikke lokaliseret.

Kilde: PA/AA R 100.986.

Telegramm

| Kopenhagen, den | 8. März 1943 | 13.20 Uhr |
| Ankunft, den | 8. März 1943 | 13.55 Uhr |

Nr. 244 vom 8.3.[43.]

An Auswärtig Berlin

Bei Werbung dänischer Freiwilliger für Waffen-SS ergilt sich neuerdings folgendes Problem: Nach dänischem Recht können Dänen, die 18. Lebensjahr überschritten, sich für Eintritt in Waffen-SS selbst entscheiden. Dänen unter 18 Jahren bedürfen Zustimmung der Eltern. Dänen unter 18 Jahren, die sich ohne Zustimmung der Eltern melden, sind danach bisher von Ersatzkommando Waffen-SS zurückgewiesen worden. Ersatzkommando beabsichtigt nunmehr, von dieser Praxis abzugehen und Freiwillige unter 18 Jahren auch ohne elterliche Genehmigung einzustellen. Es will damit den für das Reich geltenden Führerbefehl, nach welchem Minderjährige für ihre freiwillige Meldung zur Wehrmacht elterlicher Zustimmung nicht mehr bedürfen, auf Dänemark anwenden. Diese neue Praxis würde zu Konflikten führen, die letzten Endes der Freiwilligenwerbung überhaupt abträglich sein würden. Ich bitte, im Benehmen mit SS-Hauptamt klarzustellen, wie vorgegangen werden soll.

Dr. Best

40 Trykt ovenfor.

222. Werner Best an Joachim von Ribbentrop 8. März 1943

Med den melding fra von Ribbentrop, at von Hanneken skulle afholde sig fra enhver politisk forbindelse med det danske kongehus, forfulgte Best straks sporet, idet han udvidede det til at gælde von Hannekens beskæftigelse med besættelsespolitikken i det hele taget. Best havde aldrig fået svar på sin forespørgsel desangående fra 27. november 1942. Det bad han nu om svar på (se Ritter til Best 13. marts og Bests telegrammer nr. 309, 19. marts og nr. 315, 20. marts 1943. Herbert 1996, s. 345).
Kilde: PA/AA R 29.566. RA, pk. 202.

Telegramm

| Kopenhagen, den | 8. März 1943 | 11.15 Uhr |
| Ankunft, den | 8. März 1943 | 11.45 Uhr |

Nr. 245 vom 8.3.43.

Für Herrn Reichsaußenminister persönlich.

Empfang Telegramms Nr. 333[41] vom 5. März bestätigt.

In Konsequenz des Grundsatzes, daß Befehlshaber keinerlei politische Verbindungen zu unterhalten habe, bitte ich nunmehr die in meinem Telegramm Nr. 1803[42] vom 27. November 1942 erbetene Entscheidung dahin herbeizuführen, daß Befehlshaber keinen unmittelbaren Verkehr mit dänischer Regierung unterhalten darf, sondern daß ich seine Wünsche bei Regierung zu vertreten habe. General von Hanneken, der sich offenbar als politischer General fühlt und (wie aus gelegentlichen Äußerungen hervorgeht), gern Militärbefehlshaber nach Vorbildern Paris und Brüssel geworden wäre, hat in letzten Monaten immer mehr direkten Schriftwechsel mit Regierung (Außenministerium und anderen Ministerien) geführt. Folge ist meist, daß Regierung sich an mich mit Bitte um Vermittlung wendet. Politische Beunruhigung der Dänen, Zurücknahme von auf falschen Voraussetzungen beruhenden oder undurchführbaren Forderungen des Befehlshabers und Eindruck eines Nebeneinanderarbeitens oder gar einer Uneinigkeit der deutschen Stellen könnte vermieden werden, wenn angeordnet würde, daß ausschließlich der Reichsbevollmächtigte alle Verhandlungen mit der dänischen Regierung zu führen hat.

Deutsche Gesandtschaft Kopenhagen

223. Werner Best an das Auswärtige Amt 8. März 1943

Best samlede de opnåede forhandlingsresultater med såvel statsminister Erik Scavenius som mindretallets leder Jens Møller i et telegram. Så hurtigt fik han dog ikke valget på plads (se telegrammerne nr. 251, 9. marts og nr. 270, 11. marts 1943, Noack 1975, s. 148).
Kilde: PA/AA R 100.355. RA, pk. 237. PKB, 14, nr. 151.

---

41 RAM 31/43. Trykt ovenfor.
42 bei Pol VI. Trykt ovenfor.

Telegramm

| Kopenhagen, den | 8. März 1943 | 14.34 Uhr |
| Ankunft, den | 8. März 1943 | 15.50 Uhr |

Nr. 248 vom 8.3.[43.]

Unter Bezugnahme auf Drahterlaß Nr. 302 (D VIII 734) vom 27.2.43.[43]

Die Voraussetzungen und Modalitäten der dänischen Reichstagswahl sind im Laufe der letzten Woche mit den beteiligten Stellen erörtert und geregelt worden. Die wichtigsten Ergebnisse sind die folgenden:

1.) Der Staatsminister von Scavenius hat mir nach Rücksprache mit dem gesamten Kabinett und den Sammlungsparteien die Erklärung abgegeben, daß sich an dem Bestand der Zusammensetzung seiner Regierung durch die Wahl nichts ändern werde.[44]

2.) Die Parteien sind damit einverstanden, daß jede Agitation, die die öffentliche Ordnung im Lande stören könnte, unterbleibt. Es werden nur geschlossene Wahlversammlungen der Parteien stattfinden. In der Presse wird negative Polemik vermieden werden.[45]

3.) Die außerhalb der Landesgrenzen befindlichen dänischen Staatsangehörigen werden an der Wahl teilnehmen. Die erforderlichen Maßnahmen werden zur Zeit von der Regierung vorbereitet.

4.) Der Führer der deutschen Volksgruppe in Nordschleswig Dr. Moeller hat sich mit dem Staatsminister von Scavenius dahin geeinigt, daß die Volksgruppe nicht an der Wahl teilnimmt, daß aber dafür beim Staatsministerium ein volksdeutsches Büro eingerichtet wird, das die Interessen der Volksgruppe bei allen Ministerien wahrnehmen wird. Dr. Moeller ist von dieser Lösung sehr befriedigt und nannte den 6.3., an dem diese Vereinbarung getroffen wurde, einen historischen Tag der Volksgruppe. Die Festsetzung der Wahl wird durch die üblichen technischen Bekanntmachungen, also ohne politische Note, publiziert werden. Als Termin für die Folketingswahl ist der 23.3., für die Wahl des halben Landstings (mit komplizierterem Wahlverfahren) der 6.4. in Aussicht genommen.

Dr. Best

224. Karl Ritter: Aufzeichnung 8. März 1943

Ritter resumerede situationen, efter at von Hanneken havde fundet en anledning til at få den forberedte advarselsnote til den danske regering vedrørende den danske hær stoppet. OKW bad AA sørge for, at Best ikke gik videre med sagen, og Ritter havde sendt instruktion derom til København.

Best hørte først 13. marts ad omveje om den nye udvikling, hvorefter han henvendte sig til AA med telegram nr. 277 (Kirchhoff, 1, 1979, s. 123, Roslyng-Jensen 1980, s. 138f.).

Kilde: LAK, Best-sagen (afskrift). ADAP/E, 5, nr. 185.

43 Telegrammet er ikke lokaliseret.
44 Jfr. Sjøqvist, 2, 1973, s. 242.
45 Jfr. Bindsløv Frederiksen 1960, s. 341.

Nr. 114 *Berlin, den 8. März 1943*

Das OKW (Oberst v. Tippelskirch) teilte mir am 7. März mit, daß nach einem Bericht des Befehlshabers der deutschen Truppen in Dänemark durch die Postüberwachung aufgedeckt worden sei, daß dänische Offiziere anscheinend private Vorbereitungen für eine Art Mobilmachung betreiben. GFM Keitel habe dies dem Führer vorgetragen. Der Führer habe daraufhin entschieden, daß die bereits genehmigte Warnmitteilung an die dänische Regierung unterbleibt. Es müsse jetzt eine viel schärfere Mitteilung erfolgen. Das OKW bitte, daß der Reichsbevollmächtigte in Kopenhagen angewiesen wird, die frühere Weisung nicht auszuführen, falls sie noch nicht ausgeführt ist.

Ich habe darauf alsbald Kopenhagen angerufen und in Abwesenheit von Dr. Best dem Regierungsdirektor Stalmann die Weisung gegeben, die mit Drahterlaß Nr. 332 vom 5. März gegebene Instruktion nicht auszuführen.[46] Reg. Dir. Stalmann war im Bilde und hat alsbaldige Weitergabe an Dr. Best zugesagt.

Einige Zeit später teilte mir VLR v. Sonnleithner mit, daß er im Auftrage des Herrn RAM die gleiche Weisung schon am Sonnabend nach Kopenhagen gegeben habe.[47]

Oberst v. Tippelskirch sagte mir, daß das OKW sich wegen dieser Sache nach Eingang des in Aussicht gestellten Schriftberichtes des Befehlshabers der deutschen Truppen in Dänemark erneut mit uns in Verbindung setzen wird.

gez. **Ritter**

225. Werner Best an das Auswärtige Amt 9. März 1943

Efter krav fra AA søgte Best at få Jens Møller og det tyske mindretal til at deltage i valget, men forgæves.

Det er et åbent spørgsmål, hvor stærkt Best pressede på i denne sag, hvor han delvis gentog sig selv fra 8. marts (Thomsen 1971, s. 107, Noack 1975, s. 148).

Kilde: PA/AA R 29.566. RA, pk. 237. PKB, 14, nr. 152.

Telegramm

| Kopenhagen, den | 9. März 1943 | 10.50 Uhr |
| Ankunft, den | 9. März 1943 | 11.35 Uhr |

Nr. 251 vom 9.3.[43.]

An Auswärtig Berlin.

Auf Drahterlaß Nr. 347 (D VIII 734) vom 8.3.43.[48]
Die Stellung der Deutschen Volksgruppe in Nordschleswig zur dänischen Reichstagswahl 1943 ist in der letzten Woche eingehend mit Dr. Moeller erörtert worden. Dr.

---

46 Dette telegram er ikke lokaliseret.
47 Denne meddelelse er ikke lokaliseret.
48 Trykt ovenfor.

Moeller beharrte auf dem Standpunkt, daß die Volksgruppe sich an der Wahl nicht beteiligen könne und wolle. Auf meinen Hinweis, daß die dänischen Nationalisten ihre im Reich und an der Front befindlichen Arbeiter und Freiwilligen zur Wahl heranziehen, erwiderte er, die Volksgruppe wolle sich nur auf ihren Kriegseinsatz und nicht auf Wahlen einstellen. Dr. Moeller hat sich am 6.3. mit dem Staatsminister von Scavenius auf die Schaffung eines volksdeutschen Büros beim Staatsministerium geeinigt und ist mit diesem Erfolg sehr zufrieden. Er nannte den 6.3. einen historischen Tag in der Geschichte der Volksgruppe.

Dr. Best

226. Hermann von Hanneken: Befehl 9. März 1943

Meldinger om et snarligt allieret storangreb på fastlandet fik von Hanneken til at indskærpe de tyske tropper i Danmark overvågenheden og pligtfølelsen, da især Jyllands nord- og vestkyst lå i zonen for fjendtlige landoperationer. Der skulle afholdes alarmøvelser, og det blev skitseret, hvordan et storangreb ville finde sted, og hvordan forholdsregler mod det skulle tages.
    Kilde: RA, KTB/WB Dänemark, Anlage.

Der Befehlshaber der deutschen Truppen in Dänemark   *H.Qu., den 9. März 1943*
                                                        350 Ausfertigungen
Abt. Ia. – Br. B. Nr. 210/43 g. Kdos.   229. Ausfertigung

Geheime Kommandosache!

1.) Die Anzeichen und Nachrichten mehren sich, daß bald mit einem Großangriff der Anglo-Amerikaner gegen das Festland gerechnet werden kann.

Der Engländer ist Meister der Täuschung. Er verbreitet Nachrichten über Absichten an allen Fronten, um dann plötzlich da zu landen, wo er glaubt, infolge seiner Täuschung überraschen zu können.

Auch Dänemark – insbesondere die Nord- und Westküste Jütlands – liegt im Bereich feindlicher Landungsoperationen.

2.) Die bei uns herrschende Ruhe darf nicht täuschen. Zu leicht werden Truppe und Stäbe hierdurch zu dem Gefühl veranlaßt, der Feind kommt ja doch nicht, die oberen Stellen sehen Gespenster. Niemals darf ein Nachlassen der Spannung, des soldatischen Pflichtgefühls sowie der inneren Verantwortung Platz greifen. Hierbei muß uns als Vorbild die ungeheure, die letzte Kraft des Menschen ausschöpfende Leistung unserer Kameraden im Osten dienen. Ständig muß volle dauernde Abwehrbereitschaft bei der Truppe vorhanden sein und von den vorgesetzten Dienststellen durch alle geeignet erscheinenden Maßnahmen geprüft werden.

3.) Alarmübungen. Die Divisionen haben selbst oder durch ihre Abschnittskommandeure nach vorherigem Benehmen mit den örtlichen Kommandostellen der Kriegsmarine und Luftwaffe allmonatlich eine größere Alarmübung in ihren Abschnitten durchzuführen.

Die Übungen können als Rahmenübungen angesetzt werden, d.h. nur unter Einschaltung der Stäbe einschl. Kompanie-. Batterie- usw. – Führer mit ihren Meldetrupps an den Einsatzorten. Die Truppe verrichtet ihren normalen Dienst weiter.

Zeit der Übungen ist so rechtzeitig hierher zu melden, daß Teilnahme von Vertretern des Bef. Dänemark möglich ist.

Auf unbedingte vorherige Geheimhaltung der Übungstermine, damit dieselben den unteren Stellen überraschend kommen, ist besonderer Wert zu legen. Die in den Divisions-Gebieten liegenden Reserven des Bef. Dänemark sind – bis auf die Teile der 71. Inf. Div. – zu diesen Alarmübungen heranzuziehen.

Es ist selbstverständlich, daß der Beweglichmachung der Truppe bei diesen Übungen aus Betriebsstoffrücksichten eine Grenze gesetzt ist. Das muß in Kauf genommen und durch entsprechende Anlage der Übungen ausgeglichen werden. Anstelle der mot. Kolonne fährt dann z.B. nur 1 Kfz., um die wirklichen Zeiten vergleichen zu können. Die Truppe marschiert dann – wo es geht – zu der Stelle, von der aus sie die Kfz. verlassen würde.

Transport-Kommandantur Kopenhagen bezw. deren Außenstellen Aarhus halten in nächster Zeit Verladeübungen und Vorträge über Transportwesen in den größeren Standorten ab. Die Divisionen setzen sich hierüber wegen Bereitstellung von Eisenbahnwagen mit den zuständigen Transport-Dienststellen in Verbindung.

4.) Voraussichtliches Kampfverfahren des Feindes.
Der Feind wird uns auf breiter Front durch Teilangriffe zu täuschen versuchen, um unsere Reserven in falsche Richtung zu ziehen. Mit der zurückgehaltenen Masse seiner Kräfte wird er dann an den Stellen kommen, wo es ihm leicht erscheint.

Neben stärksten Luftangriffen wird er mit starken Luft- Lande- und Fallschirmverbänden hinter den Fronten landen, um uns vom Rücken her anzugreifen.

Wichtig für unsere Kampfführung ist daher und wird erneut in Erinnerung gebracht:
a.) Unbedingtes Halten der Küstenverteidigung! Durch den Kampf des Gegners um diese Befestigungen ist der Schwerpunkt seiner Angriffe am besten zu beurteilen.
b.) Aufklärung und Beobachtung in die Wasserfront hinein.
c.) Überprüfen aller Nachrichtenmittel.
d.) Dichtes Heranhalten der Reserven und ihr sofortiges Eingreifen, bevor stärkere Teile des Gegners gelandet sind.
e.) Maßnahmen zur schnellen Vernichtung der Luftlandetruppen.
f.) Kein Zerreißen und Zersplittern von Verbänden. Scharfes Zusammenhalten! Jede Truppe kämpft am besten, wenn sie unter ihren Führern zusammen bleibt!

5.) Die für die Verteidigung Dänemarks zur Verfügung stehenden Kräfte bestehen hauptsächlich aus Ausbildungstruppen. Es kommt daher entscheidend darauf an, daß die kriegsmäßige Ausbildung mit Schwerpunkt betrieben wird. Vor allem muß die Truppe mit ihren hochwertigen Waffen voll Bescheid wissen und schießen können.

Jedes unnötige Hin- und Herschieben von Einheiten, das nur die Ausbildung unterbricht, ist zu vermeiden.

6.) Ruhe und Stetigkeit werden neben der Ausbildung auch dem Ausbau der Verteidigungsanlagen zustattenkommen. Das in letzter Zeit notwendige Auswechseln von Verbänden darf nicht dazu führen, daß die neuen Kommandeure andere taktische Auffassungen über Verteidigung zur Geltung bringen als die bisher im Abschnitt befindlichen. Das geht nicht!

Der feldmäßige Ausbau von Stellungen durch die Truppe selbst ist nach den Erfahrungen des Ostfeldzuges mit allen Mitteln und Kräften zu fördern. Hierzu gehört Anlage von Minenfeldern in weitaus größerem Masse als dies bisher geschehen ist. Brauchbare Minen stehen in großen Mengen nunmehr zur Verfügung. Vorschläge für Minenverlegung sind nach den hierüber gegebenen Bestimmungen beschleunigt vorzulegen.

7.) Ich erinnere erneut an die Sicherung aller Unterkünfte, Stäbe, Gefechtsstände, militärisch wichtigen Objekte gegen jede Möglichkeit einer Überrumpelung oder von Sabotagen und Anschlägen.

Immer Wieder sind Posten anzutreffen, die gegen fremde Personen zu vertrauensselig sind. Jeder Unbekannte – sei er in Uniform oder in Zivilkleidung – ist nach Ausweis und Soldbuch genau zu prüfen und in den Wehrmachtanlagen durch Posten zu geleiten.

8.) Dem Meldewesen ist besondere Beachtung zuzumessen.

Jede Beobachtung über den Feind muß in kürzester Frist zur Kenntnis des Bef. Dänemark gelangen. Niemand beruhige sich damit, daß der "andere" schon gemeldet haben wird. Im Gegenteil – jede Meldung bedarf der Bestätigung! Hier sind 5 Minuten vielleicht ausschlaggebend. Entsprechende Nachrichtenübungen aller Wehrmachtteile, bei denen immer wieder das Fernsprechnetz örtlich auszuschalten und über andere Leitungen oder mit anderen Nachrichtenmitteln (Fund nur nach gegebenen Bestimmungen) zu arbeiten ist, haben jetzt in verstärktem Masse stattzufinden.

227. Hans Brabänder an WB Dänemark 9. März 1943

Chefen for 416. infanteridivision tilsluttede sig det forslag, som kommandanten i Ålborg havde fremsat om, at dansk politi skulle deltage i bevogtningen af livsvigtige objekter sammen med værnemagten ved iværksættelse af beredskabsniveau I.

WB Dänemarks stilling til forslaget er ubekendt, men selv om han skulle have været positiv,[49] ville Best på dette tidspunkt næppe have insisteret på dets gennemførelse, da det kunne påvirke det gode forhold til den danske regering.

Kilde: RA, Danica 201, pk. 66, læg 873.

	Abschrift.	Anlage 8
416. Infanterie Division		*Div.St.Qu., den 9.3.1943.*
Abteilung IC		

---

49 WB Dänemarks aktivitetsberetning 31. marts 1943 omtaler ikke, at han var gået ind på et sådant forslag.

Br. B. Nr. 859/43 geh. Geheim!

Betr.: Sicherung lebenswichtiger Objekte durch dänische Polizei.
Bezug: Standortkommandantur (L), Aalborg, Br. B. Nr. 236/43 geh. vom 3.3.1943.[50]
Anl.: – 1 –

An den Befehlshaber der deutschen Truppen in Dänemark,
Kopenhagen.

Die Division überreicht in der Anlage ein Schreiben des Standortkommandanten von Aalborg, das im zweiten Absatz die Anregung enthält, bei Bereitschaftsstufe I die dänische Polizei zur Sicherung der lebenswichtigen Objekte mit heranzuziehen.

Diesem Vorschlag pflichtet die Division vollinhaltlich bei und bittet, über den Bevollmächtigten des Deutschen Reiches beim dänischen Justizministerium einem Erlaß zu erwirken, der die Beteiligung der dänischen Polizei an Sicherungsaufgaben der Deutschen Wehrmacht bei Bereitschaftsstufe I und II generell für ganz Jütland anordnet.

gez. **Brabänder**

228. OKW/WFSt an das Auswärtige Amt 10. März 1943

OKW meddelte AA, at Hitler havde beordret, at der skulle udfærdiges en ny, væsentligt skarpere note til den danske regering. Noten skulle indeholde besked om, at hvis den danske hærs mobiliseringsforberedelser ikke øjeblikkeligt blev indstillet, ville den danske hær blive opløst, og officererne blive gjort til krigsfanger.
  Kilde: BArch, Freiburg, RW 4/642. RA, Danica 1069, sp. 1, nr. 593.

Oberkommando der Wehrmacht *F.H.Qu., den 10. März 1943*
Nr. 001189/43 g. K./WFSt/Qu.(III) 2 Ausfertigungen
2. Ausfertigung

Betr.: Mobilmachungsvorarbeiten der dänischen Armee.

An das Auswärtige Amt z. Hd. Herrn Botschafter Ritter.

Anliegend werden folgende Unterlagen übersandt:
1.) Abschrift des Fernschreibens vom 5.3.43 des Befh. der deutschen Truppen in Dänemark.[51]
2.) Abschrift des Schreibens vom 6.3.43 des Befh. der deutschen Truppen in Dänemark.[52]
3.) Abschrift der Mobilmachungsorder für den dänischen Kapitän Gelardi.[53]

---

50 Trykt ovenfor.
51 Trykt ovenfor.
52 Trykt ovenfor.
53 Se von Hanneken 6. marts 1943.

MARTS 1943

4.) Abschrift des Schreibens des Generals Görtz vom 5.3.43.[54]

Der Führer hat angeordnet, daß auf Grund dieser Vorgänge eine neue, wesentliche schärfere Note als die vom Auswärtigen Amt mit Fernschreiben vom 24.2.43 Po. I M 504/43 g. Kdos. vorgesehene, den Dänen zu überreichen ist.[55] Die Note soll die Feststellung enthalten, daß, wenn diese Mobilmachungsvorbereitungen nicht sofort eingestellt und hierüber in bemessener Frist nicht eine amtliche Erklärung der Dänischen Regierung der Reichregierung vorliegt, das dänische Heer aufgelöst und die dänischen Offiziere in Kriegsgefangenschaft überführt würden.

Es wird gebeten, einen Vorschlag entsprechend der Anordnung des Führers hierher zu übermitteln.

Der Chef des Oberkommandos der Wehrmacht

I.A.

4 Anlagen.

229. Emil Wiehl: Vermerk 10. März 1943

Det blev i AA overvejet om den dansk-finske samhandel kunne omlægges, så Finland i højere grad modtog varer fra Tyskland, og Danmark i øget omfang leverede til Tyskland. Det kunne give problemer, og Wiehl stillede spørgsmålet til overvejelse.

Kilde: RA, pk. 202 (udkast med håndskrevne tilføjelser og rettelser).

Geheime Reichssache   zu HA Pol 394/43 g.Rs.
Hergestellt in 5 Exemplaren
Dies ist Nr. 2

10. März [194]3

Diplogerma Helsinki   Geh. Vermerk für Geh. Reichssachen
Ref.: LR. Baron v. Behr
Betr.: Dänische Lieferungen an Finnland.
Auch für Schnurre   Cito!

Auf Telegramm 472 vom 27. Februar.[56]
Reichsminister wäre grundsätzlich damit einverstanden, daß im Sinne dortigen Vorschlages unmittelbare dänische Lieferungen nach Finnland möglichst eingeschränkt und dänische Erzeugnisse grundsätzlich nach Deutschland eingeführt werden, dagegen Finnland noch mehr als bisher von Deutschland aus beliefert würde. Durchführbarkeit einer solchen Verlagerung erscheint jedoch zweifelhaft im Hinblick auf durch Verlagerung entstehende erhöhte Belastung deutsch-dänische Clearings, wogegen Finnland jetzt einen Teil seiner Bezüge aus Dänemark mit Hilfe schwedischer Kredite finanziert,

54 Se von Hanneken 6. marts 1943.
55 Fjernskrivermeddelelsen er ikke medtaget, da indholdet fremgår af Bests telegram 19. februar og Schnurres optegnelse 20. februar.
56 Telegrammet er ikke lokaliseret.

336 MARTS 1943

wofür Dänemark aus Schweden Waren erhält, die wir ihn nicht liefern können. Auch würde Verlagerung sicherlich bald in Dänemark und Finnland bekannt werden und unerwünschte Reaktionen hervorrufen.

Erbitte Stellungnahme.

Wiehl

230. Werner Best an das Auswärtige Amt 10. März 1943

Best havde fået AAs tilladelse til at omstille værnemagtskontoen fra RM til kroner, hvilket han havde meddelt statsminister Erik Scavenius.

Se Wiehl til RWM o.a. 13. marts 1943.

Kilde: BArch, R 901 68.712. BArch, R 901 113.554. RA, pk. 271.

Telegramm

Kopenhagen, den	10. März 1943	22.00 Uhr
Ankunft, den	10. März 1943	23.05 Uhr

Nr. 260 vom 10.3.43.

Betr.: Auf Telegramm Nr. 338[57] vom 6.3.43.

Die genaue Höhe der Wehrmachtsanforderungen für das kommende Vierteljahr wird von der Verbindungsstelle im Einvernehmen mit den Intendanten der Wehrmachtsteile noch festgestellt. Es ist aber bereits zu übersehen, daß mit wesentlich höheren Beträgen als bisher gerechnet werden muß. Die Durchführung der großen Bauvorhaben wird nicht an der Beschaffung der Baumaterialien scheitern, weil das erforderliche Material für die nächsten Monate bereits vorhanden ist und die Anlieferungen aus den Wehrmachtskontingenten laufend weitergehen. Auch Arbeitskräfte stehen in ausreichendem Masse zur Verfügung.

Die Voraussetzungen für die Verwertung des Zugeständnisses hinsichtlich der Kontoumstellung sind daher als gegeben anzusehen. Ich habe deshalb heute dem Staatsminister von unserem Zugeständnis Kenntnis gegeben und hinzugefügt, daß die Umstellung des Besatzungskostenkontos von Reichsmark auf Dänenkronen als eine banktechnische Maßnahme aufzufassen sei, die an dem Charakter des Kontos nichts ändern würde. Unter Hinweis auf die bevorstehende Erhöhung der Wehrmachtsausgaben habe ich der Erwartung Ausdruck gegeben, daß dies Entgegenkommen, das einen lange gehegten dänischen Wunsch erfüllt, in den künftigen Verhandlungen über den Wehrmachtsbedarf gebührend berücksichtigt werden möge.

Dr. Best

57 Ha Pol VI 924. Wiehls telegram er trykt ovenfor.

231. Werner Best an das Auswärtige Amt 10. März 1943

Forhandlingerne med AA om udgifterne i forbindelse med standsningen af byggeriet af St. Petri Skole pågik, og Best forelagde forskellige udgiftsposter til ministeriets endelige afgørelse, idet han ønskede AAs fuldmagt til at forhandle med private donatorer om pengetilskud.

AAs svar er ikke lokaliseret.

I marts 1943 var Oberregierungsbaurat Schäfer på en af adskillige tjenesterejser til byggeriet, og han anslog 26. marts, at omkostningerne ved en færdiggørelse ville udgøre otte millioner kroner, heraf alene arkitektudgifter på 500.000 kr. Skolen var tegnet af den tyske arkitekt, professor Werner March, men det var den danske arkitekt Axel Wanscher, der forestod byggeriet og i talrige skrivelser søgte, dels at få arbejdet videreført, dels at få sit tilgodehavende udbetalt (se den tyske rigsbankdirektions direktør til AA 20. august 1943. Akter i RA, pk. 290).[58]

Sagen tog først en ny vending året efter. Se Bests telegram nr. 311, 8. marts 1944.

Kilde: PA/AA R 100.355.

Telegramm

Kopenhagen, den	10. März 1943	22.10 Uhr
Ankunft, den	10. März 1943	23.05 Uhr

Nr. 261 vom 10.3.[43.]

Auf Drahterlaß Nr. 336[59] vom 6.3.43.

1.) Für Schulbau sind noch 175.000 Kronen vorhanden.

2.) Bei Bauprogramm zur Unterdachbringung sind außer diesem Betrag noch 205.000 Kronen als Rechnungs-Spitzenbeträge nötig.

3.) Hinzukommen bei sofortiger Einstellung des Baues 75.000 Kronen für Aufräumungsarbeiten usw., für laufende Ausgaben etwa 85.000 Kronen. Ferner müßte mit Abfindung an Bauunternehmer vielleicht in Höhe von 135.00 Kronen gerechnet werden.

4.) Für die mit Oberbaurat Schaefer besprochene beschränkte Fertigstellung des Baues sind einschließlich Ausgaben zu 2) und 3) insgesamt 1,5 Millionen Kronen erforderlich.

5.) Dieser Betrag ist von privater Geldgeberstelle in Aussicht gestellt worden. Erbitte Ermächtigung zur Verhandlung mit diesem Geldgeber. Verhandlungen würden erleichtert, wenn Garantie des Reiches angeboten werden könnte. Sollten Verhandlungen mit diesem Geldgeber nicht zum Ziel führen, erbitte Ermächtigung zu Verhandlung mit Hypothekenbank.

Wäre für baldigen Drahtbescheid besonders dankbar.

Dr. Best

---

58 Når en så fremtrædende tysk arkitekt som Werner March havde tegnet St. Petri Skole, er det i sig selv et vidnesbyrd om, at der var tale om et prestigeprojekt. March var bl.a. arkitekt for det olympiske anlæg i Berlin og Hermann Görings privatbolig Carinhall.

59 [...] alt S 2190. Telegrammet er ikke lokaliseret.

232. Heinrich Himmler an Werner Lorenz 11. März 1943

Himmler søgte gennem sin personlige autoritet at få det tyske mindretal til at stemme på DNSAP, og ville have Lorenz til at få Berger til at tage sig af sagen.

Det var Behrends, der svarede Himmler endnu samme dag.

Kilde: RA, Danica 1069, sp. 6, nr. 7142, RA, pk. 443. PKB, 14, nr. 155.

Fernschreiben

An SS-Obergruppenführer Werner Lorenz
Berlin

Lieber Werner!
Aus der Zeitung entnehme ich, daß sich die Deutsche Volksgruppe bei den Wahlen in Dänemark nicht beteiligt. Mir ist diese Entscheidung zwar vorher nicht vorgelegt worden, ich bin aber, da sie richtig ist, damit einverstanden.

Besprechen Sie bitte sofort mit SS-Obergruppenführer Berger, der ja die germanischen Dinge zu bearbeiten hat, daß ich es für richtig hielte, wenn die deutsche Volksgruppe geschlossen die dänische nationalsozialistische Liste wählen würde, denn wir dürfen bei den dänischen Nationalisten keinen Stimmenrückgang haben.

Über das Ergebnis der Besprechung bitte ich mir FS. zu schicken. Ich werde Ihnen dann für die Deutsche Volksgruppe einen entsprechenden Befehl durchgeben.

Heil Hitler
Ihr
gez. **H. Himmler**

fernschriftlich gleichzeitig
zur Kenntnisnahme an SS-Gruppenführer Berger.
11.3.1943. RF/V.

233. Hermann Behrends an Heinrich Himmler 11. März 1943

VOMI orienterede Himmler om Bests forhandlinger med det tyske mindretal vedrørende dets stilling til deltagelse i det kommende valg. Det var Himmlers ressortområde, og han søgte at gribe aktivt ind.

Kilde: BArch, NS 19/3473. RA, pk. 443.

VOMI Berlin FS. Nr. 442   11.3.43   17.15 [Uhr]

An Reichsführer-SS

Reichsführer,
bestädige FS vom 11.3 – 16.30 – über Wahlbeteiligung deutsche Volksgruppe. Ogruf. Lorenz und Gruf. Berger zurzeit auf Dienstreise. Habe Angelegenheit mit Brif. Juers besprochen. Entscheidung ist durch Gruf. Best in Kopenhagen gefällt worden.

Gründe:

MARTS 1943

Stimmenrückgang der Volksdeutschen in Höhe von 6.000 (also die Hälfte der Wahlberechtigten) durch Einziehung und Arbeitseinsatz im Reich.

Genehmigung deutscher Kanzlei für die Volksgruppe beim Staatsminister.

Habe mit Brif. Juers vereinbart, Rücksprache mit Gruf. Best, den ich Morgen, den 12.3 im Laufe des Tages fernmündlich über Geheimleitung erreichen kann. Gebe Besprechungsergebnis durch FS.

Heil Hitler

gez. **Behrends**

SS-Brigadeführer und Generalmajor der Polizei

802 Nr. 442 11.3.43 vhwd/mattmann

234. Werner Best an Joachim von Ribbentrop 11. März 1943

Best var af AA blevet bedt om en bedømmelse af, hvordan DNSAP ville klare sig ved det forestående valg. Vurderingen var moderat, ikke overdrevet med hensyn til det forventede resultat. Til gengæld tillagde Best Frits Clausen overdrevne forestillinger om valgresultatet, hvor han tidligere refererede Clausen for at være mindre forventningsfuld (se telegrammet 12. februar 1943). Måske har den teoretiske mulighed af at opnå stemmer fra det tyske mindretal påvirket Clausens vurdering, ellers har Best ganske enkelt tillagt Clausen en optimisme, der ikke var dækning for (Poulsen 1970, s. 381).
Kilde: PA/AA R 29.566. PKB, 13, nr. 394.

Telegramm

Kopenhagen, den	11. März 1943	19.40 Uhr
Ankunft, den	11. März 1943	20.40 Uhr

Nr. 269 vom 11.3.[43.]

Für Herrn Reichsaußenminister persönlich.

Auf Telegramm Nr. 367[60] vom 10. März berichte ich, daß nach meiner Auffassung nicht zu befürchten ist, daß die Partei des Dr. Frits Clausen in der Folketingswahl eine Einbuße erfährt. Dr. Clausen selbst ist nach wie vor höchst zuversichtlich und rechnet mit Erfolgen (er schwankt in seinen Prognosen zwischen 8 und 15 Mandaten), an die ich wiederum nicht glaube.

Zahlenmäßig ist folgendes festzustellen: In der Wahl 1939 hat Dr. Clausen 3 Mandate errungen, von denen ihm eines durch das Abschwenken des gewählten Abgeordneten wieder verloren ging. Da in der Wahl 1939 mit 31.000 Stimmen 3 Mandate errungen wurden und Dr. Clausen heute etwa 30.000 eingeschriebene Parteimitglieder zu haben behauptet, müßten in dieser Wahl die Stimmen der Parteimitglieder ungefähr ausreichen, um die 3 Mandate von 1939 wieder zu erringen.[61] Dr. Clausen rechnet aber sowohl auf eine Zunahme der Stimmen im Land wie auch insbesondere auf die

60 Pol VI ohne Nr. Telegrammet er ikke lokaliseret.
61 DNSAP havde lige godt 20.000 medlemmer ved denne tid (Lauridsen 2002a, s. 520).

Stimmen der mindestens 30.000 dänischen Arbeiter im Reich und der dänischen Freiwilligen. Schließlich hat Dr. Clausen in der letzten Zeit eine sehr geschickte Propaganda in Nordschleswig betrieben (im Einvernehmen mit dem Führer der deutschen Volksgruppe), die wohl dazu führen wird, daß außer vielen Dänen in Nordschleswig ein Teil der Volksdeutschen, die nicht mehr für ihre Volksgruppe zur Wahl gehen, ihre Stimmen für Dr. Clausen abgeben werden.

Bei den sogenannten "Splittergruppen" kann man von Stimmen, die für Dr. Clausen zu gewinnen wären, kaum sprechen, da diese Gruppen im allgemeinen nur aus wenigen Mitgliedern bestehen und in der Bevölkerung keinen Anhang haben.

Zusammenfassend gebe ich meiner Überzeugung Ausdruck, daß Dr. Clausen mindestens die 3 Mandate von 1939, darüber hinaus vielleicht einige weitere Mandate, erlangen wird. Eine Verdoppelung der Stimmen und Mandate von 1939 halte ich für die äußerste Höchstgrenze.

Dr. Best

235. Werner Best an das Auswärtige Amt 11. März 1943

Best videregav den officielle meddelelse om oprettelsen af et kontor for det tyske mindretal under Statsministeriet, idet han frarådede, at aftalen derom fik mellemstatslig karakter (Noack 1975, s. 148).

> Kilde: PA/AA R 29.566. RA, pk. 237. PKB, 14, nr. 154.

Telegramm

| Kopenhagen, den | 11. März 1943 | 20.15 Uhr |
| Ankunft, den | 11. März 1943 | 20.40 Uhr |

Nr. 270 vom 11.3.43.

Im Anschluß an Drahtbericht 251 (D VIII) v. 9.3.43.[62]

Die Einrichtung eines volksdeutschen Büros beim dänischen Staatsministerium ist nach Verhandlungen, die im Einvernehmen mit mir der Volksgruppenführer unmittelbar mit dem Staatsminister geführt hat, zwischen dem Volksgruppenführer und dem Staatsminister vereinbart worden. Die Vereinbarung, die am 10.3. d.Js. von der dänischen Regierung veröffentlicht wurde, hat den folgenden Wortlaut (Übersetzung): "Da die deutsche Volksgruppe auf Grund der besonderen Verhältnisse nicht beabsichtigt, sich an den bevorstehenden Reichstagswahlen zu beteiligen, und da die Regierung Wert darauf legen muß, daß es der Volksgruppe ermöglicht wird, die Verbindung mit ihr aufrechtzuerhalten, hat man beschlossen, eine Stelle beim Staatsministerium zu errichten, durch die die Volksgruppe unter diesen Verhältnissen die Möglichkeit erhält, der Regierung Fragen, die die Interessen der Volksgruppe berühren, vorzutragen. Auf Grund des Finanzgesetzes werden die zur Bestreitung der Unkosten des Büros notwendigen Mittel zur Verfügung gestellt."[63]

62 Trykt ovenfor.
63 Trykt på dansk hos Alkil, 1, 1945-46, s. 215.

Unsere politische Stellung in Dänemark bietet m.E. die zuverlässige Garantie dafür, daß sich die dänische Regierung an diese Abmachung hält. Ich halte es deshalb weder für notwendig noch für zweckmäßig, wegen des volksdeutschen Büros eine zwischenstaatliche Vereinbarung zu treffen. Sie würde für das Reich nur eine unnötige Bindung bedeuten, während uns der jetzige Zustand für die Zukunft alle Möglichkeiten der Gestaltung des Verhältnisses der Volksgruppe zum dänischen Staat offen läßt.

Dr. Best

236. Werner Best an das Auswärtige Amt 11. März 1943

Best meddelte, at von Hanneken ville oprette et kontor under værnemagten, der skulle tage sig af alle retlige spørgsmål vedr. forsvarsanlæg i det militære beskyttelsesområde i Danmark. Von Hanneken havde direkte henvendt sig den danske regering for at få ordningen indført. Regeringen havde på sin side henvendt sig til Best, der nu også med henvisning til sit telegram af 8. marts ville have AA til at gribe ind til hans fordel. Det var Bests opfattelse, at von Hanneken trængte sig ind på Bests kompetenceområde.

Kilde: PA/AA R 29.566. RA, pk. 202.

Telegramm

| Kopenhagen, den | 11. März 1943 | 20.00 Uhr |
| Ankunft, den | 11. März 1943 | 20.40 Uhr |

Nr. 273 vom 11.3.[43.]

Im Anschluß an Drahtbericht Nr. 245[64] vom 8. März 1943.

Befehlshaber beabsichtigt Einrichtung eines Schutzbereichamtes der Wehrmacht, dem die einheitliche Bearbeitung aller sich aus dem Bau militärischer Anlagen innerhalb des militärischen Schutzbereiches in Dänemark ergebenden rechtlichen Fragen und die Regelung von Entschädigungsansprüchen obliegen soll. Aus diesem Anlaß hat sich Befehlshaber unmittelbar an dänische Regierung mit der Forderung gewandt, die für die Durchführung der militärisch notwendigen Maßnahmen im Schutzbereich und für die Funktion des Schutzbereichamtes erforderlichen Anordnungen zu treffen. Dänische Regierung wandte sich daraufhin an mich und bat, mit mir Verhandlungen aufnehmen zu dürfen. Befehlshaber hat erklärt, daß es sich um rein militärische Angelegenheit handele und er auf Grund der ihm erteilten Ermächtigung die Belange der Wehrmacht gegenüber der dänischen Regierung zu vertreten, eine Regelung in unmittelbarer Verhandlung mit dänischer Regierung wünsche. Die Schutzbereichsmaßnahmen sind zwar militärisch bedingt, bedeuten aber andererseits einen erheblichen Eingriff in die zivile dänische Verwaltung. Schon im Hinblick auf die grundsätzliche Bedeutung der Frage und auf die Ansehensminderung, die durch meine Ausschaltung aus dieser wichtigen, den ganzen dänischen Staat berührenden Angelegenheit verursacht würde, halte ich es für untragbar, daß es dem Befehlshaber überlassen bleibt, die Frage unmittelbar mit der

64 Pol. VI gRs. Trykt ovenfor.

342 MARTS 1943

dänischen Regierung zu regeln. Ich bitte deshalb aus diesem konkreten Anlaß um baldige Entscheidung im Sinne meines obenbezeichneten Drahtberichts.

Dr. Best

237. Das Auswärtige Amt an Werner Best 11. März 1943

Bergmann havde udfærdiget et telegram til Best med ønsker til formen, hvorunder det tyske kontor under Statsministeriet blev oprettet. Imidlertid gjorde en telefonopringning til Danmark det klart, at den sag allerede var løst på den måde, som Best fandt bedst.

Telegrammet bærer påskriften: cessat og er ikke blevet afsendt.

Kilde: PA/AA R 29.566 og R 100.355. PKB, 14, nr. 153.

Telegramm

Berlin, den   … März 1943.

Diplogerma Kopenhagen   zu Akt. Z. D VIII 932/43 I
Nr. …
Referent: LR Dr. Reichel.
Betreff: Volksdeutsches Büro.

Auf Telegramm Nr. 248 vom 8.3.[65]
Zu Punkt 4: Deutsches Büro müßte nach Möglichkeit zwischenstaatlich verankert werden. Bitte daher anzuregen, daß Errichtung deutschen Büros durch Notenwechsel vereinbart wird; wenn das nicht erreichbar, so müßte dänische Regierung der Gesandtschaft amtlich Mitteilung über deutsches Büro machen, die darauf zu bestätigen wäre. Drahtbericht.

Bergmann

Vermerk:
Die Angelegenheit wurde mit Ges. Rat Kassler, Kopenhagen aus anderem Anlaß fernmündl. besprochen. Dr. Kassler teilt mit, daß bereits eine schriftliche Vereinbarung zwischen der Dänischen Regierung und der deutschen Volksgruppe in Nordschleswig über die Errichtung des deutschen Büros vorliege. Der Reichsbevollmächtigte sei im übrigen der Ansicht, daß es keine zwischenstaatliche Angelegenheit sei und habe von einem Notenwechsel Abstand genommen. Im übrigen wird Dr. Kassler durch Fernschreiben über den Stand der Angelegenheit berichten.

Berlin, den 11.3.1943.

Reichel

65 Trykt ovenfor.

238. Raul Mewis an OKM 11. März 1943

Admiral Mewis kunne meddele detaljer om den danske marinemotorbåd "Søridderen", der samme dag var sejlet til Sverige, hvor 10 personer var stået af, hvorefter båden var returneret. Der havde været tale om et planlagt overfald, hvor både civilister og en del af besætningen deltog. Overfaldsmændene havde truet med pistoler for at gennemføre deres forehavende. Den danske marineledelse forsikrede, at der var tale om et enkeltstående tilfælde, og der var straks fra dansk side taget de nødvendige forholdsregler og indledt en krigsretlig undersøgelse. Mewis betragtede heller ikke tilfældet som alarmerende, den danske marines samarbejde var loyalt, men Best var blevet bedt om hos den danske regering at foranledige, at Sverige udleverede de flygtede som kriminelle.

UMs henvendelse til Sverige for at få de flygtede tilbage førte ikke til noget resultat (Prip 1979, Kirchhoff, 3, 1979, s. 129 note 34, Roslyng-Jensen 1980, s. 143-146, 465).

Best orienterede AA den følgende dag.

Både Mewis og Best gik videre med sagen, idet den blev nedtonet, og den her gengivne fjernskrivermeddelelses indhold fulgt. Det blev taget til følge hos Seekriegsleitung og i OKW. I en notits fra Amt Ausland/ Abwehr 16. marts 1943 til OKWs chef stod afslutningsvis: "Nach Ansicht des Admirals Dänemark und des Reichsbevollmächtigten des Reichs wäre der Vorfall als Einzelfall anzusehen, der die im übrigen loyale Haltung der dänischen Marine nicht berühre." (BArch, Freiburg, RM 7/1187. RA, Danica 628, sp. 7, nr. 5280 (Adm Dän til OKM 1. Skl 13. marts) og 5285 (notits 16. marts)).

Kilde: BArch, Freiburg, RM 7/1187. RA, Danica 628, sp. 7, nr. 5274-77.

SSD MDKP 25808 11.3. 2320=

mit AÜ= SSD OKM 1 Skl=

Gltd SSD Ost= SSD Nord = SSD Nachr Ast Khagen=

SSD Nachr Trubef Dän= SSD OKM 1 Skl=

Geheim

Im Anschluß an Adm. Dän. Fs G 4338 v. 11.3.[66] wird gemeldet:

Bei Adm. Dän. heute Nachmittag stattgefundenen Unterredung, zu der Dän Mar Befehlshaber gebeten, hat folgendes Ergebnis gezeigt:

1.) Es handelte sich um Überfall durch 6 bewaffnete Zivilisten 1 Heeresangehörigen, im Einverständnis mit 3 untersten Dienstgraden der Besatzung, davon 1 Maschinen-, 1 Deckspersonal, 1 Signalgast. Leute Nachts an Bord im Steuermaschinenraum verborgen gehalten.

2.) Überfall erfolgte beim Mittagessen, Unerfahrener wo durch vorgehaltene Pistole zur Fahrt nach N gezwungen, lehnte Verantwortung ab, worauf Kdt auf Brücke gebracht.

3.) Verlangte Fahrt mit M-Boot England von Kdt abgelehnt, dagegen Landung in Arild erzwungen. Dort gesamte 10 Mann mit Beiboot an Land.

4.) Kdt kehrte sofort mit M-Boot Khagen zurück.

5.) Sofortmaßnahmen Dän. Kr-Marine:

    a.) Orl Kpt Prip seines Postens Kdt "Söridderen" und Chef der dritten MS-Gruppe sofort enthoben und festgesetzt.

    b.) Sämtliche Kr-Schiffe und Fahrzeuge Befehl erhalten, vor jedem Auslaufen aus Hafen genaueste Durchsuchung auf fremde Personen vorzunehmen. Gleicher Befehl für Zivilfahrzeuge des Mar Min (Tonnenleger usw.).

---

66 Denne første meddelelse er ikke lokaliseret.

344 MARTS 1943

c.) Sofortige kriegsger. Untersuchung eingeleitet.

d.) Unterrichtung dän. Reichspolizei, da Täter wahrscheinlich z.Zt. polizeilich gesucht.

Dän. Mar. Befehlshaber hält Vorkommnisse für Einzelfall wird sein Offz. Korps auf hiesiges Ersuchen auf ernst entstandener Lage und ernsteste Folgen Wiederholungsfall persönlich hinweisen.

Adm. Dän. Rückkehr voller Besatzung außer den drei Komplizen als Zeichen gewisser Zuverlässigkeit im allgemeinen. Dän. Adm. steht weiter für loyale Mitarbeit ein, bei starkem Einfluß engl. Propaganda naturgemäß nicht für jeden einzelnen Mar-Angehörigen.

Adm. Dän. erhält laufend Bericht über Fortgang Untersuchung. Weitere Maßnahmen Adm. Dän. werden vom Ergebnis laufender Untersuchung abhängig gemacht.

Reichsbevollm. unterreichtet und gebeten, Forderung Auslieferung Täter als kriminelle Verbrecher bei dän. Reg. durchzusetzen.

Adm. Dän. 4338 zweite ang.

239. Auswärtiges Amt: Notiz 12. März 1943

I AA blev der udarbejdet et notat, der klart tog stilling for Best i kompetencestriden med von Hanneken om, hvorvidt von Hanneken kunne kontakte den danske regering direkte. Det blev fastholdt, at det var Bests område, og at von Hanneken alene kunne rette henvendelse til den danske forsvarsminister i militære anliggender.

Se Ritters telegram til Best 13. marts 1943.

Kilde: RA, Danica 1069, sp. 12, nr. 15.437-40.

Notiz

Zwischen dem Bevollmächtigten des Reichs in Dänemark und dem dortigen Befehlshaber der deutschen Truppen sind Meinungsverschiedenheiten darüber entstanden, ob der Befehlshaber zu unmittelbaren Verhandlungen mit der Dänischen Regierung befugt ist. Der Befehlshaber nimmt dieses Recht offenbar für sich in Anspruch und hat in den letzten Monaten wiederholt einen unmittelbaren Schriftwechsel mit der Dänischen Regierung, insbesondere auch dem dänischen Außenministerium, geführt. In den meisten dieser Fälle hat sich die Dänische Regierung dann ihrerseits an den Bevollmächtigten des Reichs gewandt und ihn um Vermittlung gebeten. Bei einer freundschaftlichen Aussprache über diese Frage hat sich General von Hanneken auf einen Befehl des OKW vom 4. Mai 1942 und einen Befehl des OKH vom 19. April 1940 berufen, in denen gesagt ist, daß der Befehlshaber die militärischen Belange aller Wehrmachtsteile einheitlich "gegenüber der Dänischen Regierung" zu vertreten hat.

Das Auswärtige Amt hat seinerzeit durch einen Erlaß vom 12. April 1940, also unmittelbar nach dem Einmarsch in Dänemark, dem Bevollmächtigten des Reichs folgende Instruktion erteilt:

"Militärischer Befehlshaber ist für alle sich aus seinem Auftrag ergebenden rein militärischen Maßnahmen zuständig und verantwortlich. Soweit in rein militärischen Fragen Verhandlungen mit Dänischer Regierung als solcher notwendig werden, sind diese

Verhandlungen von Ihnen zu führen. Dagegen sind Verhandlungen mit dänischen Militärressorts Sache des Militärbefehlshabers.

Ob es sich um rein militärische Angelegenheiten handelt oder nicht, kann nur nach den Umständen des Einzelfalles entschieden werden. Es versteht sich von selbst, daß Sie in allen zu Ihrer Zuständigkeit gehörenden Fragen, die direkt oder indirekt militärische Interessen berühren, in engster persönlicher Fühlungnahme mit militärischem Befehlshaber vorzugehen haben."

Diese Instruktion entsprach der damals vom Führer getroffenen grundsätzlichen Entscheidung über die Stellung des Bevollmächtigten des Reichs und des Befehlshabers. Die darin angegebene Abgrenzung der beiderseitigen Kompetenzen hat sich seither praktisch in jeder Beziehung bewährt. Dem Auswärtigen Amt ist kein Fall bekannt geworden, in dem es in dieser Beziehung zu Meinungsverschiedenheiten zwischen dem Bevollmächtigten des Reichs und den früheren Befehlshabern der deutschen Truppen gekommen wäre. Wenn im Herbste vorigen Jahres der von uns in Dänemark zu verfolgende Kurs eine Änderung erfahren hat, so ist doch nicht die Rede davon gewesen, daß damit auch das interne Verhältnis zwischen dem Bevollmächtigten des Reichs und dem Befehlshaber geändert werden sollte. Der neue Bevollmächtigte des Reichs, Dr. Best, ist daher bei seiner Ernennung auf die obenangeführte Instruktion des Auswärtigen Amtes als auch jetzt noch maßgebend verwiesen worden.

Von den von General von Hanneken neuerdings gegenüber Dr. Best erwähnten Befehlen ist der Befehl des OKW vom 19. April 1940 dem Auswärtigen Amt seinerzeit vom OKW zur Kenntnisnahme mitgeteilt worden. Das Auswärtige Amt hat diesen Befehl damals nicht beanstandet, weil es ihn nicht so verstanden hat, als ob der Befehlshaber damit ermächtigt werden sollte, in militärischen Angelegenheiten auch mit der Dänischen Regierung als solcher, d.h. also mit dem dänischen Ministerpräsidenten oder auch noch mit anderen Ministern als dem Verteidigungsminister, unmittelbar in Verbindung zu treten. Das Auswärtige Amt hat vielmehr angenommen, daß durch die Fassung des Befehls nur die einheitliche Vertretung aller drei Wehrmachtsteile durch den Befehlshaber zum Ausdruck gebracht, daß damit aber nicht festgelegt werden sollte, mit welchen dänischen Instanzen der Befehlshaber in unmittelbare Verbindung zu treten hätte.

Das Auswärtige Amt muß auch jetzt auf dem Standpunkt bestehen, daß der unmittelbare Verkehr des Befehlshabers mit dänischen Zentralinstanzen nur insoweit in Frage kommen kann, als es sich dabei um den dänischen Verteidigungsminister handelt. Wenn in militärischen Fragen ein Herantreten an die Dänische Regierung als solche oder an andere dänische Ressorts notwendig ist, so beweist dies ohne weiteres, daß die Angelegenheit nicht nur eine rein militärische, sondern eine darüber hinausgehende anderweitige Bedeutung, insbesondere eine politische Bedeutung, hat. In diesen Fällen muß sich daher der Befehlshaber an den Bevollmächtigten des Reichs wenden, da dieser allein die gesamten Belange der Politik, Verwaltung und Wirtschaft wahrzunehmen hat. Dies wird auch in dem Befehle des OKH vom 19. April 1940 ausdrücklich festgestellt.

Das Auswärtige Amt bittet daher, daß das OKW den Befehlshaber in Kopenhagen erneut mit entsprechender Weisung versieht.

Berlin, den 12. März 1943.

[uden underskrift]

240. Werner Best an das Auswärtige Amt 12. März 1943

Best meddelte, at den danske minestryger "Søridderen" var blevet overtaget af en del af mandskabet, der var sejlet til Sverige og var gået i land, hvorefter båden var returneret med den resterende besætning. Den danske marine havde straks taget sine forholdsregler og den danske regering ville rette henvendelse til Sverige for at få mandskabet udleveret.

Se endvidere AA til OKW og OKM 15. marts.
Kilde: BArch, Freiburg, RM 7/1187. RA, Danica 628, sp. 7, nr. 4286f.

Abschrift

T e l e g r a m m

Kopenhagen, den   12. März 1943

Nr. 276 vom 12.3.43.

Der Admiral Dänemark hat mir heute mitgeteilt, daß das Minensuchboot "Söridderen" der dänischen Marine von 7 unbekannten Männern, die sich an Bord versteckt hatten, überfallen wurde. Die Bewaffneten, die mit 3 Matrosen im Einvernehmen standen, schlossen die Offiziere und die gesamte Besatzung ein und versuchten, den Kommandanten zu zwingen, mit dem Schiff nach England zu fahren. Auf Ablehnung des Kommandanten hin erzwangen sie Landung bei Arild (Schweden), wo die 7 Angreifer und die 3 Meuterer mit Beiboot an Land gingen. Der Kommandant kehrte mit dem Schiff sofort nach Kopenhagen zurück.

Von Seiten der dänischen Marine wurden die folgenden Maßnahmen getroffen:

1.) Der Kommandant Orlogskaptajn Prip wurde seiner Stellung enthoben und wegen Schlappheit in Haft genommen.
2.) Sämtliche Fahrzeuge der dänischen Marine haben Befehl erhalten, vor jedem Auslaufen aus dem Hafen genaueste Untersuchung auf fremde Personen vorzunehmen.
3.) Kriegsgerichtliche Untersuchung ist eingeleitet.

Ich habe sofort die dänische Regierung ersucht, bei der schwedischen Regierung die Auslieferung der Flüchtlinge zu beantragen. Die dänische Regierung teilte mir darauf mit, daß sie bereits von sich aus die Einleitung des Auslieferungsverfahrens beschlossen habe.

Daß es sich bei dem Vorfall um einen gegen die dänische Marine gerichteten Gewaltakt verbunden mit Meuterei dreier Matrosen handelt, geht auch daraus hervor, daß die Angreifer die Besatzung des Schiffes beraubten, indem sie die Spinde der eingeschlossenen Besatzung erbrachen und Kleidungsstücke und andere Gegenstände mitnahmen. Nach der Auffassung des Admirals Dänemark und nach meiner Auffassung muß der Vorgang als Einzelfall betrachtet werden, der die im übrigen loyale Haltung der dänischen Marine nicht berührt.

Die dänische Regierung hat ihren Willen zum energischen Durchgreifen nicht nur durch den oben erwähnten Beschluß bewiesen, sondern entsendet bereits morgen den Exekutivchef der dänischen politischen Polizei und Departementschef Eivind Larsen nach Schweden, um die schwedische Polizei zu wirksamen Fahndungs- und Festnahme-Maßnahmen zu veranlassen.

[uden underskrift]

241. Raul Mewis an OKM 12. März 1943

Admiral Mewis var blevet bekendt med indholdet af den fjernskrivermeddelelse, som von Hanneken havde sendt til OKW/WFSt i anledning af Mewis' anmodning om at komme i afskedsaudiens hos den danske kronprins. Mewis reagerede skarpt på det: Det var hverken forståeligt, loyalt eller korrekt. Mewis havde ikke søgt at komme i audiens før WB Dänemark, von Hanneken havde heller ikke over for Mewis gjort sin holdning klar, og endelig delte de ikke opfattelse med hensyn til den danske befolknings stilling til sabotagen. Efter Mewis' opfattelse var hovedparten af befolkningen imod den.

Det var en salut fra en vred Admiral Dänemark, der kom med en sidste salut 26. marts 1943.

Kilde: BArch, Freiburg, RM 7/1187. RA, Danica 628, sp. 7, nr. 5278f.

Admiral Dänemark

B. Nr. Gkdos 710

Stabsquartier, d. 12. März 43.

Geheime Kommandosache!

An Oberkommando der Kriegsmarine 1. Skl. IC, Berlin.
nachrichtlich: Oberbefehlshaber der Marinestation der Ostsee, Kiel.

Im Nachgang zu hiesigem Fernschreiben des Kommandierenden Admiral Dänemark Gkdos 594 2. Ang. v. 7/III.[67]

Der Befehlshaber der deutschen Truppen in Dänemark hat zu dem hiesigen Antrag betr. Abschiedsbesuch beim dänischen Kronprinzen durch Adm. Dän. in einem Fernschreiben an das OKW/WFSt mit folgendem Zusatz Stellung genommen.

"Wenn auch Bevollmächtigter Dr. Best bei Außenminister Antrag über Aufnahme der Beziehungen der Wehrmacht zum König erneut gemacht hat, halte ich es für ausgeschlossen, daß Admiral Dänemark anläßlich seiner Abberufung aus Dänemark sich beim Kronprinzregenten abmeldet, während Befehlshaber der deutschen Truppen noch nicht beim König eingeführt ist. Wenn Antrag Admiral Dänemark positiv entschieden wird, muß zuerst Meldung Befehlshaber der deutschen Truppen beim Kronprinzregenten angeordnet werden.

Die vermehrten Sabotageangriffe der Dänen, u.a. erster Tätlichkeitsangriff auf Wehrmachtsangehörige – Bombenattentat in Kolding auf Nachrichten-Helferinnen-Heim am 25.2. – machen meines Erachtens z.Zt. eine militärische Annäherung an dänische Regierung unmöglich.[68]

pp."

Diese Stellungnahme ist

1.) *unverständlich*, da Befehlshaber der deutschen Truppen auf Grund der Aufnahme der Beziehungen zwischen Bevollmächtigtem des deutschen Reiches mit dem Kronprinzen *von sich aus* Antrag auf Aufnahme der Verbindung gestellt und diesen Antrag mit dem ablehnenden Bescheid mir zugeleitet hatte. Eine Änderung seiner Auffassung

---

67 Trykt ovenfor.

68 Den 25. januar fandt der et bombeattentat sted i Kolding mod et hus beboet af kvindelige medlemmer af værnemagten (telefonister). Aktionen blev udført af en gruppe lærlinge, og det lykkedes dem at såre seks kvinder, deraf en alvorligt. Det var det første direkte angreb på værnemagten i Danmark, og WB Dänemark reagerede voldsomt, bl.a. med en tale til dansk presse 27. februar (trykt PKB, 7, nr. 151. Jfr. Trommer 1973, s. 71f. og 1979, s. 273f.). Se endvidere Best til AA 13. marts 1943 med sabotageoversigten (sag 82).

über die Lage ist mir von ihm nicht zur Kenntnis gebracht worden. Ich mußte daher annehmen, daß mein Antrag auch in seinem Sinne lag.

2.) *nicht loyal*. Der Truppenbefehlshaber hat einmal *vor* Abgang seines Schreibens mich nicht über seine ablehnende Ansicht unterrichtet, des anderen bei dem zufälligen Zusammentreffen mir persönlich *nur* gesagt, daß er bei Genehmigung meines Antrages vorher seinen Besuch machen müsse, eine Auffassung, der ich selbstverständlich zustimmte. Wäre ich von ihm über seine abweichende Ansicht unterrichtet worden, so hätte ich dies in meinen Antrag zum Ausdruck gemacht.

3.) *in der Beurteilung der Lage m.E. nicht zutreffend*, da der größte Teil der dänischen Bevölkerung – gleichgültig wie sie zu Deutschland eingestellt – einschl. Königshaus Sabotageakte ablehnt.

Im Gegenteil gäbe eine Verbindung mit dem Kronprinzen dem militärischen Befehlshaber die Möglichkeit, mit allem Ernst und Nachdruck persönlich bei der höchsten dänische Stelle darauf Einfluß nehmen, daß von der dänischen Regierung und den zuständigen Stellen alles getan wird, um den Sabotageherd zu zerschlagen.

Mein Urteil über die dänische Einstellung den Kommunisten gegenüber – und diese sind die Saboteure – gründet sich immerhin auf eine fast 3-jährige Tätigkeit als Admiral Dänemark und deckt sich im übrigen mit der Auffassung des für die Politik verantwortlichen Bevollmächtigten des deutschen Reiches.

Ich habe die gewünschte Aussprache mit dem Befehlshaber der deutschen Truppen in Dänemark über diese Punkte für meinen Abschiedsbesuch vorgesehen.

Vorlage erfolgt lediglich zur Unterrichtung.

Mewis

242. Walter Schellenberg an Werner Best 12. März 1943

Fra tysk side blev der målbevidst arbejdet på at fjerne jøder fra ledelsen af tyskejede virksomheder i udlandet. Dog kunne andre hensyn udskyde sådanne foranstaltninger, som det fremgår af Schellenbergs brev sendt til Best via AA: Standard Electric i Danmark skulle beholde sin jødiske chef til de løbende forhandlinger om en aftale om arbejderrådgivning var afsluttet.

Dog synes Gunnar S.M. Gelberg at være fortsat som direktør til 1946, hvilket han havde været siden 1931. Se Bests telegram 18. marts (jfr. Yahil 1967, s. 102, der ikke kender Gelbergs videre karriere. Thomsen 1971, s. 258 og Brandenborg Jensen 2005, s. 116f.).

Kilde: PA/AA R 101.040. RA, pk. 228 og 438a. Lauridsen 2008a, nr. 72.

Telegramm

Berlin, den   12. März 1943.
Diplogerma Kopenhagen
Nr. 382
Referent: VK Geiger
Betreff: Weiterleitung eines Schreibens des SS-Staf. Dr. Schellenberg vom Amt VI des RSHA an den Bevollmächtigten des Reichs in Kopenhagen

Für Bevollmächtigten persönlich.   Geheim.

"Lieber Gruppenführer!
Als Vertreter des RSHA in der Standard Elektric AG (staatlich konzessionierte Holding) für die Lorenz AG Mix & Genest pp. darf ich mich mit einer Bitte an Sie wenden, die gleichzeitig vom Generalbeauftragten für das Nachrichtenwesen, Generalmajor Thiele, der ebenfalls in der Standard Elektric als Vertreter des Chefs des Nachrichtenwesens sitzt, unterstützt wird. Es handelt sich um die dänische Standard Elektric, die angeblich wie sich nachträglich erst jetzt herausstellt, von einem Juden namens Meyer-Gelberg geleitet wird. Wegen der unbedingten notwendigen Verlagerung von Aufträgen nach Dänemark hat der GBN der Lorenz AG bereits entsprechende Hilfe gewährt (einschlägiges Schreiben soll an Sie persönlich durch den GBN gerichtet worden sein).

Generalmajor Thiele ruft mich nun heute an und bittet, daß vorübergehend im Interesse sowohl der Standard Elektric als auch des OKW Meyer-Gelberg noch solange in seiner Position bleiben kann, bis die laufenden Verhandlungen über einen Arbeitsberatungsvertrag der Europäischen Standard Elektric mit der dänischen Standard Elektric zum Abschluß gekommen seien. Dieser Bitte trete ich ebenfalls bei. Ich werde dafür Sorge tragen, daß unverzüglich nach Abschluß des Arbeitsberatungsvertrages eine Änderung in der Leitung der dänischen Standard Elektric eintritt.

Mit bestem Dank im voraus. Heil Hitler! Stets Ihr
Schellenberg"
Bergmann

243. Heinrich Himmler an Konstantin Hierl 12. März 1943

RFSS reagerede på brevet fra rigsarbejdsfører Hierl 23. februar og bad ham vente med at trække sin repræsentant tilbage fra Danmark, i det mindste til efter valget.

Muligvis var henvendelsen koordineret med Bests tilsvarende henvendelse til Hierl, i hvert fald havde de samme hensigt. Hierl lod svare 19. marts.

Kilde: RA, pk. 443.

Der Reichsführer-SS   *Feld-Kommandostelle, 12. März 1943*
Ab. Nr. A. 36/43/43 g
Bezug: Dort. v. 23.2.1943[69]
Ausw. Nr. 1740-638/43

1.) *Lieber Parteigenosse Hierl!*
Ich bestätige mit bestem Dank den Empfang Ihres Schreibens vom 23.2.1943, mit dem Sie mir in Abschrift den Briefwechsel mit dem Auswärtigen Amt wegen des Verbindungsführers des Reichsarbeitsdienstes in Dänemark übersandten.

Ich wäre Ihnen zu großem Dank verpflichtet, wenn Sie den Verbindungsführer in Dänemark wenigstens für die nächsten Wochen, bis die Wahl dort vorbei ist, noch dort

69 Trykt ovenfor.

belassen könnten.

Heil Hitler!
Ihr
gez. **H. Himmler**

2.) SS-Gruppenführer Berger
Berlin

Durchschriftlich mit der Bitte um Kenntnisnahme übersandt.
I.A. RB [Rudolf Brandt]
SS-Obersturmbannführer

244. Hermann Behrends an Heinrich Himmler 12. März 1943

RFSS ønskede at det tyske mindretal skulle stemme på DNSAP ved valget, og det var Best, der forelagde forslaget for Jens Møller og Frits Clausen. Best meddelte, at Møller ønskede at stå frit med hensyn til valgets gennemførelse. VOMI foreslog derfor nogle punkter, så både AAs, Himmlers og Møllers synspunkter blev tilfredsstillet.

    Himmler svarede dagen efter.

    Kilde: BArch, NS 19/3473. PKB, 14, nr. 156.

VOMI Berlin FS. Nr. 444   12.3.43   21.32 [Uhr]

An den Reichsführer-SS,
    Feldkommandostelle.

Reichsführer.
Habe in Angelegenheit Wahl Dänemark mit Gruf. Best Rücksprache genommen. Gruf. Best mitteilte, daß bereits im Sinne ihres Vorschlages Verhandlungen zwischen Möller und Clausen angebahnt. Gruf. Best vertrat Auffassung, Teilnahme Wahl volksdeutscher an Liste Clausen, dabei jedoch Freiheit für Möller in Form der Durchführung.

    Im Einvernehmen mit Ostubaf. Riedweg schlage ich folgende Lösung vor:

1.) Stimmenthaltung bleibt nach außen aufrechterhalten.

2.) Tatsächliche Wahlbeteiligung der Volksgruppe an Liste Clausen.

3.) Durchgäbe dieser Anweisung erfolgt von Mund zu Mund.

4.) Möller erhält Genehmigung, wegen Wirkung auf Dänen, Gemäß veröffentlichter Stimmenthaltung, einzelne amtliche Vertreter der Volksgruppe von Wahl zurückzuhalten.

Heil Hitler,
Behrends
SS-Brigadeführer und Generalmajor der Polizei

245. Hermann Behrends an Rudolf Brandt 12. März 1943

Behrends måtte meddele RFSS, at det ikke var lykkedes at overtale det tyske mindretal til at stemme på DNSAP. Begrundelsen var, at det ville være illoyalt mod den danske regering, når man til gengæld for at afstå fra valget havde fået oprettet et tysk kontor under Statsministeriet. Møller stod fast ved beslutningen om at afholde sig fra valgdeltagelse.

Himmler svarede næste dag.

Kilde: RA, Danica 1069, sp. 6, nr. 7139. RA, pk. 443. PKB, 14, nr. 157.

VOMI Berlin FS. Nr. 447   12.3.43   21.42 [Uhr]
– ke –

An den Reichsführer-SS
    z.Hd. SS-Obersturmbannführer Dr. Brandt.

Lieber Kamerad Brandt.
Auf Grund unserer Rücksprache teile ich zu FS an RFSS ergänzend folgendes mit: Volksgruppe nimmt an, daß es nach den jetzt getroffenen Vereinbarungen mit der dänischen Staatsregierung illoyal sein würde sich an Wahl zu beteiligen, da durch Einrichtung deutscher Kanzlei im dänischen Staatsministerium die durch Stimmenthaltung verlorengehende Rechte von Regierung zugesichert worden sind, und damit stärkere Rechtstellung deutscher Volksgruppe geschaffen ist.

"Dr. Moeller glaubt, daß von dänischer Seite auf 100 prozentige Stimmbeteiligung hinarbeiten würde. Träte, was bei früherer Wähl schon vorgekommen ist, der Fall ein, daß nunmehr in einer kleineren Gemeinde die Wähler sich 100 prozentig beteiligten, und zwar natürlich dann nur für dänische Listen, so würde damit feststehen, daß die bisherigen deutschen Stimmen für eine dänische Partei abgegeben seien. Abgesehen von dem Vorwurf der Illoyalität steht in diesem Falle auch zu befürchten, daß die Auslandspropaganda sich in dem Sinne betätigt, daß die Deutschen nicht hinter dem Volksgruppenführer und damit dem Reich[70] stehen, daß also die Proklamation der Stimmenthaltung anscheinend nur aus Furcht davor erfolgt sei, daß diese Tatsache bei der Wahl sichtbar werde."

Vorschlage:
Wenn Wahl für Clausen stattfinden soll meinen Punkt 4 in FS an RFSS dahin zu erweitern: nach Entscheidung Möllers nicht nur für besondere Amtswalter sondern auch in Gemeinden, in denen Wahlbeteiligung auffällig wird, Stimmenthaltung durchzuführen.

Heil Hitler,
gez. **Behrends**
SS-Brigadeführer und Generalmajor der Polizei

+ 2200 ein (1) nr. 447 12.3.43 erh/grei v h w d.

---

70 Her er ordet rechts rettet til reich.

246. Emil Wiehl an der Reichswirtschaftsministerium, OKW u.a. 13. März 1943

Wiehl orienterede de berørte tyske instanser om omstillingen af værnemagtskontoen fra RM til danske kroner, herunder om de politiske forhold, der havde foranlediget beslutningen. Omlægningen var kædet sammen med det tyske ønske om en betydelig forøgelse af udgifterne til kystforsvaret.

AA sendte Best en kopi af brevet.

RFM reagerede på beslutningen til AA 8. april 1943.

Kilde: BArch, R 901 113.554. RA, pk. 271.

Durchdruck

Auswärtiges Amt   *Berlin, den 13. März 1943*

HA Pol VI 1010/43

An

das Reichswirtschaftsministerium

    z.Hd. von Herrn Min. Dirig. Schulze-Schlutius

das Oberkommando der Wehrmacht

    z.Hd. von Herrn Min. Dir. Tischbein

das Oberkommando der Wehrmacht

    – Wehrwirtschaftsamt Wi-RüAmt –

    z.Hd. von Herrn Generalmajor Becker

den Beauftragten für den Vierjahresplan

    z.Hd. von Herrn Min. Dir. Gramsch

Reichsbankdirektorium

    z.Hd. von Herrn Vizepräsident Puhl

S c h n e l l b r i e f

Der bereits vor längerer Zeit von der dänischen Nationalbank angemeldete Wunsch auf Umstellung des bei der Hauptverwaltung der Reichskreditkassen geführten Wehrmachtskontos von Reichsmark auf Dänenkronen, der in der Sitzung des HPA am 31. August v.J. eingehend erörtert wurde, ist von dänischer Seite inzwischen wiederholt vorgebracht worden. Das Reichsbankdirektorium befürwortete die Erfüllung des dänischen Wunsches aus währungs- und banktechnischen Gründen. Das RWM und REM sprachen sich gleichfalls für ein Entgegenkommen gegenüber den Dänen aus und das RFM stellte seine anfänglichen Bedenken später zurück. Im Ergebnis der geflogenen Beratungen wurde festgestellt, daß durch ein Entgegenkommen unsererseits gegenüber dem dänischen Wunsch in keiner Weise die Frage der späteren Erstattung der Besatzungskosten an Dänemark präjudiziert werde, und daß dieses Entgegenkommen gegebenenfalls zur Durchsetzung wichtiger deutscher Wünsche gegenüber den Dänen verwertet werden kann.

Nachdem der Bevollmächtigte des Reichs berichtet hat, daß im Zusammenhang mit den Plänen über den verstärkten Ausbau der Küstenverteidigungsanlagen an der dänischen Westküste mit einer wesentlichen Erhöhung der von der dänischen Nationalbank vorzulegenden Besatzungskosten im laufenden Jahr gerechnet werden müsse, und er es für erforderlich hält, zur Durchsetzung dieser erhöhten Anforderungen unsere Zustimmung zur Umstellung des erwähnten Wehrmachtskontos von Reichsmark auf

Dänenkronen als Zugeständnis den Dänen gegenüber zu verwerten, wurde ihm eine entsprechende Ermächtigung erteilt. Von dieser Ermächtigung hat der Bevollmächtigte des Reichs am 10. d.M. in Verhandlungen mit Staatsminister von Scavenius über die bevorstehende Erhöhung der Besatzungskosten Gebrauch gemacht, und hierbei erklärt, daß die Umstellung des Besatzungskosten auf Dänenkronen als banktechnische Maßnahme aufzufassen sei, die an den Charakter des Kontos nichts ändern wurde. Er hat gleichzeitig der Erwartung Ausdruck gegeben, das unser Entgegenkommen, das einen lange gehegten dänischen Wunsch erfüllt, in den bevorstehenden Verhandlungen über den Bedarf der Wehrmacht auf dänischer Seite gebührend berücksichtigt werden wird.

Die Regelung der technischen Einzelheiten der Kontoumstellung, die nach Ansicht des Reichsbankdirektoriums zum gegenwärtigen Kurse für die dänische Krone zu erfolgen hätte, dürfte zweckmäßig in Verhandlungen zwischen dem Reichsbankdirektorium und dem Präsidium der Dänischen Nationalbank getroffen werden. Das Reichsbankdirektorium wird jedoch gebeten, vor Aufnahme diesbezüglicher unmittelbarer Verhandlungen sich mit dem Auswärtigen Amt ins Benehmen zu setzen.

Ministerialdirektor Walter und Ministerialdirektor Berger erhalten Abschrift.

Im Auftrag
gez. Wiehl

247. Heinrich Himmler an Hermann Behrends 13. März 1943

RFSS søgte gennem sin personlige autoritet at få det tyske mindretal til at stemme på DNSAP, selv om ønsket skulle fremsættes under uofficielle former og spredes fra mund til mund (Strand 2006, s. 116 mistolker dette telegram derhen, at der skulle være tale om et forsøg på valgsvindel).

Kilde: BArch, NS 19/3473. RA, Danica 1069, sp. 6, nr. 7137f. RA, pk. 443.

F e r n s c h r e i b e n

An SS-Brigadeführer Behrends
Berlin
Volksd. Mittelst.

Habe Ihre beiden FS. Nr. 444 und 447[71] erhalten. Bin einverstanden. Nach außen muß Stimmenthaltung gewahrt werden. Es muß versucht werden, in einzelnen Städten, in denen der Betreffende als Reisender allenfalls nicht bekannt ist, mit Reisewahlscheinen zum Wählen für Clausen zu bringen. Die Parole darf selbstverständlich nur mündlich erfolgen, hat aber in meinem Namen zu geschehen.

gez. H. Himmler

13.3.1943 RF/V

---

71 Begge trykt ovenfor.

248. Eberhard Reichel: Notiz 13. März 1943

Abteilung Deutschland i AA tilsluttede sig det forhandlingsresultat, som Best havde nået med det tyske mindretal vedrørende oprettelse af et tysk kontor under Statsministeriet.

Kilde: PKB, 14, nr. 158.

Abteilung Deutschland   D VIII 991/I

Aus der Erwägung, daß eine zwischenstaatliche Verankerung des "Deutschen Büros" beim dänischen Staatsministerium einen dem politischen Gewicht des Reichs in seinen Beziehungen zu Dänemark entsprechenden Wert hat, andererseits die beste Sicherung der getroffenen Vereinbarung in eben diesem politischen Gewicht auch unabhängig von einer besonderen Abmachung liegt, schließt sich Referat D VIII der Ansicht des Bevollmächtigten des Reichs in Dänemark an. Der Leiter der Abteilung Deutschland hat dieser Auffassung zugestimmt.

Hiermit Pol VI mit der Bitte um Mitzeichnung des beiliegenden Telegrams vorgelegt.[72]

Berlin, den 13. März 1943

Reichel

249. Werner Best an das Auswärtige Amt 13. März 1943

Best hørte ad omveje om von Hannekens nye angreb på den danske hær. Han søgte straks ved en henvendelse til AA at opnå dets forståelse for, at der var tale om en betydningsløs episode, og at generalens krav ikke skulle støttes.

Han vandt støtte i AA, og det lykkedes AA at overbevise OKW og Hitler om, at von Hannekens krav ikke skulle efterkommes.

Karl Ritter orienterede 8. april Best om, hvordan han videre skulle forholde sig (Kirchhoff, 1, 1979, s. 124, Roslyng-Jensen 1980, s. 138, Herbert 1996, s. 345f.).

Kilde: PA/AA R 29.566. RA, pk. 202 LAK, Best-sagen (afskrift).

Telegramm

| Kopenhagen, den | 13. März 1943 | 10.45 Uhr |
| Ankunft, den | 13. März 1943 | 11.10 Uhr |

Nr. 277 vom 13.3.43.   Citissime!

Heute habe ich vertraulich (auf Grund einer Mitteilung des Verbindungsoffiziers der dänischen Marine an den Stab des Admirals Dänemark) folgendes erfahren:

Vor kurzem sei von der deutschen Postkontrolle eine Nachricht erfaßt worden, durch die einem dänischen Reserveoffizier unter Hinweis auf die Mobilmachungsbestimmungen Zuteilung zu einem bestimmten Truppenteil mitgeteilt wurde. Auf Grund dieser Tatsache habe der Befehlshaber der deutschen Truppen in Dänemark dem dänischen

---

72 Se Bergmanns telegram nr. 403, 17. marts.

General Goertz eröffnet, daß er dies als eine gegen die deutsche Wehrmacht gerichtete Maßnahme ansehe, und daß er daraus die entsprechenden Folgerungen ziehen werde. Auf die Einwendungen des Generals Goertz, daß die dänische Wehrmacht doch noch bestehe, und daß es sich um eine laufende schematische Benachrichtigung handle, die keiner Vereinbarung oder Bestimmung widerspräche, habe der General von Hanneken erwidert, daß ihm dieser Zustand schon lange nicht mehr passe, und daß er eine Änderung veranlassen werde. Der General Goertz habe ihn daraufhin ohne Erwiderung verlassen.

Ich habe mich sofort mit dieser Angelegenheit befaßt und festgestellt, daß es sich tatsächlich um eine jährlich erfolgende schematische Benachrichtigung handelt, die keiner zwischen Dänemark und dem Reich bestehenden Vereinbarung widerspricht. Der routinemäßige Charakter der Benachrichtigung geht auch daraus hervor, daß der fragliche Reserveoffizier in dem Benachrichtigungsschreiben, das ihm durch die Post zuging und das ihm, da er sich in Deutschland aufhält, von seiner Frau offen nach Deutschland nachgesandt wurde, unter dem 12.2.43 zum 7. Regiment nach Fredericia beordert wird, obwohl das Regiment infolge der Räumung Jütlands von dänischen Truppen schon seit dem letzten Herbst nicht mehr in Fredericia liegt. Es handelt sich also offensichtlich um einen seit Jahren feststehenden Text, der ohne Berücksichtigung der wirklichen Dislozierung der dänischen Truppen auch in diesem Jahre wieder versandt worden ist.

In seiner schriftlichen Antwort an den General von Hanneken hat der General Goertz geltend gemacht, daß die Mobilmachungsbestimmungen des dänischen Heeres mit Wissen der deutschen Besatzung in Geltung geblieben seien, und daß ihre Anwendung zu den normalen Arbeiten des dänischen Heeres gehöre, ebenso wie die jährlich erfolgende Musterung von Pferden und Kraftfahrzeugen und die Ergänzung der Materialbestände.

Das dänische Heer habe deshalb keinerlei Anlaß gehabt, diese Arbeiten geheim zu halten, da sie durchaus zu Recht vorgenommen werden.

Die Texte der in dieser Sache zwischen dem General von Hanneken und dem dänischen General Goertz gewechselte Schreiben, die ich von der dänischen Regierung (nicht von dem General von Hanneken) erhalten habe, übersende ich gesondert.[73]

Das Verhalten des Generals von Hanneken in dieser Angelegenheit zeigt erneut, daß er jeden Anlaß an den Haaren herbeizieht, der geeignet ist, die Lage in Dänemark zu verschärfen. Ich wiederhole, daß ich zum Teil auf Grund eigener Äußerungen des Generals von Hanneken der Überzeugung bin, daß er darauf hinarbeitet, Militärbefehlshaber in Dänemark nach dem Vorbild der Militärbefehlshaber in Paris und Brüssel zu werden. Solange eine solche Veränderung des hiesigen Regimes nicht gewünscht wird, erscheint es notwendig, daß von Seiten des Auswärtigen Amtes jeweils energisch den tendenziös scharfmacherischen Vorstößen des Generals von Hanneken entgegengetreten wird.

Dr. Best

---

73 Denne skrivelse er ikke lokaliseret.

250. Werner Best an das Auswärtige Amt 13. März 1943

På tysk side var det danske valg alene Bests projekt, og han gjorde sig særlig umage med at holde AA orienteret om dets forløb.

Det var et handlingsmønster, der gentog sig september-oktober 1943, da han på ny havde sit helt eget projekt i gang. Til gengæld valgte han siden den modsatte fremfærd, hvilket bl.a. kom tydeligt frem under generalstrejken i København sommeren 1944.

Kilde: PA/AA R 29.566. RA, pk. 202

Telegramm

Kopenhagen, den	13. März 1943	14.25 Uhr
Ankunft, den	13. März 1943	16.20 Uhr

Nr. 281 vom 13.3.[43.]

Unter Bezugnahme auf Drahtbericht Nr. 248[74] vom 8.3.43.

In Ergänzung angezogenen Drahtberichts teile ich über Einzelheiten der Wahl und der Wahlvorbereitungen mit: Es werden am 23.3.1943 gewählt

1.) Die Abgeordneten für das Folketing.
2.) In drei Wahlkreisen (das ist etwa die Hälfte des Landes) die Wahlmänner für die Wahl der Mitglieder des Landstings.

Die Wahl der Landstings-Mitglieder durch die am 23.3. zu wählenden Wahlmänner erfolgt am 6.4.1943.

Wahlberechtigt sind bei der Folketingswahl alle Männer und Frauen, die das 25., bei der Wahl der Wahlmänner für das Landsting, alle Männer und Frauen, die das 35. Lebensjahr vollendet haben.

Auftakt zur Wahl war Gesetz über Änderung bestehenden Wahlgesetzes, das am 8.3.1943 vom alten Reichstag beschlossen worden ist. Beschlossene Änderungen sind größtenteils technischer, uns nicht interessierender Art.

Wesentlich ist, daß Teilnahme von Dänen im Ausland an der Wahl durch Milderung gewisser Formvorschriften erleichtert worden ist. Grundsätzlich hatten Dänen im Ausland schon nach altem Wahlgesetz Teilnahmemöglichkeit. Die Folketingsabgeordneten werden für die Dauer von 4 Jahren, die Landstingsabgeordneten für die Dauer von 8 Jahren gewählt. Die Wahl der Landstingsabgeordneten erfolgt in der Weise, daß alle 4 Jahre je etwa die Hälfte der Abgeordneten neu gewählt wird. Das Land ist zu diesem Zweck in zwei Gruppen von 3 und 4 Wahlkreisen eingeteilt. Nach normaler Reihenfolge hätte bei der jetzigen Landstingswahl auch der Abgeordnete des Wahlkreises der Färöer neu gewählt werden müssen. Durch Änderung des Wahlgesetzes ist der Wahlkreis der Färöer aber jetzt der anderen Gruppe zugeteilt worden, wodurch erreicht wird, daß die Landstingsneuwahl auf den Färöern erst 1947 notwendig wird.

Den Vorschriften des Wahlkreises entsprechend, hat der Kronprinz-Regent am 8.3.1943 durch offenen Brief, der im Folketing und Landsting verlesen wurde, die Wahl ausgeschrieben.

---

74 Pol VI. Trykt ovenfor.

Am 9.3. haben die fünf sogenannten "Zusammenarbeitenden Parteien" (Konservative Volkspartei, Radikale Venstre, Sozialdemokratie, Venstre und "Rechtsverband") einen gemeinsamen Aufruf an das dänische Volk veröffentlicht, in welchem es u.a. heißt:
"Die zusammenarbeitenden Parteien des Reichstages wollen den Wählern des Landes gegenüber die Bedeutung dieser Wahl herausstellen. Unsere Parteien betrachten viele Fragen verschieden, aber wir stehen einig auf der Grundlage der dänischen Volksverwaltung (Folkestyre) und wir fordern in Gemeinschaft die Wähler auf, ihr Bürgerrecht auszuüben, das die Verfassung des Landes ihnen gibt. Jeder Bürger muß durch Abgabe seiner Stimme seine Zusammengehörigkeit mit der Nation und der dänischen Volksverwaltung bekräftigen."
Auf den gleichen Ton sind die weiteren Erklärungen der zusammenarbeitenden Parteien abgestimmt. Bei der Behandlung des Finanzgesetzes im Folketing haben am 12.3.1943 die Wortführer der Parteien ihre Auffassung von der Bedeutung der Wahl erneut zum Ausdruck gebracht. So hat Ole Björn Kraft für die konservative Volkspartei u.a. erklärt:
"Die Wahl, die vor der Tür steht, wird eine einzig dastehende, eine historische Wahl werden. [...] Diese Wahl ist einfach und klar, eine Bekräftigungswahl für unsere Volksverwaltung. Wenn man sich vorstellte, daß das dänische Volk nachlassendes Interesse für die Teilnahme an der Wahl zeigen und deshalb weniger Stimmen abgeben würde, könnte das nicht ohne Grund als ein Rückgang seines Interesse an seiner Volksverwaltung und als eine Abschwächung seiner Zusammengehörigkeit mit seiner Volksverwaltung aufgefaßt werden. Es würde als Beweis dafür genommen werden, daß das dänische Volk seinen Einfluß auf die Verwaltung des Landes und seine Mitverantwortung für diese Verwaltung nicht länger zu behaupten wünscht. Aber das wird nicht geschehen. Das dänische Volk wird, wie das schwedische es getan hat und wie das finnische bei seiner Präsidentenwahl sich um seine Verwaltung schließen. Die Gelegenheit, die es in einer Zeit voll Unsicherheit und Verwirrung erhalten hat, über seinen Willen und seine Haltung voll Klarheit zu schaffen, wird es benutzen. Wenn die Wahl vorbei ist, wird die Welt klar zu sehen bekommen, wo das dänische Volk steht. Das dänische Volk will nicht dadurch, daß es unterläßt, sein Bürgerrecht zu gebrauchen, Zweifel darüber aufkommen lassen, wie weit es wünscht, dieses Bürgerrecht zu bewahren."
Diese Grundeinstellung, die sich durch alle Äußerungen der dänischen Sammlungspolitiker und ihrer Presse zieht, nimmt der gegnerischen Propaganda, die das dänische Interesse an der Wahl bagatellisieren möchte, die Grundlage, umsomehr als diese Einstellung von denjenigen dänischen Kreisen stammt, die am wenigsten einer Deutschfreundlichkeit verdächtig sind.
Welche Parteien für das neue Folketing kandidieren werden, steht noch nicht endgültig fest. Von den bisher im Folketing vertretenen Parteien werden bestimmt neben den obengenannten zusammenarbeitenden Parteien auftreten: Die DNSAP und die Bauernpartei (ohne Hartel, der sich nicht wieder aufstellen läßt).
Ebenso wird sich die Partei "Dansk Samling" zur Wahl stellen, die sich schon an den vorigen Wahlen beteiligt aber kein Mandat erhalten hatte. Leiter dieser Partei ist der bekannte deutschfeindliche Arne Sörensen, der im vorigen Jahre wegen des Schreibens hetzerischer Aufsätze zu Gefängnisstrafe verurteilt worden ist. Das Antreten Arne

Sörensens zur Wahl hat in den Kreisen der zusammenarbeitenden Parteien, insbesondere bei den konservativen, starke Unruhe hervorgerufen. Man befürchtet, daß "Dansk Samling" eine Lücke in die konservativen Stimmen reißen könnte. Diese Befürchtung hat bereits zu einem heftigen Abwehrkampf gegen Arne Sörensen geführt. Der in Erklärungen u.a. von Hal Koch und von "Kristeligt Dagblad" gegipfelt hat, in welchen Arne Sörensen scharf abgelehnt und promittiert worden ist. Es bietet sich damit für uns das Bild, daß die uns unfreundlich gesinnten konservativen Kreise die noch unfreundlicher gesinnten "Dansk Samling" in aller Form angreifen, eine Entwicklung, die nur begrüßt werden kann. Umsomehr als die Vorgänge gleichzeitig die wirkliche Freiheit der Wahl unter Beweis stellen. Ich beabsichtige deshalb auch nicht, in Sachen Arne Sörensen und seiner Partei vor Abschluß der Wahl irgendwelche Schritte zu unternehmen.

Wegen der Wahlbeteiligung der dänischen Arbeiter in Deutschland nehme ich auf meinen Drahtbericht Nr. 255 vom 9.3.1943 bezug.[75] Es ist alles geschehen, um dem letzten dänischen Arbeiter im Reich den erforderlichen Stimmzettel so zuzuleiten, daß er ihn rechtzeitig an die dänische Gesandtschaft in Berlin weiterleiten kann. Die dänische Gesandtschaft in Berlin wird die dort bis zum 20.3.43. eingehenden Stimmzettel gesammelt an das dänische Innenministerium einsenden, hier werden sie auf die Wohnsitz-Gemeinden verteilt werden. In den Gemeinden selbst abgegebenen Stimmzettel zusammen durch die Wahlvorstände geöffnet und gezählt werden.

Die Zahl der in Deutschland zur Zeit eingesetzten dänischen Arbeiter und Arbeiterinnen ist auf etwa 40.000 zu schätzen, davon werden etwa 30.000 wahlberechtigt sein. Die dänische Regierung legt Wert darauf, daß eine unbedingt sicher ausreichende Reserve an Stimmzetteln ins Reich geschickt wurde, es sind deshalb 60.000 Stimmzettel an die Landesarbeitsämter gegangen.

Die Stimmzettel für die dänischen Freiwilligen bei Freikorps und Waffen-SS sind dem SS-Hauptamt in Berlin zugestellt worden. Nach Mitteilung des SS-Hauptamts wird dafür gesorgt werden, daß die beiden Ersatzformationen befindlichen Freiwilligen ihre Stimmzettel rechtzeitig absenden können. Bei den zur Zeit im Einsatz stehenden Freiwilligen soll die Einhaltung der vorgesehenen Einsendefrist dagegen auf große Schwierigkeiten stoßen. Ich wäre dankbar, [wenn] auch [von dort] alles getan würde, um diese Schwierigkeiten nach Möglichkeit zu überbrücken.

Ebenso wie die dänischen Arbeiter im Reich werd[en] auch die in Norwegen eingesetzten dänischen Arbeiter an der Wahl teilnehmen können. Die Verteilung der Stimmzettel erfolgt dort durch Vermittlung der dänischen Konsulate. Einen Hinweis an die zuständigen deutschen Stellen in Norwegen, daß wir daran inter[essiert] sind, durch unbedingte Wahrung des Wahlgeheimnisses der gegnerischen Propaganda die Arbeit zu erschweren würde ich begrüßen.

Über die weitere Entwicklung der Wahl werde ich laufend berichten.

Dr. Best

---

75 Trykt ovenfor.

MARTS 1943

251. Werner Best an das Auswärtige Amt 13. März 1943
Se Bests foranstående telegram.
   Kilde: PA/AA R 29.566. RA, pk. 202

Telegramm

Kopenhagen, den	13. März 1943	15.10 Uhr
Ankunft, den	13. März 1943	16.20 Uhr

Nr. 282 vom 13.3.43.

Auf Drahterlaß Nr. 373[76] v. 12.3.43
Die UP-Meldung, daß sämtliche zugelassenen Parteien – gemeint sind offenbar die sogenannten "zusammenarbeitenden Parteien" – gemeinsame Wahlliste aufgestellt hätten,
ist, wie bereits fernmündlich voraus mitgeteilt, falsch. Die "zusammenarbeitenden Parteien" stellen getrennte Wahllisten auf. Sie haben lediglich am Tage der Bekanntgabe der
Wahlen einen gemeinsamen Wahlaufruf erlassen. Wegen der Bedeutung, die der Wahl
in allen dänischen politischen Kreisen beigemessen wird, nehme ich Bezug auf Drahtbericht Nr. … vom heutigen Tage.
   Habe veranlaßt, daß Presseabteilung dänischen Außenministeriums UP-Meldung
dementiert. Bitte, unter Bezugnahme auf dänisches Dementi ausländische Presse in Berlin zu informieren.

Dr. Best

252. Karl Ritter an Werner Best 13. März 1943
Best blev bedt om at uddybe, hvad han 8. marts havde skrevet om von Hannekens direkte henvendelser til
den danske regering.
   Best svarede med telegram nr. 309 19. marts 1943.
   Kilde: PA/AA R 29.566. RA, pk. 202.

Abschrift.

Telegramm

Berlin, den	13. März 1943

RAM 51/43
Diplogerma Kopenhagen Nr. 385

Für Bevollmächtigten persönlich!

In Ihrem Drahtbericht Nr. 245 vom 8. März[77] wird nur ganz allgemein gesagt, daß

---

76 Pol VI 303. Telegrammet er ikke lokaliseret.
77 Trykt ovenfor.

360 MARTS 1943

"Militärbefehlshaber in letzten Monaten immer mehr direkten Schriftwechsel mit Regierung (Außenministerium und anderen Ministerien) geführt hat."

Für die Besprechungen mit dem OKW ist es erwünscht, die Fälle im einzelnen zu kennen, die zu beanstanden sind. Ich bitte daher, dem AA umgehend eine Aufzeichnung vorzulegen, in der diese Einzelfälle kurz dargestellt sind.

gez. **Ritter**

253. Werner Best an das Auswärtige Amt 13. März 1943

Hermed fulgte den anden af de af Best fremsendte oversigter over attentaterne mod værnemagten, denne gang dækkende perioden frem til 6. marts. Oversigten var som tidligere udarbejdet af det danske politi.
Kilde: PA/AA R 61.119.

Abschrift Pol VI. 348
Der Bevollmächtigte des Reiches in Dänemark   *Kopenhagen, 13.3.1943*
II C 3 – B. Nr. 717/43

An das Auswärtige Amt, Berlin

Betr.: Sabotageakte in Dänemark

Unter Bezug auf den hiesigen Bericht vom 4.2.1943 – II C 3 B. Nr. 1694/42[78] – überreiche ich die Übersetzung einer weiteren Aufstellung der dänischen Polizei über die bis zum 6.3.1943 vorgekommenen Sabotage- und Brandfälle.

Der Brandfall lfd. Nr. 57 konnte aufgeklärt und die entwendeten Waffen konnten wieder herbeigeschafft werden. Als Mittäter wurden festgenommen:[79]
1.) Petersen, Peter Oskar, geb. 8.1.1899 in Assens
2.) Thomsen, Johannes, geb. 23.12.1912 in Gauerslundsogn,
3.) Andersen, Viktor, geb. 18.6.1913 in Snoede,
4.) Petersen, Hans Peter, geb. 7.3.1915 in Glamsbjerg.
Nach dem Hauptträdelsführer:
     Kommune-Lehrer Axel Eiler Andersen, geb. 3.8.1896 in Nörre Höjrup, wird noch
     gefahndet.[80]
Als dringend tatverdächtig für den Sabotagefall lfd. Nr. 68 der Aufstellung ist der Dreher
     Georg Erik Frederiksen, geb. 9.11.1919,
     festgenommen, der bereits geständig ist, einen Sabotageakt in der Nacht zum
     23.3.1943 in der Maschinenfabrik Carltorp A/S, Kopenhagen, ausgeführt zu haben.[81]

---

78 Trykt ovenfor.
79 Af de fire fik en to års fængsel, mens de øvrige tre fik et år og tre måneder hver (PKB, 7, s. 291f.).
80 Hovedmanden bag aktionen, Aksel Andersen, lærer og ledende kommunist, blev eftersøgt af dansk politi fra 22. februar 1943, men blev først arresteret af tysk politi 8. oktober 1943 og påfølgende hemmeligt henrettet 4. december (*Faldne i Danmarks frihedskamp*, 1970, s. 24).
81 Erik Georg Frederiksen klarede frisag og blev løsladt fra tysk undersøgelsesarrest 27. april 1943 (KTB/

MARTS 1943

Außerdem konnte der Fall lfd. Nr. 74 der Aufstellung geklärt und folgende Täter festgenommen werden:

1.) Sonne, Ole, geb. 1.3.1925 in Fredericia,
2.) Trampe, Karl Christian, geb. 25.5.1928 in Odense,
3.) Trampe, Erich Gerhard, geb. 28.3.1926 in Odense.

Das Strafverfahren ist bei dem Kriegsgericht noch nicht zum Abschluß gekommen.

Ferner wurde am 1.3.1943 Olsen, Svend Aage, geb. 16.2.1915 in Kopenhagen, der wegen Diebstahls von Sprengstoff und einer Anzahl größerer Sabotagehandlungen steckbrieflich gesucht wurde, in Kopenhagen festgenommen.[82]

gez. Dr. Best

Abschrift zu Pol VI 348 25.1.1943

Übersetzung

Übersicht

In Fortsetzung der früher übersandten Übersicht über Brandstiftungen oder Brandstiftungsversuche in Betrieben, die für die Deutsche Wehrmacht arbeiten oder in anderer Weise mit der Wehrmacht in Verbindung stehen, wird mitgeteilt, daß seitdem folgendes geschehen ist:

49.) Am Dienstag, den 17.11.1942, 10.15 Uhr, wurde eine Brandbombe auf dem Dach von Aage Sörens Maschinenfabrik, Stubmöllevej 35, abgelegt, Ganz unbedeutender Schaden.[83]

50.) Am Donnerstag, den 26.11.1942, 21.30 Uhr, Anschlag gegen den Eisenbahnkörper der Küstenbahn 12 m nördlich vom Kilometerstein 9.4 (zwischen Hellerup und Charlottenlund). Außer einer gesprengten Maschine kein Schaden. Die Sprengbombe wurde unter diese eine Schiene gelegt. Nach der Sprengung passierten 3 Züge die Sprengstelle. Der eine Zug führte einen Teil Wehrmachtsgut mit, unter anderem 4 Wagen Munition.[84]

51.) In der Nacht von Donnerstag, den 10.12. zu Freitag, den 11.12.1942, wurden in der Nyboder Schule, die von der Wehrmacht übernommen worden ist, Spreng- und Brandbomben auf einer doppelten Treppe hingelegt. Die Bomben löschten von selbst aus. Außer einer geringen Rauchschwärzung und einer gesprengten Tür kein Schaden.[85]

52.) Am Montag, den 21.12.1942 evtl. Versuch der Brandstiftung im Pferdestall Nr. 5,

---

Rü Stab Dä 1. Kvartal 1943, Anlage 9 (RA, Danica 1000, T-77, sp. 696), PKB, 7, s. 293. Jfr. Kjeldbæk 1997, s. 116).

82 Svend Aage Olsen havde været efterlyst siden 20. februar for deltagelse i tyveri af sprængstof fra Faxe Kalkbrud 19. december. Han var medlem af KOPA/BOPA og sad fængslet til 31. oktober 1943, i hvilken periode sigtelserne mod ham blev væsentligt udvidet. Det lykkedes ham at flygte (PKB, 7, 288-290, Kjeldbæk 1997, s. 71ff., 77).

83 Aktionen blev gennemført af BOPA (Kjeldbæk 1997, s. 458).

84 Aktionen blev gennemført af BOPA (Kjeldbæk 1997, s. 458).

85 Sabotageforsøget blev udført af en KU-gruppe med bl.a. Christian Christensen (Pilgaard Jeremiassen 1974, Appendix A, s. VII).

Stallraum Nr. 2, der Husarenkaserne in Kopenhagen. [86]Die Stallwache will an einer weißen gekalkten Wand eine Flamme gesehen haben. Es wurden jedoch nicht die geringsten Anzeichen dafür gefunden, daß ein Feuer dagewesen war. Im Stallraum Nr. 2, direkt unter dem Fenster, wurde eine kleine helle Flasche mit gebrochenem Hals gefunden, die etwas gelbliche Flüssigkeit enthielt. Die Prüfanstalt der Kriegsmarine sagt in einer Erklärung vom 22.12.1942 u.a.: "Die Probe bestand aus einem Gemisch von Wasser, Spiritus und Öl und hatte einen kräftigen aromatischen Geruch (Karamellgeruch). Die Probe scheint gewöhnliche Brillantine zu sein, die, abgesehen davon, daß der Spiritusinhalt brennen kann, für einen Brandstiftungsversuch wertlos ist."

53.) Am Donnerstag, den 31.12.1942, 20.30 Uhr, wurden in der Villa Sandhöjen 26, 2 Sprengbomben an 2 Ecken der Villa abgelegt.[87] Die eine Bombe detonierte, wodurch eine Reihe Fenster zerbrach und vom Sockel des Hauses ein Teil fortgesprengt wurde. Geringer Schaden. In der Villa befindet sich ein kleinerer Fabrikbetrieb, der u.a. Schlösser für Flugzeuge herstellt. Diese Schlösser werden für die Fabrik "Asra" angefertigt, die Lieferant der Wehrmacht ist. Keines dieser Schlösser wurde beschädigt.

Für die Übersetzung:
gez. Hansen
Hptm. d. Sch.

Übersetzung 6/3-43
Übersicht

In Verfolg der früher ausgesandten Übersichten über Brandstiftungen oder Versuch zur Brandstiftung besonders bei Betrieben, die für die deutsche Wehrmacht arbeiten, oder auf eine andere Art Verbindung mit der Wehrmacht haben, wird mitgeteilt, daß seitdem folgendes geschehen ist:

54.) Sonnabend, den 9.1.1943. Diebstahl von 10 kg Ärolit vom Schuppen auf dem Hof "Kaalund Klosters Marker" bei Kalundborg.

55.) Sonntag, den 17.1.1943. Brandstiftung bei der Lederwarenfabrik Gothersgade Nr. 158 B. Benzol über das Inventar im Raum ausgegossen und angesteckt. Kein Schaden an der Wehrmacht gehörenden Gütern.[88]

56.) Dienstag, den 19.1.1943. Auf der Eisenbahnlinie ca. 1.500 m westlich von Marslev Station wurden 13 Wagen, in einem dänischen Güterzug von 40 Wagen, wozwischen ein deutscher Wagen mit Ammunition war, abgespurt wurde. Achse im zweitvordersten Wagen warmgelaufen, wodurch ein Achsenbruch und nachfolgende Abspurung von 13 Wagen bewirkt wurde. Hier deutet nichts auf Sabotage.

---

86 Jfr. Pilgaard Jeremiassen 1974, Appendix A, s. VII.
87 Jfr. Pilgaard Jeremiassen 1974, Appendix A, s. VII.
88 Aktionen blev gennemført af BOPA (Kjeldbæk 1997, s. 459).

MARTS 1943

57.) Freitag, den 22.1.1943, Odense, Versuch einer Brandstiftung in einem deutschen Eisenbahnwagen, enthaltend 2.100 dänische Gewehre, die nach Deutschland gesandt werden sollten. Bei Aufzählung fehlten 35 der Gewehre und 4 Bajonette. Täter verhaftet.

58.) Sonntag, den 24.1.1943. Dänisches Industriesyndikat, Havnevej 3, Hellerup. Brandstiftung. Das Material wurde auf der Tatstelle angezündet gefunden. Einige Instrumente (Geber & Verzugsrechner) für Horchapparate zerstört.

59.) Montag, den 25.1.1943 – Schokoladefabrik Reichardt, Nygaardsvej 47, Kopenhagen. Sprengbomben (Ärolitpatronen) an verschiedenen Stellen in der Fabrik hingelegt, wo man bis zum verflossenen Weihnachten für die Wehrmacht gearbeitet hatte. Die Fabrik lag jetzt wegen Warenmangel still.[89]

60.) Donnerstag, den 28.1.1943. Eisenbahnattentat bei Stenen 7,8 km auf der Bahnlinie zwischen Vigerslev und Glostrup. Sprengbombe (Ärolit) 63 cm. auf der einen Schiene hingeworfen. Eine Milchzug passierte, ohne daß Schaden erfolgte.[90]

61.) Freitag, den 29.1.1943. Auf der Eisenbahnlinie zwischen Odense und Homstrup eine Sprengbombe zwischen die Schienen gelegt. Kein Schaden.

62.) 1.2.43. Montag. Brandstiftung bei der Skandinavisk Gummifabrik, Rugaardsvej 40, Odense. Schaden 130.000 Kr. Die Firma hat seit langer Zeit Arbeiten für die Wehrmacht ausgeführt.

63.) Montag, den 1.2.1943. An der Hintertür des Restaurants "Esplanaden," Grönningen, Kopenhagen eine Brandbombe (Termit) hingelegt und angezündet. Tür rauchgeschwärzt, sonst kein Schaden. Es essen dort jeden Tag ca. 200 deutsche Militärpersonen in dem Restaurant.

64.) Dienstag, den 2.2.1943. Feuer in einer neuaufgeführten Holzbaracke in der Ringgade in Struer. Brandursache nicht festgestellt, vielleicht auf Unvorsichtigkeit beim Rauchen zurückzuführen.

65.) Donnerstag, den 4.2.1943. Auf dem Exerzierplatz der Infanteriekaserne in Odense Feuer in einer Holzbaracke enthaltend Feuerung und Futter. Feuerursache konnte nicht festgestellt werden.

66.) Donnerstag, den 4.2.1943. Bei der Firma Glud & Marstrand, Kopenhagen, Rentemestervej 7-9 Sprengbomben (Ärolit) in der Fabrik hingelegt. Nur geringer Schaden.

67.) Freitag, den 5.2.1943. Eisenbahnattentat gegen die Bahnlinie bei Snebär Alle, Snekkersten. Sprengbombe (Ärolit) 70 cm auf die östliche Schiene der westlichen Spur hingelegt. Westliche Schiene in der östlichen Spur versucht zu sprengen. Kein Zug passierte nach der Sprengung.

68.) Sonntag, den 7.2.1943. Maschinenfabrik "Carltorp," Roskildevej 371. Sabotage. 3 Sprengbomben (Ärolit) auf drei verschiedene Maschinen hingelegt, die zerstört wurden.[91]

69.) Dienstag, den 9.2.1943. Brandstiftung bei der Aabybro Maschinenfabrik in Nörresundby Polizeikreis.

---

89 Aktionen blev gennemført af BOPA (Kjeldbæk 1997, s. 459).
90 Aktionen blev gennemført af BOPA (Kjeldbæk 1997, s. 459).
91 Aktionen blev gennemført af BOPA (Kjeldbæk 1997, s. 459).

70.) Mittwoch, den 10.2.1943. Bei der Akts. Odense Tömmerhandel (Holzhandel), Ecke von Toldbodgade und Kanalvej in Odense, wo Baracken für die Wehrmacht hergestellt werden, Versuch von Brandstiftung durch Hilfe von Brandmaschinen.

71.) Freitag, den 12.2.1943. Eisenbahnattentat gegen die Bahnlinie bei 8,1 km Stenen zwischen Vigerslev und Glostrup. Sprengbombe (Ärolit) zwischen die Schienen gelegt in der nördlichen Spur ca. 10 cm von der südlichen Schiene. Die Bombe hat nicht gewirkt, kein Schaden. Ein Zug passierte die Stelle nach Anbringung der Bombe.[92]

72.) Sonntag, den 14.2.1943, Sabotagefeuer bei der Maschinenfabrik Atlas, Baldersgade, Kopenhagen. Einsteigen durch erbrochene Fenster. Öl und Zwist, was auf der Stelle gefunden wurde, zur Anzündung des Feuers benutzt. Schaden rechtbedeutend, doch weniger bedeutend bei Waren (Kühlmaschinen usw.) der Wehrmacht gehörend.[93]

73.) Sonntag, den 14.2.1943. Bei der Maschinenwerkstatt Smedegade 19 eine Sprengbombe (Ärolit). Schaden gering. Kein Schaden an der Wehrmacht gehörenden Gütern.[94]

74.) Montag, den 15.2.1943. Drei jüngere Männerpersonen verhaftet beim Versuch des Diebstahls einer Ammunitionskiste von einem deutschen Eisenbahnwagen auf der Fredericia Bahnhof.

75.) Dienstag, den 16.2.1943. Diebstahl von 120 Ärolitpatronen aus einem Schuppen ein bißchen außerhalb Skanderborgs.

76.) Dienstag, den 16.2.1943. Versuch einer Brandstiftung auf dem Hof des Bogense Hotels, Bogense. Ein Tuch, mit Benzin durchtränkt, unter einen Motorhelm eines deutschen Motorwagens hingelegt und angezündet.

77.) Dienstag, den 16.2.1943. Sprengbombe hingelegt zwischen die Schienen auf der Eisenbahnlinie zwischen Homstrup und Odense. Kein Schaden.

78.) Freitag, den 19.2.1943. Dansk Aluminiums Industri, Englandsvej 32, Kopenhagen. Spreng- und Brandbombe im Betrieb hingelegt und angezündet. Nach den Umständen nur geringer Schaden.[95]

79.) Montag, den 22.2.1943. Auf den "Ambulanceplads" des Güterbahnhofs in Kopenhagen eine Sprengbombe (Ärolit) hingelegt und angezündet in einem 30 Tons Zugkran, der der dänischen Eisenbahn gehört. Nur geringer Schaden.

80.) Mittwoch, den 24.2.1943. Brandstiftung in einem deutschen Lastmotorwagen in Kolding. Geringer Schaden.

81.) Donnerstag, den 25.2.1943. Diebstahl von 100 Ärolitpatronen von einem Kaufmann in Kjellerup bei Viborg.

82.) Donnerstag, den 25.2.1943. Sprengbombe eingeworfen in das Hochschulheim in Kolding, wo 5 deutsche Telefondamen verwundet wurden.[96]

---

92 Aktionen blev gennemført af BOPA (Kjeldbæk 1997, s. 459).

93 Aktionen blev gennemført af BOPA (Kjeldbæk 1997, s. 459).

94 Aktionen blev gennemført af BOPA (Kjeldbæk 1997, s. 459).

95 Aktionen blev gennemført af BOPA (Kjeldbæk 1997, s. 460).

96 Se Mewis til OKM 12. marts og pressemeddelelsen aftrykt hos Alkil, 2, 1945-46, s. 835. Dansk politi udlovede en dusør på 10.000 kr. for oplysninger, der kunne føre til gerningsmandens anholdelse. Jfr. Bindsløv Frederiksen 1960, s. 359f.

MARTS 1943

83.) Freitag, den 26.2.1943. Sabotage bei der Automobilfirma Heiber & Co, Lyngbyvej 165, Kopenhagen. Sitze in zwei deutschen Motorwagen mit Benzin übergossen und mit Hilfe von Kaliumchlorat angezündet, übergössen mit Schwefelsäure. Ganz geringer Schaden auf dem einen Sitz, der andere unbeschädigt.[97]

84.) Sonntag, den 28.2.1943. Versuch der Brandstiftung bei der Firma Möller & Jocumsens Maschinenfabrik in Horsens. Öl durch Fenster eingespritzt. Danach brannte ein Tuch, das in das Öl geschmissen war.

85.) Montag, den 1. März 1943. Brandstiftung bei der Schneiderfirma Ernst Rasmussen, Pilesträde 43, Kopenhagen. Türfüllung möglicherweise eingeschlagen, wonach Benzin darauf und innen vor die Tür gegossen und angezündet wurde. Schaden mäßig.[98]

86.) Dienstag, den 2.3.1943. Sabotageversuch bei der Firma Chr. Rahr & Co.s Platz, Sydhavnsgade 15. Zwei Sprengbomben hingelegt, teils auf einen Kran und teils unter ein einseitiges Dach. Kein Schaden.[99]

87.) Dienstag, den 2.3.1943. Im Wehrmachtsheim, Vesterbro 78, Aalborg, wurde eine Flasche mit Benzin reingeworfen auf die Haupttreppe und angezündet. Ganz geringer Schaden.

88.) Freitag, den 5.3.1943. Lager der Organisation Todt, Hellerupgaardsvej 20, Kopenhagener Amt Ndr. Birk. Möglicher Sabotageversuch, da zwei Flaschen, die vermeintlich Brennmittel enthalten, teilweise eingegraben unter einem der Lagergebäude gefunden wurden.

89.) Freitag, den 5.3.1943. Versuch der Inbrandsetzung eines Strohlagers in einem Holzgebäude in Silkeborg. Das Stroh gehört der Wehrmacht.

90.) Sonnabend, den 6.3.1943. In die Maschinenwerkstatt "Vini", Viborggade 45-47 wurde eine Sprengbombe (Ärolit) hingelegt und angezündet. Kein Schaden an den Gütern der Wehrmacht.[100]

Für die Übersetzung:
gez. Hansen
Hauptm. der Schutzpolizei

254. Das Auswärtige Amt an OKW und OKM 15. März 1943

AA orienterede OKW og OKM om den danske minestryger "Søridderens" flugt til Sverige ved at gengive Bests telegram nr. 279, 13. marts (som tillige ligger i afskrift i BArch, Freiburg, RM 7/1187 og ikke er lokaliseret på anden vis). De flygtende var taget i forvaring af svensk politi.
   Kilde: BArch, Freiburg, RM 7/1187. RA, Danica 628, sp. 7, nr. 5283.

Auswärtiges Amt   *Berlin, den 15. März 1943*

97 Aktionen blev gennemført af BOPA (Kjeldbæk 1997, s. 460).
98 Aktionen blev gennemført af BOPA (Kjeldbæk 1997, s. 460).
99 Aktionen blev gennemført af BOPA (Kjeldbæk 1997, s. 460).
100 Aktionen blev gennemført af BOPA (Kjeldbæk 1997, s. 460).

366   MARTS 1943

Nr. Pol VI 323 II

S c h n e l l b r i e f

An

    das Oberkommando der Wehrmacht
    Agr. Ausland
    das Oberkommando der Kriegsmarine
– je besonders –

Zur Kenntnis.

Im Anschluß an das Schreiben vom 13. d.Mts. – Pol VI 314 II[101] – übersende ich nachstehend einen weiteren Bericht des Bevollmächtigten des Reichs in Dänemark, und zwar vom [ulæseligt ord]

"Staatsminister von Scavenius hat mir mitgeteilt, daß die 10 geflüchteten Dänen, also sowohl die 7 Zivilpersonen als auch die 3 Matrosen, in Schweden polizeilich festgenommen und vorläufig interniert worden sind. Wie schwedischer Presse zu entnehmen, hatten die Flüchtigen sich nach der Landung in Schweden in drei Gruppen geteilt. Eine Gruppe ist in [...]onstorup [?], die zweite in Väsby, beide in der Nähe von Helsingborg, und die dritte in Helsingborg selbst festgenommen worden. Bei der Festnahme haben sie angegeben, daß sie die Absicht gehabt hätten, sich beim nächsten englischen Konsulat zu melden.

Sobald ich Nachricht über Ergebnis der Verhandlungen zwischen dänischer und schwedischer Polizei habe, werde ich weiter berichten."

Im Auftrag

v. Grundherr

255. Politische Informationen für die deutschen Dienststellen in Dänemark 15. März 1943

Op til folketingsvalget havde *Politische Informationen* foruden valget kun det danske politis og civilbeskyttelsestjenestens organisation, styrke og bevæbning som emne. Det var en neutral og saglig fremstilling af disse samfundsgavnlige institutioners virke.

    Kilde: RA, Centralkartoteket, pk. 680.

Der Bevollmächtigte des Reiches in Dänemark   *Kopenhagen, d. 15. März 1943*

P o l i t i s c h e   I n f o r m a t i o n e n
für die deutschen Dienststellen in Dänemark.

Betr: I. Mitteilungen aus der Außenpolitik.
         II. Die dänische Reichstagswahl 1943.
       III. Organisation, Stärke und Bewaffnung der dänischen Polizei und des CB.

---

101 Trykt ovenfor, som Bests telegram nr. 276, 12. marts 1943. Det blev af AA videresendt 13. marts til OKW og OKM uden kommentarer.

MARTS 1943

I. Mitteilungen aus der Außenpolitik

Der Japanische Gesandte in Stockholm hat auf telegrafischem Wege sein Akkreditierungsschreiben für die Dänische Regierung erhalten und trifft am 15.3.1943, begleitet von dem Legationssekretär Sugita, in Kopenhagen ein, um der Dänischen Regierung seinen Antrittsbesuch zu machen. Es ist ein Aufenthalt von etwa einer Woche in Kopenhagen vorgesehen.

II. Die dänische Reichstagswahl 1943

Am 3. April 1943 läuft die Wahlperiode des im Jahre 1939 gewählten dänischen Folketings ab. Gleichzeitig sind nach der dänischen Verfassung für 3 Wahlkreise (etwa die Hälfte des Landes) die Abgeordneten des Landstings neu zu wählen.

Die Dänische Regierung hat dem Reichsbevollmächtigten rechtzeitig mitgeteilt, daß nach der Verfassung die Wahl spätestens im Laufe des Monats März stattfinden muß. Im Einvernehmen mit dem Auswärtigen Amt wurden keine Einwendungen gegen die Durchführung der Wahl erhoben. Die Wahl der Folketingsabgeordneten und der Wahlmänner für die Wahl der Landstingsabgeordneten findet am 23. März 1943, die Wahl der Landstingsabgeordneten am 6. April 1943 statt.

Die Folketingswahl des Jahres 1939 hatte die folgende Mandatsverteilung ergeben:

Sozialdemokratie	64	Mandate
Venstre (Linke)	30	–
Konservative Volkspartei	26	–
Radikale Venstre (Rad. Linke)	14	–
Bauernpartei	4	–
Kommunistische Partei	3	–
Nationalsozialistische Arbeiterpartei	3	–
Retsforbund (Rechtsverband)	3	–
Schleswigsche Partei	1	–

Weggefallen sind die Abgeordneten der Kommunistischen Partei. Von der Fraktion der DNSAP und von der Fraktion des Retsforbundet haben sich je ein Abgeordneter abgespalten.

Für die Folketingswahl 1943 haben die folgenden Parteien Kandidaten aufgestellt:

Retsforbundet (Rechtsverband)
Konservative Volkspartei
Radikale Venstre (Radikale Linke)
Bauernpartei
Sozialdemokratie
Venstre (Linke)
Nationalsozialistische Arbeiterpartei (DNSAP)
Dansk Samling (Dänische Sammlung – Leiter: Arne Sörensen)

Die Deutsche Volksgruppe in Nordschleswig, die im bisherigen Folketing als "Schleswigsche Partei" durch den Volksgruppenführer Dr. Jens Möller vertreten war, hat gegenüber der Regierung und der Öffentlichkeit die Erklärung abgegeben, daß sie sich an der Folketingswahl 1943 nicht beteiligen wird, da sie ihre Kräfte und ihr Interesse ganz auf den Kriegseinsatz für das Reich konzentriert habe. Dafür ist in Verhandlungen, die der Volksgruppenführer im Einvernehmen mit dem Reichsbevollmächtigten mit dem Staatsminister geführt hat, die Einrichtung eines Volksdeutschen Büros beim Staatsministerium vereinbart worden, das künftig alle die Volksgruppe berührenden Fragen unmittelbar mit den zuständigen Ministerien erörtern wird. Als Leiter dieses Büros wird ein Amtswalter der Volksgruppe, der den Rang eines Kontorchefs erhält, eingesetzt werden. Mit der Schaffung dieses Volksdeutschen Büros ist ein seit langem bestehender Wunsch der Volksgruppe in Erfüllung gegangen.

III. Organisation, Stärke und Bewaffnung der dänischen Polizei und des CB
1.) Polizei
Die heutige dänische Reichspolizei ist das Ergebnis einer im Jahre 1911 begonnenen Entwicklung, in deren Verlauf die bis dahin rein kommunale Polizei nach und nach in eine staatliche Polizei umgewandelt wurde. Den vorläufigen Abschluß dieser Entwicklung bildet das am 1.4.1938 in Kraft getretene Gesetz vom 18.5.1937 über die Ordnung des Polizei- und Gefängniswesens in Dänemark. Dieses Gesetz ist die Grundlage der jetzigen Organisation der dänischen Polizei. So bestimmt z.B. § 109, daß der Justizminister (also nicht der Innenminister) der höchste Vorgesetzte der Polizei ist, der seine Befugnisse durch den Reichspolizeichef, den Polizeidirektor und die Polizeimeister ausübt. Dem Reichspolizeichef stehen ein Vizepolizeichef sowie je ein Inspekteur für die Ordnungspolizei, Kriminalpolizei und Sicherheitspolizei zur Seite. Die letztgenannte Stelle ist z.Zt. jedoch unbesetzt, da die Aufgaben der noch in den Anfängen steckenden Sicherheitspolizei augenblicklich von dem "Staatsanwalt für besondere Angelegenheiten" wahrgenommen werden.

Dem Reichspolizeichef ist eigenartigerweise keine allgemeine Befehlsgewalt gegenüber anderen Polizeibehörden, wie dem Polizeidirektor und den Polizeimeistern, übertragen. Statt dessen sind in dem oben erwähnten Gesetz alle Aufgabengebiete besonders aufgeführt, für die der Reichspolizeichef zuständig ist. Dies sind u.a. Einstellungen, Beförderungen und Verabschiedungen; Verteilung und Versetzung innerhalb des Polizeikorps; Dienststrafsachen, soweit diese nicht von den Polizeimeistern erledigt werden können; Anschaffung und Verwaltung der Ausrüstung; Planung der Fremdenaufsicht, usw. usw. Daneben kann der Reichspolizeichef den Polizeimeistern allgemeine Richtlinien für die Durchführung der polizeilichen Aufgaben geben und in Fällen, die eine Zusammenarbeit mehrerer Polizeikreise erfordern, die notwendigen Maßnahmen treffen. Bei Vorliegen einer Aufgabe von besonderer Beschaffenheit kann der Justizminister, wenn es ihm wünschenswert erscheint, einen Polizeimeister oder sonstigen Polizeibeamten mit der alleinigen verantwortlichen Durchführung der Aufgabe beauftragen.

Geographisch ist Dänemark in 72 Polizeikreise eingeteilt, und zwar in die Stadt Kopenhagen unter einem Polizeidirektor und in 71 Polizeikreise unter je einem Polizeimeister. Dem Polizeidirektor und den Polizeimeistern obliegt die selbständige Leitung und Verwaltung der Polizei ihres Kreises. Sie tragen die Verantwortung für die Durchführung aller polizeilichen Aufgaben. Diese in § 114 des genannten Gesetzes festgelegte Bestimmung gibt dem Polizeidirektor und den Polizeimeistern eine Selbständigkeit und Machtvollkommenheit, die noch aus der Zeit der reinen Kommunalpolizei stammt.

Neben ihrer rein polizeilichen Tätigkeit sind die Polizeimeister Anklagebehörden in Strafsachen und unterstehen als solche den höheren Anklagebehörden (Staatsanwalt und Reichsanwalt). Zur Unterstützung auf diesem Gebiet steht den Polizeimeistern im allgemeinen ein Polizeibevollmächtigter zur Seite, der gleichzeitig ständiger Vertreter des Polizeimeisters ist.

Die Aufgaben der Polizei sind verteilt aufs:

1.) Ordnungspolizei,
2.) Kriminalpolizei,
3.) Sicherheitspolizei,
4.) Verkehrspolizei,
5.) Küstenpolizei,
6.) Seepolizei.

Die Aufgaben der Ordnungs- und Kriminalpolizei entsprechen denen, die auch in Deutschland von diesen Polizeizweigen durchgeführt werden. Ihre Stärke in den einzelnen Polizeikreisen ist nach Größe und Bevölkerungszahl der Kreise verschieden. Die Ordnungspolizei umfaßt zur Zeit etwa 4.500 Mann, während die Kriminalpolizei aus 1.088 Kriminalbeamten besteht.

Die Sicherheitspolizei, die erst durch Gesetz Nr. 90 von 15.3.1939 in einer Stärke von 47 Mann geschaffen wurde, war bei Ausbruch des Krieges noch nicht voll ausgebaut. Die ursprünglich von der Sicherheitspolizei wahrzunehmenden Aufgaben werden heute größtenteils vom Staatsanwalt für besondere Angelegenheiten bearbeitet, dem zu diesem Zweck das nötige Personal zur Verfügung steht.

Die Verkehrspolizei übt die verkehrspolizeiliche Aufsicht in ganz Dänemark aus ohne Rücksicht auf die Grenzen der Polizeikreise. Sie ist dem Reichspolizeichef unmittelbar unterstellt und besteht aus zwei verschiedenen Abteilungen. Die erste davon setzt sich zusammen aus 9 Kraftfahrzeugen und 18 Kfz.-Sachverständigen. Diese sind nicht uniformiert, besitzen aber Polizeibefugnis und werden überall im Lande zur Kontrolle des Zustandes der Kraftfahrzeuge eingesetzt. Die zweite Abteilung besteht aus 10 Motorrädern und der entsprechenden Anzahl Polizeibeamten, die in der Überwachung des Straßenverkehrs auf dem Lande tätig sind.

Die Aufgabe der Küstenpolizei ist es, jeden illegalen Verkehr zwischen Dänemark und dem Auslande zu verhindern. Sie ist ausschließlich an der Küste und in den Häfen tätig, während die Überwachung auf See, z.B. im Sund, von der dänischen Marine durchgeführt wird. Die Stärke der Küstenpolizei beträgt z.Zt. etwa 900 Mann und wird auf etwa 1.000 erhöht werden.

Die Seepolizei ist eine Abteilung der Kopenhagener Polizei und ist zur Überwachung des Verkehrs im Kopenhagener Hafen eingesetzt. Sie beschäftigt z.Zt. 1 Polizeiassistenten, 14 Oberbeamte und 139 Polizeibeamte und verfügt über 6 Streifenboote.

Infolge der mit der Besetzung Dänemarks verbundenen Vermehrung der polizeilichen Aufgaben ist die dänische Polizei seit dem Jahre 1940 ständig im Wachsen begriffen. Am 31. März 1940 bestand sie aus 3.502 Polizeibeamten, d.h. bei einer Einwohnerzahl von 3.706.349 kamen auf einen Polizeibeamten 1.053 Einwohner. Laut Stärkenachweisung vom 15.2.1943 umfaßt die dänische Polizei heute 7.709 Mann. Bei der jetzigen Einwohnerzahl von 3.844.312 kommen demnach auf einen Polizeibeamten nur 490 Einwohner. Innerhalb von 3 Jahren hat sich die dänische Polizei also mehr als verdoppelt. Diese starke Vermehrung ist mit deutscher Zustimmung bezw. auf deutschen Wunsch erfolgt, um der dänischen Polizei eine einwandfreie Durchführung der ihr von deutscher Seite übertragenen Aufgaben zu ermöglichen. Besonders hohe Verstärkungen erhielten die Küstenpolizei und der erst kürzlich eingerichtete Bahnschutz, der heute bereits über 814 Polizeibeamte verfügt, die sich allerdings zum Teil noch in der Ausbildung befinden.

Die Bewaffnung der dänischen Polizei besteht im Augenblick aus 5.727 Pistolen, 12 Maschinenpistolen und 300 Karabinern. Der bei weitem nicht ausreichende Pistolenbestand wird z.Zt. aus beschlagnahmten Waffenbeständen ergänzt; zur Bewaffnung der Küstenpolizei werden 940 Karabiner neu angefertigt.

2.) CB (Civil-Beskyttelsestjeneste, Ziviler Luftschutzdienst)
Durch das dänische Gesetz Nr. 180 vom 29.4.1938 wird bestimmt, daß die für den Schutz der Bevölkerung gegen Luftangriffe notwendigen Mannschaften aus den Wehrpflichtigen gestellt werden, die nicht zur Ableistung ihrer militärischen Dienstpflicht eingezogen wurden. Diese Mannschaften werden durch Statens Civile Luftvärn (den Staatlichen Zivilen Luftschutz) einberufen und bilden den sogenannten CB, d.h. Civil Beskyttelsestjeneste (ziviler Luftschutzdienst).

Fachlich gliedert sich der CB in folgende Dienstzweige:
CB-Polizei,
CB-Brandschutz,
CB-Sanitätsdienst,
CB-Hospitalsdienst,
CB-Techn. Dienst,
CB-Gasschutzdienst,
CB-Aufräumungsdienst.

Auf Grund der bei dem Luftangriff auf Kopenhagen am 27.1.1943 gemachten Erfahrungen soll jetzt als neuer Dienstzweig ein
CB-Sozialdienst
zur Betreuung von Bombengeschädigten, Evakuierten usw. gebildet werden.

Die erste Einberufung von CB- Pflichtigen erfolgte im August 1939. Die Mannschaften erhielten damals lediglich eine informatorische Unterweisung und wurden nach 3 Tagen wieder entlassen. Mit dem Einmarsch der deutschen Truppen in Dänemark wurde die Gefahrfeindlicher Luftangriffe akut. Am 11.4.1940 hat daher die Dänische Regierung in Einvernehmen mit dem Befehlshaber der deutschen Truppen mit der Einberufung von CB-Mannschaften begonnen. Nachdem durch Gesetz Nr. 336 vom 25.6.1940 die Luftschutzdienstpflicht der nicht zum Wehrdienst einberufenen Wehrpflichtigen näher festgelegt worden war, wurde die Ausbildungsdauer der CB-Mannschaften auf 14 Tage erhöht. Es hatte sich nämlich gezeigt, daß die bisherige 3tägige Unterweisung nicht ausreichend war. Während der 14tägigen Luftschutzkurse, die auf verschiedenen Schulen abgehalten werden, erhalten die CB-Pflichtigen Unterricht über die Organisation und Aufgaben des zivilen Luftschutzes und werden in ihren jeweiligen Dienstzweigen besonders ausgebildet. Von den so Ausgebildeten wird dann jeweils ein gewisser Prozentsatz zur Dienstleistung für die Zeit von 6 – 12 Monaten bei der Polizei, Feuerwehr, usw. einberufen.

Bisher sind von Statens Civile Luftvärn insgesamt 36.123 CB-Pflichtige ausgebildet worden. Davon sind zur Zeit 4.826 zur Dienstleistung einberufen. Diese verteilen sich auf die einzelnen Dienstzweige wie folgt:

CB-Polizei, 3.358
CB-Brandschutz, 950
CB-Sanitätsdienst, 29
CB-Hospitalsdienst, 129
CB-Techn. Dienst, 360

Die Verteilung der CB-Mannschaften auf die einzelnen Luftschutzorte richtet sich nach deren Größe und Luftgefährdung. Während also in Kopenhagen beispielsweise 1.589 CB-Polizisten Dienst machen, sind es in Odense 144 und in Fredericia nur 21. Ähnlich ist das Verhältnis auch bei den übrigen CB-Dienstzweigen.

Neben diesen allgemeinen CB-Mannschaften gibt es die sogenannten CBU-Kolonnen, d.h. CB-Udrykningskolonnen, (CB-Ausrückungs = Einsatzkolonnen). Diese Kolonnen sind motorisiert und für den Einsatz bei besonderen Schäden und Katastrophen vorgesehen. Die hierzu einberufenen Mannschaften werden kaserniert und erhalten eine 13monatige gründliche Ausbildung in allen Zweigen des Luftschutzes. Der Führer einer Kolonne ist im allgemeinen ein Hauptmann des dänischen Heeres, dem für die technische Ausbildung ein Ingenieur zur Verfügung steht. Zur Zeit gibt es 6 dieser Einsatzkolonnen, die auf ganz Dänemark verteilt sind, und zwar:

Die Kolonne Nordjütland in Vraa mit 101 Mann
Südjütland in Hadersleben mit 107 Mann
Mitteljütland in Herning mit 102 Mann
Fünen in Ulriksholm mit 109 Mann
Seeland in Roskilde mit 102 Mann
Lolland-Falster in Nysted mit 47 Mann
Bornholm in Sandvig mit 71 Mann

Die beiden letztgenannten sind Halbkolonnen und bilden zusammen die 6. Einsatzkolonne.

Als Ersatzmannschaft für diese Kolonnen befinden sich z.Zt. 103 CB-Pflichtige zur Ausbildung auf Bernstorff Slot in Kopenhagen.

Bei allen Luftschutzübungen haben sich die Einsatzkolonnen als besonders gut ausgebildet und einsatzfähig erwiesen. Da sie vollmotorisiert sind, können sie schnell überall eingesetzt werden und bilden somit ein wirksames Mittel zur Bekämpfung von Katastrophen aller Art.

256. Kriegstagebuch/Admiral Dänemark 15. März 1943

Admiral Mewis konstaterede, at antallet af sabotager mod værnemagtsejendom var tiltagende og opregnede foranstaltningerne imod dem. Almindelige forholdsregler mod befolkningen skulle ikke iværksættes, da det ville have en ugunstig virkning. Der kunne forventes en henvendelse fra den danske konge til befolkningen for at advare mod sabotagen.

Kilde: KTB/ADM Dän 15. marts 1943, RA, Danica 628, sp. 3, s. 1981f.

[...]

IV. Sabotagefälle

Die Zahl der Sabotagefälle gegen Wehrmachtseigentum ist weiterhin im Zunehmen begriffen. In der Zeit vom 1.-15. März sind 7 Sabotagefälle festgestellt, bei denen es sich vorwiegend um Schadenfeuer und zwar teilweise von erheblichem Ausmaße und um Beschädigung von Wehrmachtsfernsprechleitungen handelt.

Als Maßnahmen zur Bekämpfung von Sabotagefällen werden gegenüber der dänischen Regierung vom Bevollmächtigten des Reiches in Dänemark folgende Forderungen erhoben:

1.) Bewaffnung des Werkschutzes,
2.) Durchsetzung des Werkschutzes mit dän. Polizeibeamten,
3.) Ermächtigung des Werkschutzes, sofort von der Waffe Gebrauch zu machen.
4.) Festgenommene Personen sind vor ein deutsches Kriegsgericht zu stellen und im Schnellgerichtsverfahren abzuurteilen.
5.) Anforderung von deutschen Polizeibeamten.

Von Maßnahmen allgemeiner Art gegen die Bevölkerung wird, wegen der dadurch hervorgerufenen ungünstigen Auswirkungen gegenüber Unbeteiligten, Abstand genommen.

Dem Vernehmen nach ist ein Aufruf des Königs zu erwarten, durch die die Bevölkerung auf die durch Sabotageakte drohenden Gefahren hingewiesen und auf das nachdrücklichste gewarnt wird.

V. Stimmung der Bevölkerung

Zweifellos ist die Stimmung der Bevölkerung in Dänemark auch in konservativen und gebildeten Kreisen wesentlich schlechter und ablehnender geworden.
[...]

257. Werner Best an das Auswärtige Amt 16. März 1943

Nedkastningen af fire SOE-agenter, her imellem SOEs nye leder i Danmark, Flemming B. Muus, blev hurtigt opdaget, da udrustningen, herunder de nedkastede cykler, ikke kom af vejen. De blev efterlyst af dansk politi fra 12. marts, så Best tog ikke munden for fuld, når han rapporterede, at den skærpede overvågning fandt sted straks (Muus 1950, s. 68f., Hæstrup 1954, s. 197f., Birkelund/Dethlefsen 1986, s. 43ff.).

Kilde: PA/AA R 101.040. RA, pk. 438a.

Telegramm

| Kopenhagen, den | 16. März 1943 | 18.10 Uhr |
| Ankunft, den | 16. März 1943 | 18.45 Uhr |

Nr. 293 vom 16.3.43.

Betrifft: Englische Fallschirmagenten in Dänemark.

In der Nacht zum 12.3. sind 12 km südlich von Nibe in Nordjütland 4 englische Fallschirmagenten abgesetzt worden. An der Landungsstelle wurden 4 Personenfallschirme, 4 Fliegerkombinationen, 4 Sturzhelme und 4 Paar Überziehstiefel gefunden. Weiter entfernt davon lagen weitere 4 Fallschirme, an dreien hingen noch Herrenfahrräder, während das 4. Fahrrad 1 km südlich aufgefunden wurde. Durch die dänische Polizei ist sofort verschärfte Überwachung aller Fähren und Eisenbahnstationen angeordnet worden.

Dr. Best

258. Werner Best an das Auswärtige Amt 16. März 1943

Best fremsendte endnu en af dansk politis rapporter om sabotagen mod tyske interesser. Hovedemnet var de meget unge medlemmer af modstandsorganisationen Danmarks Frihedsliga i Ålborg, der var pågrebet og straffet hårdt. Best var af den opfattelse, at en passende pressemeddelelse ville have en præventiv virkning.

Dog blev endnu en gruppe på ni unge, Christmas sabotage Club, taget i Ålborg i marts (PKB, 7, s. 291. Se Bests telegram nr. 372, 2. april 1943 og *Gads leksikon om dansk besættelsestid 1940-1945*, 2003, s. 80).

Kilde: PA/AA R 61.119.

Abschrift Pol VI 349
Der Bevollmächtigte des Reiches in Dänemark   *Kopenhagen, 16.3.1943*
II C 3 – B. Nr. 717/43

An das Auswärtige Amt, Berlin

Betr.: Sabotageakte in Dänemark
Vorgang: Hiesige Berichte, zul. vom 13.3.1943[102]
II C 3 – B. Nr. 717/43

In Aalborg/ Nordjütland hatten sich seit Mitte September bis Ende November 1942 eine Reihe von Sabotageakten gegen die Deutsche Wehrmacht ereignet. In verschiedenen Wehrmachtkraftwagen wurde Feuer angelegt, so daß die Wagen zum Teil ernstlich beschädigt wurden. In einem Wehrmachtsheim wurde durch den Briefkasten in der Tür Benzin gegossen und angezündet; der Schaden war unerheblich. Durch Einbruch in die Wohnung eines Wehrmachtsangehörigen wurden Uniformstücke gestohlen. Aus den Garderoben der Unterhaltungslokale wurden Seitengewehre oder auch Koppel mit Patronentaschen entwendet. Deutschen Wehrmachtsangehörigen wurde während der Dunkelheit auf der Straße von vorbeifahrenden Radfahrern die Mütze vom Kopf gerissen und weggenommen. Wehrmachtsomnibusse wurden mit Steinen beworfen. Den Umständen nach waren die Täter in verhetzten Jugendlichen nationalistischen Kreisen zu suchen.

102 Trykt ovenfor.

Ende November 1942 gelang es der dänischen Polizei in Zusammenarbeit mit der deutschen Feldgendarmerie, diesem Unwesen ein Ende zu bereiten und 8 Personen festzunehmen, die überführt wurden, die erwähnten Handlungen begangen zu haben.

Im Einvernehmen mit dem Befehlshaber der deutschen Truppen in Dänemark wurde die Aburteilung dieser dänischen Staatsangehörigen der dänischen Justiz überlassen.

Das Kopenhagener Stadtgericht hat die Täter wegen Übertretung des dänischen Gesetzes Nr. 14 vom 18.1.1941 (Lex Örum) § 3 Ziff. 2 u. 3 (Beschädigung von Kriegsmaterial der deutschen Besatzung; Taten, die geeignet sind, den Interessen Dänemarks im Verhältnis zum Ausland ernstlich zu schaden) durch Urteil vom 27.2.1943 wie folgt bestraft:

1.) Erik Börge Nielsen, geb. 13.8.1923, Maschinenbaulehrling in Aalborg, nicht vorbestraft, 3 Jahre Gefängnis,

2.) Svend Erik Norman Pedersen, geb. 25.8.1922, Maschinenbaulehrling in Aalborg, zweimal leichter vorbestraft, 3 Jahre, 3 Monate Gefängnis,

3.) John Albert Andersen, geb. 11.11.1922, Maschinenbaulehrling in Aalborg, nicht vorbestraft, 2 Jahre Gefängnis,

4.) Asger Lorentzen, geb. 31.3.1923, Bürolehrling in Aalborg, nicht vorbestraft, 4 Jahre Gefängnis,

5.) Jörgen Rahbeck, geb. 19.6.1927, Schüler in Aalborg, nicht vorbestraft, 1 1/2 Jahre Gefängnis,

6.) Hans Jörgen Jul Laursen, geb. 11.7.1925, Schüler in Aalborg, nicht vorbestraft, 2 Jahre Gefängnis,

7.) Henning Jensen, geb. 3.8.1925, Schüler in Aalborg, nicht vorbestraft, 2 Jahre Gefängnis,

8.) Vang Jensen, geb. 4.7.1927, Schüler in Aalborg, nicht vorbestraft, 2 Jahre Gefängnis.

Die zuletztgenannten fünf Personen, die sämtlich besseren Familien in Aalborg angehören, hatten sich unter dem Namen "Danmarks Frihedsliga" zusammengeschlossen. Unter Leitung des Lorentzen, der als Rädelsführer besonders streng bestraft wurde, verübten sie gemeinschaftlich ihre Streiche.

Die dänische Justiz hat mit diesem Urteil ein Exempel statuiert, das seine Wirkung auf jugendliche Kreise, die zu ähnlichen Vorhaben neigen, und auch auf die Elternschaft nicht verfehlen wird. Durch eine entsprechende Presseveröffentlichung ist dieser Eindruck noch verstärkt worden.

gez. Dr. Best

259. Reichsführer-SS Persönlicher Stab: Vermerk 16. März 1943

Ved Bests tiltræden i Danmark var det af RAM blevet ham forbudt officielt at angive sin rang i SS. Best havde ladet en oplysning derom gå videre til Himmler, som påfølgende havde ladet tage kontakt til gesandt Hewel i AA. Sagen var dermed nævnt og holdt op for AA, men blev derefter henlagt.

Kilde: RA, Danica 1000, T-175, sp. 59, nr. 575.525.

Persönlicher Stab Reichsführer-SS
Schriftgutverwaltung Akt. Nr. Geh. 102/4   Geheim

Vermerk

Über die Angelegenheit der Veröffentlichung der Einsetzung des SS-Gruppenführers
Dr. Best als Bevollmächtigter des Reiches in Dänemark, die in dem anliegenden Vorgang ihren Niederschlag findet, hat Obergruppenführer Wolff mit dem Gesandten Hewel gesprochen.

Nach Rücksprache mit Obersturmbannführer Dr. Brandt ist vorerst weiter nichts zu
veranlassen. Der Vorgang ist zu den Akten zu nehmen.

Berlin, den 16.3.43
He:/Z.

[underskrift]
SS-Hauptsturmführer

260. Helmut Bergmann an Werner Best 17. März 1943

Se telegram nr. 270, 11. marts 1943.
    Kilde: PA/AA R 100.355. RA, pk. 237. PKB, 14, nr. 160.

Telegramm

Berlin, den   17. März 1943

Diplogerma Kopenhagen Nr. 403.
Referent: LR Dr. Reichel   zu Akt. Z. D VIII 991/43 I
Betreff: Deutsches Büro.

Nr. 141 18/3 0240 erhalten D G Kopenhagen KHL
Auf Telegramm Nr. 270 vom 11.3.[103]
Mit dortiger Auffassung einverstanden.

Bergmann

261. Werner Best an das Auswärtige Amt 17. März 1943

Best rapporterede en uge før valget for sidste gang i detaljer om, hvad der var i gang. Kodeordet var det
regulerede og aftalte valg, regeringen og partierne var i enkeltheder taget i ed om, hvordan det skulle foregå
og foregik. Dertil var pressen bedt om at rette ind. For ikke at give indtryk af den rene idyl, omtalte Best
dels den bekendte professor Hal Koch, der havde en uvenlig undertone mod Tyskland, dels Arne Sørensen
og Dansk Samling, hvis underjordiske aktivitet det efter valget ville være let at kontrollere og lamme.
    Kilde: PA/AA R 29.566. PKB, 13, nr. 395.

103 Trykt ovenfor.

Telegramm

| Kopenhagen, den | 17. März 1943 | 13.50 Uhr |
| Ankunft, den | 17. März 1943 | 15.00 Uhr |

Nr. 298 vom 17.3.[43.]

Im Anschluß an Drahtbericht Nr. 281[104] vom 13.3.1943.

Folketing und Landsting haben am 12.3. ihre letzten Sitzungen gehabt, in welchen das Finanzgesetz und eine große Anzahl anderer uns nicht interessierender Gesetze angenommen worden sind. Am 13.3. hat der König, der damit zum erstenmal seit langer Zeit wieder offiziell in Erscheinung getreten ist, die Präsidenten des Folketings und des Landstings empfangen und ihnen seinen Dank für ihre Arbeit in der nunmehr abgeschlossenen Reichstagsperiode ausgesprochen. Darüber hinaus hat er, dem amtlichen Presse-Kommuniqué nach, seiner Freude über die veröffentlichten Wahlaufrufe Ausdruck gegeben, die ein Zeugnis wertvoller Sammlung und Zusammenarbeit im politischen Leben seien. Am gleichen Tage hat der König, ebenfalls zum ersten Mal seit seiner Krankheit, das gesamte Kabinett in kurzer Audienz empfangen. Mit dem 14.3. haben bei allen Parteien die Wahlversammlungen begonnen. Versammlungstätigkeit ist entsprechend Vereinbarung mit dänischer Regierung so geregelt, daß nur Mitglieder der jeweils veranstalteten Partei und von der Parteileitung eingeladene, mit Zugangskarten versehene Gäste teilnehmen dürfen. Diese Regelung ist nicht im Wege förmlichen Polizeiverbots öffentlicher Versammlungen sondern durch Absprache der Regierung mit den Parteileitungen herbeigeführt worden. Sie wurde bisher von allen Seiten eingehalten. In großer konservativer Wahlversammlung am 14.3. hat Handelsminister Halfdan Hendriksen gesprochen. Er hat, wie das in sämtlichen Versammlungen der "zusammenarbeitenden Parteien" geschieht, den Gedanken der "Folkestyre" in den Mittelpunkt gestellt und entscheidende Wichtigkeit der Wahlen hervorgehoben. Stimmung der Versammlung war ruhig. Am 15.3. hat DNSAP große Wahlversammlung in Kopenhagen veranstaltet. Dr. Clausen selbst hat hier nicht gesprochen.[105] Auch diese Versammlung ist in aller Ruhe verlaufen. Presse der "zusammenarbeitenden Parteien" ist in gleicher Weise wie Versammlungen ausgerichtet. Trotz amtlicher Richtlinien, nur positive Propaganda zu bringen, bleiben naturgemäß kleine Seitenhiebe untereinander nicht aus, was uns durchaus recht sein kann. Vereinzelte Versuche der Presse, tendenziös herauszustellen, daß Wahlergebnis nicht als Vertrauensvotum für Regierung Scavenius zu werten sein werde, und daß sofort nach Friedensschluß neuer Reichstag werde gewählt werden, sind von mir beanstandet und daraufhin von der Regierung unterbunden worden.[106] Mit in vorderer Linie der Wahlpropaganda steht der bekannte Professor Hal Koch, der sowohl in der Presse als auch in Versammlungen der von ihm geleiteten "Dansk Ungdoms

---

104 Pol VI. Trykt ovenfor.

105 Frits Clausen var trådt delvist i baggrunden i DNSAPs valgagitation overfor medlemmerne under denne valgkamp. Han havde utvetydigt forstået Bests opfattelse af DNSAPs fremtidige rolle for besættelsesmagten.

106 Bindsløv Frederiksen 1960, s. 345-349.

Samvirke" täglich zur Wahl Stellung nimmt. Er tut das in bekannt vorsichtiger Art, aber doch mit uns gegenüber unfreundlichem Unterton.[107] Seine Tätigkeit wird deshalb von mir besonders beobachtet. Hinsichtlich der in Vorbericht bereits erwähnten Partei des Arne Sörensen "Dansk Samling" ist durch Postüberwachung festgestellt worden, daß man den Versuch gemacht hat, mit Christmas Möller in London über Schweden in Verbindung zu treten. Man hat ihm die Wahldrucksachen von "Dansk Samling" zustellen wollen. Auf einem der Flugblätter findet sich für Christmas Möller bestimmt, mit Maschinenschrift geschriebener Vermerk: "Dansk Samling darf von London her nicht erörtert werden." Durch die erfaßte Postsendung sind gleichzeitig die beiden Vermittlungsstellen die für "Dansk Samling" in Kopenhagen und in Stockholm arbeiten, festgestellt worden. Es wird deshalb nach Abschluß der Wahlen leicht möglich sein, die unterirdische Tätigkeit Arne Sörensens und seiner Partei zu kontrollieren und im richtigen Augenblick lahmzulegen. Bis zur Wahl werde ich mich absichtlich nur auf vertrauliche Beobachtungen beschränken.[108] Zu "Dansk Samling" hat sich auch Kai Munk bekannt. Bezeichnend ist, daß die Wahlparole von "Dansk Samling" u.a. die folgende Formulierung erhält: "Wünschen sie Scavenius ihren Segen zu geben, so stimmen sie für die Konservativen, Venstres, Radikalen, den Rechtsverband oder die Sozialdemokratie," wieder ein Beleg dafür, daß man diese unvermeidbare von uns gewollte Konsequenz richtig erkennt. Als Kuriosum zu erwähnen ist der Versuch eines gewissen Helge Lanby, eine Partei "Dansk Folkeligt Centrum" zu gründen, die eigene Listen für die Reichstagswahl aufstellen und nach Pressemeldungen schon nach kurzer Zeit zehntausende von Anhängern haben sollte. Lanby der in Wirklichkeit Jespersen heißt und mehrfach vorbestraft ist, ist am 14.3.43 von der Polizei festgenommen worden, weil er für seine Parteizwecke große Betrügereien begangen hat. Bis zur Einreichung einer Wahlliste ist es nicht gekommen.

Dr. Best

262. Werner Best an das Auswärtige Amt 17. März 1943

Opstillingen af gidsellister var et nyt initiativ af von Hanneken, som Best ville have AA til at gribe ind overfor. Når og hvis der skulle laves sådanne lister, var det et politisk anliggende, og derfor Best, der skulle stå for det. Best ønskede, at AA henvendte sig til OKW og fik afklaret, om det overhovedet var nødvendigt med gidsellister (Kirchhoff, 1, 1979, s. 116).

Von Hanneken var påbegyndt arbejdet med opstilling af gidsellister straks efter sin ankomst til Danmark. Der blev 23. oktober 1942 udsendt en ordre til alle afsnitskommandanterne (Ic Nr. 185/42 g.Kdos. v. 23.10.42, Betr.: Erfassung von Geiseln). Ordren er ikke lokaliseret, men der henvises til den på side 2 i 416. Infanterie-Divisions Kampfanweisung 10. marts 1943 (se endvidere WB Dänemark: Maßnahmen 3. marts 1943, trykt ovenfor).

Kilde: PA/AA R 29.566. RA, Danica 1069, sp. 12, nr. 15.426f. RA, pk. 202. LAK, Best-sagen (afskrift).

---

107 Bindsløv Frederiksen 1960, s. 344, Nissen/Poulsen 1963, s. 247f.
108 Om overvågningen af Dansk Samling efter valget, se Lundbak 2001, s. 396f., 418.

Telegramm

| Kopenhagen, den | 17. März 1943 | 19.20 Uhr |
| Ankunft, den | 17. März 1943 | 20.15 Uhr |

Nr. 299 vom 17.3.43.

Befehlshaber der deutschen Truppen ist seit einiger Zeit mit Aufstellung sogenannte "Geisellisten" beschäftigt. In erster Linie sind Ortskommandanten aller mit deutschen Truppen belegten Städte und Abwehrstelle beauftragt, Namen für die Listen zusammenzustellen.

Grundsätzlich ist dazu festzustellen:

1.) Bei gegenwärtigem deutsch-dänischem Verhältnis fehlt für Geiselfestnahmen die Rechtsgrundlage.

2.) Wenn Geisellisten für den Fall zukünftiger Änderung der Lage aufgestellt werden sollen, ist dies in erster Linie eine politische Angelegenheit, für die, solange die politischen Belange des Reiches in Dänemark durch einen Reichsbevollmächtigten vertreten werden, dieser und nicht der Befehlshaber der deutschen Truppen zuständig ist.

Daneben führt das vom Befehlshaber angewandte System dazu, daß völlig uneinheitliche Listen entstehen, die auf durchweg mangelhafter Personenkenntnis der an der Aufstellung beteiligten örtlichen militärischen Stellen, auf Zufälligkeiten, auf Zuträgereien usw. beruhen und bei deren Anwendung im Ernstfall unabsehbarer Schaden angerichtet werden kann.

Meine Behörde ist zwar von einzelnen Wehrmachtsdienststellen unter der Hand gebeten worden, ihre Unterlagen für die Geisellisten dem Befehlshaber mit zur Verfügung zu stellen. Mein Material würde aber lediglich zu dem übrigen, von der Wehrmacht selbst gesammelten hinzukommen, einen Einfluß auf die endgültige Aufstellung der Geisellisten habe ich nach dem Plan des Befehlshabers nicht.

Ich bitte, in Verhandlung mit OKW zu klären, daß, wenn Aufstellung von Geisellisten überhaupt für notwendig gehalten wird, diese Aufgabe mir übertragen wird. Ich würde sie selbstverständlich im engsten Einvernehmen mit Befehlshaber durchführen, bei Verhandlung mit OKW bitte ich grundsätzlich herauszustellen, daß Geiselverhaftungen, von äußersten Notfällen abgesehen, entscheidende politische Fehler sind, die den Absichten des Feindes entgegenkommen.

Dr. Best

263. Werner Best an das Auswärtige Amt 18. März 1943

Se Walter Schellenbergs telegram til Best 12. marts (Yahil 1967, s. 102).

Kilde: PA/AA R 101.040. RA, pk. 228 og 438a. Yahil 1967, s. 102 (på dansk) og 1969, s. 454 (på engelsk). Lauridsen 2008a, nr. 74.

Telegramm

Kopenhagen, den   18. März 1943   20.00 Uhr
Ankunft, den   18. März 1943   21.00 Uhr

Nr. 305 vom 18.3.[43.]

Auf Telegramm Nr. 382[109] vom 13. d.M.
Bei dänischen Firmen, die kriegswichtige Fertigungen im Verlagerungsverfahren ausführen, wird Wehrwirtschaftsstab, wenn im Verwaltungsrat Juden sitzen, so verfahren, daß laufende Aufträge im Interesse unserer Kriegswirtschaft ausgeführt werden können. Bei Vergebung neuer Aufträge dagegen soll jüdischer Einfluß möglichst ausgeschaltet werden.
    Ich bin im Falle Standard Electric mit den Maßnahmen einverstanden, die eine ungehinderte Weiterführung der laufenden Erzeugung ermöglichen.

Dr. Best

264. Konstantin Hierl an Heinrich Himmler 19. März 1943

Arbejdsfører Hierl meddelte RFSS, at han foreløbig lod sin repræsentant forblive i Danmark.
    Brandt lod 31. marts oplysninger gå videre til Berger.
    Kilde: RA, pk. 443.

Der Reichsarbeitsführer   *Berlin-Grünewald, den 19. März 1943*

An den Reichsführer SS Himmler,   Geheim!
    Feld-Kommandostelle,   Einschreiben!
    Berlin SW. 11, Prinz-Albrecht-Straße 8.

Betrifft: Verbindungsführer in Dänemark
Vorgang: Dortiges Schreiben vom 12. März 1943[110]
– Tgb. Nr. A 36/43/43 g –

Hochverehrter Reichsführer!
Reichsarbeitsführer Hierl befindet sich auf Dienstreise. Ich erlaube mir daher, Sie davon in Kenntnis zu setzen, daß der Verbindungsführer in Dänemark gemäß einer Weisung des Reichsarbeitsführers vorläufig zur Verfügung des Reichsbevollmächtigten, Dr. Best, in Kopenhagen verbleibt.

Heil Hitler!
Ihr sehr ergebener
[**signeret**]

109 Originalen er uklar i nummereringen: Oprindelig har der stået "Nr. 115," med henvisning i margen til "Nr. 385." Begge numre er dog overstreget og i hånden er tilføjet "Nr. 382." Telegram nr. 382 er fra 12. marts. Se dette.
110 Trykt ovenfor.

265. Werner Best an das Auswärtige Amt 19. März 1943

Som svar på AAs telegram 13. marts leverede Best en længere redegørelse for von Hannekens fremfærd i forhold til den danske regering siden begyndelsen af november 1942, idet Best gjorde det klart, at dette kun var, hvad han havde kendskab til og dermed antydede, at der kunne være flere tilfælde.

Han forfulgte sagen videre med telegram nr. 315, 20. marts 1943.

Kilde: PA/AA R 29.566. RA, pk. 202. RA, Danica 1069, sp. 12, nr. 15.428ff. LAK, Best-sagen (afskrift).

Telegramm

Kopenhagen, den	19. März 1943	19.40 Uhr
Ankunft, den	19. März 1943	21.00 Uhr

Nr. 309 vom 19.3.[43.]

Auf Drahterlaß Nr. 115[111] vom 14.3.1943

Zu meiner Feststellung, daß General von Hanneken in den letzten Monaten immer mehr direkten Schriftwechsel mit dem dänischen Außenministerium und mit anderen dänischen Ministerien geführt hat, teile ich folgende Beispiele mit:

1.) Schreiben von Hannekens an "Minister der auswärtigen Angelegenheiten, Herrn von Scavenius," vom 7.11.1942. Er weist darauf hin, daß auf der Bahnstrecke nach Helsingör zweimal Sabotageakte begangen worden sind, die Wehrmachtszüge gefährdet haben. Er verlangt, daß die Einwohner der in der Nähe der Sabotagestellen liegenden Gemeinden, einschließlich Stadt Helsingör, zu verstärkten Bahnschutz Tag und Nacht herangezogen werden, den Zeitpunkt für die Beendigung dieser Maßnahme werde er dem Außenminister zu gegebener Zeit mitteilen.[112]

(Auf Grund von Besprechungen die sich an dieses Ersuchen anschlossen, ist die verlangte Maßnahme tatsächlich nicht durchgeführt worden).

2.) Schreiben von Hannekens an den "Minister für auswärtige Angelegenheiten, Herrn von Scavenius" vom 10.11.1942 in gleicher Angelegenheit.[113]

Er verlangt, daß für den Fall weiterer Sabotageakte Vorbereitungen getroffen werden, um eine Bewachung der Bahnstrecke durch die Bürgerschaft sofort durchführen zu können.

3.) Schreiben von Hannekens an das "dänische Außenministerium" vom 23.11. 1942.

Er verlangt, daß ein sofortiger verstärkter Bahnschutz auf einer Anzahl von Hauptstrecken der dänischen Bahnen einschließlich der Fähr-Bahnhöfe durchgeführt wird.

Das an das dänische Außenministerium gerichtete Schreiben schließt mit dem folgenden Satz: "Es wird gebeten, das zur verstärkten Bewachung Erforderliche bei der dänischen Regierung erwirken und das von dieser Veranlaßte baldgefälligst hierher mir

---

111 Nr. stimmt nicht richtig wohl Nr. 385 (Botsch. Ritter). Trykt ovenfor 13. marts.
112 Se skrivelsen i PKB, 7, s. 1521.
113 Se PKB, 7, s. 1521.

mitteilen zu wollen."[114]

4.) Schreiben von Hannekens an "das dänische Außenministerium" vom 25.1. 1943.

Er verlangt unter Bezugnahme auf neuerliche Sabotageakte an Wehrmachtsgut auf Eisenbahnwagen, daß sofortige und energische Schutzmaßnahmen getroffen werden.[115]

5.) General von Hanneken teilte mir am 6.2.1943 mit, daß er beabsichtige, dem dänischen Außenministerium folgendes zu schreiben: "Angesichts der weiteren Sabotagefälle sehe er sich genötigt, seinen bisherigen Weg zu verlassen und zum Schutze der Wehrmacht härtere Maßnahmen zu ergreifen, in Zukunft werde er aus denjenigen Gemeinden, in welchen Sabotageakte verübt werden, maßgebende Persönlichkeiten festnehmen lassen und die Gemeinden mit strengen Maßnahmen belegen."

Auf Grund einer Besprechung zwischen mir und ihm ist dieses Schreiben nicht abgegangen.

6.) Schreiben von Hannekens an das "Königliche dänische Außenministerium" vom 13.3.1943.

Er teilt mit, daß sich bei der Errichtung und Verwaltung von Befestigungsanlagen im Verkehr mit der Bevölkerung Schwierigkeiten ergeben hätten, zu deren Beseitigung eine einheitliche Regelung notwendig sei, er werde deshalb ein "Schutzbereich-Amt" errichten, das diese Angelegenheiten zu regeln habe. In Zusammenhang hiermit habe er eine Anzahl von Forderungen zu stellen, die er im einzelnen aufführt und die sich auf die Beschränkung bezw. den völligen Ausschluß des Nutzungsrechts der Grundeigentümer in den zum Schutzbereich erklärten Gebieten erstrecken.

Diese Angelegenheit hatte ich vorher mit dem Stabe des Befehlshabers besprochen. Ich hatte vorgeschlagen, es mir zu überlassen, die erforderlichen Abmachungen mit der dänischen Regierung zu treffen. Entgegen meinem Vorschlage hat General von Hanneken sich unmittelbar an das dänische Außenministerium gewandt. Die dänische Regierung hat mich daraufhin um Vermittlung gebeten, da in Zusammenhang mit der Forderung des Generals, die grundsätzlich anerkannt wird, eine Reihe schwieriger rechtlicher und verwaltungsmäßiger Fragen zu lösen ist. General von Hanneken hat meine Mitwirkung abgelehnt. Die Angelegenheit, die auf dem von mir vorgeschlagenen Wege längst geregelt wäre, ist heute noch in der Schwebe.

7.) Schreiben von Hannekens an das "Dänische Justizministerium" vom 26.2.1943.

Er verlangt die Durchführung besonderer polizeilicher Maßnahmen für die Insel Fanö. Das Betreten der Insel soll nur mit besonderen Zutrittskarten zulässig sein, die Fähre Esbjerg-Fanö soll durch den deutschen Hafenkapitän kontrolliert werden, außerdem sollen andere entscheidende Vorschriften erlassen werden.

Derartige Maßnahmen sind bisher stets durch meine Vermittlung bei der dänischen Regierung oder dem dänischen Justizministerium durchgesetzt worden.

8.) Schreiben von Hannekens an das "dänische Außenministerium" vom 16.3. 1943.

---

114 Skrivelsen er trykt hos Alkil, 2, 1945-46, s. 834 og i PKB, 7, s. 1521f.

115 Skrivelsen er trykt i PKB, 7, nr. 145.

382 MARTS 1943

Er verlangt den Ersatz in Natura von mehreren Kraftfahrzeugen, die infolge Sabotage-Brandes in einem Heeres-Kraftfahrpark in Jütland vernichtet worden sind.[116]

Die Forderung an sich ist berechtigt. Die Form, in welcher sie vorgebracht wurde, ist wie ich allen angeführten Fällen, ungeschickt und ungeeignet, den guten Willen der dänischen Seite zu fördern.

9.) Schreiben von Hannekens an den "dänischen Staatsminister" vom 16.11.1942.

Er verlangt, daß die Strafvollstreckung gegenüber zwei dänischen Kaufleuten, die von dänischen Gerichten wegen Vergehens gegen die Bestimmungen über den Verkauf von Waren an die Wehrmacht verurteilt worden waren, ausgesetzt und das ganze Gerichtsverfahren überprüft wird.

Dieses Schreiben hat er über mich geleitet. Ich habe es jedoch nicht weitergegeben, sondern das dänische Außenministerium von mir aus verständigt und um Prüfung gebeten.

10.) Schreiben von Hannekens an das "dänische Handelsministerium" vom 22.2.1943.

Er verlangt, das Handelsministerium möge hinsichtlich des Verkaufs von Damenmänteln und Damenpelzen an Wehrmachtsangehörige seine bisherige Auffassung revidieren und derartige Verkäufe zulassen.

Auch dieses Schreiben hat er über mich geleitet. Ich habe es ebenfalls nicht weitergeleitet, da die Forderung in Widerspruch zu der mit dänischen Regierung vereinbarten Regelung stand.

11.) Schreiben von Hannekens an das "dänische Außenministerium" vom 6.2.1943.

Er verlangt die sofortige Freigabe von 500 Flaschen Speiseöl, die die dänische Polizei bei einem Kantinenpächter beschlagnahmt hatte, weil sie ohne die vorgeschriebene amtliche Genehmigung gekauft worden waren.

12.) General von Hanneken führt nicht nur unmittelbaren Schriftwechsel mit dänischen Ministerien, sondern läßt ihnen auch unmittelbare mündliche Forderungen überbringen. In neuerer Zeit hat er auf diesem Wege mehrfach vom dänischen Innenministerium die Bereitstellung von Gebäuden in Kopenhagen für Wehrmachtszwecke verlangt. Gerade diese Forderungen haben auf dänischer Seite zu unnötigen Verstimmungen geführt. Das hätte vermieden werden können, wenn ich die Wünsche des Generals von Hanneken von mir aus vermittelnd hätte vorbringen und dafür sorgen können, daß zwischen ihnen und den – oft nicht unberechtigten – Einwänden der dänischen Seite ein für beide Teile tragbarer Ausgleich gefunden wurde.

Bei den hier beispielsweise aufgeführten Fällen handelt es sich um Vorgänge, die mir entweder durch Abschriften, die General von Hanneken mir hat zugehen lassen, oder indirekt durch Vorstellung der dänischen Seite bekannt geworden sind. In wie vielen Fällen General von Hanneken darüber hinaus an dänische Ministerien unmittelbar geschrieben hat, ohne daß ich das erfahren habe, kann ich nicht sagen.

Dr. Best

116 Se PKB, 7, nr. 152 og 153.

266. Auswärtiges Amt an OKW 20. März 1943

AA reagerede på Bests klage over, at von Hanneken opstillede gidsellister, ved at henvende sig til OKW for at få det stoppet. Skulle der opstilles gidsellister, var det en opgave for Best, og det lå i henvendelsen, at den politiske situation ikke var til det.

OKWs svar til AA er ikke lokaliseret, men at henvendelsen blev imødekommet, fremgår af et møde i von Hannekens hovedkvarter 13. april 1943 (se nedenfor).

Kilde: RA, Danica 1069, sp. 12, nr. 15.405-07.

Auswärtiges Amt *Berlin W 8, den 20. März 1943.*

Nr. Pol VI 8082g Geheim

S c h n e l l b r i e f

An das Oberkommando der Wehrmacht, Agr. Ausland
zu Händen von Herrn Konteradmiral Bürkner.

Der Reichsbevollmächtigte in Kopenhagen berichtet am 17. d.Mts. folgendes:

Seit einiger Zeit ist der Befehlshaber der deutschen Truppen in Dänemark mit der Aufstellung sogenannter Geisellisten beschäftigt. In erster Linie sind die Ortskommandanten aller mit deutschen Truppen belegten Städte und die Abwehrstellen beauftragt, die Namen für diese Listen zusammenzustellen.

Der Reichsbevollmächtigte betont, daß nach seiner Auffassung bei dem gegenwärtigen Stand des deutsch-dänischen Verhältnisses für die Festnahme von Geiseln [k]eine Rechtsgrundlage gegeben sei. Wenn Geisellisten für den Fall einer zukünftigen Änderung der Lage aufgestellt werden sollen, sei dies in erster Linie eine politische Angelegenheit, für die da die politischen Belange des Reiches in Dänemark durch den Reichsbevollmächtigten vertreten werden, er selbst zuständig sei.

Der Reichsbevollmächtigte weist weiter darauf hin, daß das vom Befehlshaber der deutschen Truppen angewandte System die Gefahr in sich birgt, daß uneinheitliche Listen entstehen, da die an der Aufstellung beteiligten örtlichen militärischen Stellen nicht immer über die ausreichende Personenkenntnis verfügen könnten und von mancherlei Zufälligkeiten (Zuträgereien usw.) abhängig seien.

Die einzelnen Wehrmachtdienststellen haben zwar die Behörde des Reichsbevollmächtigten unter der Hand gebeten, ihre Unterlagen für die Geisellisten dem Befehlshaber zur Verfügung zu stellen. Dieses Material würde aber lediglich zu dem übrigen, von der Wehrmacht selbst gesammelten hinzukommen, so daß der Reichsbevollmächtigte selbst einen Einfluß auf die endgültige Aufstellung der Geisellisten nicht haben würde.

Ich kann mich der Berechtigung dieser Gesichtspunkte nicht verschließen und bitte daher, daß, wenn die Aufstellung von Geisellisten überhaupt für notwendig gehalten wird, diese Aufgabe dem Reichsbevollmächtigten vorbehalten bleibt. Abgesehen von der grundsätzlichen Seite der Angelegenheit erscheint die Dienststelle des Reichsbevollmächtigten zur Lösung dieser Aufgabe auch besonders geeignet, weil sie auf Grund des in Jahrzehnten gesammelten Materials der Deutschen Gesandtschaft und der deutschen Konsulate in Dänemark über die genaueste und zuverlässigste Kenntnis der in Frage kommenden politischen Persönlichkeiten und ihrer politischen Einstellung verfügt. Selbstverständlich würde der Reichsbevollmächtigte die Aufgabe in Zusammenarbeit

384 MARTS 1943

mit dem Befehlshaber durchführen. Im übrigen aber sollte zu politisch so folgenschwe-
ren Schritten wie Geiselverhaftungen nur in dringend nötigen Fällen und nur im Einvernehmen mit dem Auswärtigen Amt bezw. seiner Dienststellen in Dänemark geschritten werden.

In Vertretung
[**signeret**]

267. Werner Best an das Auswärtige Amt 20. März 1943

Best pressede på for at få svar på sin forespørgsel af 8. marts, idet von Hanneken nu over for UM havde gjort
gældende, at det var presserende at få oprettet et kontor for det militære beskyttelsesområde. Best vendte
tilbage til det principielle: Kunne von Hanneken have direkte kontakt med den danske regering?
  Best fremsendte 2. april et nyt telegram, nr. 371, i denne sag, mens han afventede AAs svar.
  Kilde: PA/AA R 29.566. RA, pk. 202

T e l e g r a m m

Kopenhagen, den	20. März 1943	13.35 Uhr
Ankunft, den	20. März 1943	13.45 Uhr

Nr. 315 vom 20.3.43.   Citissime!

Im Anschluß an Drahtbericht Nr. 273[117] vom 10.3.
In der in obenbezeichnetem Drahtbericht erwähnten Angelegenheit betr. Einrichtung
eines Schutzbereichamtes in Dänemark hat Befehlshaber nunmehr bei dänischem Außenministerium unter Hervorhebung Dringlichkeit der Sache angefragt, was dänische
Regierung inzwischen veranlaßt habe und wann er mit Stellungnahme zu seinem Antrag
rechnen könne. Dänisches Außenministerium hat Befehlshaber daraufhin mitgeteilt, er
habe mich um Stellungnahme und Aufnahme von Verhandlungen gebeten. Daraufhin
hat Befehlshaber, der (wie berichtet), Schutzbereichfrage mit dänischer Regierung unmittelbar zu behandeln wünscht, heute bei mir angefragt, ob ich inzwischen dänischer
Regierung nahegelegt hätte, die Verhandlungen unmittelbar mit ihm (Befehlshaber) zu
führen. Dies habe ich bisher absichtlich nicht getan, weil ich mich damit dänischer Regierung gegenüber aus der Behandlung einer Frage von grundsätzlicher Bedeutung, die
weitgehende Konsequenzen für dänische Verwaltung hat, ausschalten würde. Da eine
Entscheidung auf meine Drahtberichte Nr. 245 vom 8.3. und den obenbezeichneten
Drahtbericht betr. direkten Schriftwechsel des Befehlshabers mit dänischer Regierung
bisher nicht eingegangen ist, werde ich dem Befehlshaber auf seine Anfrage in nächsten
Tagen entweder antworten müssen, daß ich mich wegen einer grundsätzlichen Klärung
der Frage des unmittelbaren Verkehrs mit der dänischen Regierung nach Berlin gewandt
hätte, oder aber ich werde mich zu der Mitteilung an die dänische Regierung gezwungen
sehen, daß der Befehlshaber die Schutzbereichangelegenheit unmittelbar mit ihr regeln

---

117 bei Pol VI. Trykt ovenfor.

wird. Da ich beides gern vermeiden möchte, bitte ich dringend um tunlichst umgehende Entscheidung auf meine obenerwähnten Drahtberichte.

Dr. Best

268. Ernst von Weizsäcker an Werner Best 22. März 1943

Weizsäcker returnerede det lånte materiale om jødelovgivningen i Frankrig.
Kilde: PA/AA R 29.858. RA, pk. 212. PKB, 13, nr. 733.

Berlin, den 22. März 1943.

An den Bevollmächtigten des Reichs in Dänemark
Herrn Ministerialdirektor Dr. Best,
Kopenhagen.

Sehr verehrter Herr Best!
Im Anschluß an meinen Brief vom 5. d.M.[118] lasse ich Ihnen anliegend das Material über die geltende Judengesetzgebung in Frankreich wieder zugehen.

Indem ich Ihnen für Ihre Mühewaltung in dieser Angelegenheit nochmals danke, bin ich mit besten Grüßen und

Heil Hitler!

gez. **Weizsäcker**

269. OKW an Hermann von Hanneken 22. März 1943

Hitler havde truffet bestemmelse vedrørende krigergravene i Danmark. Der skulle ikke oprettes krigerkirkegårde, da Danmark ikke var kampområde, men et neutralt, tyskbesat land. I stedet skulle de eksisterende tyske krigergrave, når det var muligt, samles og tidligere massegrave opdeles på de enkelte faldne. OKW ønskede at få tilsendt et kort over de spredte grave.
Se Brandtner til Best 26. marts 1943.
Kilde: RA, pk. 285.

Oberkommando der Wehrmacht   *22. März 1943*
Az. 31t52 AWA/WVW (IIa)
Nr. 1771/43

Betr.:   Deutsche Kriegergedenkstätten in Dänemark
Bezug: 1.)   OKW Az.31 t 51 AWA/WVW (IIa) Nr. 1426/42 v. 8.4.42
              2.)   Befehlshaber der deutschen Truppen in Dänemark, Abt. Qu. Nr.
                     248/42 v. 16.7.42
              3.)   Auswärtiges Amt, Nr. R. 1522 vom 19.1.42

An dem Befehlshaber der deutschen Truppen in Dänemark,
Kopenhagen

118 Trykt ovenfor.

Nachrichtlich an
1.) Auswärtiges Amt, Berlin W 8, Wilhelmstr. 74/6
2.) Oberkommando des Heeres, Heerwesen-Abt. b Gen zbV/OKH.

Der Führer hat entschieden, daß in Dänemark keine Kriegerfriedhöfe zu errichten sind, da Dänemark nicht Kampfgebiet gewesen, sondern ein lediglich von deutschen Truppen besetztes neutrales Land ist.

Dem Führer ist vorgetragen worden, daß der Befehlshaber der deutschen Truppen in Dänemark im April 1941 angeordnet hatte, Beisetzungen von deutschen Wehrmacht-Angehörigen in Dänemark nur noch auf den Friedhöfen in Kopenhagen (Bispebjerg) und in Frederikshavn vorzunehmen. Dieser Anordnung hat der Führer zugestimmt. Die Anlagen auf den genannten Friedhöfen sollen jedoch auf Befehl des Führers in würdiger Form als deutsche Gedenkstätten ausgebaut werden. Die Überführung der Toten, die auf den rund 40 verschiedenen kleinen Anlagen ruhen, auf die genannten beiden Friedhöfe soll nach Möglichkeit durchgeführt werden.

Bevor eine Ortsbesichtigung vorgenommen wird, wird um Bericht gebeten, ob sich die jetzigen Anlagen in Kopenhagen und Frederikshavn zum Ausbau eignen oder ob an den genannten Orten andere Plätze in Vorschlag gebracht werden. In diesem Zusammenhang wird darauf hingewiesen, daß bei der Neugestaltung der Anlage in Frederikshavn das Massengrab aufgehoben und jeder Gefallene in ein einzelnes Grab gebettet werden muß.

Es wird weiter gebeten, eine Karte einzureichen, auf der Anzahl und Lage der deutschen Gräber in Dänemark verzeichnet sind.

Die erbetenen Unterlagen sind möglichst bis zum 15.4.43 vorzulegen, damit die Durchführung der erforderlichen Maßnahmen baldigst in Angriff genommen werden kann.

Der Chef des Oberkommandos der Wehrmacht.

Im Auftrage
[underskrift]

270. Werner Best an das Auswärtige Amt 23. März 1943

Det stigende antal sabotager i foråret 1943 var kun undtagelsesvis omtalt i Bests egne telegrammer, og det var hovedsageligt i forbindelse med oversendelsen af sabotageoversigterne fra dansk politi, men han valgte at tage hul på emnet netop den dag, hvor afholdelsen af valget fandt sted. Med en politisk succes i hus, kunne han tage et nyt emne op og forfølge det. Han var dertil nødt til at have en begrundelse: At der på det allerseneste var taget hidtil usete og nye voldelige aktionsformer i brug. Til bekæmpelse heraf anmodede han om at få en politibataljon til Danmark.

Se telegrammerne nr. 362, 31. marts, nr. 372, 2. april og Rintelen til Best 2. april 1943 (se endvidere Kirchhoff, 3, 1979, s. 161 note 61).

Kilde: PA/AA R 29.566. RA, pk. 202, 229 og 438a. LAK, Best-sagen (afskrift). EUHK, nr. 93.

Telegramm

| Kopenhagen, den | 23. März 1943 | 18.00 Uhr |
| Ankunft, den | 23. März 1943 | 18.45 Uhr |

Nr. 326 vom 23.3.43.

Im Anschluß an meinen Drahtbericht Nr. 293[119] vom 16.3.43 berichte ich, daß offenbar außer den erwähnten noch weitere Fallschirmagenten von Flugzeugen, die in auffälliger Weise über bestimmten Bezirken kreisten, abgesetzt worden sind. Diese neuen Fallschirmagenten machen sich bereits durch neue, bisher in Dänemark nicht beobachtete Aktionsformen bemerkbar. – So ist am 20.3.43 eine für die deutsche Wehrmacht arbeitende Schneiderei von 5 unbekannten Männern mit Gewalt überfallen worden. Während die Werkschutz-Wächter festgehalten wurden, wurde – allerdings vergeblich – versucht, die Werkstätten in Brand zu setzen.[120] Am 22.3.43 ist eine für deutsche Aufträge arbeitende Maschinenfabrik von 8 Männern überfallen worden, die die Werkschutz-Wächter mit Pistolen in Schach hielten und 3-4 Sprengbomben in den Transformatorenraum warfen.[121] Diese Form des gewaltsamen Überfalls ist neu und läßt auf den Einsatz neuer, mit Fallschirmen abgesetzter Feindkräfte und auf neue Instruktionen von feindlicher Seite schließen. Ich habe deshalb den dänischen Justizminister ersucht, die Abwehrmaßnahmen der dänischen Polizei auf diese neuen Methoden einzustellen. Vorgesehen ist beschleunigte Bewaffnung des bisher unbewaffneten Werkschutzes, Einsatz von getarnten Polizeibeamten im Werkschutz besonders gefährdeter Betriebe (die den Befehl haben, auf jeden Fall alle Angreifer niederzuschießen)[122] und die Einrichtung eines neuen Alarmsystems, durch das die mit Funkgeräten versehenen Einsatzwagen der Polizei, die in der Stadt patrouillieren, sofort zu den angegriffenen Betrieben gerufen werden können. Um jedoch gegenüber den neuen Methoden des Feindes für jede Eventualität gerüstet zu sein und um sowohl dem Feind wie auch der dänischen Bevölkerung Willen und Möglichkeit wirksamer deutscher Abwehr zu demonstrieren, halte ich es für dringend erwünscht, daß mir möglichst bald deutsche Polizeikräfte zur Verfügung gestellt werden, die ich von Fall zu Fall einsetzen kann. Ich bitte deshalb, bei dem Chef der deutschen Polizei anzufragen, ob mir – gegebenenfalls vorübergehend – Ordnungspolizei in Stärke eines Bataillons sowie gegebenenfalls eine von mir fallweise anzufordernde Zahl von Sicherheitspolizei-Beamten zur Verfügung gestellt werden kann. Ich hoffe, auch weiterhin mit der dänischen Polizei und mit meiner kleinen Exekutive die Lage zu beherrschen, halte es aber für meine Pflicht, gegenüber den sich ständig verstärkenden Störungsversuchen des Feindes für jede Eventualität vorzusorgen.

Dr. Best

---

119 D II. Trykt ovenfor.
120 Dette forsøg på brandstiftelse er ikke lokaliseret.
121 Valby Maskinfabrik og Jernstøberi blev 22. marts saboteret af BOPA (Kjeldbæk 1997, s. 460).
122 Det blev ikke på noget tidspunkt politiet, men frivillige, bevæbnede sabotagevagter, der påtog sig opgaven.

271. Frhr. von Bodenhausen an Pionier-Kompanie 416, 23. März 1943

Stabsofficeren ved 416. Infanteridivision i Nordjylland gav sit Pionerkompagni ordre til at forberede sprængningen af syv navngivne broer i divisionens område. Inden 15. april 1943 skulle der foreligge planer for sprængningerne, herunder opgivelse af mængden af nødvendigt sprængstof, steder, hvor sprængstoffet kunne opbevares, og oplysninger om evt. sprængkamre i broerne.

Beslutningen om at der skulle gøres forberedelser til brosprængninger var taget af von Hanneken straks efter sin ankomst (14. oktober), men selv om der var indsamlet oplysninger derom i divisionsstabene i november, kom brosprængninger ikke til at indgå i den 22. januar 1943 udsendte reviderede "Kampfanweisung." Det er muligt, at det ikke har kunnet nås, men som det fremgår her var planen derom alt andet end opgivet, og den blev sat i værk i forårsmånederne 1943 (Andersen 2007, s. 147f.).

Se Frhr. von Bodenhausen til von Hanneken 19. april 1943.

Kilde: RA, Danica 1069, sp. 4, nr. 5764.

Abschrift!   Anlage 14

416. Infanterie Division   *Div.St.Qu., den 23.3.43*

Abt. Ia/Pi. Nr. 1091/43 geh   Geheim!

Betr.: Sprengvorbereitungen für Brücken.

An Pionier-Kompanie 416

Im Bereich der Division sollen folgende Brücken sofort zur Sprengung vorbereitet werden:

1.) Limfjordbrücke Aalborg (Verkehrsbrücke)

2.) Limfjordbrücke Aalborg (Eisenbahnbrücke)

3.) Brücke bei Aggersund

4.) Brücke bei Oddesund

5.) Vilsundbrücke

6.) Straßenbrücke über die Storaa (1 Km südlich Vem)

7.) Eisenbahnbrücke über die Storaa (1 Km südlich Vem)

Fr.: Die Pi. Komp. 416 legt der Division, Abt. Ia/Pi. zum 15.4.43 folgende Erkundungsunterlagen vor:

1.) Sprengpläne der o.a. Objekte.

2.) Menge der für jedes Objekt benötigten Sprengmunition.

3.) *Bewachter* Raum in der Nähe des Sprengobjektes, wo die notwendige Munitionsmange gelagert werden kann.

4.) *Bewachter* Raum, wo die gebrauchsfertigen Zündleitungen zu lagern sind (getrennt von der Munition). Es ist elektrische und Leitfeuerzündung vorzubereiten. Wo keine Brückenwachen vorhanden sind, sind Munition und Zündleitungen im nächstgelegenen Standort einzulagern. Ein LKW muß dann bereit gestellt werden zum Transport an die Brückenstelle.

5.) Sprengbefehl, der bei der Wache dieses Munitionslagers niederzulegen ist.
Dieser Befehl muß eindeutig enthalten:

a.) Wie ist die Munition einzubauen?

b.) Wie sind die Zündleitungen zu verlegen? (Zündstelle, Zünddauer, Rückweg des Zündtrupps) c.) Wann ist das Objekt zu sprengen? (Befehl ergeht von Seiten der Division bzw. des Bef. Dänemark)

Verhalten bei überraschender Feindannäherung?

Je nach Bauart der Brücken sind Ladungen in Minenkammern oder offen angelegte Ladungen vorzusehen. Die nach den Sprengplänen ermittelten Munitionsmengen sollen dann wetterfest und maßgerecht zum Einbringen in die Minenkammern bzw. zum Anlegen an die Trennschnitte verpackt werden.

6.) Etwa vorhandene Minenkammern sind nach den Bauzeichnungen der Objekte zu suchen und verwendungsbereit zu machen. Der Einbau *neuer* Minenkammern kann die Tragfähigkeit und Verkehrssicherheit der Brücken stark einschränken.

Entwürfe dieser Art sind der Division zur Prüfung vorzulegen. Bei Klappbrücken mit Aufzugsvorrichtung wird die Vorbereitung zur Zerstörung der Hebevorrichtung bei geöffneten Klappen zweckmäßig sein.

Für das Divisionskommando

Der erste Generalstabsoffizier

gez. **Frhr. v. Bodenhausen**

272. Werner Best an das Auswärtige Amt 24. März 1943

Straks valgresultatet forelå morgenen efter valget, videresendte Best det til Berlin. Trods alle forudsigelser havde han været spændt på resultatet, da det var hans politik, der stod på spil.

Kilde: PA/AA R 29.566. RA, pk. 202

Telegramm

| Kopenhagen, den | 24. März 1943 | 08.30 Uhr |
| Ankunft, den | 24. März 1943 | 09.15 Uhr |

Nr. 329 vom 24.3 43.   Citissime!

Im Anschluß an Drahtbericht Nr. 323[123] vom 3.3.43 teile ich vorläufiges Endergebnis der dänischen Folketingswahl mit (die in Klammer angegebenen Zahlen sind die Stimmenzahlen der Wahl 1939):

Socialdemokraten	894.777	(729.616)
Radikale	175.025	(161.834)
Konservative	421.069	(301.625)
Venstre	376.413	(309.355)
Retsforbundet	31.085	(33.783)
Bondepartiet	24.701	(50.829)
DNSAP	43.267	(31.032)
Dansk Samling	43.257	(8.553)

Ergänzender Drahtbericht folgt heute.[124]

Dr. Best

123 bei Pol. VI. Dette telegram er ikke lokaliseret.

124 Se det følgende telegram.

273. Werner Best an das Auswärtige Amt 24. März 1943

Det var en yderst veltilfreds Best, der rapporterede om valgresultatet. Ikke alene var der gennemført en reguleret og kontrolleret valgkamp, men vælgerne levede stort set også op til Bests forventninger. Han så sine forudsigelser bekræftet, og han var også hurtigt ude med forklaringer på, hvorfor det for den tyskorienterede side var gået mindre godt (Herbert 1996, s. 340).

Kilde: PA/AA R 29.566. BArch, NS 19/3473. PKB, 13, nr. 396. ADAP/E, 5, nr. 240.

Telegramm

Kopenhagen, den	24. März 1943	11.30 Uhr
Ankunft, den	24. März 1943	12.00 Uhr

Nr. 331 vom 24.3.[43.]

Im Anschluß an meinen Drahtbericht vom 24.3.43 Nr. 329[125] berichte ich über Einzelheiten der dänischen Reichstagswahl vom 23.3.43:

1.) Der Wahltag ist im ganzen Lande ruhig verlaufen. Zwischenfälle zwischen Dänen und Deutschen oder zwischen Dänen untereinander haben nirgends stattgefunden.

2.) Die Wahlbeteiligung liegt über 90 %. Diese Tatsache kann in der Auslandspropaganda besonders als Beweis des Vertrauens der dänischen Bevölkerung zur Freiheit der Wahl herausgestellt werden.

3.) Die Mandate des Folketings werden sich voraussichtlich wie folgt verteilen (wobei in Klammern die Mandatszahlen der Wahl von 1939 aufgeführt werden):

Sozialdemokraten	66	(64)
Radikale Venstre	13	(14)
Konservative	31	(26)
Venstre	28	(30)
Rechtsverband	2	(3)
Bauernpartei	2	(4)
DNSAP	3	(3)
Dansk Samling	3	(0)

4.) Diese voraussichtliche Mandatsverteilung bestätigt meine Voraussage, daß in der Zusammensetzung des Folketings fast keine Veränderung eintreten werde. Die fünf Sammlungsparteien werden über 140 Mandate gegenüber 137 Mandaten nach der Wahl von 1939 verfügen. Außerhalb der Sammlungsgruppe werden 8 Mandate stehen gegenüber 11 nach der Wahl von 1939 (von denen 3 kommunistische Mandate und 1 volksdeutsches Mandat endgültig aus dem Folketing ausgeschieden sind).

5.) Bemerkenswert ist, daß die Radikale Venstre, die Partei des Staatsministers von Scavenius 13.000 Stimmen gewonnen und nur infolge der hohen Wahlbeteiligung ein Mandat verloren hat, obwohl gerade gegen diese Partei wegen der Person des Staatsministers eine intensive Flüsterpropaganda im Lande durchgeführt wurde.

6.) Mit dem Pressechef der dänischen Regierung ist vereinbart worden, daß – nachdem man während der Wahlkampagne absichtlich dem Stichwort "Folkestyre" den

---

125 bei Pol VI. Trykt ovenfor.

Vorrang gelassen hatte – von nun an in der Presse die Wahl als eine überwältigende Bestätigung der bisherigen Regierungspolitik dargestellt werden soll.[126]

Dr. Best

274. Werner Best an das Auswärtige Amt 24. März 1943

Da DNSAP stadig nød en vis støtte i AA, gav Best en særskilt forklaring på, hvorfor partiet havde klaret sig, som det gjorde. Der var på en gang tale om en fremgang totalt set, og om status quo relativt set. Skylden lagde Best på et uhensigtsmæssigt valg af kandidater og gav som eksempel nogle kandidater fra Århus, vel vidende at dette aldrig ville blive kontrolleret.

De nævnte kandidater klarede sig rimeligt godt i forhold til andre kandidater, men det var ikke pointen. Valgnederlagets årsag lå hos partiet selv, og ikke andre steder. Det var en opfattelse Best gentog ofte siden.

Kilde: PA/AA R 29.566. BArch, NS 19/3473. RA, Danica 1069, sp. 6, nr. 7133. RA, Danica 1000, T-175, sp. 17, nr. 521.005. RA. pk. 443. PKB, 13, nr. 397. *Føreren har ordet!* 2003, s. 783f.

Telegramm

| Kopenhagen, den | 24. März 1943 | 11.40 Uhr |
| Ankunft, den | 24. März 1943 | 12.00 Uhr |

Nr. 332 vom 24.3.[43.]

Im Anschluß an das Telegramm Nr. 331[127] vom 24. März 1943 wird über die dänische Reichstagswahl vom 23. März 1943 weiter berichtet:

Die DNSAP hat ihre Stimmenzahl um 40 % vermehrt, aber infolge der höheren Wahlbeteiligung nur die gleiche Mandatszahl erhalten wie in der Wahl von 1939. Erkundigungen über die Ursachen, warum die Hoffnungen Dr. Clausens auf einen größeren Stimmengewinn nicht erfüllt wurden, ergaben, daß offenbar weitgehend eine unzweckmäßige Auswahl der aufgestellten Kandidaten die Wähler von der DNSAP zurückstieß. So ist in Jütland ein Bibliothekar von Holstein-Rathlou als Kandidat aufgestellt worden, der mit einer Jüdin verheiratet ist.[128] Auch andere Kandidaten wie Hjalmar Truge[129] und Hougaard Hansen[130] in Aarhus genießen einen schlechten Ruf und wirkten nicht werbend für die Liste der DNSAP. Dr. Clausen, der mir übrigens die von ihm aufgestellten Kandidaten nicht vorher bekannt gegeben hat, hat zweifellos in dieser Wahl seine schon immer unglückliche Personalpolitik und seine Scheu, Männer von Format an seiner Seite zu sehen, mit tausenden ihm entgangener Wahlstimmen bezahlt. Die DNSAP stellt übrigens in der heutigen Nummer von Fädrelandet die Zunahme auf 43.267 Stimmen als einen bedeutenden Fortschritt hin.

Dr. Best

126 Bindsløv Frederiksen 1960, s. 349ff.

127 bei Pol VI. Trykt ovenfor.

128 Den distancerende beskrivelse af et kendt medlem af DNSAPs Storråd understreger det ærinde, Best var ude i. Viggo von Holstein-Rathlou fik dobbelt så mange stemmer ved valget i 1943 som i 1939 (896 mod 412), så han havde et godt valg.

129 Malermester Hjalmar Thuge (ikke Truge) fik som førstegangsopstillet 264 stemmer.

130 Kontorbestyrer Carl Hovgaard Hansen fik 465 stemmer, hvilket var et relativt godt resultat for en nazistisk kandidat i området.

275. Werner Best an das Auswärtige Amt 24. März 1943

Best afsluttede sin bedømmelse af det succesrige danske valg med at konkludere, at regeringen af vælgerne havde fået en fuldmagt for de næste fire år. Nu kunne det parlamentariske maskineri udspille sig, som Best med alliancen med Scavenius regnede med at kunne håndtere.

Kilde: PA/AA R 29.566. PKB, 13, nr. 398.

Telegramm

Kopenhagen, den	24. März 1943	19.16 Uhr
Ankunft, den	24. März 1943	20.40 Uhr

Nr. 334 vom 24.3.[43.]   Cito!

Im Anschluß an das Telegramm Nr. 332[131] vom 24.3.43 berichte ich, daß ich heute nachmittag mit dem Staatsminister von Scavenius die durch die Reichstagswahl vom 23.3.43 geschaffene Lage besprochen habe. Der Staatsminister zeigte sich sehr befriedigt von dem Ausgang der Wahl und stellte fest, daß hiermit tatsächlich erreicht worden sei, daß die Bevölkerung mit einer überwältigenden Mehrheit ihn, der so oft als Verräter beschimpft wurde, und seine Politik bestätigt habe. Er erwartet von den Parteien künftig eine noch wirksamere Unterstützung seiner Politik, nachdem die Parteien, die bisher in Angst vor ihren Wählern lebten, nunmehr die Billigung der Wähler und eine neue Vollmacht für 4 Jahre erhalten hätten. In der Technik der parlamentarischen Maschinerie wird sich nun folgendes abspielen:

Nachdem am 6. April 1943 die Ersatzmänner des Landstings von den gestern gewählten Wahlmännern gewählt sein werden, wird voraussichtlich Mitte April der gesamte Reichstag – Landsting und Folketing – zum ersten Male tagen. Die Tagung wird als eine Fortsetzung der bisherigen Parlamentstagungen behandelt werden, sodaß keine politischen Äußerungen zu erwarten sind. Insbesondere kommt eine erneute Stellungnahme zu der bestehenden Regierung nicht in Frage. Erst in der Haushaltsdebatte im Herbst werden die Parteien wieder durch politische Reden ihrer parlamentarischen Exponenten in Erscheinung treten.

Dr. Best

276. Werner Best an das Auswärtige Amt 24. März 1943

Den hidtidige leder af Det Tyske Videnskabelige Institut, professor Otto Scheel, skulle fratræde sin post 31. marts 1943. Best havde allerede tidligere foreslået, at hans afløser blev professor Otto Höfler, og det holdt han igen fast ved. Han mente ikke, at nogen af de to andre foreslåede kandidater kunne komme på tale. Best foreslog, såfremt Höfler ikke kunne frigøres fra arbejdet i München, at han da alligevel blev præsident for instituttet, idet han så kunne arbejde i København i visse tidsperioder.

Når Best gik så stærkt ind for Höfler, kunne det muligvis have rent saglige grunde, men næppe udelukkende. Höfler havde ganske vist et godt kendskab til Skandinavien, havde tilbragt flere år i Uppsala, kendte sproget og havde gode forbindelser til nordiske videnskabsmænd, men han havde også i 1942 drevet kultu-

---

131 bei Pol VI. Trykt ovenfor.

MARTS 1943

rel efterretningsvirksomhed i Skandinavien foranlediget af RFSS. Der skulle på det grundlag udarbejdes et notat om det åndelige klima i Skandinavien. RSHA mente, at opgaven kunne løses uden at orientere AA, hvilket havde bragt Martin Luther i affekt, da Höflers virksomhed blev afsløret. Best så givetvis anderledes på dette og ville gerne promovere en professor med RFSS' tillid, og det afdækker de få bevarede telegrammer, at han gjorde til det yderste, så det er lidt af en underdrivelse, at Best spillede en betydelig rolle i udnævnelsen af Höfler (Jakubowski-Tiessen 1998, s. 282-284). Meget muligt havde Höfler også en fortaler i Franz Six i AA, der ikke blot udfærdigede Höflers ansættelsesbrev 28. april 1943 (RA, Vesterdals nye pakker, pk. 1), men også siden gjorde brug af hans i en nazistisk optik særligt interessante faglige kvalifikationer (se Höfler til Best 22. oktober 1943).

Renskriften er påført den håndskrevne tilføjelse: Cessat.

Kilde: RA, Werner Bests arkiv, pk. 3 (koncept og renskrift).

Der Bevollmächtigte des Reiches in Dänemark   *Kopenhagen, den 24.3.1943.*
K 1/K 733/43.

Auf den Erlaß vom 10. d.Mts.
– Kult U 1461/43 –   Cessat

An das Auswärtige Amt
   Berlin.

Inhalt: Neubesetzung DWI Kopenhagen.
– 2 Durchdrucke –

Dem bisherigen Präsidenten des Deutschen Wissenschaftlichen Instituts, Professor Dr. Scheel-Kiel, ist mitgeteilt worden, daß er über den 31.d.Mts. hinaus mit einer Verlängerung seines Hochschulurlaubes nicht rechnen könne und daß geplant sei, den Posten des Präsidenten des Deutschen Wissenschaftlichen Instituts neu zu besetzen. Professor Dr. Scheel, der ohnehin vor dem 31.d.Mts. bereits nach Kiel abreist, um bei den Doktorprüfung der dortigen Universität anwesend zu sein, betrachtet nunmehr seine Kopenhagener Tätigkeit als abgeschlossen. Ich habe vorgesehen, für Prof. Dr. Scheel eine Abschiedsfeier im kleinen Rahmen zu veranstaltet.

Hinsichtlich der Ernennung eines neuen Präsidenten des DWI halte ich an meinem Vorschlag fest, den Prof. Dr. Höfler-München zu wählen. Bei den vielseitigen Aufgaben des Instituts ist es m.E. die geeignetste Lösung, wenn die Arbeit unter die Leitung eines Germanisten gestellt wird.

Eine Besetzung mit dem Professor für Bodenkunde an der Universität Berlin Giesecke halte ich nicht für zweckmäßig, da dadurch das Institut eine zu einseitige Färbung erhalten würde.

Der zurzeit in Aarhus tätig Professor Schneider kommt nicht in Frage, weil er die Funktionen eines dänischen Beamten ausübt.

Falls sich ergeben sollte, daß Prof. Dr. Höfler in München nicht entbehrt werden kann, wäre es zu überlegen, ob ihm nicht trotzdem die Präsidentenschaft des DWI-Kopenhagen übertragen werden könnte, wobei vorgesehen werden müßte, daß Prof. Dr. Höfler dann in bestimmten Zeitabständen, die mit seiner Tätigkeit in München abzustimmen wären, in Kopenhagen arbeiten könnte.

Die nach dem Ausscheiden des bisherigen Leiters Prof. Dr. Scheel entstandene Lücke in der Arbeit des DWI läßt es als dringend erwünscht erscheinen, eine baldige Klärung der Neubesetzung des Präsidentenpostens herbeizuführen. Ich bitte nach Möglichkeit um Drahtbescheid.

[uden underskrift][132]

277. Emil von Rintelen an Horst Wagner 24. März 1943

Rintelen meddelte Wagner, at Ribbentrop ikke ville gå videre med Bests ønske af 23. marts om mere tysk politi til Danmark, men kun ville have oplyst, hvor meget tysk politi, der befandt sig i Danmark.

Ribbentrops beslutning må være kommet som en overraskelse i AA, for Geiger havde samme dag allerede skrevet et udkast til et brev til førerne for både CdO og BdS, Kurt Daluege og Ernst Kaltenbrunner, hvor AA på det varmeste anbefalede ("wärmste befürwortet") Bests anmodning. Brevene blev ikke afsendt, men forblev i sagen (ikke medtaget her). I stedet fik Ribbentrop det ønskede svar næste dag.
Kilde: RA, pk. 229.

Über St.S. Herrn LR Wagner vorgelegt:

Zu dem Telegramm aus Kopenhagen Nr. 326 vom 23.3., in dem Dr. Best die Zur-verfügungstellung von Ordnungspolizei- und Sicherheitspolizeibeamten für Dänemark erbittet, hat der Herr RAM angeordnet, daß zunächst diese Bitte des Herrn Best nicht weitergeleitet sondern nur festgestellt werden soll, was zur Zeit sich an deutschen polizeilichen Organen in Dänemark befindet.
Berlin, den 24.3.1943

Rintelen

278. Albert van Scherpenberg: Vermerk 24. März 1943

Scherpenberg noterede i AA, at der endnu ikke forelå en afgørelse vedrørende finansieringen af den øgede anbringelse af tyske bybørn på landophold i Danmark (se Brauns optegnelse 27. januar 1943).

KLV havde haft 60 børn i Danmark siden juni 1942, og Best gennemførte forhandlingerne med den danske regering, så der fra juni 1943 var 1.000 tyske bybørn ad gangen i Danmark (der foreligger i pk. 271 enkelte yderligere akter i forbindelse med drøftelserne: Scherpenbergs brev til Walter 2. februar og Walters svar 15. februar 1943, hvor Walter mente, at det drejede sig om så få børn, at det ikke ville påvirke levnedsmiddelsituationen i Danmark). Ordningen blev en så stor succes, og behovet for anbringelse så stærkt, at Reichsjugendführung februar 1944 efter Hitlers ordre planlagde at øge antallet af børn på ophold i Danmark til 5.000. Se Paul von Behr til Regierungsrat Mützelburg i REM 27. april 1944.
Kilde: RA, pk. 271.

LR van Scherpenberg   zu HA Pol VI 666/43

V e r m e r k

Auf eine telefonische Erinnerung beim Reichsbevollmächtigten wurde mir mitgeteilt,

132 Bests underskift er til gengæld på det af ham rettede koncept.

daß entgegen der bei den Verhandlungen zugrunde gelegten Voraussetzung, daß alle Einzelheiten, außer der Devisenbeschaffung, betr. die erweiterte Kinderlandverschikkung bereits mit der dänischen Regierung geklärt seien, die Verhandlungen aber noch keineswegs abgeschlossen seien. Sie würden von dem Reichsbevollmächtigten mit allem Nachdruck weitergeführt. Es sei damit zu rechnen, daß sie in absehbarer Zeit zum Abschluß gelangten. Erst dann könne die Devisenangelegenheit endgültig entschieden werden. Sobald das Ergebnis vorliegt, wird der Reichsbevollmächtigte uns drahtlich Nachricht geben.

Hiermit Referat Partei, LR Braun zur gefälligen Kenntnis und mit dem Anheimstellen, Obersturmbannführer Teetz gelegentlich zu unterrichten.

Berlin, den 24. März 1943

279. Werner Best an das Auswärtige Amt 25. März 1943

OKHs ønske om at overtage to af de damplokomotiver, der var under bygning til DSB hos lokomotivfabrikken Frichs, var blevet drøftet i København med de involverede parter. Konklusionen var, at en afgivelse ikke kunne komme på tale, da lokomotiverne ikke kunne undværes til brug for transport af OTs byggematerialer. Afslaget var bilagt den tyske banefuldmægtigedes indstilling til andragendet (Köller 1965, s. 250 m. note 88).

Sagen kunne synes at være faldet ud til dansk fordel. Det er dog næppe tilfældet; den faldt ud til fordel for de tyske interesser i Danmark, da der blev lagt afgørende vægt på OTs fæstningsbyggeri. Det kan belyses med en sag fra Nordjylland fra marts 1944, da man fra tysk side ville leje to diesellokomotiver fra en privatbane til rangering ved Thyborøn og Nymindegab. Forhandlingerne blev korrekt forhandlet gennem UM, men da afslaget fremkom, beslaglagdes lokomotiverne i stedet uden videre med samt deres personale (KB, Herschends dagbog 5. april 1944, s. 5).

Kilde: BArch, R 901 67.511.

Der Bevollmächtigte des Reiches in Dänemark   *Kopenhagen, den 25. März 43.*
III/1143/43

Betrifft: Abgabe von 2 dänischen Rangierlokomotiven für deutsche Zwecke.
1 Anlage (2-fach)

An das Auswärtige Amt,
  Berlin

Auf den Drahterlaß Nr. 311 vom 1. März 1943[133] berichte ich folgendes:

Die Besprechungen mit dem Ing. Schulge haben inzwischen hier stattgefunden. Die dänischen Stellen haben darauf hingewiesen, daß eine Abgabe von Rangierlokomotiven deshalb nicht möglich sei, weil mit dem Vertreter der Deutschen Reichsbahn ein zusätzliches Programm zur Beförderung von Baustoffen für die Organisation Todt aufgestellt sei, wozu von deutscher Seite die erforderlichen Lokomotiven zur Verfügung gestellt würden, wobei aber die benötigten Rangierlokomotiven von Dänemark gestellt werden

133 Trykt ovenfor.

müßten. Bei der Inanspruchnahme des dänischen Bestandes müßten diese Rangierlokomotiven aus den fertig werdenen Lokomotiven der Firma Frichs bereitgestellt werden.

Die Besprechungen, die daraufhin mit dem Büro des Bahnbevollmächtigten geführt wurden, haben den dänischen Standpunkt voll und ganz bestätigt. Abschrift einer Aufzeichnung des Deutschen Bahnbevollmächtigten vom 9. ds.Mts. füge ich anliegend zu Ihrer Unterrichtung bei. Ing. Schulge ist über den Inhalt dieses Schreiben ebenfalls unterrichtet.

Die von Ing. Schulge daraufhin von Kopenhagen aus ein geleiteten Bemühungen, deutsche Rangierlokomotiven zu erhalten, haben bereits, wie Herr Schulge kurz vor seiner Abreise mitteilte, zu Erfolg geführt.

In Vertretung
Ebner

Abschrift

Kopenhagen, den 9. März 1943
g/Bmfa 743/43 (o)

Betr.: Abgabe von 2 Rangierlokomotiven durch die DSB
Bezug: Mündliche Besprechung Reichsbahnrat Clauss mit Herrn Schulze vom OKW.

Herrn Bevollmächtigten des Reiches
   Hauptabteilung III

In der mündlichen Besprechung am Freitag, den 5. März 1943, mit dem Vertreter des OKW wurde mitgeteilt, daß die Dänischen Staatsbahnen nicht in der Lage sind, Rangierlokomotiven für den gewünschten Zweck abzugeben. Der Lokomotivpark der DSB ist für den zivilen Sektor und die Durchführung der Wehrmachttransporte in und durch Dänemark bereits übermäßig stark beansprucht. Die Beanspruchung geht soweit, daß die DSB nicht nur auf Grund des Kohlenmangels, sondern um überhaupt die erhöhten Transportleistungen durchführen zu können, den Reisezugfahrplan ab 15. März 1943 weiter einschränken muß. Zur Durchführung der Transportaufgaben hat die Deutsche Reichsbahn der DSB bereits 1940 bei der Besetzung des Landes 6 Leihlokomotiven zur Verfügung gestellt. Diese 6 Leihlokomotiven konnten bisher an die DR noch nicht wieder zurückgegeben werden, da die in Auftrag gegebenen eigenen Lokomotiven der DSB aus zeitweisem Materialmangel noch nicht fertiggestellt werden konnten. Wenn die Fertigstellung erfolgt ist, werden die DSB die 6 Leihlokomotiven der Deutschen Reichsbahn wieder zur Verfügung stellen.

Inwieweit dies möglich sein wird, hängt von dem zur Zeit anlaufenden Bauprogramm der Organisation Todt an der Westküste ab. Um dieses Bauprogramm überhaupt durchführen zu können, ist die zusätzliche Beistellung von Wagen und Lokomotiven durch die DR notwendig. Ich habe beim Reichsverkehrsministerium die mietweise Überlassung von weiteren 12 Lokomotiven und von vorläufig 250 Wagen beantragen müssen. Die Genehmigung ist mit Rücksicht auf die Dringlichkeit des Programms erteilt, und mit dem Zulauf der Lokomotiven kann in kürzester Zeit gerechnet werden.

MARTS 1943

Unter diesem Gesichtspunkt erscheint es aussichtslos, die DSB zur Abgabe von Lokomotiven zu veranlassen, da sie sich mit ihrem Lokpark in einem Stadium befindet, das
es nicht erlaubt, die zur Zeit vorliegenden Transportaufgaben mit eigenen Mitteln zu
bewältigen.

Büro des Bahnbevollmächtigten

Im Auftrag

gez. **Schmidt** R.J.

280. Gottlob Berger an Heinrich Himmler 25. März 1943

Berger orienterede RFSS om spændingerne mellem Best og von Hanneken. Angiveligt skulle von Hanneken stræbe efter at blive udnævnt til Militärbefehlshaber med henvisning til nogle tilfælde af mindre
sabotage. Berger anbefalede en fortsættelse af den hidtidige positive politik.

Oplysningerne havde Berger givetvis fra Best. Deres interessefællesskab fungerede.

Kilde: RA, Danica 1069, sp. 6, nr. 7126. RA, pk. 443. LAK, Best-sagen (afskrift).

Der Reichsführer-SS   *Berlin, den 25. März 1943*

Chef des SS-Hauptamtes

CdSSHA/Be/Vo. VS-Tgb. Nr. 1877/43 geh.

C. Adj. VS-Tgb. Nr. 950/43 geh.

Betr.: Dänemark.   Geheim!

An den Reichsführer-SS und Chef der Deutschen Polizei,
Feld-Kommandostelle.

Reichsführer!

Vorsorglich möchte ich mitteilen, daß zwischen SS-Gruf. Dr. Best und General von
Hanneken sich Spannungen entwickelt haben. v. Hanneken will in Anbetracht kleiner
Sabotagefälle in Dänemark unbedingt die Ernennung zum Militärbefehlshaber durch-
setzen.

Dr. Best sträubt sich selbstverständlich dagegen. Ich selber sehe, nachdem ich v. Hanneken ziemlich genau kenne, in einer Ernennung zum Militärbefehlshaber einen Abbruch
der bis jetzt sehr gut verlaufenen positiven Politik.

G. Berger

SS-Gruppenführer

281. Emil Geiger an Horst Wagner 25. März 1943

Ribbentrop havde ønsket at få oplyst, hvor mange tyske politifolk, der var i Danmark. Et svar til ministeren
blev udarbejdet øjeblikkeligt og forsynet med overskriften "Straks!" og påfølgende stemplet hemmeligt. Det
sidste var ikke almindeligt. Af Geigers ledsagekommentarer til Wagner fremgår, hvorfor der var en sådan
hast. Kanstein havde allerede rettet henvendelse til RSHA. Kanstein og Best havde ikke regnet med, at Ribbentrop ville ønske yderligere oplysninger først, AAs embedsmænd heller ikke, hvilket også fremgår af, at

398 MARTS 1943

Geiger havde nået at lave et udkast til et brev til Daluege og Kaltenbrunner, hvor AA varmt anbefalede, at Bests ønske blev opfyldt.

Wagner videresendte 27. marts de ønskede oplysninger til Rintelen, idet han udelod den passus, hvorefter han ønskede oplyst, hvordan han videre skulle forholde sig i sagen.

Kilde: RA, pk. 229.

Sofort!   Geheim

– Sr –   zu D II 692 g

Zum Telegramm Nr. 326 vom 23. März 1943[134] des Bevollmächtigten des Reichs in Kopenhagen.

Es befinden sich zur Zeit folgende Polizei- und Sicherungskräfte in Dänemark:

Zu dem Beauftragten für Fragen der inneren Verwaltung, SS-Brigadeführer Kanstein, sind abgeordnet:

1.) Vom *Chef der Sicherheitspolizei* und SD 43 Kriminalbeamte einschl. des Polizeiattachés.

Die Zahl schwankt wegen dauernder Zu- und Abgänge, so daß gesagt werden kann, es befinden sich rund 50 Kriminalbeamte des RSHA in Dänemark.

2.) Vom *Chef der Ordnungspolizei* sind dem Beauftragten für die innere Verwaltung zugeteilt der Hauptmann Hansen und 4 weitere Polizeibeamte, zusammen also 5 Polizeikräfte.

Uniformierte deutsche Einheiten der Ordnungspolizei befinden sich z.Zt. *nicht* in Dänemark.

Ich stellte auf vertraulichem Wege fest, daß dem Chef der Ordnungspolizei z.Zt. ein Antrag des SS-Brigadeführers Kanstein auf vorübergehende Abkommandierung einer deutschen Polizeieinheit in Stärke von etwa 1 Bataillon zur Prüfung vorliegt. Diese Feststellung deckt sich inhaltlich mit dem Telegramm des Bevollmächtigten.

Hiermit über Herrn Legationsrat Wagner den Büro RAM m.d.B. u. Unterrichtung d. Herrn Reichsaußenministers vorgelegt. Ich bitte um Weisung wegen der Weiterbehandlung des in Frage stehenden Antrages des Bevollmächtigten Dr. Best.

Berlin, den 25. März 1943.

Geiger

282. Leopold Bürkner: Besprechung mit Hermann von Hanneken und Werner Best 25. März 1943

Kontreadmiral Bürkner var sendt til København af OKW for at få bilagt modsætningerne mellem von Hanneken og Best og refererede hjemkommet om samtalerne, som var blevet ført med de to herrer hver for sig. Von Hanneken blev fremstillet som den mest samarbejdsvillige og imødekommende mht. forholdet til Best, mens det var en sejrssikker Best, der gav udtryk for sin vilje til samarbejde, men samtidig gjorde klart, at selv om problemerne ikke var væk, så var de i det mindste blevet mindre efter dagens drøftelser.

Da Keitel læste Bürkners referat, bed han mærke i, at von Hanneken havde givet udtryk for, at han og

---

134 Trykt ovenfor.

MARTS 1943

Best havde fået forskellige tjenesteanvisninger af Hitler for deres virke i Danmark, og han tilføjede kommentaren, at sådan skulle det også være.

Von Hanneken fik OKWs indstilling til problemerne fremsendt 3. april (Thomsen 1971, s. 149, 153, Kirchhoff, 1, 1979, s. 116f.).

Kilde: RA, Danica 1069, sp. 12, nr. 15.401-403.

Amt Ausland/Abwehr   *Berlin, den 25.3.1943*
Ag Ausland Nr. 682/43 g.Kdos. Chef

5 Ausfertigungen
… Ausfertigung

Herrn Chef OKW vorzulegen
Herrn Chef Amt Ausl/Abw vorzulegen.

N i e d e r s c h r i f t

über Besprechung Chef Ag Ausland am 23.3.1943 mit Befehlshaber der deutschen Truppen in Dänemark, General der Infanterie v. Hanneken (vormittags) und dem Bevollmächtigten des Reiches, Dr. Best (nachmittags) in Kopenhagen.

A. General v. Hanneken:

1.) Durchweg positive Einstellung Dr. Best gegenüber; glaubt nur, daß die ihm, General v.H., vom Führer erteilte Weisung über scharfes Vorgehen in Dänemark schwer mit der von Dr. Best innegehaltenen Linie in Einklang zu bringen sei.[135] Er, General v.H., bemühe sich aber aufrichtig in dieser Hinsicht.

2.) Seine Hauptsorgen seien:
   a.) Bestehen des dänischen Heeres (Kaderbildung mit Kriegsministerium, Generalstab, 2 Divisionskommandos, hohen Bestand an Offizieren und Unteroffizieren sowie Mob.-Vorarbeiten) und
   b.) erhebliche Zunahme Sabotagefälle in Dänemark, ohne daß es gelänge, die Täter in genügendem Maße festzustellen.

3.) Zum Hinweis des Auswärtigen Amtes über unmittelbaren Verkehr von Seiten des Befehlshabers der deutschen Truppen mit dem dänischen Außen-, dem Handels- und dem Justizminister äußert General v.H.:

   Der Außen- (Staats-) Minister Scavenius sei der Exponent der dänischen Regierung. Da Befehlshaber deutschen Truppen nach seiner Dienstweisung militärische Fragen unmittelbar mit der dänischen Regierung behandeln soll, habe er mit dem Außenminister verhandelt. (Bei dem Handels- und dem Justizminister sei er nur auf Anfragen eingegangen).

   Der dänischen Verteidigungsminister spielte keine Rolle. Wenn aber vom OKW verfügt werden sollte, daß der Verkehr des Befehlshabers der deutschen Truppen in Dänemark mit der dänischen Regierung sich auf den Verteidigungsminister bezw. die militärischen Dienststellen beschränkten sollte, würde dem naturgemäß entsprochen werden.

---

135 Keitel har ud for denne sætning skrevet: "Soll auch nicht in Einklang stehen, jeder arbeitet nach seinem Maßstab – das will der Führer so!"

Es wurde General v.H. durch Chef Ag Ausland vorgeschlagen – bei der erfahrungsgemäß großen Schwierigkeit, politische und militärische Dinge im Kriege klar voneinander zu scheiden – in Zweifelsfällen die Behandlung dem Reichsbevollmächtigten zu überlassen.

4.) In der Frage der Auswahl der Geiseln ist General v.H. ohne weiteres bereit, die Listen dem Reichsbevollmächtigten zur Überprüfung und Ergänzung zu übersenden; bisher sei er mit der Angelegenheit nicht befaßt worden.

B. Reichsbevollmächtigter Dr. Best:

1.) Von ihm auf Weisung des Führers in Dänemark eingehaltene politische Linie habe sich bisher bewährt. Er verwalte über 4 Millionen Dänen mit rund 200 Deutschen, während z.B. Norwegen mit einer halb so starken Bevölkerung rund 5.000 Deutsche als Regierung benötige. Dem Feinde sei diese seine Haltung außerordentlich unbequem; er habe deshalb – wie aus Aussagen festgenommen, in England ausgebildeter dänischer Saboteure hervorginge – die Anweisung gegeben, durch Terrorakte usw. die Deutschen dahin zu bringen, in Dänemark den gleichen Zustand wie in Norwegen herzustellen. Man würde deshalb mit einer Verschärfung des politischen Kurses dem Feind nur in die Hände arbeiten.

2.) Glaubt Tatsache, daß General v.H. zunächst 6 Wochen allein in Dänemark gewesen sei, habe sich unglücklich ausgewirkt.[136] Allgemein positive Einstellung zu General v.H. Ist der Meinung, daß entstandene Schwierigkeiten sich auf Grund heutiger Besprechung beheben, zum mindesten vermindern lassen werden, sagt auch zu, Anregung Generals v.H., sich des öfteren unter 4 Augen zu treffen, gern entsprechen zu wollen.

3.) Dr. Best ist der Ansicht, daß sich General v.H. am besten – wie es die Kriegsmarine tue – auf Verkehr mit militärischen dänischen Stellen beschränken solle, sonst höchstens an den Verteidigungsminister wenden.

4.) Auflösung des dänischen Heeres würde nach Ansicht Dr. Best

    a.) zur Demission der Regierung führen; eine Neubildung käme nicht in Frage, und

    b.) Die Mitwirkung der dänischen Marine bei Küstenschutz, Minensuchen usw. zu nicht machen.

5.) Stark unterschiedliche Auffassung, was von den strittigen Angelegenheiten politisch und militärisch sei.

6.) Wird Aufstellung der Geisel-Listen übernehmen.

C. Zusammenfassend darf angenommen werden, daß die beiden Aussprachen zur Überbrückung von Schwierigkeiten beigetragen haben. Es wird aber gehorsamst vorgeschlagen, daß der Befehlshaber der deutschen Truppen in Dänemark bei seiner nächsten Anwesenheit in Berlin vom Chef OKW selbst empfangen wird; General v.H. würde das außerordentlich begrüßen.

---

136 Ud for denne sætning er dokumentet påført et håndskrevet spørgsmålstegn af Keitel. Med de seks uger mente Best tiden fra von Hannekens ankomst til København og til hans egen den 5. november 1942. Hvor meget von Hanneken nåede at skade det dansk-tyske samarbejde før Bests ankomst, giver de aftrykte dokumenter for de pågældende uger kun delvist et fingerpeg om, men von Hanneken havde skærpet tonen, hvor Best ville en ny stil.

283. Joachim von Ribbentrop an Werner Best 26. März 1943

Best fik fra Ribbentrop fremsendt en formulering af den tekst, der skulle sendes til den danske regering som advarsel i anledning af den danske hærs fjendtlige indstilling og især de danske officerers store mistillid til den tyske værnemagt.

Selv om telegramnummer savnes, er telegrammet blevet afsendt, idet det er fundet i et værnemagtsarkiv.

Kilde: BArch, Freiburg, RW 4/642. RA, Danica 1069, sp. 1, nr. 590-592.

Abschrift

Telegramm

Berlin, den   26. März 1943.
Diplogerma Kopenhagen Nr. ...

Anschluß Drahterlaß vom 5. März 1943[137] und im Anschluß an die fernmündliche Weisung, die Ausführung dieses Drahterlasses zunächst aufzuschieben.

I. Ich bitte Sie, nunmehr die warnende Mitteilung in folgender Fassung an die Dänische Regierung zu richten und sie gleichzeitig dem Kronprinz-Regenten zu eröffnen.

"Die feindselige Haltung des dänischen Heeres und insbesondere vieler Offiziere hat zu größtem Mißtrauen der deutschen Wehrmacht gegen das dänische Heer geführt, sodaß von deutscher militärischer Seite im Hinblick auf die Möglichkeit von Kampfhandlungen auf dänischem Boden einschneidende Maßnahmen erwogen werden. Reichsregierung möchte zur Wahrung ihrer bisher gegenüber Dänemark eingehaltenen Politik von Maßnahmen gegen das dänische Heer absehen, bedarf aber gewisser Garantien. Stärkste Garantie wäre eine erkennbare Änderung der Haltung des dänischen Heeres gegenüber Deutschland. Wenn zum Beispiel die Beurlaubung dänischer Offiziere zum Dienst in der deutschen Wehrmacht offiziell und aufrichtig, das heißt ohne Diffamierung dieser Offiziere bewilligt würde und wenn eine Anzahl jüngerer dänischer Offiziere hiervon Gebrauch machen würden, könnte das gegenwärtige Verhältnis des Mißtrauens in ein solches des Vertrauens und der Kameradschaft umgewandelt werden. Wenn hingegen eine Verschärfung der Lage eintrete und die geringsten feindseligen Handlungen des dänischen Heeres oder seiner Angehörigen gegen die deutsche Wehrmacht festgestellt würden, so werde der Rest des Heeres unverzüglich aufgelöst werden.

Das Mißtrauen der deutschen Wehrmacht ist neuerdings dadurch noch verstärkt worden, daß durch einen Zufall den deutschen militärischen Stellen in Dänemark bekannt geworden ist, daß von dem dänischen Heer die in Friedenszeiten üblichen geheimen Mobilmachungsvorbereitungen ohne Kenntnis der deutschen militärischen Stellen bis jetzt noch fortgesetzt werden. Seit der militärischen Besetzung Dänemarks durch deutsche Truppen besteht für dänische Mobilmachungsvorbereitungen keine sachliche Begründung mehr. Sie können nur als gegen die deutschen Besatzungstruppen gerichtet gedeutet werden. Die Reichsregierung verlangt daher, daß Mobilmachungsvorbereitungen der dänischen Wehrmacht jeder Art sofort eingestellt werden."

Schluß der Mitteilung.

---

137 Sandsynligvis Ribbentrops telegram nr. 333, 5. marts 1943.

402   MARTS 1943

II. Gleichzeitig mit der Ausführung der Instruktion unter Ziffer I bitte ich, auch den in Ihren Drahtberichten Nr. 276 vom 12. und 279 vom 13. März erwähnten Zwischenfall des dänischen Minensuchbootes "Söridderen" zu verwerten.[138]

III. Ich bitte, den Befehlshaber der deutschen Truppen in Dänemark General von Hanneken vorher von dieser Weisung Kenntnis zu geben.

N.d.H. RAM

284. Fritz Sauckel an das Auswärtige Amt 26. März 1943

Den tyske generalbefuldmægtigede for arbejdsindsatsen, Fritz Sauckel, henvendte sig igen til AA, da der siden januar ikke var sket en forøgelse af antallet af danske arbejdere, der tog arbejde i Tyskland. Han ønskede underretning om resultatet af forhandlingerne med den danske regering.

AAs svar er ikke lokaliseret.

Kilde: PKB, 13, nr. 827.

Der Beauftragte für den Vierjahresplan   *Berlin SW 11, den 26. März 1943*
Der Generalbevollmächtigte für den Arbeitseinsatz
VI c Nr. 5780.7/34

Betrifft: Anwerbung dänischer Arbeitskräfte für das Reichsgebiet.
Vorgang: Mein Schreiben vom 16.1.1943.[139] Va 5780.7/44. – R. 50.698.
           Ihr Schreiben vom 26.1.1943[140] R. 50.698.

An das Auswärtige Amt.
   Berlin W 35

Eine Steigerung der Anwerbung dänischer Arbeitskräfte für das Reichsgebiet konnte auch in der Zwischenzeit noch nicht herbeigeführt werden. So sind z.B. im Monat Februar 1943 bei einem Stand von 64.227 Arbeitslosen nur 3.156 Arbeitskräfte in das Reichsgebiet sowie nach Norwegen und Finnland vermittelt worden.

Ich wäre dankbar, wenn Sie mir mitteilen würden, zu welchem Ergebnis die Verhandlungen inzwischen geführt haben.

Im Auftrag
gez. Dr. Hucho

285. Gustav Brandtner an Werner Best 26. März 1943

Skønt Best ikke længere havde med plejen af krigergrave at gøre, blev han holdt orienteret om forholdene. Den tyske konsul Gustav Brandter fortalte om arbejdet med at ændre den store krigergrav i Frederikshavn,

138 Bests telegrammer nr. 276 og 279 er trykt ovenfor. Nr. 279 er gengivet i AAs brev til OKW og OKM 15. marts 1943.
139 Trykt ovenfor.
140 Trykt ovenfor.

så den blev ændret i forhold til den 22. marts 1943 givne ordre til von Hanneken. Den skulle fremstå med enkeltgrave og ikke som en massegrav. Det var hensigten siden at føre tyskere begravet andetsteds i enkeltgrave dertil.

Kilde: RA, pk. 285.

Durchschlag.

26. März 1943
Grönnegaard B.

Krgb. 26 / 3.

Unter Beziehung auf meinen Bericht vom 13.11. v.Jhs., Krgb. 13.11, und auf den Erlaß vom 19.11. v.Jhs. – R 2 Kg 42.

Betrifft: Heldenfriedhof in Frederikshavn.
Anlagen: 2 Lichtbilder.[141]

An den Bevollmächtigten des Reiches
in Kopenhagen

Den energischen Bemühungen des Standortältesten in Frederikshavn, Korvettenkapitän Becker, ist es gelungen, alle hier befindlichen Truppenteile für den Ehrenfriedhof zu interessieren und von den Soldaten Stiftungen zur vorläufigen würdigen Ausgestaltung des Friedhofes zu erlangen. Die Arbeiten konnten in der vorgeschlagenen Form durchgeführt werden. Die ganze Anlage macht nun einen recht würdigen Eindruck und ist leicht zu unterhalten.

Wie schon früher erwähnt, konnten wegen der engen Zusammenlegung der Toten keine Einzelkreuze aufgestellt werden. Auf jeder Reihe von 10 Gräbern steht nun auf der Mitte ein Kreuz mit 6 Armen, auf denen auf einer Seite 4 und auf der anderen Seite 6 Namen aufgeführt sind. Durch diese Anordnung macht der Friedhof auf den flüchtigen Beschauer nicht den Eindruck einer Massen-Beerdigungsstelle und jede Grabstelle ist leicht festzustellen. Auf dem Friedhof ruhen bisher über 500 Soldaten. Ich habe von den geschmückten Gräbern Aufnahmen machen lassen, die ich den Angehörigen der Gefallenen durch den Volksbund Deutsche Kriegergräberfürsorge auf Anfordern übersende. Die Aufnahmen eines Kreuzes von beiden Seiten füge ich bei.

Die Absicht, die noch auf Einzelfriedhöfen ruhenden Soldaten aus diesem Kriege nach Frederikshavn umzubetten, wird sich voraussichtlich im nächsten Winter durchführen lassen. Besonders kommen dabei die in Skagen beerdigten 22 Soldaten in Frage, die keinen schönen Platz haben. Für diesen Sommer wird die Stätte in Skagen würdig hergerichtet.

Nach Abrede mit den Standortältesten bleibe ich weiter an der Friedhofspflege interessiert, was bei den häufigen Wechsel in den Kommandostellen militärischerseits anerkannt wird.

gez. **Brandtner**

---

141 Bilagene er ikke lokaliseret.

286. Kriegstagebuch/Admiral Dänemark 26. März 1943

I Admiral Dänemarks krigsdagbog blev det afholdte danske valg vurderet positivt, som et resultat af Bests snilde diplomati. Alle partier, DNSAP undtaget, følte sig som sejrherrer, regeringen var blevet styrket, og statsministeren mest af alt. Ham måtte de valgte følge mere eller mindre villigt i de kommende fire år.

Kilde: KTB/ADM Dän 26. marts 1943, RA, Danica 628, sp. 3, s. 1997.

[...]

Die durch die äußerst geschickte Diplomatie des Bevollmächtigten des Reiches in Dänemark, Dr. Best, ermöglichten und herbeigeführten Wahlen haben in ihrem Ergebnis zu einer Stärkung der Regierung Scavenius beigetragen und die Grundlage für eine straffe Führung der Politik geschaffen.

Interessant ist im Ausfall, daß fast jede Partei sich als Sieger fühlt und zufrieden ist, mit Ausnahme der Nationalsozialistischen, der es nicht gelang, ihre Mandate zu erhöhen.

Die jetzt auf weitere 4 Jahre gewählten Abgeordneten fühlen sich in ihren Entschlüssen freier und nicht so abhängig von ihren Wählern und werden dem Staatsminister mehr oder weniger willig in der Zukunft folgen.

Mewis

287. Raul Mewis an OKM 26. März 1943

I forlængelse af sin skrivelse 12. marts meddelte den afgåede Admiral Dänemark, at han havde været i afskedsaudiens hos den danske viceadmiral Aage H. Vedel, som havde overbragt ham kronprinsens bedste ønsker og beklagelse over hans afgang. Mewis havde svaret på lignende vis.

Samme dag var admiral Mewis på afskedsbesøg på Dagmarhus med påfølgende middag hos Best (Bests dagbogsoptegnelser 26. marts 1943).

Kilde: BArch, Freiburg, RM 7/1187. RA, Danica 628, sp. 7, s. 5289.

LT MDKP 01098 26/3 2020=
Mit AÜ= OKM /1 Skl I c=
Gltd: OKM /1 Skl I c=
Nachr OB MAR OST=
Gkdos

Im Nachgang zum Schrb. Adm. Dän. Gkdos 710 v 12/3[142] wird abschließend gemeldet: Bei meinem heutigen Abschiedsbesuch beim Ob. Befehlshaber Kgl. Dän. Kr-Marine übermittelte mir Vizeadm. Vedel den ihm am gleichen Tage aufgetragenen Dank mit besten Wünschen des Kronprinzen in Verbindung mit seinem Bedauern über meinen Weggang.

Ich habe entsprechend geantwortet.

Kom. Adm. Dän. Gkdos 833

---

142 Trykt ovenfor.

288. Werner Best an das Auswärtige Amt 27. März 1943

Best bad AA om, at professor Otto Höflers hidtidige ansættelse hurtigst muligt blev forlænget, da han var udset til stillingen som præsident ved Det Tyske Videnskabelige Institut fra 1. april 1943.
Kilde: RA, Vesterdals nye pakker, pk. 1 (koncept).

Betr.: U.K.-Stellung Prof. Höflers.   Zu Nr. K Kult 606/43

EINS NR 157 ERH AUSW AMT 1355 ADT +

1.) Auswärtig Berlin
Nr. 350 vom 27.3.

Wie mir soeben mitgeteilt wird, läuft U.K.-Stellung Prof. Höflers, der als Präsident Wissenschaftlichen Instituts in Aussicht genommen ist, am 1. April ab. Wäre dankbar, wenn von dort aus möglichst umgehend alle erforderlichen Schritte zwecks Verlängerung U.K.-Stellung Prof. Höflers eingeleitet würden.
Prof. Höfler hat die Wehrpaß-Nr. WBK München I 01/9/1001/10.
Dr. Best

Vor Abgang
Herrn LS Dr. Machowetz z. gefl. Mitzeichnung.

2.) z.d.A.

289. Horst Wagner an Emil von Rintelen 27. März 1943

Ribbentrop havde ønsket at få at vide, hvor stort antallet af tyske politifolk var i Danmark. Wagner gav von Rintelen svaret, der var indhentet fra Kanstein i København.
Kilde: RA, pk. 229.

Über St.S. Herrn Ges. v. Rintelen

Es wurde festgestellt, daß sich z.Zt. folgende Polizei- und Sicherungskräfte in Dänemark befinden:
Zu dem Beauftragten für Fragen der inneren Verwaltung, SS-Brigadeführer Kanstein, sind abgeordnet:
1.) Vom *Chef der Sicherheitspolizei und SD*
43 Kriminalbeamte *einschl.* des Polizeiattachés.
Die Zahl schwankt wegen dauernder Zu- und Abgänge, sodaß gesagt werden kann, es befinden sich rund 50 Kriminalbeamte des RSHA in Dänemark.
2.) Vom *Chef der Ordnungspolizei* sind dem Beauftragten für die innere Verwaltung zugeteilt der Hauptmann Hansen und 4 weitere Polizeibeamte, zusammen also 5 Polizeikräfte.
Uniformierte deutsche Einheiten der Ordnungspolizei befinden sich z.Zt. nicht in Dänemark.

290. Kriegstagebuch/Admiral Dänemark 28. März 1943

Admiral Dänemarks 14-dagesoversigt beskæftigede sig bl.a. med de danske fiskere, som fiskede uden for de tilladte zoner, hvortil Best som sanktion havde foreslået, at man foretog en foreløbig opbringning af de pågældende fartøjer for resten af krigen. I forvejen havde Befehlshaber der Sicherung Nordsee (BSN) bekendtgjort, at han for fremtiden ville lade disse kuttere bombe.[143] Antallet af sabotager var steget betydeligt i månedens anden halvdel. Der havde været flere tilfælde af personer, der var flygtet til Sverige med fiskerbåde eller ved at skjule sig i jernbanevogne. Der var truffet foranstaltninger for at forhindre sidstnævnte.

Bemærk: Dokumentet hører rettelig hjemme under 31. marts 1943.

Kilde: KTB/ADM Dän 28. marts 1943, RA, Danica 628, sp. 3, s. 2011f.

[...]

VI. Dänische Fischerei

Im März sind verschiedentlich durch Aufklärungsflugzeuge dänische Fischkutter außerhalb der erlaubten Fischereigrenzen und zwar westlich des Nordseewarngebietes festgestellt worden. Teilweise sind die Kutter durch deutsche Flugzeuge beschossen worden. Untersuchung ist allen Fällen eingeleitet.

Anstelle einer von BSN neuerdings angekündigten Versenkung solcher Fischkutter durch Bomben sind von Admiral Dänemark folgende Gegenvorschläge gemacht worden:

a.) Aufbringung solcher Fahrzeuge durch Überwasserstreitkräften außerhalb der erlaubten Fischereigebiete,

b.) In Zusammenarbeit mit der Luftwaffe Aufbringung bei Rückkehr der Fahrzeuge vor Erreichung der 3 sm-Grenze durch Hafenschutzflottille Esbjerg oder BSN-Streitkräfte,

c.) Aufgebrachte Fahrzeuge wären in deutsche Häfen zu bringen und auf Grund des Untersuchungsergebnisses für die Kriegsdauer einzuziehen zur Verwendung als Bewachungs- und Minensuchfahrzeuge der deutschen Kriegsmarine.

Der Bevollmächtigte des Deutschen Reiches hat die dänische Fischerei nochmals ausdrücklichst verwarnt und prüft zur Zeit die Frage, ob "vorläufige Einbringung" außerhalb der Fischereigrenzen angetroffener Fahrzeuge wegen Verdachts der Spionage bzw. Feindunterstützung möglich ist. Die vorgeschlagenen Maßnahmen hätten den Vorteil einer nutzbringenden Verwendung der Fahrzeuge anstelle einer Vernichtung sowie einer weniger ungünstigen Einwirkung auf die Stimmung der dänischen Bevölkerung.

VII. Sabotagefälle

Die Zahl der Sabotagefälle ist in der zweiten Märzhälfte bedeutend gestiegen. Insgesamt sind im Monat März 63 Fälle gemeldet worden, bei denen Sabotage als vorliegend angenommen werden muß. Von den gemeldeten Fällen entfallen 27 auf das Heer, 16 auf

---

143 Se BSN til OKM. 29. marts og KTB/ADM Dän 30. april 1943.

die Luftwaffe, 4 auf die Marine und 16 auf die Wirtschaft. Es handelt sich wie bisher vorwiegend um Brandstiftung, Sprengstoffunternehmungen und Beschädigungen von Fernsprechleitungen. Es ist gelungen, insgesamt 18 Saboteure festzunehmen.

VIII. Hafenarbeiterstreik
Am 24.3. wurden 22 Hafenarbeiter zum Löschen eines Holzlastschiffs im Südhafen Kopenhagen benötigt. Da weder diese, noch die Arbeiter des Holzlagerarbeiterclubs, also Fachleute, zur Arbeit erschienen, mußte Schiffsmannschaft Löscharbeit ausführen. Diese Angelegenheit ist Gegenstand der Verhandlung vor festem Schiedsgericht.

IX. Illegaler Personenverkehr ins Ausland
In der Nacht 29./30.3.43 sind von Allinge a. Bornholm eine männliche und eine weibliche Person mit dem einem Fischer gestohlenen Segelboot nach Schweden geflüchtet.

In der Nacht vom 30./31.3.43 sind ferner 7 in Dänemark ansässige Juden von Tejn auf Bornholm aus mit einem gestohlenen Fischkutter nach Schweden geflohen.

Wie von schwedischer Seite bekannt geworden ist, sind am 30.3. 3 französische Kriegsgefangene – dem Vernehmen nach Offiziere – in einem Wagen der Fähre Kopenhagen/Malmö nach Schweden gelangt. Die Flüchtlinge hatten sich in Rostock in einem Waggon versteckt, der mit Ballen Glaswolle voll beladen war. Die Maßnahmen zur Kontrolle der Waggons sind in Kopenhagen daraufhin verschärft worden.
[...]

Wurmbach

291. J.G. Lohmann an Franz von Sonnleithner 29. März 1943
AA havde søgt at få den advarsel, der skulle gives den danske regering vedrørende hærens negative indstilling, gjort mildere. Sagen var imidlertid blevet forelagt Hitler, der havde støttet von Hannekens fremstilling. Nu anbefalede Hewel, at AA søgte at afstemme holdningen med OKW.

For sagens videre forløb se Ritter til Best 8. april 1943.

Kilde: PA/AA R 29.566.

Telegramm

Berlin, den   29. Marz 1943

An Sonderzug "Westfalen" Nr. ...
– Funk –
Vorrang   Citissime
RAM/43

Für Sonnleithner.
Gesandter Hewel mitteilte 11.30 Uhr, der Führer habe auf Vortrag der Vorlage, betreffend Warnnote an Dänische Regierung, geäußert, er könne nicht annehmen, daß General Hanneken übertreiben habe. Führer beabsichtige, Angelegenheit mit Feldmarschall

Keitel zu besprechen. Hewel empfiehlt, Angelegenheit sofort von uns aus mit OKW zu besprechen und abzustimmen. Er annimmt, daß Feldmarschall Keitel Darstellung Hannekens bestätigen und daß Absendung Warnnote in abgemilderter Form dann vom Führer nicht gebilligt werden würde.

Lohmann

Verteiler: St.S. Gez. Schnurre

292. BSN an OKM 29. März 1943

Befehlshaber der Sicherung Nordsee fandt det nødvendigt at hindre danske fiskere i at sejle til England. Hver flugt blev anledning til engelsk propaganda og hetz. Der måtte sættes kraftige modforanstaltninger i værk.

Modforanstaltninger blev diskuteret, og imens bekendtgjorde BSN, at de pågældende kuttere ville blive bombet (se KTB/ADM Dän 30. april 1944).

Kilde: BArch, Freiburg, RM 7/1187. RA, Danica 628, sp. 7, nr. 5290.

Abschrift.

MBZ 15890 Geheim
Fernschreiben 29.3. 12.59 Uhr
Im Hause keine Abschriften

S MWSW 21497 29.3. 12.33
Mit AÜ S OKM 1. Skl.
Gltd.: S OKM 1. Skl.
      S NORD
      S Nachr. Adm. Dän.

– Geheim – auf FS Adm. Dän. G 5342.

Nachdem alle bisherigen Maßnahmen zur Verhütung des Ausbrechens dänischer Fischer nach Westen als unzureichend erwiesen, halte ich schärfste Bekämpfung mit allen Mitteln, also auch Bomben, für unbedingt notwendig. Nunmehr ist anzunehmen, daß Anreiz nicht im größeren Fang. sondern in engl. Pfunden liegt. Für Gegner ist jede Meldung über Durchfahren durch Warngebiet mit Hetz wichtig. Für uns ist Unterbindung jedes Ausbrechens kriegsnotwendig. Halbe Maßnahmen nützen nichts, nur Härte kann ein für alle Mal Abhilfe schaffen, daher muß Dänen bekannt gemacht werden, wer weiter geht wird erschossen.

BSN G 4721

293. Werner Best an das Auswärtige Amt 30. März 1943

Se telegrammet 18. marts 1943, hvortil dette er en rettelse.
> Kilde: PA/AA R 101.040. RA, pk. 228.

Telegramm

Kopenhagen, den	30. März 1943	09.00 Uhr
Ankunft, den	30. März 1943	10.00 Uhr

Nr. 355 vom 30.3.43.

Auf Drahterlaß vom 29.3. Nr. 451.
Bezugnahme im Drahtbericht vom 18. Nr. 305, muß heißen: Auf Telegramm Nr. 382 vom 13.3.

Deutsche Gesandtschaft Kopenhagen

294. WB Dänemark: Maßnahmen zur Erhöhung der Wachsamkeit der Truppe 30. März 1943

Det blev beordret, at støttepunkternes svære skyts blev bevogtet konstant dag som nat. Da der forekom stadig flere sabotager, skulle alle værnemagtsanlæg fremover gives den nødvendige beskyttelse, det være sig kaserner, ammunitions-, forplejnings- og brændstoflagre. Der skulle meldes tilbage om de trufne foranstaltninger senest 15. april 1943.

Endnu samme dag gik ordren ud til kommandanterne og Standortälteste. I Esbjerg sendte Standortälteste beskeden videre til ni tjenestesteder i byen, hvorfra der i tiden frem til 15. april indløb detaljerede meddelelse om, hvordan vagtordninger var blevet organiseret, hvad de omfattede, og hvor meget mandskab, der medgik. I enkelte tilfælde blev der gjort opmærksom på, at et tjenestested, ejendommen "Solborg", ikke lod sig bevogte effektivt, da der også boede 10 danske familier i ejendommen (BArch, Freiburg, RM 45 III/348).

Her blev gjort opmærksom på et problem, som man fra tysk side efter 29. august 1943 søgte at gøre noget ved, nemlig en større adskillelse af værnemagten og danskerne. Århus kan bruges som eksempel: Den 9. september 1943 fik bl.a. havnekommandanten ordre om, at de tyske tjenestesteder og kvarterer i byen skulle sammenlægges. Det vakte betydelig lokal modvilje, da man havde indrettet sig behageligt, officererne i gode private lejligheder o.lign. Derfor blev der af havnekommandanten 14. september svaret, at en sammenlægning af flere tjenestesteder kunne betyde, at de ville blive truffet på en gang i tilfælde af et luftangreb på byen og havnen, ikke mindst sidstnævnte blev nævnt som sandsynligt bombemål. Derfor anmodede havnekommandanten om ikke at skulle sammenlægge tjenestesteder. Det blev imødekommet 19. september, dog skulle alle privatkvarterer for enkeltpersoner sammenlægges (indskærpet 22. september). Det førte til etablering af et officerskvarter i byen, hvilket havnekommandanten kunne meddele 24. oktober til afsnitskommandanten i Esbjerg (BArch, Freiburg, RM 45 III/349).

I efteråret 1944 blev der foretaget yderligere store sammenlægninger af tyske tjenestesteder, se OKW/WFSt til WB Dänemark u.a. 25. august 1944.

> Kilde: BArch, Freiburg, RM 45 III/50b.

Der Befehlshaber der deutschen Truppen in Dänemark　　　　*H.Qu., den 30.3.43.*
Abt. Ia – Br. B. Nr. 820/43 geh.

Betr.: Maßnahmen zur Erhöhung der Wachsamkeit der Truppe.

1.) Die in den Stützpunkten eingesetzten Schweigegeschütze (Kal. 7,5 cm), Kw.K (Kal. 5 cm) und ähnliche Waffen sind zum Teil weder bei Tage noch bei Nacht ausreichend gesichert.

In ruhigen Zeiten sind diese Geschütze am Tage mit einem einfachen Posten, nachts jedoch mit einem Doppelposten zu besetzen. Die Posten müssen mit der Bedienung des Geschützes vertraut sein.

Die Divisionen richten Lehrkurse ein, damit eine möglichst hohe Anzahl von Mannschaften auch der *anderen Wehrmachtteile* an diesen Waffen ausgebildet wird.

2.) Die Sabotagefälle in Dänemark nehmen an Zahl ständig zu. Dieser Gefahr ist seitens der Truppe mit allen Mitteln entgegenzutreten. Vor allem wird Wachsamkeit in vielen Fällen Sabotageakten vorbeugen oder zumindest den Schaden verringern.

Es darf z.B. nicht vorkommen, daß eine belegte Truppenunterkunft nur deshalb abbrennen konnte, weil sämtliche Soldaten abwesend waren (Ortsurlaub) und der Brand daher nicht bemerkt wurde. In diesem und in ähnlichen Fällen werde ich den verantwortlichen Einheitsführer zur Rechenschaft ziehen.

Ich verlange, daß die Truppenunterkünfte, Munitions-,Verpflegungs-, Betriebsstofflager, überhaupt alle Wehrmachtanlagen jederzeit den notwendigen Schutz haben.

Es geht auch nicht an, daß in den Unterkünften der Truppe kein Offizier wohnt. Bei jeder Einheit (Kompanie, Schwadron, Batterie) hat mindestens ein Offizier in der Unterkunft der Truppe zu wohnen.

Durchführung des Befehls ist von den Divisionen und Korpstruppen hierher zum 15.4.1943 zu melden.

v. Hanneken

295. Werner Best an das Auswärtige Amt 31. März 1943

Best kunne meddele, at en faldskærmsagent var blevet arresteret. Dansk politi havde pågrebet Adolf Theodor Larsen, der siden blev overgivet til tysk politi. Best berettede ret detaljeret om tilfældet og begrundede det slutteligt med, at det var sjældent, at det lykkedes at fange faldskærmsagenter.

Adolf Theodor Larsen (kaldet Andy) havde optrådt så uprofessionelt og været en sådan risiko for SOE, at han efter anholdelsen blev forsøgt likvideret, hvilket mislykkedes, før han blev deporteret til Tyskland. Også kvinden, Grethe Thomsen, der havde meldt ham til dansk politi, blev søgt likvideret som stikker, hvad hun efter alt at dømme ikke var (Edelberg 2007).

Kilde: PA/AA R 61.119.

Abschrift Pol VI 600 43z

Telegramm

Kopenhagen, den   31. März 1943   12.40 Uhr
Nr. 362

Dänische Polizei hat am 26.3. einen feindlichen Fallschirmagenten in Frederikshavn (Nord-Jütland) festgenommen. Der Agent ist dänischer Staatsangehöriger. Er heißt

Adolf Theodor Larsen und ist am 9.12.1906 geboren. Er ist vor dem Kriege nach Argentinien ausgewandert und dort Farmer geworden. Im Jahre 1941 hat er sich den Engländern für Sabotageaufträge zur Verfügung gestellt. Er ist auf einer englischen Sabotageschule ausgebildet worden und hatte die spezielle Aufgabe, Sabotage an deutschen Materialtransporten zu verüben. Am 13.2.1943 ist er mit einem englischen Bomber nach Dänemark gebracht worden und bei Bistrup (Nordseeland) abgesprungen. Fallschirm und Sturzhelm hat er weisungsgemäß in der Nähe der Absprungstelle im Wasser versenkt. Am 15.3. hat er in Kopenhagen (in der "Kakadu-Bar") von einem ihm Unbekannten einen Brief zugesteckt bekommen, der den Auftrag für ihn enthielt, nach Frederikshavn zu fahren. Er ist daraufhin am 18.3. von Kopenhagen abgefahren und am 19.3. in Frederikshavn eingetroffen. Dort hat er bei einem Hansen gewohnt. Er ist bald dadurch aufgefallen, daß er in schlechter Gesellschaft verkehrte. Ein Straßenmädchen hat ihn bei der dänischen Polizei "verpfiffen" und die dänische Polizei hat ihn daraufhin festgenommen. Sabotagehandlungen hat er nach seiner Angabe noch nicht ausgeführt, da er von England her die Weisung erhalten hatte, die ersten Wochen nichts zu unternehmen. Bei der Festnahme war er im Besitz von drei Giftampullen. An Geld hatte er 1.250 dänische Kronen bei sich als Restbetrag von 5.000 Kronen, die er von England mitbekommen hatte. Es handelt sich bereits um den sechsten englischen Fallschirmspringer, den die dänische Polizei ergriffen hat. Das ist um so bemerkenswerter, als es nach den Erfahrungen in übrigen besetzten Gebieten überaus schwierig ist, Fallschirmagenten zu fassen.

Nach Abschluß der Vernehmungen erfolgt weiterer Bericht.

Dr. Best

296. Otto Winkelmann an Werner Best und Paul Kanstein 31. März 1943

Se telegrammerne 16. og 23. marts 1943.
Kilde: RA, pk. 229.

Telegramm

Berlin, den   31. März 1943   09.30 Uhr

Nr. 7137   Geheim

An den Bevollmächtigten des Reichs in Dänemark.
An den Brigadeführer Kanstein
    über Auswärtiges Amt

Betr.: Einsatz eines Pol[izei]-Bat[aillons] in Dänemark.
Betr.: Dortiges Schreiben vom 25.3.43.

Gemäß u.a. Antrages beabsichtige ich, das I Pol[izeibataillon] 25 "Cholm" (z.Zt.

MARTS 1943

Generalgouvernement) in Dänemark einzusetzen.

Erbitte umgehend Mitteilung durch F[ern-]S[chreiber], wohin das Bat[aillon] in Marsch gesetzt werden soll.

Der Chef der Ordnungspolizei

Kdo I g – I s(1) nr. 257/43 (g)

[Winkelmann]

297. Wolfram Sievers an Hans Wäsche 31. März 1943

Sievers ville have Wäsche til at undersøge, om det kunne lade sig gøre at komme i forbindelse med en kvinde i Jylland, som kunne den urgamle vikingestrikkekunst. Det interesserede RFSS meget.

Wäsches svar er ikke kendt, men han var i løbende kontakt med Sievers og andre i Ahnenerbe om en bred vifte af spørgsmål. Blot to dage forud ville Sievers have Wäsche til at skaffe M. Winter: *Danske Folke Eventyr*, 1823, som ikke var til at skaffe i Tyskland. Bogen skulle benyttes i forbindelse med en bog med udvalgte eventyr fra de germanske lande, som etnologen W. Fox i februar 1943 havde fået til opgave at udarbejde (Schreiber Pedersen 2008, s. 305).

Bag Wäsches titel af "Studienrat" skjulte sig, at han var tysk efterretningsagent i Danmark med folk i SD-dækorganisationen Argeska, Arbeitsgemeinschaft für Skandinavienkunde, en organisation som kunne begrunde, at Sievers kontaktede ham (om Wäsche se Henrik Lundtofte i *Hvem var hvem 1940-1945*, 2005, s. 389f.).

Se endvidere Wäsche til Hans Schneider 28. april 1943.

Kilde: BArch, NS 21/980.

<table>
<tr><td>Das Ahnenerbe</td><td align="right">*Berlin-Dahlem am 31.3.1943*</td></tr>
<tr><td>Der Reichsgeschäftsführer</td><td align="right">Pücklerstr. 16</td></tr>
</table>

Herrn Studienrat Dr. Wäsche
  Kopenhagen

Betr.: Kimbrische Strickkunst
Anlg.: 1[144]

Sehr geehrter Parteigenosse Wäsche!

Wie Sie aus anliegender Abschrift einer Zeitungsnotiz ersehen, lebt auf Jütland eine Greisin, die über genaue Kenntnisse der uralten Stricktechnik der Wikinger verfügt. Der Reichsführer-SS interessiert sich für diese Angelegenheit außerordentlich. Es besteht die Absicht, unsererseits eine geeignete Mitarbeiterin nach dort zu entsenden, um diese Strickkunst sowohl praktisch als auch zeichnerisch festhalten zu lassen.

Ich wäre Ihnen außerordentlich dankbar, wenn Sie mir mitteilen könnten, ob es möglich ist, von dort aus die auf Jütland lebende Frau zu ermitteln.

Mit besten Grüßen und

Heil Hitler!

Sievers

SS-Standartenführer

---

144 Bilaget foreligger ikke.

298. Hans Brabänder an 416. Infanterie-Division 31. März 1943

Et konkret tilfælde gav anledning til, at det blev indskærpet 416. infanteridivision, at man under ingen omstændigheder måtte anvende telefonen, når det drejede sig om pågrebne fjendtlige agenter. Uforsigtighed kunne forhindre, at Abwehr og kriminalpolitiet fik fat i hjælpere og bagmænd.

Kilde: RA, Danica 1069, sp. 4, nr. 6237.

Anlage 13 a)   *Abschrift.*

416. Infanterie Division   *Div.St.Qu., den 31. März 1943.*

Abt. Ic

Ein Sonderfall gibt Veranlassung auf Folgendes hinzuweisen:

Ein Feindagent arbeitet selten allein. Er stützt sich meist auf Helfershelfer und Hintermänner, von denen jeder seine bestimmte Funktion hat und nicht minder gefährlich ist.

Wird ein Agent gefaßt, so ist es die wichtigste Aufgabe der Abwehrorgane und Kriminalpolizei, mit ihm zugleich das ganze Nest der Feindfiliale auszuheben.

Diese Arbeit wird ungeheuer erschwert, wenn Offiziere oder Mannschaften, die von der Festnahme eines Agenten dienstlich erfahren, darüber weiter mündlich oder gar fernmündlich sprechen. Durch eine solche Unvorsichtigkeit ist jetzt der Helfershelfer eines gefaßten Feindagenten der Festnahme entgangen.

Es muß deshalb in solchen Fällen *absolute Sprechdisziplin* von jedem Wehrmachtangehörigen gefordert werden! Kein Wort weitererzählen, kein Ferngespräch führen, grundsätzlich Führerbefehl beachten! Schwatzhaftigkeit oder Unvorsichtigkeit kann wertvollste Arbeit zunichte machen!

gez. **Brabänder**

Verteiler:

Abschn. Kdr. Nord

  –   –   Mitte

  –   –   Süd

  –   –   Viborg

Nachrichtlich:

Bef. Dän., Abt. Ic

Abw. Neb. Stelle, Aarhus.

299. Werner Best an das Auswärtige Amt 31. März 1943

Best havde erfaret, at hans kandidat til posten som præsident for det Tyske Videnskabelige Institut var blevet godtaget og trak derfor sine spørgsmål vedrørende en af de andre kandidater, Giescke, tilbage som overflødige. Sin hidtidige indstilling til Schneider fastholdt han.

Brevet er afsendt med kurer til Berlin 5. april.

Kilde: RA, Werner Bests arkiv, pk. 3 (koncept).

K1/K 733/43.   *Kopenhagen, den 31. März 1943.*

Sch./Ht.

1.) AA, Berlin
Auf den Erlaß vom 10. d.Mts.
– Kult U 1461/43 –

Betr.: Neubesetzung des DWI Kopenhagen
– 2 Durchdrucke –

Wie ich höre, ist Professor Dr. Höfler inzwischen vom Reichserziehungsministerium für den Präsidenten-Posten des Deutschen Wissenschaftlichen Instituts in Kopenhagen freigegeben und selbst mit der Übernahme dieser Funktion auch einverstanden. Die in dem obigen bezeichneten Erlaß aufgeworfenen Fragen bezüglich des Professors Dr. Giescke dürften somit gegenstandslos geworden sein.

Eine Kandidatur des Professors Dr. Schneider kommt erst nach mehrjähriger vorheriger Tätigkeit an einer deutschen Hochschule in Betracht. Zur Zeit übt Professor Dr. Schneider die Funktion eines dänischen Beamten aus.

gez. Dr. Best

2.) z.d.A.

300. Werner Best an das Auswärtige Amt 31. März 1943

Best rykkede for svar på telegram nr. 244, 8. marts 1943, se dette.
Kilde: PA/AA R 100.986.

Telegramm

Telegramm eingeg. von D G Kopenhagen
Nr. 169   31.3.[1943]   12.50 [Uhr]

Auswärtig Berlin = Nr. 361 COM 31.3.1943

Im Anschluß an Drahtbericht Nr. 244 vom 8.3.43[145]
Da Waffen-SS auf Entscheidung in Frage minderjähriger Freiwilliger drängt, wäre ich für baldige Stellungnahme dankbar.

Dr. Best

301. WB Dänemark: Tätigkeitsbericht der Abteilung Ia vom 1.2.-31.3.1943, 31. März 1943

WB Dänemark havde iværksat en række initiativer til beskyttelse af færgetransporter, jernbanestrækninger og vigtige anlæg, ligesom forberedelserne til i givet fald at foretage brosprængninger var i gang. Admiral Dänemark havde anmodet Luftgau XI om at få antiluftskyts til en række danske værfter.
Kilde: BArch, Freiburg, RW 38/16. RA, pk. 449 (uddrag).

145 Trykt ovenfor.

Befehlshaber der deutschen Truppen in Dänemark

Tätigkeitsbericht
der Abteilung Ia vom 1.2.-31.3.1943.

[...]

II. Küstenverteidigung.

[...]

Befh. Dänemark befahl die Bewaffnung der dänischen Fährschiffe mit Flak, sobald diese ohne dänische Zivilreisende an Bord zu haben, als reine Truppentransportschiffe fahren.

Auf Veranlassung Admiral Dänemark wurde bei Luftgau XI erneut ausreichender Flakschutz für diejenigen dänischen Werften angefordert, die durch Führerbefehl infolge Durchführung eines Schiffbauprogramms für Deutschland geschützt werden müssen.[146] [...]

Den Divisionen wurden Zusammenstellungen der zur Sprengung vorzubereitenden Brücken, nach Dringlichkeitsstufen eingeteilt, zugeleitet. Für die wichtigsten Brücken behält sich Bef. Dänemark die Anordnung der Sprengung selbst vor. Für die übrigen Brücken wird der Sprengbefehl durch die Divisionen gegeben, in deren Gebiet die Brücken liegen.[147] [...]

Die in Dänemark immer mehr zunehmende Zahl der Sabotagefälle machte auch eine erhöhte Wachsamkeit innerhalb der militärischen Anlagen notwendig. Die Truppe wurde angewiesen, der Gefahr mit allen Mitteln entgegenzutreten, ausreichende Bewachung einzurichten und sicherzustellen, daß in jeder Truppenunterkunft ein Offizier wohnt.[148]

[...]

IV. Kampfhandlungen:

[...]

Bei Aalborg wurden Fallschirme gefunden, die auf Absetzen von Agenten aus Feindflugzeugen schließen lassen. Nachsuchungen durch die Truppe blieben bisher erfolglos.[149]

[...]

VI. Deutsche Wehrmacht und Dänischer Staat:

[...]

Die Verhandlungen des Bevollmächtigten des Deutschen Reiches wegen Aufstellung eines dänischen Schutzkorps führten zu keinem Ergebnis. Um die Truppe trotzdem

---

146 Der var tale om de værfter, der skulle stå for Hansabyggeprogrammet. Der blev næppe opstillet antiluftskyts ved værfterne på dette tidspunkt, da de danske arbejdere ville have reageret negativt på at skulle være bombemål.

147 Se von Bodenhausen til Pionier-Kompagni 416 23. marts 1943.

148 Se WB Dänemark: Maßnahmen… 30. marts 1943.

149 Der blev nedkastet fire SOE-agenter syd for Nibe natten mellem 11. og 12. marts 1943 (se Bests telegram nr. 293, 16. marts 1943).

von vielen Wachgestellungen zu entlasten, trug sich Bef. Dänemark mit der Absicht, die dänische Regierung zu veranlassen, die Bewachung bestimmter Objekte mehr als bisher durch die dänische Polizei durchführen lassen. Die Truppe wurde aufgefordert, die hierfür in Frage kommenden Objekte zu benennen.

Auf Veranlassung des Bef. Dänemark wurde durch den dänischen Staat eine starke Bewachung wichtiger Eisenbahnbetriebe und -Anlagen eingeführt.[150]

[…]

302. Rüstungsstab Dänemark: Darstellung der wehrwirtschaftliche Lage 31. März 1943

Det var en helt igennem optimistisk fremstilling af den forsvarsøkonomiske situation, som kvartalsskiftet gav Walter Forstmann anledning til. Ganske vist medførte det forøgede fæstningsbyggeri i Jylland materialemangel, men det ville blive løst ved henvendelse til den danske regering, da den i almindelighed havde vist sig imødekommende. Der var blevet indført fabriksværn, og der var fra tysk side presset på for at få sabotagevagterne bevæbnet med pistoler, men i sidste ende afhang sabotagevagternes effektivitet af deres indstilling, og på grund af hele den danske tænkemåde kunne man ikke regne med dem. Leverancerne af danske landbrugsprodukter til Tyskland, til tredjelande og til den tyske værnemagts underhold i Danmark var meget væsentlig. Dansk industri påtog sig frivilligt opgaver for den tyske rustningsindustri, den danske værftsindustri var næsten 100 % optaget af arbejdsopgaver for værnemagten, ca. 90 % af cementindustrien ligeledes. På trods af det var stemningen i landet ikke tyskvenlig, men det kom det i sidste ende ikke an på, når leverancerne var til fordel for den tyske krigsførelse.

Kilde: BArch, Freiburg, RW 27/6. KTB/Rü Stab Dänemark, Abt. Wi v. 8.2-31.4.1943, Anlage 14.

Anlage 14

D a r s t e l l u n g

der wehrwirtschaftlichen Lage vom Leiter der Abt. Wwi.

Die Tätigkeit der Abt. Wwi erstreckte sich vor allem auf die Unterstützung der in Dänemark eingesetzten deutschen Streitkräfte und die hierfür in Frage kommende Ausnutzung des Landes.

Der ungenügende Nachschub von Materialien aus Deutschland für die Zwecke der Besatzung und die Durchführung der Befestigungsarbeiten an der Westküste Dänemarks veranlaßten mehrfach den Befehlshaber der dten. Truppen in Dänemark und die W.T. an die Abt. Wwi heranzutreten, um durch Verhandlungen mit dem dänischen Außenministerium die Freigabe der angeforderten Materialien oder deren vorschußweise Lieferung durchzusetzen. Es kann gesagt werden, daß sich die dän. Regierung im allgemeinen entgegenkommend zeigte und, soweit es die eigene Rohstoffversorgung des Landes zuließ, den deutschen Forderungen entsprach.

Dadurch, daß untere deutsche Dienststellen die zwischen der deutschen und dänischen Regierung getroffenen Vereinbarungen nicht immer beachteten, sind verschiedentlich Schwierigkeiten aufgetreten, die eine Vermittlung der Abt. Wwi bei der dän. Regierung notwendig machten.

---

150 Se von Bodenhausen til WB Dänemark 27. april 1943 (kommentaren).

Dänemark will als souveräner Staat seine Handelsbeziehungen zu den Deutschland befreundeten und neutralen Staaten, soweit letztere erreichbar sind, aufrecht erhalten, um sich Kompensationsmöglichkeiten für die dem Lande fehlenden Rohstoffe zu verschaffen. Abt. Wwi hat gem. Verfg. OKW Az. 1 e 24 Wi Amt Z 1/II Nr. 1143/43g vom 20.2.43 die Aufgabe, die dän. Ausfuhr von "Kriegsmaterial" und "kriegswichtiger Ware" in zweifacher Hinsicht zu überprüfen und zu überwachen:

1.) Ob durch die beabsichtigten dän. Ausfuhren deutsche Interessen in irgend einer Form beeinträchtigt werden.

2.) Ob eine Garantie gegeben ist, daß das zur Ausfuhr kommende Material nicht in die Hände unzuverlässiger ausländischer Firmen gelangt, die es durch Weiterverkauf an das feindliche Ausland oder auf andere Weise dem Feinde nutzbar machen.

Da im Handelskrieg der Begriff "kriegswichtige Ware" auch Maschinen umfaßt, obliegt Abt. Wwi mithin die Überwachung und Überprüfung der nicht unerheblichen Ausfuhr von Maschinen aller Art. Die Maßnahmen zur Beibringung der notwendigen Unbedenklichkeitsbescheinigungen (Türkei, Spanien, Portugal) sowie zur Unterbindung der "fortgesetzten Reise" sind im Benehmen mit dem OKW Sonderstab HWK und dem Bevollmächtigten des Reiches in Dänemark geregelt und in Anlage 9 und 9a niedergelegt.[151]

Obwohl der Werkschutz der dän. Polizei untersteht, hat sich Abt. Wwi immer wieder trotz starken Widerstandes der dän. Industrie bei den dän. Polizeibehörden dafür eingesetzt, daß zur Verstärkung des Werkschutzes eine Bewaffnung desselben mit Pistolen anstatt mit Gummiknüppeln erfolgt. Sie ist inzwischen durchgeführt und scheint zu einem leichten Absinken der Sabotageakte geführt zu haben. Allerdings hängt die Sabotageabwehr durch den dän. Werkschutz von der Tatkraft, dem Mut und der ganzen Einstellung der Wächter ab. Unter Berücksichtigung der dänischen Denkweise und Einstellung muß jedoch mit schweren Versagern gerechnet werden.

Die Leistungen der dän. Landwirtschaft an das Reich sind wehrwirtschaftlich von besonderem Interesse. Es ist geglückt, die Produktionsfreudigkeit der dän. Landwirtschaft durch eine verständnisvolle Zusammenarbeit voll zu erhalten. Der Ausfall der Zufuhren an Futtergetreide und Ölkuchen, die knappe Versorgung mit Kunstdünger, Landmaschinen usw. ist durch die Tüchtigkeit des dän. Bauern überwunden worden. Die dän. Lieferungen zur deutschen Kriegsernährungswirtschaft sind so erheblich, daß sie nicht entbehrt werden können, ohne die deutschen Lebensmittelrationssätze zu gefährden. Dies gilt insbesondere für Fleisch. Die Leistungen der dän. Landwirtschaft im 4. Kriegsjahr sind als sehr gut zu bezeichnen.

In der Zeit *vom 1.10.42 bis 31.3.43* sind aus Dänemark in das Reich die folgenden Mengen der hauptsächlichsten landwirtschaftlichen Erzeugnisse ausgeführt worden:

28.500 t Fleisch
9.600 t Butter
2.900 t Eier (48 Millionen Stück)
11.000 Stück Gebrauchspferde
26.000 t Seefische und Heringe.

Außer diesen Waren sind noch erhebliche Mengen an weiteren landwirtschaftlichen

---

151 Bilagene foreligger, men er ikke medtaget.

Produkten wie Milcherzeugnisse (Milchkonserven und Kindernährmittel), Gemüse, Sämereien u.a. geliefert worden.

Neben den Lieferungen nach Deutschland hat Dänemark in dem genannten Zeitraum auch noch Finnland und Norwegen mit insgesamt 5.200 t Butter beliefert, was als indirekte dänische Leistung für das Reich gewertet werden muß. Die Gesamtproduktion der dänischen Landwirtschaft hat es darüber hinaus ermöglicht, mit deutscher Zustimmung noch weitere Lebensmittellieferungen nach anderen Ländern durchzuführen. Wenn diese Mengen auch im Verhältnis zu den Lieferungen nach Deutschland nur gering sein durften, so gaben sie doch Dänemark die Möglichkeit, aus diesen Ländern im Austausch bestimmte Rohstoffe zu beziehen, durch die die dänische Wirtschaft ingangehalten wurde, und die verarbeitet wieder mittelbar oder unmittelbar Deutschland zugute kommen.

Zu erwähnen sind schließlich die Lieferungen von Lebens- und Futtermitteln an die deutschen Truppen in Dänemark. Der Wert dieser Lieferungen betrug monatlich im Durchschnitt etwa 2 Mill. Kronen. Dazu kam eine Ausfuhr von Lebens- und Futtermitteln zur Versorgung der deutschen Truppen in Norwegen.

Die Beschäftigung der dänischen Industrie mit deutschen Aufträgen geschieht auf freiwilliger Grundlage. Ihr bisheriger Einsatz für Wehrmachtfertigungen und für Fertigungen des kriegswichtigen zivilen Bedarfs kann unter Berücksichtigung der besonders gelagerten Verhältnisse in Dänemark als durchaus zufriedenstellend bezeichnet werden und hat die Erwartungen übertroffen.

Die dänische Werftindustrie ist deutscherseits für Schiffsreparaturen und Neubauten fast 100 %ig ausgenutzt. In der Berichtszeit erfolgten die ersten Kiellegungen für das Hansa-Programm, das den Neubau von 37 Handelsschiffen vorsieht.

Auch die dän. Zementindustrie ist ca. 90 % für deutsche Belange in Anspruch genommen und befriedigt den gesamten Zementbedarf für die Befestigungsbauten an der Westküste Dänemarks.

Die Stimmung im Lande ist allerdings nicht deutschfreundlich, aber darauf kommt es letzten Endes nicht an, denn für Deutschland dürfen nur die Leistungen, welche Dänemark für die deutsche Kriegführung hervorbringt, maßgebend sein. Sie müssen als durchaus annehmbar bezeichnet werden.

Forstmann

303. Rüstungsstab Dänemark: Betr. Sabotage 31. März 1943

Rüstungsstab Dänemark var sammen med Abwehr, de fåtallige tyske politifolk og dansk politi hovedleverandør af oplysninger om sabotagen til den rigsbefuldmægtigede.

Kilde: BArch, Freiburg, RW 27/6. RA, Danica 1000, T-77, sp. 696. KTB/Rü Stab Dänemark 1. Vierteljahr 1943, Anlage 11.

Rü Stab Dänemark   Anlage 11

Betr.: Sabotage in der Zeit vom 1.1.43 bis 31.3.43

Vorweg ist zu sagen, daß sich seit Beginn des Jahres die Sabotagefälle mehrten. In der angegebenen Zeit sind 45 Sabotagefälle zu verzeichnen gewesen. Sie erfolgten zumeist durch Ärolit-Sprengbomben, und zwar sowohl in den Fabrikräumen wie auch außerhalb am Umformer-Stationen usw. Auch einige Brandstiftungen ereigneten sich, von denen zunächst die bei der Firma *Burmeister & Wain A/S* erwähnenswert ist. Hier ist der Schnürboden 60: 70 m Länge mit sämtlichen Modellzeichnungen und Schablonen für das Hansa Programm zerstört worden, wodurch jedoch keine Terminverzögerungen eintreten werden.[152] Bei der Firma *Atlas A/S* wurde durch Brandstiftung die Werkzeugausgabe in der Maschinehalle der kleinen Dreherei vernichtet.[153]

Bei den erwähnten Sabotagefällen im ersten Vierteljahr 1943 betrug der Schaden am Wehrmachteigentum rund Dän. Kronen 140.000.-. Der Schaden an dänischem Eigentum dürfte dagegen wesentlich höher sein.

Es ist festgestellt worden, daß die Saboteure in erster Linie aus kommunistischen Kreisen stammen. Daneben wurden aber auch verführte Jugendliche, die aus dem Nationalen Lager kamen, gefaßt.

Mit Einführung des Werkschutzes und seiner Bewaffnung, wurden die Sabotagefälle seltener. Rüstungsstab Dänemark hat sich in Zusammenarbeit mit der Abteilung Wwi im Rü Stab Dänemark ganz besonders um die gesetzliche Regelung des Werkschutzes, den man bisher in Dänemark nicht kannte, und der nunmehr nach deutschem Muster durchgeführt wird, bemüht. Ende Januar 1943 wurde gesetzlich festgelegt, daß ein Werkschutz in Betrieben mit über 75 Gefolgschaftsmitgliedern eingerichtet werden muß. Das Gleiche gilt auch für Betreibe mit weniger als 75 Gefolgschaftsmitgliedern, wenn sie eine *wichtige* Fertigung ausführen, und Rü Stab Dän. die Einrichtung eines Werkschutzes vorschlägt.[154] Die Werkschutzleute wurden mit einem Gummiknüppel ausgerüstet. Das erwies sich jedoch als unzureichend, als Ende März bewaffnete Saboteure auftraten und die Wachmannschaften mit der Schußwaffe in Schach hielten. Die Dänische Polizei ordnete die Ausrüstung des Werkschutzes mit Schußwaffen an, was bei zunächst 125 dänischen Betrieben durchgeführt ist.

304. Rüstungsstab Dänemark: Lagebericht 31. März 1943

Mangelen på kul havde fået den danske regering til at indskrænke gas- og elektricitetsforsyningen, hvilket hæmmede den danske rustningsproduktion for Tyskland. Der havde da været ført forhandlinger med UM og Best om, at der i særlige tilfælde kunne ske en forhøjelse af forsyningerne. Hansaprogrammet var forsinket pga. forsinket levering af stål, ligesom en sabotage hos B&W ramte skibsbygningsprogrammet.

Kilde: BArch, Freiburg, RW 27/6 og 23. RA, Danica 1000, T-77, sp. 696, KTB/Rü Stab Dänemark 1. Vierteljahr 1943, Anlage 12.

---

152 Se tilfælde nr. 102 i Best til AA 30. april 1943.
153 Se tilfælde nr. 71 i Best til AA 13. marts 1943.
154 4. december 1942 blev der udstedt lov nr. 489 om sikkerhedsforanstaltninger indenfor virksomheder m.m., fulgt op af en bekendtgørelse om politibevogtning for bevogtningsmandskab indenfor erhvervsvirksomheder m.m. 9. januar 1941.

Rüstungsstab Dänemark
ZA/Ia Az. 66dl/Wi-Ber. Nr. 333/43g

Kopenhagen, den 31.3.1943.
Geheim

Bezug: OKW Wi Rü Amt/Rü IIIb Nr. 21755/42 v. 9.5.42.
Betr.: Lagebericht.

An den Reichsminister für Bewaffnung und Munition – Rüstungsamt –
  Berlin W 62, Kurfürstenstr. 63/69.

Rü Stab Dänemark übersendet in der Anlage den Lagebericht für Monat März 1943.
Forstmann

Rüstungsstab Dänemark
ZA/Ia Az. 66dl/Wi-Ber. Nr. 333/43g

Kopenhagen, den 31.3.1943.
Geheim!

Vordringliches
Über die ersten Sendungen der im Bericht vom 1.3.43 erwähnten *Nägel* liegen Versand-anzeigen aus Deutschland vor.

Der Ablauf der *Verlagerungsaufträge*, für die legiertes Eisen- und Stahlmaterial Ver-wendung findet, wird Verzögerungen erleiden, wenn die deutschen Werke jetzt *in jedem Einzelfalle* Sondergenehmigungen bezüglich Legierungsinhalt von der Reichsstelle Eisen und Metalle einholen müssen. Reichsstelle Eisen und Metalle ist um Stellungnahme hierzu von Rü Stab Dänemark gebeten worden.

Die von der dänischen Regierung wegen Kohlenmangel angeordnete *Gas- und Elek-trizitätseinschränkung* wirkt sich hemmend auf die Wehrmachtfertigung aus. Eine Aufhe-bung der Drosselung für sämtliche mit Wehrmachtaufträgen belegten Firmen ist wegen der angespannten Brennstoffversorgungslage nicht möglich. In einer Besprechung zwi-schen dem dänischen Außenministerium, dem Bevollmächtigten des Reiches in Däne-mark und dem Rü Stab Dänemark wurde vereinbart, daß Fälle besonderer Dringlichkeit jeweils vom Rü Stab Dänemark über den Bevollmächtigten des Reiches der dänischen Regierung vorgelegt werden sollen, um eine Erhöhung der Zuteilung zu erwirken.

In der Berichtzeit fanden 12 nächtliche *Fliegeralarme* statt.

Bei der Firma Burmeister & Wain wurde der Schnürboden 60: 70 m Länge mit sämtlichen Modellzeichnungen und Schablonen für das Hansa-Programm durch Brand zerstört. Der Brand ist auf Sabotage zurückzuführen.[155]

1a. Stand der Fertigung
Wertsumme der seit der Besetzung Dänemarks über Rü Stab Dänemark erteilten *unmit-telbaren und mittelbaren Wehrmachtaufträge*:

---

155 Aktionen mod B&Ws modellager blev udført 10. marts af to B&W-arbejdere, der var medlemmer af KU (Kjeldbæk 1997, s. 117).

Am 31.1.43	RM	325.952.130,-
Zugang im Februar 1943	RM	62.526.332,-

(davon RM 48.935.000,- f. d. Hansa-Programm)

Am 28.2.43	RM	388.478.462,-
Auslieferungen im Februar	RM	6.579.450,-

Aufträge des *kriegswichtigen zivilen Bedarfs*:

Am 31.1.43	RM	59.498.549,-
Zugang im Februar 1943	RM	665,051,-
	RM	60.163.600,-

Für Holzbearbeitung, spanabhebende- und Preßarbeiten sind noch freie Leistungskapazitäten vorhanden.

1c. Versorgung der Betriebe mit Roh- und Betriebsstoffen

Der deutsche Lieferungsrückstand an *Eisen und Stahl* betrug am 31.1.43 noch 32.841 t, ist also um etwa 9 % zurückgegangen.

Der Rückstand an *NE-Metallen* am gleichen Stichtag betrug 440 t, d.s. 18 % weniger als am 31.1.43 rückständig waren.

Zur Belieferung von Luftwaffenaufträgen mit unlegiertem Eisen- und Stahlmaterial wurde im Auftrage des RLM bei der Firma Lemvigh-Müller und Munck ein Lager errichtet. Die Entnahme aus dem Lager soll gegen Eisengutschriften erfolgen.

Für das Schweißelektrodenlager sind 200 t Draht eingetroffen, 200 t sind im Anrollen. Maßnahmen zur Beschaffung des sonstigen Materials sind eingeleitet.

Bezüglich des Standes des Hansa-Programms ist festzustellen, daß das Stahlmaterial für die Schiffsrümpfe der 5.000 t Schiffe mit etwa 3 monatiger Verspätung eingetroffen ist bzw. eintreffen wird. Mit dem Sonderbeauftragten für das Hansa-Programm wurde festgelegt, daß die Eisen- und Metallbezugsrechte für den Hauptteil des Schiff- und Maschinenbaumaterials unmittelbar von ihm an die deutscherseits bestimmten Lieferwerke gegeben werden. Nur die Bezugsrechte für einen kleinen listenmäßig festgehaltenen Teil, den die dänischen Werften selbst beschaffen, werden über Rü Stab Dänemark geleitet. – Für die 3.000 t und 9.000 t Schiffe ist eine gleiche Regelung demnächst zu erwarten.

Der Stand der Marinebereitschaftsläger hat sich, vor allem in Schiffsblechen, durch Beschleunigung der Zulieferungen nach Wiederaufleben der Kontroll-Nummern gebessert.

Dem Antrag des Rü Stab Dänemark auf Schaffung eines dänischen Auslieferungslagers in dickem Glas für Schiffsreparaturen ist von der zuständigen dänischen Behörde entsprochen worden. Es wird bei der Fa. Pens, Kopenhagen, ein Lager mit deutschem Glas eingerichtet.

2b. Lage der Energieversorgung

Die Zuteilung von Öl und Benzin an die mit Wehrmachtaufträgen belegten dänischen Betriebe ist im Berichtsmonat ohne Schwierigkeiten erfolgt.

Es wurden	angefordert:	1.100 ltr.	Benzin	320,7 t	Dieselöl
–	zugeteilt:	750 ltr.	–	122,7 t	–
	somit wurden eingespart:	350 ltr.	–	198,0 t	–

Durch die laufend vorgenommenen technischen Überprüfungen des Brennstoffverbrauches bei den Betrieben konnten weiterhin Ersparnisse an Öl und Benzin erreicht werden.

Die schwierige Versorgung der Gas- und Eltwerke mit Brennstoffen hat zu starken Einschränkungen des Gas- und Stromverbrauchs geführt, sodaß eine Verlängerung der Liefertermine für mehrere Wehrmachtaufträge unvermeidlich sein wird.

2c. Lage der Kohlenversorgung. (s. unter "Vordringliches")
Die Einfuhr von *Kohle und Koks* erfuhr im Monat März eine wesentliche Besserung, nachdem in Januar und Februar außergewöhnlich geringe Mengen zugeführt waren. Aus dem Rhein.-Westf. Kohlenrevier wurde ein großer Teil über Rotterdam verschifft. 2 dänische Dampfer mit 3.000 t Koks und 2.000 t Kohle gingen dabei im Berichtsmonat kriegsverloren.

Insgesamt wurde in der Zeit vom 1.-27.3.43 nach Dänemark verschifft:
230.601 t Kohle und 65.812 t Koks.

Da die Belieferung der Eltwerke mit Braunkohle allen anderen Braunkohlenlieferungen vorausgeht, war es bisher für die Industrie so gut wie unmöglich, sich die erforderlichen einheimischen Braunkohlen als Ersatz für die fehlenden ausländischen Steinkohlen zu beschaffen. Sobald die Eltwerke unter Voraussetzung umfangreicher Zufuhren nach und nach dazu übergehen können, wieder größere Mengen deutscher Kohle zu verwenden, wird die Braunkohlenversorgung der Industrie entsprechend erleichtert werden.

305. Rüstungsstab Dänemark: Darstellung der rüstungswirtschaftlichen Entwicklung 31. März 1943

Det var en usædvanligt optimistisk Forstmann, der gav en oversigt over udviklingen for tysk rustningsproduktion i Danmark for første kvartal 1943. Der var ganske vist problemer med leveringen af de nødvendige råmaterialer, men krigsudviklingen havde ikke påvirket den danske arbejdsvillighed, sabotagen var ubetydelig og ramte i de fleste tilfælde ikke tyske interesser, og endelig var det Forstmanns vurdering, at krigen mere havde styrket den danske industris produktion end svækket den (Giltner 1998, s. 113, 119).

Kilde: BArch, Freiburg, RW27/6. RA, Danica 1000, T-77, sp. 696. KTB/Rü Stab Dänemark, 1. Vierteljahr 1943, Anlage 15.

Chef Rü Stab Dänemark   Anlage 15
Darstellung
der rüstungswirtschaftlichen Entwicklung.

Die *Auftragsverlagerung* nach Dänemark ist erheblich gestiegen. Sie betrug im Monatsdurchschnitt des Jahres 1942 RM 10.509.691,- und im Monatsdurchschnitt der ersten 3 Monate 1943 RM 13.777.657,-. Aus dieser erhöhten Auftragsübernahme seitens der dänischen Industrie, auf welche weder deutscherseits noch dänischerseits ein Zwang ausgeübt werden kann, ist zu entnehmen, daß die etwas weniger glückliche Entwicklung der Kriegslage im Winter die Arbeits*willigkeit* für Deutschland nicht gelähmt hat. Die Ausbringung hat aber mit der Zunahme an verlagerten Aufträgen aus verschiedenen

Gründen nicht Schritt halten können. Wie in den Lageberichten des Rü Stab Dänemark gemeldet, war die Belieferung Dänemarks mit Kohle ungenügend. Sie erreichte nicht annähernd die Mengen, die für Dänemark vorgesehen waren. Beträchtliche Gas- und Stromkürzungen mußten seitens der Dänischen Regierung für die Industrie verfügt werden. Sie zwangen viele Betriebe zur Herabsetzung der Arbeitszeit. Die Fertigungskapazitäten konnten trotz Vorhandenseins von Arbeitskräften, Maschinen und bereits angeliefertem Material nicht voll ausgenutzt werden. In wichtigen Einzelfällen für besonders dringende Wehrmachtfertigung erzielte Rü Stab Dän. durch Verhandlungen über den Bevollmächtigten des Reiches mit der Dänischen Regierung eine Lockerung der Bezugsbeschränkungen. Sonderzuteilungen gehen aber immer auf Kosten anderer Betriebe, womit letztlich nicht gedient ist. Die Verzögerungen der Auslieferung liegen ferner an dem schlechten Materialnachschub aus Deutschland. Besonders die nicht wehrmachtteileigentümlichen Fertigungen (Werkzeuge, Werkzeugmaschinen, Lehren, Vorrichtungen) und der kriegswichtige zivile Bedarf leiden unter verlängerten Lieferzeiten.

Verlagerungen sind noch in der Möbelindustrie für Aufträge aller Größen, im Holzbootbau (kleinere Typen und Stückzahlen) und in der Metallverarbeitung für Vorrichtungen, Schlosserarbeiten, Press- und Stanzteile möglich. Da aber im allgemeinen nur noch kleinere Werkstätten zur Verfügung stehen, können zur Zeit nur Aufträge geringerer Genauigkeit und kleinerer Stückzahl (keine Serienfertigung) aufgenommen werden, bei denen keine Vergütungs- und Schleifarbeiten notwendig sind. Für alle zu verlagernden Aufträge ist Voraussetzung, daß die erforderlichen Materialien für den Gesamtauftrag zur Verfügung stehen, damit Unterbrechungen und damit Unwirtschaftlichkeit der Fertigung vermieden werden.

Der Auftragsbestand am 31.1.43 von RM 170.828.328,- stieg im Februar auf RM 227.605.380,-, worin RM 49.144.734,- für Aufträge des Hansa-Programms enthalten sind.

Für die Durchführung des *Hansa-Programms* wurde der "Hauptausschuß Schiffbau in Dänemark" geschaffen. Als Richtlinie für die Mitarbeit des Rü Stab Dän. beim Hansa-Programm gilt die Verfügung des RM f.B.u.M., Rüstungsamt, Rü/Pl (d) Nr. 23095/42 von 14.8.42. Rü Stab Dän., unterstützt den "Hauptausschuß Schiffbau in Dänemark" vor allem bei der Rohstoffsicherung, indem Abt. Marine bei Schwierigkeiten aus den ihr zur Verfügung stehenden Beständen vorschießt, für die Sicherung der Arbeitsfähigkeit der Werften sorgt und bei der Beschaffung von Betriebs- und Produktionsmitteln hilft. Die Zusammenarbeit kann als durch aus gut bezeichnet werden. Am 31.3.43 waren 3 Hansabauten von je 3.000 to auf Kiel gelegt.[156]

Die *Sabotageakte* der letzten Zeit richteten sich vielfach gegen Betriebe, die entweder gar nicht oder nur zu einem ganz geringen Teil für deutsche Aufträge arbeiten. Auch bei den Sabotagefällen an Eisenbahnverkehrsanlagen waren nach den Umständen der Einzelfälle meistens deutsche Wehrmachtinteressen nicht gefährdet. Neben der Beunruhigung der Bevölkerung sollen anscheinend deutsche Gegenmaßnahmen gegen die gesamte Bevölkerung *herausgefordert* werden, um dadurch das ganze dänische Volk deutschfeindlich

---

156 Se Forstmanns månedsberetning 30. april 1944.

zu stimmen. Wesentlicher Schaden ist weder der deutschen Wehrmacht noch anderen Reichsinteressenten bisher entstanden, doch wird mit allen Mitteln versucht, die Saboteure zu vernichten. Die Sabotagehandlungen werden, durch den englischen Rundfunk gefordert, von Kommunisten und jugendlichen Nationalisten verübt.

Die Stimmung im Lande und damit die Leistungsfähigkeit der Betriebe hängt naturgemäß von der Entwicklung der allgemeinen Kriegslage ab. Sicher gibt es viele dänische Arbeiter, die keine Arbeits*freudigkeit* für Deutschland aufbringen können. Zusammenfassend ist jedoch zu sagen, daß das hiesige Wirtschaftsleben einen ruhigen Verlauf bisher genommen hat und keine Veranlassung besteht, die Verlagerung von Aufträgen nach Dänemark einzuschränken. Der Krieg hat die dänische Industrie fabrikationsmäßig gesehen mehr gestärkt als geschwächt. Für sie sind manche neue Aufgaben, die der Krieg stellte, nur von Vorteil gewesen.

Forstmann

[290.] Kriegstagebuch/Admiral Dänemark 31. März 1943
Bemærk, at dokument nr. 290, 28. marts 1943 (s. 406f.) retteligt hører under 31. marts 1943.

APRIL 1943

306. Politische Informationen für die deutschen Dienststellen in Dänemark 1. April 1943

Best præsenterede resultatet af det danske valg, som han ønskede det udlagt. Endvidere blev der informeret om mordet på en estisk kommunist, som den danske presse også skrev indgående om; det var selve formålet at miskreditere kommunismen. Åbenhed gjaldt også i spørgsmålet om den begrænsede danske sabotage anstiftet fra England. Offentligheden skulle informeres om de enkelte sabotagetilfælde og om afsagte domme i sådanne sager.

Hermed indvarslede Best en helt ny kurs i forhold til den danske offentlighed. Hidtil havde enhver omtale af sabotage været forbudt, hvis ikke andet blev bestemt. Udenrigsministeriets Pressebureau orienterede 6. april om de nye generelle regler for omtale af sabotagehandlinger, hvorefter de kunne omtales i blade, for hvilke stoffet var lokalt. Der ville også kunne bringes billeder, når de var godkendt af vedkommende politimyndighed, men alle artikler skulle i deres helhed sendes til censur. Retningslinjerne blev fulgt op 13. april: herefter måtte ordet sabotage kun bruges i tilfælde, hvor der forelå et klart angreb på den tyske værnemagts interesser, ellers skulle der skrives hærværk, brandstiftelse, attentat o. lign. Omtalen måtte ikke være sensationelt sat op og der kunne fremføres oplysninger om den skade, som ramte danske interesser (*Udenrigsministeriets Pressebureaus ugentlige Meddelelser til Pressen*, Nr. 114 og 115, 10. og 17. april 1943; jfr. også nr. 134, 28. august 1943).

Kilde: PA/AA R 61.119 (uddrag). RA, Centralkartoteket, pk. 680. RA, Danica 1069, sp. 7, nr. 8765ff.

Der Bevollmächtigte des Reiches in Dänemark   *Kopenhagen, den 1. April 1943*

Politische Informationen
für die deutschen Dienststellen in Dänemark.

Betr: I. Mitteilungen aus der Außenpolitik.
     II. Die dänische Reichstagswahl 1943.
    III. Der Mord an dem estnischen Kommunisten Eltermann im Jahre 1936 in Kopenhagen.
    IV. Sabotageakte in Dänemark.

I. Mitteilungen aus der Außenpolitik

1.) Nachdem der Japanische Gesandte (mit Sitz in Stockholm) Suemasa Okamoto am 15.3.43 vom Kronprinz-Regenten in Audienz empfangen worden war und diesem sein Beglaubigungsschreiben überreicht hatte, hat er am 20.3.43 dem Reichsbevollmächtigten seinen Besuch abgestattet.

2.) Zwischen der japanischen und der dänischen Regierung wird die Frage eines Verzichtes Dänemarks auf die in China noch bestehenden Sonderrechte erörtert. Die Frage ist insofern von geringer materieller Bedeutung, als die japanische Regierung bereits vor Jahren erklärt hat, daß sie in den von Japan besetzten Gebieten Chinas eine exterritoriale Sondergerichtsbarkeit für Ausländer nicht anerkenne, und als ferner die 5 Hafenstädte, in denen sich internationale Konzessionen befanden, sämtlich von Japan besetzt sind. Für Japan und Nanking-China handelt es sich aber um eine Prinzip-Frage von grundlegender Bedeutung.

II. Die dänische Reichstagswahl 1943

1.) Am 23. März 1943 fand in Dänemark die Reichstagswahl statt. Der Tag verlief im ganzen Land ohne jeden Zwischenfall. Die Wahlbeteiligung lag bei 92 % gegen 78 % im Jahre 1939. Das Wahlergebnis für das Folketing ist aus der folgenden Tabelle – mit den Vergleichszahlen von 1939 – ersichtlich:

Es erhielten:

	1939		1943	
	Stimmen	Mandate	Stimmen	Mandate
Socialdemokraten	729.619	64	894.777	66
Radikale Venstre	161.834	14	175.025	13
Konservative	301.625	26	421.069	31
Venstre	309.355	27	376.513	28
Retsforbundet	33.783	3	31.085	2
Bondepartiet	50.829	4	24.701	2
DNSAP	31.032	3	43.267	3
Dansk Samling	8.553	0	43.257	3
Slesvigske Parti	15.016	1	–	0
National Samvirke	17.350	0	–	0
Kommunisten	40.893	4	–	0
Weiße Zettel			25-30.000	
			(nach vorläufigen Angaben)	
Ungültig	9.667		14.000	
			(geschätzt)	

2.) Vom deutschen Standpunkt aus sind hinsichtlich der Wahl und ihres Ergebnisses die folgenden Gesichtspunkte besonders herauszustellen:

a.) Daß gegen die Durchführung der Wahl von deutscher Seite keine Einwendungen erhoben wurden, ist vor aller Welt ein Beweis dafür, daß im deutschen Machtbereich nicht nur demokratische Parlamentswahlen stattfinden können sondern daß man auch von deutscher Seite das politische Ergebnis einer solchen Wahl keinesfalls scheute.

b.) Das politische Ergebnis der Wahl ist in erster Linie, daß etwa 90 % der gesamten dänischen Bevölkerung sich zum "Folkestyre" – also zur dänischen Form der Demokratie – bekannt haben.

c.) Die Dänen haben aber, indem sie den demokratischen Parteien ihre Stimmen gaben, diesen Parteien nicht nur für ihre auf Erhaltung der dänischen Verfassung gerichtete Innenpolitik sondern für ihre gesamte Politik eine Bestätigung und eine Vollmacht erteilt. Die demokratischen Sammlungsparteien aber sind es gewesen, die seit 1940 die auf eine gütliche Verständigung mit dem Reiche gerichtete Politik der Regierungen Stauning, Buhl und Scavenius getragen haben.

d.) Daß die DNSAP nur einen aus der verstärkten Wahlbeteiligung sich ergebenden Stimmenzuwachs gewonnen und damit auf dem Stand von 1939 stehen geblieben ist, beweist einerseits vor der Welt, daß diese Partei nicht von deutscher Seite mit Gewalt zur Macht gebracht werden soll, und schafft andrerseits Klarheit über ihre wirkliche Bedeutung in der dänischen Innenpolitik. Der Parteiführer Dr.

APRIL 1943

Clausen beabsichtigt, die organisatorischen Formen der Partei entsprechend dem Wahlergebnis zu vereinfachen und unter Aufgabe jeder repräsentativen Fassade das Schwergewicht seiner Tätigkeit auf die Kleinarbeit und Einzelwerbung für die Idee – insbesondere auf dem Lande – zu verlegen.[1] Im übrigen wird für seine weitere Wirksamkeit viel davon abhängen, ob er künftig für seine Partei Persönlichkeiten gewinnt und herausstellt, die – was in der dänischen "Dorf-Demokratie," in der jeder jeden kennt, von besonderer Bedeutung ist – Achtung und Vertrauen bei der Bevölkerung genießen.

e.) Die Kommunisten hatten ihre Anhänger aufgefordert, weiße Stimmzettel abzugeben. Wenn bis jetzt die Anzahl dieser Stimmzettel auf 25-30.000 geschätzt worden ist, – im Jahre 1939 wurden 40.893 kommunistische Stimmen abgegeben – so ist zu vermuten, daß diese 25-30.000 wohl im wesentlichen die treuesten Anhänger der kommunistischen Idee sind und daß die Mitläufer wegen der mangelnden Presse und Propaganda diesmal zu Hause geblieben sind. Die von der Kommunistischen Partei gewollte Kontrolle ihrer Anhänger kann daher als zum Teil gelungen bezeichnet werden.

f.) Die von dem ehrgeizigen "Karusselfahrer" (wie er von den anderen Parteien wegen seines häufigen Parteiwechsels bezeichnet wird) Arne Sörensen gegründete Partei "Dansk Samling" hat fast ebensoviele Stimmen erhalten wie die DNSAP, obwohl sie in der Wahlkampagne von den Sammlungsparteien – insbesondere von der Konservativen Partei – als eine Art "unlauterer Wettbewerb" schärfstens angegriffen wurde. Ihr scheinen die deutschfeindlichsten Elemente im Lande ihre Stimmen gegeben zu haben, was eine gewisse zahlenmäßige Kontrolle dieser Kräfte ermöglicht. Es ist damit zu rechnen, daß gerade deshalb die Sammlungsparteien, die dies als Raub an ihrer Stimmenzahl betrachten, auch weiterhin die "Dansk Samling" bekämpfen werden.

g.) Die britische Politik wünschte offensichtlich, daß die dänischen Wahlen von deutscher Seite verboten würden. Im Londoner Sender wurde deshalb 6 Wochen lang behauptet, der Reichsbevollmächtigte habe die Wahl verboten. Als die Wahl ausgeschrieben war, sagte man, der Reichsbevollmächtigte habe sie befohlen. Schließlich – als das Interesse der dänischen Bevölkerung an der Wahl erkennbar wurde, hat auch der Londoner Sender zur Teilnahme an der Wahl aufgefordert. Nach der Wahl in Dänemark haben die britischen Besatzungsbehörden auch für die Färöer die Wahl (für den 3.5.1943) erlaubt.

III. Der Mord an dem estnischen Kommunisten Eltermann im Jahre 1936 in Kopenhagen
Ende 1941 wurde durch die deutsche Sicherheitspolizei in Reval ein kommunistischer Partisanenführer Karl Säre geb. 2.7.1903, festgenommen. Er entging der sofortigen Hinrichtung nur dadurch, daß er sich als hoher Funktionär der Estnischen Kommunistischen Partei zu erkennen gab und Beziehungen zu Männern der Komintern in Moskau hatte. Er wurde daher vom Reichssicherheitshauptamt in Berlin zu diesen Verbin-

---

1 Hvad Best hermed meddelte om DNSAPs fremtidige politik, blev ikke offentligt meddelt partiets egne medlemmer.

dungen nach Moskau eingehend gehört. Nach Abschluß dieser Vernehmungen machte Säre noch Angaben über einen Mord, der im Frühjahr 1936 an einem angeblichen kommunistischen Verräter namens Eltermann in Kopenhagen verübt wurde. Diese Angaben wurden Mitte Mai 1942 seitens der hiesigen Behörde der dänischen Kriminalpolizei mitgeteilt und Säre als Zeuge für die Untersuchung der dänischen Polizei zur Verfügung gestellt.

Die Kopenhagener Kriminalpolizei, die sich zunächst recht skeptisch verhielt, fand am Tatort, einem kleinen Sommerhäuschen am Südende von Amager, die von den Tätern bei der Beseitigung der Leiche im Fußboden vergrabene Wanne und verschiedene Eimer. Durch gerichtsärztliche Untersuchung ließ sich feststellen, daß in der Wanne ein menschlicher Körper mit Ätznatron zersetzt worden war. Daraufhin wurden die von Säre beschuldigten dänischen Kommunisten – die Brüder Rudolf und Oskar Petersen und der Mediziner Eigil Kärn – festgenommen. Gleichzeitig stellte die Dänische Regierung beim schwedischen Außenministerium den Antrag auf Auslieferung des sich zur Zeit in Schweden aufhaltenden Haupttäters, des estnischen Kommunisten Johannes Meeritz genannt Looring. Die Auslieferung erfolgte dann auch in der üblichen Form.

Die Untersuchung der dänischen Polizei ergab folgendes Bild: Während des Verbots der kommunistischen Partei in Estland hatte sich in Kopenhagen ein Auslandszentrum der illegalen estnischen KP unter Leitung des estnischen Kommunisten Looring gebildet. Zu diesem Kreise gehörten u.a. auch die estnischen Kommunisten Eltermann, Säre und Wakepea. Sie hielten sich illegal in Dänemark auf. Ihre Aufgabe war es, die Arbeit der illegalen estnischen KP von Kopenhagen aus zu organisieren und zu leiten. Übrigens bestanden damals hier noch verschiedene solcher Auslandszentralen von verbotenen kommunistischen Parteien, so auch der deutschen KP. Gelegentlich des VII. Weltkongresses der Komintern im Jahre 1935 in Moskau war Looring und Säre, die an diesem Kongreß teilnahmen, der Verdacht bekannt geworden, daß Eltermann mit der estnischen Polizei in Verbindung stehe und ein Verräter sei. In der illegalen estnischen Zeitung "Kommunist" erschien auch damals ein von Säre auf Veranlassung der Komintern verfaßter Artikel, worin Eltermann als Provokateur bezeichnet wurde. Einer Aufforderung der Komintern, nach Moskau zu kommen, leistete Eltermann keine Folge. Es stand für die überzeugten Kommunisten somit fest, daß die gegen Eltermann vorgebrachten Beschuldigungen der Wahrheit entsprachen. Damit war auch im Interesse der illegalen Parteiarbeit seine Beseitigung notwendig geworden.

Ende Februar 1936 wurde Eltermann in das auf Amager gelegene Sommerhäuschen des dänischen Kommunisten Rudolf Petersen eingeladen. Wakepea versuchte, ihn zunächst betrunken zu machen, was aber nicht gelang. Looring und Säre kamen dann hinzu, überfielen und fesselten ihn. Sie hielten dann Eltermann die bestehenden Verdächtigungen vor. Eltermann leugnete, bezeichnete seinerseits die drei anderen Esten als Spitzel. Eltermann blieb eine Nacht lang in dem Häuschen unter Aufsicht von Wakepea liegen. Hier sah ihn am anderen Morgen der Kommunist Oskar Petersen, der dann Wache stand. Der Mediziner Eigil Kärn stellte nunmehr eine Spritze mit einem Betäubungsmittel zur Verfügung. Er hatte vorher auch schon den Strick, mit dem Eltermann gefesselt wurde, und zwei Dolche beschafft. Looring betäubte Eltermann zunächst mit einer Spritze, dann haben ihn Looring, Säre und Wakepea gemeinsam mit einem Strick erdrosselt. Die Leiche wurde im Sommerhäuschen in einer Grube unter den Dielen vergraben. Looring und Säre haben die Tat dem Generalsekretär Dimitroff und dem Sekretär Moskwin der Komintern in Moskau gemeldet, die sich zwar damit einverstanden erklärten, aber eine spurlose Beseitigung der Leiche verlangten, um Schwierigkeiten irgendwelcher Art auszuschalten. Dies geschah auch. Die Täter haben die Leiche mit Ätznatron und Schwefelsäure in einer Wanne zersetzt und ins Meer geworfen. Die Wanne und die Eimer, die sie dazu verwandten, haben sie in der Grube unter der Diele des Sommerhäuschens vergraben.

Das Kopenhagener Stadtgericht hat die Täter am 22.3.43 wie folgt verurteilt:

Meeritz gen. Looring zu lebenslänglichem Zuchthaus,

Eigil Kärn zu 8 Jahren Zuchthaus.

Oskar Petersen zu 3 Jahren Zuchthaus.

Der Eigentümer des Sommerhäuschens, Rudolf Petersen, dem eine Mitwisserschaft und Mitbeteiligung nicht nachzuweisen war, wurde freigesprochen. Wakepea ist im spanischen Bürgerkrieg verschollen und offenbar umgekommen.[2]

Die dänische Öffentlichkeit ist durch die Presse über diese kommunistische Mordtat und den Versuch, ihre Spuren zu verwischen, ausführlich unterrichtet worden. Der Fall hat wieder gezeigt, daß die Kommunisten auch in den nordischen Ländern vor solchen Taten nicht zurückschrecken. Er hat dazu beigetragen, die Gefährlichkeit der kommunistischen Wühlarbeit in den europäischen Ländern aufzuzeigen und hat auch die in Dänemark getroffenen Maßnahmen gegen den Kommunismus weiter verständlich gemacht. Die deutsche Presse hat die Tat und das Urteil ebenfalls erörtert.

IV. Sabotageakte in Dänemark

Sabotageakte sind in allen besetzten Gebieten eine nicht seltene Erscheinung. In ihnen manifestiert sich teilweise die feindselige Gesinnung bestimmter Einwohner des besetzten Gebietes; solche Sabotageakte pflegen jedoch improvisiert, dilettantisch ausgeführt und wenig wirksam zu sein. Andrerseits sehen die kriegführenden Parteien in organisierten und wirksamen Sabotageakten ein Mittel, den Feind sowohl in seinem Heimatgebiet wie auch in den von ihm besetzten Gebieten, die hierfür noch geeigneter sind, zu schädigen. Schließlich kann die Sabotage angewendet werden, um mittelbar politische Wirkungen auszulösen, indem man den Feind in einem bestimmten Gebiete dazu bringen will, Maßnahmen zu treffen, die sich politisch schädlich gegen ihn auswirken.

Dieses letzte Ziel befolgt der britische Geheimdienst mit der Sabotagewelle, die er seit einigen Monaten in Dänemark ausgelöst hat. Nach erfaßten Instruktionen ist das Ziel, die deutschen Behörden in Dänemark dazu zu bringen, "norwegische Methoden" anzuwenden. Die Leitung der feindlichen Aktionen liegt in der Hand von Fallschirm-Agenten, die nach gründlicher Ausbildung in englischen Sabotageschulen auf dänischem Boden abgesetzt werden und sich hier Hilfskräfte teils aus der nationalistischen Jugend und teils aus kommunistischen Kreisen werben.

Zur Abwehr der Sabotageangriffe und zur Ermittlung und Erfassung der Täter sind von der Behörde des Reichsbevollmächtigten mit ihrer eigenen polizeilichen Exekutive

---

2 Sagen er undersøgt af Nørgaard 1991. Bests fremstilling er korrekt.

und mit der dänischen Polizei unter Mitwirkung deutscher militärischer Dienststellen die möglichen Maßnahmen getroffen worden. Über die Einzelheiten kann aus begreiflichen Gründen nichts mitgeteilt werden.

Es erschien aber auch zweckmäßig und notwendig, die dänische Bevölkerung gründlich über die im Lande verübte Sabotage aufzuklären. Denn in der Öffentlichkeit werden die Sabotagefälle durch mündliche Weitergabe oder durch polizeiliche Maßnahmen, die auf deutsche Veranlassung angeordnet werden (z.B. Ausgehverbot während der Nachtzeit), im allgemeinen schnell bekannt. Durch Gerüchtebildung und durch illegale Hetzschriften werden diese Fälle übertrieben und entstellt wiedergegeben. Um die Bevölkerung über diese Fälle aufzuklären und zu unterrichten, wie dies früher z.B. bei Bränden regelmäßig durch die Presse zu geschehen pflegte, um das allgemeine Interesse an einer Bekämpfung der Sabotageakte zu wecken, sowie um die im Einzelfall getroffenen Maßnahmen verständlich zu machen, sind in den letzten Tagen in der Tagespresse die folgenden Sabotagefälle in Aarhus und in Kopenhagen besonders herausgestellt worden:

In Aarhus explodierte am 22.3.43 abends vor einer Baracke in einer Kaserne, die mit deutschem Militär belegt ist, ein Sprengkörper. Drei deutsche Soldaten wurden verletzt, einer davon ernsthaft.[3]

Am Abend des 27.3.43 brannte in Aarhus ein Flügel des Stadions ab. In dieser Halle, die bis vor kurzem von der Wehrmacht als Durchgangslager benutzt wurde, verbrannten 500 Betten mit Matratzen.[4]

In beiden Fällen lag den Umständen nach Sabotage vor. Auf militärische Veranlassung hat die Aarhuser Polizei zunächst die Polizeistunde auf 20 Uhr festgesetzt und den Straßenverkehr in der Zeit von 21.30 bis 6 Uhr auf das Notwendigste eingeschränkt. Nach dem Brand des Stadions wurden alle öffentlichen Vorstellungen verboten, die Polizeistunde wurde auf 18 Uhr festgesetzt und der Verkehr in den Straßen in der Zeit von 19-5 Uhr untersagt. Diese letztere Anordnung wurde jedoch am 29.3.43 wieder aufgehoben. Für Mitteilungen, die zur Ergreifung der Täter in den beiden Fällen führen, sind Belohnungen von 20.000,- bezw. 10.000,- Kronen ausgesetzt worden.

In Kopenhagen ereignete sich am 21.3.43 in der Maschinenfabrik Hansen eine Explosion. Die Untersuchung ergab, daß in der Maschinenhalle eine Sprengladung gelegt worden war. Der Wachhund war vergiftet worden. Durch die Explosion wurde eine Maschine beschädigt und ein kleiner Brand verursacht.[5]

In der Nacht vom 22.3.43 überfielen 5 jüngere Männer, die sich zunächst den Anschein gaben, betrunken zu sein, 2 Hilfspolizisten, die in der Uniformfabrik Grauballe & Co. Wache hielten. Sie fesselten die Wachleute und bedrohten sie mit ihren Pistolen, falls sie Lärm schlagen sollten. Dann drangen sie in die Schneiderei ein, wo sie noch einen Nachtwächter überwältigten, und legten Feuer an. Ein besonderer Schaden ist nicht entstanden.[6]

---

3 Det var medlemmer af den kommunistiske Samsing-gruppe, der stod for sabotagen (Hauerbach 1945, s. 22, Hansen 1946, s. 15f.). Ernst Lohmann sendte 2. april 1943 AA, Abteilung Rundfunk en fjernskrivermeddelelse om attentatet hentet fra den danske radioefterretningstjeneste (PA/AA R 61.119).
4 Se Bests indberetning til AA 30. april 1943.
5 Se Bests indberetning til AA 30. april 1943.
6 Se Bests indberetning til AA 30. april 1943.

Am Abend des 22.3.43 drangen 8 Männer in die Maschinenfabrik Smidth & Co., Kopenhagen, ein. Sie überwältigten mit vorgehaltenen Pistolen 4 Arbeiter und 2 Wächter und im Maschinenhaus noch einen Maschinenmeister. Einige der Männer brachten hierauf Sprengladungen in der Kraftzentrale an und entzündeten die Lunten. Die Täter wiesen dann die Arbeiter und die Wächter unter Bedrohung mit ihren Pistolen in eine entfernte Ecke des Fabrikgeländes und verschwanden. Der Maschinenmeister kehrte sofort zur Kraftzentrale zurück, wo es ihm gelang, von einer Sprengladung die brennende Lunte wegzureißen. Die übrigen Ladungen explodierten. Der Betrieb war für 4 Tage stillgelegt.[7]

Die dänischen Tageszeitungen bringen im Anschluß an diese Schilderungen neben einer Personalbeschreibung der Täter, soweit sich eine solche geben ließ, eigene Ausführungen grundsätzlicher Art. Sie weisen darauf hin, daß solche Sabotageakte gegen die Bestrebungen des Königs und der Regierung gerichtet sind, daß dänische Fabriken und dänisches Eigentum betroffen und dänische Arbeiter arbeitslos gemacht werden, sowie daß deutsches Material, das auf diese Weise vernichtet wurde, aus dänischen Beständen wieder ersetzt werden muß. Sie stellen ferner heraus, daß diese unverantwortlichen Sabotageakte die eigene Rechtsprechung Dänemarks und überhaupt die Stellung des Landes in Verhältnis zu Deutschland aufs schwerste gefährden.

Die Veröffentlichung dürfte geeignet sein, in der Bevölkerung, die oft meinte, daß durch diese Vorgänge nur die deutsche Wehrmacht geschädigt wird, eine ablehnende Haltung gegenüber solchen Sabotagefällen zu wecken und das Interesse sowie die Mitarbeit an einer Aufklärung der Fälle zu fördern.

Es ist interessant, daß die schwedische Presse zu den erwähnten Veröffentlichungen in der Weise Stellung genommen hat, daß sie die Sabotageakte in Dänemark verwirft und der Meinung Ausdruck gibt, daß solche Methoden dem Charakter des dänischen Volkes, das mit Geduld und Selbstbeherrschung das Ende der Besatzungszeit abwarten wolle, nicht entsprechen. Daß die Bekämpfung der Sabotagewelle nicht ohne Erfolg bleibt, beweist die Tatsache, daß allein in den letzten drei Tagen ein aus England gekommener Fallschirm-Agent[8] und 12 weitere Saboteure festgenommen werden konnten.

307. Wilhelm Krichbaum: Reisebericht 1. April 1943

Chefen for det tyske feltpoliti besøgte Danmark for at orientere sig om politisamarbejdet. Både Kanstein, Best og feltpolitiets medarbejdere udtrykte sig meget positivt om forholdene. Best ønskede dog ikke flere feltpolitifolk til Danmark. Han mente heller ikke, at sabotage helt kunne undgås, men den havde været betydningsløs og voldte Tyskland ringe skade. Skærpede foranstaltninger mod sabotagen kunne skade det gode dansk-tyske forhold på andre områder. Von Hanneken så mere negativt på situationen. Han så helst det tyske kriminalpoliti underlagt sig og ikke Best, ligesom han ikke havde fuld tillid til de beretninger om sabotagen, som Best lod ham få. Krichbaum lod von Hanneken forstå, at forholdene i Danmark var langt bedre end i en række andre besatte lande (Kirchhoff, 1, 1979, s. 132, 175f.).

Kilde: RA, Danica 1069, sp. 12, nr. 15.376-79.

7 Se Bests indberetning til AA 30. april 1943.
8 Se Bests telegram nr. 362, 31. marts til AA.

432   APRIL 1943

Anzugsweise Abschrift aus
R e i s e b e r i c h t
Feldpolizeichef der Wehrmacht nach Kopenhagen vom 30.3. bis 1.4.1943.

31.3.1943 8.00. Besuch der Dienststelle GFP Hotel Regina[9]

Auf Grund eingehendster Informationen und Besprechung mit den einzelnen Beamten der GFP mußte ich feststellen, daß die Zusammenarbeit mit der dänischen Polizei nach allen Richtungen hin zufriedenstellend ist. Der Kommissariatsleiter und die Beamten betonen die außerordentliche Bereitwilligkeit der dänischen Polizei, welche alle in fachlicher Hinsicht geäußerten Wünsche und Hinweise ohne jedes Sträuben erfüllt. Zu bemerken ist allerdings, daß die Ausbildung der dänischen Polizei zwar gut ist, aber bei weitem nicht den Stand der deutschen Ausbildung erreicht. Hinzu kommt eine gewisse Weichheit, welche den bei uns angewandten Methoden einer härteren Vernehmungstaktik erheblich nachsteht. Diese Tatsache ist jedoch nach Auffassung aller Beamten unter keinen Umständen als Böswilligkeit zu betrachten, sondern ist psychologisch begründet in der Haltung des Volkes überhaupt. Dänemark hatte vor der Besetzung einen außerordentlich niedrigen Stand der Kriminalität aufzuweisen, Gewaltverbrechen kamen fest überhaupt nicht vor. Da diese Tatsachen jedem Kriminalbeamten bekannt sind, bin ich gewillt, die Versicherungen meiner Beamten hinsichtlich des guten Willens der dänischen Polizei ohne Einschränkung zu glauben. Die Zusammenarbeit äußert sich schon in der Form der Benachrichtigung, indem die dänische Polizei, welche durch ihre örtlichen Dienststellen bei irgendwelchen Vorkommnissen zuerst benachrichtigt wird, in jedem Falle sofort die GFP in Kenntnis setzt, so daß fast immer GFP und dänische Polizei *gemeinschaftlich*, oft sogar in *einem* Fahrzeug, am Tatort eintreffen. Die polizeilichen Feststellungen werden dann gemeinsam gemacht. Wie mir glaubhaft durch meine Beamten versichert wird, liegt keinerlei Veranlassung vor, der dänischen Polizei im Hinblick auf ihren guten Willen zur Zusammenarbeit Vorstellungen zu machen.

10.00. Besuch bei Reg. Vizepräsident Dr. Kanstein
(Büro des Bevollmächtigten des Deutschen Reiches)

Dr. Kanstein gab mir einen erschöpfenden Einblick in die gegenwärtigen Verhältnisse und betonte, daß die Zusammenarbeit der ihm gegenwärtig zu Verfügung stehenden 35 deutschen Kriminalbeamten mit der dänischen Polizei gut sei. Er äußerte sich fast in genau demselben Sinne wie meine Beamten der GFP. Die deutschen Kriminalbeamten, die in Dänemark tätig sind, verteilen sich auf Kopenhagen und einige Außenstellen (Odense, Aarhus, Esbjerg) und haben die Aufgabe, die Arbeit der örtlichen Polizei entsprechend zu beobachten und zu steuern, um die Möglichkeit der Aufdeckung politischer Hintergründe zu sichern. Die dänische Polizei ist hierzu naturgemäß weniger in der Lage auf Grund ihrer landsmannschaftlichen Bindungen und mangelnder Schulung. Die Kriminalbeamten des Reichsbevollmächtigten widmen sich daher in erster Linie den Aufgaben der politischen Polizei, wie z.B. Bekämpfung des Kommunismus, Feststellungen über Widerstandsbewegungen usw., also Aufgaben, welche über den Rahmen

9 GFP=Geheime Feldpolizei.

APRIL 1943 433

der rein feldpolizeilichen Aufgaben hinausgehen. Alles Material, das abwehrpolizeilicher Hinsicht anfällt, wird sofort an Ast Kopenhagen abgegeben. Soweit Zusammenarbeit mit GFP bisher in Frage kam, war dieselbe reibungslos.

10.30. Besprechung beim Bevollmächtigten des Deutschen Reiches, Dr. Best

Dr. Best hab mir in großen Zügen Aufklärung über den gegenwärtigen Rechtszustand, welcher mir weitgehend bekannt ist. Darüber hinaus streifte er die Zusammenarbeit mit dem Befehlshaber General Hanneken. Dr. Best steht auf dem Standpunkt, daß das Ansteigen der Sabotagevorgänge ohne weiteres zur schärfsten Beobachtung dieser Dinge zwinge. Hierzu sind auch seinerseits durch Reg. Vize-Präs. Kanstein eine ganze Reihe von Maßnahmen, Beobachtungen usw. in die Wege geleitet. Wie die polizeiliche Praxis bisher gezeigt hat, ist eine völlige Unterbindung der Sabotageakte naturgemäß ausgeschlossen. Bei der Bekämpfung der bisher nicht besonders schweren Fälle muß es nach Auffassung von Dr. Best unbedingt vermieden werden, die Gegensätze zwischen dem Reich und Dänemark ohne zwingendste Gründe zu verschärfen. Die politische Linie des Reichsbevollmächtigten ist nach dieser Richtung ganz klar. Es besteht kein Zweifel, daß die Vorfälle der letzten Monate geeignet sind, bei Betrachtung der Einzelinteressen eine Verschärfung der Gegenmaßnahmen zu erwägen. Andererseits ist der Schaden, den das Reich erlitten hat, bisher unbedeutend, da ja Dänemark alle Ersatzleistungen aus eigener Tasche bezahlen muß. Eine Verschärfung der Gegenmaßnahmen konnte höchstens dazu führen, daß eine große Reihe von Leistungen für das Reich, die z.T. kriegsentscheidend sein können, gemindert wird. Abschließend teilte Dr. Best mit, daß die Zusammenarbeit zwischen dem Reich und den Dänen, zumindest in den Führungsstellen, gegenwärtig unbedingt zufriedenstellend sei, da das Reich der jetzigen Regierung gegenüber alle Möglichkeiten einer Lenkung ohne Gewaltmaßnahmen habe. Dr. Best bittet, von einer größeren Verstärkung der GFP abzusehen und deswegen mit Dr. Kanstein nochmals Rücksprache zu nehmen. Die Zusammenarbeit der deutschen Polizei soll sichergestellt und jegliche Doppelarbeit auf diesem Gebiete vermieden werden.

11.30. Besuch bei General Hanneken

Anwesend Oberstlt. v. Heydebreck.

General Hanneken gab mir einen Überblick über die Schwierigkeiten, welche durch den Aufgabenbereich des Reichsbevollmächtigten für ihn bestehen und erklärt, daß er auf die Tätigkeit der Polizei im allgemeinen mehr Einfluß haben müßte. Es ginge nicht an, daß in seinem Befehlsbereich Polizeibeamte tätig seien, von deren Arbeit er keine Kenntnis erhielte. Auf meinen Vorhalt, daß er Berichte darüber jederzeit beim Reichsbevollmächtigten anfordern könne, erklärte er, daß ihm dann ja nur das berichtet werde, was ihn weniger interessiere. Es sei absolut denkbar, daß eine Verfehlung der dänischen Polizei aus politischen Gründen verschwiegen werde usw.

Ich schilderte ihm anschließend die Tätigkeit der Polizei und der GFP in Norwegen (Befehlshaber der Sicherheitspolizei unter dem Reichskommissar, als Truppenpolizei GFP und MKP), ferner die Tätigkeit in Belgien (GFP unter Mil. Bef., SD für bestimmte Aufgaben, unterstellt dem Mil. Bef.) und in Frankreich (Höherer SS- u. Pol. Führer beim Mil. Bef. Tätigkeit in *eigener* Zuständigkeit). General Hanneken sah ein, daß diese

Organisationsformen in Anbetracht der politischen Verhältnisse für Dänemark nicht in Frage kommen. Er stellte die Frage, ob ihm die Kriminalbeamten beim Reichsbevollmächtigten nicht in irgendeiner Form überstellt werden könnten. Diese Frage habe ich selbstverständlich verneint und ihn darauf verwiesen, daß von mir aus lediglich eine sehr enge Zusammenarbeit zwischen den Beamten der GFP und den deutschen Kriminalbeamten angestrebt werden könne.

Ich erläuterte General Hanneken die Tätigkeit der GFP in den anderen besetzten Ländern und sagte ihm rückhaltlos, daß die Widerstandsaktionen in anderen Ländern, doch keinen Vergleich aushielten. Er bedeutete mir, daß Kpt. Howoldt auch bereits dasselbe erzählt habe, daß jedoch die Statistik, derer sich Kapt. Howoldt bediene, von ihm jederzeit zu widerlegen sei.[10]

gez. **Krichbaum**

308. Emil von Rintelen an Horst Wagner 1. April 1943

Rintelen meddelte Wagner, at Ribbentrop ikke ville gå videre med Bests ønske om at få mere tysk politi til Danmark.

Da Ribbentrops beslutning forelå, havde AA allerede modtaget et telegram fra CdO med ikke alene en bekræftelse på, at en politibataljon ville komme til Danmark, men der blev også spurgt om det rent praktiske, som var alt besluttet og en given sag.

Muligvis modtog Wagner først ordren 2. april (der er en påskrift 2. april), men han valgte under alle omstændigheder at lade som om han ikke kendte ordren, da han endnu 1. april gik videre med sagen.

Kilde: RA, pk. 229.

Über St.S.
LR Wagner.

In der Angelegenheit des Telegramms aus Kopenhagen Nr. 326 vom 23.3. betreffend die Zurverfügungstellung von Ordnungspolizeibeamten für Dänemark, hat der Herr RAM angeordnet, die Angelegenheit solle zunächst zurückgestellt und nicht weiterverfolgt werden.

Fuschl, den 1.4.1943

Rintelen

309. Horst Wagner an Franz von Sonnleithner 1. April 1943

Idet Wagner henviste til Bests telegram 23. marts med ønsket om at få en politibataljon til Danmark, sin egen notits 27. marts og BdOs bevilling af Bests ønske, anmodede han om at få at vide, hvordan sagen videre skulle behandles, idet han anmodede om, at Ribbentrop blev orienteret om CdOs telegram.

Wagners telegram kan have krydset Rintelens ordre til ham fra Ribbentrop samme dag, men det var under alle omstændigheder uhyre belejligt, da det alene udstillede Best og Kanstein som dem, der havde handlet overilet og uden beføjelse fra Ribbentrop. Det tog Rintelen op med Best i et telegram 2. april.

Kilde: RA, pk. 229.

10 Fregattenkapitän Albert Howoldt var leder af Abwehr i Danmark.

Telegramm

Berlin, den   1. April 1943

Akt. z. Inl. II B 741 g   Geheim
Diplogerma
Consugerma Haus Fuschl
Nr. 774   Citissime
Referent: VK Geiger

Für VLR von Sonnleithner:
Mit Beziehung auf Telegramm der Gesandtschaft Kopenhagen vom 23. März d.J. –Nr. 326 und im Anschluß an die Notiz von Inland II vom 27.März d.Js.
Betr: Einsatz eines Polizeibataillons in Dänemark.

Von Chef Ordnungspolizei ist zur Weiterleitung an den Bevollmächtigten des Reichs in Dänemark und an SS-Brigadeführer Kanstein folgendes FS hier eingegangen:
"Dortiges Schreiben vom 25.März 43 Gemäß o.a. Antrages beabsichtige ich, das I pol. 25 "Cholm" (z.Zt. Generalgouvernement) in Dänemark einzusetzen.
Erbitte umgehend Mitteilung durch FS, wohin das Bataillon in Marsch gesetzt werden soll.
Chef der Ordnungspolizei."
Von seiten des AA ist gemäß Weisung des Herrn Reichsaußenministers Chef Ordnungspolizei mit in Frage stehender Abstellung Polizeibataillons bisher nicht befaßt worden. Bitte um Unterrichtung des Herrn Reichsaußenministers von vorstehendem FS und um Weisung über Weiterbehandlung Angelegenheit, ~~d.h. ob der Herr Reichsaußenminister mit Abstellung einverstanden ist und FS weitergeleitet werden kann.~~

Wagner

310. Werner Best an das Auswärtige Amt 2. April 1943

Med dette telegram videreførte Best sine forsøg på at få von Hannekens ressort indskrænket til det militære område, mens kontakten med den danske regering skulle være forbeholdt Best selv.

Dette anliggende blev bl.a. taget op i endnu et telegram, nr. 373, samme dag.

Kilde: PA/AA R 29.566. RA, pk. 202.

Telegramm

Kopenhagen, den   2. April 1943   11.50 Uhr
Ankunft, den   2. April 1943   12.05 Uhr

Nr. 371 vom 2.4.[43.]   Citissime!

Im Anschluß an meinen Drahtbericht Nr. 309[11] vom 19. März 1943 und unter Bezugnahme auf den dortigen Drahterlaß Nr. 385[12] vom 14. März 1943 berichte ich, daß am 1. April 1943 gelegentlich einer Besprechung über die Regelung der Bergung von Standgut an der dänischen Küste der Oberstkriegsgerichtsrat beim Befehlshaber der deutschen Truppen in Dänemark mitgeteilt hat, daß der Befehlshaber über diese Frage eine "Vereinbarung" mit der dänischen Regierung zu treffen beabsichtige. Der Text der Vereinbarung wurde meinem Beauftragten gezeigt. Am Ende dieses Textes war nach dem Vorbild der Staatsverträge die Formel aufgenommen: "Diese Vereinbarung tritt in Kraft, sobald sie von je einem Vertreter des Befehlshabers und der dänischen Regierung unterzeichnet ist."

Gesprächsweise teilte der Oberstkriegsgerichtsrat mit, daß eine weitere "Vereinbarung" mit der dänischen Regierung über den Status der dänischen Frauen, die deutsche Soldaten heiraten und ihrer Kinder in Vorbereitung sei. Da also der Befehlshaber der deutschen Truppen in Dänemark nunmehr beginnt, den Abschluß einer Art von Staatsverträgen mit der dänischen Regierung vorzubereiten, bitte ich nochmals dringend, eine Entscheidung dahin herbeizuführen, daß dem Befehlshaber jeder direkte Verkehr mit der dänischen Regierung untersagt wird. Jede Zwischenlösung, die etwa militärische und andere Fragen unterscheiden wollte, erscheint mir angesichts der Expansionsbestrebungen des Generals von Hanneken gänzlich zwecklos und würde nur zur Quelle unaufhörlicher Konflikte werden. Die in meiner Bestallung vom 4. November 1942 (Pers. H 10.433)[13] und in dem in der Bestallung angezogenen Drahterlaß vom 12. April 1940[14] getroffene Anordnung, daß allein der Reichsbevollmächtigte den Verkehr mit der dänischen Regierung zu pflegen und der Befehlshaber sich auf den Verkehr mit der dänischen Wehrmacht zu beschränken hat, ist die einzige Formel, die hier klare Zustände schafft und die Grundlage für eine ungestörte Arbeit bietet.

Dr. Best

311. Werner Best an das Auswärtige Amt 2. April 1943

Bests indberetninger om adskillige sabotagetilfælde efter martsvalget var led i hans bestræbelser på at få mere tysk politi til landet, men de havde også en baggrund i et stigende antal sabotager i første kvartal 1943, selv om antallet ikke var alarmerende. På tysk side registreredes i alt henholdsvis 24, 38 og 68 tilfælde af sabotage i januar, februar og marts, men heraf var kun henholdsvis 4, 8 og 14 med anvendelse af sprængstof. Halvdelen af alle tilfælde var rettet mod værnemagten (Kirchhoff, 1, 1979, s. 173).
    Kilde: PA/AA R 29.566. PA /AA R 61.119. RA, pk. 202.

T e l e g r a m m

| Kopenhagen, den | 2. April 1943 | 12.40 Uhr |
| Ankunft, den | 2. April 1943 | 13.10 Uhr |

11 bei Pol I M. Trykt ovenfor.
12 RAM. Trykt ovenfor under 13. marts.
13 Trykt ovenfor.
14 PKB, 12, nr. 125.

APRIL 1943

Nr. 372 vom 2.4.[43.]

Betrifft: Festnahme von Saboteuren.

Der dänischen Polizei ist es am 1.4. gelungen, 12 Personen festzunehmen, die Sabotageakte vorgenommen haben oder bei solchen Sabotageakten beteiligt waren. Dadurch konnte eine Reihe von Sabotagefällen aufgeklärt werden, die sich in der letzten Zeit ereignet haben und die auch Gegenstand der von mir veranlaßten Veröffentlichung in der dänischen Presse gewesen sind, (vergl. Drahtbericht Nr. 558[15] vom 30.3.43). Insbesondere wurde aufgeklärt der Brand der Stadionhalle in Aarhus bei dem 500 Betten aus Wehrmachtsbeständen verbrannt sind. Als Täter für diesen Sabotageakt sind ermittelt worden 4 jugendliche Täter unter 20 Jahren, von denen 2 gestanden haben, das Feuer angelegt zu haben. Welchen illegalen Kreisen die Täter angehören, wird zur Zeit geklärt.[16] Weiterhin konnten aufgeklärt werden zwei Eisenbahnsabotageakte mit Sprengmitteln in der Gegend von Esbjerg und mehrere Fälle der Inbrandsetzung von Wehrmachtsgut. Bei diesen Fällen sind die Täter nach den bisherigen Ermittlungen in den Kreisen der illegalen Kommunisten und ehemaligen Rotspanienkämpfer zu suchen.[17] In Aalborg wurden 5 junge Leute festgenommen, die nachweislich sich an Sabotageakten beteiligt haben. Es scheint sich hier um eine Nachfolgerorganisation des von früher bekannten und dingfest gemachten "Churchill-Clubs" und der späteren "Danmarks Frihedsliga" zu handeln.[18] Durch die Geständnisse der Festgenommenen sind noch weitere Personen namentlich bekannt geworden, die sich an solchen Sabotageakten beteiligt haben und nach denen jetzt mit allen Mitteln gefahndet wird. Ich werde weiter berichten.[19]

Dr. Best

312. Werner Best an das Auswärtige Amt 2. April 1943

Best orienterede AA om de fortsatte diskussioner med von Hanneken, hvoraf en havde fundet en løsning, mens spørgsmålet om, hvorvidt von Hanneken kunne forhandle direkte med den danske regering, bestod. Hanneken fulgte blot OKWs anvisning, men ville være villig til at ændre indstilling, hvis der kom en anden befaling. Denne bad Best ministeriet om at fremskaffe hos OKW.

Se Schnurres optegnelse 2. april 1943.
Kilde: PA/AA R 29.566. RA, pk. 202.

15 bei Presse. Telegrammet er ikke lokaliseret.

16 Den 27. marts blev den ene stadionhal i Århus sat i brand af nogle unge mænd på mellem 17 og 19 år, der ingen forbindelse havde til den organiserede modstandsbevægelse (Nielsen 1980, s. 55).

17 Den 11. og 26. marts forøvede en kommunistisk gruppe jernbanesabotage ved Esbjerg (Trommer 1973, s. 77).

18 Den 27. marts 1943 blev otte unge mennesker i Ålborg ved en dansk domstol idømt fængsel for sabotage mod værnemagten. De bar navnet Christmas sabotage Club. Se om dem og om Danmarks Frihedsliga Bests indberetning til AA 16. marts 1943.

19 Se telegram nr. 390, 6. april 1943, oversigten 14. april, afsnit V i *Politische Informationen* 15. april og oversigten 30. april.

Telegramm

| Kopenhagen, den | 2. April 1943 | 17.45 Uhr |
| Ankunft, den | 2. April 1943 | 18.00 Uhr |

Nr. 373 vom 2.4.[43.]   Citissime!

Im Anschluß an meinen Drahtbericht Nr. 371[20] vom 2. April 1943 berichte ich, daß ich heute eine Auseinandersetzung mit dem Befehlshaber der deutschen Truppen in Dänemark General von Hanneken hatte, die zu den folgenden Ergebnissen führte:

1.) Hinsichtlich der Regelung der Bergung von Strandgut an der dänischen Küste hat der Befehlshaber meiner Forderung, daß ich diese Frage mit der dänischen Regierung zu verhandeln und eine etwaige "Vereinbarung" mit ihr zu treffen habe, uneingeschränkt nachgegeben. Die Unterlagen in dieser Sache werden vom Stabe des Befehlshabers meiner Behörde übergeben werden. Die Besprechungen mit der dänischen Regierung werden in nächsten Tagen von meiner Behörde aufgenommen werden.

2.) In einer grundsätzlichen Auseinandersetzung über die Frage unmittelbarer Verhandlungen mit der dänischen Regierung erklärte mir der Befehlshaber, daß er auch eine Entscheidung, die ihm solche Verhandlungen verbiete und ihn auf die Zuständigkeit zum Verkehr mit der dänischen Wehrmacht beschränke, ohne Einwendungen hinnehmen werde, wenn nur überhaupt einmal eine Entscheidung über diese Frage ergehe. Bis dahin fühle er sich an die Weisung OKW gebunden, die Interessen der Wehrmacht in Dänemark gegenüber der dänischen Regierung selbst zu vertreten. Daß über die Frage, welche Angelegenheiten militärischen und welche verwaltungsmäßigen oder politischen Charakters seien, immer wieder Meinungsverschiedenheiten entstehen müßten, gab er zu und stellt fest, daß auf diese Weise die Berliner Zentralstellen die Last der Entscheidung auf die hiesigen Stellen verlagerten – zum Nachteil der hiesigen Zusammenarbeit und der Vertretung der Reichsinteressen. Es möge doch nur baldigst eine eindeutige Entscheidung erfolgen, der – wie sie auch lauten möge – er sich auf jeden Fall fügen werde. Hiernach dürfte die Bahn zu einer Entscheidung im Sinne des letzten Satzes meines Drahtberichts Nr. 371 vom 2. April 1943 frei sein.

Dr. Best

313. Werner Best an das Auswärtige Amt 2. April 1943

Best orienterede om en henvendelse fra OKW, der ville have hans holdning vedrørende retsgrundlaget for de afgørelser, som den særlige tyske krigsdommer i København kunne træffe i faderskabssager. Disse afgjorde faderskabsspørgsmål mellem medlemmer af værnemagten og de danske mødre. OKW ønskede at udstrække førerforordningen af 28. juli 1942 i spørgsmålet til at omfatte Danmark i lighed med andre besatte lande. Best indtog af politiske grunde det standpunkt, at Danmarks retlige status ikke kunne trykkes ned på det hollandske og norske niveau.

20 Pol VI (V.S.). Trykt ovenfor.

APRIL 1943

På baggrund af Bests indstilling opgav OKW at anvende førerforordningen af 28. juli. I stedet blev der 9. august 1943 udstedt en særlig "Verordnung über die Feststellung von Unterhaltsansprüchen dänischer Kinder gegen deutsche Wehrmachtsangehörige." Heri var fremgangsmåden den samme som tidligere foreskrevet i førerforordningen 28. juli samt den tilhørende gennemførelsesforordning 13. februar 1943. Behovet for knæsættelsen af retsgrundlaget var det stærkt stigende antal faderskabssager (Lilienthal 1985, s. 192).[21]

Kilde: PA/AA R 29.566. RA, pk. 202, 285 og 288.

Telegramm

| Kopenhagen, den | 2. April 1943 | 20.15 Uhr |
| Ankunft, den | 2. April 1943 | 20.40 Uhr |

Nr. 374 vom 2.4.43.

Zu Schrifterlaß vom 31.10.1942 Nr. R. 27.251.[22]

Kriegsgericht des Befehlshabers der deutschen Truppen in Dänemark teilt mir mit, daß wegen Erlasses geplanter Verordnung über Befugnis des in Kopenhagen einzusetzenden Sonder-Kriegsrichters Entscheidungen in Unterhaltssachen zu treffen, formelle Schwierigkeiten beständen. Verordnung habe im Wege Ministerratsverordnung erlassen werden sollen. Nach Weisung von höchster Stelle solle der Erlaß von Ministerratsverordnungen aber möglichst eingeschränkt werden. OKW sehe einen anderen Weg, die geplanten Vorschriften in Kraft zu setzen, in Paragraph 7 Absatz 2 der Führerverordnung vom 28.7.1942 über Betreuung von Kindern deutscher Wehrmachtsangehöriger in den besetzten Gebieten. Paragraph 5 genannter Verordnung bestimmt, daß Wehrmachtsgerichte auf Antrag unter Anwendung deutschen Rechts feststellen, ob der Wehrmachtsangehörige als Vater des Kindes gilt. Die Zuständigkeit der deutschen allgemeinen Gerichte für diese Feststellung wird ausgeschlossen. Paragraph 7 Absatz 2 gibt dem Chef OKW Befugnis, Geltungsbereich dieser Verordnung auf andere besetzte Gebiete ganz oder teilweise auszudehnen. OKW hält für möglich, unter Bezug auf bezeichnete Vorschriften gewünschte Regelung für Dänemark hiernach durch einfachen Erlaß Chefs OKW durchzuführen, in welchem Ausdehnung der Verordnung auf Dänemark ausgesprochen werden müßte. OKW hat hiesiges Kriegsgericht ersucht, meine Stellungnahme hierzu einzuholen. Ich habe erklärt, daß ich die angeregte Lösung aus politischen Gründen nicht für tragbar halte, da sie Dänemark rechtlich auf Status Holland und Norwegen herabdrücke, was tatsächlicher Rechtslage widerspreche. Kriegsgericht hat mich davon in Kenntnis gesetzt, daß meine Stellungnahme dem OKW übermittelt werden würde, daß allerdings Befehlshaber der deutschen Truppen Anwendung fraglicher Verordnung

21 Da telegram nr. 374 blev afsendt fra Dagmarhus, sad Werner Best til bords i villa Rydhave. Inviteret til kl. 19 var bl.a. minister Gunnar Larsen og frue. Af Gunnar Larsens dagbog fremgår det, at der var tale om mere end en høflighedsvisit, da Best søgte at få Gunnar Larsen til at stå i spidsen for organisationen af en frivillig dansk arbejdstjeneste (Lauridsen 2006a, s. 19f.). Bests bestræbelser på etablering af en frivillig dansk arbejdstjeneste blev ikke indberettet til AA i april, men først engang før 12. juni, da Hierl nævnte dato svarede Ribbentrop på en henvendelse fra AA i sagen (se anf. dato).
22 Trykt ovenfor.

440 APRIL 1943

doch für möglich halte. OKW werde, wie man glaube, sich wohl meiner Auffassung anschließen und trotz bestehender Schwierigkeiten Angelegenheit im Wege besonderer Ministerratsverordnung regeln. Sollte wider Erwarten doch andere Entscheidung getroffen werden, werde Auswärtiges Amt rechtzeitig vorher verständigt werden.

Ich halte Einschaltung Auswärtigen Amtes in Erörterungen bei OKW schon jetzt für erforderlich.

Dr. Best

314. Emil von Rintelen an Werner Best 2. April 1943

AA stillede Best til regnskab for, at gesandtskabet i København havde haft så travlt med at skaffe tysk politi til Danmark (jfr. telegrammet 23. marts), at Paul Kanstein havde henvendt sig direkte til RFSS i spørgsmålet endnu inden AA havde taget stilling til det, hvilket ministeriet blev vidende om, da det modtog et telegrafisk svar fra SS 31. marts.

Best svarede med telegram nr. 377 dagen efter (Thomsen 1971, s. 18, Rosengreen 1982, s. 18).

Kilde: PA/AA R 29.566. RA, pk. 202 og 229.

Telegramm

| Fuschl, den | 2. April 1943 | 19.30 Uhr |
| Ankunft, den | 2. April 1943 | 20.00 Uhr |

Nr. 415 vom 2.4.43.   Cito!
RAM 92/R.

Deutsche Gesandtschaft Kopenhagen.
    Für Reichsbevollmächtigten persönlich.

In Telegramm Nr. 326[23] vom 23.3. hatten Sie das Auswärtige Amt gebeten, beim Chef der Deutschen Polizei anzufragen, ob Ihnen gegebenenfalls vorübergehend Ordnungspolizei in Stärke eines Bataillons sowie gegebenenfalls eine bestimmte Zahl von Sicherheitspolizeibeamten zur Verfügung gestellt werden könne. Während diese Angelegenheit hier noch unter politischen Gesichtspunkten geprüft wurde, ist zur Weiterleitung an Sie und an den SS-Brigadeführer Kanstein folgendes Fernschreiben des Chefs der Ordnungspolizei hier eingegangen:[24]

"Dortiges Schreiben vom 25.3.43. Gemäß u.a. Antrage beabsichtige ich, DA I Pol 25 "Cholm" (zurzeit Generalgouvernement) in Dänemark einzusetzen.[25] Erbitte umge-

---

23 bei Dtschld. Trykt ovenfor.

24 Se telegrammet 31. marts.

25 Politibataljon 25 I "Cholm" var indsat i Krakau på dette tidspunkt, mens bataljonerne II og III var indsat i Lublin fra juli 1942, hvor "Cholm" også først havde været. Tilsammen udgjorde de SS-Pol. Rgt. 25, der bestod af det tidligere Pol. Rgt. Lublin og Pol. Btl. 65, 67 og 101. "Cholm" havde som politibataljon 65 været indsat i Rusland fra sommeren 1941 til juli 1942. Politibataljonernes hovedopgave var "bandebekæmpelse", og både i Lublin (Majdanek) og Krakow var der koncentrationslejre (Tessin 1957, s. 93, 97f.).

hend Mitteilung durch FS, wohin das Bataillon in Marsch gesetzt werden soll. Chef der Ordnungspolizei."

Wie hieraus hervorgeht, ist offenbar von dort aus gleichzeitig mit dem an das Auswärtige Amt gerichteten Drahtbericht Nr. 326 ein unmittelbarer Antrag an den Reichsführer SS gerichtet worden. Der Herr Reichsaußenminister bittet Sie um eingehende Äußerung, wer diesen Antrag gestellt hat und aus welchen Gründen in diesem Falle der ordnungsmäßige Weg nicht eingehalten worden ist.

Eine Stellungnahme zu der Angelegenheit selbst hat sich der Herr Reichsaußenminister bis zum Vorliegen Ihres Berichtes vorbehalten.

Rintelen

Vermerk:
Unter Nr. 469 an D[iplo]G[erma] Kopenhagen weitergeleitet.
Tel. Ktr., 3.4.1943.

315. Karl Schnurre: Aufzeichnung 2. April 1943
Schnurre kunne notere, at OKW havde beordret von Hanneken til kun at forhandle med danske militære tjenestesteder og den danske forsvarsminister.
Se WFSt til von Hanneken 3. april 1943.
Kilde: PA/AA R 29.566.

Pol I M. 1298g   Geheim

Aufzeichnung

Admiral Bürkner teilte mir heute gelegentlich eines Gesprächs über Dänemark mit, daß General von Hanneken nunmehr den Befehl des OKW erhalten würde, nur noch mit den dänischen militärischen Dienststellen und dem dänischen Verteidigungsminister zu verhandeln.

Berlin, den 2. April 1943.

gez. **Schnurre**

Doppel an:
St.S.
Botschafter Ritter
U.St.S. Pol
Gesandten v. Grundherr
Gesandten Schnurre

316. Hans-Heinrich Wurmbach an MOK Ost und MOK Nord 2. April 1943
Den nytiltrådte Admiral Dänemark Hans-Heinrich Wurmbach skrev til lederne af MOK Ost og Nord om sine overvejelser og betænkeligheder ved at have en fuldt udrustet dansk marine liggende i tilfælde af en allieret invasion. Det var militært risikabelt, men foranstaltninger mod denne trussel skulle afvejes mod de politiske og erhvervsmæssige konsekvenser, hvis der blev foretaget tvangsforanstaltninger over for den danske marine. Wurmbach mente ikke, at de øjeblikkelige forhold gjorde en ændring nødvendig, men ville drøfte evt. fremtidige ændringer med WB Dänemark og Best og komme med en indstilling i så tilfælde.

442

APRIL 1943

Det var en tilsyneladende krigsberedt admiral Wurmbach, der var tiltrådt, men hans overvejelser vedrørende de politiske og erhvervsmæssige konsekvenser af militære foranstaltninger tyder på, at han straks havde lagt øre til den rigsbefuldmægtigedes opfattelse af besættelsessituationen i Danmark. Wurmbach havde været hos Best første gang 30. marts (Bests kalenderoptegnelser 30. marts 1943).

I den følgende tid drøftede Wurmbach den danske marines optræden i forbindelse med en invasion med viceadmiral Vedel, se KTB/ADM Dänemark 24. og 30. juni 1943.

Kilde: RA, Danica 628, sp. 10, nr. 9141-44.

Chefsache! *Stabsquartier, den 2. April 1943*
Geheime Kommandosache!

An den Oberbefehlshaber der Marinestation der Ostsee
– persönliche Anschrift–
Oberbefehlshaber der Marinegruppenkommandos Nord
– persönliche Anschrift–

Die gemäß Führerweisung 40 u.a. für Kopenhagen noch aufzustellende Kampfanweisung macht eine vorhergehende eindeutige Klärung der *Frage der dänischen Flotte* erforderlich.

Vorausgeschickt wird, daß das dän. Volk in seiner überwältigenden Mehrheit durch die kürzlichen Wahlen die Haltung seiner Regierung uns gegenüber gebilligt hat. Politisch ist daher eine Fortsetzung der bisherigen Zusammenarbeit als gesichert anzusehen. Insbesondere kann man ein loyales Verhalten des Befehlshabers der dän. Marine, Vizeadmiral Vedel, in Rechnung stellen. Trotzdem können etwaige künftige Ereignisse (größere Feindlandungen zur Luft und von See aus, größere Zwischenfälle, die sich aus den täglich zunehmenden Sabotageakten und demgemäß verstärkten Abwehrmaßnahmen ergeben, weitere Absetzung von Agenten, Überfälle durch "commandos", evtl. Rückschläge an unseren Fronten, neue politische Momente, wie feindliche Orientierung der Türkei, unfreundliche Haltung Schwedens usw.) plötzlich das Bild völlig ändern und damit auch die dänische Flotte entgegen dem Willen der Regierung und Marineleitung im Hinblick auf die Land- und Seeverteidigung Kopenhagens zu einem Kampffaktor werden lassen, der von uns bei unseren Maßnahmen *vorsorglich* in Rechnung gestellt werden muß.

Gros der dänischen Flotte, darunter die beiden Küstenpanzer "Peder Skram" und "Niels Juel" mit 2 – 24 cm, 4 – 14,9 cm, […] – 7,5 cm, 2 – 3,7 cm, 4 – 2 cm Flak, 2 MG-Flak bezw. mit 10 – 14,9 cm, 2 – 5,7 cm, 10 – 2 cm Flak, 14 MG-Flak, einige Torpedoboote mit je 2 – 10,5 cm bezw. 2 – 8,7 cm, 2 – 5,7 bis […] cm Flak, liegen in der Orlogswerft von Kopenhagen, Geschütze verwendungsbereit, Munition an Bord. ("Peder Skram" mit aufgefüllter Besatzung, "Niels Juel" mit Wachmannschaften und Ausbildungsschülern an Bord.)

Diese Anhäufung schwerer, mittl. und leichter Artillerie sowie Luftabwehr- und MG-Waffen auf engstem Raum stellt in Krisenzeiten eine in der jetzigen Form militärisch nicht zu verantwortende Gefährdung unserer Verteidigungs- und Abwehrmittel dar. Diese Lage wird noch dadurch verschärft, daß man mit gleichzeitigen starken englischen Luftangriffen, denen wir bzw. Flak-artilleristisch wie in der Luft nicht annähernd

Gleichwertiges entgegensetzen können, rechnen muß. Es drängt sich daher zwangsläufig die Forderung auf, ausreichende Sicherungen gegen eine Anwendung dieser Kampfmittel gegen uns zu schaffen. Welcher Art müssen diese Sicherungen sein?

Ihre restlose Lösung, d.h. Ausschaltung der dänischen Flotte als Kampffaktor, würde allerdings mit einem Schlage unsere bisher einwandfreie und harmonische Zusammenarbeit mit der dänischen Marine in ihr Gegenteil verkehren und die im Lande zusehende absinkende Stimmung der Bevölkerung, auch in den zu uns bisher positiv eingestellten Kreisen, aufs äußerste verschärfen – denn sie würde im krassen Widerspruch zu den am 9.4.40 abgeschlossenen Verträgen stehen.

Sofort sich ergebene Nachteile wären u.a. für uns:

Vermehrte Minensuch- und Räumarbeiten, die mit eigenen Mitteln nicht zu leisten wären,

Aufhören des. dän. Luftmelde- und Minenbeobachtungsdienstes,

Gefährdung des regelmäßigen dän. Fährverkehrs Gedser-Warnemünde, Korsör-Nyborg, Helsingör-Helsingborg, Ausfall der dän. Küstenbewachung,

Fortfall der polizeilichen Mitarbeit,

erheblich zunehmender passiver Widerstand und Sabotage,

Hinderung bezw. Einstellung der wirtschaftlichen und ernährungswirtschaftlichen zur Zeit recht erheblichen Leistungen des Landes.

Minderung der Werftleistungen durch Streiks, Übergang aktiver Elemente über Schweden nach England. Daher muß h.E. eine befriedigende Teillösung angestrebt werden, geeignet die größten Gefahrmomente auszuschalten oder auf ein erträgliches Maß zurückzuführen.

Als solche kämen in Betracht:

1.) Verlegung der beiden Küstenpanzer nach dem Isefjord, der der dänischen Marine als Übungsgebiet seit der Besetzung überlassen worden ist. Diese Forderung wäre politisch wie militärisch voraussichtlich ohne allzu große Schwierigkeiten erreichbar, da sie, als von dän. Marineseite angeordnet, auch der breiteren Masse plausibel gemacht werden könnte, ("Geringere Luftgefährdung bei zu erwartenden erneuten englischen Luftangriffen auf das Werftgelände", "ungestörtere Ausbildungsmöglichkeiten".)

2.) völlige Außerdienststellung ("aus eigenem Antrieb") "wegen Brennstoffmangels", "aus Ersparnisgründen", "Verlegung des Schwerpunktes auf Minensuch- und Räumarbeiten" u.a.

3.) Entfernung der Geschützverschlüsse und Aufbewahrung an Land unter deutscher Aufsicht (z.B. in Zitadelle Kopenhagen) – eine Zwangsmaßnahme schwerwiegender Art, geeignet, das Vertrauen in unsere Zusagen vollends zu erschüttern (vgl. seinerzeitige schwere Belastung durch Wegnahme der 6 dän. Torpedoboote).

Nur bei *Gefahr im Verzüge* kämen in Betracht:

1.) gänzliches Verbot der dän. Marine!

Nur möglich bei z.B. aktiver Teilnahme dän. Marine an Sabotagefällen großen Ausmaßes wie Brückensprengungen (Fredericia, Limfjord, Vordingborg), Übergang von Fahrzeugen der dän. KM nach England oder Schweden, Anschläge auf deutsche Kriegsfahrzeuge durch dän. KM-Angehörige u.a.

2.) Schlagartige Wegnahme der gesamten dän. KM durch die deutsche KM nur bei

444 APRIL 1943

ostentativ feindlicher Einstellung von Regierung und Bevölkerung – womit automatisch die Schutzbesetzung Dänemarks sich in die militärische Besetzung eines Feindlandes wandeln würde mit allen ihren Folgen.

Eine solche Maßnahme kann nicht mit den Kräften des Befehlsbereiches durchgeführt werden, sondern erfordert wie beim Stichwort "Attila" (Toulon) eine entsprechende Vorbereitung durch Seekriegsleitung und Zuverfügungstellung geeigneten Personals.

Bei Erhebung der militärischen Forderung in Anlehnung an die vorgenannten Punkte wird stets auf das ernsthafteste zu prüfen sein, ob diese durch gegebene politische und wirtschaftliche (besonders ernährungswirtschaftliche) Lage tragbar erscheint oder ein mögliches militärisches Risiko notgedrungen getragen werden muß.

In Würdigung der vorstehenden Bedenken und Folgerungen wird im Hinblick auf die Gesamtlage in Dänemark eine Änderung des augenblicklichen Zustandes nicht für erforderlich gehalten. Bei einer Änderung der Lage wird Admiral Dänemark im Einvernehmen mit dem Befehlshaber der deutschen Truppen und dem Reichsbevollmächtigten einen den Gegebenheiten entsprechenden Vorschlag gem. Ziff. 1)-5) sofort zur Entscheidung vorlegen.

Abschließend wird bemerkt, daß in vorstehendem Fragenkomplex mit den beiden genannten Persönlichkeiten bis jetzt absichtlich noch keine Fühlungnahme erfolgt ist, um erst einmal innerhalb des Marinesektors die Auffassungen zu klären und dann die Forderungen der KM hier zu vertreten.

Wurmbach

317. Werner Best an Joachim von Ribbentrop 3. April 1943

Best søgte at bagatelisere sin (og Kansteins) fremfærd for hurtigt at få tysk politi til Danmark, idet han fremhævede de seneste gode resultater med sabotagebekæmpelsen, som ville blive styrket med en politibataljons ankomst.

Best fik svar på både sin forklaring og sin anmodning om politi 6. april. I mellemtiden havde han 3. april skrevet til Himmler personligt for at forebygge, at AA fremover fik at vide, at han kommunikerede direkte med SS.

Kilde: PA/AA R 29.566. RA, pk. 202 og 229.

Telegramm

| Kopenhagen, den | 3. April 1943 | 12.25 Uhr |
| Ankunft, den | 3. April 1943 | 13.00 Uhr |

Nr. 377 vom 3.4.43. Citissime!

Für Reichsaußenminister persönlich.

Auf den Drahterlaß Nr. 469[26] vom 2.4.43 berichte ich, daß vor dem Entwurf meines

---

26 RAM 92/R. Trykt ovenfor, Rintelen til Best.

APRIL 1943   445

Drahtberichtes Nr. 326[27] vom 23.3.43 der Reg.-Vizepräsident Kanstein fernmündlich bei dem Generalleutnant Winkelmann (beim Chef der Ordnungspolizei) angefragt hatte, ob ggf. auf Antrag des AA ein Polizei-Bataillon zum Einsatz in Dänemark zur Verfügung gestellt werden könne. Bei verneinender Antwort hätte sich mein Vorschlag im Drahtbericht Nr. 326 vom 23.3.43 erübrigt. Als der Generalleutnant Winkelmann nach einigen Tagen dem Herrn Kanstein fernmündlich mitteilte, daß ein bestimmtes Polizei-Bataillon zur Verlegung nach Dänemark vorgesehen sei, wurde er von diesem ausdrücklich darauf hingewiesen, daß ich dem AA meine Vorschläge vorgelegt hätte, und daß ein Antrag des AA an den Chef der deutschen Polizei abgewartet werden müsse. Ein Antrag ist von hier weder an den Chef der deutschen Polizei noch an den Chef der Ordnungspolizei gerichtet worden. Zur Sache selbst berichte ich, daß ich, obwohl in den letzten Tagen – wie gesondert berichtete – sehr schöne Erfolge in der Bekämpfung der Sabotage erzielt worden sind, an meinem Vorschlag festhalte, daß mir bis auf weiteres ein Polizei-Bataillon zur Verfügung gestellt werden möge. Hierdurch würden einerseits die Dänen unter einen heilsamen Druck gesetzt und andererseits würde unseren Militärs das Argument weggenommen, der Reichsbevollmächtigte sei nicht zu wirksamer Bekämpfung hiesiger Schwierigkeiten in der Lage, weshalb der Befehlshaber durchgreifende Maßnahmen treffen und größere Befugnisse in Anspruch nehmen müsse.

Dr. Best

318. Werner Best an das Auswärtige Amt 3. April 1943

Best og statsminister Erik Scavenius søgte i fællesskab at dæmme op for sabotagen. Scavenius formåede nimandsudvalget til at udsende en advarsel mod sabotagen, skønt udvalget nærede en ikke ringe uvilje mod at blande sig i spørgsmålet. Den vage advarsel blev end ikke underskrevet af udvalget. Best rapporterede om advarslen som et bevis for rigtigheden af sin politik (Sjøqvist, 2, 1973, s. 247).
   Kilde: PA/AA R 29.566. PKB, 13, nr. 399.

Telegramm

| Kopenhagen, den | 3. April 1943 | 22,15 Uhr |
| Ankunft, den | 3. April 1943 | 23.45 Uhr |

Nr. 382 vom 3.4.[43.]   Citissime!

Im Anschluß an Drahtbericht Nr. 358[28] vom 30.3.43.
   Auf Grund einer zwischen dem Staatsminister von Scavenius und mir getroffenen Vereinbarung wird am 4.4.43 in der dänischen Tagespresse ein Aufruf des Zusammenarbeitsausschusses des dänischen Reichstages "(Neun-Männer-Ausschuß) gegen die Sabotageakte" in Dänemark veröffentlicht werden, der den folgenden Wortlaut hat:
   Der Zusammenarbeitsausschuß des Reichstages gibt folgendes bekannt:

27 Dtschld. Trykt ovenfor.
28 bei Presse. Telegrammet er ikke lokaliseret.

Anfang des Aufrufes:

"Die Öffentlichkeit hat in den letzten Tagen Kenntnis erhalten von einer Reihe ernster Sabotagehandlungen, die in allen Gegenden des Landes begangen wurden und die zum Teil gegen dänisches, zum Teil gegen deutsches Wehrmachtseigentum gerichtet waren. Diese Handlungen stören im Widerspruch zu dem Aufruf des Königs vom 9. April die öffentliche Ruhe und Ordnung, stehen im Gegensatz zur dänischen Gesetzgebung und kennzeichnen eine gefährliche Entwicklung, die die schwersten Folgen nach sich ziehen kann; dänische Menschenleben kommen dabei in Gefahr, der dänischen Produktion wird Schaden zugefügt, was beides in Zukunft sich auf die dänische Arbeitslosigkeit auswirken wird. Wenn die Sabotagehandlungen fortgesetzt werden und es den dänischen Behörden nicht gelingt, diese gesetzwidrigen Handlungen zum Stillstand zu bringen, kann alles, was wir in diesen Jahren erhalten und bewahrt haben, in schwerste Gefahr kommen. – Es war eine nicht zu unterschätzende Gunst, daß es im großen und ganzen geglückt ist, den gegenwärtigen Rechtszustand als dänische Angelegenheit zu erhalten. Die Fortsetzung dieses Zustandes ist für uns alle von fundamentaler Bedeutung. Es muß daher eine Pflicht sein für alle, dabei mitzuhelfen, daß dies auch geschieht. Der Zusammenarbeitsausschuß richtet daher einen eindringlichen Appell an die dänische Bevölkerung, den tiefen Ernst der Situation zu verstehen und den dänischen Rechts- und Polizeibehörden jede erforderliche Hilfe bei den diesen gestellten Aufgaben zu leisten, die zu ihren Beamtenpflichten gehören und von deren Lösung so viel abhängt.

Mit Ruhe und Würde und einer festen, freiwilligen Disziplin hat das dänische Volk sein Schicksal getragen, das der Krieg über unser Land gebracht hat. An dieser Einstellung müssen wir bis zum Ende der Besetzung festhalten. Damit sichern wir uns die Erhaltung von Rechten und die Aufrechterhaltung nationaler Institutionen und Werte, die für uns von höchster Bedeutung sind."

Schluß des Aufrufs.

Es kann als ein besonderer Erfolg in der Bekämpfung der Sabotage gewertet werden, daß es gelungen ist, gerade die dänischen Sammlungsparteien, denen 90 Prozent der dänischen Bevölkerung am 23.3. ihre Stimmen gegeben haben, zu einem so ernsten und eindringlichen Appell an die Bevölkerung, der zudem ein erneutes Bekenntnis zu der von uns gewollten Politik darstellt, zu veranlassen.

Dr. Best

319. Werner Best an Heinrich Himmler 3. April 1943

Best bad Himmler om at holde deres kontakt hemmelig for AA.

Himmler lod Rudolf Brandt svare Best 24. april (Thomsen 1971, s. 130, Herbert 1996, s. 611 n. 41).

Kilde: BArch, NS 19/3302. RA, Danica 1000, T-175, sp. 59, nr. 575.538f. RA, pk. 443 og 443a. LAK, Best-sagen (afskrift).

Abschrift

Gruppenführer Dr. Werner Best   *Kopenhagen, den 3.4.1943.*

Bevollmächtigte des Reiches in Dänemark

An den Reichsführer Heinrich Himmler
   Berlin SW 11,
   Prinz Albrecht Str. 8.

Reichsführer,

In einem meiner letzten Briefe bat ich Sie, im Hinblick auf die Empfindlichkeit des Reichsaußenministers ihm gegenüber nicht erkennbar werden zu lassen, daß ich Ihnen Abschriften meiner Berichte an das Auswärtige Amt über die DNSAP zugeleitet habe.

Wie berechtigt diese Vorsicht ist, beweist der folgende Fall:

Vor etwa 10 Tagen habe ich beim Auswärtigen Amt angeregt, es möge bei Ihnen, Reichsführer, angefragt werden, ob bis auf weiteres ein Polizei-Bataillon nach Dänemark verlegt werden könne, um wegen der gegenwärtigen Sabotagefälle einerseits die Dänen etwas unter Druck zu setzen und andererseits dem General von Hanneken das Argument wegzunehmen, daß ich nicht in der Lage sei, diese Dinge zu bekämpfen.

Vor diesem Antrag hat der Brigadeführer Kanstein bei dem Generalleutnant Winkelmann angefragt, ob ein Polizei-Bataillon für diesen Zweck überhaupt zur Verfügung stehe. Auf diesen Anruf hin hat der Chef der Ordnungspolizei in besonders entgegenkommender Weise bereits seine Dispositionen getroffen und nunmehr Nachricht gegeben, daß ein bestimmtes Polizei-Bataillon zur Verfügung stehe.

Da diese Nachricht unglücklicherweise statt auf dem polizeilichen Fernschreiber hierher an das Auswärtige Amt in Berlin gegeben wurde, habe ich heute ein entrüstetes Telegramm des Reichsaußenministers erhalten, in dem ich aufgefordert wurde, mich zu rechtfertigen, ob ich unter Umgehung seiner Person einen direkten Antrag an Sie, Reichsführer, gerichtet habe.

Der Fall konnte von mir sofort durch ein Telegramm ausreichend aufgeklärt werden. Aber er beweist, daß der Reichsaußenminister hinsichtlich meiner direkten Verbindung mit Ihnen sehr empfindlich und vielleicht sogar mißtrauisch ist.

Ich berichte Ihnen dies nur, um zu zeigen, wie notwendig meine Bitte ist, daß Sie gegenüber dem Reichsaußenminister nicht erkennen lassen, inwieweit ich Sie unmittelbar über dänische Angelegenheiten – noch dazu durch Abschriften meiner dienstlichen Berichte an das Auswärtige Amt – unterrichte.

Heil Hitler!

Ihr

gez. **Werner Best**

320. WFSt an Hermann von Hanneken 3. April 1943

Som resultat af Bürkners drøftelser i København 23. marts fik von Hanneken ordre om, at hans umiddelbare tjenesteforhold med den danske regering indskrænkede sig til forsvarsministeren og de militære tjenestesteder.

Bests sejr i dette spørgsmål var fuldstændig, og den blev fulgt op 6. april. Se Keitel til AA anf. dato (Kirchhoff, 1, 1979, s. 117f.). Den 18. juni 1943 måtte Best med telegram nr. 743 vende tilbage til sagen.

Kilde: RA, Danica 1069, sp. 12, nr. 15.411.

WFSt/Qu. (Verw.)   *3.4.1943*
                                                                    Geheim

F e r n s c h r e i b e n
an Befh. d. dt. Truppen in Dänemark

Im Anschluß an die Besprechung mit Chef. Ag. Ausl. am 23.3.43[29] hat Chef OKW
angeordnet, daß der unmittelbare Dienstverkehr des Befehlshabers der deutschen Truppen mit der Dänischen Regierung in Zukunft auf den Verteidigungsminister und die
militärischen Dienststellen zu beschränken ist.
   Der Befehl OKW/WFSt/Op. Nr. 001424/42 g.Kdos. vom 4.5.42 ändert sich entsprechend.

gez. **Warlimont**
OKW/WFSt/Qu.(Verw.)
Nr. 01396/43

321. Rüstungsstab Dänemark: Lagebericht 3. April 1943

Forstmann fremsendte en situationsberetning præget af stabilitet på alle områder, selv kultilførslen var
væsentligt forbedret, og oven i det var der fundet et nyt stort brunkulslager af særlig god kvalitet. Arbejdsløsheden var faldende og den kommende høst tegnede godt, ligesom værnemagtens transportbehov var
blevet opfyldt 100 %.
   Situationsberetningen blev i lighed med den foregående fra 5. marts 1943 fordelt til OKW/Wi Stab, WB
Dänemark, Admiral Dänemark, General der Luftwaffe in Dänemark og Rüstungsstabs afdeling i Århus.
   Kilde: BArch, Freiburg, RW 27/8. RA, Danica 1000, T-77, sp. 696 KTB/Rü Stab Dänemark 2. Vierteljahr 1943.

Abteilung Wehrwirtschaft   *Kopenhagen, den 3.4.1943*
im Rü Stab Dänemark   Geheim
Gr. Ia Az. 66d 1 Nr. 2144/43g

Bezug: OKW Az. 1 e 24 Wi Amt Z 1/II Nr. 1143/43geh. v. 20.2.43
Betr.: Lagebericht.

An das Oberkommando der Wehrmacht/Wehrwirtschaftsstab
   Berlin W 62
   Kurfürstenstr. 63/69

Abt. Wwi im Rü Stab Dänemark übersendet in der Anlage Lagebericht gemäß o.a.
Bezugsverfügung.

gez. **Forstmann**

Abteilung Wehrwirtschaft   *Kopenhagen, den 3.4.1943*
im Rü Stab Dänemark   Geheim!
Gr. Ia Az. 66d 1 Nr. 2144/43g

29 Se Bürkner til OKW 25. marts 1943.

Vordringliches

Infolge des milden Winters konnte die Torfproduktion in den meisten Bezirken des Landes bereits Anfang März beginnen. Das bedeutet eine Vorverlegung des Arbeitsanfanges gegenüber dem Vorjahr um etwa 6 Wochen. Bei anhaltender günstiger Witterung dürfte eine Rekordproduktion von 5-6 Mill. to. Torf im Jahre 1943 zu erwarten sein.

Im Mitteljütland, bei Brande, ist ein neues großes Braunkohlenlager entdeckt worden, das eine besonders gute Qualität enthält.

Die Kohlenlieferungen im Monat März erfuhren eine wesentliche Besserung. Geliefert wurden vom 1.-27.3.43 230.601 to Kohle und 65.812 to Koks.

AOK Norwegen hatte für die Erledigung seiner Aufträge bei dän. Kartoffeltrocknungsbetrieben einen Bedarf von 2.000 to Kohle angemeldet. Abt. Wwi erreichte, daß 2.000 to Braunkohlenbriketts vom OKW freigegeben wurden.

Bei der Beschaffung von Generatorholz für die von der OT bezw. dem Sonderbaustab der Lw. für Festungsbauten auf Jütland eingesetzten Lkw haben sich größere Schwierigkeiten ergeben, weil dänischerseits die angeforderten Mengen nicht mehr gestellt werden können. Der vom Bevollmächtigten des Reiches in Dänemark auf Veranlassung der Abt. Wwi an die dän. Regierung gestellten Forderung auf Zurverfügungstellung von 20.000 m³ = 225.000 hl Generatorholz konnte nicht entsprochen werden, weil die dän. Bestände nur den dringenden dän. Bedarf decken. Die Verhandlungen werden jedoch fortgesetzt.[30] Zur Überbrückung eingetretener Stockungen konnte Abt. Wwi bei der dän. Regierung eine Freigabe von 1.150 m³ = 13.000 hl Generatorholz durchsetzen. Aufgrund der im Lagebericht vom 5.3.43[31] gemeldeten Verhandlungen hat OKH H mot 1.200 m³ = 14.000 hl Generatorholz ab Pernau – Rigaer Meerbusen – zur Verfügung gestellt, die von der OT per Schiff nach Dänemark abtransportiert werden.

Ferner hat Abt. Wwi bei der dän. Regierung die Abgabe von 5.000 m³ = 60.000 hl Generatorholz erwirkt, die für 300 angemietete Bereitschaftsfahrzeuge des Bef. Dän. für besonderen Einsatz angefordert waren.

Das neu in Betrieb genommene Stahlwalzwerk in Frederiksvärk hat umfangreiche Versuche angestellt, aus gewalzten Eisenplatten Nägel auszustanzen. Die Versuche sind abgeschlossen. Da die Spezialmaschinen bereits in Auftrag gegeben sind, hofft man in absehbarer Zeit mit dem Anlauf der Produktion.

Im Februar-März machte das erste seegehende Gasgeneratorschiff "Navitas", 3.000. Br. Rgt., Bauwerft Burmeister & Wain, Kopenhagen, die ersten Probefahrten.

1a. Aufträge der Besatzungstruppe

Von der Abt. Wwi wurden im Monat März 43 Rohstoffsicherungen von Fertigungs- und Bauaufträgen sowie Wareneinkäufen der Besatzungstruppen in Dänemark, soweit hierzu Eisen, Stahl, NE-Metalle sowie Kautschuk benötigt wurden, in Höhe von 3.270 Mill. RM durchgeführt.

Durch die inzwischen erfolgte Einrichtung eines deutschen Auslieferungslagers für Nägel sind die Schwierigkeiten auf diesem Gebiet behoben worden.

---

30 Se Rü Stab Dänemarks situationsberetning 21. juni 1943.

31 Trykt ovenfor.

450   APRIL 1943

1c. Holzversorgung

Für Aufträge der Besatzungstruppen in Dänemark sind im Monat März von der Abt. Wwi Bedarfsbescheinigungen über 11.595 cbm Nadelholz für die vorschußweise Freigabe aus den Beständen der dän. Wirtschaft ausgestellt worden.

Der Verbrauch der einzelnen Wehrmachtteile ist wie erfolgt:

Heer 1.555 cbm; Kriegsmarine 462 cbm; Luftwaffe 3.551 cbm; Festungspionierstab 31 3.954 cbm; OT u. Sonderbaustab 2.073 cbm.

Im 1. Jahresquartal 43 wurden Bedarfsbescheinigungen für insges. 28.757 cbm Holz ausgestellt. Hinzu kommen ca. 1.300 cbm Holz für kleine Mengen unter 5 cbm im Einzelfall, insges. also 30.000 cbm.

Es war der Abt Wwi durch genaue Überprüfung der Holzanforderungen der Dienststellen möglich, mit dem mit Vfg. OKW Az. 66 b 6721 Wi Amt Ag. Wi M 2 IV 4a Nr. 12/43 v. 12.1.43 zugestandenen Kontingent von 30.000 cbm Holz im 1. Jahresquartal 43 auszukommen.

5. Arbeitseinsatz

Zahl der Arbeitslosen betrug Ende Februar 43: 55.504. Es ist ein Rückgang von 32.190 zu verzeichnen.

Die Gesamtzahl der in Norwegen eingesetzten dänischen Arbeiter war 9.430, Zugang im Monat Februar 457. Finnland ohne neuen Zugang. Für Aufträge des Neubauamtes der Luftwaffe sind z.Zt. in Dänemark 7.689, für die des Festungspionierstabes und der OT 8.033 dän. Arbeiter und Angestellte eingesetzt. Dem Reich wurden im Monat Februar insges. 1.932 Arbeitskräfte zugeführt, und zwar für Rü 380, Bergbau 10, Verkehr 232, Bau 951, sonstige Wirtschaft 359.

6. Verkehrslage

Der Fährbetrieb verlief im Monat März normal. Auf der Strecke Warnemünde-Gedser sind eine dänische und eine deutsche Fähre zur Reparatur hinausgezogen worden, sodaß dort nur noch 2 statt 4 Fähren verkehren; infolgedessen war ein gewisser Rückstau vorhanden, der durch Umleitung über Flensburg behoben wurde. Die Fähre Malmö-Kopenhagen ist in Betrieb, sie befördert Wehrmachtgut für Finnland und Zivilgut für Schweden. Für Nachschub Finnland und Schweden werden – wie bisher – 70 Wagen täglich gestellt.

Waggongestellung innerhalb Dänemarks im Wehrmachtsektor 95 %, im Zivilsektor ca. 50 %.

Die dänische Schiffahrt war tonnagemäßig in folgender Rangfolge eingesetzt:

1.) Kohlenfahrt von Deutschland nach Dänemark

2.) Innerdänische Fahrt

3.) Düngemittelfahrt

4.) Deutsche Küsten-Kohlenfahrt.

2 dän. Dampfer mit 3.000 to Koks und 2.000 to Kohle gingen im Berichtsmonat kriegsverloren.[32] Für die OT wurden gefahren: 35.000 to Zement, davon 1.000 to mit

---

32 Det var S/S "Agnete", der forliste 16. marts på vej fra Rotterdam med koks og S/S "Karen Toft", der

APRIL 1943

dän. Tonnage, 16.000 to Kies, davon 4.000 to mit dän. Tonnage, der Rest mit deutscher Tonnage. Hierdurch trat eine wesentliche Entlastung des Schienenwegs ein.

7a. Ernährungslage
Der Saatenstand in Winterweizen und Roggen ist als gut anzusprechen. Die Frühjahrs-bestellungen haben infolge des offenen Wetters zeitig beginnen können und versprechen ebenfalls gute Entwicklung. Für den vermehrten Anbau von Weizen in Dänemark ist seitens der Regierung eine Prämie von 30,- Kr. für den Hektar Anbaufläche in Aussicht genommen.

Wertmäßig wurden im Februar 43 aus den Lebensmittelbeständen des Landes ent-nommen:

für die dten. Truppen in Dänemark: d.Kr. 2.849.970,75
für die dten. Truppen in Norwegen: d.Kr. 2.681.843,41

322. Gottlob Berger an Heinrich Himmler 5. April 1943

Berger sendte Himmler tre skrivelser i tysk oversættelse udsendt af DNSAP efter valget: Frits Clausens meddelelse om, at DNSAP fra 1. april ikke optog nye medlemmer (partibefaling nr. 4/1943), Clausens meddelelse om, at det ikke længere var en pligt for medlemmerne at bære partisymbolet (partibefaling 5/1943) samt partileder Ph. Hoffman Madsens fortrolige meddelelse til alle ledere i DNSAP om at instruere medlemmerne om, at DNSAPs sejr udelukkende afhang af partiets egen indsats og sammenhold.

Hermed havde DNSAP både markeret sin selvstændighed og uafhængighed, og at der ikke ville blive gjort forsøg på at udvide medlemsskaren.

Kilde: RA, pk. 443.

Der Reichsführer-SS   *Berlin-Wilmersdorf 1, den 5.4.1943*
Chef des SS-Hauptamtes
CdSSHA/Be/Ra. VS-Tgb.Nr. 2097/43 geh.
C. Adj. VS-Tgb. Nr. 1079/43 geh.

Betr.: Wahlen in Dänemark
Anl.: 3[33]

An den Reichsführer-SS und Chef der deutschen Polizei
    Feld-Kommandostelle.

Reichsführer!
Die von Clausen in Dänemark nach der Wahl erlassenen Befehle lege ich in Überset-zung vor.

G. Berger
SS-Gruppenführer

---

forliste 26. marts på vej fra Rotterdam til Nørre Sundby med kul (Røder 1957, s. 293f.).
33 Bilagene er ikke medtaget. De foreligger på dansk i *DNSAPs Leder-Meddelelser* april 1943, s. 5 og 8.

323. Wolfram Sievers: Schutz vorgeschichtlicher Denkmäler innerhalb der militärischen Baugebiete in Dänemark 5. April 1943

Sievers skrev et notat om sit besøg i København i marts, hvor han havde haft samtaler med en række tyske og danske embedsmænd og den rigsbefuldmægtigede. Han havde orienteret om sin opgave (at beskytte danske oldtidsminder) og havde overvejende vundet forståelse og imødekommenhed, når bortsås fra National-museets direktør, Poul Nørlund. Før sin afrejse orienterede han Best om besøgets resultat. Herefter var det nødvendigt, at enten Karl Kersten eller professor Herbert Jankuhn rejste til Danmark i april for at indlede de nødvendige sikringsarbejder.[34] (Schreiber Pedersen 2005, s. 162f. og 2008, s. 296f.).

Hverken Kersten eller Jankuhn synes at være kommet til Danmark i april, men Kersten var i København 13. juli, hvor han besøgte Best (Bests kalenderoptegnelser) og begyndelsen af oktober i Jylland, hvor han var i kontakt med museumsinspektør Therkel Mathiassen fra Nationalmuseet. Besøgenes formål har givetvis været bevaringen af fortidsminderne, og da Kersten i september-oktober fra flere sider blev foreslået som direktør for det forhistoriske museum i Kiel, skrev Nationalmuseets direktør Poul Nørlund 16. oktober et brev til ham, hvor han indtrængende bad om, at Kersten sørgede for, at de tyske militærmyndigheder ikke sløjfede oldtidsminder (Mathiassen til Kersten 5. oktober 1943, Nørlund til Kersten 16. oktober 1943 (BArch, NS 21/86), Gustav Schwantes til RWEV 7. september 1943 og Sievers til RWEV 7. oktober 1943 (DS/A 37). Sievers fulgte selv flere gange op i sagen over for den rigsbefuldmægtigede, se Sievers til Best 1. juni og 3. december 1943.

Kilde: BArch, NS 21/86.

Vermerk

Betr.: Schutz vorgeschichtlicher Denkmäler innerhalb der militärischen Baugebiete in Dänemark

Auf Vorschlag von Dr. Kersten in Verfolg seines Berichtes vom 1.1.43[35], mit dem Parlamentschef Graa im Unterrichtsministerium in Kopenhagen Fühlung aufzunehmen, wandte ich mich wegen Vermittlung einer Unterredung am 12.3. an den Bevollmächtigten des Deutschen Reiches in Dänemark, SS-Gruppenführer Dr. Best. Nach meinem Eintreffen in Kopenhagen am 19.3. wurde mir mitgeteilt, daß eine Unterredung mit Graa nicht zweckmäßig sei, es sei für den 20.3., 11 Uhr, eine Unterredung mit dem dänischen Unterrichtsminister Holberg Christensen vereinbart. Ich suchte den Minister in Begleitung von Studienrat Dr. Wäsche auf (der etwa die Stelle eines Kulturattachés beim Reichsbevollmächtigten inne hat). Der Minister ließ sich unsere Absichten, so wie sie im Bericht Dr. Kerstens vom 1.1.43 dargelegt sind, eingehend kennzeichnen. Ich legitimierte mich bei ihm und anderen Dienststellen als Reichsgeschäftsführer der Forschungsgemeinschaft "Ahnenerbe", die im Auftrag der Deutschen Forschungsgemeinschaft (Notgemeinschaft der deutschen Wissenschaft), Präsident Prof. Dr. Mentzel, den zentralen Auftrag habe, in den Schutz- und besetzten Gebieten die Sicherung der vorgeschichtlichen Denkmäler durchzuführen. Wir sind bemüht, dabei das Möglichste zu tun, Zerstörungen zu vermeiden und dort, wo Eingriffe vorgenommen werden müssen, sachgemäße Untersuchungen vorzunehmen. Die Unterstützung der örtlichen dänischen Stellen sei dabei unerläßlich. Wir benutzten keinesfalls die Gelegenheit, um etwa Sonderinteressen nachzugehen, was daraus hervorgehe, daß die Fundergebnisse

---

34 Ved det afsluttende møde med Best blev det kommende seminar i Hannover også drøftet: Best gjorde det klart, at dansk deltagelse kun kunne finde sted med AAs tilladelse, hvorfor Sievers blev opfordret til at sende invitationerne til de danske deltagere ud i god tid (Schreiber Pedersen 2008, s. 297).

35 Kerstens indberetning er ikke lokaliseret.

selbstverständlich den dänischen Museen zugeführt werden. Minister Christensen, der höflich und sehr korrekt war, versprach seine Unterstützung, wünschte jedoch, daß zu vor noch eine Besprechung mit Prof. Nörlund vom Nationalmuseum und dem Präsidenten des dänischen Naturschutzes, Erik Struckmann, erfolge.

Die Unterredung mit beiden Herren wurde durch den Minister vermittelt. Der Besuch bei Prof. Nörlund in der Direktion des Nationalmuseums, Holmens Kanal, erfolgte am 22.3., 13 Uhr. Der Empfang war außerordentlich eisig und ablehnend. Auf meine Darlegungen, wie ich sie auch dem Minister gemacht hatte, äußerte Nörlund etwa: "Sie greifen in dänische Angelegenheiten ein, lassen Sie uns gefälligst in Ruhe. Ich verstehe nicht, was die Herren Jankuhn oder Kersten wollen!" Ich erwiderte, daß die Härte des Krieges eine gegebene Tatsache sei, wir es aber gerade deshalb als unsere Pflicht erachteten, soweit wie es nur irgend möglich sei, sie in kulturellen Dingen abzuwenden oder zu mildern. Mehr könne ja schließlich nicht verlangt werden, als daß die militärischen Dienststellen sich bereiterklären, in Begleitung eines von ihnen anerkannten deutschen Wissenschaftlers den dänischen Wissenschaftlern den Zutritt zu den Baustellen und den gefährdeten Fundstellen zu gestatten. Prof. Nörlund verlangte, daß in jedem Fall eine Meldung an das Nationalmuseum erfolgen solle. Ich habe ihm das zugesagt, dann aber auf Einzelheiten mich mit ihm nicht mehr eingelassen, sondern erklärt, daß Anfang April entweder Dr. Kersten oder Prof. Jankuhn nach Kopenhagen kommen und sich dann mit ihm in Verbindung setzen werden.

Um 15 Uhr besuchte ich Herrn Erick Struckmann. Im Gegensatz zu dem Empfang bei Nörlund war die Aufnahme hier eigentlich herzlich zu nennen. Herr Struckmann erklärte, daß er eng mit dem Präsidenten des deutschen Naturschutzverbandes, Prof. Schönichen, zusammenarbeite, er bewundere die Leistungen Deutschlands auf diesem Gebiet und erkenne hoch an, daß auch jetzt in den Kriegszeiten die Interessen des Naturschutzes gewahrt würden. Er wolle von sich aus einen Plan bis zur Ankunft unserer Herren fertigstellen, in dem alle geschützten Denkmäler in den nördlich des Limfjords gelegenen Landschaften Thy und Vendsyssel eingezeichnet sind. Er erwarte gern den Besuch von Dr. Kersten und Prof. Jankuhn und stehe mit seiner Organisation unterstützend zur Verfügung.

In Abwesenheit des Kommandeurs des Festungspionierstabes, Oberst Pless, unterrichtete ich seinen Vertreter Adjutanten, Hauptmann Ruban, von meinen Besprechungen. Er versicherte erneut seine Bereitwilligkeit, unsere Sicherungsvorhaben weitgehend zu unterstützen.

Dem Reichsbevollmächtigten, SS-Gruppenführer Best, habe ich eingehend über das Ergebnis meiner Unterredungen Bericht erstattet. Er bat, sobald Dr. Kersten oder Prof. Jankuhn nach Kopenhagen kommen, Fühlung mit Dr. Wäsche, Dagmar-Haus, aufzunehmen. Gegebenenfalls könne auch eine Besprechung mit ihm selbst erfolgen.

Auf Grund dieser Besprechungen ist es unerläßlich, daß im April entweder Dr. Kersten oder Prof. Jankuhn nach Dänemark fährt, um die notwendigen Sicherungsarbeiten einzuleiten.

Berlin am 5.4.43

Sievers
SS-Standartenführer

Zur Kenntnisnahme an:

1.) SS-Hauptsturmführer (F) Jankuhn
2.) Dr. Kersten

324. Werner Best an das Auswärtige Amt 6. April 1943

Best ville bekæmpe sabotagen ved at vinde den danske offentlighed for modstand mod sabotagen og havde fået von Hanneken til at følge denne politik. Store dusører udlovet af dansk politi, der kunne føre til pågribelse af sabotørerne, skulle anspore afværgefronten.

Kilde: PA/AA R 29.566. RA, pk. 202 og 229. LAK, Best-sagen (afskrift).

Telegramm

Kopenhagen, den	6. April 1943	13.39 Uhr
Ankunft, den	6. April 1943	14.40 Uhr

Nr. 390 vom 6.4.[43.]

Im Anschluß an Drahtberichte Nr. 358 vom 30.3., Nr. 372 vom 2.4. und Nr. 382 vom 3.4.1943.[36]

In Fortsetzung der Veröffentlichung verübter Sabotageakte hat dänische Presse im Einvernehmen mit mir und Befehlshaber am 4.4. wieder in großer Aufmachung, über Eisenbahn-Sabotagefälle berichtet.[37] Diese Veröffentlichung ist gemeinsam mit der Bekanntgabe des Aufrufs des Zusammenarbeits-Ausschusses (Drahtbericht Nr. 382) erfolgt und hat dessen Bedeutung unterstrichen. In gleicher Form wird heute über mehrere Sabotagefälle aus Hilleröd (Nordseeland) berichtet, die sich in letzter Nacht ereignet haben und ihrer Anlage nach (Bedrohung des Wachpersonals mit Waffengewalt) auf gleichen Täterkreis wie kürzliche Fälle in Kopenhagen zurückzuführen sein werden.[38] Diese Veröffentlichung ist mit Auslobung von 20.000 Kronen durch zuständigen Polizeimeister für Ergreifung der Täter verbunden worden. Nachdem nunmehr alle wesentlichen Sabotagefälle der letzten Wochen zusammenfassend der Bevölkerung bekanntgegeben worden sind, wird weitere Berichterstattung bei zukünftigen Sabotagehandlungen von Fall zu Fall in Abstimmung mit mir und Befehlshaber erfolgen, wobei für Entscheidung, ob und in welcher Weise Veröffentlichung vorgenommen werden soll, das Ziel, dänische Bevölkerung über Ernst der Sabotagefälle aufzuklären und innere Abwehrfront gegen Saboteure zu schaffen, weiter maßgebend sein wird.

Dr. Best

---

36 Presse. Telegram nr. 358 er ikke lokaliseret, mens nr. 372 og 382 er trykt ovenfor.
37 Jfr. Bindsløv Frederiksen 1960, s. 362f.
38 BOPA rettede 4. april sabotage mod en række virksomheder i Hillerød, der arbejdede for værnemagten (Kjeldbæk 1997, s. 461).

325. Werner Best an das Auswärtige Amt 6. April 1943

Advarsler til offentligheden mod sabotage, store dusører for sabotørers pågribelse og strenge straffe for de fangne skulle føre til det ønskede resultat. Statsfængslet i Horsens fik fra 5. april en tysk tugthusafdeling til afsoning af straffe idømt ved tysk krigsret.

  Kilde: PA/AA R 46.371. PKB, 13, nr. 721.

T e l e g r a m m

| Kopenhagen, den | 6. April 1943 | 18.20 Uhr |
| Ankunft, den | 6. April 1943 | 19.30 Uhr |

Nr. 392 vom 6.4.[43.]

Auf deutsche Anregung ist durch königliche Anordnung vom 5.4.1943 im dänischen Staatsgefängnis in Horsens eine besondere Abteilung für die Verbüßung von Zuchthausstrafen eingerichtet worden. Der Vollzug von Zuchthausstrafen ist in gleicher Weise wie in Deutschland geregelt. Es soll damit die Möglichkeit geschaffen werden, Zuchthausstrafen, die in Dänemark durch die deutschen Kriegsgerichte gegen dänische Staatsangehörige ausgesprochen werden, im Lande selbst vollstrecken zu können. Eine Änderung des dänischen Strafgesetzes, das nur eine Verurteilung zu Gefängnis und nicht zu Zuchthaus kennt, ist hierdurch noch nicht erfolgt.

Dr. Best

326. Joachim von Ribbentrop an Werner Best 6. April 1943

Ribbentrop tog sig personligt af tilrettevisningen af Best i sagen om tilførslen af en tysk politibataljon til Danmark, men sluttede med at give sin godkendelse.

  Best svarede 8. april 1943.
  Kilde: PA/AA R 29.566. RA, pk. 202 og 229.

T e l e g r a m m

Fuschl, den	6. April 1943	14.15 Uhr
Ankunft, den	6. April 1943	15.00 Uhr
RAM 103/R		

Nr. 433 vom 6.4.[43.]

1.) Telko
2.) Deutsche Gesandtschaft Kopenhagen
    Für Reichsbevollmächtigten persönlich.

456 APRIL 1943

Auf Tel. Nr. 377[39] vom 3. April.

In Ihrem Telegramm sagen Sie, der Regierungsvizepräsident Kanstein habe wegen der Frage des Einsatzes eines Polizeibataillons in Dänemark vor Ihrem Drahtbericht an das Auswärtige Amt beim Chef der Ordnungspolizei angefragt, weil sich bei verneinender Antwort Ihr Vorschlag erübrigt hätte.

Ich muß Sie bitten, in Zukunft umgekehrt zu verfahren und vor einem Herantreten an innerdeutsche Stellen durch einen Ihnen unterstellten Beamten eines inneren Ressorts zunächst meine Weisung einzuholen, ob eine politische Aktion, wie sie der Einsatz eines Polizeibataillons in Dänemark darstellt, opportun ist oder nicht. Ich bitte Sie, sicherzustellen, daß Regierungsvizepräsident Kanstein in Zukunft einen solchen Antrag, der übrigens, wie aus dem Fernschreiben des Chefs der Ordnungspolizei hervorgeht, nicht telefonisch, sondern mit Schreiben vom 25. März von dort aus gestellt wurde und anscheinend auch von Ihnen gebilligt wurde, da das Fernschreiben des Chefs der Ordnungspolizei auch an Sie adressiert ist, nicht stellt, ehe Sie nicht nach Einholung einer Weisung des Auswärtigen Amtes Ihr Einverständnis dazu erteilt haben. Anderenfalls könnten derartige Aktionen unsere Dänemarkpolitik präjudizieren, ehe das Auswärtige Amt entschieden hat.

Bevor zu dem Antrag selbst eine politische Entscheidung hier gefällt wird, bitte ich Sie noch um eingehenden Drahtbericht, welche Haltung die dänische Regierung zum Einsatz eines deutschen Polizeibataillons voraussichtlich einnehmen wird. Ich bemerke dabei, daß ich grundsätzlich der Entsendung eines solchen Bataillons positiv gegenüberstehe.

Ribbentrop

Vermerk:
Unter Nr. 480 an Diplogerma Kopenhagen weitergeleitet.
Tel. Ktr., 6.4.43.
17.00 [Uhr]

327. Ernst von Weizsäcker: Aufzeichnung 6. April 1943

Weizsäcker refererede en samtale med den danske gesandt Mohr, hvor såvel sabotagen i Danmark som invasionsrygterne blev berørt. Mohr fæstede ikke lid til rygterne og mente, at sabotørerne blev forfulgt med stor iver.

Kilde: RA, pk. 211.

St.S. No. 214. *Berlin, den 6. April 1943.*

Der Dänische Gesandte sagte mir heute, er werde etwa vom 10. bis 20. ds.Mts. von Berlin abwesend sein. Er habe in Dänemark amtliche und private Angelegenheiten zu erledigen.

Herr Mohr streifte bei mir die in der letzten Zeit in Dänemark vorgekommenen

---

39 RAM. Trykt ovenfor.

APRIL 1943 457

Sabotageakte. Er glaubte zu wissen, daß man mit großem Eifer die Spur der Täter verfolge.

Von etwaigen Invasionsabsichten der Engländer in Dänemark hatte der Gesandte Mohr auch gehört, jedoch schenkte er diesen Gerüchten keinen Glauben, da die jütländische Westküste nach fachmännischer Ansicht für Landungszwecke ganz ungeeignet sei.

gez. Weizsäcker

Herrn U.St.S. Pol.
Herrn Dg. Pol.
Pol I M

328. Wilhelm Keitel an das Auswärtige Amt 6. April 1943

AA fik at vide, at OKW var indforstået med, at der kun kunne opstilles gidsellister i Danmark i forståelse med den rigsbefuldmægtigede.

Kilde: RA, Danica 1069, sp. 12, nr. 15.408.

Oberkommando der Wehrmacht   6.4.1943
Amt Ausland/Abwehr

E n t w u r f

1.) An das Auswärtige Amt z.Hd. Herrn Botschafter Ritter über V.A.A.

Betr. Aufstellung von Geisellisten.
Bezug: Pol VI 8082 g vom 20.3.[40]

Der Auffassung, daß die Aufstellung von Geisellisten zu den Aufgaben des Reichsbevollmächtigten gehört, und daß zu Geiselverhaftungen nur im Einvernehmen mit dem Auswärtigen Amt, bezw. seinen Dienststellen in Dänemark, geschritten werden soll, wird zugestimmt. Weiters wird es für erforderlich gehalten, daß der Reichsbevollmächtigte und der Befehlshaber der Deutschen Truppen in Dänemark in Geiselfragen zusammenarbeiten.

Der Befehlshaber der Deutschen Truppen in Dänemark ist in diesem Sinne angewiesen worden.[41]

Der Chef des Oberkommandos der Wehrmacht
Im Auftrage
[underskrift]

2.) nachr.: WFSt durch VO/Ausl., Bef. d. dt. Tr. in Dänemark

40 Trykt ovenfor.
41 Det var sket 3. april. Se anf. dato.

458 APRIL 1943

329. Werner Best an Heinrich Himmler 7. April 1943

Frits Clausen modsatte sig de tyske bestræbelser på at danne et germansk korps og ville meddele medlemmerne, at de ikke samtidigt kunne være medlemmer af DNSAP. Best fik ham til at udskyde offentliggørelsen af meddelelsen herom, til der var kommet en reaktion fra RFSS, som Best hermed orienterede.

Best fik svar 17. april 1943 (Poulsen 1970 s. 377).

Kilde: RA, Danica 1000, T-175, sp. 22, nr. 527.577f.

SS-Gruppenführer Dr. Werner Best   *Kopenhagen, den 7.4.1943.*
Bevollmächtigter des Reiches in Dänemark

An den Reichsführer-SS Heinrich Himmler,
  Berlin SW 11,
  Prinz Albrechtstrasse 8.

Reichsführer,

Der Parteiführer der DNSAP Dr. Clausen hat mir gestern ein Schreiben vom 1.4.43 des SS-Obersturmbannführers Martinsen über die Bildung des "Germanischen Korps"[42] sowie den Entwurf einer Mitteilung, die er – Dr. Clausen – an seine Parteimitglieder richten will, übergeben. Übersetzungen beider Schriftstücke sind beigefügt.[43]

Da Dr. Clausen in seiner parteiamtlichen Mitteilung bereits den Trennungsstrich gegenüber dem "Germanischen Korps" ziehen will, habe ich ihn gebeten, die Bekanntgabe dieser Mitteilung zurückzustellen, bis er von Ihnen einen Bescheid auf sein Schreiben vom 11.3.1943 erhalten hat.[44]

Dr. Clausen bittet unter diesen Umständen um Ihren möglichst baldigen Bescheid auf sein Schreiben vom 11.3.1943.

Heil Hitler!
Ihr **Werner Best**

330. Werner Best an das Auswärtige Amt 7. April 1943

Efter det skuffende valgresultat i marts afskrev Frits Clausen sig 25. marts al videre permanent økonomisk støtte fra besættelsesmagten. DNSAP skulle til at stå økonomisk på egne ben. Dog fik han ved forhandling med Best løfte om et engangsvederlag på 500.000 kr. (Poulsen 1970, s. 382f., Frits Clausens brev til Best 25. marts 1943 er trykt i *Føreren har ordet!* 2003, s. 722-726).

Kilde: PA/AA R 29.566. RA, pk. 202. LAK, Frits Clausen-sagen XVII/900.

Telegramm

| Kopenhagen, den | 7. April 1943 | 12.35 Uhr |
| Ankunft, den | 7. April 1943 | 13.00 Uhr |

---

42 Trykt hos Alkil, 1, 1945-46, s. 739.

43 Bilagene er ikke lokaliseret. Det bilag, der er udkast til en meddelelse til medlemmerne, er sandsynligvis lig med den fortrolige meddelelse, som Clausen 19. april lod udgå til samtlige ledere og førere, hvorefter det ikke var foreneligt med medlemskab af DNSAP at være medlem af et "Germansk Korps" (trykt i *Føreren har ordet!* 2003, s. 726f.).

44 Dette brev er ikke lokaliseret, men refereret i Himmlers brev til Best 17. april 1943, trykt nedenfor.

APRIL 1943

Nr. 395 vom 7.4.[43.]

Unter Bezugnahme auf meinen Schriftbericht vom 27.3.43 (II L 78/43[45]) berichte ich, daß der Parteiführer der DNSAP Dr. Clausen mich gestern gefragt hat, ob und bis wann mit der Bewilligung der von ihm erbetenen einmaligen Unterstützungssumme zu rechnen sei.

Ich wäre deshalb für baldige Entscheidung auf meinen Vorschlag, der DNSAP einen einmaligen Unterstützungsbetrag von 500.000 Kr. zu bewilligen, sehr dankbar.

Dr. Best

331. Werner Best an Joachim von Ribbentrop 8. April 1943

Best lovede efter tilrettevisninger af Ribbentrop den 6. april, at en sådan "fejl", som havde fundet sted i forbindelsen med indkaldelsen af en politibataljon til Danmark, ikke skulle gentage sig. Derefter kastede han sig over betydningen af bataljonens ankomst til Danmark, der bl.a. angiveligt skulle være ønskelig ifølge Scavenius. Best gjorde det klart, at bataljonen stod til hans rådighed og ikke til værnemagtens.

Med henvisning til Bests telegram meddelte OKW 15. april AA og von Hanneken, at politibataljonen i normale perioder skulle være underlagt Best, og i tilfælde af kamphandlinger under von Hanneken (PA/AA R 29.566, Kirchhoff, 1, 1979, s. 131f.).

Kilde: PA/AA R 29.566. RA, Danica 1069, sp. 12, nr. 15.354. RA, pk. 202 og 229.

Telegramm

Kopenhagen, den	8. April 1943	14.50 Uhr
Ankunft, den	8. April 1943	15.20 Uhr

Nr. 403 vom 8.4.[43.]

Für Herrn Reichsaußenminister persönlich.

Auf das Telegramm Nr. 480[46] vom 6. April 1943 berichte ich:

1.) Das Schreiben des Reg. Vizepräsidenten Kanstein an den Chef der Ordnungspolizei vom 25. März 1943 enthielt nur die bei Gelegenheit des früheren Ferngesprächs mit dem Generalleutnant Winkelmann erbetene Benachrichtigung, daß ich inzwischen mit meinem Telegramm Nr. 326[47] vom 23. März 1943 den erforderlichen Antrag an das Auswärtige Amt gerichtet hätte. Ich habe Vorsorge getroffen, daß solche Mitteilungen, die irrtümlich als selbständige Anträge mißverstanden werden können, künftig von meiner Behörde aus nicht mehr erfolgen.

2.) Gestern habe ich in einem Gespräch mit dem Staatsminister von Scavenius die Frage der Verlegung eines deutschen Polizei-Bataillons nach Dänemark als zu erwägende Möglichkeit erörtert. Der Staatsminister widersprach diesem Gedanken nicht,

45 Pol. VI g.Rs. Telegrammet er ikke lokaliseret.
46 RAM (Sonderzug 433). Trykt ovenfor.
47 bei Dtschld. Trykt ovenfor.

sondern erklärte es für erwünscht, wenn im äußersten Fall zur Unterstützung der dänischen Polizei eine mir unterstellte Einheit und nicht die Truppen des Befehlshabers eingesetzt werden. Er bat nur, daß vor der Öffentlichkeit dieses Bataillon als ein "Verfügungsbataillon" der Besatzungstruppe und nicht als Polizei bezeichnet werden möge, da man in Dänemark unter Polizei nur die in das tägliche Leben der Bevölkerung eingreifenden Polizeiorgane kenne und deshalb weitgehende Eingriffe in die dänischen Verhältnisse befürchten würde. Ich bin der Auffassung, daß die Erfüllung dieses Wunsches des Staatsministers mit den von mir erstrebten Zwecken vereinbart werden kann. Diese Zwecke sind

a.) daß die dänische Polizei weiß, daß hinter ihr einsatzbereite deutsche Polizeikräfte stehen,

b.) daß in kritischen Fällen ein Einsatz deutscher Kräfte tatsächlich erfolgen kann,

c.) daß dieser Einsatz von mir unter politischen und polizeilichen Gesichtspunkten angeordnet werden kann und daß hierdurch der Einsatz militärischer Kräfte, auf den ich keinen Einfluß hätte, verhütet wird.

Dr. Best

Vermerk:
Unter Nr. 876 an Sonderzug weitergeleitet.
Tel. Ktr. 8.4.43, 15.45 Uhr

332. Karl Ritter an Werner Best 8. April 1943

Hermed fremsendtes den første version af en advarsel til den danske regering, som var fremkaldt af den danske hærs angivelige tyskfjendtlige indstilling.

Sagen var foranlediget af den i telegram nr. 277, 13. marts 1943 omtalte banale sag, som von Hanneken havde valgt at puste op. Se tillige Ribbentrops telegram 10. april 1943, trykt nedenfor (Roslyng-Jensen 1980, s. 140).

Kilde: PA/AA R 29.566. RA, pk. 202. LAK, Best-sagen (afskrift).

T e l e g r a m m

Sonderzug, den	8. April 1943	10.33 Uhr
Ankunft, den	8. April 1943	11.15 Uhr

Nr. 436 vom 8.4.[43.]   Geheime Reichssache!

1.) Telko
2.) Diplogerma Kopenhagen

Anschluß Drahterlaß vom 5. März 1943[48] und im Anschluß an die fernmündliche Weisung, die Ausführung dieses Drahterlasses zunächst aufzuschieben.

---

48 Telegram 332, 5. marts 1943 er ikke lokaliseret.

I.) Ich bitte Sie, nunmehr die warnende Mitteilung in folgender Fassung an die dänische Regierung zu richten und sie gleichzeitig dem Kronprinz-Regenten zu eröffnen.

"Die feindselige Haltung des dänischen Heeres und insbesondere vieler Offiziere hat zu größtem Mißtrauen der deutschen Wehrmacht gegen das dänische Heer geführt, sodaß von deutscher militärischer Seite im Hinblick auf die Möglichkeit von Kampfhandlungen auf dänischem Boden einschneidende Maßnahmen erwogen werden. Reichsregierung möchte zur Wahrung ihrer bisher gegenüber Dänemark eingehaltenen Politik von Maßnahmen gegen das dänische Heer absehen, bedarf aber gewisser Garantien. Stärkste Garantie wäre eine erkennbare Änderung der Haltung des dänischen Heeres gegenüber Deutschland. Wenn zum Beispiel die Beurlaubung dänischer Offiziere zum Dienst in der deutschen Wehrmacht offiziell und aufrichtig, das heißt ohne Diffamierung dieser Offiziere bewilligt würde und wenn eine Anzahl jüngerer dänischer Offiziere hiervon Gebrauch machen würde, könnte das gegenwärtige Verhältnis des Mißtrauens in ein solches des Vertrauens und der Kameradschaft umgewandelt werden. Wenn hingegen eine Verschärfung der Lage eintrete und die geringsten feindseligen Handlungen des dänischen Heeres oder seiner Angehörigen gegen die deutsche Wehrmacht festgestellt würden, so werde der Rest des Heeres unverzüglich aufgelöst werden.

Das Mißtrauen der deutschen Wehrmacht ist neuerdings dadurch noch verstärkt worden, daß durch einen Zufall den deutschen militärischen Stellen in Dänemark bekannt geworden ist, daß von dem dänischen Heer die in Friedenszeiten üblichen geheimen Mobilmachungsvorbereitungen ohne Kenntnis der deutschen militärischen Stellen bis jetzt noch fortgesetzt werden. Seit der militärischen Besetzung Dänemarks durch deutsche Truppen besteht für dänische Mobilmachungsvorbereitungen keine sachliche Begründung mehr. Sie können nur als gegen die deutschen Besatzungstruppen gerichtet gedeutet werden. Die Reichsregierung verlangt daher, daß Mobilmachungsvorbereitungen der dänischen Wehrmacht jeder Art sofort eingestellt werden."

Schluß der Mitteilung.

II.) Gleichzeitig mit der Ausführung der Instruktion unter Ziffer I bitte ich, auch den in Ihren Drahtberichten Nr. 276 vom 12. und 279 vom 13. März erwähnten Zwischenfall des dänischen Minensuchbootes "Söridderen" zu verwerten.[49]

III.) Ich bitte, den Befehlshaber der deutschen Truppen in Dänemark General von Hanneken vorher von dieser Weisung Kenntnis zu geben.

Ritter

Vermerk:
Unter Nr. 491 an Diplogerma Kopenhagen weitergeleitet.
Tel. Ktr., 8.4.[43.]

49 Begge telegrammer er trykt ovenfor. Nr. 279 er indeholdt i AA til OKW og OKM 15. marts 1943. Se om "Søridderen" Mewis til OKM 11. marts 1943.

333. Reichsfinanzministerium an das Auswärtige Amt 8. April 1943

RFM kommenterede kritisk, at AA havde ladet værnemagtskontoen omstille fra RM til kroner, idet ministeriet ønskede at sikre sig, at man på tysk side fik noget til gengæld for denne imødekommenhed. Derfor blev der rettet et direkte spørgsmål til Best, om han over for statsminister Scavenius havde stillet krav om, at der ville blive udvist mere dansk imødekommenhed (elasticitet) i forbindelse med fremtidige tyske fordringer.

AA videresendt 14. april RFMs brev til Best. Han svarede AA 7. maj 1943.
Kilde: BArch, R 901 113.554. RA, pk. 271.

Der Reichsminister der Finanzen   *Berlin W 8, 8. April 1943*
Y 5104/1-167 V g   Geheim

Auswärtiges Amt
  z.Hd. von Herrn Amtsrat Hofrat Schimpke
  oder Vertreter im Amt
  Berlin

Umstellung des dänischen Besatzungskostenkontos von Reichmark auf Dänenkronen; Ihre Schreiben vom 2., 6. und 13. März 1943 – Ha Pol 1324/43 – g, Ha Pol 924/43 II, Ha Pol VI 1010/43 –[50]

Die zur Finanzierung der Deutschen Wehrmacht in Dänemark erforderlichen Mittel wurden bisher vierteljährlich auf Grund von Vereinbarungen mit der Danmarks Nationalbank (August 1940) von dieser zur Verfügung gestellt. Die Nationalbank erhob bei diesen Verhandlungen regelmäßig ins Einzelne gehende Einwendungen wegen der Höhe und der beabsichtigten Verwendung der angeforderten Kronenbeträge. Sie hat damit versucht, auf die Finanzgebarung und die Dispositionen der Wehrmacht unmittelbaren Einfluß zu nehmen. Die Aufgabe der Nationalbank nach dem Abkommen über die Wehrmachtfinanzierung geht aber ausdrücklich *nur* dahin, der Wehrmacht auf Grund besonderer Sicherstellung durch die Dänische Regierung die erforderlichen Kronenbeträge zur Verfügung zu stellen. Die Verantwortung dafür, daß die Anforderungen sich auf das unbedingt Gebotene beschränken, liegt ausschließlich beim Befehlshaber der deutschen Truppen und beim Bevollmächtigten des Reichs für Dänemark.

Ins Einzelne gehende Verhandlungen, wie sie bisher geführt wurden, erscheinen schon deshalb unzweckmäßig, weil die Dänen darin versuchen, den Wehrmachtdienststellen Unstimmigkeiten nachzuweisen und dadurch die bei ihnen liegende Verantwortung für die finanzielle Entwicklung in Dänemark der deutschen Seite zuzuschieben.

Ich gehe davon aus, daß der Bevollmächtigte des Reichs dem dänischen Staatsminister anläßlich des Zugeständnisses der Kontoumstellung eröffnet hat, daß künftig ein elasticheres Anforderungsverfahren Platz greifen müsse.

     Im Auftrage
     gez. **Berger**

---

50 De to sidstnævnte skrivelser er trykt ovenfor.

APRIL 1943

334. Hans Clausen Korff an Christian Breyhan 8. April 1943

Korff havde igen været i København, hvor han havde talt med Franz Ebner, der havde gjort klart, at han ønskede at opretholde den hidtidige ordning på det offentlige finansvæsens område. Best havde af et brev fra RFM fået det indtryk, at ministeriet anså en væsentlig personaleændring for påkrævet. I mellemtiden havde forholdene i Danmark imidlertid udviklet sig sådan, at det efter Ebners mening for tiden ikke var formålstjenligt at foretage personaleændringer. En umiddelbar indblanding i dansk statsforvaltning på det finansielle område kom nu som tidligere ikke på tale. Ebner lod forstå, at Best sandsynligvis ville være enig i dette.

Trods Ebners klare udmelding forsøgte Korff at blande sig direkte i dansk finanspolitik ved en henvendelse til Best 3. maj 1943.

Kilde: RA, Danica 50, pk. 91, læg 1255 (gennemslag).

Oberregierungsrat Korff
beim Bevollmächtigten des Reichs in Dänemark

Oslo, 8. April 1943

Herrn Ministerialrat Dr. Breyhan
    Reichsfinanzministerium
    Berlin W 8
    Wilhelmplatz 1/2

Betr. Besetzung der Außenstelle Kopenhagen

Sehr geehrter Herr Breyhan!
Auf der Rückreise von Berlin hatte ich in Kopenhagen Gelegenheit, die Frage der Besetzung unserer Außenstelle nochmals mit Herrn Min.-Dirigenten Ebner zu besprechen. Dabei betonte Ebner nochmals, daß er für das Gebiet der öffentlichen Finanzwirtschaft die heutige Ordnung aufrecht zu erhalten wünsche. Wenn der Reichsbevollmächtigte einen anderen Standpunkt eingenommen habe, so sei das auf das persönliche Schreiben des Staatssekretärs zurückzuführen.[51] Der Reichsbevollmächtigte habe daraus entnommen, daß vom Reichsfinanzministerium eine wesentliche personelle Verstärkung als erforderlich angesehen werde. Inzwischen hätten sich aber die Verhältnisse in Dänemark so entwickelt, daß nach seiner – Ebners – Auffassung eine personelle Veränderung z.Zt. nicht zweckmäßig sei. Eine unmittelbare Einmischung in die dänische Staatsverwaltung auf finanziellem Gebiet käme nach wie vor nicht in Frage.

Min.-Dirigent Ebner ließ durchblicken, daß der Reichsbevollmächtigte sich wahrscheinlich damit einverstanden erklären würde, wenn das Reichsfinanzministerium im Hinblick auf die veränderte Personallage von einer Veränderung der personellen Verhältnisse abzusehen bitte.

Unter der Hand habe ich weiter erfahren, daß meine fortgesetzte Tätigkeit in Kopenhagen anders als die von Rb.-Direktor Sattler beurteilt wird. Offenbar wird seitens des Reichsbevollmächtigten eine Veränderung in dem Sinne angestrebt, daß Herr Sattler für Kopenhagen nicht mehr zuständig ist. Letzteres teile ich nur zur persönlichen Unterrichtung von Herrn Min.-Direktor Berger und Ihnen mit.

Heil Hitler!
Korff

---

51 Skrivelsen er ikke lokaliseret.

464   APRIL 1943

335. Werner Best an das Auswärtige Amt 9. April 1943

Foråret 1943 var Best efter tilrettevisningen i januar officielt forhindret i at orientere AA om forberedelserne til dannelsen af Schalburgkorpset og samtidig beskæftiget med at få DNSAPs støttepunkter elimineret. Blandt dem var Frikorps Danmark. I et forsøg på måske samtidig at få bevægelse i spørgsmålet om forholdet til det danske kongehus, spurgte han AA, hvor danske officerer, der ville melde sig, skulle henvende sig, når det hverken kunne være til Frikorps Danmark eller værnemagten. Schalburgkorpset kom endnu ikke åbent på tale som stedet.

Han fik svar af Schnurre 3. maj, men lod det ikke blive ved det. Se telegrammerne nr. 511, 4. maj og nr. 574, 13. maj 1943 nedenfor.

Kilde: PA/AA R 29.566. RA, pk. 202.

Telegramm

| Kopenhagen, den | 9. April 1943 | 11.45 Uhr |
| Ankunft, den | 9. April 1943 | 12.00 Uhr |

Nr. 409 vom 9.4.[43.]

Auf Telegramm vom 8. Nr. 491.[52]

Erbitte noch Mitteilung, wie dänische Fragen nach Einzelheiten des Dienstes dänischer Offiziere in deutscher Wehrmacht beantwortet werden sollen. Freikorps Danmark wird hier als Parteitruppe Dr. Clausens abgelehnt. Würde Meldung dänischer Offiziere zum deutschen Heer, zur Luftwaffe und zur Marine angenommen? An welche deutsche Stelle wären dänische Vorschläge zu richten, da gegenüber dem hiesigen Befehlshaber wegen seiner Stellung zum König und wegen von ihm getroffener Maßnahmen stärkste Abneigung dänischen Militärs besteht, die Meldungen und Maßnahmen beeinträchtigen würde?

Dr. Best

336. Werner Best an das Auswärtige Amt 9. April 1943

I forbindelse med treårsdagen for Danmarks besættelse havde illegale kredse opfordret til demonstrationer, først og fremmest ved at afholde 2 minutters stilhed kl. 12. Best rapporterede til Berlin, at dagen var forløbet fuldstændig normalt.

Der var dog ikke tilfældet. Omkring 1.000 københavnere stod stille på Rådhuspladsen kl. 12, og lignende, fredelige markeringer fandt sted rundt om i landet (KB, Bergstrøms dagbog 9. april 1943).

Se Bests følgende telegram, nr. 414.

Kilde: PA/AA R 29.566. RA, pk. 202.

Telegramm

| Kopenhagen, den | 9. April 1943 | 16.30 Uhr |
| Ankunft, den | 9. April 1943 | 17.10 Uhr |

---

52 Pol I M ... gRs. Telegrammet er ikke lokaliseret.

APRIL 1943

Nr. 411 vom 9.4.[43.]   Citissime!

Für den 9.4.1943, den 3. Jahrestag der Besetzung Dänemarks, waren seitens der deutschen Wehrmacht und der verantwortlichen dänischen Stellen die gleichen Vorbereitungen wie im Vorjahre getroffen worden, um einen reibungslosen Verlauf des Tages sicherzustellen. Die gegnerische Propaganda für diesen Tag war gering. Durch anonyme Hetzzettel wurde dazu aufgefordert, Trauerkleidung zu tragen und um 12 Uhr mittags eine Verkehrsstille und in den Betriebsstätten entsprechende Ruhepause von 1 bis 3 Minuten eintreten zu lassen. Außerdem wurde dazu aufgefordert, sich am Nachmittag auf der Straße zu zeigen und die Lokale, vor allem Vergnügungslokale, zu meiden. Nach den bisherigen Feststellungen wurden diese Parolen nicht befolgt. Das Straßenbild war auch in der Zeit um 12 Uhr völlig normal. In einem oder zwei Fällen konnte festgestellt werden, daß ein Radfahrer anhielt, seine Kopfbedeckung abnahm und nach Ablauf einiger Minuten weiterfuhr. In der Masse der Bevölkerung besteht augenscheinlich keine Neigung, sich an irgendwelchen Demonstrationen zu beteiligen. In Kopenhagen wurde bis jetzt noch kein Fall gemeldet, in dem Halbmast geflaggt wurde. Ebenso liegen aus dem übrigen Lande keinerlei Meldungen über Zwischenfälle vor, während vor einem Jahr bereits bis zum Mittag eine Anzahl solcher Meldungen eingegangen war.

Dr. Best

337. Werner Best an das Auswärtige Amt 9. April 1943

Best skabte og viderebragte sit helt eget gadebillede i Danmark og tillod sig overfor Berlin at sammenligne med, hvordan det havde været et år tidligere under hans forgænger. Freden herskede i Danmark.

Kilde: PA/AA R 29.566. RA, pk. 202.

Telegramm

| Kopenhagen, den | 9. April 1943 | 19.45 Uhr |
| Ankunft, den | 9. April 1943 | 20.45 Uhr |

Nr. 414 vom 9.4.[43.]   Citissime!

Im Anschluß an meinen Drahtbericht Nr. 411[53] vom 9.4.43 teile ich mit, daß bisher Zwischenfälle irgendwelcher Art in Kopenhagen nicht stattgefunden haben und daß nach den Meldungen meiner Außenstellen bisher im ganzen Lande keine besonderen Vorkommnisse bekannt geworden sind. Der Tag ist bisher im Vergleich zum 9. April 1942, wenngleich sich auch damals keine großen Zwischenfälle ereignet haben auffällig ruhig verlaufen. Das Straßenbild in Kopenhagen und im Lande ist absolut normal und die Bevölkerung zeigt kein besonderes Interesse am heutigen Tage.

Dr. Best

53 bei Pol VI. Trykt ovenfor.

338. Werner Best an Hermann von Hanneken 9. April 1943

Best meddelte, at den danske regering pga. landbrugets vanskeligheder med at skaffe arbejdskraft havde til hensigt at udstede en lov, der hindrede at landboungdom under 25 år fremover blev anvist arbejde i håndværks- og byggevirksomheder. Den danske regering ville også lade loven gælde for arbejde for værnemagten. Best havde afvist at lade loven gælde for allerede ansatte ved værnemagtsarbejder, men mente at loven skulle gælde ved nyansættelser. WB Dänemark blev bedt om at lade meddelelsen gå videre.

Den af Best imødesete lov blev ikke vedtaget. Der var i forvejen ved love april 1941 og april 1942 indført bestemmelser, der begrænsede arbejdskraftens afvandring fra landbruget. I foråret 1943 blev der i stedet givet landbruget højere priser for dets produkter for at kompensere for, at arbejdskraften var blevet dyrere (Døssing 1948, s. 137, Jensen 1971, s. 186f.).

Intendant Balnus sendte på WB Dänemarks vegne 20. april 1943 en afskrift af Bests brev til Rüstungsstab Dänemark.

Kilde: BArch, Freiburg, RW 27/8. RA, Danica 1000, T-77, sp. 696 KTB/Rü Stab Dänemark 2. Vierteljahr 1943, zu Anlage 3.

Abschrift! zu Anlage 3
Der Bevollmächtigte des Reichs in Dänemark *Kopenhagen, den 9.4.1943.*
– 5760.7 – A.34a2 –/Dr. H/Har.

An den Befehlshaber der deutschen Truppen in Dänemark
Kopenhagen

Betrifft: Versorgung der dänischen Landwirtschaft mit Arbeitskräften.

Die Arbeitseinsatzlage in Dänemark wird von Tag zu Tag schwieriger. Die dänische Regierung sieht sich schon jetzt nicht mehr in der Lage, den Anforderungen der Landwirtschaft auf Gestellung von Arbeitskräften gerecht zu werden. Sie beabsichtigt daher, ein Gesetz herauszugeben, das die Herausnahme von landwirtschaftlichen Arbeitskräften und vom Lande stammender Jugendlichen bis zu 25 Jahren aus gewerblichen Betrieben vorsah und die künftige Zuweisung solcher Kräfte zu solchen Betrieben verhindern sollte.

Von der dänischen Regierung wurde beantragt, dass diese Massnahmen sich auch auf die Arbeiten für die deutsche Wehrmacht beziehen sollten.

Die Herausnahme der bereits beschäftigten Angehörigen der genannten Gruppen aus den Arbeiten für die Wehrmacht habe ich abgelehnt. Dagegen ist es zur Sicherung der landwirtschaftlichen Produktion Dänemarks tatsächlich erforderlich, dass die Neueinstellung landwirtschaftlicher Arbeitskräfte in gewerbliche Betriebe, auch wenn diese für die deutsche Wehrmacht arbeiten, künftig unterbleibt. Die Arbeiten an den Wehrbauten werden – wie durch Besprechungen festgestellt wurde – hierdurch nicht beeinträchtigt.

Ich bitte, die Ihnen unterstellten Dienststellen entsprechend anzuweisen.

gez. **Best**

APRIL 1943

339. Kriegstagebuch/Admiral Dänemark 9. April 1943

Wurmbach noterede i anledning af årsdagen for 9. april de sikringsforanstaltninger, der var truffet af dansk politi.

Kilde: KTB/ADM Dän 9. april 1943, RA, Danica 628, sp. 3, s. 2026.

[...]

Aus Anlaß der Wiederkehr der Besetzungstage hat dänische Polizei zur besonderen Sicherung des Landes für den 8. und 9. April vorsorglich folgendes angeordnet:

1.) Die Polizei befindet sich im höchsten Alarmzustand.
2.) Zusätzliche uniformierte und zivile Streifen sind allenthalben eingesetzt zur Beobachtung der Straßen und etwa gefährdeter Liegenschaften.
3.) Sämtliche Radiowagen der Polizei sind im Streifendienst eingesetzt.
4.) Alle lebenswichtigen Betriebe und besonders zu schützenden größeren Betrieben sind zusätzlich durch Polizeiposten besetzt.

[...]

340. Werner Best an das Auswärtige Amt 10. April 1943

Best kunne meddele, at der var indgået aftale med UM om, at der ikke længere fremkom engelske og amerikanske annoncer i *Scandinavian Shipping Gazette*.

Kilde: BArch, R 901 60.727.

Durchdruck
Der Bevollmächtigte des Reiches in Dänemark   *10.4.1943.*
K 2/60/43

An das Auswärtige Amt,
    Berlin.

Auf den Erlaß vom 16. März d.Js. – P 5099 –
Betr.: "Scandinavian Shipping Gazette"
2 Durchschläge

Der Pressereferent meiner Behörde hat bei der Presseabteilung des dänischen Außenministeriums gegen die Veröffentlichung englischer und amerikanischer Anzeigen in der Zeitschrift "Scandinavian Shipping Gazette" bereits vor längerer Zeit Beschwerde erhoben. Das dänische Außenministerium hat daraufhin am 24. Februar d.Js. mitgeteilt, daß künftig in der genannten Zeitschrift weder englische noch amerikanische Anzeigen erscheinen würden. Diese Vereinbarung ist eingehalten worden.

gez. Dr. Best

468

APRIL 1943

341. Werner Best an das Auswärtige Amt 10. April 1943

I forbindelse med forhandlingerne med det tyske mindretal forud for rigsdagsvalget i marts havde mindretallets leder Jens Møller gjort klart, at mindretallet heller ikke ønskede at deltage i det forestående kommunevalg. Til gengæld ville mindretallet have observatører i alle kommunale råd. Dette krav blev ikke opfyldt, men mindretallet opnåede at få kommunalvalgene i Nordslesvig aflyst og alle hidtidige mandater forlænget. Det krævede en ændring af valgloven, som Best orienterede AA om. Mindretallets krav på dette punkt blev imødekommet (Noack 1975, s. 148).

Kilde: PA/AA R 29.566. RA, pk. 202 og 237.

Telegramm

| Kopenhagen, den | 10. April 1943 | 14.40 Uhr |
| Ankunft, den | 10. April 1943 | 15.30 Uhr |

Nr. 416 vom 10.4.43.

Im Anschluß an meinen Drahtbericht Nr. 198[54] vom 24.2.43 teile ich mit, daß die dänische Regierung als ersten Gesetzesvorschlag die Änderung des Wahlgesetzes mit dem Ziel einer teilweisen Aussetzung der Kommunalwahlen usw. eingebracht hat. Das Gesetz sieht vor, daß die Kommunalwahlen in den Nordschleswigschen Landesteilen spätestens in der ersten Hälfte des Monats März 1947 stattfinden sollen. Falls die Wahlen dennoch zu einem früheren Zeitpunkt stattfinden werden, haben sie nur Gültigkeit bis zum 31. März 1947. Für die Dauer der Hinausschiebung der Wahlen in Nordschleswig wird im einzelnen u.a. angeordnet, daß Mitglieder, die aus der Kommunalverwaltung ausgetreten oder durch Tod ausgeschieden sind, durch ihren Stellvertreter ersetzt werden. Stellt es sich heraus, daß der Platz des Ausgeschiedenen nicht auf die vorbezeichnete Weise besetzt werden kann, wählen die Mitglieder der Gemeindeverwaltung, die auf derselben Kandidatenliste wie der Ausgeschiedene stehen, in Gemeinschaft mit den Aufstellern der Liste ein neues Mitglied. Aufsteller, die nicht mehr wahlberechtigt für die Kommunalwahlen in der betreffenden Gemeinde sind, können jedoch an der Wahl nicht teilnehmen. Sofern die Anzahl der Personen, die das Recht zur Besetzung des Platzes nach den bestehenden Bestimmungen haben, nicht mindestens 3 beträgt, geht diese Befugnis an die Partei oder den Zusammenschluß über, den die Aufsteller der vorerwähnten Kandidatenliste bei der Einreichung der Liste repräsentieren. Zweifelsfragen sind durch den Innenminister zu entscheiden. Der Innenminister wird ermächtigt, im Falle der später stattfindenden Kommunalwahlen formelle Veränderungen des Wahlgesetzes bezüglich Bekanntmachung des Termins und dergl. zu treffen.

In der Begründung heißt es, daß die Hinausschiebung der Wahlen im Interesse der deutschen Volksgruppe erfolge, die ihre Ansicht bekanntgegeben habe, zurzeit nicht an einer Kommunalwahl teilzunehmen.

Da in Nordschleswig infolge der Verlängerung der Amtstätigkeit der Gemeindevertreter voraussichtlich in einer Reihe von Fällen keine Stellvertreter zum Eintritt mehr vorhanden sind, hat man es für richtig gefunden, in Übereinstimmung mit den allge-

---

54 Presse. Telegrammet er ikke lokaliseret.

APRIL 1943

meinen Regeln des Wahlgesetzes das Gesetz so zu ändern, daß die in der Gemeinde-vertretung befindlichen verschiedenen Gruppen bis zur neuen allgemeinen Wahl ihre Repräsentation gesichert erhalten.

Diese vorstehend wiedergegebene Regelung entspricht im vollen Umfange den Wün-schen der deutschen Volksgruppe und den zwischen dem Staatsminister von Scavenius und mir getroffenen Abmachungen. Das Gesetz ist am Nachmittag des 9. April ange-nommen worden. Der Innenminister hatte bei der Vorlage nochmals auf die "besonde-ren Verhältnisse" hingewiesen, die das Gesetz erforderlich machten. In der Debatte wur-de von Mitgliedern der Sammlungsparteien die Notwendigkeit des Gesetzes anerkannt, wenn man auch das Bedauern darüber zum Ausdruck brachte, daß keine einheitliche und gleichzeitige Kommunalwahl stattfinden könne. Der Abgeordnete Stärmose von Dansk Samling griff den Vorschlag an, insbesondere unter Hinweis darauf, daß damit eine Art Sondergesetzgebung für Nordschleswig geschaffen werde.

Das Gesetz wurde mit 109 Stimmen der Sammlungsparteien gegen die 3 Stimmen der Dansk Samling angenommen.

Dr. Best

342. Paul Otto Schmidt: Aufzeichnung 10. April 1943

Ribbentrop drøftede på et møde 8. april med den italienske statssekretær Guiseppe Bastianini bl.a. de for-holdsregler, der blev brugt og burde anvendes i de besatte områder. Her kom man også ind på forholdene i Norge og Danmark. Ribbentrop talte for Terbovens strenge kurs i Norge, mens han refererede Bests politik som et eksperiment, hvor der blev forsøgt med den bløde hånd og tilnærmelse. Resultatet var, at antallet af sabotager steg, mens de var ophørt i Norge.

Ribbentrop synes her at undsige Bests politik, bortset fra at antallet af sabotager kun var steget beske-dent i de første tre måneder af 1943, mens det er en overdrivelse, at sabotagerne i Norge var hørt op. Selv om forholdene således blev sat på spidsen, er det klart, at Ribbentrop først og fremmest ville overbevise sin gæst om nødvendigheden af skrappe foranstaltninger i de besatte områder. Tilbage er, at Bests politik i Danmark blev betragtet som et eksperiment, noget særligt, hvor mildere former skulle finde anvendelse. Ribbentrop kunne have tilføjet, at Danmark heller ikke havde en besættelsesstatus som noget andet land. Et argument Ribbentrop og AA igen og igen brugte over for andre tyske instanser.

Kilde: RA, pk. 310 (kun første side). LAK, Best-sagen (afskrift i kort uddrag). Kopi i HSB (afskrift i kort uddrag). ADAP/E, 5, nr. 286 (hele dokumentet). Kun et uddrag er medtaget.

Geheime Reichssache   *Salzburg, den 10. April 1943*
Aufz. RAM 19/43 g.Rs

A u f z e i c h n u n g
über die Unterredung zwischen dem RAM und dem Staatssekretär Bastianini
in Anwesenheit der Botschafter von Mackensen und Alfieri im Schloß Klessheim
am 8. April 1943 Nachmittags.

[...]

Allgemein wolle er [Ribbentrop] nur sagen, daß, wenn Rückschläge eintreten sollten, energisch durchgegriffen werden müsse. Man habe dies besonders in Rußland gesehen,

470 APRIL 1943

wo Stalin nach den Niederlagen der Russen mit einer geradezu barbarischen Rücksichtslosigkeit, ja Grausamkeit seinen Willen durchgesetzt habe. Er wolle nicht über Italien sprechen, sondern vielmehr über die besetzten Gebiete, wo sich gezeigt habe, daß man mit weichen Methoden oder dem Bemühen, einen Ausgleich zu finden, nicht weiter komme. Der RAM erläuterte dann seine Gedankengänge durch einen Vergleich zwischen Dänemark und Norwegen. In Norwegen seien brutale Maßnahmen ergriffen worden, die besonders in Schweden lebhaften Widerspruch hervorgerufen hätten. Dabei müsse er daran erinnern, daß nach dem Zusammenbruch Frankreichs dieselben Schweden über die Abtretung Narviks verhandelt haben, die heute über das Schicksal ihrer "norwegischen Brüder" beklagten, denen sie damals ohne weiteres wertvolle Gebiete abnehmen wollten. Das strenge Regime in Norwegen hätte dem Lande einen großen Dienst erwiesen, weil es in großem Ausmaß zum Kriegsschauplatz geworden wäre, wenn Deutschland die Engländer nicht herausgeworfen hätte. In Dänemark habe er mit Hilfe des zum deutschen Vertreter ernannten sehr geschickten Dr. Best, der seinerzeit einer der Mitarbeiter Heydrichs gewesen sei, ein Experiment versucht, um die Wirkung der Methode der leichten Hand und des Ausgleichs festzustellen. Das Ergebnis sei, daß in Norwegen keine Sabotageakte mehr stattfänden, sie in Dänemark dagegen zunähmen.

Auch in Griechenland müsse brutal durchgriffen werden, wenn etwa die Griechen Morgenluft wittern sollten.

[…]

343. Joachim von Ribbentrop an Werner Best 10. April 1943

AA havde kun fundet en begrænset støtte hos OKW mod von Hannekens krav om den danske hærs opløsning. Det var Best, der overbeviste Ribbentrop om, at sagen var det rene pjat og fik ham til at gå til Hitler, så dette telegram kunne fremsendes til Best.

Se Ritters telegram 8. april 1943, samt Bests telegrammer nr. 434 14. april og nr. 437 15. april 1943 (Roslyng-Jensen 1980, s. 139f.).

Kilde: PA/AA R 29.566. RA, pk. 202. ADAP/E, 5, nr. 287.

Telegramm

Fuschl, den	10. April 1943	13.53 Uhr
Ankunft, den	10. April 1943	14.45 Uhr
RAM 105/R		

Nr. 442 vom 10.4.[43.] Geheime Reichssache
1.) Telko
2.) Diplogerma Kopenhagen

Anschluß Drahterlaß Nr. 332[55] vom 5. März 1943 und im Anschluß an die fernmündliche Weisung, die Ausführung dieses Drahterlasses zunächst aufzuschieben.

---

55 Pol. I M 585 gRs. Telegrammet er ikke lokaliseret.

I.) Ich bitte Sie, nunmehr die warnende Mitteilung in folgender Fassung an die dänische Regierung zu richten und sie gleichzeitig dem Kronprinz-Regenten zu eröffnen:

"Die feindselige Haltung des dänischen Heeres und insbesondere vieler Offiziere hat zu größtem Mißtrauen der deutschen Wehrmacht gegen das dänische Heer geführt, so daß von deutscher militärischer Seite im Hinblick auf die Möglichkeit von Kampfhandlungen auf dänischem Boden einschneidende Maßnahmen erwogen werden.

Reichsregierung möchte zur Wahrung ihrer bisher gegenüber Dänemark eingehaltenen Politik von Maßnahmen gegen das dänische Heer absehen, bedarf aber gewisser Garantien. Stärkste Garantie wäre eine erkennbare Änderung der Haltung des dänischen Heeres gegenüber Deutschland. Wenn zum Beispiel die Beurlaubung dänischer Offiziere zum Dienst in der deutschen Wehrmacht offiziell und aufrichtig, das heißt ohne Diffamierung dieser Offiziere bewilligt würde, und wenn eine Anzahl jüngerer dänischer Offiziere hiervon Gebrauch machen würde, könnte das gegenwärtige Verhältnis des Mißtrauens in ein solches des Vertrauens und der Kameradschaft umgewandelt werden. Wenn hingegen eine Verschärfung der Lage eintrete und die geringsten feindseligen Handlungen des dänischen Heeres oder seiner Angehörigen gegen die deutsche Wehrmacht festgestellt würden, so werde der Rest des Heeres unverzüglich aufgelöst werden.

Das Mißtrauen der deutschen Wehrmacht ist neuerdings dadurch noch verstärkt worden, daß durch einen Zufall den deutschen militärischen Stellen in Dänemark bekannt geworden ist, daß von dem dänischen Heer die in Friedenszeiten üblichen geheimen Mobilmachungsvorbereitungen ohne Kenntnis der deutschen militärischen Stellen bis jetzt noch fortgesetzt werden. Seit der militärischen Besetzung Dänemarks durch deutsche Truppen besteht für dänische Mobilmachungsvorbereitungen keine sachliche Begründung mehr. Sie können nur als gegen die deutschen Besatzungstruppen gerichtet gedeutet werden. Die Reichsregierung verlangt daher, daß Mobilmachungsvorbereitungen der dänischen Wehrmacht jeder Art sofort eingestellt werden." -

Schluß der Mitteilung.

II.) Gleichzeitig mit der Ausführung der Instruktion unter Ziffer I. bitte ich, auch den in Ihren Drahtberichten Nr. 276 vom 12. März[56] und 279 vom 13. März[57] erwähnten Zwischenfall des dänischen Minensuchbootes "Söridderen" zu verwerten.[58]

III.) Ich bitte, dem Befehlshaber der deutschen Truppen in Dänemark General von Hanneken vorher von dieser Weisung Kenntnis zu geben.

N.d.H. RAM

Vermerk:
Unter Nr. 502 an Diplogerma Kopenhagen weitergeleitet.
Tel. Ktr., 10.4.1943.
17.20 [Uhr]

---

56 Pol. VI. Trykt ovenfor.
57 Bests telegram nr. 279 er gengivet i AAs brev til OKW og OKM 15. marts 1943.
58 Se Barandon til AA 14. april 1943.

344. Kriegstagebuch/Admiral Dänemark 11. April 1943

Luftwaffe havde efter indstilling fra BSN givet ordre om, at der uden varsel kunne skydes på alle danske fiskefartøjer, der befandt sig uden for de tilladte områder. Wurmbach foretrak beslaglæggelser i stedet og havde henvendt sig til Best for at få det retlige grundlag herfor undersøgt. Der ville blive sendt repræsentanter fra OKM og Rigsjustitsministeriet til København for at drøfte sagen (se KTB/ADM Dän 28. marts, BSN til OKM 29. marts og KTB/ADM Dän 30. april 1943).

Kilde: KTB/ADM Dän 11. april 1943, RA, Danica 628, sp. 3, s. 2028f.

[...]

OB. d. L. befiehlt auf Anregung BSN warnungslosen Kampfeinsatz gegen alle innerhalb des Nordseewarngebietes oder westwärts davon angetroffenen dän. Fischereifahrzeuge.

Adm. Dän. vertrat gegenüber einer diesbezügl. Forderung des BSN den Standpunkt, daß *Beschlagnahme* außerhalb der erlaubten Fischereigrenzen angetroffenen Fahrzeuge zu Gunsten des Deutschen Reiches der Vernichtung durch Kampfeinsatz vorzuziehen ist.

Adm. Dän. beantragte daher beim Bevollmächtigten des Deutschen Reiches in Kopenhagen eine Prüfung der rechtlichen Möglichkeiten für ein solches Vorgehen.

OKM/Skl wird gem. FS vom 10.4. einen Vertreter des Reichsjustizministeriums sowie 2 Vertreter der Seekriegsleitung nach Kopenhagen entsenden, um mit dem Bevollmächtigten des Deutschen Reiches die Rechtsgrundlage für die Einziehung dän. Fischereifahrzeuge zu besprechen.

[...]

345. Werner Best an das Auswärtige Amt 12. April 1943

Best vendte sig mod tilførslen til Danmark af yderligere tysk personale, der ikke kom under hans kontrol. Således da Wehrmachtsbefehlshaber K-Ausland ville oprette et permanent kontor i København til at tage sig af de danske frivillige hos værnemagten. Best fik von Hannekens tilslutning til, at et sådant kontor ikke havde nogen værdi og bad AA om, at OKW handlede derefter.

Se også telegram nr. 471, 22. april 1943.

Kilde: PA/AA R 29.566. RA, pk. 202.

Telegramm

| Kopenhagen, den | 12. April 1943 | 18.00 Uhr |
| Ankunft. | 12. April 1942 | 18.30 Uhr |

Nr. 424 vom 12.4.[43.]

Unter Bezugnahme auf den Drahterlaß Nr. 455[59] vom 30.3.43 berichte ich:

Am 10.4.43 hat der Major Bongart vom WBK-Ausland bei mir vorgesprochen, um mit mir die Frage der Errichtung einer Außenstelle des WBK-Ausland in Kopenhagen zu besprechen. Er betonte, daß er lediglich einen Befehl des OKW vollziehe, wenn

59 R 7300. Telegrammet er ikke lokaliseret.

er hier die Einrichtung der Außenstelle vorbereite, und gab zu verstehen, daß er die Einwendungen, die von mir und vom Auswärtigen Amt gegen die Errichtung der Außenstelle erhoben werden, durchaus würdige. Ich erklärte ihm nochmals eindeutig, daß für eine Änderung der bisherigen Regelung kein sachlicher Grund vorliege und daß die Einrichtung der Außenstelle einen nicht zu verantwortenden überflüssigen Aufwand an Personal und Material bedeuten würde. In einer heute geführten Aussprache mit dem Befehlshaber der deutschen Truppen in Dänemark General von Hanneken erklärte mir dieser, daß er auf die Einrichtung einer ständigen Außenstelle des WBK-Ausland keinerlei Wert lege. Er habe lediglich darum gebeten, daß die Wehrerfassung der dänischen Freiwilligen, die er zur Zeit bei der Flak und bei anderen unterstellten Einheiten einstelle, in der schnellsten und einfachsten Weise bearbeitet werde. Nach seiner Auffassung und seinem Wunsche solle nur die Arbeit, die sonst beim WBK-Ausland in Berlin mit größerem Zeitverlust geleistet werde, nach Kopenhagen verlagert werden. Wenn die Wehrerfassung der zur Zeit geworbenen Freiwilligen bearbeitet sei, sollen die hiermit befaßten Kräfte wieder nach Berlin zurückkehren. Er wünsche nicht, daß die Wehrüberwachung der reichsdeutschen oder etwa auch der dänischen SS-Freiwilligen von dieser Außenstelle übernommen und dauernd ausgeübt werde.

Ich bitte, mit dem OKW nunmehr eine den Erklärungen des Generals von Hanneken entsprechende Regelung zu vereinbaren.

Dr. Best

346. Werner Best an Joachim von Ribbentrop 12. April 1943

I endnu et forsøg på at få Hitlers forhold til det danske kongehus normaliseret blev det foreslået Ribbentrop, at Christian 10. sendte en fødselsdagshilsen til Hitler. Best opgav initiativet som statsminister Erik Scavenius'.

Svaret indløb med Ribbentrops telegram 14. april 1943.
Kilde: PA/AA R 29.566. ADAP/E, 5, nr. 296.

Telegramm

| Kopenhagen, den | 12. April 1943 | 19.30 Uhr |
| Ankunft, den | 12. April 1943 | 20.00 Uhr |

Nr. 425 vom 12.4.[43.]   Citissime

Für Herrn Reichsaußenminister persönlich.

Der Staatsminister von Scavenius hat mir heute mitgeteilt, daß der König von Dänemark auf seinen – des Staatsministers – Vorschlag am 20. April 1943 das folgende Telegramm an den Führer zu senden beabsichtigt:

"Zum heutigen Geburtstag bitte ich Sie, Herr Reichskanzler, meine aufrichtigsten Glückwünsche entgegenzunehmen. Christian."

Ich bitte um Mitteilung, ob damit zu rechnen ist, daß der König auf dieses Glückwunschtelegramm einen Dank des Führers erhält. Dabei darf ich darauf hinweisen, daß es für den Staatsminister von Scavenius, von dem die Initiative zu diesem Glückwunsch ausgeht, innenpolitisch sehr nachteilig wäre, wenn der Glückwunsch des Königs entweder von vornherein als unerwünscht bezeichnet würde oder ohne entsprechenden Dank des Führers bleibe. Andererseits würde es auf die dänische Öffentlichkeit sehr günstig wirken und die Stellung des Staatsministers stärken, wenn der Telegrammwechsel stattfände und veröffentlicht würde, weil hierdurch bewiesen würde, daß der König von sich aus seinen gegenüber dem Führer gemachten Fehler wiedergutmacht und daß der Führer diese Wiedergutmachung großzügig annimmt. Diese Wiederherstellung eines normalen persönlichen Verhältnisses zwischen dem König und dem Führer würde – wie schon die Aufnahme meiner Verbindung zum Könighaus – weiter dämpfend und hemmend auf die konservativen und nationalistischen Kreise in Dänemark wirken.

Dr. Best

347. Paul Kanstein an Rudolf Brandt 12. April 1943

På Bests vegne skrev Kanstein med Brandt som mellemmand til RFSS om DNSAP-medlemmerne F.M. Knuth og Ejnar Jørgensen, som begge havde undgået dansk retsforfølgelse ved at melde sig til SS. Det gjorde et dårligt indtryk i Danmark.

Himmler lod brevet gå videre til Gottlob Berger, der straks lod Knuth sende til Danmark til retsforfølgelse, mens Ejnar Jørgensen på anmodning af Sturmbannführer Wodschow forblev i SS som Untersturmführer. Berger skrev dette til Kanstein, idet han fremover bad ham om at sende sådanne breve direkte til sig (breve af 5. og 12. maj i BArch, NS 19/3473).

Kilde: BArch, NS 19/3473. RA, Danica 1069, sp. 6, nr. 7087-89. RA, Danica 1000, T-175, sp. 17, nr. 520.944f. RA, pk. 443. Lauridsen 2008a, nr. 75.

Der Bevollmächtigte des Reiches in Dänemark *Kopenhagen, den 12.4.1943.*
II L

An den Persönlichen Stab des Reichsführer-SS
   zu Hd. SS-Obersturmbannführer Dr. Brandt
   Berlin SW 11
   Prinz Albrecht Str. 8
   Feld-Kommandostelle

Lieber Kamerad Brandt!
Gruppenführer Dr. Best bittet Sie, dem Reichsführer gelegentlich folgendes vorzutragen:

Es haben sich mehrere Fälle ereignet, in welchen dänische Staatsangehörige den Versuch gemacht haben, sich durch Eintritt in die Waffen-SS der Verantwortung gegenüber der dänischen Behörden oder Gerichten zu entziehen. Beispiele dafür sind der Fall des Grafen Knuth, der vor einiger Zeit Angehöriger der Waffen-SS wurde, um der Bestrafung wegen Blutschande zu entgehen – er ist nach Bekanntwerden dieses Sachverhalts aus der Waffen-SS wieder entlassen und dann hier vom dänischen Gericht zu 5 Jahren Gefängnis verurteilt worden[60] – und der Fall des politischen Leiters der DNSAP Ejnar Jörgensen, der wegen Organisation eines Demonstrationszuges der DNSAP zu 3 Monaten Gefängnis verurteilt worden war und auch, ohne meine und der hiesigen Waffen-SS-Dienststelle Kenntnis, der Form halber in die Waffen-SS aufgenommen worden ist, um die Vollstreckung des Urteils unmöglich zu machen. Im Falle Ejner Jörgensen ist die Angelegenheit noch dadurch kompliziert worden, daß er gegen das Urteil erster Instanz Berufung eingelegt hat und unmittelbar darauf in die Waffen-SS aufgenommen worden ist, so daß auch das Strafverfahren selbst in der Schwebe blieb. Diese Sache hat dadurch einen üblen Beigeschmack erhalten, daß Ejnar Jörgensen in den letzten Tagen auf einer DNSAP-Versammlung herabsetzende Ausführungen über die Waffen-SS gemacht und sich damit als durchaus ungeeignet erwiesen hat, der Waffen-SS auch innerlich anzugehören. Eine weitere Verwicklung hat sich dadurch ergeben, daß Ejnar Jörgensen bei der letzten Wahl ein Folketings-Mandat für die DNSAP erhalten hat, daß er dieses Mandat aber nicht ausüben kann, solange er Angehöriger der Waffen-SS ist, da er als solcher nicht dem dänischen Recht untersteht. Da auch die Waffen-SS selbst nach den erwähnten letzten Vorgängen keinen Wert darauf legt, Jörgensen länger in ihren Reihen zu sehen, ist inzwischen sein formloses Ausscheiden aus der Waffen-SS veranlaßt worden. Was die Bestrafung Ejnar Jörgensens mit 3 Monaten Gefängnis anbetrifft, so habe ich, da die Vollstreckung der Strafe aus politischen Gründen unerwünscht war, veranlaßt, daß das dänische Justizministerium Jörgensen begnadigt.[61]

Übrig bleibt, daß der Fall Ejnar Jörgensen, ebenso wie der des Grafen Knuth, auf dänischer Seite den schlechtesten Eindruck hinterläßt und daß derartige Vorgänge alles andere als werbend für die Waffen-SS wirken.

Inzwischen wird bekannt, daß, angeregt durch diese anderen Beispiele, der Redakteur der Zeitschrift "Kamptegnet" (des dänischen Stürmers) die antijüdische Weltliga in Nürnberg gebeten hat, auch ihm den Eintritt in die Waffen-SS zu vermitteln.[62] Bei ihm ist die Veranlassung, daß er vom dänischen Gericht wegen Verleumdung zu Gefängnisstrafe verurteilt worden ist; er hat in seiner Zeitschrift über einen Warenhausbesitzer wegen dessen angeblichen Verkehrs mit einer jüdischen Angestellten Behauptungen aufgestellt, die er nachher nicht hat beweisen können.[63] Ich weiß nicht, ob ein entsprechender Antrag auch schon beim Reichsführer oder beim Amt IV des SS-Hauptamts vorliegt. Fest steht, daß eine Aufnahme Aage H. Andersens in die Waffen-SS unter diesen Umständen genau so abträglich für das Ansehen der Waffen-SS und für unser deutsches Ansehen überhaupt sein würde, wie das in den beiden anderen vorbezeichneten Vorgängen der Fall ist.

---

60 Lensgreve F.M. Knuth, tidligere sysselleder i DNSAP, blev 11. april 1942 idømt fem års fængsel for incest (Lauridsen 2002a, s. 512).

61 Ejnar Jørgensen var en af DNSAPs betydeligste ledere. Han blev 3. august 1942 idømt tre måneders fængsel, som Best fik ham benådet for (Lauridsen 2002a, s. 510f.).

62 Det var Aage H. Andersen, som det fremgår nedenfor.

63 Aage H. Andersen var sammen med Olga Eggers ved Højesteret 29. marts 1943 blevet idømt 80 dages fængsel for æresfornærmelse mod Peter M. Daell og dennes sekretær. Han blev ikke optaget i SS, men opholdt sig i Tyskland til januar 1944, da han vendte hjem uden at blive retsforfulgt (Lauridsen 2002a, s. 474).

Soweit dänische Staatsangehörige, die uns nahe stehen, aus politischen Gründen verfolgt werden, wird ihnen von uns sowieso geholfen. Das ist im Falle Ejnar Jörgensen, wie ausgeführt, geschehen, und das wird auch im Falle Aage H. Andersen geschehen. Dazu ist aber nicht der Umweg über den Schein-Eintritt in die Waffen-SS nötig.

Gruppenführer Dr. Best bittet deshalb den Reichsführer, er möge das Verfahren, dänische Staatsangehörige in die Waffen-SS aufzunehmen, nur zu dem Zweck, um sie der dänischen Gerichtsbarkeit zu entziehen und sie der Verantwortung ihrem Lande gegenüber zu entheben, für die Zukunft grundsätzlich verbieten.

Ich wäre Ihnen sehr dankbar, wenn Sie mich über die Entscheidung des Reichsführers unterrichten würden.

Heil Hitler!
Ihr
gez. **Kanstein**

348. Hermann von Hanneken: Besprechung 13. April 1943

På et møde i WB Danmarks hovedkvarter var der vedrørende situationen i Danmark to punkter på programmet. For det første ressortfordelingen mellem von Hanneken og Best: von Hanneken skulle holde sig fra det politiske farvand, som det blev formuleret i referatet. For det andet var den rigsbefuldmægtigede ansvarlig for opstilling af gidsellister. Udarbejdede gidsellister ved de militære tjenestesteder skulle gennem von Hanneken stilles til rådighed for Best (se AA til OKW 20. marts 1943 vedrørende gidsellisterne).

Kilde: RA, Danica 1069, sp. 3, nr. 03.380ff. (uddrag, drøftelse af den internationale situation er udeladt).

Ia 34/43 g. K Geheime Kommandosache

Am 13.4.43 fand in Silkeborg eine durch den Bef. Dän. geleitete Besprechung statt, an der außer Offizieren der Luftwaffe die Div. Kdre. und Ia der in Jütland stationierten Divisionen teilnahmen.

Nachstehend ein stichwortartiger Überblick über die Ausführungen des Befehlshabers.

Lage Dänemark

Eine gewisse Änderung im Verkehr mit dänischen Behörden ist in Aussicht genommen, wonach alle Verhandlungen mit der dän. Regierung durch den Bevollmächtigten geführt und lediglich die die mil. Verteidigung betreffenden Fragen durch den Befehlshaber geregelt werden. Damit Abgleiten der Zusammenarbeit mit der dän. Regierung von dem bisher rein mil. in ein rein politisches Fahrwasser. Von dieser Neuregelung wird vom Heer im wesentlichen nur die Kommandobehörde des Befehlshabers selbst betroffen werden.

Geisellisten

Für die listenmäßige Festlegung von Geiseln ist der Reichsbevollmächtigte verantwortlich. Aufstellung der Geisellisten innerhalb der Standorte geschieht durch die Dienst-

APRIL 1943

stellen der Wehrmacht, die über den Befehlshaber dem Reichsbevollmächtigten zugänglich gemacht werden.

[...]

349. Gottlob Berger an Rudolf Brandt 13. April 1943

Efter konsultation med Best kunne Berger meddele, at det ikke lod sig gøre at skaffe danske uniformer til SS som ønsket af RFSS 3. marts. Det var von Hanneken, der rådede over lagrene, og han havde allerede besvær med at skaffe nok til de folketyske tidsfrivillige.

Med det svar havde Best vist Himmler sin gode vilje til at efterkomme hans ønske, men at dets realisering var forhindret af en anden tysk instans uden for Bests kompetenceområde.

Kilde: RA, pk. 443.

Geheim

Der Reichsführer-SS   *Bln.-Wilmersdorf, am 13.4.1943*
Chef des SS-Hauptamtes
Germanische Leitstelle
Amtsgruppe D
VS-Tgb. Nr. 1420/43 geh.
D-Tgb. Nr. 691/43 geh. Dr. R./vB.

Betr.: Ankauf dänischer Uniformen

An SS-Obersturmbannführer Dr. Brandt,
    Persönlicher Stab Reichsführer-SS
    Berlin SW 11
    Prinz-Albrecht-Str. 9.

Lieber Doktor!
Der Reichsführer hatte seinerzeit befohlen, in Dänemark wegen dänischer Uniformen Umschau zu halten. Ich habe Gruppenführer Best mit der Angelegenheit beauftragt und erhalte nun folgende Mitteilung, die ich an den Reichsführer weiterzuleiten bitte:

Ein Aufkauf von dänischen Uniformen oder Uniform-Stoffen ist leider nicht möglich. Beides gibt es nur noch in den Beständen der dänischen Wehrmacht, über die allein der Befehlshaber der deutschen Truppen verfügt, soweit diese Bestände für deutsche Zwecke in Anspruch genommen werden sollen. General v. Hanneken hat bereits Mühe, die reichsdeutschen und volksdeutschen Zeitfreiwilligen daraus zu uniformieren, so daß eine weitere Abgabe nicht möglich ist.

Heil Hitler!

Ihr

G. Berger
SS-Gruppenführer

350. Emil Geiger an Horst Wagner 13. April 1943

CdO havde 13. april endnu ikke fået svar på telegrammet af 31. marts vedrørende en politibataljon til Danmark, og Geiger foreslog Wagner indholdet af et telegram, som skulle sendes til gesandtskabet i København.

Kilde: RA, pk. 229.

Telegramm

Berlin, den   13. April 1943

Geheim   Geh. Verm. für Geheimsachen
Diplogerma   Akt. Z. Inl. II 891 g
Consugerma Haus Fuschl
Nr. 954   Citissime!
Referent: VK Geiger

Für LR Wagner:
Vorgänge: Telegramm Nr. 403 vom 8. April d.J. der Gesandtschaft Kopenhagen.[64]

Von dem Sachbearbeiter beim Chef der Ordnungspolizei, Oberstleutnant Petersdorff, wird mir mitgeteilt, daß Herr Reichsaußenminister der Abstellung des in Frage stehenden Polizei-Bataillons nach Dänemark zugestimmt habe. Diesbezügliche Weisung ist mir bisher nicht zugegangen. Oberstleutnant Petersdorff bittet nunmehr, bei dem Bevollmächtigten des Reichs in Kopenhagen anzufragen, welcher Ausladebahnhof und Unterbringungsort für das Bataillon in Frage kommt.

Ich bitte um Weisung, ob nachstehendes Telegramm nunmehr an Gesandtschaft Kopenhagen gesandt werden kann:

"Chef Ordnungspolizei beabsichtigt, das I pol. 25 "Cholm" (z.Zt. Generalgouvernement) in Dänemark einzusetzen.

Erbitte umgehende Mitteilung durch FS, wohin das Bataillon in Marsch gesetzt werden soll, Angabe Ausladebahnhofs und Unterbringungsort. Wagner".

Geiger

351. Werner Best an das Auswärtige Amt 14. April 1943

Best viderebragte statsminister Erik Scavenius' mundtlige svar på den tyske advarsel til den danske regering angående hærens indstilling (se Ribbentrops telegram 10. april). Best refererede svaret på en måde, som var der den bedste samklang mellem de to regeringer (Roslyng-Jensen 1980, s. 140).

Kilde: PA/AA R 29.566. RA, Danica 1069, s. 12, nr. 15.365. RA, pk. 202.

64 Trykt ovenfor.

APRIL 1943 *479*

Telegramm

| Kopenhagen, den | 14. April 1943 | 18.25 Uhr |
| Ankunft | 14. April 1943 | 19.10 Uhr |

Nr. 434 vom 14.4.43.

Auf Telegr. vom 10. Nr. 502[65] berichte ich, daß ich heute dem Staatsminister Scavenius die angeordnete Mitteilung eröffnet habe. Der Staatsminister erwiderte, daß ihm die gesinnungsmäßige Einstellung des dänischen Offizierskorps leider nur zu gut bekannt sei. Er bat aber dringend die Reichsregierung möge davon überzeugt sein, daß die dänische Wehrmacht sich entsprechend den ihr erteilten Befehlen stets unbedingt loyal verhalten und sich niemals zu den geringsten feindseligen Handlungen gegen die deutsche Wehrmacht hinreißen lassen werde.

Der Staatsminister beabsichtigt, auf Grund der Mitteilung die folgenden Maßnahmen einzuleiten:

1.) Einstellung aller etwa noch routinemäßig betriebenen Mobilmachungsarbeiten dänischer Wehrmacht.

2.) Erleichterungen für die dänischen Offiziere, die sich zur deutschen Wehrmacht beurlauben lassen wollen. (Insbesondere Anrechnung der in der deutschen Wehrmacht verbrachten Dienstzeit auf die dänische Offizierslaufbahn).

3.) Ausarbeitung von Vorschlägen, die auf eine engere Fühlungnahme zwischen der dänischen Wehrmacht und der deutschen Wehrmacht zielen (insbesondere Kommandierung dänischer Offiziere zur deutschen Wehrmacht zu Ausbildungszwecken).

Außerdem stimmte der Staatsminister meiner Auffassung zu, daß dem dänischen Offizierskorps durch eine Meinungsäußerung des Königs beziehungsweise des Kronprinz-Regenten zu verstehen gegeben werden müsse, daß eine feindselige Haltung gegenüber der deutschen Wehrmacht nicht gewünscht wird, und daß vielmehr eine engere Fühlungnahme mit der deutschen Wehrmacht im Interesse der dänischen Wehrmacht läge.

In diesem Sinne wird morgen (am 15. April) meine Besprechung mit dem Kronprinz-Regenten in Gegenwart des Staatsministers geführt werden.

Über die Maßnahme und Vorschläge der dänischen Regierung werde ich berichten, sobald ich entsprechende Mitteilungen von dem Staatsminister erhalte.

Dr. Best

352. Joachim von Ribbentrop an Werner Best 14. April 1943

Ribbentrop afviste, at Christian 10. skulle søge kontakt til Hitler med en fødselsdagshilsen, som Best havde fremsat forslag om 12. april. Ribbentrop var klar over Hitlers uforsonlighed i dette spørgsmål.

Best forsøgte sig dog endnu engang, som det fremgår af telegram nr. 435 den følgende dag (Thomsen 1971, s. 134).

Kilde: PA/AA R 29.566. RA, pk. 202.

65 RAM 105/R gRs. (Sonderzug 442). Trykt ovenfor.

Telegramm

Sonderzug	14. April 1943	16.06 Uhr
Ankunft	14. April 1943	17.30 Uhr

RAM 116/R
Nr. 462 vom 14.4.[43.]

1.) Telko
2.) Deutsche Gesandtschaft Kopenhagen
Für Reichsbevollmächtigten persönlich.

Auf Telegr. Nr. 425[66] vom 12.4.

Es erscheint uns nicht erwünscht, den Telegrammwechsel zwischen dem Führer und dem König von Dänemark, der durch das ungehörige Telegramm des Königs vom Herbst vorigen Jahres abgebrochen ist, jetzt wieder aufzunehmen. Ich bitte Sie deshalb, Herrn von Scavenius in geeigneter Form vertraulich mitzuteilen, Sie hätten sich die Angelegenheit eines Telegramms des Königs an den Führer, von der er Ihnen dieser Tage gesprochen habe, nochmals überlegt und seien dabei zu dem Ergebnis gekommen, daß es das Zweckmäßigste sei, von der Absendung eines Telegramms des Königs Abstand zu nehmen. Der König würde nach dem Vorkommnis im vergangenen Jahr ein solches Telegramm sicher nicht einer inneren Regung folgend schicken und der Führer lege, wie Sie orientiert seien, auf solche Formalitäten keinen Wert, so daß es Ihnen besser schien, das Thema in Berlin gar nicht erst anzuschneiden. Lediglich durch das ungehörige Antworttelegramm des Königs vom vergangenen Herbst habe dieses an sich bedeutungslose Thema vorübergehend für die deutsch-dänischen Beziehungen Bedeutung bekommen.

Ribbentrop

353. Paul Barandon an das Auswärtige Amt 14. April 1943

Barandon orienterede om UMs anstrengelser for at få de personer, der flygtede til Sverige med "Søridderen" udleveret (se herom Bests telegram nr. 276, 12. marts til AA). Ministeriet havde gjort, hvad det kunne, men det negative resultat var ikke overraskende på grund af sagens politiske karakter.

AA sendte 20. april 1943 en afskrift af Barandons indberetning til OKW og OKM i tilknytning til skrivelsen af 9. april 1943 (Pol VI 413), der ikke er lokaliseret. Barandon fulgte op på sagen til AA 20. maj 1943.

Kilde: BArch, RM 7/1187. RA, Danica 628, sp. 7, nr. 5291-93.

Abschrift Pol VI 478
Der Bevollmächtigte des Reiches in Dänemark   *Kopenhagen, den 14. April 1943*
Tgb. Nr.: I A/179/43

---

66 Prot (V.S.). Trykt ovenfor.

APRIL 1943

Im Anschluß an die Drahtberichte Nr. 276 und 279 vom 12. und 13.3.43[67]
Betr.: Überfall auf die dänische M-Boot "Söridderen" am 10.3.1943.

An das Auswärtige Amt

Die Schwedische Regierung und die Schwedischen Behörden haben sich bis jetzt allen Anträgen der Dänischen Regierung und der dänischen Polizei gegenüber recht negativ verhalten. Obwohl die zehn geflüchteten Dänen polizeilich festgenommen und vorläufig interniert worden sind, haben die nach Schweden entsandten dänischen Polizeibeamten die Namen der zehn Männer nicht erfahren und auch keine Einsicht in die Vernehmungsakten erhalten. Fünf Namen sind inzwischen hier durch die dänischen Behörden festgestellt worden, die Namen der fünf anderen Täter sind noch unbekannt.

Das Dänische Außenministerium hat folgende Schritte unternommen:

Am 12. März erging eine telefonische Weisung an die Dänische Gesandtschaft in Stockholm wonach der Schwedischen Regierung ein Auslieferungsersuchen wegen der zehn Dänen (davon fünf namentlich genannt) auf Grund des Art. 1 Nr. 10, 11, 14, 21 und 26 des dänisch-schwedischen Auslieferungsvertrages anzukündigen und gleichzeitig das Ersuchen zu stellen war, einstweilen die Flucht der Angeschuldigten zu verhindern. Das Auslieferungsersuchen wurde dann der Dänischen Gesandtschaft in Stockholm mit Erlaß des Außenministeriums vom 16. März übermittelt, in dem dem Ersuchen beigefügten dänischen Gerichtsbeschluß wird die Auslieferung wegen Vergehen gegen §§ 51 und 43 des dänischen Militärstrafgesetzbuches vom 7. Mai 1937 und gegen §§ 260, 261, 244, 276 und 285 des dänischen Bürgerlichen Strafgesetzbuches vom 15. April 1930 verlangt. Außerdem erhielt der Dänische Gesandte in Stockholm Kammerherr Kruse durch einen Brief des Staatssekretärs Svenningsen vom 17. März den Auftrag, der Schwedischen Regierung mitzuteilen, welchen besonderen Wert die Dänische Regierung auf die Auslieferung lege. Für den Fall, daß die Schwedische Regierung sind darauf berufen sollte, daß es sich um politische Vergehen handle, wurde der Gesandte beauftragt, gemeinsam mit einem der nach Schweden entsandten dänischen Polizeibeamten die Verhandlung auf einer breiteren Basis zu führen und zu betonen, wie unbillig es sein würde, wenn derartige Verbrecher der Auslieferung entschlüpfen sollten.

Etwa eine Woche später, am 25. März, als die Befürchtung einer ablehnenden Antwort wuchs, wurde dem Dänischen Geschäftsträger in Stockholm der Auftrag erteilt, für den Fall einer Ablehnung der Auslieferung seitens der Schwedischen Regierung wieder eine Note folgenden Inhalts zu überreichen:

"Hierdurch beehre ich mich, den Empfang der Note Eurer Exzellenz von .... zu bestätigen, mit der Sie mir zu meinem großen Bedauern mitgeteilt haben, daß die Schwedische Regierung sich nicht in der Lage sieht, dem Wunsche der Dänischen Regierung nach Auslieferung des Matrosenanwärters Palle Lansö und 9 anderer dänischer Staatsangehöriger, die verschiedene schwere Verbrechen an Bord des dänischen Minensuchbootes "Söridderen" begangen haben und darauf mit Hilfe eines Beibootes des "Söridderen", in dessen Besitz sie sich unrechtmäßigerweise gebracht hatten, in Schweden

---

67 Begge telegrammer er trykt ovenfor. Det sidstnævnte indsat i AA til OKW og OKM 15. marts 1943.

an Land gegangen sind, stattzugeben.

Auf Befehl meiner Regierung erlaube ich mir, die Aufmerksamkeit Eurer Exzellenz auf die Tatsache zu lenken, daß die von den 10 Personen begangenen Verbrechen zum Teil innerhalb der schwedischen Hoheitsgewässer begangen wurden, weshalb man davon ausgeht, daß die Betreffenden vor einem schwedischen Gerichtshof zur Verantwortung gezogen werden. Hiergegen würde von dänischer Seite kein Einspruch auf Grund der Exterritorialität erhoben werden.

Die Dänische Regierung muß Wert darauf legen, daß die 10 Personen keine Gelegenheit erhalten, Schweden zu veranlassen, um in irgendein anderes Land als Dänemark zu reisen, und wäre aus diesem Grunde sehr dankbar, wenn die Schwedische Regierung dafür Sorge tragen wollte, daß eine solche Ausreise aus Schweden nicht stattfindet.

Schließlich habe ich, ebenfalls auf Befehl meiner Regierung, die Ehre, Eure Exzellenz, zu ersuchen, mich gütigst von den Dispositionen in Kenntnis zu setzten, die von Seiten der schwedischen Behörden bezüglich dieser 10 dänischen Staatsangehörigen getroffen worden sind."

Unter dem 29. März berichtete die Dänische Gesandtschaft, daß die Angelegenheit nach einer Mitteilung des Schwedischen Außenministeriums dem Justizdepartement übergeben sei. Schließlich berichtete Kammerherr Kruse am 9. April telefonisch folgendes: Die Gesandtschaft habe vom Schwedischen Außendepartement eine Note erhalten, in welcher mitgeteilt wird, die Schwedische Regierung sei der Ansicht, daß § 5 des dänisch-schwedischen Auslieferungsvertrages vom 17. Juni 1913 der Auslieferung der vom M-Boot "Söridderen" in Schweden an Land gegangenen Personen entgegenstehe, und daß die Regierung daher am 2. April gemäß § 15 des schwedischen Auslieferungsgesetztes vom 4. Juni 1913 beschlossen habe, das Auslieferungsersuchen abzulehnen. Nach Empfang dieser Note habe die Gesandtschaft sogleich den Auftrag vom 25. März ausgeführt und die Note überreicht, worin gebeten wird, die zehn Verbrecher zum mindesten am Verlassen des Landes (außer nach Dänemark) zu hindern.

Ich bitte, aus dem Obigen zu entnehmen, daß das Dänische Außenministerium alles in seiner Macht stehende getan hat, um die Auslieferung zu erreichen. Andererseits war es nicht gerade überraschend, daß die Schweden sich auf den politischen Charakter der Straftaten beriefen.

Über den weiteren Verlauf der Angelegenheit werde ich berichten.

In Vertretung

gez. **Dr. Barandon**

354. Werner Best an Joachim von Ribbentrop 15. April 1943

Med udsigt til bl.a. forestående dødsstraffe og stemninger i hofkredse søgte Best en sidste gang med et forslag om en kongelig kontakt til Hitler. Kronprinsen skulle i stedet for kongen selv sende en fødselsdagshilsen til Hitler. Best betegnede det som en "Mittelweg."

Best fik svar 17. april af Rintelen (Thomsen 1971, s. 134).

Kilde: PA/AA R 29.566. RA, pk. 202.

APRIL 1943

Telegramm

Kopenhagen, den	15. April 1943	11.40 Uhr
Ankunft, den	15. April 1943	13.00 Uhr

Nr. 435 vom 15.4.[43.]   Citissime!

Für Reichsaußenminister persönlich.

Auf Telegramm vom 14. Nr.[68] vom 14. April berichte ich, daß die Mitteilung, ein Glückwunsch des Königs sei unerwünscht, für den Staatsminister von Scavenius einen schweren Schlag bedeuten würde, da seine innerpolitische Stellung durch die zur Zeit laufende Aktion betr. das dänische Heer und durch die zu erwartende Erregung über in den nächsten Tagen ergehende deutsche Todesurteile gegen Dänen an sich schon sehr schwierig ist.[69] Sein stärkstes politisches Aktivum, daß ihm die Beilegung der Krise des letzten Herbstes gelungen sei, würde durch die Ablehnung des auf seinen Vorschlag beabsichtigten Glückwunsches des Königs, die über die Hofkreise im Land bekannt würde, stark erschüttert. Wäre nicht wenigstens der Mittelweg möglich, daß ich einen Glückwunsch des Kronprinz-Regenten vorschlage, der ja statt des Königs, der wegen seiner Krankheit noch keinen Kontakt mit uns aufgenommen hat, die Geschäfte führt und der sich bis jetzt durchaus entgegenkommend gezeigt hat?

Dr. Best

355. Werner Best an das Auswärtige Amt 15. April 1943

Best berettede om audiensen hos kronprins Frederik i selskab med statsminister Erik Scavenius. Kronprinsen havde demonstreret sin gode vilje.

   Kilde: PA/AA R 29.566. RA, Danica 1069, sp. 12, nr. 15.366. RA, pk. 202.

Telegramm

Kopenhagen, den	15. April 1943	17.15 Uhr
Ankunft, den	15. April 1943	17.50 Uhr

Nr. 437 vom 15.4.[43.]

Auf Telegramm vom 10. Nr. 502[70] und im Anschluß an Drahtbericht Nr. 434[71] vom 14. April berichte ich, daß ich heute dem Kronprinz-Regenten in Gegenwart des Staatsministers von Scavenius die angeordnete Mitteilung eröffnet habe. Ich fügte die Auffor-

---

68 Nr. 514 (Fuschl Nr. 462) bei Prot. Trykt ovenfor.
69 Den første dødsdom blev meddelt i dagspressen 8. maj 1943 (Bindsløv Frederiksen 1960, s. 363).
70 RAM 105/R g.Rs. – Fuschl Nr. 442 –. Trykt ovenfor.
71 bei Pol I M. Trykt ovenfor.

derung hinzu, daß namens des Königs nachdrücklich auf das dänische Offizierskorps dahin eingewirkt werden möge, im Sinne der Mitteilung der Reichsregierung seine Haltung gegenüber dem Reich und der deutschen Wehrmacht zu ändern.

Der Kronprinz-Regent, der von dem Staatsminister schon vorher über den Inhalt meiner Mitteilung unterrichtet worden war, nahm die Mitteilung und meine Aufforderung in betont verständnisvoller und freundlicher Weise entgegen. Er bat, man möge auf deutscher Seite Verständnis dafür haben, daß die dänischen Soldaten und besonders Offiziere unter den Ereignissen von 1940 und unter der durch die Besetzung geschaffenen Lage, die für die einheimische Wehrmacht besonders prekär sei, leiden. Er lege aber seine Hand dafür ins Feuer, daß in keiner Situation auch nur ein einziger dänischer Soldat gegen Deutschland oder gegen die deutschen Truppen eine feindselige Handlung begehen werde, da dieses den eindeutigen Befehlen des Königs, an die die dänische Wehrmacht sich gebunden fühle, widerspräche. Er werde sich noch einmal die zuständigen Generale kommen lassen und sie eindringlich anweisen, in diesem Sinne auf die ihnen unterstellten Offiziere einzuwirken. Im übrigen werde ja die Regierung prüfen, in welcher Weise eine bessere Fühlung zwischen der dänischen Wehrmacht und der deutschen Wehrmacht herbeigeführt werden könne, wodurch dann weitere Garantien für ein besseres Verhältnis geschaffen würden.

Wie um seinen guten Willen nochmals zu unterstreichen und zugleich zu motivieren, lenkte der Kronprinz dann das Gespräch auf die Gesamtlage in Dänemark und brachte zum Ausdruck, wie dankbar man auf dänischer Seite für das große Verständnis sei, das von deutscher Seite dem Land Dänemark in seiner gegenwärtigen schwierigen Lage bewiesen werde. Ihm komme es besonders darauf an, daß das Zusammenleben und die Zusammenarbeit in diesen Bahnen weitergingen.

Über weitere Mitteilungen der dänischen Regierung in dieser Angelegenheit werde ich zu gegebener Zeit berichten.[72]

Dr. Best

356. Politische Informationen für die deutschen Dienststellen in Dänemark 15. April 1943

Det var en selvsikker Best, der kunne informere om de stigende danske leverancer til Tyskland, den øgede tyske kontrol med svenske aviser i Danmark og den begrænsede sabotageaktivitet. Der var "absolut roligt" i Danmark. Tilmed tillod han sig at forstærke betydningen af de danske leverancer ved at skrive, at de tyske rationeringssatser uden dem ville bringes i fare, især for kødets vedkommende (Nissen 2005, s. 246).

Kilde: BArch, R 901 67.735. RA, Centralkartoteket, pk. 680.

Der Bevollmächtigte des Reiches in Dänemark   *Kopenhagen, den 15. April 1943.*

P o l i t i s c h e   I n f o r m a t i o n e n
für die deutschen Dienststellen in Dänemark.

---

72 Best nåede ikke videre i bestræbelserne på at forbedre det tyske forhold til det danske kongehus.

Betr.:   I. Die Leistungen der dänischen Landwirtschaft an das Reich in der ersten Hälfte des Wirtschaftsjahres 1942/43 (1.10.42-31.3.43) und die Lieferungsaussichten für das zweite Halbjahr.

     II. Die Krankenkasse bei der Deutschen Arbeitsvermittlungsstelle in Kopenhagen.

    III. Finnland-Ausstellung in Kopenhagen.

    IV. Schwedische Zeitungen in Dänemark.

     V. Die Lage in Dänemark (Sabotage, 9. April).

I. Die Leistungen der dänischen Landwirtschaft an das Reich in der ersten Hälfte des Wirtschaftsjahres 1942/43 (1.10.42-31.3.43) und die Lieferungsaussichten für das zweite Halbjahr

In der "Politischen Information" vom 24.11.42[73] war ein Überblick über die landwirtschaftlichen Lieferungen Dänemarks nach Deutschland im dritten Kriegswirtschaftsjahr und über die Aussichten für das vierte Kriegswirtschaftsjahr gegeben worden. Nunmehr liegen die Ziffern der dänischen landwirtschaftlichen Lieferungen für das erste Halbjahr des vierten Kriegswirtschaftsjahres vor.

In der Zeit vom *1.10.42 bis 31.3.43* sind aus Dänemark in das Reich die folgenden Mengen der hauptsächlichsten landwirtschaftlichen Erzeugnisse ausgeführt worden:

   28.500 t Fleisch

    9.600 t Butter

    2.900 t Eier (48 Millionen Stück)

   11.000 Stück Gebrauchspferde

   26.000 t Seefische und Heringe.

Außer diesen Waren sind noch erhebliche Mengen an weiteren landwirtschaftlichen Produkten wie Milcherzeugnisse (Milchkonserven und Kindernährmittel), Gemüse, Sämereien u.a. geliefert worden.

Neben den Lieferungen nach Deutschland hat Dänemark in dem genannten Zeitraum auch noch Finnland und Norwegen mit insgesamt 5.200 t Butter beliefert, was als indirekte dänische Leistung für das Reich gewertet werden muß. Die Gesamtproduktion der dänischen Landwirtschaft hat es darüber hinaus ermöglicht, mit deutscher Zustimmung noch weitere Lebensmittellieferungen nach anderen Ländern durchzuführen. Wenn diese Mengen auch im Verhältnis zu den Lieferungen nach Deutschland nur gering sein durften, so gaben sie doch Dänemark die Möglichkeit, aus diesen Ländern im Austausch bestimmte Rohstoffe zu beziehen, durch die die dänische Wirtschaft inganggehalten wurde, und die verarbeitet wieder mittelbar oder unmittelbar Deutschland zugute kommen.

Zu erwähnen sind schließlich die Lieferungen von Lebens- und Futtermitteln an die deutschen Truppen in Dänemark. Der Wert dieser Lieferungen betrug monatlich im Durchschnitt etwa 2 Mill. Kronen. Dazu kam eine Ausfuhr von Lebens- und Futtermitteln zur Versorgung der deutschen Truppen in Norwegen.

Für die zweite Hälfte des Kriegswirtschaftsjahres 1942/43 werden die Lieferungsaus-

---

73 Trykt ovenfor.

sichten Dänemarks, wie in der letzten Tagung der deutsch-dänischen Regierungsaus-schüsse von den beiderseitigen Sachverständigen festgestellt worden ist, im allgemeinen günstig beurteilt, wenn sie auch noch von den Wetterverhältnissen während des Sommers abhängig sind.

An Rind- und Schweinefleisch erwartet Deutschland in der zweiten Hälfte des laufenden Wirtschaftsjahres eine Gesamtmenge von rund 70.000 t. Die Aufbringung dieser sehr erheblichen Mengen ist dänischerseits nur durch eine Einschränkung des Inlandsverbrauches möglich. Es ist deshalb von dänischer Seite bereits dafür gesorgt, daß nur 80 % der Schlachtungen des Jahres 1941 in den öffentlichen und privaten Schlachthäusern Dänemarks vorgenommen werden dürfen. Um die für den Inlandsverbrauch herabgesetzte Menge gerecht zu verteilen, werden mit Wirkung vom 1.5.43 Kundenkarten für die Verbraucher eingeführt werden, während die Fleischer Kundenlisten anlegen sollen. Die Kundenkarten werden nicht auf bestimmte Fleischmengen lauten.[74]

Für Butter wird im angegebenen Zeitraum mit einer Gesamtausfuhr von 24.000 t gerechnet, wovon wieder etwa 4.300 t nach Norwegen und Finnland gehen sollen. Die Eierbelieferung aus Dänemark nach dem Reich schätzt man auf etwa 5.000 t.

Bei Pferden wird mit einer größeren Ausfuhrmöglichkeit infolge des gestiegenen Pferdebestandes gerechnet als zur gleichen Zeit des Vorjahres.

Die Ergebnisse der Fischerei sind schwer vorauszuschätzen, da hierbei mehrere Faktoren wie Treibstoffversorgung, Wetterlage usw. noch ungewiß sind. Erwähnt sei hierbei, daß die während des Krieges stark entwickelte Muschelfischerei den größten Teil ihrer Erträge nach Deutschland absetzt.

Um einen Anhalt für den Wert der dänischen Lebensmittelausfuhren nach Deutschland zu geben, sei bemerkt, daß als Zahlungswertgrenzen für die Einfuhr nach Deutschland allein im zweiten Kalendervierteljahr 1943 von den deutsch-dänischen Regierungsausschüssen vereinbart worden sind:

für	Schweine	35,0	Mill.	RM
–	Butter	20,0	–	–
–	Fische	16,9	–	–
–	Rinder	15,0	–	–
–	Gebrauchspferde	8,5	–	–

Abschließend kann gesagt werden, daß die Leistungen der dänischen Landwirtschaft im vierten Kriegswirtschaftsjahr als sehr gut bezeichnet werden müssen. Die Produktionsfreudigkeit der Landwirtschaft ist voll erhalten geblieben, und es ist der Tüchtigkeit des dänischen Bauern gelungen, die Schwierigkeiten zu überwinden, die sich aus dem Ausfall der Zufuhren von Futtergetreide und Ölkuchen und aus der knappen Versorgung mit Kunstdünger, Landmaschinen, Schädlingsbekämpfungsmitteln usw. ergeben. Als Beitrag zur deutschen Kriegsernährungswirtschaft sind die dänischen Lieferungen so erheblich, daß sie nicht entbehrt werden könnten, ohne die deutschen Lebensmittelrationssätze zu gefährden. Dies gilt insbesondere für Fleisch.

---

74 Systemet med forbrugerkort blev gældende resten af besættelsen (jfr. Nissen 2005, s. 220-224).

II. Die Krankenkasse bei der Deutschen Arbeitsvermittlungsstelle in Kopenhagen

Am 1.1.1941 wurde die Krankenkasse bei der Deutschen Arbeitsvermittlungsstelle Kopenhagen eingerichtet. Ihre Aufgaben sind:

1.) Betreuung der in Dänemark zurückgebliebenen Familienangehörigen der nach Deutschland vermittelten dänischen Arbeitskräfte.

2.) Betreuung der arbeitsunfähig krank von Deutschland und Norwegen nach Dänemark zurückgeführten dänischen Arbeiter.

3.) Betreuung der nach Deutschland und Norwegen vermittelten dänischen Arbeiter, die während eines Urlaubs hier arbeitsunfähig erkranken oder ärztliche und zahnärztliche Hilfe in Anspruch nehmen müssen.

Die Betreuung dieser Personenkreise ist durch einen Staatsvertrag zwischen Deutschland und Dänemark (deutsch-dänische Abrede vom 12.12.1940) geregelt.

4.) Betreuung der von Deutschland nach Dänemark abgeordneten Zivilangestellten.

5.) Betreuung der im Rahmen der Kinderlandverschickung von Deutschland nach Dänemark verschickten Kinder aus luftgefährdeten Gebieten, wozu auch die in einem Lager zusammengefaßten Schüler gehören.

Das Jahr 1941 kann als Anlaufsjahr bezeichnet werden. Erst gegen Ende 1941 erreichte die Krankenkasse Kopenhagen den Durchschnitt an Mitglieder- und Familienhilfe-Fällen, der auch heute noch in etwa gleicher Höhe zutrifft.

Während im Jahre 1941 insgesamt nur 2.584 Mitglieder- und 2.094 Familienhilfefälle angemeldet wurden, stieg diese Zahl im Jahre 1942 auf 5.646 Mitglieder- und 3.911 Familienhilfefälle (monatlicher Durchschnitt 470 Mitglieder- und 326 Familienhilfefälle, insgesamt 796 Fälle durchschnittlich).

Diese seit Oktober 1941 erreichte Durchschnittszahl hat sich seither – auch in den Monaten Januar/Februar 1943 – auf etwa gleicher Höhe gehalten (458 und 454 Mitgliederfälle). Direkte Abfertigungen von Mitgliedern erfolgen täglich etwa 30 bis 40.

Von den 5.646 Mitgliederüberweisungsfällen wurden im Jahre 1942 nur ¼, d.h. 1.400 Überweisungsfälle mit einem Betrage von 462.949,05 Kr. abgerechnet. Diese Zahl wird für das Jahr 1943 erheblich ansteigen. Im Januar 1943 wurden mit der Zentralstelle der dänischen Krankenkassen 349 Fälle mit 109.347,47 Kr. und im Februar 1943 403 Fälle mit 137.278,05 Kr. abgerechnet.

Während bisher die deutschen Kassen, bei denen die dänischen Arbeiter versichert waren, die hier gewährten Leistungen nach hier erstattet haben, ist jetzt vom Reichswirtschaftsministerium ein vierteljährlich festgelegter Betrag für diese Zwecke zur Verfügung gestellt. Die deutschen Kassen können ihre Erstattungsbeträge auf ein deutsches Postscheckkonto überweisen.

Der Gesamtumsatz der Krankenkasse betrug im Jahre 1941:

       an Einnahmen   902.228,74 Kr.

       an Ausgaben   879.708,69 Kr.

Familienhilfekosten wurden mit den dänischen Kassen bisher nicht abgerechnet, da nach einer Vereinbarung vom 24.2.42 zwischen dem RAM und dem dänischen Sozialministerium diese Kosten pauschal abgegolten werden sollen. Die endgültige Regelung wird im Rahmen der im April stattfindenden deutsch-dänischen Verhandlungen über Sozialversicherungsfragen erfolgen.

Für die Jahre 1941/42 wurden bisher 318.000,- Kr. an die Zentralstelle als Vorschüsse gezahlt.

An reichsdeutsche Zivilangestellte wurden 1942 2.882 Krankenscheine für ärztliche bzw. zahnärztliche Behandlung ausgegeben. Die ärztliche Betreuung dieses Personenkreises wird zum weitaus größten Teil durch Truppenärzte durchgeführt. Nur in Orten, in denen Truppenärzte oder Truppenzahnärzte nicht stationiert sind oder ein Spezialarzt (z.B. Frauenarzt) nicht vorhanden ist, müssen dänische Ärzte bzw. Zahnärzte in Anspruch genommen werden.

III. Finnland-Ausstellung in Kopenhagen

Am 7. April 1943 wurde in der Rathaushalle in Kopenhagen die Ausstellung "Finnlands Kampf für Glauben, Heim und Vaterland" von dem Finnischen Gesandten Pajula in Gegenwart eines kleinen Kreises geladener Gäste eröffnet, unter denen sich außer dem Reichsbevollmächtigten und dem Staatsminister von Scavenius auch die hiesigen Missionschefs befanden.

Die Ausstellung ist bereits in einigen südschwedischen Städten gezeigt worden und soll von Kopenhagen aus nach Nordschweden weitergeschickt werden.

IV. Schwedische Zeitungen in Dänemark

In der Behandlung der nach Dänemark eingeführten schwedischen Zeitungen ist seit dem 1.2.43 eine neue Regelung getroffen worden. Während bis dahin die Einfuhr bestimmter Zeitungen auf deutsches Ersuchen von der dänischen Regierung verboten wurde, und die nicht verbotenen Zeitungen unbeschränkt eingeführt und verbreitet werden durften, sind nunmehr die Verbote (bis auf die extrem deutschfeindlichen "Göteborgs Handels- und Sjöfarts-Tidningen" und " Göteborgs Tidningen") aufgehoben und es findet dafür eine tägliche Kontrolle aller eingeführten schwedischen Zeitungen statt. Diese Kontrolle wird von einer mit deutschen und dänischen Zensoren besetzten gemeinsamen Zensurstelle ausgeübt, die jeweils die nicht zur Verbreitung in Dänemark geeigneten Ausgaben beschlagnahmen und von der Verbreitung ausschließen läßt.

Seit Einführung der neuen Kontrolle sind insgesamt 89 verschiedene schwedische Zeitungen in Dänemark eingeführt worden. Der Absatz der wichtigsten Zeitungen weist die folgenden Ziffern auf:

	März 1943	Februar 1943
Svenska Dagbladet:	7.044	6.190
Sydsvenska Dagbladet:	2.396	1.820
Stockholms Tidningen:	1.334	2.425
Göteborgs Posten:	937	560
Dagens Nyheter:	783	550
Skanska Dagbladet:	419	
Vestmanlands Läns Tid.:	375	536

Beschlagnahmt wurden im März 1943 Einzelausgaben von 53 verschiedenen Zeitungen. Von der Beschlagnahme wurden hauptsächlich die folgenden Blätter betroffen:

Norrlandfolket	21	mal
Arbeteren	19	–
Socialdemokraten	19	–
Sydöstra Sveriges Dagblad	17	–
Östgöten	17	–
Folket	15	–
Nya Dagligt Allehanda	12	–
Christiansstads Läns Demokraten	11	–
Aftontidningen	9	–
Skanska Socialdemokraten	9	–
Östergötlands Folkbladet	8	–
Ny Tid	8	–
Eskilstuna Kuriren	7	–

Der Ton der Schwedischen Presse erscheint seit März durchweg aggressiver als im Februar. Während Artikel über die Verhältnisse in Deutschland stark zurückgetreten sind, wurde die Aufmerksamkeit der Leser immer stärker auf Norwegen und Dänemark gelenkt. Diese Tendenz hat mit dem 3. Jahrestag des 9. April 1940 ihren bisherigen Höhepunkt erreicht.

Betreffend Norwegen wurden vorwiegend Berichte über "Fehlgriffe" der deutschen Behörden und der NS-Organisation sowie Berichte aus Konzentrationslagern kolportiert. Eine Artikelserie "Von Grini bis Kirkenes" mit Einzelheiten über Verhaftungen wurde von zahlreichen Provinzblättern übernommen. Eine Anzahl namentlich auch größerer Zeitungen übernahm Ende März eine Mitteilung der schwedischen Lehrer-Fachzeitschrift über eine Lehrer-Revolte in Norwegen. Svenska Dagbladet wurde aus diesem Anlaß zum ersten Mal verboten. Die große Norwegen-Ausstellung in Stockholm wurde von der Presse mit Sonderbeilagen und zahlreichen Artikeln außerordentlich stark unterstützt. Den Norwegen-Hilfskomitees wird breiter Raum für ihre Werbung gegeben.

Noch stärker ist Dänemark in den Vordergrund getreten. Dies ist zu erklären durch die im Berichtsabschnitt stattgefundene Wahl, durch die dänische Presse-Berichterstattung über die Sabotage-Akte und durch den 9. April. Dem dänischen Wahlereignis haben manche Zeitungen bis zu 4 Leitartikeln gewidmet. Neue Gesichtspunkte sind dabei nicht hervorgetreten. Die Sabotage-Akte hingegen haben zu einigen Veröffentlichungen Anlaß gegeben, die neue Anhaltspunkte für die schwedische Beurteilung der Lage in Dänemark brachten. Nach wie vor zeigen sich die Schweden außerordentlich gut informiert über interne und teilweise noch recht labile Strömungen in Dänemark. Eine deutliche Ungeduld darüber, daß man deutscherseits trotz verschärfter Sabotage bisher keinerlei Maßnahmen getroffen hat, die auf eine Kursänderung hindeuten könnten, ist zu spüren. Die Zeitungen mit antideutscher Tendenz machen aus ihrer Enttäuschung kein Hehl und betonen immer wieder, daß es besser für die Entwicklung der nordischen Gemeinschaft wäre, wenn jetzt eine Zeit rein deutscher Herrschaft (darunter wird Unterdrückung aller bisherigen dänischen Freiheiten verstanden) oder ein Quisling-Regime in Dänemark käme.

Ungewöhnliche Formen hat die Besprechung des Jahrestages des 9. April in der schwedischen Presse gefunden. Svenska Dagbladet brachte auf der Hauptseite einen Artikel in dänischer Sprache: "An Norwegen von Dänemark," gezeichnet Holger Danske. Darin wurden den Norwegern im Namen des zum Schweigen verurteilten dänischen Volkes Huldigungen und Botschaften übermittelt. Hervorgehoben zu werden verdient die Tatsache, daß "Holger Danske" sich in diesem Artikel erstmalig in der Geschichte dem Norweger unterordnet, da dessen Kampf "viel heroischer" sei. Auch andere schwedische Zeitungen, darunter Eskilstuna Kurir, brachten lange Artikel in dänischer Sprache und versuchten damit erstmalig, die schwedische Presse direkt zum Sprecher der beiden besetzten Länder zu machen und Schweden in eine aktivere Führung des Nordens zu bringen.

Die Notlandung eines deutschen Kurierflugzeuges, das ein Maschinengewehr an Bord hatte, wurde wieder einmal zum Anlaß einer anhaltenden Debatte über den deutschen Militärtransitverkehr gemacht. Obwohl die betreffenden Leitartikel und Berichte sich nicht immer in neutralen Grenzen hielten, ist von Beschlagnahmen im allgemeinen Abstand genommen worden. Dies geschah auch im Hinblick auf mehrere indirekte Hinweise von Blättern, die der schwedischen Regierung nahestehen, nach denen das abermalige Geschrei um die deutschen Urlauberzüge zunächst nicht so sehr der Sache selbst, als vielmehr in erster Linie dem beabsichtigten Sturz des schwedischen Außenministers Günther gelten sollte.

Die Diskussion um die Person des Reichsbevollmächtigten Dr. Best hat sich verstärkt und geteilt. Die eine Seite (z.B. "Kalmar Läns Tidningen" und "Nya Dagligt Allehanda") hält ihn mehr als je für einen starken Mann, der jederzeit die "undurchdringliche Kardinalsmaske" fallenlassen und hart zupacken könne. Die andere Seite (z.B. " Eskilstuna kurir") hat die Ansicht vertreten, daß Dr. Best anläßlich seines Besuches in Norwegen endgültig den Gedanken an strenge Methoden im Norden aufgegeben habe.[75] Auf jeden Fall herrscht Unsicherheit und Unruhe über seine Person und Politik, die man als einzigen Faktor im skandinavischen Kräftespiel noch immer nicht berechnen kann.

V. Die Lage in Dänemark (Sabotage, 9. April)

Die Lage in Dänemark hat sich seit der Unterrichtung über "Sabotageakte in Dänemark" unter IV der "Politischen Informationen" vom 1.4.43 nicht wesentlich verändert. Die Lage im Lande ist – wie bisher – absolut ruhig. Die Zahl der Sabotageakte ist in den letzten 14 Tagen leicht zurückgegangen. Die Täter der bisherigen Sabotageakte, die mit ihrem häufigeren Auftreten immer mehr als eine bestimmte, nicht allzu große Gruppe erkannt werden, sind aber weiter tätig und werden zweifellos noch eine Reihe von Sabotageakten begehen, bis sie entweder durch die polizeilichen Vorkehrungen unschädlich gemacht werden oder das Land verlassen. Außerdem ist damit zu rechnen, daß durch neu abgesetzte Fallschirmagenten die Sabotagewelle gelegentlich einen neuen Auftrieb erhält. Der Kampf gegen die Sabotage wird also auch in Zukunft fortgeführt werden müssen.

Wesentlicher Schaden ist bisher weder der deutschen Wehrmacht noch anderen Reichsinteressen zugefügt worden. Jede Zerstörung wird in kürzester Frist auf dänische

75 Best var på besøg i Norge i december 1942 og havde ikke været der siden.

APRIL 1943

Kosten und aus dänischen Materialkontingenten wieder gutgemacht.

Die Methode einer umfassenden und offenen Presse-Berichterstattung über die in Dänemark ausgeführten Sabotageakte wird fortgesetzt. Nach zahlreichen Meldungen soll die Bevölkerung auf diese Veröffentlichungen in steigendem Masse mit Ablehnung der sinnlosen und nur für Dänemark schädlichen Sabotage reagieren. "In Dänemark kann doch der Krieg nicht gewonnen und nicht verloren werden, also soll man uns in Ruhe lassen," ist ein bezeichnendes Argument der Volksmeinung.

Daß die dänische Bevölkerung keine Unruhe und keine Zwischenfälle wünscht, hat auch der Verlauf des 9. April im ganzen Lande bewiesen. Nach drei Jahren Besatzung wäre zu erwarten gewesen, daß mehr Zwischenfälle stattfänden als vor einem Jahr nach 2 Jahren Besatzung. In Wahrheit ist aber der 9. April 1943 in ganz Dänemark ohne Zwischenfälle und damit sehr viel ruhiger verlaufen als der 9. April 1942. Die illegale Propaganda hatte dazu aufgefordert, daß um 12 Uhr für 1-2 Minuten völlige Arbeits- und Verkehrsruhe eintreten und daß die Bevölkerung sich am Nachmittage auf den Straßen sammeln und am Abend alle Vergnügungslokale meiden solle. Teilweise wurde auch zum Tragen von Trauerkleidung und zum Flaggen auf halbmast aufgefordert. Sämtliche Aufforderungen sind von der dänischen Bevölkerung nicht befolgt worden, sodaß die wenigen Einzelgänger, die z.B. um 12 Uhr auf der Straße stehen blieben, die Wirkungslosigkeit der gegnerischen Propaganda nur unterstrichen haben.

357. Amtsgruppe Ausland an OKW/WFSt 15. April 1943

Best havde stillet spørgsmål til AA om, hvor danske officerer, der ville melde sig til tysk krigstjeneste, skulle henvende sig (se Bests telegram nr. 409, 9. april 1943), og AA havde ladet forespørgslen gå videre til OKW. Best havde begrundet spørgsmålet med, at de danske officerer afviste Frikorps Danmark som Frits Clausens partitropper og von Hanneken på grund af forholdsregler, som han havde truffet. Der blev af OKWs sagsbehandler foreslået, at hvis henvendelse til værnemagten ikke kunne finde sted, måtte det i stedet blive til SS.

Se Schnurre til Best 3. maj, Bests telegram nr. 511, 4. maj og nr. 574, 13. maj nedenfor.

Best havde med sin forespørgsel givet von Hanneken igen for hans bestræbelser på at få den danske hær opløst.

Kilde: BArch, Freiburg, RW 4/642. RA, Danica 1069, sp. 1, nr. 579f.

Amt Ausl./Abw.
Ag. Ausland Nr. 818/43 g Kdos Ausl. II A 6   *Berlin, den 15.4.1943*

An WFSt über VO/Ag. Ausl.[76]

Das Auswärtige Amt teilt mit, der Reichsbevollmächtigte habe nach Überreichung der Mitteilung an die dänische Regierung die Frage aufgeworfen, wie eventuelle dänische Rückfragen nach Einzelheiten des Dienstes dänischer Offiziere in der deutschen Wehrmacht beantwortet werden sollen. Das Freikorps Danmark würde in Kopenhagen als Parteitruppe Dr. Clausens abgelehnt. Es erhebe sich somit die Frage, ob die Meldung

76 Skrivelsen gik via forbindelsesofficeren (VO) i Amtsgruppe Ausland til WFSt.

492

APRIL 1943

dänischer Offiziere zum deutschen Heer, zur Luftwaffe und zur Marine angenommen und wohin gegebenenfalls derartige Meldungen zu richten seien. Da seitens des dänischen Militärs eine gewisse Abneigung gegen den Befehlshaber der deutschen Truppen in Dänemark wegen der von ihm getroffenen Maßnahmen bestehe, würden die Meldungen, wenn sie an den Befehlshaber der deutschen Truppen zu richten wären, voraussichtlich beeinträchtigt.

Das Auswärtige Amt bittet um Stellungnahme und Mitteilung der Auffassung des OKW.

Nach Ansicht Chef Ag. Ausland kann die angebliche Abneigung des dänischen Militärs gegen den Befehlshaber der deutschen Truppen in Dänemark nicht so groß sein, daß sich daraus nachteilige Folgen für die eventuellen Meldungen ergeben können. Wenn darauf aber Rücksicht genommen werden soll, käme als Ausweg die Meldung bei Stellen der SS in Frage.

I.A.

[underskrift]

358. Walter Warlimont an das Auswärtige Amt 15. April 1943

OKW meddelte AA og von Hanneken, at Best i fredstid havde rådighed over en politibataljon i Danmark, mens von Hanneken havde det under kamphandlinger.

Kilde: PA/AA R 29.566 (afsendt 16. april, modtaget i AA 17. april). RA, Danica 1069, sp. 12, nr. 15.352. RA, pk. 202.

WFSt/Qu. (Verw.)   *15.4.1943*
SSD-Fernschreiben   2 Ausfertigungen
                                          2. Ausfertigung

An   1.) Auswärtiges Amt z.Hd. Botschafter Ritter
Nachr.   2.) Befehlshaber d. dt. Truppen in Dänemark

Bezug: Fernschreiben Bevollmächtigter des Reiches in Dänemark Nr. 403 vom 8.4.43.[77]
Betr.:   Polizeibataillon Dänemark.

Das Oberkommando der Wehrmacht hält die Unterstellung des Pol. Batl. unter den Befh. der deutschen Truppen in normalen Zeiten nicht für erforderlich. Falls es zu Kampfhandlungen kommt, werden alle verfügbaren Kräfte nach den allgemeinen Richtlinien durch den Befh. d. deutschen Truppen eingesetzt.

gez. **Warlimont**
OKW/WFSt/Qu. (Verw.)
Nr. 001845/43 g. Kdos

---

77 Trykt ovenfor.

359. Werner Best an das Auswärtige Amt 15. April 1943

Best fremsendte en vurdering af Dansk antijødisk Liga, *Kamptegnet* og Aage H. Andersen, der entydigt pegede mod en indskrænkning af tysk involvering med disse. Han havde også en plan for, hvordan afviklingen kunne ske uden at der blev tabt ansigt, nemlig at *Kamptegnet* blev fortsat som en del af *National-Socialisten*. Det sidste skulle være Frits Clausens ide.

Det er muligvis rigtigt, men Clausens formål har mere været den medfølgende økonomiske støtte end at sikre antisemitismens talerør. For Best var det upopulære *Kamptegnets* sammenkobling med DNSAP en dobbelt gevinst, idet de to foretagender gensidigt kunne skade hinanden (Yahil 1967, s. 97, 398 n. 55).

Kilde: PA/AA R 99.413. RA, pk. 219. Lauridsen 2008a, nr. 76.

Durchschlag   zu Pol XVI g 26
Der Bevollmächtigte des Reiches in Dänemark   *Kopenhagen, den 15.4.43.*
II P/84/43.

An das Auswärtige Amt in Berlin

Auf den Erlaß Nr. D III 1874 vom 6.3.1943.[78]
Betr.: Dansk anti-jödisk Liga und "Kamptegnet."
Geheim.

Der mit obenbezeichnetem Erlaß in Fotokopie übersandte Bericht der "Dansk anti-jödisk Liga" vom 22.2.43 an die Antijüdische Weltliga in Nürnberg schildert den Einfluß des Judentums in Dänemark in einer Weise, die der wirklichen Sachlage nicht entspricht. Insbesondere ist die auf Seite 2 erfolgte Bezugnahme auf eine Gerichtsverhandlung gegen die verantwortlichen Schriftleiter von "Kamptegnet" in diesem Zusammenhang unangebracht. Der betreffende Prozeß hat sich durch eigene Schuld der Schriftleitung von "Kamptegnet" sehr ungünstig für die antisemitische Sache ausgewirkt und zu einem bedeutenden Nachlassen der Abonnentenziffern geführt, da die in 3 verschiedenen Nummern von "Kamptegnet" im Dezember 1941 und im Januar und Februar 1942 gegen den Kaufmann Daell und seine jüdische Angestellte Wassermann erhobenen Anschuldigungen in keiner Hinsicht bewiesen werden konnten. Der Prozeß hat in letzter Instanz am 29.3.1943 mit der rechtskräftigen Verurteilung des verantwortlichen Schriftleiters Aage H. Andersen und seiner Mitarbeiterin Olga von Eggers zu je 160 Tagen Gefängnis bezw. Haft und zu einer Gesamtgeldstrafe, die Gerichtskosten einbegriffen, von 10.200,00 Kronen geendigt. Das Urteil wurde in der Presse veröffentlicht.

Die im letzten Absatz des Schreibens der "Dansk anti-jödisk Liga" geäußerte Bitte, Aage H. Andersen möge als Sonderführer in die Waffen-SS aufgenommen werden, ist wohl vor allem aus dem Wunsche heraus zu verstehen, Andersen der dänischen Gerichtsbarkeit zu entziehen. Die Waffen-SS lehnt jedoch derartige Scheinaufnahmen in Zukunft grundsätzlich ab. Die Erfahrung hat gelehrt, daß solche in der Vergangenheit vereinzelt erfolgte Aufnahmen wie etwa die des Grafen Knuth und des Ejnar Jörgensen

---

78 Brevet er ikke lokaliseret. Det drejede sig givetvis om svar på en henvendelse fra Antijüdische Welt-Liga 2. marts 1943, der anmodede AA om at hjælpe Aage H. Andersen (RA, pk. 219, trykt Lauridsen 2008a, nr. 70).

zu politisch unerwünschten Folgen geführt haben. Im Falle Andersen halte ich die Aufnahme in die Waffen-SS für ganz besonders unangebracht.

Um die private Existenz des Andersen bezw. der Frau von Eggers vor der Vernichtung zu bewahren, habe ich den Betrag von 10.000 Kronen zur Begleichung der verhängten Geldstrafe zur Verfügung gestellt. Ob es zur Durchführung der gegen Andersen bezw. Frau von Eggers verhängten Freiheitsstrafen wirklich kommen und ob es dann möglich sein wird, die Verbüßung der Strafe durch Eingreifen von hier aus abzuwenden, muß vorläufig dahingestellt bleiben.

Wie schon oben ausgeführt, hat die Zeitung "Kamptegnet" sehr viele Bezieher verloren. Während die Auflage noch vor einigen Jahr etwa 14.000 betrug, ist sie heute auf 5.000 gesunken, und auch hiervon werden nur etwa 3-4.000 Exemplare wirklich verkauft. Der Betrag von 8.000 Kronen monatlich, der für das Erscheinen dieses Wochenblattes zugeschossen werden muß, scheint demgegenüber unverhältsmäßig hoch und steht in keinem Verhältnis zu der erzielten Wirkung. Das Blatt hat nicht nur in dem oben geschilderten Fall Daell-Wassermann sondern auch in zahlreichen anderen Fällen von aufgestellten Behauptungen abrücken müssen und sich dadurch den Stempel der Unzuverlässigkeit erworben. Von vielen deutschfreundlichen und nationalsozialistischen Dänen wird die Tendenz des Blattes seit langem beanstandet. Es wird darauf hingewiesen, daß diese Form der Propaganda den dänischen Volkscharakter nicht entspreche und keinenfalls geeignet sei, bei weiteren Kreisen der Bevölkerung Verständnis für die Judenfrage zu wecken. Das Blatt werde nur von einem kleinen Kreis ständig gleichbleibender Leute, die an gewissen Skandalgeschichten interessiert seien, und im übrigen von den Juden selbst im eigensten Interesse gelesen. Diese Ansicht teilt auch der Führer der DNSAP Dr. Clausen.

Von Dr. Clausen stammt der Vorschlag, die Tradition des Blattes auf die Wochenzeitung "Nationalsocialisten" übergehen zu lassen und ihm dort einen bestimmten Raum zur Verfügung zu stellen. Während es "Kamptegnet" zur Zeit offensichtlich häufig an brauchbarem und wirklich durchschlagendem Material mangelt, dürfte es wohl möglich sein, den wesentlich kleineren Raum in "Nationalsocialisten" zweckentsprechend zu füllen.

Da natürlich vermieden werden muß, daß das Einstellen von "Kamptegnet" von der Gegenseite als Sieg des Judentums gefeiert werden kann, halte ich den Vorschlag Dr. Clausens, die Tradition von "Kamptegnet" durch "Nationalsocialisten" weiterführen zu lassen, für den Umständen nach recht glücklich und bitte um Einverständnis hierzu.

Dr. Best

360. Werner Best an das Auswärtige Amt 15. April 1943

Best fremsendte regnskabet over udgifter til pressepolitiske opgaver for første kvartal 1943. Af bilaget fremgår bl.a., hvilke aviser og blade det tyske gesandtskab abonnerede på, samt hvilke danske skribenter gesandtskabet havde på sin lønningsliste.

Kilde: PA/AA R 123.391.

APRIL 1943

An das Auswärtige Amt, Berlin

Auf Drahterlaß vom 8.3.43 – Nr. 348 –
u. mit Beziehung auf den Bericht vom 10.3.43 – Z / Pers. R 17 d – Geheim

Inhalt: Abrechnung Januar-März 1943 über pressepolitische Ausgaben.
1 Abrechnung 3fach
1 Umschlag mit 92 Belegen[79]
2 Durchdrucke

Anliegend wird die Abrechnung über pressepolitische Ausgaben in der Zeit vom 1. Januar
bis 31. März 1943 vorgelegt. Hiernach betragen die

Einnahmen: 27.707,98 Kr.
und die Ausgaben: 27.042,29 Kr.
Der Rest von 665,69 Kr.

wird auf das Quartal April/Juni 1943 übertragen.
Die Ausgaben von 27.042,69 Kr. = 14.116,10 RM (Kurs 191,57) verteilen sich wie folgt:
Pers. geh. Kr. K.S. F Nr. 5415 = 888,18 Kr. = 463,60 RM
Pers. geh. Kr. K.S. F Nr. 348 = 26.154,11 Kr. = 13.652,50 RM
gez. **Dr. Best**

Abrechnung
über pressepolitische Ausgaben in der Zeit vom 1. Januar bis 31. März 1943.
Geheim

I.) Einnahmen:

Bestand am 1. Januar 1943
(lt. Bericht v. 18.1.43 – 2/Pers. R 4 –) 888,18 Kr.
Bewilligung lt. Drahterlaß vom 8.3.43 – Nr. 348 – = 14,000 RM = 26.819,80 Kr.
 27.707,98 Kr.

II.) Ausgaben:
a.) Besoldung:

Bel. Nr.				Kr.
1	Januar-	Vergütung	Fr. Dvinger	400,00
2	–	–	Hansen	100,00
3	–	–	Dr. Afuhs	350,00
4	–	–	Dehn	100,00
5	–	–	Bock	30,00
6	Februar-	–	Bock	30,00
7	–	–	Dehn	100,00
8	–	–	Jepsen	100,00
9	–	–	Dr. Afuhs	350,00
10	–	–	Fr. Dvinger	400,00
11	März-	–	Dr. Afuhs	350,00
12	–	–	Dehn	100,00

79 Omslaget med bilag er ikke medtaget.

13	–	–	Jepsen	100,00	
14	–	–	Bock	30,00	
15	–	–	Dvinger	400,00	
				2.940,00	2.940,00

b.) Sachkosten:
Titel 11
Bel. Nr.
Kr.

16	Post: Telegraphpapier	26,77	
17	Taxi-Fahrten Ref. Schröder	25,00	
18	Leim	3,00	
19	Taxiauslagen Ref. Schröder	20,70	
20	Fahrtauslagen Frl. v. Schreibershofen	3,50	
21	Nyholm & Frederiksen: Büromaterial	26,90	
22	Zeuthen & Aagaard: Briefumschläge	30,50	
23	Desgl. Büromaterialien	113,20	
24	– Umschläge	35,45	
25	Taxen- Dienstfahrten Ref. Schröder	29,00	
26	Schmidt: Leim	3,00	
27	Schad: Notizblocks	2,00	
28	Fa. Schad: Makulatur geschnitten	3,00	
29	Nyholm & Frederiksen: Büromaterialien	127,17	
30	Rönnow & Co: Farbbänder	55,00	
31	Leuthen: Büromaterialien	171,05	
32	Schad: –	6,50	
33	Leuthen: Abzieh Farbe u.a.	323,75	
34	Bodenhoff: Matrizen	1.020,00	
		2.025,49	2.025,49

Titel 12

35	Wartung Empfangsanlage Jan.43	63,55	
36	Dgl. Hellschreibers März	93,35	
37	–	674,00	
		830,90	830,90

Titel 13

38	Quart. Abonnem. Finanstidende u.a.	331,95
39	desgl. Berl. Tidende u.a.	102,90
40	Quartalsabonnement "Kritisk Ugerevue"	3,90
41	1 Exemplar "V.B."	0,45
42	Einbinden von Zeitungen	92,00
43	Desgl. u. Notizblocks	21,60
44	Einbinden von Zeitungen	110,00
45	1 Avis-Jahrbuch	12,00
46	Im Januar gelieferte Zeitungs-Ex.	43,81
47	Abonnement "B.T." Nov.-Dezember	12,50
48	Zeitschrift: Dansk Arbejde	5,00
49	Abonnement Jyllandsposten u.a.	148,45
50	Lohse: Bücher für Zensurzwecke	87,90
51	Schad: Einbinden von Zeitungen	110,00
52	Abonnement "Gränselandet"	2,30
53	Abonnement "Berl. Tidende" u.a.	103,40

54	–	–	376,95	
55	Einbinden von Zeitungen	110,00	
56	Lohse: Zeitschriften f. Zensurzwecke	23,30	
57	Gads danske Magasin I u. II	10,00	
58	Bezug von "Fädrelandet"	220,30	
59	Schad: Einbinden von Zeitungen	110,00	
		2.038,71	2.038,71

Titel 14

60	Porto "Polit. Bericht"	25,00	
61	desgl.	25,00	
62	Portoauslagen	6,30	
63	Portoauslagen	6,50	
		62,80	62,80

c.) Propaganda-kosten

64	Vergütungl. Dalsgaard[80] 1. Jan. –Hälfte	1.000,00	
65	– desgl. 2. –	1.500,00	
66	Januar-Vergütung I.A. Jensen	502,00	
67	– Henning Jensen	1.842,96	
68	Februar Zuschuß "Danske Tilskuer"	1.000,00	
69	Januar-Zuschuß Sonderführer	200,00	
70	Zahlung an LS Bassler	300,00	
71	Fernschreiberkosten 11.2.-11.5.43	125,00	
72	Januar-Vergütung Sonderführer	200,00	
73	Telefonausgaben Pressesekretariat	22,88	
74	1. Hälfte Februar-Verg.-Dalsgaard	1.000,00	
75	Februar-Vergütung I.A. Jensen	505,25	
76	Henning Jensen	1.913,82	
77	2. Hälfte Dalsgaard	1.500,00	
78	Zeitungsausschnitte	40,35	
79	–	8,80	
80	–	16,20	
81	Danske Tilskuer	1.000,00	
82	desgl. F. Dez. 42	1.000,00	
83	Frl. Wissmann (gem. Drahterl. 342 v. 6.3.)	34,25	
84	Zahlung Kaesbach	300,00	
85	Vergütung Sonderführer	200,00	
86	Zeitungsausschnitte	28,30	
87	Repräsentationsausl. H. Schröder	77,60	
88	Vergütung Dalsgaard (März 1. Hälfte)	1.000,00	
89	– 2. –	1.500,00	
90	Märzvergütung I.A. Jensen	524,75	
91	Henning Jensen	1.489,73	
92	Ritzau: Abgabe Fernschreiber April-Quartal	312,50	
		19.144,39	19.144,39
			27.042,29

80 Henning Dalsgaard, cand.polit., siden november 1940 leder af Dansk-Tysk Pressesekretariat med henblik på at fremme en protysk opinion (PKB, 8, passim, Nordlien 1998, s. 13-15, Steen Andersen i *Hvem var hvem 1940-1945*, 2005, s. 77f.).

Einnahmen: 27.707,98 Kr.
Ausgaben: 27.042,29 Kr.
somit sind   665,69 Kr.   zu übertragen auf April/Juni-Quartal

Von den Ausgaben entfallen auf

Pers. geh. Kr. KSP Nr.   5415   =   888,18 Kr.   =   463,60 RM
              –   348   =   26.154,11 Kr.   =   13.652,50 RM

Sachlich Richtig:	Festgestellt:
gez. **Schacht**	gez. **Hoppe**
Assessor	Kons. Sekr.

361. Emil von Rintelen an Werner Best 17. April 1943

Med dette korte svar på Bests forespørgsel fra 15. april blev alle udsigter til en snarlig normalisering af Hitlers forhold til det danske kongehus skrinlagt.

Svaret havde ikke en form, der opfordrede Best til at presse yderligere i sagen. Ribbentrop havde svaret en gang.

Kilde: PA/AA R 29.566. RA, pk. 202.

Telegramm

Fuschl, den	17. April 1943	13.10 Uhr
Ankunft, den	17. April 1943	13.45 Uhr

Nr. 471 vom 17.4.[43.]
RAM 118/R

Deutsche Gesandtschaft Kopenhagen
Für Herrn Reichsbevollmächtigten persönlich.
Auf Telegramm Nr. 435 vom 15.4.[81]

Der von Ihnen in Vorschlag gebrachte Mittelweg, daß Sie einen Glückwunsch des Kronprinzregenten vorschlagen, wird hier nicht für gangbar gehalten, so daß es bei der Weisung vom 14.4. sein Bewenden haben muß.

Rintelen

Vermerk:
Unter Nr. 531 an Deutsche Gesandtschaft Kopenhagen weitergeleitet.
Berlin, 17.4.1943.
Chiffrierbüro.

---

81 Trykt ovenfor.

362. OKW an das Auswärtige Amt 17. April 1943

OKW oversendte AA et udkast til aftale med Danmark vedkommende erstatning for skader begået mod værnemagten.

Forhandlingerne herom blev meget langstrakte, se Albrechts skrivelse til Best 29. april 1943 og Bests telegram nr. 563 til AA 12. maj og skrivelse til samme 19. maj 1943.

Kilde: RA, pk. 284. PKB, 13, nr. 708.

Oberkommando der Wehrmacht   *Berlin W 35, den 17. April 1943.*
60 g Beih. 6   Tirpitzufer 72-76
WV (XIV)
9183/43

Betr.:   Abkommen zwischen dem Deutschen Reich und dem Königreich Dänemark
         über den Ersatz von Wehrmachtschäden.
Bezug: Besprechung mit Geheimrat Dr. Conrad Roediger, am 16.4.43.

An das Auswärtige Amt,
     Berlin W 8.

Unter Bezugnahme auf die o.a. Besprechung vom gestrigen Tage wird in der Anlage der Entwurf eines Staatsvertrages zwischen dem Deutschen Reich und dem Königreich Dänemark über den Ersatz von Wehrmachtschäden mit der Bitte um weitere Veranlassung übersandt.

Hinsichtlich der Zusammensetzung der geplanten Gemischten Kommission sind zwei verschiedene Fassungen vorgeschlagen. Es wird angeregt, möglichst zu versuchen, den Verhandlungen die dem Deutschen Reich günstigere erste Alternativfassung zu Grunde zu legen.

Der Chef des Oberkommando der Wehrmacht
Im Auftrage
gez. **Dr. Schreiber**

E n t w u r f

eines Abkommens zwischen dem Deutschen Reich und dem Königreich Dänemark
über den Ersatz von Wehrmachtschäden

Artikel 1
Nach Maßgabe dieses Abkommens sind zu behandeln:
(1) Alle außervertraglichen Schäden, die auf dänischem Staatsgebiet Personen dänischer Staatsangehörigkeit von der Deutschen Wehrmacht oder deren Angehörigen zugefügt werden,
(2) Alle außervertraglichen Schäden, die der Deutschen Wehrmacht und deren Angehörigen auf dänischem Staatsgebiet zugefügt werden.

Artikel 2
Die in Art. l erwähnten Schäden sind nach dänischem Recht zu beurteilen.

Artikel 3

Soweit für die Schäden nach Art. 1 Nr. 1 ein deutscher Wehrmachtangehöriger verantwortlich ist oder soweit ein Anspruch aus einem Schaden nach Art. 1 Nr. 2 einem deutschen Wehrmachtangehörigen zusteht, tritt an die Stelle des Wehrmachtangehörigen das Deutsche Reich.

Artikel 4

Die obengenannten Schäden sollen möglichst auf Grund eines Vergleichs mit dem Geschädigten ersetzt werden. Die deutschen Wehrmachtdienststellen sind berechtigt, die dänischen Verwaltungsbehörden um Hilfe für die erforderlichen Erhebungen zu ersuchen.

Kommt ein Vergleich mit dem Geschädigten nicht zustande, so kann ein Schadensersatzanspruch vor einer dänisch-deutschen Gemischten Kommission in Kopenhagen geltend gemacht werden.

Die Gemischte Kommission besteht aus 2 Mitgliedern, von denen ein Mitglied von der Reichsregierung und ein Mitglied von der dänischen Regierung ernannt wird. Wenn die beiden Mitglieder sich nicht einigen, wird ein drittes von der Reichsregierung ernanntes Mitglied hinzugezogen, das den Vorsitz übernimmt.

Die Gemischte Kommission besteht aus zwei Mitgliedern, von denen ein Mitglied von der Reichsregierung und ein Mitglied von der dänischen Regierung ernannt wird. Wenn die beiden Mitglieder sich nicht einigen, wird ein drittes Mitglied zur Kommission hinzugezogen, das den Vorsitz übernimmt. Falls die beiden Mitglieder sich über die Person des dritten Mitgliedes (Vorsitzenden) nicht einigen, wird diese durch das Los zwischen zwei Personen bestimmt, von denen die eine von der Reichsregierung und die andere von der dänischen Regierung benannt wird.

Artikel 5

Die Kommission stellt die Erhebungen an, die sie für notwendig erachtet. Sie kann erforderlichenfalls hierzu die Landesbehörden um Amts- und Rechtshilfe ersuchen. Solche Ersuchen werden wie Ersuchen eines Gerichts erfüllt.

Gegen die Entscheidungen der Kommission ist kein Rechtsbehelf zulässig. Die Entscheidungen der Kommission können im Deutschen Reich wie ein rechtskräftiges Urteil eines deutschen Gerichts, in Dänemark wie ein rechtskräftiges Urteil eines dänischen Gerichts vollstreckt werden.

Die Kosten für die Tätigkeit der Kommission trägt der dänische Staat.

Artikel 6

Für die nach diesem Abkommen zu behandelnden Schäden ist der ordentliche Rechtsweg ausgeschlossen. Hierdurch wird jedoch nicht ausgeschlossen, daß der Staat, der auf Grund der vorstehenden Artikel Schadensersatz geleistet hat, Ersatzansprüche gegen den für den Schaden Verantwortlichen geltend machen kann.

Artikel 7
Im Sinne dieses Abkommens zählen zu den Angehörigen der deutschen Wehrmacht auch die zu deren Gefolge gehörenden Personen.

Artikel 8
Unter die Bestimmungen dieses Abkommens fallen auch die Schäden, die vor seinem Inkrafttreten im Laufe des gegenwärtigen Krieges entstanden sind, mit Ausnahme solcher Schäden, die schon durch Vergleich oder anderweitig erledigt worden sind.

Artikel 9
Dieses Abkommen gilt nicht für Schäden, die durch Kampfhandlungen oder unmittelbar damit im Zusammenhang stehende militärische Maßnahmen verursacht sind.

Artikel 10
Dieses Abkommen gilt für die Dauer des gegenwärtigen Krieges. Die vertragschließenden Teile werden den genauen Zeitpunkt seines Außerkrafttretens miteinander vereinbaren.

Artikel 11
Das Abkommen soll ratifiziert werden. Der Austausch der Ratifikationsurkunden soll sobald als möglich in ... stattfinden. – Das Abkommen tritt mit dem Austausch der Ratifikationsurkunden in Kraft.

Schlußprotokoll
1.) Unter den Begriff der Personen dänischer Staatsangehörigkeit im Sinne des Art. l. fallen nicht nur natürliche Personen, sondern alle dänischen Geschädigten, die nach dänischem Recht vor den ordentlichen Gerichten klagen oder verklagt werden können.
2.) Unter die Kosten für die Tätigkeit der Kommission im Sinne des Art.5 Abs.3 fallen nicht die Bezüge und Reisegebührnisse für die Vorsitzenden und die Mitglieder der Kommission; diese trägt derjenige vertragschließende Teil, der diese Personen ernannt oder benannt hat.

363. Konstantin Hierl an Joachim von Ribbentrop 17. April 1943

Rigsarbejdsfører Hierl havde tabt tålmodigheden med AA med hensyn til Danmark. Han havde endnu ikke fået behandlet sit firepunktsforslag til indførelse af en arbejdstjeneste i Danmark. Det meddelte han Ribbentrop, idet han hjemkaldte sin forbindelsesofficer, Scheifarth, i København. RFSS fik kopi af brevet.

Scheifarth forblev i København, men af den påfølgende korrespondance er kun Hierls brev til Ribbentrop 12. juni 1943 lokaliseret (trykt nedenfor). Hierl var givetvis i mellemtiden blevet underrettet om, at Best arbejde for sagen og havde en egnet person som dansk arbejdsfører.

Kilde: RA, Danica 1069, sp. 6, nr. 7109-11. RA, Danica 1000, T-175, sp. 17, nr. 520.669-671. RA, pk. 443.

APRIL 1943

Durchschrift

Der Reichsarbeitsführer   *Berlin-Grünewald, den 17. April 1943*
Adj. Nr. 92/43g

Sehr verehrter Herr Reichsminister!
Lieber Parteigenosse von Ribbentrop!
Zu meinem Bedauern bin ich genötigt, mich wegen der Schwierigkeiten in der Zusammenarbeit mit dem Auswärtigen Amt erneut an Sie wenden zu müssen.

1.) Arbeitsdienst in Dänemark
Seit dem Sommer 1942 habe ich mehrfach das Auswärtige Amt auf die unbefriedigende Entwicklung des dänischen Arbeitsdienstes hingewiesen (Schreiben Ch.d.St.Nr. 312/42 vom 29.6.1942 und Ausw. Nr. 1740-3380/42 vom 19.8.1942). Auf meine Vorschläge, den Arbeitsdienstgedanken in Dänemark auf eine andere Grundlage zu stellen, erfolgte entweder gar keine Antwort oder keine klare Entscheidung.

Ich entschloß mich daher, meinen Verbindungsführer in Kopenhagen abzuberufen, wozu Sie in Ihrem Schreiben vom 20. Dez.1942 Ihr Einverständnis gaben.[82]

Wegen der politischen Lage hat mich das Auswärtige Amt gebeten, den Verbindungsführer zunächst noch zu belassen.

Am 23.2.1943 richtete ich an Herrn Staatssekretär von Weizsäcker das abschriftlich beigefügte Schreiben Ausw. 1740-638/43[83] mit einem nochmaligen in 4 Punkten niedergelegten Vorschlag, von dessen Annahme ich das weitere Verbleiben meines Verbindungsführers in Kopenhagen abhängig machte.

Am 27.2.1943 hat das Auswärtige Amt durch Herrn Gesandten Bergmann[84] erneut dringend darum, meinen Verbindungsführer, Arbeitsführer Scheifarth, noch über den 1.3.1943 in Kopenhagen zu belassen. Gesandter Bergmann stellte außerdem für die nächsten Tage Verhandlungen über die von mir gestellten Grundbedingungen in Aussicht.

Am 9. März teilte mir der Gesandte Bergmann in meinem Arbeitszimmer persönlich mit, daß die in meinem Schreiben vom 23.2.1943 aufgestellten 4 Punkte an den Bevollmächtigten des Reiches in Dänemark, Gruppenführer Dr. Best, weitergereicht wären und nach dessen Stellungnahme die Entscheidung des Herrn Reichaußenministers erfolgen würde.

Anläßlich der Berichterstattung meines Verbindungsführers am heutigen Tage erfahre ich, daß dem Bevollmächtigten des Reiches in Kopenhagen diese 4 Punkte am 13.4.1943, also 5 Wochen später, noch nicht bekannt waren.

Bei einer derartigen Behandlung wichtiger Schreiben durch das Auswärtige Amt halte ich einen weiteren Verbleib meines Verbindungsführers in Kopenhagen für zwecklos. Ich habe ihn daher abberufen.

82 Skrivelsen er ikke lokaliseret.
83 Trykt ovenfor.
84 Skrivelsen er ikke lokaliseret.

2.) Aufbaudienst in Serbien

Am 13.2.1943 richtete der Leiter des nationalen Aufbaudienstes in Serbien, Staatssekretär Kotur, ein Schreiben an mich mit einem ausführlichen Bericht über die Entwicklung des serbischen nationalen Aufbaudienstes. Dieses Schreiben wurde mit dem Bericht am 24.2.1943 durch den Beauftragten der serbischen Regierung für Arbeitseinsatz, Herrn Milan Kecic, Berlin, überbracht. In diesem Schreiben wurde ich um eine Unterstützung des serbischen Aufbaudienstes durch den Reichsarbeitsdienst gebeten.

Am 10.3.43 teilte ich dies mit einer eingehenden Darstellung der Entwicklung der Dinge in Serbien dem Auswärtigen Amt mit und bat um baldige Stellungnahme.

Inzwischen wurde vom Beauftragten der serbischen Regierung in Berlin angefragt, ob ich auf das Schreiben des Staatssekretärs Kotur bereits Antwort erteilen könne. Da eine Äußerung des Auswärtigen Amtes noch nicht vorlag, bat ich am 6.4.1943 nochmals um eine baldige Stellungnahme. Eine Antwort ist jedoch darauf bisher nicht erfolgt.

Nachdem heute wiederum vom Beauftragten der serbischen Regierung angefragt wurde, habe ich dem Leiter des serbischen Aufbaudienstes nunmehr die in Abschrift beigefügte Antwort erteilt.

In den angeführten beiden Fällen ist die von mir erstrebte Zusammenarbeit mit dem Auswärtigen Amt durch die dortige Art der Behandlung, über die ich mich schon aus verschiedenen Anlässen früher beklagen mußte, wiederum unmöglich gemacht worden.

Heil Hitler!
Ihr
Hierl

An Reichsführer-SS Himmler
Feldkommandostelle
mit der Bitte um Kenntnisnahme

364. Heinrich Himmler an Werner Best 17. April 1943

Himmler svarede Best vedrørende Frits Clausens mistro over ændringen af den militære omorganisering af de krigsfrivillige. Himmler mente at Clausen havde misforstået det hele og gjorde nærmere rede for Division "Nordlands" karakter, omdannelsen var gjort af praktiske militære grunde, idet han gjorde opmærksom på, at det var op til Clausen, hvis der af Granadier-Regiment Danmark skulle blive en Division Danmark.

Med det sidste opfordrede RFSS til, at DNSAP gjorde noget for at øge antallet af danske frivillige. Clausen havde skrevet til Himmler om sin bekymring 11. marts i et nu tabt brev. Hans bekymring skal ses på baggrund af de øvrige tiltag fra SS' side i Danmark, der svækkede DNSAP, først og fremmest Schalburgkorpsets oprettelse. Til gengæld var omorganiseringen af de frivillige sikkert ikke et led heri, men militært begrundet (Poulsen 1970, s. 378). Dog var Clausen ikke ene om sin bekymring. Som påpeget af Nanno in 'T Veld skrev Mussert et brev af lignende indhold 7. april 1943 til Seyss-Inquart (*De SS en Nederland*, 2, 1976, nr. 378 II).

Kilde: RA, Danica 1000, T-175, sp. 22, nr. 527.574f.

Geheim!   *Feld-Kommandostelle 17. April 1943*
Tgb. Nr. 44/44/43g.

504 APRIL 1943

Lieber Best!

Ich bin nicht dazu gekommen, eine Anzahl Ihrer Briefe zu beantworten. Der Eile halber beantworte ich Ihren Brief vom 7.4.1943 und bestätige zugleich auch den Empfang Ihres Schreibens vom 2.4.1943.[85]

Clausen geht von einer völlig irrigen Voraussetzung aus. In der neuen Division "Nordland" sind die bisherigen Legionen aus praktischen, militärischen Gründen als Division zusammengefaßt. Die neue Division "Nordland" ist keine SS-Division. Die Männer tragen nicht die Sig-Rune auf dem Spiegel sondern das Sonnenrad. Die Grenadier-Regimenter heißen: Dänemark, Neederland und Norge. Es ist also die Umwandlung der jeweiligen Legionen in ein jeweiliges Regiment mit dem Namen des Landes erfolgt.

Gedacht ist von mir ferner, wenn einmal diese Division steht, als nächste Entwicklung – denn die Dinge müssen ja solide militärisch aufgebaut werden – aus dieser Division eine Division "Neederland" aufzustellen, da die Niederländer als Volk mit 9 Millionen am meisten Freiwillige stellen können. Im nächsten Jahr würde dann wohl eine Division "Nordland" vorhanden sein, die nur aus Dänen, Norwegern und – soweit Fehlstellen vorhanden sind, aus Deutsche besteht.

Es steht jedoch völlig frei, daß bei einem Zustrom von genügend Freiwilligen aus einem der drei germanischen Länder nicht die Niederländer, sondern z.B. die Dänen zuerst ihre rein dänische Division erhalten. Die Wunschträume von Clausen sind ins reale soldatisch-nüchterne übersetzt im weitesten Masse berücksichtigt und es hängt nun von ihm ab, wann aus dem Grenadier-Regiment Danmark eine Division "Danmark" wird.

Heil Hitler!

Ihr

gez. H. Himmler

SS-Führungshauptamt Berlin durchschriftlich mit der Bitte um Kenntnismache übersandt.[86]

Brandt
SS-Obersturmbannführer

365. Emil von Rintelen an Werner Best 19. April 1943

Best havde første gang beskæftiget sig med jødespørgsmålet i Danmark i december 1942 og havde skrevet til AA derom 13. januar 1943 (se ovenfor), og når det blev taget op igen fra AAs side i april hænger det givetvis bl.a. sammen med Bests indstilling til Aage H. Andersen og *Kamptegnet* (Yahil 1967, s. 82 med anden formodning om, hvorfor spørgsmålet blev taget op).

Kilde: PA/AA R 29.566 og 100.864. RA, pk. 202 og 226. LAK, Frits Clausen-sagen XI/102. PKB, 13, nr. 734. Best 1988, s. 278. Lauridsen 2008a, nr. 77.

85 Der er sandsynligvis tale om Bests brev 3. april 1943.
86 Brandt sendte samme dag et brev til Berger med en afskrift af Bests breve 2. og 7. april 1943 med bilag og Himmlers brev til Best 17. april (sst. nr. 527.576).

APRIL 1943

Telegramm

Sonderzug, den   19. April 1943   16.45 Uhr
Ankunft   19. April 1943   17.10 Uhr

Nr. 482 vom 19.4.[43.]

1.) Chiffrierbüro Telko
2.) Deutsche Gesandtschaft Kopenhagen
    Für Reichsbevollmächtigten persönlich.

Der Herr Reichsaußenminister bittet Sie um Übersendung eines zusammenfassenden Berichtes über die Judenfrage in Dänemark, aus dem zu entnehmen ist, wie weit Juden in maßgeblichen Posten sind oder sonst einen Einfluß ausüben, z.B. durch Einschaltung in den Handel mit Deutschland.

Des weiteren bittet der Herr Reichsaußenminister um eine Stellungnahme zu der Frage, ob man, ohne die Regierung Scavenius in ernste Schwierigkeiten zu stürzen, jetzt nicht mit bestimmten Forderungen hinsichtlich der Judenfrage an die dänische Regierung herantreten könne.

Rintelen

Vermerk:
Unter Nr. 537 an Deutsche Gesandtschaft Kopenhagen weitergeleitet.
Berlin, 19.4.1943.
Pers. Ch. Tel.
Wieder vorgelegt am 4/5.

366. Gustav Meissner an Joachim von Ribbentrop 19. April 1943

Frits Clausen og DNSAP havde en lang tro støtte og fortaler i Gustav Meissner. Bests ankomst til København og nye politik i forhold til DNSAP førte til Meissners afgang 1. april 1943. Meissner sendte en sidste støtteskrivelse til fordel for sin tidligere samarbejdspartner til AA, idet han ridsede DNSAPs modsætningsforhold til SS op.

Brevet blev fremsendt uden Bests vidende, se hans telegram nr. 653, 31. maj 1943. I erindringerne fortæller Meissner (s. 307), at han skrev notatet på Ribbentrops opfordring. Det kan ikke udelukkes, men kan også skulle udgøre forklaringen på, at Meissner gik bag Bests ryg og fortsat plæderede for en politisk støtte til DNSAP, selv om han vidste, at det gik stik imod den rigsbefuldmægtigedes og SS' ønske.

Kilde: PA/AA R 100.692. RA, pk. 231. LAK, Frits Clausen-sagen XIV/346. PKB, 13, nr. 404. Meissner 1996, s. 307-310 (på dansk). *Føreren har ordet!*, 2003, tillæg 7.

Notiz
für den Herrn RAM

Betr.: Dänische Nationalsozialisten.

Der Parteiführer der dänischen Nationalsozialisten Dr. Clausen hat nach den dänischen Reichstagswahlen vom 23. März d.Js. anläßlich eines Besuches beim Bevollmächtigten des Reiches in Dänemark den Wunsch ausgesprochen, künftig auf weitere finanzielle Beihilfen von deutscher Seite zu verzichten.

Seit dem Herbst 1940 sind den dänischen Nationalsozialisten gut 7 Millionen Kronen an Zuschüssen gegeben worden. Diese Gelder wurden hauptsächlich für die nationalsozialistischen Tageszeitungen Fädrelandet und Folket sowie für eine national-sozialistische Arbeitsfront, einen freiwilligen Arbeitsdienst und für die praktische orga-nisatorische Arbeit verwendet.

Clausen hat die Absicht, sich, wie früher, wieder pressepolitisch auf die Wochen-zeitung "Nationalsozialisten" zu stützen. Die Frage, was aus den übrigen Presseorganen sowie aus der Arbeitsfront, dem Arbeitsdienst usw. werden soll, bedarf noch einer beson-deren Klärung. Nach Möglichkeit soll eine Lösung angestrebt werden, die die genannten Institutionen am Leben erhält, wobei aber die nationalsozialistische Partei wahrschein-lich ihre direkte Bindung zu den erwähnten Einrichtungen aufgeben wird.[87]

Den Beschluß eines Verzichts auf weitere deutsche finanzielle Beihilfen hat Clausen aus folgenden Gründen gefaßt:

1.) hat das Ergebnis der Wahlen die dänischen Nationalsozialisten enttäuscht. Clau-sen hat zwar auf Befragen des Reichsbevollmächtigten grundsätzlich den Wunsch geäu-ßert, die dänischen Reichstagswahlen zur Durchführung kommen zu lassen, hat aber dabei mündlich und schriftlich zur Voraussetzung gemacht, daß man deutscherseits ver-hindern müßte, daß die demokratischen Sammlungsparteien eine Wahlpropaganda im Zeichen des gegenwärtigen dänisch-deutschen Verhältnisses durchführten. Nach Auf-fassung Clausens ist dieses nicht erfolgt. Die demokratische Wahlpropaganda forderte vielmehr dazu auf, für ein freies Dänemark und für einen freien Norden sowie für die Bewahrung der demokratischen Freiheit zu stimmen. Außerdem unterstrich sie, daß die Wahlen nichts mit einer Stimmabgabe für die Regierung Scavenius zu tun hätten, da diese ohne vorherige Befragung des dänischen Reichstages auf Grund außerordentlicher Umstände zustande gekommen sei. Clausen wie auch die überwiegende Mehrheit der deutschfreundlichen Kreise in Dänemark vertreten die Ansicht, daß die Wahlen eine Volksabstimmung der dänischen Bevölkerung gegen Deutschland und gegen das auto-ritäre System gewesen seien. Sie sind befremdet darüber, daß es ihnen als Opposition von deutscher Seite nicht erlaubt wurde, gegen die demokratischen Sammlungsparteien in ihrer Presse öffentlich zu Felde zu ziehen. Durch diesen Umstand seien die Wahlen als das Produkt einer einseitigen Bevorzugung der demokratischen Sammlungsfront an-zusehen, obwohl diese in den letzten Jahren für die feindliche Stimmung der dänischen Bevölkerung Deutschland gegenüber voll verantwortlich zu machen sei.

2.) hat Clausen inzwischen starkes Mißtrauen gegen die von der SS verfolgte Politik in Dänemark gefaßt. Er äußert, daß seitens der SS im Frühjahr 1941 ihm gesagt worden sei, daß, wenn er 500 dänische Freiwillige für den Waffendienst stellen würde, seine Anerkennung als Partei gewährleistet sei. Er habe seinerzeit ein Kontingent von 800 Freiwilligen gestellt, wohinzu nach dem 22. Juni 1941 das Freikorps Dänemark und

---

87 NSU og LAT blev frigjort fra DNSAP og modtog fortsat tysk støtte, mens hele lokalpressen ophørte.

APRIL 1943

weitere Freiwillige für die verschiedensten Verbände der Waffen-SS gekommen seien. Die Zahl der dänischen Freiwilligen belaufe sich nunmehr auf mehrere Tausend, von denen ein sehr großer Prozentsatz von der DNSAP gestellt worden sei.

Nunmehr strebe die SS die Bildung eines germanischen Korps in Dänemark an und habe auch für diesen Zweck bereits den Obersturmbannführer Martinsen (Kommandeur des Freikorps) nach Dänemark entsandt.[88] Die Angehörigen dieses germanischen Korps sollen auf den Reichsführer-SS vereidigt werden und seinen Weisungen unterstehen. Clausen, der nach seiner Stellung zu diesem Plan befragt worden ist, hat dem Reichsbevollmächtigten mitgeteilt, daß er als Parteiführer der DNSAP mit dem germanischen Korps nichts zutun haben wolle.[89] Er sieht diese Initiative als verfrüht an und hält sie lediglich für geeignet, Unruhe in dänischen Kreisen zu erzeugen. Man würde nämlich, wie Clausen sagt, das germanische Korps als einen Beweis dafür ansehen, daß man von deutscher Seite Dänemark gewissermaßen als Gau angliedern wolle. Clausen betont, daß er überzeugter Anhänger einer künftigen engen deutsch-dänischen Zusammenarbeit ist, die mit der Zeit zu einem Zusammenwachsen beider Länder führt. Voreilige Schritte in dieser Richtung hält er aber gerade deswegen für unangebracht.

Der inzwischen vollzogene Schritt zur Bildung eines germanischen Korps hat in Kreisen der dänischen Nationalsozialisten und vor allem bei Clausen das Gefühl aufkommen lassen, daß die Freiwilligen aus den Reihen der DNSAP nun doch nicht der Partei zugute kommen werden, sondern daß sie vielmehr der Partei endgültig entzogen sind. Er sieht dieses als einen Bruch der Versprechungen an, die ihm im Frühjahr 1941 von Seiten der SS gemacht wurden.

Ein weiterer Grund des Mißtrauens Clausens gegen die SS ist auf die zahlreichen Einmischungen in seine Personalpolitik zurückzuführen. Im Laufe der letzten Jahre sind die verschiedensten Forderungen an ihn gestellt worden, auf engere Mitarbeiter zu verzichten.[90] Zum Teil waren diese Forderungen vielleicht berechtigt. In der Partei wirkten sie aber als ein Beweis, daß man nicht mehr selbständig arbeiten konnte, sondern in allen Fragen in völliger Abhängigkeit stand. In den meisten Fällen beruhten die Forderungen personeller Veränderungen auf nachteilige Angaben der DNSAP mißgünstiger nationalsozialistischer Splittergruppen. Da man die Forderungen von Fall zu Fall mit der Drohung des Entzugs der Subsidien unterstrichen hatte, hat Clausen nunmehr die Hoffnung, selbständiger in seiner Politik verfahren zu können, nachdem die Frage der Subsidien unter den Tisch gefallen ist.

Die dänischen Nationalsozialisten sind zurzeit sehr hoffnungslos geworden. Nach der plötzlichen Krise im September 1942 hatten sie eine Möglichkeit gesehen, offiziell stärker in die deutsch-dänische Zusammenarbeit einbezogen zu werden. Nachdem aber die Regierung Scavenius weitgehend unter Wiederhineinnahme der alten Kräfte gebildet wurde, machte sich eine sichtliche Enttäuschung breit. Die von deutscher Seite augenblicklich betriebene Politik engster Zusammenarbeit mit der Regierung Scavenius sieht man als einen Beweis dafür an, daß Deutschland an der Entwicklung des

---

88 Det omtalte tyske korps var Schalburgkorpset.

89 Det var tilfældet, se *Føreren har ordet!* 2003, del 4, tekst 51.

90 Der tænkes især på brødrene Bryld og Aage Thomsen, som bl.a. Best senere udtrykkeligt nævner, men også Axel Juul (jfr. *Føreren har ordet!* 2003, s. 786 n. 69).

Nationalsozialismus in Dänemark kein besonderes Interesse hat. Durch die Wahlen glaubt man hierfür die endgültige Bestätigung erhalten zu haben. Man bringt kein Verständnis dafür auf, daß die deutschfeindlichen Personen und Kreise, insbesondere die Juden, sich frei und ungehemmt betätigen können und sieht keine Möglichkeit eines entscheidenden Fortschrittes für die nationalsozialistische Partei, so lange dieses der Fall ist. Daher hat man nunmehr den Beschluß gefaßt, sich wieder völlig auf die eigenen Beine zu stellen und unter Bewahrung seiner seit 1932 bewiesenen klaren deutschfreundlichen Einstellung in bescheidenerem Rahmen weiterzuarbeiten.

Fuschl, 19.4.43.

Meissner

367. Frhr. von Bodenhausen an Hermann von Hanneken 19. April 1943

Generalstabsofficer ved 416. infanteridivision i Nordjylland, von Bodenhausen, orienterede von Hanneken om, hvad der skulle tages hensyn til ved forberedelsen af sprængningen af broer. Der var betydelige tekniske vanskeligheder, og han medsendte en liste over den mængde sprængstof og det tilbehør, som var nødvendigt for at udføre ordren.

Se WB Dänemark: Kampfanweisung 20. juli 1943, hvor der blandt andet er en liste over 33 broer, der skulle forberedes til sprængning (Anlage 2, trykt på dansk hos Hendriksen 1983, s. 709f.) ved Bereitschaftsstufe 2 (Andersen 2007, s. 147f.).

Kilde: RA, Danica 1069, sp. 4, nr. 5765f.

Abschrift!
416. Infanterie Division   *Div.St.Qu., den 19.4.43*
Abt. Ia/Pi. Nr. 1540/43 geh   Geheim!

Betr.: Sprengvorbereitungen für Brücken.
Bezug: Bef. Dänemark Abt. Ia Nr. 688/43 geh. v. 17.3.43
Anl.: – 1 –[91]

Dem Befehlshaber der deutschen Truppen in Dänemark
    Kopenhagen

Bei den zu treffenden Maßnahmen zur Sprengung der Brücken muß der Gesichtspunkt bestimmend sein, daß in den meisten taktischen Lagen, besonders in den ersten Tagen, weniger die Zerstörung als die Erhaltung der Brücken von Wichtigkeit ist. Es muß vermieden werden, daß besonders durch in der ersten Aufregung erteilte Anordnungen Unheil angerichtet wird.

Werden Munition und Zündmittel in der Nähe der Sprengobjekte gelagert, besteht trotz Bewachung eine Gefährdung derselben durch Sabotagetrupps. Eine Lagerung in der Nähe der Truppenunterkunft erspart außerdem Sonderwachen.

Außer den zwei Brücken südlich Vem handelt es sich im Gebiet der Division ausschließlich um Klappbrücken, bei denen die durch die Sprengung der Klappen geschaffte Lücke groß genug ist, um jeglichen Verkehr zu unterbinden.

91 Trykt efterfølgende.

In den von der Pionier-Kompanie 416 durchgeführten Erkundungen sind die Ladungen durchweg unverdämmt vorgesehen. An den Trägern müßten entsprechende Behälter angeschweißt werden, um im Gefahrenmoment die entsprechend vorbereitete Munition einbauen zu können.

Minenkammern sind in keinem Falle vorhanden.

Es wird die Anbringung von 2 elektrischen Zündungen an Stelle von elektrischer und Leitfeuerzündung. Bei diesen Sprengobjekten, die längere Zeit vor der Sprengung vorbereitet werden, eignet sich die elektrische Zündung besser als Leitfeuerzündung, da sie widerstandfähiger und den Witterungseinflüssen nicht so sehr ausgesetzt ist. Beim Lagern von Leitfeuerzündungen in solchen Mengen kann ein Brechen der Zündschnur nicht vermieden werden.

Die elektrische Zündung erscheint bei den Klappbrücken deswegen vorteilhafter, weil das Zündkabel getrennt werden kann und erst im letzten Moment bei der Brückendurchfahrt zusammengeschlossen werden kann. Die Leitfeuerzündung müßte man an Stangen über die Brückendurchfahrt hinweg legen, um diese für die Schiffahrt offen zu halten.

Die Division bittet um Entscheidung und Lieferung der Munitionsmengen. (Siehe Anlage)

Für das Divisionskommando
Der erste Generalstabsoffizier
Frhr. v. Bodenhausen

Anlage zu 416. Inf. Div. Nr. 1540/43 geh. v. 19.4.43
Munitions- u. Zündmittelbedarf zur Sprengung von 7 Brücken

14	Munitionskästen
11.200	kg. Pionier Sprengmunition
320	Stück Glühzünder
400	[Stück] Sprengkapseln
13	[Stück] lange Sprengkapselzünder
3.900	m Knallzündschnur
920	m isolierter Draht für Zwischenstücke
2.600	m Doppelsprengkabel
7	Stück Glühzündapparate
500	m Isolierband

Diese Zündmittel sind für elektr. und Leitfeuerzündung berechnet.
Sollten 2 elektrische Zündungen angewandt werden, so werden benötigt:

14	Munitionskästen
11.200	kg. Pionier Sprengmunition
640	Glühzünder
1.840	m isolierter Draht für Zwischenstücke
5.200	m Doppelsprengkabel
14	Glühzündapparate
1.000	m Isolierband

Es wird um Lieferung nach Bahnhof Viborg, Leitzahl 45 296 (M.A.St.) gebeten.

368. Werner Best an das Auswärtige Amt 20. April 1943

På Hitlers fødselsdag benyttede Best anledningen til at følge op på de foregående ugers sager vedr. konge-huset og advarslen til regeringen angående indstillingen i hæren.
   Kilde: PA/AA R 29.566. ADAP/E, 5, nr. 324.

Telegramm

| Kopenhagen, den | 20. April 1943 | 22.15 Uhr |
| Ankunft, den | 20. April 1943 | 22.50 Uhr |

Nr. 459 vom 20.4.[43.]

Der Staatsminister von Scavenius hat mich heute aufgesucht, um mir die Glückwünsche der dänischen Regierung zum Geburtstag des Führers auszusprechen.

Er teilte mir bei dieser Gelegenheit mit, daß der Kronprinz-Regent in den letzten Tagen die wichtigsten Generäle zu sich bestellt und sie dringend ermahnt habe, für eine loyale Einstellung des dänischen Heeres und insbesondere des Offizierskorps gegenüber der deutschen Wehrmacht zu sorgen. Die Generäle hätten dem Kronprinz-Regenten die feierliche Erklärung gegeben, daß das Heer die Befehle des Königs und der Regierung in jeder Hinsicht gehorsam befolgen und sich auf keinen Fall zu irgendwelchen Unbeson-nenheiten hinreißen lassen werde.

Die von der Regierung geplanten Maßnahmen (Einstellung der letzten routinemäßi-gen Mobilmachungsarbeiten usw.) werden zur Zeit im Verteidigungsministerium bear-beitet. Der Staatsminister wird mich über die Einzelheiten alsbald unterrichten.[92]

Dr. Best

369. Werner Best an das Auswärtige Amt 21. April 1943

Der udviklede sig i en fløj af DNSAP i løbet af 1942 en uvilje mod den angivelige fortyskning af de par-timedlemmer, der meldte sig til tysk krigstjeneste, en uvilje, der forøgedes stærkt, da planen om et Schal-burgkorps kom frem. DNSAP søgte at hindre en fortyskning af undervisningen på den i oktober oprettede Schalburgskole, i starten med held, da Frits Clausens støtte, Dirk Bonnek, blev skolens leder. Bonnek blev sat fra bestillingen og sendt til Berlin i april 1943. Samtidig udtalte Ejnar Jørgensen sig mod fortyskningen under et ophold ved Frikorps Danmark. Meddelelse herom nåede fra AA til Best, der gav brydningerne i DNSAP sin egen udlægning. Der blev ikke skredet ind mod hverken Bonnek eller Ejnar Jørgensen, selv om de havde overtrådt adskillige krigsretslove. Det var af politiske grunde, det ville have skadet SS og hvervnin-gen foruden DNSAP for meget.
   Bonnek blev sat ud af spillet ved at blive kaldt til krigstjeneste, og han faldt senere på året, mens Ejnar Jørgensen siden arbejdede for Schalburgkorpset (*Højesteretstidende* 1949, s. 53, 58, Lauridsen 2002a, s. 480, 510).
   Kilde: PA /AA R 61.119. PA/AA R 100.355 (med bilag). RA, pk. 236 (med bilag). LAK, Frits Clausen-sagen XV/126.

Der Bevollmächtigte des Reiches in Dänemark   *Kopenhagen, den 21.4.1943*
II L-81/43

---

92 Der er ikke kendt flere telegrammer vedr. dette forhold.

An das Auswärtige Amt in Berlin

Betr.:   Die DNSAP.
Anlage: 1, dreifach
        2 Berichtsdoppel.[93]

Die Ergänzungsstelle der Waffen-SS für Dänemark hat mir den in Abschrift beigefügten Bericht vom 19.4.43 über den SS-Hauptsturmführer d.R. Bonnek und den jetzigen Reichstagsabgeordneten der DNSAP Ejnar Jörgensen vorgelegt.

Wie die Ergänzungsstelle der Waffen-SS mit Recht bemerkt, muß das Verhalten dieser beiden herausgestellten Unterführer der DNSAP als bezeichnend für eine starke Strömung in der Partei angesehen werden, die sich schon seit geraumer Zeit als gegen den Einsatz von Freiwilligen in der Waffen-SS eingestellt und z.T. geradezu als deutschfeindlich gezeigt hat.

Dabei muß besonders hervorgehoben werden, daß diese Strömung nicht etwa eine Reaktion auf den Mißerfolg der Partei in der Reichstagswahl vom 23.3.43 ist, sondern daß sie sich schon seit Monaten deutlich bemerkbar gemacht hat. Sie ist zweifellos dadurch entstanden, daß gelegentlich Verärgerungen dänischer Freiwilliger von feindlichen Agenten in der Partei ausgenutzt und in Verbindung mit anderen Momenten der Unzufriedenheit zu einer Strömung verstärkt worden, der der Partei Frits Clausen – wie er mir offen sagte – ziemlich machtlos gegenübersteht. Die mangelnde Werbekraft der Partei ist sicher zum Teil auf diese irritierenden und spaltenden Tendenzen zurückzuführen.

Wie in dem anliegenden Bericht erwähnt ist, habe ich mich bisher in jedem Falle dafür eingesetzt, daß wegen des berichteten Verhaltens keine kriegsgerichtlichen Maßnahmen eingeleitet wurden, weil hierdurch noch schädlichere Rückwirkungen sowohl auf die DNSAP wie auch auf die gesamte Freiwilligenwerbung in Dänemark ausgelöst worden wären.

Best

Abschrift.

Kopenhagen, den 19.4.1943.
A.F. Kriegersvej 3.

Betr.:   1.) SS-Hauptstuf. d. R. Bonnek
        2.) Ehem. Leg. Untersturmführer Ejnar Jörgensen.

Nachstehend wird ein Bericht vorgelegt über 2 führende Mitglieder der DNSAP, die der Waffen-SS angehören bzw. angehört haben. Der Bericht kann nach diesseitiger Ansicht als bezeichnend für die Einstellung der DNSAP gelten.
1.) Der SS-Hauptsturmführer d. R. Bonnek, früherer dänischer Marineoffizier, wurde

---

93 Bilaget fra 19. april er trykt efterfølgende, mens et kort presseklip på tysk om Jørgensens dom ikke er medtaget.

als SS-Hauptsturmführer d. R. in die Waffen-SS eingestellt und hat den kurzen Sommereinsatz des Freikorps Danmark 1942 als Kompaniechef mitgemacht. Er wurde mit dem EK II ausgezeichnet. Bonnek wurde von der DNSAP für die SA-Arbeit eingesetzt. Im Laufe seiner Tätigkeit wurde er zum Stabschef der SA ernannt.

In der Folgezeit wurden einige Fälle bekannt, die im folgenden geschildert werden.

a.) Im November 1942 erklärte Bonnek bei einer Besichtigungsreise der dänischen SA im kleinen Kreise in Aarhus, daß die DNSAP nunmehr genügend Freiwillige für die Front und damit für die Waffen-SS gestellt habe. Es könne der Partei nicht zugemutet werden, daß sich noch mehr Männer für die Waffen-SS melden würden, da die Partei auch ihr jüngeren Mitglieder selbst in Dänemark benötige.

b.) Am 23.2.1943 hat der dänische Staatsangehörige, stud. jur. Teilmann Jörgensen, sich zu einer Vernehmung zur Verfügung gestellt und hierbei ausgesagt:
"In einem Gespräch zwischen Teilmann Jörgensen und Bonnek über die Meldung dänischer Freiwilliger zum Fronteinsatz, hat Bonnek geäußert, die Politik der Deutschen hier in Dänemark und ihr klares Ziel ist es, das beste Blut nach Deutschland zu holen, um dann das übrige Volk um so leichter versklaven zu können. Wir müssen das verhindern. Wir müssen verhindern, daß noch mehr Leute nach Deutschland fahren. Dazu ist eine Organisation nötig, die wir nun schaffen müssen."

c.) Da Bonnek zu einer SS-Dienststelle in Kopenhagen versetzt worden war, wurde ihm im Februar 1943 der übliche Verpflichtungsschein über Geheimhaltung als erforderliche Unterlage für seine Personalakte zur Unterschrift vorgelegt. Bonnek stieß sich an der Verpflichtung, daß er dienstliche Geheimnisse auch nach seinem Ausscheiden aus der SS wahren solle. Er sehe nicht ein, warum er über solche dienstlichen Dinge z.B. nicht mit Parteikameraden der DNSAP sprechen dürfe. Der ihm vom SS-Ersatzkommando Dänemark vorgelegte Verpflichtungsschein ist von ihm nicht unterschrieben worden.

Nach rein militärischen und SS-gerichtlichen Gesichtspunkten hätte auf Grund dieses Tatbestandes durch das zuständige Gericht gegen Bonnek als SS-Führer ein Verfahren wegen Verbrechens gegen §5 der Kriegssonderstrafrechtsverordnung in Idealkonkurrent mit § 90 f des Reichsstrafgesetzbuches und §1 des Gesetzes gegen heimtückische Angriffe auf Staat und Partei eingeleitet werden müssen. Lediglich aus politischen Rücksichten ist im Einvernehmen mit dem Bevollmächtigten des Reiches in Dänemark von einer derartigen strafrechtlichen Verfolgung, die nur mit schwersten Strafen hätte abgeschlossen werden können, abgesehen worden. Es wurde hierbei Bonnek zugutegehalten, daß seine Äußerungen ein Ausdruck der allgemeinen Einstellung in den Kreisen der DNSAP seien und daß er lediglich die Unklugheit begangen habe, diese Gedanken in der Öffentlichkeit zu äußern. Ein deutscher SS-Führer wäre ohne weiteres vor das zuständige Gericht gestellt worden.

1.) Der jetzige Folketingsabgeordnete der DNSAP Ejnar Jörgensen wurde im Sommer vorigen Jahres anläßlich eines erbetenen Besuches beim Freikorps Danmark als Leg.-Unterstumführer aufgenommen. Aktiven Truppendienst hat Jörgensen nicht geleistet. Seine Aufnahme war lediglich ein Entgegenkommen der DNSAP gegenüber, diesem führenden Mitglied der Partei einen Besuch der Freikorpsangehörigen im Einsatz zu ermöglichen. Gleichzeitig wurde durch seine Aufnahme die Weiterverfolgung eines gegen ihn bei den dänischen Gerichten anhängigen politischen Strafverfahrens, in dem er zu 3 Monaten Gefängnis verurteilt worden war, unmöglich gemacht.

Auf einer Versammlung der Sysseltings der DNSAP in Slagelse am 4.4.1943 hat Ejnar Jörgensen zu verschiedenen gegen die Führung der DNSAP erhobenen Vorwürfen Stellung genommen und in einigen Punkten folgendes über die Waffen-SS geäußert:

a.) Von einigen Versammlungsteilnehmern wurde die unzureichende Zustellung von Paketen an die Freiwilligen beanstandet.

Ejnar Jörgensen antwortete:

Vier Pakete sind alle ohne Ausnahme bei der Waffen-SS, Jernbanegade 7, (SS-Ersatzkommando Dänemark) abgeliefert worden. Von dort aus hat man bewußt die Pakete fehlgeleitet, um den Eindruck zu erwecken, daß eine ungenügende Betreuung seitens der Partei vorliegt. Man will so eine Mißstimmung zwischen den Freiwilligen und der Partei hervorrufen.

b.) Von verschiedenen Seiten wurde bemerkt, daß eine Werbung zur Waffen-SS von der Partei unterbunden würde.

Ejnar Jörgensen antwortet:

Eine direkte Aktion gegen die Werbung hat nicht stattgefunden. Da die Waffen-SS jetzt selbst im Lande wirkt, legen wir aber keinen Wert darauf, an dieser Werbung teilzunehmen, da wir es als unser Verdienst betrachten, daß nur Freiwillige aus den Reihen der Partei kommen.

c.) Ejnar Jörgensen erklärte, man habe den Eindruck, daß Deutschland oder die verantwortlichen Stellen des Reiches den Versuch machten, das dänische Volk zu verdeutschen.

Auch gegen Jörgensen hätte auf Grund dieser Äußerungen aus militärischen und gerichtlichen Gründen ein Verfahren wegen Verstoßes gegen § 1 des Gesetzes gegen heimtückische Angriffe auf Staat und Partei eingeleitet werden müssen, da seine Behauptungen unwahr und geeignet sind, das Ansehen der SS schwer zu schädigen.

Auch in diesem Falle ist gegen Jörgensen aus politischen Gründen und aus Rücksichtnahme nichts veranlaßt worden. Da Jörgensen bei der dänischen Reichstagswahl zum Folketingsabgeordneten der DNSAP gewählt worden ist, mußte er aus der Waffen-SS ausscheiden, um dem dänischen Reichstage als Abgeordneter angehören zu können. Seine Entlassung ist inzwischen durchgeführt worden.

370. Werner Best an das Auswärtige Amt 22. April 1943

I anledning af en konkret sag, hvor en mindreårig dansk statsborger havde ladet sig hverve til værnemagten uden for Danmark, klagede Best over, at der blev hvervet danske statsborgere mod OKWs bestemmelser. Desuden anmodede han om, at de danske statsborgere, som værnemagten skulle bruge i Danmark, blev behandlet gennem hans embedsmænd.

Kilde: PA/AA R 29.566. RA, pk. 202.

514 APRIL 1943

Telegramm

| Kopenhagen, den | 22. April 1943 | 15.55 Uhr |
| Ankunft. | 22. April 1943 | 17.00 Uhr |

Nr. 471 vom 22.4.43.   Cito!

Im Anschluß an Drahtbericht Nr. 424[94] vom 12. d.M. und unter Bezugnahme auf Schriftbericht vom 25.1.1942 – 395 D Pol 3 Mil./42 – betreffend Einstellung dänischer Staatsangehöriger (Volksdeutscher und Dänen) in die deutsche Wehrmacht.

Laut einer gemäß Punkt 3 des Berichts vom 25. November 1942 erfolgten Mitteilung der Wehrmachtkommandantur Kopenhagen vom 20.2.43 ist dänischer Staatsangehöriger Helge Valdemar Bryndum, geb. 10.7.1925 in Ullits, Nordjütland, zur Panzerjäger-Ersatzabteilung 20, Harburg, einberufen worden.

Dänisches Außenministerium hat nunmehr um Entlassung des minderjährigen Bryndum vom Wehrdienst gebeten, weil seine Einstellung ohne Zustimmung seines Vaters und gesetzlichen Vertreters erfolgt sei, der Rückkehr seines Sohnes nach Dänemark wünsche. Diese Bitte ist nach dem auch im Paragraphen 5, Abs. 1, Buchstabe k der Verordnung über die Heranziehung deutscher Staatsangehöriger im Ausland zum aktiven Wehrdienst und zum Reichsarbeitsdienst vom 17.4.1937 enthaltenen Rechtsgrundsatz begründet, wonach für die Einstellung eines minderjährigen Freiwilligen in die Wehrmacht vorausgesetzt wird, daß eine Einwilligungserklärung seines gesetzlichen Vertreters vorliegt. Ich bitte daher um die Durchführung der beantragten Entlassung.

Unter Hinweis auf vorstehenden Einzelfall führe ich grundsätzlich folgendes aus: die mit Bericht vom 25. November 1942 gemeldete Anordnung des Oberkommandos der Wehrmacht widerspricht den Grundsätzen der für die Heranziehung von Personen aus dem Ausland zur Wehrdienst bestehenden Bestimmungen, die einer um so stärkeren Beachtung bedürfen, wenn es sich um Angehörige des betreffenden Auslandes handelt. Die Anordnung ist ohne vorherige Beteiligung meiner Behörde und wohl auch ohne vorherige Befragung des Auswärtigen Amtes erlassen worden. Ich habe mich seinerzeit mit der unter dem 25. November 1942 berichteten und nachträglich getroffenen Regelung begnügt, da ich keine Kompetenzschwierigkeiten schaffen wollte und der Angelegenheit geringere Bedeutung beigemessen habe. Tatsächlich sind bisher seitens der Wehrmachtsstellen in Dänemark auch nur 15 Freiwillige mitgeteilt worden, die über den Befehlshaber Dänemarks durch das Wehrbezirkskommando Ausland in das Reich zum Wehrdienst eingezogen worden sind.

Im Hinblick auf das politische Interesse, welches ich an der Einberufung dänischer Freiwilliger zur Wehrmacht nehmen muß, sowie auf die Möglichkeit fehlerhafter Erledigungen, wie der oben berichtete Fall zeigt, bitte ich nunmehr, im Zuge der Gesamtabsprache über die geplante Errichtung einer Außenstelle des WEK Ausland in Kopenhagen die Frage der Heranziehung dänischer Freiwilliger zum deutschen Wehrdienst in dem Sinne zu bereinigen, daß die Durchführung der Erfassung und Heranziehung

---

94 Recht. Trykt ovenfor.

APRIL 1943

durch meine Behörde ordnungsgemäß wieder sichergestellt wird. Dies muß folgerichtig auch für die Heranziehung dänischer Staatsangehöriger zum Dienst in der Flakmiliz des Befehlshabers gelten. Die vom Befehlshaber gewährte Unterbringung mittelloser dänischer Staatsangehöriger, die sich freiwillig zum Wehrdienst im Reich melden, wird dadurch nicht berührt. Eine größtmögliche Beschleunigung der Einberufung von Freiwilligen zur Flakmiliz des Befehlshabers kann jederzeit dadurch sichergestellt werden, daß meiner Behörde seitens des WEK Ausland in Berlin Blanko-Einberufungsbefehle zur Verfügung gestellt werden, für deren Ausstellung, zumal es sich lediglich um Einberufungen zur Verwendung in Dänemark handelt, ausschließlich die nach den bestehenden Vorschriften hier geprüften Voraussetzungen maßgebend sind. Eine Regelung, nach der die Erfassung und Heranziehung dänischer Freiwilliger für die Flakmiliz meiner Behörde obliegt, würde außerdem die Anwendung des allgemeinen bei Gewährung von Familienunterhalt im Ausland beobachteten Verfahrens ermöglichen, an dessen Stelle zunächst mit Bericht vom 6. März 1943 – I B/D Pol 3 Mil./43[95] – ein wesentlich umständlicheres Verfahren vorgeschlagen werden mußte.

Dr. Best

371. Horst Wagner an Werner Best 22. April 1943

Wagner spurgte, om det var muligt at få en større mængde gråt stof til SS-uniformer i Danmark.
Best svarede 24. april.
Kilde: PA/AA R 100.986.

Fernschreiben

Berlin, den   22. April 1943
Fuschl 513[96]
Telko Nr. 515
Diplogerma Kopenhagen Nr.
Referent: LR Wagner
Betreff:

Für Gesandten persönlich[97]
Erbitte sofort nachzuforschen, ob Beschaffung größerer Mengen grauen Stoffs für SS Uniformen in Dänemark möglich ist.
    Bitte mit Drahtbericht mir möglichst umgehend Ergebnis,[98] zwecks Vortrag bei RAM, mitzuteilen.

Wagner

95 Telegrammet er ikke lokaliseret.
96 Afgik som nr. 513 fra AA kl. 19.20 22. april 1943.
97 Tilføjet med håndskrift.
98 "Menge + Preis" tilføjet med håndskrift.

516

APRIL 1943

372. Gottlob Berger an Heinrich Himmler 22. April 1943

Berger meddelte Himmler, at et medlem af DNSAP, Kay Gothenborg, var udtrådt af DNSAP og havde sendt Frits Clausen en kraftig kritik. Berger antog kritikken for berettiget, men mente, at nu kunne der ikke komme mere frem. Det danske nazistiske parti måtte nyopbygges, men der skulle ikke skrides ind over for Clausen. Han skulle fortsat have tilbudt hjælp via beskyttelseskorpset, dvs. Schalburgkorpset.

Kay Gothenborg var købmand i Århus og tidligere sysselleder for DNSAP. Hans brev til Frits Clausen af 18. marts 1943 blev mangfoldiggjort og også oversat til tysk. Det indeholder en blanding af berettiget kritik, sladder og løse påstande, herunder kraftige udfald mod brødrene Bryld, og brevet kunne benyttes af både SS og Best til at svække Clausen (brevet er trykt på dansk i *Føreren har Ordet!* 2003, s. 773-782).

Kilde: RA, Danica 1069, sp. 6, nr. 7099 (endvidere er her Gothenborgs brev på tysk sst. nr. 7100-7107). RA, Danica 1000, T-175, sp. 17, nr. 521.017 (her følger også Gothenborgs brev). RA, pk. 443.

Der Reichsführer-SS   *Berlin-Wilmersdorf, den 22.4.1943*
Chef des SS-Hauptamts   Geheim!
CdSSHA/Be/Ra. VS-Tgb. Nr. 2518/43 g.
Chedadjtr. Tgb. Nr. 1269/43 g.

An den Reichsführer-SS und Chef der Deutschen Polizei
    Berlin SW 11, Prinz-Albrecht-Str. 8

Reichsführer!
Kay Gothenborg ist aus der DNSAP ausgetreten. Er hat bei seinem Austritt Clausen einen Brief geschrieben, an dem nun wirklich alles dran ist, in sofern, als alle die Vorhalte, die wir Clausen seit Jahren machen, nun von seinem eigenen Landsmann wiederholt und in aller Schärfe vorgebracht werden.

Im Augenblick ist die Angelegenheit so, daß nicht mehr viel kommen kann und die ganze dänische nationalsozialistische Partei neu aufgebaut werden muß. Von uns aus wird nichts gegen Clausen unternommen, im Gegenteil, wir bieten ihm nach wie vor über das Schutzkorps unsere Hilfe an.

G. Berger
SS-Gruppenführer

373. Eberhard Reichel an Horst Wagner 22. April 1943

Reichel orienterede Wagner om opstillingen af det germanske korps og om antallet af danske frivillige.
    Kilde: RA, pk. 231.

Telegramm

Berlin, den   22. April 1943

Sonderzug, z.Hd. LR Wagner   Geheime Reichssache
über Büro RAM   Akt. Z. e.o. Inl. II 157 g Rs
Referent: LR Dr. Reichel
Betreff: Germanisches Korps.   Citissime!

APRIL 1943   517

Germanisches Korps ist auf Befehl des Reichsführers-SS in Bildung begriffen. Es umfaßt

1.) Panzergrenadierdivision "Wiking",
2.) Division "Nordland", bestehend aus norwegischen Freiwilligen, finnischen Freiwilligen und neuerdings aus den Legionen (Wehrmachtsformation) herausgezogenen
SS-Tauglichen.

Die Angehörigen des Germanischen Korps werden, obwohl sie fremde Staatsangehörige
sind, auf Führer und Reichsführer vereidigt.

Aus Dänemark hatten sich nach dem Stand vom 31.3. freiwillig gemeldet für die
Waffen-SS 2.728 und für die Legion (Wehrmacht) 1.676.

Reichel

374. Emil Geiger an Horst Wagner 23. April 1943

Wagner fik direktiver om, hvorledes han videre skulle forholde sig i sagen vedrørende den tyske politibataljon, der skulle til Danmark med forslag til indholdet af de breve, der skulle sendes til Best og CdO. Geiger
havde også med CdO telefonisk aftalt, hvordan kompetencen over bataljonen i Danmark skulle være.

Wagner gik videre med sagen næste dag. Både Best og CdO fik henvendelser næsten identiske med det
af Geiger foreslåede indhold. Best svarede på Wagners telegram med telegram nr. 487, 27. april 1943.

Kilde: RA, pk. 229

F e r n s c h r e i b e n

Berlin, den   23. April 1943
Fuschl   Akt. Z. zu Inl. II 891 g/43 II
Nr. 1144   Citissime.
Referent: V. Kons. Geiger
Betreff: Abstellung eines Polizeibtl. nach Dänemark

Für Herrn LR Wagner.

Unter Bezugnahme auf die heutige fernmündliche Unterrichtung berichte ich:

1.) Der Chef der Ordnungspolizei ist von mir weisungsgemäß zunächst fernmündlich
dahingehend unterrichtet worden, daß der Herr Reichsaußenminister die Abstellung
des in Frage stehenden Polizei-Bataillons nach Dänemark genehmigt hat. Oberstleutnant Petersdorf wird das Weitere wegen der Verladung des Bataillons veranlassen
und Zeitpunkt und Ort des Eintreffens in Dänemark zur Übermittlung an den Bevollmächtigten des Reiches hierher mitteilen.

2.) Der Bevollmächtigte Dr. Best ist von mir fernmündlich dahingehend unterrichtet
worden, daß der Herr Reichsaußenminister mit der Abstellung des in Frage stehenden Bataillons einverstanden ist (getarnte Durchgabe). Weitere Einzelheiten würden
in einem Telegramm nachfolgen.

APRIL 1943

3.) Für Kopenhagen schlage ich folgenden Telegrammtext vor:[99]

"Für Bevollmächtigten Dr. Best persönlich! Unter Bezugnahme auf die bereits fernmündlich erfolgte Mitteilung. Der Herr Reichsaußenminister hat die Abstellung des in Frage stehenden Polizei-Bataillons nach Dänemark mit der ausdrücklichen Weisung genehmigt, daß das Polizei-Batl. in normalen Zeiten Ihnen unterstellt ist.[100] Der Chef der Ordnungspolizei ist hierüber unterrichtet worden. Nähere Einzelheiten über Zeitpunkt und Ort des Eintreffens des Bataillons in Dänemark folgen. Bitte Brigadeführer Kanstein entsprechend unterrichten.

4.) Für den Chef der Ordnungspolizei schlage ich folgendes Mitteilungsschreiben vor:[101]

"Unter Bezugnahme auf die fernmündliche Rücksprache zwischen Herrn Oberstleutnant Petersdorf und Herrn Vizekonsul Geiger vom 23. April 1943 teile ich mit, daß der Herr Reichsaußenminister seine Genehmigung zur Abstellung des in Frage stehenden Polizei-Bataillons nach Dänemark erteilt hat. Gleichzeitig teile ich mit, daß der Herr Reichsaußenminister angeordnet hat, daß das Polizei-Bataillon in normalen Zeiten dem Bevollmächtigten des Reiches in Kopenhagen, Dr. Best, oder seinem Vertreter dienstlich unterstellt ist.

Ich bitte, wegen dieser dienstlichen Unterstellung des Polizei-Bataillons die erforderlichen Befehle zu erlassen. Im Auftrag gez. Wagner."

Geiger

375. Werner Best an das Auswärtige Amt 24. April 1943

Best gav sig selv blot fem dage til at besvare forespørgslen om jødespørgsmålet i Danmark. Han havde allerede behandlet det 13. januar og her var kun tale om en uddybning: Jøderne betød i Danmark talmæssigt kun lidt, men det ville være til skade for den tyske politik i Danmark, hvis der blev skredet ind mod dem.

Ribbentrop besluttede at henlægge sagen i fire uger (se Thaddens notits 13. maj 1943, trykt nedenfor). Påfølgende skrev Wagner 30. juni til Kaltenbrunner efter indstilling fra RFSS (Yahil 1967, s. 82f., Best 1988, s. 281).

Kilde: PA/AA R 100.864. LAK, Best-sagen (afskrift). ADAP/E, 5, nr. 344. Best 1988, s. 278-280. Lauridsen 2008a, nr. 78.

Der Bevollmächtigte des Reiches in Dänemark *Kopenhagen, den 24. April 1943*
– II C 103/43 –

Betrifft: Die Judenfrage in Dänemark.

[An das Auswärtige Amt]
Auf das Telegramm Nr. 537 vom 19.4.1943[102] berichte ich unter gleichzeitiger Bezug-

99 Wagners telegram til Best er i PA/AA R 29.566 og 101.040, RA, pk. 202, 229, 233 og 438a, LAK, Best-sagen (afskrift).
100 I det endelige brev er her tilføjet: "und wird nach Absprache mit OKW, nur für den Fall, daß es zu Kampfhandlungen kommt, unter den Befehlshaber der deutschen Truppen eingesetzt."
101 Wagners brev til Kurt Daluege 24. april 1943 er i RA, pk. 229.
102 Trykt ovenfor.

nahme auf meinen Schriftbericht vom 13.1.1943 (II C 103/43):[103]

1.) Wie ich in meinem Bericht vom 13.1.1943 dargelegt habe, wird die Judenfrage auf dänischer Seite in erster Linie als eine Rechts- und Verfassungsfrage angesehen. Wenn von deutscher Seite eine Ausnahmebehandlung bestimmter dänischer Staatsbürger – nämlich der Juden dänischer Staatsangehörigkeit – gefordert würde, so sähen die Dänen darin in erster Linie einen Angriff auf ihre Verfassung, die die Gleichheit aller dänischen Staatsbürger vor dem Gesetz garantiert. Sie würden, wenn der erste Stein aus dem geltenden Verfassungsrecht herausgebrochen wäre, ein Fortschreiten auf diesem Wege befürchten, das zur Einschränkung der persönlichen Freiheit aller Staatsbürger – z.B. Zwangsarbeit – und zur völligen Änderung des rechtlichen und politischen Status des Landes führen würde.

Die Aufrollung der Judenfrage würde deshalb bei allen verfassungsmäßigen Faktoren des dänischen Staates auf Widerstand stoßen und – wie der Staatsminister von Scavenius mir gelegentlich gesprächsweise erklärt hat – den Rücktritt der Regierung und die Unmöglichkeit, eine neue verfassungsmäßige Regierung zu bilden, zur Folge haben.

2.) Die Judenfrage spielt quantitativ und sachlich in Dänemark eine so geringe Rolle, daß zur Zeit keine praktische Notwendigkeit für besondere Maßnahmen zu erkennen ist.

   a.) Die Gesamtzahl der Juden in Dänemark ist auf etwa 6.000 Köpfe zu schätzen, die überwiegend in Kopenhagen konzentriert sind.

   b.) Im öffentlichen Leben sind die Juden seit Jahrzehnten in steigendem Maße von den Dänen aus allen führenden Stellen verdrängt worden.

   So ist kein einziger Parlamentarier oder führender Parteipolitiker Jude.

   Nach den bisherigen Erfassungsarbeiten meiner Behörde sind in der gesamten dänischen Staatsverwaltung – einschließlich Bibliotheken, Schulen und Universitäten – 31 Juden beschäftigt und zwar überwiegend in wenig bedeutsamen Funktionen.

   Unter den Rechtsanwälten des ganzen Landes sind 35 Juden festgestellt worden.

   In der gesamten dänischen Presse sind 14 Juden als Schriftleiter o. ä. (keiner als Hauptschriftleiter) beschäftigt.

   Auf den Gebieten der Bildhauerei, Malerei, Musik, Literatur, des Theaters und Films sind 21 Juden bekannt geworden.

   In der Wirtschaft sind bisher 345 Juden in selbständigen Stellungen erfaßt, davon 4 im Bankwesen, 6 im Börsenwesen, 22 als Fabrikanten und 313 als Großhändler, deren Bedeutung infolge des Darniederliegens des Handels sehr gering geworden ist.

   c.) Der Rüstungsstab Dänemark, den ich zur Ausschaltung der Juden aus den nach Dänemark verlagerten Rüstungsaufträgen aufgefordert habe, hat festgestellt, daß von etwa 700 beauftragten Firmen nur 6 im Sinne der deutschen Judengesetzgebung als jüdisch zu bezeichnen waren. Von diesen hat eine Firma auf Aufforderung des Rüstungsstabes den jüdischen Verwaltungsrat zum Ausscheiden

---

103 Trykt ovenfor.

veranlaßt. 2 Firmen sind infolge Erfüllung und Nichterneuerung der Aufträge uninteressant geworden. Gegenüber 3 Firmen laufen noch die Bemühungen um Ausschaltung der jüdischen Teilhaber, Aufsichtsratsvorsitzenden o.ä.

d.) Zusammenfassend ist festzustellen,

daß weder das politische noch das wirtschaftliche Verhalten Dänemarks in bemerkbarer Weise von Juden beeinflußt wird,

daß deutsche Interessen zur Zeit keine Maßnahmen gegen die Juden in Dänemark erforderlich machen,

daß die kleine Zahl und die geringe Bedeutung der Juden in Dänemark sofortige Maßnahmen gegen diese Juden als unbegründet und unverständlich erscheinen ließen,

daß die kleine Zahl der Juden in Dänemark und die Konzentration ihres größeren Teiles in Kopenhagen eine spätere umfassende Regelung, die durch die Erfassungsarbeiten meiner Behörde vorbereitet wird, leichtmachen werden.

3.) In Dänemark leben zurzeit 1.351 staatlose Juden ehemaliger deutscher Staatsangehörigkeit (845 Männer, 458 Frauen, 48 Kinder).

Diese Juden haben bisher keinerlei Anlaß zum Einschreiten gegeben.

Auf sie treffen grundsätzlich alle unter 1.) dargelegten Gesichtspunkte zu, d.h. eine deutsche Forderung, allgemeine Maßnahmen gegen diese Juden zu treffen, würde auf der dänischen Seite die dargelegten Reaktionen auslösen.

Anders wäre nicht nur die rechtliche, sondern auch die psychologische Situation, wenn diese Juden wieder die deutsche Staatsangehörigkeit besäßen, so daß über sie von Reichs wegen verfügt werden könnte, ohne daß Fragen der dänischen Souveränität und des dänischen Rechtes hierdurch angerührt würden.

Ich bitte deshalb um Prüfung, ob die Möglichkeit besteht, daß die Ausbürgerung, die gegen die in Dänemark sich aufhaltenden Juden ausgesprochen worden ist, widerrufen oder für nichtig erklärt wird mit dem Erfolg, daß die jetzt staatlosen Juden die deutsche Staatsangehörigkeit wieder erwerben.

Wenn diese Frage bejaht werden sollte, würde ich hinsichtlich des Zeitpunktes der Aufhebung der Ausbürgerung sowie hinsichtlich der weiter zu treffenden Maßnahmen Einzelvorschläge vorlegen.

Dr. Best

376. Werner Best an Horst Wagner 24. April 1943

Som svar på forespørgslen fra AA kunne Best meddele, at der ikke var lagre af uniformsstof for hånden i Danmark, og at de rester der måtte være, var forbeholdt de tyske tropper i Danmark.

Kilde: PA/AA R 100.986.

Berlin Auswärtig Nr. 1149 25.4.[43] 11.45

Für Sonderzug = Aus Kopenhagen Nr. 481 vom 24.4.
= F LR Wagner = G-Schreiben = 1182

Auf Telegramm Nr. 559 (Sonderzug Nr. 515) vom 22.4.43[104] berichte ich, daß mir bekannt ist, daß von Seiten der Wehrmacht und der Waffen-SS in der letzten Zeit bereits mehrmals ohne jeden Erfolg versucht wurde, in Dänemark Uniformstoffe zu beschaffen. Es scheint, daß die wohl nicht sehr großen Vorräte (graue Stoffe hat es übrigens hier nie gegeben) durch frühere deutsche Aufkäufe sowie durch den Bedarf der mehr als verdoppelten Polizei, des Luftschutzes, der Küstenwacht, des Bahnschutzes usw. restlos aufgebraucht worden sind. Die Reservebestände des dänischen Heeres sind teils durch die im November 1942 erfolgten Abgaben an die deutsche Wehrmacht und teils durch Abgaben an die Polizei usw. stark vermindert. Über Rest würde gegebenenfalls in erster Linie der Befehlshaber der deutschen Truppen in Dänemark verfügen, der zur Zeit nicht einmal die von ihm eingezogenen Zeitfreiwilligen einkleiden kann.

Dr. Best

377. Rudolf Brandt an Gottlob Berger 24. April 1943

Himmler bad Berger om at sørge for, at Best fik at vide, at RFSS skulle behandle hans breve på passende vis.

Kilde: RA, Danica 1000, T-175, sp. 59, nr. 575.524. RA, pk. 443a.

Der Reichsführer-SS   *Feld-Kommandostelle, den 24. April 1943*
Persönlicher Stab
Tgb. Nr.

An den Chef des SS-Hauptamtes
    SS-Gruppenführer Berger
    Berlin

Lieber Gruppenführer!
Der Reichsführer-SS läßt Sie bitten, SS-Gruppenführer Dr. Best seinen Brief vom 3.4.1943 zu bestätigen. Der Reichsführer-SS kennt die Schwierigkeiten und läßt ihm sagen er möge versichert sein, daß seine Briefe ist der entsprechenden Weise bestätigt und behandelt werden.

Den Brief des SS-Gruppenführers Dr. Best vom 3.4.1943 füge ich in der Anlage bei.[105]

Heil Hitler!
R. Brandt
SS-Obersturmbannführer

1 Anlage

104 Trykt ovenfor.
105 Trykt ovenfor.

378. Horst von Petersdorff an Werner Best 25. April 1943

Politibataljon "Cholm" blev direkte underlagt Best, der også skulle sørge for indkvartering, forsyning m.v.

Best havde hermed taget et første skridt mod at få sin egen eksekutivmagt i lighed med rigskommissærerne i Norge og Holland. Meddelelsen om politibataljonens ankomst er interessant ved ikke alene at belyse Bests rolle, men også ved, at man fra tysk politis side var af den opfattelse, at politibataljonen skulle anvendes ved en forestående aktion (pkt. 3). Den forestående indsats' art er ubenævnt, men gjaldt det deltagelse i sabotagebekæmpelse, forelå der ikke forud en aftale med dansk politi derom, og omfattende strejker havde slet ikke været en del af dagsordenen endnu. Afhørt 22. oktober 1948 forklarede Best, at "Cholm" skulle indsættes mod de uroligheder, som man kunne forvente og for at forhindre, at værnemagten med sine kompakte magtmidler skulle skride ind. Han behøvede uddannede politienheder for at kunne genoprette fred og ro. I øvrigt var det Kansteins ide at hidkalde en politibataljon, hvad han selv havde bekræftet i sin forklaring (RA, Danica 234, pk. 88, læg 1157).

Kilde: PA/AA R 100.758. Lauridsen 2008a, nr. 79.

Der Chef der Ordnungspolizei $\qquad$ *Berlin, den 25. April 1943*
Kdo. I Ia (1) Nr. 329/43 (g.). $\qquad$ Geheim!

Fernschreiben an
den BdO in Krakau
den IdO in Stettin
den Bevollmächtigten des Deutschen Reiches, Herrn Dr. Best, in Kopenhagen

Betr.: Verlegung des I./SS-Pol.25 "Cholm."

1.) Die mit Fs. Nr. 297 vom 12.4.43 befohlene Verlegung des I./SS-Pol.25 "Cholm" in den Raum Wismar, Güstrow, Schöneberg, wird hiermit aufgehoben.

2.) Das Batl. wird sofort von Lublin nach Kopenhagen (Dänemark) in Marsch gesetzt.

3.) Die notwendigen Vorbereitungen für eine zweckmäßige Unterbringung des Batls. trifft Dr. Best, Bevollmächtigter des Deutschen Reiches in Kopenhagen. Das Batl. wird dem Bevollmächtigten des Deutschen Reiches in Dänemark, Dr. Best, für den bevorstehenden Einsatz dienstlich unterstellt.

4.) Transportanmeldung und unmittelbare Zuteilung der Fahrtnummer ist durch Hauptamt Ordnungspolizei (Transport-Offz.) bereits veranlaßt. Erteilte Fahrtnummer und erfolgte Verladung ist mir, unter gleichzeitiger Benachrichtigung des Dr. Best, durch BdO Krakau fernschriftlich zu melden.

5.) Vorkommando sofort in Marsch setzten. Meldung beim Stabe des Dr. Best in Kopenhagen.

6.) Batl. vor Abmarsch mit ergangenen Devisenbestimmungen vertraut machen.

7.) Der Bevollmächtigte des Deutschen Reiches in Kopenhagen, Dr. Best, wird um Meldung über Eintreffen des Batls. gebeten.

8.) Der Kdeur. des I./SS-Pol. 25 "Cholm" meldet nach Eintreffen umgehend Offz.-Stellenbesetzung und genaue Stärke – notfalls Fehl an Untf. und Männern, Gerät und Ausrüstungsstücken. Über eintretende Schwierigkeiten ist sofort Meldung zu erstatten.

9.) Das Batl. wird an meinen Erlaß, betr. Führung des Kriegstagesbuches, erinnert.

10.) Im übrigen bleibt es bei den bisher ergangenen Befehlen.

Im Auftrage:
gez. **Petersdorff**

Für die Richtigkeit:
Günter
Oberlt. d. SchP.

379. Werner Best an das Auswärtige Amt 27. April 1943

Best ønskede afgjort om og hvornår von Hanneken i en krigssituation kunne gøre brug af den kommende politibataljon.

Han gik videre med spørgsmålet i telegram nr. 507, 3. maj. 1943.

Kilde: PA/AA R 29.566 og R 101.040. RA, pk. 202 og 438a.

Telegramm

Kopenhagen, den	27. April 1943	19.30 Uhr
Ankunft, den	27. April 1943	20.00 Uhr

Nr. 487 vom 27.4.[43.]

Unter Bezugnahme auf das Telegramm Nr. 569[106]/24 vom 24.4.43 bitte ich noch um Mitteilung des genauen Inhalts der Absprache mit dem OKW, möglichst auch des Wortlauts der Anordnung, die das OKW in dieser Sache dem Befehlshaber der deutschen Truppen in Dänemark gibt. Vorsorglich teile ich meine Auffassung dahin mit, daß das Bataillon nicht in jedem Fall von Kampfhandlungen auf dänischem Boden dem Befehlshaber der deutschen Truppen unterstellt werden darf, sondern nur dann, wenn auch auf der Insel Seeland infolge feindlicher Angriffe Kampfhandlungen stattfinden. Wenn etwa auf Jütland gekämpft werden sollte, wird es gerade meine Aufgabe sein, auf der Insel, insbesondere in der Hauptstadt Kopenhagen, weiter den dänischen Staatsapparat zu steuern und mit seiner Hilfe sowie erforderlichenfalls mit Einsatz des Polizei-Bataillons die Ordnung aufrechtzuerhalten. Da die Zuständigkeitsabgrenzung zwischen dem Befehlshaber und mir für den Fall feindlicher Angriffe auf dänisches Gebiet in Kürze geklärt werden muß, lege ich besonderen Wert darauf, daß schon in der Einzelfrage der Unterstellung des Polizei-Bataillons mein Standpunkt voll gewahrt wird.

Dr. Best

380. Frhr. von Bodenhausen an WB Dänemark 27. April 1943

På baggrund af flere tilfælde af tyveri og sabotage mod værnemagtsmateriel på banegårde foreslog generalstabsofficer von Bodenhausen fra 416. infanteridivision i Nordjylland, at der blev oprettet et dansk vagtkorps efter forbillede i det tyske banepoliti.

106 Inl. II (Fuschl 542 bei Inl. II) V.S. Se Geiger til Wagner 23. april 1943.

APRIL 1943

Forslaget blev på dette tidspunkt ikke fremmet af WB Dänemark, selv om der fremkom flere henvendelser fra lokale kommandanter. Derimod var der fra 20. februar iværksat en ekstraordinær bevogtning af alle De Danske Statsbaners hovedjernbanestrækninger med indsættelse af ca. 1.800 mand (Larsen 1947, s. 718). Nye bevogtningsplaner blev først realiseret sidst på året, se Günther Toepke 15. december 1943.

> Kilde: RA, Danica 201, pk. 66, læg 873.

Abschrift

416. Infanterie Division　　　　　　　　　　*Div.St.Qu., den 27. April 1943.*
Abteilung Ic/Br. B. Nr. 1666/43 geh.　　　　　　　　　　　Geheim!

Betr.: Sabotage-Akte auf Bahnhöfen.

An den Befehlshaber der deutschen Truppen in Dänemark,
　　Kopenhagen

In letzter Zeit mehren sich die Fälle, in denen Sabotage-Akte und Diebstähle an Wehrmachtsgut auf Bahnhöfen der dän. Eisenbahnen verübt werden. In Aalborg hat am 24.4. sogar ein dänischer Bahnbeamter in Uniform des Nachts aus einem deutschen Tankwagen Benzin gestohlen, das er, wie er zugibt, für spätere Sabotage-Akte verwenden wollte.

Angesichts der den StOÄ nur in geringem Umfang zur Verfügung stehenden Wachmannschaften und der oft räumlich großen Ausdehnung der Bahnhofsanlagen in den größeren Städten können die in Eisenbahnwaggons verladenen Wehrmachtgüter durch die deutsche Wehrmacht nicht in dem unbedingt erforderlichen Masse gesichert werden.

Die Division schlägt deshalb die Bildung einer eigenen dänischen Wachtruppe nach Art der deutschen Bahnpolizei vor, die über die Sicherheit der auf dänischen Bahnhöfen abgestellten Wehrmachtgüter wenigsten während der Dunkelheit zu wachen hat.

Für das Divisionskommando
Der erste Generalstabsoffizier
gez. Frhr. v. Bodenhausen

381. Max Schaefer-Rümelin an Werner Best 28. April 1943

AA meddelte Best, at professor Otto Höfler var udnævnt til præsident ved Det Tyske Videnskabelige Institut i København. Afskrift af udnævnelsen underskrevet af Franz Six var vedlagt (ikke medtaget).

> Kilde: RA, Vesterdals nye pakker, pk. 1.

Auswärtigen Amt　　　　　　　　　　　　　　*Berlin, den 28. April 1943*
Kult Pol U 2904/43

Abschriftlich dem Bevollmächtigten des Deutschen Reichs in Dänemark in Kopenhagen zur gefälligen Kenntnis übersandt.

Da die Festsetzung der Bezüge Professor Höflers erst nach Eingang der Bestätigung

APRIL 1943

erfolgen kann, ermächtige ich die Gesandtschaft an den Genannten angemessene Vorschüsse auf die noch festzusetzende Vergütung auszuzahlen.

Im Auftrag
gez. **Schaefer-Rümelin**

382. Werner Lorenz an Heinrich Himmler 28. April 1943

Lorenz meddelte Himmler, at der var opnået en aftale mellem den tyske folkegruppe og Auslandsorganisation der NSDAP om en deling af arbejdsopgaverne i Danmark. Han bad om RFSS' tilslutning til planen, til hvilken der også af Best ville blive søgt AAs accept.

For svaret se Brandt til Lorenz 12. maj og Best til AA 20. juli 1943.
Kilde: RA, Danica 1069, sp. 6, nr. 7097f. RA, Danica 1000, T-175, sp. 17, nr. 520.928f. RA, pk. 443.

Der Leiter der Volksdeutschen Mittelstelle   *Berlin, den 28. April 1943*

An den Reichsführer-SS
Berlin SW. 11, Prinz-Albrecht-Str. 8.

Betrifft: Abkommen zwischen der Deutschen Volksgruppe in Nordschleswig und
der AO der NSDAP über die Abgrenzung der Arbeit in Dänemark.
Akt. Zch.: IX/16/11/21 Dr. Si/sa.

Reichsführer!
Am 21.4.43 wurde in Kopenhagen in einer Sitzung, die unter dem Vorsitz von SS-Gruppenführer Dr. Best stattfand, und an der u.a. Gauleiter Bohle und mein Stellvertreter SS-Brigadeführer Dr. Behrends teilnahmen, eine Vereinbarung über die Abgrenzung der Tätigkeit der Deutschen Volksgruppe in Nordschleswig und der AO der NSDAP in Dänemark ausgearbeitet. Danach soll in Zukunft in Nordschleswig nur noch die Volksgruppe öffentlich hervortreten, während die AO sich lediglich auf organisatorische Arbeiten, wie die Erfassung der Parteigenossen und die Einziehung der Parteibeiträge beschränkt. Im ganzen übrigen Dänemark soll die umgekehrte Regelung eingeführt werden. Hier soll also nur die AO öffentlich hervortreten.

Diese Regelung entspricht einem alten Wunsch der Volksgruppe. Es hat sich nämlich seit langem in Nordschleswig als überaus nachteilig herausgestellt, daß die Deutschen in zwei Gruppen auftraten. Dies trat besonders bei den nationalen Feiertagen in Erscheinung, wo die Volksgruppe und die AO nebeneinander getrennte Kundgebungen veranstalteten, wobei diejenigen der AO meist sehr schlecht besucht waren, da den 40.000 Volksdeutschen in Nordschleswig nur 2.000 Auslandsdeutsche gegenüberstehen.

Gegenüber der Lage in den anderen Volksgruppen besteht in Nordschleswig insofern ein bedeutender Unterschied, als die meisten Auslandsdeutschen bodenständige Nordschleswiger sind, die bei der Abstimmung im Jahre 1920 aus irgendeinem zufälligen Grund nicht die dänische Staatsangehörigkeit erwarben, sondern die deutsche behielten, meist, weil sie sich an dem fraglichen Stichtag aus irgendeinem Grunde im Reich befanden. Die künstliche Trennung der Deutschen in zwei Gruppen stößt daher in Nordschleswig auf besonders schwere Widerstände. Aus diesem Grunde stellt die Neuregelung auch keinen Präzedenzfall für die anderen Volksgruppen dar, zumal in Dänemark das Siedlungsgebiet der Volksgruppe durch die alte Reichsgrenze klar und einfach abgesteckt werden kann, was bei den anderen Volksgruppen nicht der Fall ist.

Die Zahl der Volksdeutschen im übrigen Dänemark ist nicht groß, sie beträgt nur einige Hunderte. Das Abkommen wird außerhalb Nordschleswigs praktische Bedeutung nur in Kopenhagen erhalten, wo die Volksgruppe in Zukunft nicht mehr öffentlich hervortreten wird. Im ganzen ist aber die Volksgruppe weitaus der gewinnende Teil.

Volksgruppenführer Dr. Möller und Landesgruppenleiter Dalldorf werden eine genaue schriftliche Vereinbarung festlegen, die dann durch SS-Gruppenführer Dr. Best dem Reichsaußenminister zur Genehmigung vorgelegt werden wird.

Ich bitte gehorsamst um Zustimmung zu diesem Plan, damit diese dem Reichsaußenminister bei Überreichung der Vereinbarung gleich mitgeteilt werden kann.

Heil Hitler!

Lorenz

383. Hans Wäsche an Hans Schneider 28. April 1943

Der skulle afholdes en konference i Hannover 14.-15. maj af Germanische Arbeitsgemeinschaft, hvortil Ahnenerbe ønskede danske deltagere. Wäsche fandt ikke i den øjeblikkelige situation, at der skulle indbydes nogen.

Ahnenerbe lod sig ikke nøje med dette knappe svar, men bad pr. fjernskriver næste dag om, at Wäsche selv kom, ligesom Schneider påfølgende foreslog, at lektor Carl Popp-Madsen og professor Gudmund Hatt blev inviteret. Sidstnævnte var på forslag af SS-Sturmbannführer, professor Herbert Jankuhn. Wäsches svar er ikke kendt, men hans første udmelding var et udtryk for, at han ikke fandt danskere, der var anvendelige til formålet. Det er uvist, om der var dansk deltagelse ved konferencen, men efterfølgende bad Wolfram Sievers 26. maj Hans Schneider om, at tandlæge Holger Friis fra Hjørring fremover blev indbudt. Også det var på forslag af Jankuhn (alle skrivelser som nedenfor, jfr. Schreiber Pedersen 2008, s. 298f.).

Se for den fortsatte forbindelse Wäsche til Schneider 21. oktober 1943.

Kilde: BArch, NS 21/285.

F e r n s c h r e i b e n

Kopenhagen, Nr. 1343   28.4.43   12.45 [Uhr]

An das Amt Ahnenerbe
    SS-Hauptstuf. Dr. Schneider
    Berlin-Dahlem
    Pücklerstr. 16

Betr.: Einladung von dänischen Wissenschaftlern nach Hannover.[107]

Nach reiflicher, mehrfacher Überprüfung der Angelegenheit bitte ich von einer Einladung von Dänen im Augenblick abzusehen.

gez. **Wäsche**

---

107 Wäsche var blevet forespurgt 6. april og rykket for svar 27. april 1943.

384. Erich Albrecht an Werner Best 29. April 1943

Best blev bedt om at udtale sig om et udkast til en tysk-dansk overenskomst om værnemagtsskader, og hvis han kunne tilslutte sig det, da at gå videre til den danske regering med henblik på forhandling heraf.

Best svarede med telegram nr. 563, 12. maj 1943.

Vedr. forhandlingerne, der trods flere overenskomstudkast ikke var afsluttede i juni 1943, se PKB, 13, nr. 705 (10. marts 1942), OKW til AA 18. oktober 1942 og 17. april 1943, AA til OKW 31. maj, notits af Stahlberg 3. juni 1943, OKW til AA 10. juni og notits af Roediger 25. juni 1943.

Kilde: RA, pk. 284. PKB, 13, nr. 709.

zu R 10005 *Berlin, den 29. April 1943*

Betrifft: Abschluß eines deutsch-dänischen Abkommens über Wehrmachtsschäden
Beizf.: Abschrift des beil. Entwurf des Abkommens.
Ref.: VLR Dr. C. Roediger.

An den Bevollmächtigten des Reichs
Kopenhagen

Es ist in Aussicht genommen, im Verhältnis zwischen Deutschland und den verbündeten Staaten eine neue, möglichst einheitliche vertragliche Regelung des gegenseitigen Ersatzes von Wehrmachtsschäden herbeizuführen. Zu diesem Zweck haben bereits Verhandlungen mit Italien, Rumänien, Ungarn, Bulgarien, Kroatien und der Slowakei stattgefunden, die zu der Aufstellung von im wesentlichen inhaltsgleichen Abkommensentwürfen geführt haben. Die Unterzeichnung des deutsch-italienischen Abkommens über Wehrmachtsschäden ist demnächst zu erwarten.

Es wäre erwünscht, wenn auch mit Dänemark ein ähnliches Abkommen über den Ersatz von Wehrmachtschäden zustande käme. Im Hinblick darauf, daß Angehörige der dänischen Wehrmacht in Deutschland nicht vorhanden sind, wird allerdings im Verhältnis zu Dänemark lediglich eine Regelung solcher Schadensfälle in Frage kommen, die sich auf dänischem Hoheitsgebiet ereignen und an denen deutsche Wehrmachtsangehörige beteiligt sind.

In der Anlage wird ein hier ausgearbeiteter Entwurf für ein entsprechendes deutsch-dänisches Abkommen übersandt. Es wird gebeten, den Wortlaut des Abkommens einer Durchsicht zu unterziehen und etwaige Abänderungs- und Ergänzungsvorschläge hierher mitzuteilen. Sollte zu dem Wortlaut des Abkommens von dort nichts zu bemerken sein, so wird gebeten, es der Dänischen Regierung zuzuleiten und diese um Mitteilung zu bitten, ob sie bereit ist, auf der Grundlage dieses Entwurfs Verhandlungen über ein entsprechendes Abkommen aufzunehmen. In diesem Falle würde deutscherseits eine Delegation zu Verhandlungen mit der Dänischen Regierung nach Kopenhagen entsandt werden. Im Fall der Einigung über den Wortlaut des Abkommens könnte alsdann die Unterzeichnung in Berlin erfolgen.

Zu Art. 4 des in der Anlage übersandten Abkommensentwurfs wird noch bemerkt, daß hinsichtlich der Zusammensetzung der in dem genannten Artikel vorgesehenen Gemischten Kommission zwei verschiedene Fassungen übermittelt werden. Es soll versucht werden, die vom deutschen Standpunkt aus günstigere Fassung durchzusetzen, welche im Fall der Nichteinigung zwischen dem deutschen und dem dänischen Mitglied der Kommission die Ernennung eines dritten Mitgliedes durch die Deutsche Regierung vorsieht. Falls die Dänen hierauf nicht eingehen sollten, würde die zweite Fassung in Betracht kommen, wonach im Fall der Nichteinigung zwischen dem deutschen und dem dänischen Mitgliede der Kommission das dann hinzuzuziehende dritte Mitglied durch das Los bestimmt wird. Es wird gebeten, der Dänischen Regierung zunächst nur die erste vom deutschen Standpunkt aus günstigere Fassung zu übermitteln.

I.A.

gez. **Dr. Albrecht**

385. Eberhard von Thadden: Notiz 30. April 1943

Idet von Thadden returnerede sagen vedrørende Aage H. Andersen, spurgte han, om det var betænkeligt at lade Andersen besøge Antikomintern i Berlin.

Som det fremgår af von Thaddens brev til Best 4. maj, var spørgsmålet umiddelbart derefter blevet uaktuelt.

Kilde: RA, pk. 219.

Ref.: LR v. Thadden

Anliegend werden die Vorgänge Aage Andersen nach Gebrauch mit Dank zurückgereicht. Die Antikomintern (Dr. Denner) hat hier angefragt, ob Bedenken dagegen stünden, daß Aage Andersen zu Besprechungen ins Reich einreist. Früher habe das Referent D III Bedenken geäußert, da die Vorgänge hierüber nichts enthalten, darf um Mitteilung gebeten werden, was dort über die Frage bekannt ist.

Hiermit Pol XVI wieder vorgelegt.

Berlin, den 30. April 1943

gez. **v. Thadden**

386. Gottlob Berger an Rudolf Brandt 30. April 1943

Berger orienterede uden kommentarer RFSS' stab om, hvordan det gik med uddannelsen af tidsfrivillige fra det tyske mindretal i Danmark. Af det medsendte bilag fremgår det, at der var foretaget væsentlige ændringer i planerne. For det første blev uddannelsen ikke gennemført på SS-skolen på Høveltegård, i stedet varetog forskellige værnemagtssteder uddannelsen, og for det andet kunne de tidsfrivillige ikke benyttes samlet som en alarmbataljon, som Himmler havde ønsket det. De måtte i stedet benyttes spredt i forbindelse med forskellige hærenheder. Det fremgik, at Best havde grebet ind og ændret i planerne, og at det tillige var ham, der havde fået indsat en inspektør fra værnemagten til at overvåge uddannelsen sammen med Boysen.

Kilde: RA, pk. 443. PKB, 14, nr. 368.

Der Reichsführer-SS   *Berlin-Wilmersdorf 1, den 30.4.1943*
Chef des SS-Hauptamtes
CdSSHA/Be/Ra. Vs-Tgb. Nr. 1149/43 g.
Chefadjtr. Tgb. Nr. 1403/43 g.   Geheim!

APRIL 1943

Betr.: Ausbildung von Volksdeutschen in Nord-Schleswig
Anl.: 1 Vermerk (2 Seiten)[108]

An den Reichsführer- SS Persönlicher Stab
  SS-Obersturmbannführer Dr. Brandt Berlin SW 11.

Lieber Doktor!
Über die Ausbildung der Volksdeutschen in Nord-Schleswig gebe ich Ihnen am besten
den beiliegenden Bericht des SS-Hauptsturmführers Ullrich von meinem Amt VI mit
der Bitte um Durchsicht und Kenntnisnahme.

Heil Hitler! Ihr
G. Berger
SS-Gruppenführer

SS-Hauptamt, Amtsgr. D   *Berlin-Wilmersdorf, 29.4.1943.*
Germanische Leitstelle
Vs-Tgb. Nr. 1149/43 geh. Hi/Bü.
D-Tgb. Nr. 563/43 geh.
Chef-Adjtr. Tgb. Nr. 1403/4 g   Geheim!

Betr.: Ausbildung von Volksdeutschen in Nord-Schleswig
Bezg.: Diesseitiger Vermerk vom 17.4.1943.

1.) Vermerk:
Ich bitte, Gruppenführer, im Nachgang zu obigem Vermerk folgendes melden zu dürfen:

Unsere Außenstelle in Kopenhagen hat nach hier mitgeteilt, daß die Ausbildung der
Volksdeutschen in Nord-Schleswig bis zum 1.4.1943 noch nicht vollständig abgeschlossen war. Die Ausbildung wird sich noch bis zum 1.6.1943 hinausziehen. Es kann jedoch
bereits jetzt notfalls ein Einsatz mit der Waffe erfolgen.

Ich bitte, weiterhin melden zu dürfen, daß SS-Gruppenführer Dr. Best in einem
Fernschreiben vom 18.2.1943 nach hier mitgeteilt hatte, daß sich die Zahl der Zeitfreiwilligen auf 1.600 Mann erhöht hat. Diese Freiwilligen können jedoch nicht, wie
vorgesehen, in der SS-Schule Höveltegaard ausgebildet werden, da sie während ihrer
Ausbildung ihrem Zivilberufe weiter nachgehen müssen. Sie sind von der Wehrmacht
an verschiedenen Standorten an bestimmten Tagen zusammengefaßt und ausgebildet
worden. Die Ausbildung hatte SS-Gruppenführer Dr. Best verantwortlich dem Oberstleutnant Mauff vom Stab der Division 160, in Zusammenarbeit mit SS-Sturmbannführer Boysen übertragen. SS-Stubaf. Boysen hat die weltanschauliche Schulung der
Männer übernommen und durchgeführt.

Die Zeitfreiwilligen zu einem Alarm-Bataillon zusammenzuziehen ist nach Meldung

---

108 Trykt her efter skrivelsen.

von SS-Gruppenführer Dr. Best ebenfalls nicht möglich, da der Einsatz nach der gegebenen militärischen Notwendigkeit bei den verschiedenen Heereseinheiten in kleineren Gruppen an verschiedenen Orten erfolgen muß. Die Zeitfreiwilligen sind bestimmten Wehrmachtsformationen zugeteilt und werden von diesen ausgerüstet und laufend auch nach dem 1.6.1943 weiter ausgebildet.

2.) An den Chef des SS-Hauptamtes m.d.B. um Kenntnisnahme.

i. V.

Ullrich

387. Werner Best an das Auswärtige Amt 30. April 1943

Best fremsendte endnu en indberetning om sabotageaktiviteten i Danmark. Han indledte med at fortælle om det danske politis arrestationer i Esbjerg, Århus, Ålborg og Randers, fulgt op af meddelelsen om 10 arrestationer i København på baggrund af oplysninger fra Gestapo. Derpå fulgte den fortløbende sabotageoversigt med numrene 91 til 151.

Kilde: PA/AA R 61.119.

Abschrift Pol VI 569
Der Bevollmächtigte des Reiches in Dänemark   *Kopenhagen, den 30. April 1943*
– II C 3 B. Nr. 717/43 –

An das Auswärtige Amt

Betrifft: Sabotageakte in Dänemark.

Unter Bezug auf meinen Bericht vom 13.3.1943[109] – II C 3 B. Nr. 717/43 – überreiche ich die Übersetzung einer weiteren Aufstellung, welche die Sabotagefälle in Dänemark bis zum 13.4.1943 enthält.

In der letzten Zeit sind eine größere Anzahl von Saboteuren festgenommen und dadurch eine Reihe von Sabotagefällen aufgeklärt worden.

I.
In Esbjerg hat die dänische Polizei am 26.3. 1943 und in den nächsten Tagen die folgenden 5 jugendlichen Personen festgenommen:
1.) Jensen, Eigil, geb. am 28.5.1922 in Bröndum,
2.) Thygesen, Johan Frederik Warer, geb. am 26.12.[19]25 in Esbjerg,
3.) Tranum, Karl Ralph, geb. am 23.1.1925 in Los Angeles,
4.) Schönemann, Ingvar, geb. am 23.12.1925 in Esbjerg,
5.) Burmeister, Karl Erik, geb. am 5.1.1928 in Lemvig.
Es handelt sich um Lehrlinge aus guten Familien, die sich seit Beginn des Jahres 1943 öfter über die Sabotagefälle im Lande unterhalten hatten. Es verblieb jedoch bei solchen

---

109 Trykt ovenfor.

APRIL 1943

allgemeinen Redensarten, bis sie durch Zufall vor einem Kino mit dem Kommunisten Eigil Larsen bekannt wurden. Eigil Larsen war am 11.6.1942 aus dem Kommunistenlager Horseröd entwichen. Er ist als einer der maßgeblichen illegalen kommunistischen Saboteure bekannt.[110] Es gelang ihm, die jetzt festgenommenen Jugendlichen zur Ausführung von Sabotageakten zu veranlassen. Die Täter haben Kabelleitungen der Wehrmacht durchschnitten und Brandstiftungen an Eisenbahnwagen, die mit Stroh und Heu für die Wehrmacht beladen waren, verübt. Sie haben aber auch unter Verwendung von selbst hergestellten Sprengstoffen einige Eisenbahnanschläge durchgeführt. In einem Fall ist ein Stück der Schienen herausgesprengt worden. Sie haben ferner eine Fabrik und eine Autowerkstätte in Brand gesteckt, wobei sehr erheblicher Sachschaden entstand.

Durch die anzuerkennende Arbeit der dänischen Polizei ist die Aushebung dieser Gruppe möglich geworden.

Neben den obengenannten 5 Häftlingen sind noch die folgenden 3 Jugendlichen der Teilnahme an Sabotagehandlungen überführt:

6.) Frökjär, Holger Oluf, geb. am 27.2.1926 in Esbjerg,

7.) Traulsen, Jörn Helge Rechoff., geb.19.7.26 in Ringköbing,

8.) Mejdahl, Jens Peter Nielsen, geb. am 20.6.1927 in Esbjerg.

Da es sich hier um weniger bedeutende Vorfälle handelt, ist ihre Festnahme nicht erfolgt.

Gefahndet wird noch nach folgenden Mittätern:

9.) Larsen, Eigil Peter Theodor, geb.29.5.1903 in Kopenhagen

10.) Jensen, Erik Vilhelm Plöger, geb.10.2.1924 in Esbjerg,

11.) Thygesen, Egon Christian, geb.15.6.1925 in Boldesager.

Insgesamt sind durch diese Zugriffe bis jetzt 20 Sabotagefälle in Esbjerg aufgeklärt worden.[111]

II.

In Aarhus hat die dänische Polizei am 30.3.1943 die folgenden 4 jugendlichen Personen festgenommen:

1.) Petersen, Hans Reinholt, geb. am 6.6.1926 in Aarhus,

2.) Clausen, Villy Hans, geb. am 4.1.1924 in Vejle,

3.) Jensen, Svend Rye, geb. am 15.2.1926 in Vamdrup,

4.) Jensen, Harry Brönum, geb. am 10.6.1925 in Tustrup.

Sie haben die gemeinsame Ausführung des Brandes der Stadionhalle (Fall No.125) in Aarhus geplant, wobei 500 Betten aus Wehrmachtbeständen verbrannten. 2 der Jugendlichen haben den Brand angelegt, während die beiden anderen sich nur aus Angst nicht daran beteiligten. Wie bekannt, hat dieser Fall zu den nach einigen Tagen wieder aufgehobenen einschneidenden Maßnahmen gegenüber der Bevölkerung (Ausgehverbot, pp-) geführt.

Die dänische Polizei versucht jetzt auf Grund dieser Feststellungen, die Aufklärung

---

110 Eigil Larsen var den første leder af BOPA (eller KOPA, som gruppen hed i starten). Det lykkedes Larsen at holde sig på fri fod til maj 1945.

111 Henningsen 1955, s. 144 om Thygesen-gruppen. Se endvidere PKB, 7, s. 296f.

532 APRIL 1943

weiterer Sabotagefälle in Aarhus zu erreichen.[112]

III.

In Aalborg hat die dänische Polizei am 23.3.1943 die folgenden 4 Personen festgenommen:

1.) Haxthausen, Henrik Maximilian, geb. [am] 24.11.1925 in Hobro,

2.) Pedersen, Flemming Gamst, geb. am 8.1.1925 in Aalborg,

3.) Olufsen, Niels Jacob, geb. [am] 27.12.23 in Nörre-Randers Sogn,

4.) Jensen, Odde Störbek, geb. am 6.5.1920 in Vejgaard.

Diese Personen sind geständig, am 28.1.1943 einen Brandstiftungsversuch an einem deutschen PKW in Aalborg unternommen zu haben. Außerdem haben sie den Diebstahl einer Feldmütze und die Zertrümmerung von Fensterscheiden im Kontor der DNSAP in Aalborg zugegeben.

Am 30.3.1943 sind dann in Aalborg noch die folgenden 5 Jugendlichen festgenommen:

5.) Jensen, Carl Marinus, geb. am 16.5.1924 in Aalborg,

6.) Madsen, Harthon Hoilegaard, geb. am 18.4.1925 in Aalborg

7.) Jensen, Erik Thomp, geb. am 18.5.1924 in Aalborg,

8.) Thomsen, Egon Nörgaard, geb. am 3.9.1924 in Nörre Tranders

9.) Thomsen, Frode Nörgaard, geb. am 7.8.1925 in Nörre Tranders.

Es handelt sich hierbei um eine Gruppe, die in gleichen Gedankengängen wie der bekannte frühere "Churchill-Klub" und die spätere "Dansk Friheds-Liga" befangen war. Die Täter haben bisher eine Brandstiftung im deutschen Wehrmachtsheim in Aalborg (Fall No. 94) sowie das Einschlagen von Fensterscheiben in deutschfreundlichen Geschäften und das Mitwirken bei antideutscher Propaganda zugegeben.[113]

IV.

In Randers (Mitteljütland) hat die dänische Polizei am 20.4.1943 die folgenden 5 Personen festgenommen:

1.) Schou, Henry Carlo, geb. am 18.4.1924 in Hammel,

2.) Frederiksen, Ernst Börge Buchardt, geb.11.9.25 in Vorup,

3.) Thornquist, Svend Carlo, geb. am 9.10.1927 in Gjerlev,

4.) Christensen, Jens, geb. am 19.2.1923 in Ölst,

5.) Petersen, Erik Malling, geb. am 27.4.1924 in Randers.

Sie haben am 19.4.1943 einen Personenkraftwagen der deutschen Wehrmacht in Randers in Brand gesteckt.

V.

In Kopenhagen sind am 10.4.1943 und in den folgenden Tagen auf Grund nachrichtendienstlicher Vorbereitung des hiesigen SD die folgenden 10 Personen verhaftet worden:

112 Se om aktionen PKB, 7, s. 295f. Hovedmanden Willy Clausen fik 6. maj 1943 otte år og fire måneders tugthus, en fik fem års fængsel og de øvrige medvidere 1 ½ års fængsel.

113 Det drejede sig om Churchill sabotage Club, se Bests telegram nr. 372, 2. april 1943 og PKB, 7, s. 301f.

APRIL 1943 533

1.) Kruhöfer, Fritz geb. am 18.4.1920 in Odense,

2.) Madvig, Knut, geb. am 18.3.1923 in Nyköbing,

3.) Petersen, Erik Ellis, geb. am 8.5.1925 in Kopenhagen,

4.) Bigler, Bernhard, geb. am 30.3.1921 in Baltimore,

5.) Borg, Clemen Steensen, geb. 29.6.1923 in Horsens,

6.) Svensson, Harry Eckart, geb. am 16.8.1904 in Kopenhagen,

7.) Hansen, Egon geb. am 2.5.1924 in Herning,

8.) Olesen, Aegil, geb. am 15.8.1911 in Kopenhagen,

9.) Jensen, Svend Aage Folmer, geb. am 16.3.1923 in Kopenhagen,

10.) Hansen, Walter Gardon Emilo, geb. am 11.4.1915 in Taarnby.

Es handelt sich um Lehrlinge des Schiffskonstruktionsbüros der Werft Burmeister & Wain, Kopenhagen, ferner um einen Arbeiter und um den Leiter des Konstruktionsbüros dieser Firma sowie um einen Studenten.

Diese Gruppe stand in Verbindung mit den 5 jungen Dänen, die vor einiger Zeit nach dem Anschlag auf das dänische Minensuchboot "Söridderen" nach Schweden flüchteten.[114] Durch die Vernehmung dieser 10 Häftlinge konnte nachgewiesen werden, daß die 5 Flüchtlinge ebenfalls an Sabotageakten teilgenommen bzw. solche vorbereitet hatten.

Durch die Festnahme dieser Gruppe konnte der Brand bei Burmeister & Wain am 10.4.1943 (Fall No. 102) und zwei andere kleinere Sabotagefälle aufgeklärt werden. Einige dieser Täter hatten auch die Absicht, durch Einbruch in ein Waffendepot der von deutschen Truppen belegten Ingenieur-Kaserne in Kopenhagen Schußwaffen zu entwenden, um diese, wie sie selbst angeben, den dänischen Kommunisten zur Verfügung zu stellen.[115] Die Ermittlungen sind noch im Gange. Es ist möglich, daß sie noch zur Aufdeckung anderer Sabotagegruppen führen.

gez. **Dr. Best**

Abschrift zu Pol VI 569/43
Übersetzung   *14.4.1943*

Übersicht

In Fortsetzung der früher eingesandten Übersicht über Brandstiftungen oder Versuche zur Brandstiftung usw. in Betrieben, die für die deutsche Wehrmacht arbeiten, oder auf eine andere Weise Verbindung mit der Wehrmacht haben, wird mitgeteilt, daß seitdem folgendes geschehen ist:

91.)   Donnerstag, den 18.2.1943 22.30 Uhr. In der Werkstelle der Automobilfirma A. Petersen & Co., Kolding, Agtrupvej 22. Feuer in einem deutschen Motorwagen, möglicherweise herrührend von Kurzschluß in der elektrischen Installierung des

---

114 Se herom Ritters telegram 8. april 1943. Forbindelsen bekræftes i PKB, 7, s. 308.

115 Det drejede sig om en gruppe af KUere, der forøvede sabotage på egen hånd. Knud Madvig stod for den omfattende sabotagebrand 10. marts på B&W. Han fik 10 års tugthus. Kommunisten Harry Svensson blev løsladt 29. maj, da han ikke havde deltaget i gruppens aktioner (PKB, 7, s. 467f., Kjeldbæk 1997, s. 117).

534 APRIL 1943

Wagens.

92.) Dienstag den 9.2.1943. Brand in der Aabybro Maschinefabrik, Aabybro. Brand-ursache unaufgeklärt.

93.) Montag, den 1.3.1943 22.15 Uhr. A.G. Möller & Jocumsens Maschinenfabrik, Horsens, Allegade 10. Versuch zur Brandstiftung. Öl durch Fenster eingespritzt, wonach brennendes Stück Zeug ins Feuer geworfen wurde. Feuer wurde gelöscht, ohne daß Schaden geschah.

94.) Dienstag, den 2.3.1943? Uhr. Wehrmachtsheim, Aalborg, Vesterbro 78. Versuch einer Brandstiftung. Brennbare Flüssigkeit auf die Treppe gegossen und angezün-det. Geringer Schaden.

95.) Mittwoch, den 3.3.1943 22 Uhr. "Brogaarden" in Aalborg, der teils als Lazarett und teils als deutsche Behördenstelle benutzt wird. Hintertreppe mit Benzin über-gossen und angezündet. Ganz geringer Schaden.

96.) Sonnabend, den 6.3.1943 20.35 Uhr. Nicolaisen & Nielsens Zimmererplatz in Kopenhagen, Sydhavnsgade 28. Benzin aufs Dach eines Holzschuppens gegossen und angezündet. Schaden ganz minimal.[116]

97.) Sonntag, den 7.3.1943? Uhr. Eisenbahnspur bei der Aalborg Schiffswerft, Aal-borg, Brand in 2 Fudern Stroh. Brandursache?

98.) Sonntag, den 7.4.1943 ca. 10 Uhr. Eisenbahnspur bei der Aalborg Schiffswerft, Aalborg. Zwei Fuder Stroh in Eisenbahnwagen verbrannt. Brandursache unbe-kannt.

99.) Von 17.1. bis 8.3.1943. Depot des 6. Regiments in Waldpavillon, Fruens Böge, Odense. Diebstahl von 1.440 scharfgeladenen Patronen zum Gewehrmodell 1889.

100.) Dienstag, den 9.3.1943 22.30 Uhr. Eisenbahnlinie 2 km südlich von Bramminge. Eisenbahnattentat. Lokomotive vorm Zug von 34 Wagen, davon 7 deutsche, ab-gespurt. Räderpaar mit Achse vom Spitzenwagen in die Spuren gelegt. Zur Seite der Eisenbahnlinie lag Material vom Spitzenwagen. Von diesem Material war das Räderpaar genommen. Sicherlich ein Knabenstreich.

101.) Vom 3.3. – 24.3 1943. Dänisches Militärdepot bei "Kurstedet" bei Nyborg. Dieb-stahl von 220 scharfgeladenen Patronen zum Gewehrmodell 1889. Die 180 Pa-tronen wurden später auf einem Balken hinter der Kurstelle gefunden.

102.) Mittwoch, den 10.3.1943 ca. 18 Uhr. Gebäude des Hauptmagazins mit zugehö-rigem Schnürboden bei Burmeister & Wain, Refshaleinsel, Kopenhagen, Brand-stiftung. Überbleibsel einer Termitbombe bei den Aufräumungsarbeiten auf dem Schnürboden gefunden. Großer Schaden.[117]

103.) Freitag, den 12.3.1943. Telefonverteiler auf dem Hauptgebäude des Güterbahn-hofs, Kopenhagen. Sprengbombe, vermeintlich Ärolit hinter dem Telefonverteiler angebracht. Moderater Schaden.[118]

104.) Sonnabend, den 13.3.1943 10.15 Uhr. Petersen & Wraaes Maschinenfabrik, Ko-penhagen, Heimdalsgade 32. Sabotageversuch. Ärolitbombe, hingelegt gegen die

116 Aktionen blev gennemført af BOPA (Kjeldbæk 1997, s. 460).
117 Se under pkt. V ovenfor.
118 Aktionen blev gennemført af BOPA (Kjeldbæk 1997, s. 460).

APRIL 1943

Rückwand der Transformatorenstation aufgefunden. Kein Schaden.[119]

105.) Vom 11.3. – 16.3.1943. Pulverhaus bei Langemarksvej, Horsens. Diebstahl von 12 kg Schießpulver. Vorhängeschloß aufgebrochen.

106.) Sonntag, den 14.3.1943. Attentat gegen die Bahnlinie bei Trekronergade, Kopenhagen. Ärolitbombe zwischen die Schienen gelegt nicht explodiert. Kein Schaden.[120]

107.) Montag, den 15.3.1943? Uhr. Malzfabrik, Dragsbäkvej, Thisted. Brand in 200 hl Generatorfeuerung, der Wehrmacht gehörend. Brand ist auf Selbstentzündung zurückzuführen.

108.) Montag, den 15. März 1943 11 Uhr. Deutscher Neubau "Danzig" auf der Helsingör Schiffswerft, Helsingör. Feuer in einem Kasten mit Holzwolle. Brandursache unaufgeklärt.

109.) Dienstag, den 16.3.1943? Uhr. Arbeitsschuppen auf dem Böve Feld. Diebstahl von 5 kg Ärolit, 75 Sprengkapseln und ca. 8 m Einstopffaden.

110.) Mittwoch, den 17.3.1943 2.43 Uhr. Firma Bruuns Nachf., Automobilwerkstelle, Esbjerg. Brandstiftung. 6 deutsche Motorwagen usw. zerstört. Eingestanden von Eigil Jensen, geb. in Bröndum den 28.6.19 u.a.

111.) Mittwoch, den 17.3.1943. Strecke westlich Gribsvad zwischen Odense und Middelfart, 80 Porzellanglocken auf Telefonpfahl zerbrochen und 20 Telefonpfähle aufgezogen.

112.) Mittwoch, den 17.3.1943. Offener Platz bei der Motorcentrale Vesterbro, Aalborg. Brandstiftung in einem deutschen Motorwagen. Brennbare Flüssigkeit in den Wagen gegossen und angezündet.

113.) Sonntag, den 21.3.1943 11 Uhr. Brdr. Hansens Motor- und Maschinenfabrik, Sundkrogsgade, Kopenhagen. 3 Sprengbomben in den Betrieb gelegt und angezündet. Ganz minimaler Schaden.[121]

114.) Sonntag, den 21.3.1943? Uhr. Platz vor dem Paladshotel in Esbjerg. Gewalttätigkeit an einem deutschen Motorwagen HH 4511.

115.) Montag, den 22.3.1943 0.43 Uhr. Firma Ejnar Grauballe & Co., Allégade 8 B I., Kopenhagen. Diebstahl, Lebensandrohung und Versuch zur Brandstiftung. 5 revolverbewaffnete Männer fanden sich im Hof des Betriebes ein. Indem sie 2 im Hof patrouillierende Polizeibeamte mit einem Revolver bedrohten, bekamen sie diese dazu, sich ruhig zu verhalten. Nahmen ihnen zwei Gummiknüppel ab, Lederzeug, Hauben und Schlüssel zum Betrieb. Banden die Polizeibeamten an den Händen. Mit Hilfe des gestohlenen Schlüssels ließen die Saboteure sich in den Betrieb ein, wo sie die Sabotagewache mit Revolver bedrohten, banden seine Hände, gossen Petroleum in den Raum und steckten es an, wonach sie verschwanden. Ganz geringer Schaden.[122]

116.) Montag, den 22.3.1943 21.45 Uhr. Valby Schmiede- und Maschinenfabrik, Gl.

---

119 Aktionen blev gennemført af BOPA (Kjeldbæk 1997, s. 460).
120 Aktionen blev gennemført af BOPA (Kjeldbæk 1997, s. 460).
121 Aktionen blev gennemført af BOPA (Kjeldbæk 1997, s. 460).
122 Aktionen blev gennemført af BOPA (Kjeldbæk 1997, s. 460).

Kögevej 22, Kopenhagen. 8 revolverbewaffnete Männer drangen in den Betrieb ein. Mit Hilfe von Revolvern zwangen sie die 5 Arbeiter sich ruhig zu verhalten. Brachten 4 Sprengbomben in und bei der Kraftstation an. Zündeten die Bomben an und liefen weg. Großer Schäden.[123]

117.) Dienstag, den 23.3.1943 ca. 20.30 Uhr. Exerzierhaus Sdr. Boulevard, Odense, Feuerstiftung.13 Automobile, etwas Heu und Stroh, alles der Wehrmacht gehörend, brannte. Anzündungsweise unbekannt.

118.) Dienstag, den 23.3.1943 22.30 Uhr. Automobilfirma Fehr & Co., Slotsgade, Odense. Versuch der Brandstiftung. Brandmaschine durchs Fenster ins Dach eingelassen. Kein Schaden.

119.) Dienstag, den 23.3.1943 21.35 Uhr. Eisenbahnspur bei Knudshoved bei Nyborg. Brandstiftung in einem deutschen Motorwagen, der auf einem offenen Eisenbahnwagen stand. Brandstiftungsmittel unbekannt.

120.) Dienstag, den 23.3.1943 22 Uhr. Wehrmachtsbaracke in Aufführung in Köge, näher bezeichnet durch 37 km Stein. Brandstiftung. Anzündungsmittel ist sicherlich brennbare Flüssigkeit gewesen.

121.) Mittwoch, den 24.3.1943 5-6.30. Eisenbahnlinie 2 km östlich von Odense. Sprengbombe zwischen die Schienen gelegt, kein Schaden.

122.) Mittwoch, den 24.3.1943. Gewalttätigkeit gegen deutsche Wegweiserschilder bei Ribe. In Mutwilligkeit ausgeführt vom Knaben Gunnar Warming, geb. in Ribe den 22.2.1928.

123.) Freitag, den 26.3.1943? Uhr. Zimmererplatz, Kystvejen, Apenrade. Brandstiftung. Eingestanden von Koch Poul Erik Andersen, geb. in Aalborg den 4.2.1924. Mehrere gleiche Brandstiftungen in Kopenhagen, Korsör, Kerteminde und Aalborg und mehreren anderen Stellen eingestanden.

124.) Freitag, den 26.3.1943 5 Uhr. Eisenbahnlinie 2 km östlich Esbjerg. Sprengstoffattentat. Spuren und Bahnkörper beschädigt und Scheiben in einer Lokomotive gesprengt. Täter in Esbjerg verhaftet.

125.) Sonnabend, den 27.3.1943 20-21 Uhr. Halle beim Aarhus Stadion. Brandstiftung. In der Halle befanden sich 500 von der Wehrmacht errichtete Betten. Täter in Aarhus verhaftet.[124]

126.) Sonntag, den 28.3.1943 21.12 Uhr. Eisenkontor. Vibevej 16, Kopenhagen. 3 revolverbewaffnete Männer zwangen den Pförtner aufzuschließen und mitzukommen, nachdem sie eine Sprengbombe in einem elektrischen Härteofen angebracht hatten. Kein Schaden.[125]

127.) Dienstag, den 30.3.1943? Uhr. Hemdenfabrik Jernbanegade 14, Aalborg. Brandstiftung. Flasche mit brennbarer Flüssigkeit durch die Scheibe eingeworfen und angezündet. Geringer Schaden.

---

123 Aktionen blev gennemført af BOPA (Kjeldbæk 1997, s. 460).

124 Sabotagen førte til indførelse af spærretid og forbud mod en række offentlige arrangementer. Det var den første af sin art i Danmark, men Bests indberetning derom til AA er ikke lokaliseret, dog må den have foreligget, for han omtaler foranstaltningerne i *Politische Informationen* 1. maj 1943 som forud bekendte, og Kanstein omtaler dem igen 31. maj til AA (Hauerbach 1945, s. 22, Hoeck 1945, s. 125-127).

125 Aktionen blev gennemført af BOPA (Kjeldbæk 1997, s. 460).

APRIL 1943   537

128.) Mittwoch, den 31.3.1943? Uhr. Firma Carl Jensen & Hauersens, Holzbaracken beim Lager in Oxböl. Brandstiftung. Anzündungsmittel unbekannt. Schaden ca. 20.000 Kronen.

129.) Mittwoch, den 31.3.1943. Aalborg. Vier junge Leute von 17-18 Jahren wegen einer Reihe Sabotagehandlungen verhaftet. Innerhalb des aktiven Korps der KU (Kommunistischen Jugend) hatten sie einen Klub gegründet. Nannten den Klub CSKD, bedeutend Christmas Sabotage Klub Dänemark.[126]

130.) Sonnabend, den 3.4.1943 22.40 Uhr. Autowerkstelle der Gebr. Jörgensen, Silkeborgvej, Aarhus. Brennbare Flüssigkeit über den Sitz eines deutschen Motorwagens ausgegossen und angezündet. Minimaler Schaden.[127]

131.) Sonnabend, den 4.3.1943 8.40 Uhr. Schiffswerft in Frederikssund, Versuch zur Brandstiftung. Scheiben zerschlagen, Öl in die Werkstatt eingegossen, benzinnasser Twist angezündet und ins Öl geworfen, das aber doch nicht angezündet wurde. Kein Schaden.

132.) Sonntag, den 4.4.1943 ca. 20 Uhr. Skävinge Flachsspinnerei in Borup pr. Skävinge. Sabotagewacht an den Händen gebunden von vier revolverbewaffneten Männern. Diese setzten danach Feuer an das Lagergebäude, sprengten den Dynamo der Kraftstation mit Hilfe einer Springbombe, nahmen die Sabotagewache ca. 1 km weg von der Tatstelle, wonach sie die Luft aus seinem Fahrrad ließen, worauf sie fortfuhren. Schaden recht bedeutend.[128]

133.) Am selben Tag um 21.22 Uhr haben wahrscheinlich dieselben vier Männer drei Sabotagehandlungen in Hilleröd mit Hilfe von Sprengbomben verübt, nämlich eine in einer Wäscherei, einer Huffabrik und einer Gerbsäurefabrik.[129]

134.) Sonntag, den 4.4.1943 ca. 3 Uhr. Eisenbahnlinie beim 62.6 km Stein bei Ringsted. Versuch eines Eisenbahnattentats. Eine Egge auf die Spuren gelegt. Kein Schaden.

135.) Montag, den 5.4.1943 23 Uhr. Flachsfabrik in Aakirkeby, Bornholm. Feuer in einem Fuder Flachs. Anzündungsmittel unbekannt, womöglich Funken von einer Eisenbahnlokomotive.

136.) Montag, den 5.4.1943 20.45 Uhr. Feuer im Schilderhaus im Marselisborg Wald bei Aarhus. Brandursache unaufgeklärt.[130]

137.) Mittwoch, den 7.4.1943 3 Uhr. Christian Hansens Möbelfabrik, Stubbeköbingvej, Nyköbing F. Sabotagebrand. Vier junge Leute, wovon drei verhaftet sind, drangen in den Betrieb ein, mit Revolvern bewaffnet. Banden die Hände der Sabotagewache auf dem Rücken, schleppten ihn in einen abseitigen Raum, wo sie ihn an einen Pfosten banden. Zündeten Feuer im Betrieb an und verschwanden. Betrieb teilweise niedergebrannt.

138.) Sonntag, den 28.3.1943 18 Uhr. Versuch einer Brandstiftung von Camouflierungsmaterial, auf das Lager des Platzes an der Ecke von Vesterhavsgade und Cort

126 Klubben bestod ikke af kommunister, men KUere, dvs. medlemmer af Konservativ Ungdom.
127 Hauerbach 1945, s. 22.
128 Aktionen blev gennemført af BOPA (Kjeldbæk 1997, s. 461).
129 Aktionen blev gennemført af BOPA (Kjeldbæk 1997, s. 461).
130 Hauerbach 1945, s. 22.

Adelersgade, Esbjerg, hingelegt. Papier angezündet und in das Lager geworfen. Kein Schaden.

139) 29.3.1943 1.20 Uhr. Automobilfirma Hans Lystrup, Pile Alle 5, Kopenhagen. Drei Männer versuchten vom Frederiksberg Kirchhof über die Mauer auf den Platz der Automobilfirma einzusteigen. Sabotagewachen entdeckten die Personen. Als diese sahen, daß sie entdeckt wurden, liefen sie über den Kirchhof davon. Sabotagewache feuerte einen Schreckschuß ab, die Personen reagierten aber nicht, sondern liefen weiter fort und verschwanden.

140.) Sonnabend, den 3.4.1943 0.30 Uhr. Hansens Maschinentischlerei, Aalekistevej 81, Kopenhagen. Drei Brandbomben in den Betrieb gelegt. Nur eine wirkte, richtete aber keinen Schaden an.[131]

141.) Montag, den 5.4.1943 20.04 Uhr. Standard Elektric, Vermundsgade 5, Kopenhagen. Sprengbombe hingelegt und angezündet auf dem Transformator.[132]

142.) Dienstag, den 6.4.1943 0.45 Uhr. Hansens Maschinentischlerei, Aalekistevej 81, Kopenhagen. Versuch zur Brandstiftung. Von außen Petroleum unter das Plankenwerg eingegossen und angezündet. Kein Schaden.[133]

143.) Dienstag, den 6.4.1943 23.14 Uhr. Valby Schmiede- und Maschinenfabrik, Gl. Kögevej 22, Kopenhagen. Möglicher Versuch zur Sabotage. Unbekannter Mann hat Sabotagewache in der Packabteilung getroffen. Hielt auf Anruf nicht an, weshalb die Sabotagewache mehrere Schreckschüsse abfeuerte, auch nach der Sabotagewache wurde geschossen. Person entkam.

144.) Donnerstag, den 8.4.1943 13.45 Uhr. Firma Alfred [Olsen] & Comp.s Öltankanlagen, Redmole, Freihafen, Kopenhagen. 3 Brand- und 1 Sprengbombe hingelegt und bei einem der Tanks angezündet. Kein Schaden.[134]

145.) Donnerstag, den 8.4.1943 21.15 Uhr. L.C. Jörgensens Maschinenfabrik, Ryesgade 112, Zwischengebäude, Kopenhagen. 5 revolverbewaffnete Männer drangen in den Betrieb ein und, indem sie mit Revolver drohten, zwangen sie die Arbeiter, in den Waschraum in den Hof zu gehen. Vorher hatten die Saboteure 3 Sprengbomben im Betrieb angebracht.[135]

146.) Donnerstag, den 8.4.1943 22 Uhr. Autofirma Super Service, Blegdamsvej 60, Kopenhagen. 5 revolverbewaffnete Männer drangen in den Betrieb ein, banden die Sabotagewache an den Händen, führten ihn in einen Schutzraum im Vorhaus, wo sie ihn an einen Stuhl banden. Die Saboteure brachten eine Sprengbombe in der Öldruckpresse an. Mäßiger Schaden.[136]

147.) Donnerstag, den 8.4.1943 22.03 Uhr. Petersens & Wraaes Maschinenfabrik, Heimdalsgade 32, Kopenhagen, Sprengbombe hingelegt und auf dem Dach eines

---

131 Aktionen blev gennemført af BOPA (Kjeldbæk 1997, s. 461).
132 Aktionen blev gennemført af BOPA (Kjeldbæk 1997, s. 461).
133 Aktionen blev gennemført af BOPA (Kjeldbæk 1997, s. 461).
134 Udført af en gruppe i forbindelse med SOE: Lars Lassen-Landorph, Esben Nielsen og Thrane (Pilgaard Jeremiassen 1974, Appendix A, s. XII).
135 Aktionen blev gennemført af BOPA (Kjeldbæk 1997, s. 461).
136 Aktionen blev gennemført af BOPA (Kjeldbæk 1997, s. 461).

APRIL 1943 539

Transformators angezündet. Mäßiger Schaden.[137]

148.) Freitag, den 8.4.1943 2.50 Uhr. Eisenbahnspur bei Svanemöllen Station, Kopenhagen.[138] 62 cm einer Schiene mit Hilfe einer Sprengbombe weggesprengt. Nach der Sprengung passierte kein Zug.

149.) Freitag, den 9.4.1943 16.35 Uhr. Nordbjerg & Wedels Bootsbauerei Stubbelöbsgade, Kopenhagen.[139] Sprengbombe hingelegt und an der Wand eines Küstenminenbootes angezündet. Schaden verhältnismäßig mäßig.

150.) Sonntag, den 11.4.1943 23.45 Uhr. Eisenbahnspur auf der Güterverbindungslinie zwischen Güterbahnhof und Vigerslev, Kopenhagen. Die eine Bombe intakt, die andere detoniert, ohne Schaden anzurichten.[140]

151.) Dienstag, den 13.4.1943 22 Uhr. Pappschachtelfabrik, Holmbladsgade 126, Kopenhagen. Fünf revolverbewaffnete Männer drangen ein und banden die Sabotagewachen, worauf sie an zwei Stellen anzündeten, und worauf die Personen wegliefen. Verhältnismäßig geringer Schaden.[141]

Übersetzung gefertigt: Prengel

388. Werner Best an das Auswärtige Amt 30. April 1943

Best havde fået det danske justitsministerium til at ændre bekendtgørelsen om forbud mod og anvendelse af sprængstoffer og fremsendte en oversættelse af den nye bekendtgørelse. Det var endnu et led i hans bestræbelser på at bekæmpe sabotagen med retlige midler.

Kilde: PA AA R 61.119.

Abschrift Pol VI 544.

Der Bevollmächtigte des Reichs in Dänemark   *Kopenhagen, den 30.4.1943.*
II C 3 B. Nr. 717/43

An das Auswärtige Amt.

Betr.: Sabotageakte in Dänemark.
Vorgang: Hiesige Drahtberichte;
zuletzt vom 13.4.1943 – Nr. 428[142]

Das dänische Justizministerium hat auf meine Veranlassung aus vorbeugenden Gründen die Bestimmungen über die Verwendung und die Aufbewahrung von Sprengstoffen neu gefaßt.

---

137 Aktionen blev gennemført af BOPA (Kjeldbæk 1997, s. 461).
138 Jfr. Pilgaard Jeremiassen 1974, Appendix A, s. XIII.
139 Udført af en gruppe i forbindelse med SOE: Lars Lassen-Landorph, Esben Nielsen og Thrane (Pilgaard Jeremiassen 1974, Appendix A, s. XIII).
140 Aktionen blev gennemført af BOPA (Kjeldbæk 1997, s. 461).
141 Aktionen blev gennemført af BOPA (Kjeldbæk 1997, s. 461).
142 Denne indberetning er ikke lokaliseret.

Eine Übersetzung der vorläufigen Bekanntmachung des dänischen Justizministeriums vom 1.3.1943 wegen Verbots der Verwendung von gewissen Sprengstoffen und wegen Überwachung von Sprengstofflagern usw. wird hiermit überreicht.

Die Bekanntmachung bezieht sich nur auf die zulässige Verwendung und Aufbewahrung von Sprengstoffen. Die mißbräuchliche Benutzung von Sprengstoffen zu strafbaren Handlungen wird nach anderen Bestimmungen unter Androhung höchster Strafen verfolgt.

gez. **Dr. Best**

Abschrift zu Pol VI 544.

Übersetzung

Vorläufige Bekanntmachung wegen Verbots der Verwendung von gewissen Sprengstoffen und wegen Überwachung von Sprengstofflagern usw.

Gemäß § 2 des Gesetzes Nr. 219 vom 1. Mai 1940 über verschärfte Strafe für gewisse Übertretungen des Bürgerlichen Strafgesetzes und über Änderung der polizeilichen Gesetzgebung setzt das Justizministerium hiermit folgende vorläufigen Bestimmungen fest:

§ 1.

Abs. 1. Jeder, der am 3. März 1943 um 17 Uhr Eigentümer oder Besitzer von nachgenannten Sprengstoffen ist, muß an die Polizei seiner Heimatstelle eine schriftliche Anmeldung hierüber abgeben mit Angabe dessen, welche Mengen von jedem Sprengstoff er eignet oder besitzt und wo die Sprengstoffe aufbewahrt werden. Die Anmeldung muß spätestens bis zum 5. März 1943 erfolgen.

Abs. 2. Die Anmeldepflicht umfaßt:

1.) Sprengpulver,

2.) Dynamit, Trotyl und getrocknete oder parafinierte Schießbaumwolle.

3.) Sicherheitssprengstoffe, ebenso Aklorfit, Ärolit, Ammonit, Astralit, Gelatine Astralit, Donarit, Gelatine Donarit, Westfalit und Gelatine Westfalit sowie Sprengstoffkapseln hierzu.

§ 2.

Kommt jemand später in den Besitz von Sprengstoffen der in § 1 erwähnten Art, muß er sofort hierüber eine schriftliche Anmeldung an die Polizei vornehmen.

§ 3.

Abs. 1. Jede Anwendung von Sprengpulver, Dynamit, Trotyl und getrockneter oder parafinierter Schießbaumwolle wird bis auf weiteres verboten.

Abs. 2. Bestände der in Abs. 1 umhandelten Sprengstoffe müssen, soweit sie nicht in Magazinen auf militärischem Terrain aufbewahrt werden oder umgehend nach solchen Magazinen überführt werden, durch polizeiliche Maßnahmen vernichtet werden.

Abs. 3. Das Justizministerium kann Dispensierung von den in Abs. 1 und 2 enthaltenen Bestimmungen erteilen.

§ 4.

Abs. l Sicherheitssprengstoffe dürfen nur in dazu gutgeheißenen Sprengstoffmagazinen aufbewahrt werden, die einer von der Polizei zum Gesetz Nr. 489 vom 4. Dezember 1942 über Sicherheitsmaßnahmen innerhalb von Gewerbebetrieben usw. anerkannten Bewachung unterstellt sind.

Abs. 2. Personen und Gesellschaften, denen vom Justizministerium Erlaubnis zum Vertrieb von Sicherheitssprengstoffen gegeben ist, können jedoch in Übereinstimmung mit den hierzu geltenden Bestimmungen bis zu 2 1/2 kg Sicherheitssprengstoff aufbewahren. Soweit Aufbewahrung in Stahlgeldschränken oder gemauerten Stahlfächern erfolgt, im übrigen unter Wahrnehmung der erwähnten Bestimmungen, können von den betreffenden Händlern bis zu 5 kg des Sicherheitssprengstoffs aufbewahrt werden.

§ 5.

Abs. l. Sprengkapseln für Sicherheitssprengstoffe müssen in verschlossenen Stahlgeldschränken oder auf andere von der Polizei gutgeheißene Weise aufbewahrt werden.

Abs. 2. Zündschnur (Bickfordschnur) muß unter sicherem Verschluß aufbewahrt werden.

§ 6.

Die Bekanntmachung kommt nicht für militärische Behörden zur Anwendung oder zur Versendung von Sprengstoffen mit der Eisenbahn.

§ 7.

Abs. l. Übertretungen der vorstehenden Bestimmungen werden gemäß § 2, Abs. l des Gesetzes Nr. 219 vom 1. Mai 1940 über verschärfte Strafe für gewisse Übertretungen des Bürgerlichen Strafgesetzes und über Änderung der Polizeigesetzgebung mit Geldstrafen, Haft oder Gefängnis bis zu 2 Jahren bestraft.

Abs. 2. Hierbei liegt auch die Möglichkeit vor, Verhaftung, Gefängnis, Beschlagnahme und Untersuchung von Wohnung usw. in Übereinstimmung mit den Vorschriften des Rechtspflegegesetzes Kapitel 68-72 anzuwenden.

Diese Bekanntmachung tritt sofort in Kraft.
Dies wird hierdurch zur allgemeinen Kenntnis gebracht.
Justizministerium, den l. März 1943.

E. Thune Jacobsen

Boas.

389. Werner Best an das Auswärtige Amt 30. April 1943

Best indberettede det seneste resultat af arbejdet med at bekæmpe det illegale kommunistiske parti og det illegale Frit Danmark. Det havde givet særlige resultater, at nogle af de anholdte var overført fra dansk til tysk fængsel. Yderligere anholdelser kunne forventes under oprulningen af den illegale kommunistiske organisation.

Best medsendte to lister på henholdsvis 57 og 6 personer, der var anholdt siden kommunistaktionens start 2. november 1942. De fleste havde allerede fået deres dom, enkelte var allerede løsladt eller frikendt. Listen rummer hovedsageligt de personkredse, som blev anholdt på grundlag af Karl Winthers og Aksel Larsens oplysninger, dvs. de omfatter både kommunister og personer fra Frit Danmark, som ikke var kommunister (PKB, 7, s. 267-281, Snitker 1977, s. 45-50, Laustsen 2007, s. 108-126, 184-194).

Det fremgår af både denne indberetning og ved henvisninger til tidligere indberetninger, at Best lod indberette særskilt om den illegale kommunisme, ligesom han gjorde det om sabotagen og om den nationale modstand. Han fulgte hermed den opdeling, som blev benyttet af RSHA, og som Kanstein naturligvis praktiserede fra gesandtskabet, i hvis afdeling indberetningerne blev udfærdiget.

Kilde: RA, Danica 1069, sp. 7, nr. 8058-67.

Abschrift Pol V 2012 g
Der Bevollmächtigte des Reiches in Dänemark *Kopenhagen, den 30.4.1943*
II C 3 a B. Nr. 354/42

An das Auswärtige Amt, Berlin

Betrifft: die illegale dänische kommunistische Partei.
Bezug: Hiesige Berichte; zuletzt vom 13.3.1943[143]
– II C 3 a B.Nr.354/42 –

Anlagen: 1 Liste.[144]

In Fortsetzung der deutscherseits systematisch eingeleiteten Aufrollung der illegalen DKP (Aktion vom 2.11.1942) hat die dänische Polizei in den letzten drei Monaten eine Anzahl weiterer Spitzenfunktionäre und aktiv tätiger Mitglieder der illegalen kommunistischen Partei festgenommen und damit die Erfassung der illegalen Organisation im Bezirksmaßstabe weiter fortgesetzt. In Fällen, wo es der dänischen Polizei trotz ihrer Bemühungen nicht gelungen war, die Täter zu einem Geständnis über den Umfang ihrer illegalen Arbeit zu bewegen, so daß eine weitere Aufrollung der illegalen KP-Organisation in Frage gestellt war, erfolgte im gegenseitigen Einvernehmen die Überstellung solcher Personen in die deutsche Haft zum Zwecke ihrer weiteren Vernehmung. Die Überstellung der fünf in obenerwähntem Bericht namentlich benannten Spitzenfunktionäre in die deutsche Haft am 8.4.1943 hat bereits beachtliche Erfolge gezeitigt. Es gelang, vier der Überstellten auf Grund von Material, das nur den deutschen Stellen bekannt war und den dänischen Behörden aus Geheimhaltungsgründen nicht übergeben werden konnte, zu einem umfassenden Geständnis zu bewegen.[145] Dadurch konnten allein vier illegale Distriktleitungen und acht illegale Unterdistriktleitungen namentlich

---

143 Indberetningen 13. marts 1943 om kommunistisk virksomhed er ikke lokaliseret.
144 Trykt nedenfor.
145 Her hentydede Best først og fremmest til de oplysninger, som stikkeren Karl Winther gav Gestapo.

APRIL 1943

festgestellt werden. Ihre Festnahme steht bevor.

Nach den getroffenen Feststellungen liegt der Schwerpunkt der Herstellung illegalen Schriftmaterials in den Distrikten. Bisher sind zwei dieser Herstellerquellen ermittelt worden, die im Monat durchschnittlich je ca. 2.000 Exemplare der bekannten Hetzschrift "Land und Volk" und weitere 1.000 Exemplare einer örtlich vom Distrikt herausgegebenen Hetzschrift, abgesehen von einzelnen Aufrufen und Sondernummern, herstellten. Die Festnahme der vorerwähnten 4 Distriktleitungen wird eventuell zur Aushebung weiterer Herstellerquellen führen.

Als Auswirkung der Aktion gegen den dänischen Kommunismus, durch die der illegalen DKP zweifellos ein erheblicher Schlag versetzt wurde, ist ein Nachlassen der illegalen Propagandatätigkeit zu vermerken. An neuen Hetzschriften ist lediglich die nationalistisch getarnte Schrift "Dansk Tidende" im Januar d.J. bekanntgeworden.[146] In Fortsetzung der bisher in deutscher Sprache herausgegebenen illegalen Flugblätter ist im Februar d.J. ein weiteres mit der Überschrift "Kameraden" und der Unterschrift "Soldaten-Komitee Dänemark" erscheinen, welches deutschen Soldaten zugesteckt worden ist. Nach den bisherigen Beobachtungen ist jedoch der Umfang dieser Propaganda nur gering. Am 25. Jahrestag der Roten Armee und am 9. April, dem Jahrestag der deutschen Besetzung Dänemarks, haben sich die Kommunisten durch Verteilung von Streuzetteln, in einigen Fällen auch durch Ankleben von Zetteln mit hetzerischen Aufschriften, bemerkbar gemacht. Eine Auswirkung war nicht zu verspüren.

In letzter Zeit sind eine Reihe von Dänen, die im Zuge der Aktion vom 2.11.1942 festgenommen und in deutsche Haft überführt worden waren, vom Kopenhagener Stadtgericht verurteilt worden. Auf das anliegende Verzeichnis dieser Personen wird verwiesen. Von den nach Abschluß der deutschen Vernehmungen der dänischen Polizei überstellten 58 Häftlingen sind bisher 49 verurteilt oder in Internierungshaft genommen worden. Aufgeführt sind weiter die Verurteilungen von 10 Personen (No. 44-54), die von der dänischen Polizei nachträglich auf Grund der deutschen Ermittlungen wegen kommunistischer Betätigung festgenommen worden sind. Unter No. 55-57 sind die Mitts Juni 1942 wegen Druckens der illegalen Schrift "Frit Danmark" festgenommenen Personen genannt, deren Verurteilung jetzt ebenfalls erfolgt ist. (s. Bericht vom 6.7.1942 betreffend illegale Hetzschrift "Frit Danmark" – Inn. V.3 K B. No. 354/42 –).[147] Die verhängten Strafen sind entsprechend der dänischen Praxis im allgemeinen recht niedrig ausgefallen. Es wird jedoch in jedem einzelnen Falle geprüft, ob nach der Strafverbüßung eine Internierung im Kommunistenlager notwendig ist. – Wegen des Urteils gegen den Rechtsanwalt Rud Prytz (Ziff. 39 der Anlage) ist auf deutsche Veranlassung von dem Staatsadvokaten für besondere Angelegenheiten Berufung mit dem Ziel einer höheren Bestrafung eingelegt worden.[148]

gez. **Best**

---

146 *Danske Tidende* udkom månedligt fra januar 1943.
147 Indberetningen er ikke lokaliseret. Se PKB, 7, nr. 136-138.
148 Se PKB, 7, s. 277.

Abschrift zu Pol V 2012 g.

Verzeichnis

der im Zuge der Aktion vom 2.11.1942 festgenommenen und wegen illegaler kommunistischer Betätigung verurteilten Personen.

1. Neukirch, Frits Georg, Arzt
geboren am 23.6.1906
hat im Auftrage des flüchtigen Prof. Mogens Fog kommunistisches Material in Verwahrung genommen
– Freispruch –[149]

2. Bertelsen, Johannes Mathias, Freizeitlehrer
geboren am 18.5.1917
illegale Briefanlaufstelle
– 3 Monate Gefängnis –[150]

3. Mortensen, Carl, Maschinenarbeiter
geboren am 16.9.1912
illegale Briefanlaufstelle
– 80 Tage Gefängnis –[151]

4. Eiersted, Ulla, Büroangestellte und Studentin
geboren am 20.8.1919
illegale Quartiergeberein
– 80 Tage Gefängnis –[152]

5. Mytting, Karl Ejnar, Musiker
geboren am 14.2.1901
illegale Briefanlaufstelle
– 3 Monate Gefängnis –[153]

6 Nordentoft, Inger Merete, Lehrerin
geboren am 18.8.1903
illegale Quartiergeberin
– 5 Monate Gefängnis –[154]

7. Jörgensen, geb. Thomsen, Kristiane (Invalidenrentnerin)
geboren am 23.4.1898
illegale Quartiergeberin

---

149 Jfr. Laustsen 2007, s. 120.
150 Anholdt 6. november 1942 og i februar 1943 dømt (PKB, 7, s. 1199, Laustsen 2007, s. 116, 120).
151 Jfr. Laustsen 2007, s. 120.
152 Hun blev idømt 80 dages fængsel 4. februar 1943 for at have huset en kommunist en enkelt nat (Laustsen 2007, s. 120).
153 Jfr. Laustsen 2007, s. 120.
154 Jfr. Laustsen 2007, s. 120.

APRIL 1943

– freigesprochen –[155]

8. Lundsfryd, Ilse Johanne Ofelia, Näherin
geboren am 29.6.1920
illegale Quartiergeberin und Kurier
– 7 Monate Gefängnis –[156]

9. Amnitzböll, Carl Jakob, Architekt
geboren am 28.4.1915
hat beim Kauf eines Hauses mitgewirkt, welches Aksel Larsen als Unterschlupf diente
– 4 Monate Gefängnis –[157]

10. Sörensen, Aage Lund, Ingenieur, Zeichner
geboren am 11.9.1914
hat beim Kauf eines Hauses mitgewirkt, welches Aksel Larsen als Unterschlupf diente
– 7 Monate Gefängnis –[158]

11. Frederiksen, Knud, Lehrer,
geboren am 21.2.1917
illegale Briefanlaufstelle und Kurier
– 4 Monate Gefängnis –

12. Gudmand-Höyer, Hilbert Skat, Mechaniker
geboren am 6.5.1910
illegale Briefanlaufstelle und Kurier
– 4 Monate Gefängnis –[159]

13. Theisen, Johannes Hemming, Architekt,
geboren am 29.4.1908
stellte seine Wohnung zu illegalen Zusammenkünften zur Verfügung
– 4 Monate Gefängnis –[160]

14. Niebuhr, Jens Harald Nikolaj, Arbeiter
geboren am 25.9.1909
Materialkurier
– 60 Tage Gefängnis –

15. Sörensen, Herbert Sören Ludvig, Zimmermann,

155 Jfr. Laustsen 2007, s. 120.
156 Dommen faldt 5. marts 1943 (Laustsen 2007, s. 121).
157 Dømt 6. marts 1943 (Laustsen 2007, s. 121).
158 Dømt 6. marts 1943 (Laustsen 2007, s. 121).
159 Dømt 6. marts 1943 (Laustsen 2007, s. 121).
160 Dømt 6. marts 1943 (Laustsen 2007, s. 121).

546 APRIL 1943

geboren am 3.7.1909
aktives Mitglied der illegalen DKP
– 4 Monate Gefängnis –

16. Kastoft, Helga, verheiratete Larsen
(Ehefrau des Parteileiters Aksel Larsen)
geboren am 14.2.1912
vermittelte eine illegale Briefanlaufstelle
– 80 Tage Gefängnis –
(nach Strafverbüßung in Internierungshaft)[161]

17. Dössing, Leif, Bibliotheks-Eleve
geboren am 9.9.1919
Verbreiter illegaler Schriften
– 4 Monate Gefängnis –

18. Bechgaard, Carl Erik, Bücher-Revisor
geboren am 6.8.1917
Leiter eines kommunistischen Studienkreises
– 6 Monate Gefängnis –

19. Christy, Tove, Krankenschwester
geboren am 31.5.1917
diese gehörte zur Leitung der Abteilung V der illegalen DKP
– 5 Monate Gefängnis –[162]

20. Jensen, Osvald Christian Holt, Schiffsarbeiter
geboren am 5.8.1911
gehörte zur Leitung der Abteilung V der illegalen DKP
– 5 Monate Gefängnis –

21. Samson, Peter Erik, Student
geboren am 18.1.1917
beherbergte Aksel Larsen in seiner Wohnung, die gleichzeitig als illegale Briefanlaufstelle
diente
– 5 Monate Gefängnis –[163]

161 Helga Kastoft blev anholdt 2. november 1942, siden ført til den tyske afdeling af Vestre Fængsel og 24. februar 1943 tilbage til dansk fængsel. Den 23. marts 1943 blev hun dømt ved Københavns Byret, hvor straffen ansås for udstået ved varetægtsfængslingen. Den 12. juni 1943 blev hun løsladt fra internering (PKB, 7, s. 273).
162 Overført til Stutthof 5. oktober 1943 (Barfod 1969, s. 403).
163 Samson blev i lighed med de tre følgende dømt i slutningen af marts. De havde alle fire været med til at sørge for Aksel Larsens logi- og poststed på Borgskrivervej 1 (Laustsen 2007, s. 121).

22. Jensen, Inger Marie, Kontoristin
geboren am 15.9.1919
ist Mitinhaberin der vorgenannten Wohnung
– 3 Monate Gefängnis –

23. Jensen, Eli, Kontoristin
geboren am 9.4.1921
ist Mitinhaberin der vorgenannten Wohnung
– 3 Monate Gefängnis –

24. Solholm, Karen, Studentin
geboren am 3.1.1919
vermittelte die Wohnung Samson zum erwähnten Zweck
– 5 Monate Gefängnis –

25. Nielsen, Edmund Emil, Metallarbeiter
geboren am 25.3.1916
aktives Mitglied der illegalen DKP und Teilnehmer eines kommunistischen Studienkreises
– 5 Monate Gefängnis –

26. Jensen, Björn, Hutmacher
geboren am 2.12.1894
Mitglied der illegalen Bezirksleitung von Kopenhagen
– 1 Jahr Gefängnis –[164]

27. Krintel-Petersen, Gerda Olivia, Zahntechnikerin
geboren am 4.3.1912
wegen illegaler Kuriertätigkeit, Beteiligung an Chiffrierarbeiten im Funkapparat und
Quartiergeberin für Aksel Larsen
– 1 Jahr und 6 Monate Gefängnis –[165]

28. Kärn, Arild Teit, Arzt,
geboren am 19.6.1908
Kurier im Funkapparat
– 7 Monate Gefängnis –[166]

---

164 Bjørn Jensen blev søgt arresteret 9. december 1942 på grund af oplysninger fra Aksel Larsen, men først i slutningen af januar 1943 lykkedes det at fange ham. Han blev dømt i marts og var fængslet til september samme år, da det lykkedes ham at flygte fra et hospital og siden holde sig på fri fod (Laustsen 2007, s. 114).
165 Gerda Petersen blev anholdt 5. november 1942 (Laustsen 2007, s. 110).
166 Teit Kærn fik 30. marts 1943 syv måneders fængsel ved Københavns Byret, som Østre Landsret 10. juni 1943 skærpede til 10 måneders fængsel. Kærn blev overført til Horserødlejren, hvorfra han flygtede 29. august 1943 (PKB, 7, s. 278, Laustsen 2007, s. 121).

548

APRIL 1943

29. Kierulff, Helge Theill, Milchhändler
geboren am 31.8.1910
Kurier im Funkapparat
– 2 Jahr 6 Monate Gefängnis –[167]

30. Zetterquist, Hilding Gustav Albert, Verwalter
geboren am 2.8.1905
Kurier im Funkapparat
– 1 Jahr 6 Monate Gefängnis –[168]

31. Olsen, Erley, Student,
geboren am 10.1.1914
Funker der illegalen DKP
– 6 Jahre Gefängnis –[169]

32. Söndergaard Jensen, Anna Marie Theodora Elisabeth, Ehefrau
geboren am 2.2.1903
wegen illegaler Chiffriertätigkeit im Funkapparat
– 2 Jahre Gefängnis –[170]

33. Demant, Erik Tange, Kontorgehilfe
geboren am 6.7.1915
Mitglied einer illegalen Abteilungsleitung
– 1 Jahr Gefängnis –

34. Demant, Agnes Helene, Ehefrau
geboren am 7.4.1917
wegen Beteiligung an einem illegalen Studienkreis
– 3 Monate Gefängnis –

35. Jensen, Carl Wilhelm, Direktor
geboren am 20.12.1895
wegen Beteiligung an Gründung der illegalen Organisation "Frit Danmark" und als
Verbindungsmann von Aksel Larsen zu kommunistischen Kreisen in Stockholm

167 Kierulff blev 7. april 1943 idømt 2 ½ års fængsel, der blev stadfæstet af Østre Landsret 10. juni 1943.
Han blev 5. oktober 1943 overført til koncentrationslejren Stutthof (PKB, 7, s. 278, Barfod 1969, s. 405).
168 Byrettens dom blev senere af Østre Landsret skærpet til to års fængsel. Han blev benådet i marts 1944
efter at have udstået 2/3 af straffen (Laustsen 2007, s. 122).
169 Erley Olsen var blevet anholdt 2. november 1943 og blev idømt 6 års fængsel 7. april 1943 (senere stadfæstet af Østre Landsret). Det var den hårdeste dom af alle, som blev tildelt i kredsen omkring Aksel Larsen.
Olsen undveg 21. september 1943 fra Statsfængslet i Vridsløselille og holdt sig siden på fri fod (PKB, 7, s.
268f., 271, Laustsen 2007, s. 122f.).
170 Elisabeth Søndergaard Jensen blev dømt 30. marts 1943 til to års fængsel, idet der blev taget hensyn
til hendes dårlige helbred. Dommen blev stadfæstet af Østre Landsret i juni 1943. Hun undslap et halvt år
senere fra Sundby Hospital og holdt sig siden på fri fod (Laustsen 2007, s. 121f.).

– 1 Jahr 6 Monate Gefängnis –[171]

36. Jarl, Axel, Gutsbesitzer
geboren am 28.5.1871
wegen finanzieller Unterstützung des Parteileiters Aksel Larsen
– 4 Monate Haft –[172]

37. Chiewitz, Ole, Professor und Chefarzt
geboren am 26.10.1883
wegen Teilnahme an der Gründung der illegalen Organisation "Frit Danmark"
– 8 Monate Haft –[173]

38. Dössing, Thomas Marius, Bibliotheksdirektor
geboren am 6.6.1882
wegen Teilnahme an der Gründung der illegalen Organisation "Frit Danmark"
– 4 Monate Haft –[174]

39. Prytz, Rud., Rechtsanwalt
geboren am 7.12.1899
wegen Teilnahme an der Gründung der illegalen Organisation "Frit Danmark", sowie
der Verfasserschaft und Herstellung der Hetzschrift "Frit Danmark"
– 6 Monate Haft –[175]

40. Petersen, Ernst Anders Lysholdt, Rechtsanwalt
geboren am 19.8.1890
soll Leiter einer "Frit Danmark" Gruppe in Odense gewesen sein
– Freigesprochen –

41. Pedersen, Louise Margrethe, Buchdruckerin und Ehefrau
geboren am 2.12.1912
ist Inhaberin einer Druckerei in Hundested, wo "Land und Volk" gedruckt wurde
– 1 Jahr 6 Monate Gefängnis –[176]

171 Carl Jensen, direktør ved General Motors, var blevet anholdt 4. december 1942. Han havde to gange været kurer til svenske kommunister for Aksel Larsen. Den 9. april 1943 fik han den anførte straf (PKB, 7, 273, Laustsen 2007, s. 133f.,).

172 Godsejer Axel Jarl med godserne Strødam og Sofienborg finansierede købet af et hus på Baldrianvej i København, der skulle være illegal bolig for Aksel Larsen. Han blev herfor 7. marts 1943 idømt fire måneders fængsel. Retten udsatte imidlertid afsoningen, og senere blev Jarl benådet mod at erlægge en bøde på 3.000 kr. (Laustsen 2007, s. 121).

173 Chiewitz blev efter tysk krav anholdt 9. december 1942 og blev dømt 9. april 1943 (PKB, 7, s. 274-277).

174 Døssing blev ligeledes efter tysk krav anholdt 9. december 1942 og dømt 9. april 1943 (PKB, 7, s. 274-277).

175 Også Prytz blev efter tysk krav anholdt 9. december 1942 og dømt 9. april 1943 (PKB, 7, s. 274-277).

176 Bogtrykker Louise Pedersen, hendes mand Karl Otto Pedersen og Hans Peter Petersen blev anholdt

550 APRIL 1943

42. Pedersen, Karl Otto, Schiffszimmermann
geboren am 5.3.1920
beteiligte sich an den Druckarbeiten
– 6 Monate Gefängnis –

43. Petersen, Hans Peter, Buchdrucker
geboren am 15.4.1922
beteiligte sich an den Druckarbeiten
– 1 Jahr Gefängnis –

44. Bjerregaard, Vagn Aage, Arbeitsmann
geboren am 26.10.1918
aktives Mitglied der DKP
– 8 Monate Gefängnis –

45. Raahauge Jensen, Jörgen Kristian, Maurer
geboren am 20.9.1909
Mitglied einer illegalen Distriktsleitung
– 8 Monate Gefängnis –

46. Lindquist, Marie Kristine, Telefonistin
geboren am 18.8.1897
illegale Post- und Material-Anlaufstelle
– 8 Monate Gefängnis –

47. Martinsson, Thure Valdemar, Schneider
geboren am 8.1.1907
aktives Mitglied der illegale DKP und Teilnehmer eines kommunistischen Studienkreises
– 3 Monate Gefängnis –

48. Bentzen, Harald Kjersteen, Tischler
geboren am 4.7.1904
aktives Mitglied der DKP
– 3 Monate Gefängnis –

49. Tanggaard, Sören Jensen, Kontorgehilfe
geboren am 11.7.1908
Verbreiter der illegalen Schrift "Frit Danmark"
– 60 Tage Haft –

29. december 1942 efter i nogle dage at være holdt under observation. Anholdelserne skete på baggrund af oplysninger fra Aksel Larsen. Fund af navne og adresser i trykkeriet førte til yderligere anholdelser (PKB, 7, s. 278f.).

50. Hansen, Allan Villy Frederik, Kontorassistent
geboren am 11.5.1905
Verbreiter der illegalen Schrift "Frit Danmark"
– 80 Tage Haft –

51. Höyer, Niels Aage, Kontorgehilfe
geboren am 27.2.1907
Verbreiter der illegalen Schrift "Frit Danmark"
– 80 Tage Haft –

52. Hammerslev, Harald Frederik, Kontorassistent
geboren am 18.10.1899
Verbreiter der illegalen Schrift "Frit Danmark"
– 80 Tage Haft –

53. Weinreich, Villy Anders, Eisenbahngehilfe
geboren am 9.5.1904
Verbreiter der illegalen Schrift "Frit Danmark"
– freigesprochen –

54. Thomsen, Jörn, Korrespondent
geboren am 28.1.1912
Verbreiter der illegalen Schrift "Frit Danmark"
– freigesprochen –

55. Pedersen, Holger Rasmus, Buchdruckermeister
geboren am 23.10.1903
Drucker der illegalen Schrift "Frit Danmark"
– 2 Jahre Gefängnis –

56. Pedersen, Gunnar, Typograph
geboren am 11.10.1905
Drucker der illegalen Schrift "Frit Danmark"
– 1 Jahr Gefängnis –

57. Petersen, Knud, Handelsgehilfe
geboren am 11.10.1912
beteiligt an der Herstellung von "Frit Danmark"
– 1 Jahr Gefängnis –

Verzeichnis
der im Zuge der Aktion vom 2.11.1942 festgenommenen und wegen illegaler kommunistischer Betätigung internierten Personen.

1. Carlsen, Hedevig,[177] Hausmädchen
geboren am 24.2.1918
illegale Quartiergeberin

2. Barfod, Knud,[178] Monteur
geboren am 29.7.1907
war beteiligt am Bau eines illegalen Senders der DKP

3. Therkildsen, Hans Egon,[179] Gärtner
geboren am 12.10.1915
beabsichtigte einen Schlag auf die Eisenbahnbrücke bei Vigerslev

4. Andersen, Harry Andreas,[180] Arbeiter
geboren am 10.10.1915
beteiligte sich an der Besprechung vorerwähnten Anschlages

5. Thomsen, Roald Zahle,[181] Arbeiter
geboren am 5.9.1911
steht in dringendem Verdacht, einer Sabotagegruppe anzugehören.

6. Skov-Hansen, Poul,[182] Gärtner
geboren am 21.4.1915
ist ehemaliger Rotspanienkämpfer und stand im Verdacht einer Sabotagetätigkeit.

---

177 Hedevig Carlsen havde givet Aksel Larsen illegalt logi, da han vendte tilbage til København i slutningen af juni 1941. Hun blev anholdt efter tysk krav 4. december 1942, afhørt og interneret uden dom i Horserødlejren. Efter 29. august 1943 blev hun deporteret til koncentrationslejren Stutthof, hvor hun omkom 15. februar 1945 (*Faldne i Danmarks Frihedskamp*, 1970, s. 76f.).

178 Knud Barfod blev angivet til Gestapo af Karl Winther og arresteret 2. november 1941. Efter forhør interneret i Horserødlejren og påfølgende deporteret til koncentrationslejren Stutthof 2. oktober 1943. Han døde på et sovjetisk lazaret 12. maj 1945 (*Faldne i Danmarks frihedskamp*, 1970, s. 51, Laustsen 2007, s. 196).

179 Hans Egon Therkildsen blev angivet til Gestapo af Karl Winther. Han havde fortalt Winther om sine og kammeraterne Hans Andersen og Axel Muncks planer om at forøve sabotage, men havde ikke på anholdelsestidspunktet foretaget sig noget. Han blev efter afhøring interneret i Horserødlejren og efter 29. august deporteret til Stutthof, hvor han i marts 1945 blev befriet af Den Røde Hær (PKB, 7, s. 271, Laustsen 2007, s. 186f.).

180 Harry Andersen var også angivet til Gestapo af Karl Winther og blev interneret i Horserødlejren, hvorfra han undslap 29. august 1943 (PKB, 7, s. 271, Laustsen 2007, s. 186f.).

181 Roald Thomsen var tidligere Spaniensfrivillig, og han blev opsøgt af Karl Winther på Gestapos opfordring. Winther fandt ud af, at han var interesseret i sabotage, men endnu ikke havde foretaget en aktion. Thomsen blev arresteret 2. november 1942, afhørt og siden interneret i Horserød, hvorfra han undslap 29. august 1943 (PKB, 7, s. 271, Laustsen 2007, s. 188f.).

182 Poul Skov Hansen var tidligere Spaniensfrivillig, der blev opsøgt af Karl Winther. Winther fandt ud af, at Skov Hansen ikke beskæftigede sig med sabotage, men kommunistisk agitation. Skov Hansen blev anholdt 2. november 1942 og anklaget for sabotage, men senere kortvarigt løsladt og igen anholdt og interneret i Horserødlejren. Herfra undslap han 29. august 1943 (PKB, 7, s. 268f., Laustsen 2007, s. 192f.).

390. Kriegstagebuch/Admiral Dänemark 30. April 1943

Det havde ikke synderlig virkning på de fiskekuttere, der fiskede vestligt for advarselsområdet i Nordsøen, at den uden varsel kunne skydes på dem. Antallet af sabotager var faldet i anden halvdel af april, hvilket var et resultat af anholdelse af et større antal sabotører. Derimod var fabriksværnet ikke tilstrækkeligt.

  Kilde: KTB/ADM Dän 30. april 1943, RA, Danica 628, sp. 3, s. 2057-59.

[...]

VIII. Dänische Fischerei

Nach Freigabe warnungslosen Waffeneinsatzes gegen Ausbrechen dänischer Fischer nach Westen wurden 9 dänisch Fischkutter westl. des Nordsee-Warngebietes von deutschen Flugzeugen mit Bordwaffen beschossen. Keine besonderen Wirkungen beobachtet.[183]

IX. Sabotagefälle

Die Anzahl der gemeldeten Sabotagefälle hat in der zweiten Aprildekade gegenüber der ersten Aprildekade um 40 % abgenommen. Der Rückgang der Sabotagefälle dürfte z.T. auf die in den letzten Wochen erfolgte Festnahme einer erheblichen Zahl von Saboteuren zurückzuführen sein. Im April wurden bisher insgesamt 15 Personen festgenommen, die der Sabotage überführt oder verdächtig sind. In der Zeit vom 1.1.43 bis 18.4.43 wurden insgesamt 45 Personen wegen Sabotage oder Aufforderung dazu und wegen Sabotageverdacht festgenommen.

  Von den in der Zeit vom 1.4. bis 30.4.43 gemeldeten 78 Sabotagefällen entfielen 23 auf Heer, 1 Fall auf Marine, 12 Fälle auf Luftwaffe und 42 Fälle auf Wirtschaftsbetriebe. Es handelt sich in den meisten Fällen um Brandstiftungen und Sprengstoffanschläge, in einigen Fällen um Zerschneiden von Feldkabeln.

  Die zahlreichen Sabotagefälle, insbesondere in kriegswichtigen Wirtschaftsbetrieben, zwangen zur Einleitung von Schritten für weitergehende Sicherung der großen Betriebe mit einer Beschäftigungszahl von mehr als 50.

  Wie die Vorkommnisse der letzten Zeit gezeigt haben, genügt der vorhandene Werkschutz nicht. Da nach einer neuen Anordnung die dänische Regierung im Fall der Sabotage an deutschem Wehrmachtsgut zur Ersatzleistung in *Sachwerten* verpflichtet ist, darf angenommen werden, daß von Adm. Dän. beantragte Verstärkung auch im Sinne dänischer Regierung liegt.

X. Dänisches M-Boot "Söridderen"

Die Schwedische Regierung hat das Ersuchen der Dänischen Regierung um Auslieferung von 10 dänischen Staatsangehörigen abgelehnt, die nach einem mißglückten Versuch, am 10.3.43 das dänische Minensuchboot "Söridderen" zu entführen, nach Schweden geflüchtet sind. Die Schwedische Regierung sieht die Tat als politisch an, während die Dänische Regierung den Tätern mehr kriminelle Straftaten (Freiheitsberaubung und Diebstahl gegenüber der Mannschaft u.a.) zur Last legt. Dänischerseits wurde daraufhin die Erwartung ausgesprochen, daß die Betreffenden zur Verantwortung gezogen werden und keine Gelegenheit erhalten, außer Landes zu gehen.

183 Se BSN til OKM 29. marts og 17. juni 1943.

554 APRIL 1943

XI. Illegaler Personenverkehr von Bornholm nach Schweden
Zwei Vorfälle eines illegalen Personenverkehrs von der Insel Bornholm nach Schweden sind von Admiral Dänemark zum Anlaß genommen worden, u.a. die Forderung zu stellen, die gesamte Insel als Sicherungsgebiet zu erklären. Die damit verbundene Einführung der Kennkarte würde die Kontrolle des Personenverkehrs von und nach Bornholm wesentlich erleichtern. Ferner ist gefordert worden, daß die auf Bornholm vorhandene dänische Küstenpolizei so verstärkt wird, daß jeder Hafen mit mindestens 4 Mann besetzt ist.

XII. Zwischenfall auf der Werft in Helsingör
Auf Grund einer Auseinandersetzung zwischen einem Soldaten der Baubelehrung MS "Tantalus" und einem dänischen Schiffbauer, bei dem offenbar die Schuld auf beiden Seiten zu suchen ist, drohten die Arbeiter der Werft Helsingör in Streik zu treten.

Durch Verhandlung zwischen Admiral Dänemark und Werftdirektor am 12.4. ist Angelegenheit versuchsweise dahin beigelegt, daß ein deutscher Posten nur an Deck oder vor dem Schiff eingesetzt wird, während im Innern des Schiffes Werkschutz der Werft die Bewachung übernimmt. Aufgaben der Baubelehrung werden nicht beeinträchtigt.

[...]

391. Rüstungsstab Dänemark: Lagebericht 30. April 1943

En indført tysk beskatning af jern- og stålmaterialer havde ført til tilbageholdenhed hos dansk industri med hensyn til at påtage sig produktionsopgaver. Endvidere var dansk industri på den baggrund blevet tilbageholdende med at stille materialer fra andre lagre til rådighed med deraf følgende forsinkelse af leveringerne. Kampen mod sabotagen blev fortsat, fabriksvagterne var blevet bevæbnet, men fortsat afhang det mest af deres indstilling, om de ville være virksomme. Skader på tysk ejendom forårsaget af sabotage blev erstattet af den danske stat.

Kilde: BArch, Freiburg, RW 27/8. RA, Danica 1000, T-77, sp. 696, KTB/Rü Stab Dänemark 2. Vierteljahr 1943, Anlage 3.

Abschrift!

Rüstungsstab Dänemark   *Kop., d. 30. April 1943*
ZA/Ia Az. 66 dl/Wi-Ber. Nr. 442/43 geh.   Geheim!
Bezug: OKW Wi Rü Amt/Rü IIIb Nr. 21755/42 v. 9.5.42.
Betr.: Lagebericht.

An den Reichsminister für Bewaffnung und Munition – Rüstungsamt –
    Berlin-Charlottenburg 2.
    Verlängerte Jebenstr. Behelfsbau am Zoo.

Rü Stab Dänemark übersendet in der Anlage den Lagebericht für Monat April 1943.
gez. **Forstmann**

Rüstungsstab Dänemark   *Kopenhagen, d. 30.4.1943*
ZA/Ia Az. 66 dl/Wi-Ber. Nr. 442/43 geh.   Geheim!

Vordringliches

Die Anordnung E 61 der Reichsstelle Eisen und Metalle zur Steuerung der Erzeugung von Eisen und Stahlmaterial vom 1.2.43, die ab 1.4.43 für jeden Auftrag zur Kennzeichnung des Bedarfszweckes eine *Auftragssteuerungs-Nummer* verlangt, hat bei der dänischen Industrie erhebliche Bedenken hervorgerufen. Allerdings ist noch nicht endgültig entschieden, ob die Anordnung auch für dänische Bestellungen an die deutschen eisenschaffende und eisenverarbeitende Industrie zur Erledigung deutscher Verlagerungsaufträge Geltung haben soll. Rü Stab Dänemark hat sich an die Reichsvereinigung Eisen gewandt und darauf hingewiesen, daß die dänischen Auftragnehmer bei Verlagerungsaufträgen bisher Material aus eigenen Beständen vorgeschossen haben und bei Einführung der Auftragssteuerungs-Nummern befürchten, erheblich länger als bisher auf den Materialnachschub warten zu müssen. Die Folge könnte sein, daß sie es ablehnen, mit Material aus eigen Beständen zunächst in Vorlage zu treten, wodurch der Fertigungsanlauf verzögert wird.

Der Kampf gegen die *Sabotage* wird fortgeführt. Der Werkschutz wurde nach Beseitigung großer Schwierigkeiten, welche die dänische Industrie selbst machte, mit Pistolen bewaffnet. Er untersteht der dänischen Polizei und wird von ihr laufend kontrolliert. Allerdings hängt die Sabotageabwehr durch den Werkschutz von der Tatkraft, dem Mut und der persönlichen Einstellung der Wächter ab. Hierbei muß man mit großen Versagern rechnen, denn die Denkweise der dänischen Wächter ist oft eine andere als die der in der deutschen Industrie eingesetzten deutschen Wächter.

Von den im April verübten Sabotagefällen ist ein Fabrikbrand hervorzuheben, bei dem 3.000 für die Kriegsmarine bestimmte Militärschränke verbrannten; der Schaden beträgt ca. RM 100.000,00[184] Auf der Werft Nordbjerg & Wedell in Kopenhagen wurde das in Bau befindliche KM-Boot Nr. 33 durch eine Sprengbombe beschädigt.[185] – Jede Zerstörung deutschen Wehrmachteigentums wird auf dänische Kosten und aus dänischem Materialkontingent wieder gutgemacht.

1a. Stand der Fertigung

Wertsumme der seit der Besetzung Dänemarks über Rü Stab Dänemark erteilten unmittelbaren und mittelbaren Wehrmachtaufträge:

Am 28.2.1943	RM	388.478.462,-
Zugang im März 1943	–	13.579.490,-
Am 31.3.1943	RM	402.057.952,-
Auslieferungen im März 1943	RM	8.648.256,-

184 Det drejer sig sandsynligvis om sabotagen mod Chr. Hansens Møbelfabrik "Falster" i Nykøbing Falster, der leverede skabe til værnemagten. Sabotagen blev udført af en DKUer, der netop var løsladt, og to kammerater. Ved den opståede brand skete der en meget betydelig skade, der beløb sig til 373.000 kr. (Kjeldbæk 1997, s. 109).
185 Der blev forøvet sabotage mod Nordbjerg & Wedels Bådebyggeri 9. april 1943 (Alkil, 2, 1945-46, s. 1214).

Aufträge des kriegswichtigen zivilen Bedarfs:

Am 28.2.1943	RM	60.163.600,-
Zugang im März 1943	–	774.196,-
Am 31.3.1943	RM	60.937.796,-
Auslieferungen im März 1943	RM	1.017.734,-

Bei den ersten drei Neubauten von den insgesamt 37 Schiffen des *Hansa-Programms*, die in Dänemark gebaut werden sollen, ist inzwischen die Kiellegung erfolgt. Es handelt sich bei diesen 3 Schiffen um Fahrzeuge von 3.000 to Tragfähigkeit; 2 wurden bei der Schiffswerft von Burmeister & Wain, das 3. bei der Helsingör-Werft auf Kiel gelegt.

Die am 1.3.41 mit wesentlicher Unterstützung des Rü Stab Dänemark gegründete Firma Henry Rasmussen, Yacht- und Bootswerft, Svendborg, ist nunmehr zur voll beabsichtigten Produktion gekommen. Die Firma ist zwar rechtlich gesehen eine dänische AG., steht jedoch in engster persönlicher und kapitalmässiger Verflechtung mit der Schiffswerft Abeking & Rasmussen, Lemverder, und kann als deren Tochtergesellschaft angesehen werden.[186] Die Belegschaft beträgt heute 145 Köpfe. Außerdem hat die Firma noch einige örtliche Handwerksbetriebe für ihre Produktion eingeschaltet. – Bisjetzt wurden 46 kleine Schulboote versch. Typs und 27 Motorpinassen ohne Kajüte abgeliefert. Es laufen dort weitere Aufträge über 42 Motorpinassen ohne Kajüte, von denen jetzt jeden 7. Tag ein Boot abgeliefert wird, über 10 Schulboote und 12 RA-Boote. Das erste RA-Boot wurde kürzlich zu Wasser gebracht. Die nächsten 4 Boote befinden sich in Bau, ab Mai 1943 wird durchschnittlich ein Boot je Monat abgeliefert werden.

Freie Leistungskapazitäten sind für Holzbearbeitung und für Metalldreharbeiten vorhanden.

1c. Versorgung der Betriebe mit Roh- und Betriebsstoffen

Die Anlieferung von Eisen und NE-Metallen erfolgte mit starker Verzögerung. Besonders die Fertigung der Aufträge für den kriegswichtigen zivilen Bedarf kommt dadurch in erheblichen Rückstand.

Der deutsche Lieferungsrückstand an *Eisen und Stahl* betrug am 28.2.43 32.284 to, er ist um etwa 1,5 % gegenüber dem Stand vom 31.1.43 zurückgegangen.

Der Rückstand an NE-Metallen betrug am gleichen Stichtag 395 to, das sind etwa 10 % weniger als im Vormonat.

2b. Lage der Energieversorgung

Die Zuteilung von Treibstoffen an die mit Wehrmachtaufträgen belegten dänischen Betriebe war ausreichend, Petroleum konnte durch Austausch gegen Solaröl in geringem Massen zugewiesen werden. Es wurden von den dänischen Firmen 1.020 ltr. Benzin und 86.205 kg Dieselöl angefordert. Zugewiesen wurden nach Prüfung durch Rü Stab Dänemark 630 ltr. Benzin und 63.200 kg Dieselöl. Es wurden somit 390 ltr. Benzin und 23.005 kg Dieselöl erspart.

Wegen zusätzlicher Gas- und Stromversorgung der mit den wichtigsten Wehrmacht-

---

186 Dette 100 % tyskkontrollerede værft blev senere sabotagemål, men med en arbejdsstyrke på ca. 140 mand var det blandt de mindre værfter (Jensen 1976, s. 24f.).

aufträgen belegten Betriebe wird laufend über den Bevollmächtigten des Reiches in Dänemark mit der Dänischen Regierung Fühlung gehalten.

2c. Lage der Kohlenversorgung

Im März wurden etwa 210.000 to Kohle und etwa 60.000 to Koks eingeführt. Das allmähliche Absinken der Einfuhren aus Deutschland läßt sich leicht veranschaulichen, wenn man die durchschnittlich *pro Monat* eingeführten Mengen in den 3 Perioden seit der Besetzung Dänemarks – jedesmal vom 1.6.-31.5. gerechnet – vergleicht:

	Kohle	Koks	Dän. Staatsbahn
1940/41	ca. 174.000 to	87.000 to	37.000 to
1941/42	ca. 153.000 to	77.000 to	34.000 to
1942/43 (10 Monate)	ca. 147.000 to	50.000 to	37.000 to

Da die langsam steigende Braunkohlenförderung Dänemarks von den E-Werken und den industriellen Betrieben benötigt wird, kann die Deckung des Haushaltbedarfs allein aus einer Steigerung der Torfproduktion erfolgen; mit ihr ist zu rechnen, da die zeitigen Frühjahrsstürme die feuchten Restbestände des letzten Jahres getrocknet haben und durch Gewährung staatlicher Prämien ein erhöhter Anreiz für die Torfgewinnung geschaffen wird. Ferner wird Torfstreu (ein Abfallprodukt in den Torfmooren) für Heizzwecke durch Brikettierung verwendbar gemacht. Mit der Herstellung von Torfbriketts werden sich in diesem Jahr ungefähr 100 Betriebe befassen.

558